中国语言学论文索引

(1991—1995)

中国社会科学院语言研究所编

商务印书馆
2003年·北京

图书在版编目(CIP)数据

中国语言学论文索引:1991—1995/中国社会科学院语言研究所编.—北京:商务印书馆,2003
ISBN 7-100-03445-0

Ⅰ.中… Ⅱ.中… Ⅲ.语言学-论文-中国-1991-1995-索引 Ⅳ.Z89:H0

中国版本图书馆 CIP 数据核字(2002)第 004956 号

所有权利保留。
未经许可,不得以任何方式使用。

ZHŌNGGUÓ YǓYÁNXUÉ LÙNWÉN SUǑYǏN
中 国 语 言 学 论 文 索 引
(1991——1995)
中国社会科学院语言研究所编

商 务 印 书 馆 出 版
(北京王府井大街36号 邮政编码100710)
商 务 印 书 馆 发 行
民 族 印 刷 厂 印 刷
ISBN 7-100-03445-0/H·877

2003年1月第1版　　　开本 787×1092　1/16
2003年1月北京第1次印刷　印张 41½
印数 4 000 册
定价:54.00元

目　录

《中国语言学论文索引》(1991—1995)说明 ………………………………………… 1
《中国语言学论文索引》(1991—1995)所收报刊一览 …………………………… 2

第一部分　语言和语言学

语言理论 ……………………………………………………………………………… 1
　　马克思主义和语言学问题 …………………………………………………… 10
　　语言学学术思想问题 ………………………………………………………… 11
　　语言和思维 …………………………………………………………………… 17
　　语言的起源和发展 …………………………………………………………… 24
　　　　民族语言、文学语言(标准语) ………………………………………… 25
　　　　方言 ………………………………………………………………………… 27
　　　　社会方言、同行语 ……………………………………………………… 28
　　　　国际辅助语、世界语 …………………………………………………… 29
　　　　儿童语言 ………………………………………………………………… 29
　　书评 ……………………………………………………………………………… 30
语言学史(外国) ……………………………………………………………………… 37
历史比较语言学和对比语言学 …………………………………………………… 42
应用语言学和数理语言学 ………………………………………………………… 49
语言学教学和语言学知识 ………………………………………………………… 55
　书评 ………………………………………………………………………………… 60
语音学 ………………………………………………………………………………… 61
词汇学 ………………………………………………………………………………… 65
　语义学 ……………………………………………………………………………… 68
　书评 ………………………………………………………………………………… 75
语法学 ………………………………………………………………………………… 75
修辞学、风格学 ……………………………………………………………………… 86
文字学 ………………………………………………………………………………… 99
计算机和语言学 …………………………………………………………………… 102

第二部分　汉语

中国语言学史 ……………………………………………………………………… 121

研究方向、学术活动 ·· 122
　　书评 ··· 126
汉语 ·· 129
　　古汉语 ··· 130
　　校勘和标点 ··· 134
现代汉语 ··· 138
　　汉族共同语问题 ·· 139
　　规范化问题 ··· 141
　　书面语和口语 ··· 153
　　文学作品语言 ··· 161
　　　文学作品和方言 ·· 167
　　诗的语言 ·· 167
　　戏曲和曲艺语言 ·· 170
　　话剧、电影和广播语言 ··· 171
　　新闻语言 ·· 172
　　普通话和方言 ··· 174
　　　推广普通话 ··· 176
　　　方言和方言调查 ·· 180
　　　北方话方言 ··· 191
　　　吴方言 ·· 195
　　　湘方言 ·· 197
　　　赣方言 ·· 197
　　　客家方言 ··· 198
　　　闽方言 ·· 199
　　　粤方言 ·· 201
　　　官话 ··· 202
　　书评 ··· 202
汉语语音 ··· 206
　　古代和近代语音 ·· 206
　　现代语音 ·· 218
　　　字调和语调 ··· 219
　　　语音规范 ··· 222
　　书评 ··· 223
汉语词汇 ··· 224
　　汉语词典 ·· 226
　　古代词汇 ·· 243
　　近代词汇 ·· 265
　　现代词汇 ·· 270
　　　同义词、反义词 ·· 279

- 特种词汇 …… 280
  - 成语、谚语、歇后语、同行语 …… 281
  - 外来语 …… 287
  - 科学名词、人名地名 …… 288
  - 化学名词 …… 289
  - 计量单位 …… 289
  - 人名地名 …… 289
- 译名统一问题 …… 289
- 个别词语（包括实词和虚词，按音排列） …… 290
- 书评 …… 295

汉语语法 …… 300
- 古代语法 …… 300
- 近代和现代语法 …… 316
  - 词和构词 …… 326
  - 词类 …… 330
    - 各个词类 …… 333
    - 句法 …… 345
      - 词组（短语） …… 351
      - 各个句子成分 …… 362
      - 复句 …… 366
      - 特殊句法问题 …… 370
- 书评 …… 383

修辞、写作、翻译 …… 386
- 汉语修辞、风格 …… 386
- 作家语言研究 …… 419
- 写作 …… 423
  - 语言修养（文风、文病） …… 434
- 翻译 …… 436
- 书评 …… 467

汉语文字 …… 471
- 汉字研究 …… 471
  - 古文字 …… 482
- 汉字整理和简化 …… 490
- 汉字整理 …… 491
  - 造新字问题 …… 495
- 汉字简化 …… 495
  - 简化方案 …… 498
  - 同音代替问题 …… 499
- 检字 …… 499

横排	500
文字改革	500
不同的意见及反驳	500
文字改革和文化遗产问题	502
新形声字问题	504
夹用拼音字问题	504
综合文字问题	504
拼音字母	506
注音字母	506
拉丁化新文字	506
方案问题的讨论	507
汉语拼音方案	507
拼写问题	508
标调问题	509
同音字问题	509
拼音字母在各方面的应用	509
速记	509
盲文	509
手语、体态语	509
书评	510
汉语教学	512
成人识字教学(扫除文盲)	517
非汉人学习汉语	517
书评	526

第三部分　少数民族语言

少数民族语言概述	527
创制改进文字和发展语言的工作	528
各个语言	531
白语	534
布依语	534
朝鲜语	534
达斡尔语	534
傣语	535
东乡语	536
侗语	536
独龙语	537

鄂伦春语 ··· 537
高山语 ··· 537
哈尼语 ··· 537
哈萨克语 ·· 537
嘉戎语 ··· 539
景颇语 ··· 539
柯尔克孜语 ··· 540
黎语 ·· 540
满语 ·· 540
蒙古语 ··· 541
苗语 ·· 543
仫佬语 ··· 545
纳西语 ··· 545
普米语 ··· 545
羌语 ·· 546
畲语 ·· 546
水语 ·· 546
塔吉克语 ·· 546
土家语 ··· 546
突厥语 ··· 546
佤语 ·· 548
维吾尔语 ·· 548
锡伯语 ··· 553
瑶语 ·· 554
彝语 ·· 554
裕固语 ··· 555
载瓦语 ··· 556
藏语 ·· 556
壮语 ·· 558
古语言文字 ·· 559

附　录

作者索引 ··· 562

《中国语言学论文索引》(1991—1995)说明

1. 本索引所收论文以在中国刊物上发表的为限,以中国作者的著作为主,酌收外国作者直接在中国刊物上发表的著作。台湾省发表的论文,由于资料的限制,暂缺。
2. 本索引所收论文以论述中国境内的语言及一般性语言理论与问题为限,论述国外各个语言的著作不收。
3. 本索引所收论文的期限是1991年到1995年(少数是1990年)。
4. 著录体例,先列篇名,次列著者,再列报刊名称、年份期数、起讫页数。
5. 本索引分类编排,各类之间往往互有联系,读者须互相参考。第一部分和第二部分的类目多有同性质的(如第一部分的"语音学"和第二部分的"汉语语音"),"汉语教学"底下的小类和前面的大类也密切相关(如"非汉人学习汉语"和"语言学教学和语言学知识"),这都是应当互相参考的例子。关于文字改革,一般性的论文都编在"文字改革"类,讨论具体问题的,分别编入"汉字整理和简化"和"拼音字母"两类。
6. 每类之中的论文,大体上按发表先后为序。
7. 分类索引之后附著者索引以便检查。
8. 参加本索引资料收集整理工作的有吕京、李琦、聂建民、王健慈同志。
9. 本索引所收论文范围较宽,但限于编者水平,该收未收或不该收而收的一定很多,其他错误(如作者人名,当初电脑输入有误,现在又不易查出)也一定不少。对此,编者深表歉意;同时,希望读者如有发现,请随时通知北京建国门内大街5号中国社会科学院语言研究所,以便将来修改和补充。

《中国语言学论文索引》(1991—1995)所收报刊一览

安徽大学学报·哲社版(合肥)　1990年4期,1991年1、2、3期,1992年4期,1993年1、2、3期,1994年1、2、3期,1995年1期
安徽教育学院学报·社科版(合肥)　1991年3期,1992年1、2、3、4期,1993年1、2、3期
安徽师大学报·哲社版(芜湖)　1990年4期,1991年1、2、3、4期,1992年1、2、3、4期,1994年2、3、4期,1995年1期
安庆师范学院学报·社科版　1990年4期,1991年1、4期,1992年1、2期,1993年1、2、3、4期,1994年1、3期,1995年1、2期
百花洲　1991年6期
百科知识　1991年1、2、6、7、9、11期
保山师专学报·综合版　1992年1期
宝鸡师院学报·哲社版　1991年2期,1993年2期
北方论丛(哈尔滨)　1990年6期,1991年1、2、4、5、6期,1992年2、4、5、6期,1993年1、2、3、4期,1994年1、3期
北方文物　1991年3期,1992年4期,1993年1期
北京大学学报·英语语言文学专刊　1992年2期
北京大学学报·哲社版　1990年6期,1991年1、3、4期,1992年4、5、6期,1993年2期,1994年2期,1995年5、6期
北京大学研究生学刊·社科版　1991年1期,1993年1期
北京第二外国语学院学报　1991年1期,1993年2、3期
北京社会科学　1991年1、2期,1992年1期,1993年1、3期
北京师范大学学报·社科版　1990年6期,1991年1、2、3、6期,1992年3、4期,1993年2、4、6期,1994年1、2、3、6期,1995年1、6期
北京师范学院学报·社科版　1990年6期,1991年1、3、4、5期,1992年1、3、4、5期
毕节师专学报·社科版　1991年1、2、3期
编辑学报　1991年3期
编辑学刊　1991年2期,1993年2期
编辑之友　1991年3期
滨州师专学报　1991年1期
博览群书　1991年1、2、4、6、10、11期,1993年5期
渤海学刊　1991年1期
长白学刊　1994年4期
长江文艺　1991年4期
长沙水电师院社会科学报　1993年3期
常州工业技术学院学报·社科版　1991年1期

成都大学学报·社科版　1991年1期,1992年1期,1993年1、3期
成都大学学报·文科版　1993年1期
成都师专学报·文科版　1993年1期
成都文物　1991年3期
承德民族师专学报　1993年2期
承德师专学报·社科版　1991年1、2期,1992年1期
重庆师院学报·哲社版　1991年1、3、4期,1992年1、3、4期,1993年2、3期,1994年3期,
　　1995年1、4期
楚雄师专学报·社科版　1993年2期
辞书研究(上海)　1990年5、6期,1991年1、2、3、4、5期,1993年1、2、4期
大理师专学报·哲社版　1992年1/2期,1994年1、2、3期
大庆师专学报　1991年1、2期,1992年1期,1993年1、2期
大学生　1993年1、2期
丹东师专学报·哲社版　1991年1期,1993年2期
当代文坛　1991年3、4、5期
当代作家评论　1991年1、2期
德语学习　1991年2期
地理学报(北京)　1990年4期
地名知识　1991年2、4期
电大文科园地　1991年1、10期
电大语文　1992年11-12期
东北师大学报·哲社版(长春)　1990年6期,1991年1、2、3、4、5期,1992年2、3、4、5、6期,
　　1993年1、2、3、4、6期,1994年3、4期,1995年5期
东疆学刊·哲社版(延吉)　1991年4期,1992年1、2、3、4期,1993年1、2、3期
东南文化　1991年1、2期
东岳论丛(济南)　1990年6期,1991年2、4、6期,1992年1、6期,1993年1、3期,1994年2、
　　3、5期
都江教育学院学报　1991年2期
读书(北京)　1990年12期,1991年1、2、3、5、6期,1992年2、3、10、11期,1993年2、3、8、11
　　期,1994年1、4期
读写月报　1991年4、5、6、7、9、11、12期,1992年4、5、9、10期,1993年3、4、5、6、7、8、9、10、12
　　期
对外报道　1991年1期
对外经济贸易大学学报　1991年1、3期
敦煌研究　1991年1、2、3期,1992年1期,1994年1期
法制日报　1991年7月24日2版
方言(北京)　1990年2、4期,1991年1、2、3、4期,1992年1、2、3、4期,1993年1、2、3、4期,
　　1994年1、2、3、4期,1995年1、4期
方志研究　1991年2、4期

飞天 1993年2期
佛山大学学报 1992年13期
福建师范大学学报·哲社版(福州) 1991年1、2、3、4期,1992年2、3、4期,1993年1、2、3、4期,1994年1、2、3期,1995年1、2、4期
福建史志 1993年2期
福建外语 1991年1-2期
福建文学 1991年2期
福州大学学报·社科版 1991年1期
抚州师专学报 1991年1期
阜阳师院学报·社科版 1991年1期,1992年1期
复旦学报·社科版(上海) 1990年6期,1991年2、3、5期,1992年2、3、4、5、6期,1993年2、5期,1994年1、2、3、5期,1995年2、3、6期
甘肃社会科学(兰州) 1991年2、3期,1992年1期
赣南师范学院学报(赣州)·社科版 1990年5期,1991年1、2、4期,1993年1、2、3期,1995年4、5期
高等学校文科学报文摘 1991年1、2、3、4卷,1992年9卷
古典文学知识 1991年6期
古汉语研究 1991年1、2、5期,1995年1、3、4期,1995年增刊
古籍整理研究学刊(长春) 1990年5期,1991年1、2、3、4、5期,1992年1、2、3、4、6期,1993年1、2、3、4、5期
固原师专学报 1991年1、2、12期,1993年3
故宫博物院院刊(北京) 1991年1期,1992年2、3、4期
光明日报 1991年2月5日2版
光明日报 1991年3月20日
光明日报 1991年6月7日1版
光明日报 1991年10月6日3版
光明日报 1991年10月18日1版
光明日报 1992年3月5日1版
光明日报 1992年8月23日2版
光明日报 1992年9月15日1版
光明日报 1992年9月26日1版
广东民族学院学报·社科版 1991年1期,1993年2期
广东社会科学 1991年3、4、5期,1993年1、3期,1994年3、5期
广西大学学报·哲社版 1993年1期
广西地方志 1993年3期
广西教育学院学报·综合版(南宁) 1991年1、2期,1992年2期,1993年2期
广西民族学院学报·哲社版(南宁) 1991年1期,1992年2期
广西社会科学 1994年6期
广西师范大学学报·哲社版(桂林) 1990年3、4期,1991年3、4期,1992年2、3、4期,1993年

3、4期,1994年1期、4期,1995年1、3期
广西师院学报·哲社版(南宁)　1991年1、3期,1992年2、3期,1993年3期
广州日报　1991年9月3日2版
广州师院学报·社科版　1991年1、2期,1992年1、2、4期,1993年1期
贵图学刊　1991年1期,1993年2期
贵阳师专学报·社科版　1991年1、2、3期,1995年3期
贵州大学学报·社科版(贵阳)　1991年1、3期,1992年2、3、4期,1993年1、2期,1994年1、2、3、4期,1995年1、2期
贵州教育学院学报·社科版(贵阳)　1990年4期,1991年2期,1992年1、3、4期,1993年1、2、3期,1995年2、3期
贵州民族学院学报·社科版(贵阳)　1990年4期,1991年1、2、3、4期,1992年1、2、3、4期,1993年1、2、3、4期,1994年3、4期,1995年3期
贵州民族研究(贵阳)　1991年2、3、4期,1992年1、2、3、4期,1993年1、2、3、4期
贵州社会科学　1991年10期,1994年4期
贵州师范大学学报·社科版(贵阳)　1990年4期,1991年1、2、3、4期,1992年3、4期,1993年2、3、4期,1994年1、2、3、4期,1995年3、4期
贵州文史丛刊　1993年1期
桂林市教育学院学报·综合版　1992年2期
郭沫若学刊　1991年1、2期
国际关系学院学报　1991年1期
国际经贸探索　1993年3期
国际社会科学杂志·中文版　1991年2期
国外社会科学　1992年9期
国外外语教学(上海)　1990年4期,1991年1、2、3、4期,1992年1、3期
国外语言学(北京)　1990年1、4期,1991年1、2、3、4期,1992年1、2、3、4期,1993年1、2、3、4期,1994年1、2、3期
海关研究　1993年3期
海南大学学报·社科版(海口)　1991年1、2期,1993年1、3期,1994年1、2、3期,1995年1、2期
海南师范学院学报·社科版(海口)　1990年3期,1991年1、2、3、4期,1992年1、2、3、4期,1993年1、2、3、4期,1994年1、2期,1995年2、3期
韩山师专学报　1991年1期
汉语学习(延吉)　1990年2、6期,1991年1、2、3、4、5、6期,1992年1、2、3、4、5、6期,1993年1、2、3、4、5、6期,1994年1、2、3、4、5、6期,1995年2、3、5期
汉中师院学报·哲社版　1993年1期
汉字　1992年1期
汉字文化(北京)　1991年1、2、3、4期,1992年1、2、3、4期,1993年1、2、3、4期,1994年1、2、3、4期,1995年1、4期
杭州大学学报·哲社版　1991年1、2、3、4期,1992年1、2、3、4期,1993年1、2、3、4期,1994年

1、3、4 期,1995 年 1、2、3、4 期
杭州师范学院学报·社科版 1991 年 1、2、5 期,1992 年 1、4、5 期,1993 年 1、2、4、5 期
河北大学学报·社科版(保定) 1990 年 4 期,1991 年 1、2、3、4 期,1992 年 1、2、4 期,1993 年 2、3、4 期,1994 年 1、2、3、4 期,1995 年 1、2 期
河北师范大学学报·社科版(石家庄) 1991 年 1、2、3、4 期,1992 年 1、2、3、4 期,1993 年 1、2、3、4 期,1994 年 2、3、4 期,1995 年 1、2、3、4 期
河北师院学报·社科版(石家庄) 1991 年 3、4 期,1992 年 1、2、3、4 期,1993 年 1、2、3、4 期,1994 年 1、2、4 期
河北学刊(石家庄) 1991 年 4 期,1992 年 2、3、4 期,1993 年 4、5 期,1994 年 4 期,1995 年 6 期
河池师专学报·文科版 1993 年 2 期
河南财经学院学报 1993 年 2 期
河南大学学报·社科版(开封) 1990 年 5 期,1991 年 1、2、3、5 期,1992 年 2、5、6 期,1993 年 2、4、5 期,1994 年 1、3、4、5 期,1995 年 1、2、3、4 期
河南师范大学学报·哲社版(新乡) 1991 年 1、2、3、4 期,1992 年 1、2、4 期,1993 年 1、2、3、4、6 期,1994 年 1、3、4、5、6 期
菏泽师专学报·社科版 1991 年 1、2 期
黑龙江财专学报 1991 年 1、2 期,1992 年 1 期
黑龙江教育学院学报(哈尔滨) 1991 年 3 期,1992 年 2 期,1993 年 1 期
黑龙江民族丛刊(哈尔滨) 1991 年 1、2 期
黑龙江日报 1993 年 2 月 24 日 7 版
黑龙江图书馆 1991 年 5、6 期
衡阳师专学报·社科版 1991 年 1、2、4 期,1992 年 1、4 期,1993 年 1、2 期
红楼 1991 年 2 期
红楼梦学刊(北京) 1991 年 1、2、3 期,1992 年 3 期
湖北大学学报·哲社版(武汉) 1990 年 5 期,1991 年 1、2、3、4、5、6 期,1992 年 1、2、3、4、5、6 期,1993 年 1、2、3、4、5、6 期,1994 年 1、2、3、4、5、6 期,1995 年 1、3、5、6 期
湖北教育学院学报·哲社版 1991 年 1、2 期,1993 年 1、3 期
湖北师范学院学报·哲社版 1991 年 2、3 期,1992 年 2、4、5 期,1993 年 1 期
湖南大学学报·哲社版(长沙) 1991 年 5 期
湖南地方志 1991 年 1 期
湖南教育学院学报 1991 年 4 期,1993 年 1、3 期
湖南师范大学学报·社科版(长沙) 1990 年 1、6 期,1991 年 1、2、3、5、6 期,1992 年 1、2、3、4、5、6 期,1993 年 1、3、4、5、6 期,1994 年 1、4 期,1995 年 1、2、6 期
湖州师专学报·哲社版 1991 年 1、2、3 期,1992 年 2 期,1993 年 1 期
华东师范大学·哲社版(上海) 1990 年 6 期,1991 年 1、2、5、6 期,1992 年 1、2、3、4、5、6 期,1993 年 1、2、3、4、5、6 期,1994 年 2、3、4、5 期,1995 年 2、4、5、6 期
华南师范大学学报·社科版(广州) 1990 年 4 期,1992 年 1、3 期,1993 年 1、3、4 期,1994 年 3 期
华侨大学学报·哲社版 1991 年 1 期,1993 年 1 期

华侨大学学报·自然版　1992年2期
华文世界(台北)　1993年67期
华夏考古　1991年2期,1992年1期
华中师范大学学报·哲社版(武汉)　1991年1、2、4、6期,1992年2、3、4、5期,1993年1、2、3、5、6期,1994年2、3、4、5期,1995年1、3、4、5、6期
怀化师专学报·社科版　1991年3、4期,1992年1、2期,1993年2期
淮北煤师院学报·社科版　1990年4期,1991年1、2、3、4期,1992年1、2、3、4期,1993年1、2期,1994年1、2、3、4期,1995年1、3期
淮南社会科学　1991年3期
淮阴教育学院学报·文科版　1991年1期
淮阴师专学报·哲社版　1991年1、2、3期
黄冈师专学报·文科版　1992年2期,1993年1、2期
黄淮学刊·社科版　1992年1期,1993年1、3期
黄坤师专　1991年3期
黄石教育学院学报　1991年1期
徽州师专学报·哲社版　1991年1、2期
惠阳师专学报·社科版　1991年1期,1992年1期
吉安师专学报·哲社版　1991年1、2期,1993年1、2期
吉林大学学报·社科版(长春)　1991年1、6期,1992年2、3、6期,1993年1、3、6期,1994年1、5、6期,1995年1、4、6期
吉林师范学院学报·哲社版　1991年1、2期,1992年1期
集美师专学报　1991年1、2期,1992年2、4期
济宁师专学报·社科版　1991年4期,1992年4期,1993年3期
暨南大学研究生学报　1992年1期
暨南学报·哲社版(广州)　1991年1、2、3、4期,1992年1、2、3、4期,1993年1、2、3期,1994年1、2、3、4期,1995年1、2、3、4期
计算机学报　1991年2期
计算机应用与软件　1991年2、3、4、5、6期,1992年3、6期,1993年3期
佳木斯教育学院学报·社科版　1991年3期,1992年1、4期,1993年1期,1994年1期
佳木斯师专学报　1991年1、2、4期,1992年4期,1993年1、2期,1994年1、2、4期,1995年2期
江海学刊　1991年1期,1992年2、3、5、6期,1993年4、5期
江汉大学学报·社科版　1991年1、2、4期,1992年1期,1993年1期、2期
江汉考古　1991年1期,1992年1期,1993年2期
江汉论坛　1991年6期,1992年2、3、8、9期,1993年5期,1995年12期
江淮论坛(合肥)　1991年1、4、5期,1992年6期,1993年1、2、5期
江苏教育学院学报·社科版　1991年1、2期,1993年1、2期,1995年1期
江苏社会科学(南京)　1991年2、3期,1992年4、6期,1993年1、3期,1994年1、3、4期
江西大学学报·社科版(南昌)　1990年4期,1991年1、2、3、4期,1992年1、2、4期,1993年1

期

江西教育学院学报·社科版(南昌)　1990年4期,1991年1、2期,1992年1、2、4期,1993年1、2、3期

江西社会科学(南昌)　1991年3期,1992年2、4、5期,1993年7期,1994年4、9、12期

江西师范大学学报·哲社版(南昌)　1990年4期,1991年1、2、3、4期,1992年4期,1995年1、2、3期

教学与管理　1991年4期

教育评论　1993年3期

教育研究　1993年8期

教育展望　1993年1期

解放军外语学院学报(洛阳)　1991年1、3、4、5期,1992年2、3、4、5期,1993年1、2、3、4、5期,1994年1、2、3、4、5、6期,1995年2、4、5、6期

锦州师院学报·哲社版　1991年1、2、3、4期,1992年1、2、3、4期,1993年1、2、3、4期

晋阳学刊(太原)　1991年1、3期,1992年3期,1993年1期,1994年2、4、6期

荆州师专学报·社科版　1991年3、6期,1992年4期,1993年1、6期

九江师专学报·哲社版　1991年2、4期,1992年1、2-3、4期,1993年1、2期

喀什师范学院学报·哲社版　1991年1、2、3、4期,1992年1、2、3、4期,1993年1、2、3期,1994年1、2、3期

考古　1991年5、6、7、9、12期

考古文物　1992年1期,1993年1期

考古与文物　1991年1、2、3、6期,1992年4、6期,1993年3期

科学·经济·社会　1991年3期

孔子研究　1991年4期

昆明师专学报·哲社版　1991年2期

兰州大学学报·社科版　1990年4期,1991年1、2、3、4期,1992年2、3、4期,1993年1期,1994年2、3、4期,1995年1、2、3期

兰州学刊　1991年2期,1992年1期,1993年2、3期

理论探讨　1991年5期

理论学刊　1991年3、6期

理论学习月刊　1991年4期

历史大观园　1991年6期

历史教学　1992年4期

历史研究　1991年4期,1993年1期

丽水师专学报·社科版　1991年1期,1993年1期

辽宁大学学报·哲社版(沈阳)　1991年1、3、4、5、6期,1992年2、5期,1993年2、3、5期,1994年4、5期,1995年1、3、4、6期

辽宁教育学院学报(沈阳)　1991年2期,1992年1、2、3期,1993年1、2期

辽宁师范大学学报·社科版(大连)　1990年6期,1991年1、3、6期,1992年1、2、3、4、5期,1993年1、2、3、5、6期,1994年2、4、5、6期,1995年1、2、3、4、6期

聊城师范学院学报·哲社版　1991年1期,1992年1期
零陵师专学报　1993年2期
龙门阵　1991年1期
龙岩师专学报·社科版　1991年1、2期,1992年1期,1993年1期
娄底师专学报·哲社版　1992年1期
鲁迅研究月刊　1991年3期
逻辑与语言学习(石家庄)　1990年6期,1991年1、2、3、4、5、6期,1992年1、2、3、4、5、6期,1993年1、2、3、4、5、6期,1994年1、2、3、4、5、6期
莽原　1991年1期
毛泽东哲学思想研究　1991年3期
蒙古学资料与情报　1991年2期
秘书　1991年1、2、3、6、7、8、9期,1993年9期
秘书之友　1991年2、9、10、12期,1992年4、5期,1993年7期
民间文学　1991年5期
民间文学论坛　1991年3、5期,1993年1期
民俗研究　1991年2、3期,1992年1期
民主　1992年2期
民族工作　1991年2期,1993年5期
民族文学研究　1991年1期,1992年2、3期,1993年1期
民族研究　1993年3期
民族研究动态　1991年2期
民族艺术　1993年2期
民族译丛　1991年2、3、5期,1993年3期
民族语文(北京)　1990年5、6期,1991年1、2、3、4、5、6、11期,1992年1、2、3、4、5、6期,1993年1、2、3、4、5、6期,1994年1、2、3、4、5、6期,1995年1、2、3、4、5、6期
名作欣赏　1991年3期,1992年1期,1993年1、2、5期
明清小说研究　1991增刊
牡丹江师范学院学报·哲社版　1990年4期,1991年1、3、4期,1992年1、2、4期,1994年1、3期,1995年2、4期
南昌大学学报·社科版　1994年1、2、3期,1995年1、2、3、4期
南都学刊·社科版　1991年2、11期
南都学坛·社科版　1991年2期
南京大学学报·人文哲社版　1991年1、2、4期,1992年1、4期,1993年1、3、4期,1994年4期,1995年1、3、4期
南京社会科学　1991年2、4期,1992年1、4、5期,1993年1期,1994年4、6期
南京师大学报·社科版　1990年4期,1991年1、2、3、4期,1992年1、2、3、4期,1993年1、2、3、4期,1994年1、2、3、4期,1995年1、2、3、4期
南开学报·哲社版(天津)　1991年1、2、6期,1992年5期,1993年1、5、6期,1994年1、3、6期,1995年2、6期

南平师专学报·社科版　1991年1期
内江师专学报·社科版　1991年1期
内蒙古财经学院学报　1993年1期
内蒙古大学学报·哲社版(呼和浩特)　1991年1、3、4期,1992年3、4期,1993年1、3期,1994年1、2、3期,1995年1、2、3、4期
内蒙古民族师院学报·哲社汉文版　1991年1、2、3、4期
内蒙古社会科学·文史哲(呼和浩特)　1991年1、2、3、4、5、6期,1992年1、2、3期,1993年2、5期,1994年2、5期
内蒙古师大学报·哲社版(呼和浩特)　1990年4期,1991年1、2、3、4期,1992年1、2、3、4期,1993年1、2、3、4期,1994年2期,1995年1、2、3期
宁波师院学报·社科版　1991年1、2、3、4期,1992年1、2、3、4期,1993年1、2、3期
宁德师专学报·哲社版　1993年1期
宁夏大学学报·社科版(银川)　1990年4期,1991年1、2、3、4期,1992年1、2、3、4期,1993年3期,1994年1、2、3、4期,1995年1、2、4期
宁夏教育学院、银川师专学报·社科版　1993年4期
宁夏日报　1991年9月1日第1版
宁夏社会科学(银川)　1991年2、4期,1992年2、3、4期,1993年2、5、6期
平原大学学报　1991年2期
萍乡教育学院学报·社科版　1991年1期
蒲峪学刊(齐齐哈尔)　1991年1、2、4期,1992年2期,1993年1、2期,1994年3期
齐鲁学刊　1991年1、2期,1992年1、5期,1993年3、4期,1994年4、5期,1995年6期
齐鲁艺苑　1991年1期
齐齐哈尔师范学院学报·哲社版　1991年1、2、3、4、5、6期,1992年1、2、3、4、5、6期,1993年1、2、3、4、5、6期,1994年1、2、3、4、6期,1995年1、2、3、4、6期
祁连学刊　1991年1期
黔南民族师专学报·哲社版　1991年1期
青岛大学师范学院学报　1994年4期
青岛师专学报　1991年1、2、3、4期,1992年1、2、3期,1993年2期
青岛文学　1993年2期
青海教育学院学报·综合版　1991年1期,1993年1期
青海民族学院学报·社科版(西宁)　1991年1、2、3、4期,1992年3、4期,1993年1、2、3期
青海民族研究·社科版　1993年2期
青海日报　1991年3月21日2版
青海日报　1991年10月25日3版
青海社会科学　1992年2期
青海师范大学学报·社科版(西宁)　1991年1、2期,1992年1、2、3期,1993年1、2期,1994年4期
青海师专学报　1991年1期
情报科学(北京)　1991年2、3、5期,1992年4期,1993年1、2、3期

求是学刊(哈尔滨)　1991年1、3、6期,1992年1、2、4、6期,1993年1、2、4、6期,1994年1、2、4、5期

求索　1991年3、6期,1992年1期,1993年2期

曲靖师专学报·社科版　1991年1、2期,1993年1、2期

群言　1991年8、9、12期

人民画报　1991年2期

人民日报　1991年11月1日1版,1991年6月6日1版,1992年4月19日4版,1993年1月27日3版,1993年5月19日3版,1993年6月28日4版,1993年8月28日8版,1993年9月29日4版,1993年11月19日8版,1993年12月30日5版

人文杂志(西安)　1991年1期,1992年2期

日语学习与研究　1991年3期

山东大学学报·哲社版　1991年1期

山东师大学报·社科版　1991年1、2、6期,1992年1期,1993年1、2期,1994年1、3、4期,1995年1、2期

山西大学学报·哲社版(太原)　1991年1、2、3期,1992年1、2、3期,1993年1、3、4期,1994年4期,1995年2、3、4期

山西师大学报·社科版(临汾)　1991年1、3、4期,1992年1、4期,1993年1、2、3期,1994年2、3、4期,1995年1期

陕西地方杂志　1993年2期

陕西日报　1991年1月24日第3版

陕西师大学报·哲社版(西安)　1991年2、3、4期,1992年1、2、3、4期,1993年1、2、3期,1994年1、2期,1995年2、3期

汕头大学学报·人文科学版　1991年1、2期,1992年1、2期,1993年1、2期,1994年1、3、4期,1995年1、3期

上海大学学报·社科版　1991年1、2、3、4、5期

上海教育学院学报·社科版　1991年1、3期,1993年1期

上海科技翻译　1991年1、2、3期,1993年1、2、3、4期

上海师范大学学报·哲社版　1990年4期,1991年2、4期,1992年1、2期,1993年1、2、4期,1994年1、2、3、4期,1995年3、4期

上海文论　1991年4期

上海文学　1993年3、10期

上饶师专学报　1993年1、3期

韶关大学学报·社科版　1993年1期

邵阳师专学报·社科版　1991年1期,1993年1、3期

绍兴师范学报　1993年1期

绍兴师专学报　1991年1、2、4期,1992年1、2、3期,1993年1、2期

社会科学(兰州)　1990年6期,1993年3期

社会科学动态　1991年5、8-9期

社会科学辑刊(沈阳)　1991年2、6期,1992年1、2、3期,1993年1、2、3、4期

社会科学家　1991年3、5期,1992年6期,1993年2期
社会科学研究　1991年2、6期,1993年4期,1994年3期
社会科学战线(长春)　1991年2、3、4期,1992年1、3、4期,1993年1、6期,1994年1期
社科信息　1991年5期,1992年4期
深圳大学学报·人文社科版　1991年1、2、3期,1993年1、2、3期,1994年3、4期,1995年3期
深圳教育学院深圳师范专科学校学报·综合版　1991年1期,1993年1期
沈阳师范学院学报·社科版　1991年3、4期,1992年2、3、4期,1993年2、3、4期,1994年1、2期,1995年1、2、3、4期
诗歌报月刊　1991年9期
诗刊　1991年6、9期
石油大学学报·社科版　1991年2期
史学集刊　1992年3、7期
世界汉语教学(北京)　1990年4期,1991年1、2、3、4期,1992年1、2、3、4期,1993年1、2、3、4期,1994年1、2、3、4期,1995年1、2、3、4期
世界历史　1993年5期
首都师范大学学报·社科版(北京)　1993年1、2、3、6期
书法研究　1993年3期
书法艺术　1991年5期
思茅师专学报·综合版　1991年2期,1992年1期,1993年1期
思维与智慧　1995年1期
思想战线　1991年1、4、5期,1993年1、3、4期
四川大学学报·哲社版(成都)　1990年4期,1991年1、3、4期,1992年1、2、3期,1993年1、3、4期,1994年1、3期,1995年3、4期
四川教育学院学报　1991年1、2、3期,1993年1期
四川师范大学学报·社科版(成都)　1991年2、4期,1992年1、2、4、5、6期,1993年1、2、7期,1994年4期,1995年3、4期
四川师范学院学报·哲社版(南充)　1991年1、2、4、5期,1992年1、2、3、4、5期,1993年1、2、4、5期,1994年5期,1995年1、5期
四川图书馆学报　1991年5期,1992年1期
四川外语学院学报　1991年1期,1992年1、2、3、4期,1993年1、2期
四川文物　1992年2、3期
四川文学　1991年3期
四川心理科学　1993年3期
松辽学刊·社科版　1991年1、2、3、4期,1992年1、2期,1993年1、2、3、4期
苏州大学学报·哲社版　1991年1、2、3期,1992年2期,1993年3期,1994年1期,1995年3期
苏州教育学院学报·社科版　1991年2期
绥化师专学报·社科版　1991年2、3期,1992年1、2期,1993年3期
台湾研究集刊　1991年2期

台州师专学报·社科版　1991年1、2期,1993年1-2期
太原师专学报　1991年1期
谈写月报　1992年10期
探索·哲社版　1991年3期
探索与争鸣　1993年1期
唐都学刊·社科版(西安)　1991年1期,1992年4期,1993年1、2、4期,1994年2、4、5、6期,
　　1995年6期
唐山教育学院唐山师专学报·社科版　1991年1、3期,1993年1期
天府新论　1992年1期
天津教育学院学报·社科版　1991年1、2、3、4期,1993年1、2、3期
天津日报　1991年2月24日5版,1991年10月20日7版,1991年10月30日5版
天津商学院学报　1991年4期
天津社会科学　1992年5期,1993年2、4、6期,1994年6期
天津师大学报·社科版　1990年6期,1991年1、2、3、4、6期,1992年1、2、3、4、5期,1993年
　　1、2、3、4、6期,1994年3期,1995年2、3、6期
天津文学　1992年4期
铁道师院学报·社科版　1993年1、2期
同济大学学报·社科版　1993年1期
突厥语研究通讯(北京)　1991年3-4期,1992年3-4期
图书馆建设　1993年2期
图书馆论坛　1993年3期
图书情报论坛　1991年3期,1993年1期
图书与情报　1991年1、2期
外国问题研究　1993年3期
外国语(哈尔滨)　1991年1、2、3、4、5、6期,1992年1、2、3、4、5、6期,1993年2、3、4、5、6期,
　　1994年1、2、3、5、6期
外国语(上海)　1990年5、6期,1991年1、2、6期,1992年1、2、3、4、5、6期,1993年1期
外交学院学报　1993年1期
外语教学　1991年1、2、3、4期,1992年2、3、4期,1993年1、2、3期
外语教学与研究(北京)　1990年4期,1991年1、2、3、4期,1992年1、2、3、4期,1993年1、2、
　　3、4期,1994年2、3、4期
外语教学资料通讯　1991年1期
外语学刊(哈尔滨)　1990年6期,1991年1、2、3、5、6期,1992年1、2、3、4、5、6期,1993年1、
　　2、4、5、6期,1994年4、5期
外语学刊(黑龙江大学学报)　1991年6期
外语研究　1993年1期
外语与外语教学　1991年1、3、4、5、6期,1992年1、2、3、4、5期,1993年1、2、3、4期
万县师专学报·社科版　1991年1、3期
渭南师专学报·社科版　1993年3期

温州师院学报·哲社版　1990年4期,1991年1、2、3、4期,1992年1、2、4期,1994年1期

文博　1992年2期

文汇报　1992年9月26日7版

文教资料　1991年1、3期,1993年3期

文秘　1991年1、3期

文史杂志(成都)　1990年6期,1991年2期,1993年1、2、3期

文史哲(济南)　1990年6期,1991年4期,1992年2、4期,1993年4、5期

文史知识(北京)　1990年11期,1991年1、2、3、4、5、6、7、8、9、10、11、12期,1992年2、3、4、5、7、9、10期,1993年1、2、3、5、6、7、9、10期,1994年7期

文物　1992年3期

文物天地　1992年2期

文献　1991年1、2、3、4期,1993年2、3期

文学评论　1993年5期

文学评论家　1991年1、6期

文学遗产　1991年2期,1993年3期

文学自由谈　1991年1、2期,1993年4期

文艺报　1991年7期

文艺理论研究　1991年4、5期,1993年5期

文艺理论与批评　1993年2期

文艺评论　1991年1期,1992年2期

文艺研究　1991年5期,1993年3期

文艺争鸣　1991年1、2、3、5期

文摘　1991年2期

无锡教育学院学报　1993年1期

吴中学刊·社科版　1991年1、2、3期,1993年1期

武汉大学学报·社科版　1991年1、2期,1992年2、4、5、6期,1993年3、4期,1994年1、4期,1995年2、3、5、6期

武汉教育学院学报·哲社版　1991年1、2期,1993年1、2期

武陵师专学报　1991年2期

武陵学刊　1991年1期

西北大学学报·哲社版(西安)　1991年3、4期,1992年4期,1993年2、4期,1994年4期

西北第二民族学院学报·哲社版　1991年2期,1993年2期

西北民族学院学报·哲社版　1991年2期,1992年2期

西北民族研究　1993年1期

西北师大学报·社科版(兰州)　1990年6期,1991年2、4、6期,1992年4期,1993年1、2、6期

西北史地　1992年1期

西部学坛·哲社版　1991年2期,1993年1、2期

西南民族学院学报·哲社版(成都)　1991年1、2、3期,1992年1期,1993年2、3、4期

西南师范大学学报·哲社版(重庆) 1991年1、2、3、4期,1992年2、3、4期,1993年1、2期, 1994年1、2期,1995年1、3期
西域研究(乌鲁木齐) 1991年2期,1992年1、4期,1993年2、3期
西藏民族学院学报·社科版 1991年2期
西藏研究 1991年4期,1992年3期,1993年1、2、3期
戏剧 1991年1期,1993年1期
厦门大学学报·哲社版 1990年4期,1991年1、2、4期,1992年1、2、3、4期,1993年2、3、4期,1994年1、2、3、4期,1995年2、3期
咸宁师专学报 1991年2、12期
现代交际 1991年5、6期
现代图书情报技术 1992年3、4期
现代外语 1991年1、2、3、4期,1992年1、2、3、4期,1993年1、2、3、4期
现代中国 1991年2期
湘潭大学学报·社科版 1990年4期,1991年2、3、4期,1992年1、2、3、3期,1993年1、2、3、4期,1994年1、2、4期,1995年2、3、4、6期
湘潭师范学院学报 1991年1期
孝感师专学报·哲社版 1993年1期
写作(武汉) 1990年12期,1991年1、2、3、4、5、10、11期,1992年5、6、8、9、10、11期,1993年1、2、3、4、5、6、7、8、10期
新华文摘(北京) 1990年12期,1991年3、4期,1993年7期
新疆大学学报·哲社版(乌鲁木齐) 1990年4期,1991年1、2、3、4期,1992年1、2、3、4期,1993年1、2、3期,1994年1、2、4期,1995年1、2、3、4期
新疆日报 1991年1月24日2版
新疆社会科学研究(乌鲁木齐) 1990年3期
新疆社科论坛 1994年2-3期
新疆师大学报·哲社版(乌鲁木齐) 1990年4期,1991年1、2、3、4期,1992年1、2、4期,1993年2、3、4期,1994年2、3、4期,1995年1、2、3、4期
新浪潮 1992年1、6期
新浪潮 电脑·信息 1992年4、5期
新闻通讯 1991年1、2期
新闻与成才 1991年1、3、7、9期
新闻与写作 1991年1、2、3、4、5、6、8、9、10、11期,1992年1、2、3、4、5、6、7、8、9、10、11期,1993年2、10期
新闻战线 1991年4期
心理科学 1991年2期,1993年1期
心理学报 1991年2、3期,1992年1、2、4期,1993年1、2、3期
心理学动态 1993年1期
信阳师范学院学报·哲社版 1990年4期,1991年1、2、3、4期,1992年2、4期,1993年1、2、3、4期,1994年1、4期,1995年3期

刑侦研究 1991年1期
修辞学习(上海) 1991年1、2、3、4期,1992年1、2、3、4、5、6期,1993年1、2、3、4、5、6期,1994年1、2、3、4、5、6期,1995年1、2、3、4、5、6期
徐州师范学院学报·哲社版 1990年3、4期,1991年1、2、3、4期,1992年1、2、3、4期,1993年1、2、3、4期,1994年1、2、3、4期,1995年1、2、3期
许昌师专学报·社科版 1991年2、3、4期,1992年1、4期,1993年1、3期,1994年1、2期,1995年2期
宣传手册 1991年8期
学术交流 1991年2、3、6期,1992年3期,1993年1、4、5期
学术界(合肥) 1991年6期,1993年1、3期
学术论丛 1993年3期
学术论坛(南宁) 1991年1、2、3、4、5期
学术研究(广州) 1990年6期,1991年2期,1992年1、2、3、4、6期,1993年1、2、3、4、5期
学术研究丛刊 1991年3期
学术月刊(上海) 1990年11期,1991年3、4、8期,1992年10期,1993年4期
学习交流 1991年1期
学习与探索 1991年2、5期,1992年4期
学语文(芜湖) 1990年6期,1991年1、2、3、4、5、6期,1992年1、2、4、5、6期,1993年1、2、3、4、5期,1994年1、2、3、4、5、6期,1995年1期
烟台大学学报·哲社版 1991年1、2、3、4期,1992年4期,1995年1期
烟台师范学院学报·哲社版 1992年2期
延安大学学报·社科版 1990年4期,1991年1、2、4期,1992年1、2、3、4期,1994年2、3期,1995年1、2期
延边大学学报·社科版(延吉) 1991年1、2、3、4期,1992年1、2、3、4期,1993年1、2、3期,1995年1期
炎黄春秋 1991年创刊号
盐城教育学院学报 1990年4期,1991年2、4期,1992年2、4期,1993年2期,1994年1期
盐城师专学报·社科版 1991年1、2、3、4期,1992年1、2、3、4期,1993年1、2、3期
演讲与口才 1991年1、4、6期,1992年4、9、12期,1993年1、2、3、4、5、6、7、8、9、10、11期
扬州大学商学院学报 1993年2期
扬州师院学报·社科版 1990年4期,1991年1、2、3、4期,1992年1、2、3、4期,1993年1、2、3、4期,1994年3、4期,1995年2期
伊犁师范学院学报·社科版 1992年1期,1993年1期
宜昌师专学报·社科版 1993年1、2、4期
宜春师专学报·社科版 1991年4期,1993年1、3、4期
艺术广角 1991年6期,1992年2、3、5、6期,1993年1、2期
益阳师专学报·哲社版 1991年1、2、4期,1992年1、2、3期,1993年2、3期
阴山学刊·哲社版 1991年1、2期,1993年1期
音乐研究 1993年1期

殷都学刊　1993年1、2、3、4期
银川师专学报·社科版　1991年1期
应用写作　1991年1、3、4、5、6期,1992年4、5期,1993年1、4、5、6、7、8、9、10期
应用心理学　1993年1期
营口师专学报·哲社版　1991年1、2期,1992年1期,1993年2期
渝州大学学报·哲社版　1993年1期
语文函授　1991年1期
语文建设(北京)　1990年3、4、5、6期,1991年1、2、3、4、5、6、7、8、9、10、11、12期,1992年1、2、3、4、5、6、7、8、9、10、11、12期,1993年1、2、3、4、5、6、7、8、9、10、11、12期,1994年1、2、3、4、5、6、7、8、9、10、11、12期,1995年1、2、3、5、6、7、8、9、10、11、12期
语文建设通讯(香港)　1992年35期,1993年39、40、41期,1994年42、43、44、45期
语文教学论坛(沈阳)　1991年4期,1992年3、5、6期,1993年3期
语文教学通讯(临汾)　1990年12期,1991年4、10、11期,1992年1、2、3、4、5、6、7、8、11期,1993年1、3、4、6、8、12期
语文教学与研究(武汉)　1990年11、12期,1991年1、4、7、8、9、10、12期,1992年1、4、5、6、7、8、9、10、11、12期,1993年2、4、5、6、7、8期,1994年2、3、4、5、6、7、8、9、10、11期,1995年1、3、4、5、6、8、9、10期
语文教学之友(廊坊)　1991年5、6、8、9、10、11、12期,1992年4、5、6、10、11期,1993年5、6、7、8、9、10、11、12期
语文世界　1995年1、3、4、5、6、7、8、9、10、12期
语文学刊(呼和浩特)　1990年5期,1991年1、2、3、4期,1992年1、2、3、4期,1993年1、2、3、4、5、6期
语文学习(上海)　1990年10、12期,1991年1、2、4、5、6、7、8、10、11、12期,1992年1、2、3、4、5、6、7、9、10、11、12期,1993年1、2、3、4、5、6、7、8、9、10、11、12期,1994年2、3、4、6、7、8、9、10、11、12期,1995年1、3、4、5、6、8、9、12期
语文研究(太原)　1990年4期,1991年1、2、3、4期,1992年1、2、3、4期,1993年1、2、3、4期,1994年1、2、3、4期,1995年1、2、3、4期
语文月刊(广州)　1990年11、12期,1991年2、3、4、5、6、7、8、9、10、11、12期,1992年1、2、3、4、5、6、7、8、9、10、11、12期,1993年2、3、4、5、6、7、8、9、10、11、12期
语文知识(郑州)　1990年11、12期,1991年1、2、3、4、5、6、7、8期,1992年1、2、3、5、6、9、10、11期,1993年2、3、5、6、7、8期,1994年1、2、3、4、5、6、7、8、9、10期,1995年1、3、4、5、6、7、8、9、10、11期
语文知识(普通话)　1991年2、4期
语言建设(北京)　1991年9期
语言教学与研究(北京)　1990年4期,1991年1、2、3、4期,1992年1、2、3、4期,1993年1、2、3、4期,1994年2、3、4期,1995年1、2、3、4期
语言美(昆明)　1991年1、2、3、4期
语言文字学(北京)　1990年9、10、11、12期,1991年1、2、3、4、5、6、7、8、9、10、11、12期,1992年1、2、3、4、5、6、7、8、9、10、11、12期,1993年1、2、3、4、5、6、7、8、9、10期,1994年1、2、3、

4、5、6、7、8、9、10、11 期,1995 年 2、3、4、6、7、8、9、10、11、12 期

语言文字应用(北京)　1992 年 1、2、3、4 期,1993 年 1、2、3、4 期,1994 年 1、2、3、4 期,1995 年 1、2、3、4 期

语言研究(武昌)　1990 年 1、2 期,1991 年 1、2 期,1992 年 1、2 期,1993 年 1、2 期,1994 年 1、2 期,1995 年 1、2 期

语言与翻译(乌鲁木齐)　1990 年 4 期,1991 年 1、2、3、4 期,1992 年 1、2、3、4 期,1993 年 1、2、3、4 期,1994 年 1、2、3、4 期,1995 年 1、2、3、4 期

语言知识　1992 年 11 期

阅读与写作　1991 年 1、2、3、4、7、8、9、10、11 期,1992 年 1、2、3、4、5、6、7、8、9、10、11、12 期,1993 年 1、2、3、4、5、6、7、8、9、10、11、12 期

云梦学刊·社科版　1991 年 1 期

云南教育学院学报·社科版(昆明)　1991 年 1、2、4 期,1993 年 1、2、3、4、5 期

云南民族学院学报·哲社版(昆明)　1990 年 4 期,1991 年 2、3、4 期,1992 年 1 期,1993 年 1、2、4 期,1994 年 3 期,1995 年 3 期

云南民族语文(昆明)　1990 年 4 期,1991 年 2、4 期

云南日报　1991 年 10 月 27 日 4 版

云南社会科学(昆明)　1990 年 5 期,1994 年 1 期

云南师范大学学报·哲社版(昆明)　1991 年 1、4、5 期,1992 年 1、2、3、4、5、6 期,1993 年 1、2、4、5、6 期,1994 年 3、4、5、6 期,1995 年 6 期

枣庄师专学报·社科版　1991 年 3 期

湛江师范学院学报·哲社版　1994 年 2 期

张家口师专学报·社科版　1991 年 1 期

漳州师院学报·社科版　1991 年 2 期,1993 年 1 期

昭通师专学报·社科版　1993 年 2 期

昭乌达蒙古族师专学报·汉文哲社版　1991 年 2 期

哲学动态　1991 年 4、7、10、11 期,1992 年 2 期,1993 年 1、4、5、7 期

哲学译丛　1991 年 5、6 期,1992 年 1、2 期,1993 年 3、4 期

浙江大学学报·社科版(杭州)　1992 年 3 期,1993 年 2、4 期,1994 年 1 期,1995 年 2、3、4 期

浙江社会科学(杭州)　1993 年 1、3、4 期,1994 年 3、4 期

浙江师大学报·社科版　1991 年 1、2、3、4 期,1992 年 2、3、4 期,1993 年 1、3 期

浙江学刊　1992 年 1、5 期,1994 年 4 期

镇江师专学报·社科版　1991 年 1、3 期,1993 年 1、3 期

争鸣　1991 年 1、4、5、6 期,1993 年 3 期

郑州大学学报·哲社版　1991 年 3、4、5、6 期,1992 年 1、3、4、5、6 期,1993 年 2、4 期

知识窗　1991 年 6 期

知识工程　1991 年 1 期

中国出版　1992 年 1 期

中国地名　1991 年 2、5 期

中国俄语教学　1991 年 1、3、4 期,1993 年 3 期

中国翻译(北京)　1990年6期,1991年1、2、3、4、5、6期,1992年1、2、3、4、5、6期,1993年1、
　　2、3、5、6期,1995年1、2、3、4、5、6期
中国方域　1993年4期
中国妇女管理干部学院学报　1993年2期
中国计算机用户(北京)　1990年11期
中国记者　1991年4期
中国教育报　1993年2月10日3版,8月29日2版,11月10日3版
中国科学报　1993年3月12日4版
中国民族教育　1993年5期
中国评论　1991年5期
中国青年报　1991年3月27日2版
中国人民大学学报(北京)　1991年1、5、6期,1992年1、4、5、6期,1993年4期,1994年1、4
　　期,1995年4、5期
中国人民警官大学学报·哲社版　1993年1、3期
中国社会科学(北京)　1991年1、2、3、4、6期,1992年2、3、5、6期,1993年1、2、3、4、6期,
　　1994年1、4期
中国社会科学院研究生院学报(北京)　1991年3期,1993年4期,1994年6期,1995年2期
中国食品　1991年10、11期
中国史研究　1991年4期
中国史研究动态　1992年6期
中国书法　1991年1期
中国图书馆学报　1991年3期,1992年2期
中国图书评论　1991年1、2、3、5期,1993年4期
中国文化研究　1993创刊号
中国文学研究　1991年2期
中国音乐　1993年2期
中国语文(北京)　1990年6期,1991年1、2、3、4、5、6期,1992年1、2、3、4、5、6期,1993年1、
　　2、3、4、5、6期,1994年1、2、3、4、5、6期,1995年1、2、3、4、5、6期
中国语文(台北)　1993年427期
中国藏学　1991年3期
中华英才　1991年5期
中南民族学院学报·哲社版(武汉)　1991年2、3、4、6期,1992年2、3、4期,1993年1、3、6期,
　　1994年4、5期,1995年1、2、4、5期
中日翻译　1991年2期
中山大学学报·社科版(广州)　1991年1、2、3、4期,1992年1、3、4期,1993年3、4期,1994年
　　1、3期,1995年1期
中山大学研究生学刊·社科版　1991年1期
中外语言文化比较研究　1991年1期
中文信息(成都)　1990年4期,1991年1、2、3、4期,1992年1、2、3、4期,1993年1、2、3

中文信息学报　1991年1、2、3、4期,1992年1、2、3、4期,1993年1、2、3、4期
中文自修　1991年1、2、3、4、5、6、7、8、9、10、11、12期,1992年1、4、5、6、11期,1993年6期
中文自学指导　1991年1、2、3、4、5、6、7、8、9、10、11、12期
中学语文(武昌)　1991年1、2、4、5、6、7、8、9、10、11、12期
中学语文(咸宁)　1991年1、3期
中学语文教学(北京)　1990年10、11、12期,1991年1、2、3、4、5、6、7、8、9、10期,1992年1、2、3、4、7、8、11期,1993年1、2、3、4、5、6、7、8、9、11期,1994年3、7、8、9、10期
中学语文教学参考(西安)　1990年12期,1991年1、2、6、7、9、10、11、12期,1992年5、6、7、9期
中央民族大学学报(北京)　1994年1、2、3、4、5、6期,1995年2、3、4、5期
中央民族学院学报(北京)　1990年1、6期,1991年1、2、3、4、5、6期,1992年1、2、3、4、5、6期,1993年1、2、3、4、5、6期
中原文物　1991年2期,1992年1期
中州古今　1992年1期
中州学刊(郑州)　1991年5期,1992年3期,1993年3、6期
淄博师专学报　1993年3期
自然辩证法通讯　1991年3、4期
作品　1991年7期

中国语言学论文索引(1991—1995)

第一部分 语言和语言学

语 言 理 论

《语文研究》十年来语法论文观感	邵敬敏	语文研究(太原)—1990,(4):19-22
语文研究与编、评漫议:献给《语文研究》创刊十周年	史有为	语文研究(太原)—1990,(4):23-25
语言变异和语言系统	辛刚	现代外语—1991,(1):1-8
对社会语言学若干范畴的再认识:"古典"再出发:回顾与思考	陈原	语言研究(武汉)—1991,(1):1-14
模糊学与翻译	黄天源	语法研究—1991,(1):6-12
语言手段和交际的需求层次	徐静茜	湖州师专学报·哲社版—1991,(1):8-16
"注释学"应列为一专门学科	靳极苍	山西大学学报·哲社版—1991,(1):11-16
文化人类学与当代语言学研究论纲	何勇 王海龙	徐州师范学院学报·哲社版—1991,(1):20-26
改造我国体系分类语言的构想	肖力文 姜伟东	图书与情报—1991,(1):24-33
模糊词在公共关系文体中的表达功能探索	立源	文秘—1991,(1):28-30
模糊语言学研究述评	方经民	中文自学指导—1991,(1):34-36
信息语言论概说(上篇)	焦晓光	滨州师专学报—1991,(1):41-46
论作为民俗事象主体的语言艺术	申小龙	毕节师专学报·社科版—1991,(1):43-50
试论模糊概念	许世茂 万林	扬州师院学报—1991,(1):45-48,74
自然语言理解讲座(待续)	黄祥喜	知识工程—1991,(1):53-59
自然语言逻辑意义初探	冯周卓	湖南师范大学社会科学学报—1991,(1):57-61
语码与人类交际二题议	申小龙	文科教学—1991,(1):58-66
深层结构,语义表达式和逻辑形式	赵平	吴中学刊·社科版—1991,(1):65-69
日常交际的行为渠道及其与言语渠道的关系	陈育林	大庆师专学报—1991,(1):67
交际语言中的逻辑问题浅探	温华	江汉大学学报—1991,(1):71-74
言语交际环境论	申小龙	聊城师范学院学报·哲社版—1991,(1):76-83
语言偏见及其对人类行为的影响	杨维	辽宁大学学报·哲社版—1991,(1):81-82

中国为何没有语言学流派:关于建构中国语言学流派的思考	孙汝建	云梦学刊·社科版—1991,(1):83-87
语言暗示对知觉的影响——不同暗示语对年龄估计的影响研究报告	刘澍	河北师范大学学报·社科版—1991,(1):94-98
试论非语言交际手段	孙家敏 马啸	淮阴师专学报—1991,(1):100-105
在传统背景下进行交际式语言学习探讨	祁秀林译	阴山学刊·哲社版—1991,(1):123-128
模糊语言学和术语学	伍铁平	贵阳师专学报·社科版—1991,(2):1-10
三种学习理论	[法]Jean Janitza文 王敏华译	国外外语教学—1991,(2):5-10,15
合作原则相对性论略	林纪诚	现代外语—1991,(2):8-13
语言信息与视觉信息	[日]黑岩高明文,刘助仁译	文摘—1991,(2):9-11
优秀的语言学习者能教会我们什么?	[美]Joan Rubiu文 戴孟彦译	国外外语教学—1991,(2):11-15
话语分析与戏剧语言文体学	杨雪燕	外语教学与研究—1991,(2):17-22
动物的"语言"(续)	明敏编译 翰承校订	中文自修—1991,(2):27-28
韩礼德的调组信息焦点理论及讨论	姬少军	华中师范大学—1991,(2):56-60,66
论我国语言逻辑研究中面临的几大矛盾	胡泽洪	高等学校文科学报文摘—1991,(2):57
弗斯和伦敦语言学派	戚雨村	高等学校文科学报文摘—1991,(2):58
用模糊数学评价译文的进一步探讨	穆雷	外国语—1991,(2):66-69,43
汉语社会语言学——一个待开发的大有可为的领域	何宝璋 [美]沈德思	世界汉语教学—1991,(2):85-89;(4):223-233
通用的自然语言词法分析机制	陈志忠	计算机学报—1991,(2):93-99
论模糊语言	朱千波	石油大学学报·社科版—1991,(2):100-104
自然语言理解的并行处理	雷晓军	心理学报—1991,(2):158-166
语言国情学-国情学-文化学	Ю·普洛霍洛夫文,亦宁译	中国俄语教学—1991,(3):1-5
语言中的"习非成是"	理真	阅读与写作—1991,(3):3-4
认知和语言	桂诗春	外语教学与研究—1991,(3):3-9
功能主义纵横谈	胡壮麟	外国语—1991,(3):3-10,2
模糊语言类说	沈卢旭	阅读与写作—1991,(3):4-5
语言与战争	刘建达 杨满珍	外语教学—1991,(3):10-13
论逻辑分析与特构语言	叶锦明	自然辩证法通讯—1991,(3):10-15

语言理论

标题	作者	出处
心理学关于句法分析的研究	刘松林	外语教学与研究—1991,(3):10-16
论语言的调节功能	王德春	外国语—1991,(3):11-16,27
社会语言学与编辑工作	辛朝毅	编辑之友—1991,(3):12-14
社会认知、社会权势与社会话语	Van Dijk,T.A.著 施旭译	国外语言学(北京)—1991,(3):17-24
社会言语是社会心态的反映	贾敦儒	青海民族学院学报—1991,(3):18-23
汉语话语语言学研究述略	金力	中文自学指导—1991,(3):20-22,48
语言与文化的关系	[美]哈里·霍治文著 傅爱兰 李岚摘译	民族译丛—1991,(3):39-45
动物的"语言"(续完)	明敏编译 翰承校订	中文自修—1991,(3):41-43
解释学的历史演变及其运用初探	严平	湖北大学学报·哲社版—1991,(3):44-46
"意义关联域"的解释学功能	张杰	社会科学家—1991,(3):57-61
从辞书学的研究内容看它的学科地位	陆嘉琦	辞书研究—1991,(3):66-73
语言、言语与语言能力、语言运用	李长忠	徐州师范学院学报·哲社版—1991,(3):73-76
论语言空间	张志扬	湖北大学学报·哲社版—1991,(3):73-80
也谈辞书学的独立	陆锡兴	辞书研究—1991,(3):74-78
交际语言教学入门——最新语言教学导向	[英]威廉·利特伍德文 周文浩 周学军译	毕节师专学报—1991,(3):75-78
世纪之交汉语学的审视与选择——文化语言学论辩	马啸	淮阴师专学报·哲社版—1991,(3):93-98
"语言图腾"初探	君铁超	学术交流—1991,(3):94-99
第二语言习得的一些普遍原理	Rasty M. Lightbown文 陶炼译	语言教学与研究—1991,(3):152-158
论微观语言学	王德春 金立鑫	外国语—1991,(4):1-2,7
应用二语习得论研究者的作用:是商议而非介导者	Jens Bahns著 郭金秀 侯志民译	国外外语教学—1991,(4):1-3,16
现阶段的语言国情学——问题与任务	Г·Д·托马欣文,江波译	中国俄语教学—1991,(4):1-3
语言研究中的认知观	Renald W. Langacker文 沈家煊译	国外语言学—1991,(4):1-6
专科辞典学刍论	杨祖希	辞书研究—1991,(4):1-11
语篇研究中的"块构"现象	熊学亮	外语教学与研究—1991,(4):3-10

乔姆斯基理论的目的、方法及语言能力先天论——读书问答	严辰松	现代外语—1991,(4):19-23
意向性理论的几个问题	涂纪亮	中国社会科学—1991,(4):19-27
C.K.奥格登的语言理论	乔治·沃尔夫文,榕培译	外语与外语教学—1991,(4):31-39
述评认知——层次语言学理论及其模式	程琪龙	国外语言学—1991,(4):33-42
阐释学方法述评	陈鸣树	河北学刊—1991,(4):36-43
论赫希的解释学理论	朱狄	学术月刊—1991,(4):41-47
深入开展对语言与文化的对比研究——兼议"语言国情学"	张汉儒	松辽学刊·社科版—1991,(4):55-56
言语交际环境的文化内蕴	申小龙	高等学校文科学报文摘—1991,(4):59
中国现代词典学的初步形成	邹酆	辞书研究—1991,(4):59-67
索绪尔·列维——斯特劳斯和德里达	涂纪亮	哲学研究—1991,(4):69-77
言语场简论	冯公达	东北师大学报·哲社版(长春)—1991,(4):76-80
辞书学的研究对象和学科属性	陈炳迢	辞书研究—1991,(4):77-82
跨文化交际学与外语教学	徐国品	延边大学学报—1991,(4):82-86
关于语言与文化、思维的关系的几点思考	杨剑桥	南京社会科学—1991,(4):89-93
语言的心理功能初探	黄弗同	华中师范大学学报·哲社版(武汉)—1991,(4):90-93
表征语义心理学研究的进展	金志成	东北师大学报·哲社版(长春)—1991,(4):92-96
话语语言学浅说	王孝军 刘凤枝	河南师范大学学报·哲社版—1991,(4):127-131
词典编纂学的新分支——新词词典编纂学	[苏]И·М·格林则尔格文 王恩圩译	辞书研究—1991,(4):127-134
语言动态研究与交际语言学问题	刘焕辉	中国社会科学—1991,(4):129-144
国际传播障碍剖析:语言和非语言视角	林述安	厦门大学学报—1991,(4):133-137
语言的形态类型和共性	劳里·鲍尔文著,榕培译	外语与外语教学—1991,(5):1-8
语言与艺术	金健人	文艺理论研究—1991,(5):2-12
移动新论——从功能语言学看移动	徐盛桓	外国语—1991,(5):8-17
语言国情学再议	俞约法	解放军外语学院学报—1991,(5):9-16
情报语言学广义与狭义论	程远	黑龙江图书馆—1991,(5):12-13
对开展国情语言学研究的几点思考	张中华	解放军外语学院学报—1991,(5):24-31
从现代逻辑观点看中世纪彼得的语言逻辑理论(续)	张家龙	逻辑与语言学习—1991,(5):32-34

标题	作者	出处
索绪尔的语言学与信息论	[日]北川敏男文,许春淑译	逻辑与语言学习—1991,(5):35-37,46
现代法国哲学中解释学的状况与问题	[日]久米博	哲学译丛—1991,(5):37-40
言语行为理论与自然语言逻辑	高乐田	湖北大学学报·哲社版—1991,(5):43-45
文化相关论与言语行为理论	贾玉新	外语学刊—1991,(5):50-54
试谈辞书学的独立与建设	卢润祥	辞书研究—1991,(5):64-71
浅探辞书学与语言学的关系	古辛	辞书研究—1991,(5):71-77
词项逻辑的形式语言	曹飞	华东师范大学学报·哲社版—1991,(5):89-94
言谈行为理论	[美]阿伯拉姆斯文,吴立华译	文艺理论研究—1991,(5):96-封三
评80年代中国文化语言学之争——兼论语言研究的人文方法	姚亚平	争鸣—1991,(5):98-105
自然语言中的自我指称及意义	刘书斌	逻辑与语言学习—1991,(6):6-8
形式的空缺和羡余与语言的自组织性	李宗江	外语学刊—1991,(6):8-11,61
中国文化语言学研究综述	林归思	北方论丛—1991,(6):19-26
医学论文与模糊语言	郑俊海	应用写作—1991,(6):26-28
语言社会学初探	张宗超	社会科学研究—1991,(6):45-47
语言的逻辑与逻辑的语言——对语言的一般逻辑考察	胡泽洪	求索—1991,(6):54-57
社会语言学的历史、现状与前景	吴崇厚	社会科学动态—1991,(8-9):30-31,25
语言学习的迁移规律	张舒	语文建设(北京)—1991,(8):40
心理语言学的理论意义	章士嵘	哲学研究—1991,(10):73-79
交际能力能够传授吗？	[英]Alan Maley著,高合顺译	国外外语教学—1992,(1):31-35
磁带定期作业:沟通交际与纠错的桥梁	[英]Diana Allan著,李永才译	国外外语教学—1992,(1):41-44
试论模糊理论和外语教学	贺善镰	外语学刊—1992,(1):59-64,33
及物系统的及物性质及其话语功能	张韧	四川外院学报—1992,(1):64-68
信息交流模型——符号学小札之一	蔡勃新	逻辑与语言学习—1992,(2):4-6
语言和知识问题(上)	诺姆·乔姆斯基著,榕培译	外语与外语教学—1992,(2):7-14
语言和知识问题(下)	诺姆·乔姆斯基著,榕培译	外语与外语教学—1992,(3):1-9
如何研究教育中的言语交际——教育心理语言学探索	吴本虎	浙江师大学报·社科版—1992,(2):72-76,92
试论模糊语言	韦茂繁	广西民族学院学报·哲社版—1992,(2):92-98

浅谈语言交流的障碍	马立春	西北民族学院学报·哲社版—1992,(2):111-114
认知与语言测试	桂诗春	外语教学与研究—1992,(3):3-8
话轮、非话轮和半话轮的区分	刘 虹	外语教学与研究—1992,(3):17-24
论辩话语研究——Frans van Eemeren 和 Rob Grootendorst 的理论简介	施 旭	外语教学与研究—1992,(3):45-48
语感初探	赵海波 淳于永琦	外语学刊(哈尔滨)—1992,(3):47-49,61
话语的结构(上)	Diane Blakemore 著 林书武 译	国外语言学—1992,(4):1-3
布拉格学派标记理论管窥	张家骅	外国语—1992,(4):27-31
言语交际学的性质及其他	刘焕辉	语言文字应用—1992,(4):31-38
关联原则及其话语解释作用	张亚非	现代外语—1992,(4):52-54
语言信息交流中的 Redundancy Entropy	马立秦	新疆师大学报·哲社版—1992,(4):86
也谈模糊限制词	李 敏	山西师大学报·社科版—1992,(4):88-93
略论模糊语义的本质和根源	李安节 许丕华	沈阳师院学报·社科版—1992,(4):92-96,103
"模糊"——人类语言的自然属性	吴博富 李 源	四川外院学报—1992,(4):96-101
交际文化琐谈	张占一	语言教学与研究—1992,(4):96-114
交际功能与行为模拟	杨鸣生	外语与外语教学—1992,(5):16-19
交际文化与语言教学	冯学锋 李祥坤	湖北大学学报·哲社版—1992,(5):47-49
简论认识与语言的结构	李树琦	北方论丛—1992,(6):33-38
关于文化语言学的几个理论问题	张公瑾	民族语文—1992,(6):33-39
心理语言学的发展史	[英]J.凯斯	国外社会科学—1992,(9):56-61
论模糊语言的性质和功能	王家齐	高等学校文科学报文摘—1992,(9卷1):66
语言·文化·对比	戚雨村	高等学校文科学报文摘—1992,(9卷5):71
漫谈语言单位的分界问题	文 炼	语文学习—1992,(12):31-33
谈谈模糊语言学	伍铁平	语文学习—1992,(12):33-34
文学语言研究:美学——语言学的渗透	叶 澜	修辞学习—1993,(1):1-2
汉字字形心理学研究述评(上)	刘 鸣	心理学动态—1993,(1):1-7
语言的哲学洞察与哲学的语言视界	申小龙	思想战线—1993,(1):11-16
塔斯基的语义真理论述评	尚志英	探索与争鸣—1993,(1):18-23
关于亚里士多德所理解的"范畴"一词考释	崔延强	江淮论坛—1993,(1):26-28
母语、其他语言和联系语言:它们在多变的世界中的意义	威廉·F·麦基文 常 城 译	教育展望—1993,(1):38-49

标题	作者	出处
类语言论略	王殿珍	松辽学刊·社科版—1993,(1):39-42
在词与梦境的背后——当代西方文论研究的一点思索	肖东强 周文	伊犁师范学院学报·社科版—1993,(1):43-46
王希杰先生的潜语言理论	雷斌	上饶师专学报—1993,(1):74-77
关于社会语言学的几个问题	官忠明	西部学坛—1993,(1):78-82
蒙塔古语用学基本概念及其一般系统	周祯祥	江汉大学学报·综合版—1993,(1):79-81
英语教师看语言和语言学	王宗炎	现代外语—1993,(2):1-6,20
跨文化交际中的语言"离格"现象刍议	何自然	外语与外语教学—1993,(2):1-7
索绪尔"符号任意性原则"分析	张妮妮	求是学刊—1993,(2):14-19
假如我是语言学家	[捷克]卡雷·贾倍克文 张青蓝译	外语与外语教学—1993,(2):15-16
如果中国美学也会有一个语言论转向……	张法	艺术广角—1993,(2):15-17
自然语言中的"心口不一"现象	郎天万	四川外院学报—1993,(2):39-44,78
语言·审美·现实:马尔库塞的《审美之维》	南帆	读书—1993,(2):40-44
论教师的体态语言	徐坤元 曾汝弟	云南师范大学哲学社会科学学报(昆明)—1993,(2):91-94
文化语言学的对象、任务和性质	戴昭铭	北方论丛(哈尔滨)—1993,(2):95-101
二十世纪西方美学中的语言本质观	王一川	中国社会科学—1993,(2):167-181
汉语文教学与索绪尔的贡献和局限	徐德江	汉字文化—1993,(3):7-11
序位语言学的启示	李学平	现代外语—1993,(3):7-13
语言的双重约束与单项突出的文化背景	赵起	外语教学—1993,(3):10-20
论分析哲学的语言观	陈保亚	思想战线—1993,(3):13-19
跨文化非语言交际研究及其与外语教学之间关系	毕继万	汉语学习—1993,(3):37-43
论语言因素对文化模式形成的影响	江莎	湖北民族学院学报·社科版—1993,(3):38-42
延异	[法]德里达·J文,张弘译	哲学译丛—1993,(3):42-51
语言与真理——试论斯宾诺莎的语言观	洪汉鼎	北京社会科学—1993,(3):43-54
汉字字形教学法的心理学探析	刘鸣	华南师范大学学报·社科版—1993,(3):51-54
大脑右半球与汉字辨认	唐红波	华南师范大学学报·社科版—1993,(3):55-58
反语言学,还是超语言学?——与邓晓芝商榷	吴疆	中州学刊—1993,(3):58-62
语言游戏说:现代语言哲学中的一场革命	尚志英	社会科学—1993,(3):65-69

标题	作者	出处
科学与语言	[澳大利亚]劳里·A文, 初晓译	哲学译丛—1993,(3):76-77,72
宏观舞蹈研究中的语言方法	王 宁	中国社会科学—1993,(3):189-194
主题检索语言与语言学的关系	陆长旭	情报学刊—1993,(3):212-215
语用分析如何介入语言理解——评Levinson的照应理论,兼评黄衍的纯语用解释	程雨民	现代外语—1993,(4):1-7
情景模型理论评介	熊学亮	国外语言学—1993,(4):1-7
跨文化交际语用测试分析	桑思民	外语与外语教学—1993,(4):30-34
文章学课要和语言学、文艺学课分庭抗礼	曾祥芹	河南师范大学学报·哲社版—1993,(4):56-60
中介语理论与汉语习得研究	孙德坤	语言文字应用—1993,(4):82-91
从《毛传》看作者的语言观	康建常	殷都学刊—1993,(4):90-94,99
论跨文化交际中的非语言因素	刘文茹	齐齐哈尔师范学院学报·哲社版—1993,(4):100-103
论语言文化教材中的文化体现问题	吴晓露	语言教学与研究—1993,(4):109-117,108
—1992年中国心理语言学研究概览	眸 子	汉语学习—1993,(5):30-34
语言美学发轫	吴礼权	复旦学报·社科版—1993,(5):75-80
汉字认知及左形右声合体字形成和发展的神经心理分析	贾玉新	求是学刊—1993,(6):80-86
"超语言学"与"反语言学"试析——答吴疆先生	邓晓芒	中州学刊—1993,(6):82-83
语言哲学在现代西方哲学中的地位	涂纪亮	哲学研究—1993,(7):38-43
在言语交际中考察言语感知:教育心理语言学分析	吴本虎	语言文字学—1993,(8):112-116
欲说还休,却道天凉好个秋——谈语言的表层信息与潜在信息	孙 营	阅读与写作—1993,(9):19-20
民俗语言学概说	曲彦斌	语文建设—1993,(12):18-19
《自然码》双拼键盘设计合理性的研究	杨道沅 董小国等	中文信息学报—1994,(1):1-14
微观语言学新解及其意义	孔庆成	外语研究—1994,(1):19-24
公共关系言语学	岑运强	百科知识—1994,(1):27-29
选择:科学语言成长中的关键环节	刘獣桓	长白论丛—1994,(2):43-46
精确之中见模糊——数量词所反映的模糊性	蒋 跃 李志军	外语学刊—1994,(2):46-49
"模糊语言"与文学	王东复	文艺评论—1994,(2):80-81
从心理语言学角度分析听写技能	刘 双	外语学刊—1994,(3):7-61
认知与自然语言处理	张亚非	外语研究—1994,(3):11-17
模糊语言与应用	史宝钧	沈阳师院学报·社科版—1994,(3):34-37
从社会心理角度看"婉曲"	高俊兰	徐州师范学院学报·哲社版—1994,(3):133-135

话语语言学的兴起与发展	王福祥	外语与外语教学—1994,(4):3-10
话语语言学的兴起与发展(续)	王福祥	外语与外语教学—1994,(5):17-25
话语序列的符号学含义	陈忠华	外语研究—1994,(4):9-13
言语行为理论和言语会话原则	岑运强	百科知识—1994,(4):26-27
从语言认知到语言运用	谌访部真	宁夏教育学院、银川师专学报—1994,(4):83-85
连读变调的数学模型及其在认识科学和言语工程学上的意义	张次曼	厦门大学学报·哲社版—1994,(4):101-106
主题结构、认知过程及语不连贯	何勇 文 力 量 李霞 译	徐州师范学院学报·哲社版—1994,(4):104-109
论语言学与逻辑学的结合	李先焜	湖北大学学报·哲社版—1994,(5):1-6
论语言学与逻辑学的结合	李先焜	湖北大学学报·哲社版—1994,(6):1-6,23
模糊语言新界说	沈卢旭	语文学习—1994,(5):30-31
"突出"和"背景"——论语言使用中"变异"的参照和应用	邵志洪	湖北大学学报·哲社版—1994,(5):43-47
"模糊语词"在科普创作中的应用	孔章圣	阅读与写作—1994,(7):30-31
模糊语言在军用公文中的应用	王戎全	应用写作—1994,(10):32-33
语言和语言学和言语的语言学	哈平山	世界汉语教学—1995,(4):1-4
语言符号是非任意性与任意性的对立统一体:九论汉语文教学与索绪尔的贡献和局限	徐德江	汉字文化—1995,(4):5-9,18
试谈语言与文化的矛盾	吴继光	语言文字应用—1995,(4):58-62
选言判断及其语言表述	俞瑾	南京师大学报·社科版—1995,(4):96-101
Competence 概念演变描述	徐海铭	南京师大学报·社科版—1995,(4):102-105
规则化 系统化 计量化:当代语言学的特征	胡明扬	汉语学习—1995,(5):4-7
学习主体与外部条件	王钟华	汉语学习—1995,(5):45-48
语言与音乐之关系略说(续)	王珏	解放军外语学院学报—1995,(5):58-60,72
论话语交际中语言同心理的相互关系	王希杰	赣南师范学院学报—1995,(5):64-72
类义系统的文化观照	王作新	华中师范大学学报·哲社版—1995,(5):87-92
喻体的民族文化观照	邵丽莉	修辞学习—1995,(6):14-15
预设投射理论初探	王相锋 刘龙根	吉林大学社会科学学报—1995,(6):81-86
论外语交际中的策略	张应林	湖北大学学报·哲社版—1995,(6):117-119,124
转域的张力:语言分析的柔生控制方法	史有为	语言文字学—1995,(11):10-15
答对艺术撷英	何家荣	语文建设—1995,(12):30-31
现代语言哲学中的命名理论	刘郦	江汉论坛—1995,(12):58-60
语感的心理机制初探	潘纪平	湖北大学学报·哲社版—1995,22(5):99-101

马克思主义和语言学问题

论语言普遍性的研究	邢公畹	中国语文(北京)—1990,(6):406-409
语言哲学及其对语言学的贡献	陈思清	现代外语—1991,(1):9-14
论语言与哲学的互为观点	申小龙	营口师专学报·哲社版—1991,(1):20-27
罗素摹状词理论的哲学意义	孙金森	江西大学学报·社科版—1991,(1):34-38
中国哲学中的语言哲学问题——物质名词理论的商榷	冯耀明	自然辩证法通讯—1991,(3):1-9
论科学语言的意义域	张大松	华中师范大学学报·哲社版—1991,(3):7-12
西方马克思主义与现代释义学	俞宣孟	毛泽东哲学思想研究—1991,(3):64-67
语言研究中的柏拉图问题	宁春岩	外语学刊—1991,(5):47-49
运用唯物辩证法指导语法研究初探	徐吉润 魏雅萍	东北师大学报·哲社版(长春)—1991,(5):76-79
从语言的角度看科学理论和社会科学理论的建构	陈波	社会科学家—1991,(5):80-84
文化寻根的一种哲学尝试——卡西尔神话与语言研究述评	张志刚	江淮论坛—1991,(5):83-88
用汉语文化建构马克思主义哲学体系	王晓华	辽宁师范大学学报·社科版—1991,(6):34-35
哲学、日常语言与简单性——维特根斯坦的哲学观	张盾	吉林大学社会科学学报—1991,(6):79-84
评"哲学中的语言转向"	徐友渔	哲学研究—1991,(7):42-49
语言"描述"能"根本"取消形而上学吗?	叶闯	哲学研究—1991,(9):37-45
科学语言的结构和特征	梅莉 郑小平	编辑学报—1991,(3卷3):129-132页
科学语言的意义与指称——兼评西方科学哲学中的意义理论	刘志学	哲学研究—1991,(11):69-76
真理与自然语言	孙学钧	湖北大学学报·哲社版—1992,(3):45-51
现代语言哲学观	陈建涛	南京社会科学—1992,(4):67-70
语言哲学研究的意义	王晓升	江海学刊—1992,(5):87-92
唯物辩证法是语言研究的指南	阎仲笙	齐齐哈尔师范学院学报·哲社版—1993,(1):54-57
毛泽东的语言理论和语言实践	王勤	湘潭大学学报·社科版—1993,(4):57-62
毛泽东关于语言问题的论述	刘兴策 刘斌	华中师范大学学报·哲社版—1993,(5):1-7
毛泽东语言文字思想研究简述	刘兴策 黄赛勤	语文建设—1993,(12):2-5
毛泽东"语言文字论"的现实意义	李连元	大庆高等专科学校学报—1994,(2):43-47
论语言政策	色·贺其业勒图	内蒙古师大学报·哲社版—1994,(2):46-49

简论语言研究的科学性	李继光 邵俊宗	华中师范大学学报·哲社版—1995,(3):123-124
马克思恩格斯有关语言学的论述和对当代语言研究的意义	伍铁平	湖北大学学报·哲社版—1995,(6):1-9

语言学学术思想问题

再论"词典学"与语言学的关系	唐超群	辞书研究(上海)—1990,(5):57-62
"XY"的学术研究风格及创新派意识	邵敬敏	汉语学习(延吉)—1990,(6):16-18
语言学批评的前景与困境	葛兆光	读书(北京)—1990,(12):40-49
论现代理论语言学的科学方法意义	李开	新华文摘(北京)—1990,(12):154-157
前提、含义和话语的信息结构	黄锦章	修辞学习(上海)—1991,(1):12-14
语言局限性刍议	严辰松	中山大学研究生学刊—1991,(1):23-27
关于语言研究与语言教学的反思	韩宝育	贵阳师专学报·社科版—1991,(1):29-31
论语言研究的泛时观念	陈保亚	思想战线—1991,(1):52-56
辞书学不再从属于语言学	徐庆凯	辞书研究(上海)—1991,(1):55-61,8
哲学的语言视界	申小龙	河南师范大学学报·哲社版(新乡)—1991,(1):61-66
语言学与词典学、辞典学、辞书学	林玉山	辞书研究(上海)—1991,(1):62-66
论语言表达系统中的三对矛盾	王栾生 张一耕等	信阳师范学院学报·哲社版—1991,(1):99-102,107
语言哲学中的意义理论	苑莉均	北京社会科学—1991,(1):100-104
论语言的定义	景代洪	四川师范学院学报·哲社版(南充)—1991,(1):114-118,134
一生严谨圣洁 风范长留青史:怀念丁声树先生	严学宭	语言研究(武昌)—1991,(2):1-2
语用学理论(上)	Horn,L.R.著;沈家煊译	国外语言学(北京)—1991,(2):1-6
语用学理论(中)	Horn,L.R.著;沈家煊译	国外语言学(北京)—1991,(3):10-16
语用学理论(下)	Laurence R.Horn文 沈家煊译	国外语言学—1991,(4):7-16
也谈形式主义与功能主义	廖秋忠	国外语言学(北京)—1991,(2):31-32,封三
词典的依附性和词典学的独立性	汪耀楠	辞书研究(上海)—1991,(2):78-87
再论词典学也是语言学的分支	陈楚祥	辞书研究(上海)—1991,(2):92-97
语言不能部分地改革吗？——从女权运动者对语言的部分改革说到标志理论和缺项现象	伍铁平	现代外语—1991,(3):1-8
评马丁内的功能语言观	杨金华	外国语—1991,(3):17-21

形式主义和功能主义对现代语言学发展的影响	唐 磊	外国语—1991,(3):22-27
韩礼德的功能语法理论及其语言观	沈洁明	外国语—1991,(3):35-46
三论语言学是一门领先的科学	伍铁平	语言教学与研究(北京)—1991,(3):115-130
语篇研究中的"块构"现象	熊学亮	外语教学与研究(北京)—1991,(4):3-10
言语交际中的语用移情	何自然	外语教学与研究(北京)—1991,(4):11-13
篇章与语用和句法研究	廖秋忠	语言教学与研究(北京)—1991,(4):16-44
语言的自然性	刘辰诞	外国语—1991,(4):23-29
漫谈语言研究方法	刘作焕	现代外语—1991,(4):24-27
语言人类学研究的主要问题	理 群	语言与翻译(乌鲁木齐)—1991,(4):41-47
语言:库恩科学革命之谜	郝宁湘	学术论坛—1991,(4):45-49
论语言符号的论证性特征	金基石	延边大学学报·哲社版(延吉)—1991,(4):67-75
90年代话语分析的展望:TEXT杂志90年1-2期(合订本)介绍	徐赳赳	外语教学与研究(北京)—1991,(4):69-75
列宁的双语理论及其对苏联社会的影响	陈学迅	新疆大学学报·哲社版(乌鲁木齐)—1991,(4):91-96
体态语散谈	李士敏	唐都学刊—1991,(4):104-108
论语言信息的焦点	聂俊山	新疆大学学报·哲社版(乌鲁木齐)—1991,(4):108-114
语言学理论的发展及其应用	林汝昌	湖南大学学报—1991,(5):1-8
语言:人文科学统一的基础与纽带:《文化语言学丛书》总序	申小龙	汉语学习(延吉)—1991,(5):27-28
言语行为理论与自然语言逻辑	高乐田	湖北大学学报·哲社版(武汉)—1991,(5):43-45
再论语用学对篇章分析的影响	左 欣	湖南大学学报·哲社版(长沙)—1991,(5):51-57,62
语言的范畴理论	约翰·R·泰勒文著 榕 培译	外语与外语教学—1991,(6):3-11
语言研究方法论对话札记——兼论语言研究中的"科学主义"同"人文精神"之争	张 黎 朱晓农	北方论丛1991,(6):27-32
模糊语言学浅介	周国光	学语文(芜湖)—1991,(6):41-43
话语语用结构对比刍议	许余龙	外国语(上海)—1991,(6):46-49
语言规划(一)	柯 平	语文建设(北京)—1991,(7):37-40
语言规划(二)	柯 平	语文建设(北京)—1991,(8):39-40
语言规划(三)	柯 平	语文建设(北京)—1991,(9):39-41
语言学的辩解	司徒杰	作品—1991,(7):189-191
语法知识在语文教学中的地位	吕叔湘	语文学习(上海)—1991,(8):2-5
论语言的比较和文化的比较	伍铁平	语言文字学(北京)—1991,(10):8-36
语用	沈开木	语文月刊(广州)—1991,(12):6-7

语 言 理 论

标题	作者	出处
语言学理论的发展及其应用	林汝昌	语言文字学(北京)—1991,(12):13-20
心理语言学的理论意义	章士嵘	语言文字学(北京)—1991,(12):21-27
论语言的机制	伍铁平	外语与外语教学—1992,(1):1-5
语言学的任务和作用	叶蜚声	语文研究—1992,(1):1-8
系统演变的功能主义解释	申小龙	外语教学与研究(北京)—1992,(1):52-57
语言学、语文学和其他人文科学中的文本问题——哲学分析的尝试	M.M.巴赫金 木山译	哲学译丛—1992,(1):59-61
话语的语用分析中有必要放进交际分析	沈开木	华南师范大学学报·社科版(广州)—1992,(1):73-79,88
有标记中心初探	万茂林	湘潭大学学报·社科版—1992,(1):117-121
语言研究趋势和功利性言语交际	吴为善	上海师范大学学报·哲社版—1992,(1):145-149
论语言的机制(续)	伍铁平	外语与外语教学—1992,(2):1-6
语言的认识功能	王晓升	人文杂志(西安)—1992,(2):5-10
论语言中所反映的价值形态的演变	伍铁平	解放军外语学院学报(洛阳)—1992,(2):8-16,20
伽达默尔解释学一瞥	孔庆林	哲学动态—1992,(2):9-10
语境在叙事语篇中的语言体现	任绍曾	外国语(上海)—1992,(2):15-20
九十年代的语篇分析	胡壮麟	北京大学学报·英语语言文学专刊—1992,(2):46-49,85
语言的市场价值	陈建民 祝畹瑾	语言文字应用(北京)—1992,(2):59-66
格莱斯的合作原则与歧义句分析	刘润清 许润民	北京大学学报·英语语言文学专刊—1992,(2):62-70,128
从几组语词看语言变异与多样文化的关系	苏金智	语言文字应用(北京)—1992,(2):67-73
试析"濡化"人格	高一虹	北京大学学报·英语语言文学专刊—1992,(2):71-77
汉语语法研究的人文科学方法论	申小龙	延边大学学报(延吉)—1992,(2):76-82
语言与人类的交往理性:哈贝马斯的普遍语用学	刘锋	北京大学学报·英语语言文学专刊—1992,(2):78-85
语言观念的新探索:申小龙《中国文化语言学》读后	姚亚平	青海师范大学学报·社科版(西宁)—1992,(2):87-92,100
话语理解理论:背景与现状	张亚非	南京师大学报·社科版—1992,(2):94-99
索绪尔语言观的理论层次	皮鸿鸣	武汉大学学报·社科版—1992,(2):98-104
语言新论	李国正	厦门大学学报·哲社版—1992,(2):121-127
系统演变的语言学诠解	申小龙	语言研究(武汉)—1992,(2):170-175
第三届全国现代语言学研讨会致词	吕叔湘	汉语学习(延吉)—1992,(3):1
对现代语言学理论的思考	胡裕树	汉语学习(延吉)—1992,(3):2-3
关联理论述评	张亚非	外语教学与研究—1992,(3):9-16
在认识语言的路上:编辑手记	李印堂	贵州民族学院学报·社科版(贵阳)—1992,(3):11-15

标题	作者	出处
语言本质三论	亓泰昌	语言文字学(北京)—1992,(3):25-31
脸·面子与 face	张蓓	汕头大学学报·人文科学版—1992,(3):46-48
语言能力 外语能力 交际能力	陈林华	吉林大学社会科学学报(长春)—1992,(3):86-90
也谈词素和语素:与刘叔新先生商榷	宋玉柱	世界汉语教学(北京)—1992,(3):194-195
关于语言与文化研究的思考	陈建民	汉语学习(延吉)—1992,(4):1-4
语言学革命管窥	晁保通	外语教学—1992,(4):4-8,33
语言学习理论研究座谈会纪要	《世界汉语教学》编辑部,《语言文字应用》编辑部,《语言教学与研究》编辑部	语言教学与研究—1992,(4):4-25
当代语言学研究的一些趋势	徐盛桓	外语教学—1992,(4):9-15
构件理论及其语言学影响	孙汝建	北京师范学院学报·社科版—1992,(4):11-13,10
语言学研究的当前动向:第15届国际语言学家大会述评	李秀琴	国外语言学(北京)—1992,(4):30-36
语言学研究的方法论问题(上)	徐盛桓	现代外语—1992,(4):32-36
语言学研究的方法论问题(下)	徐盛桓	现代外语—1993,(1):7-11
20世纪语言学对文化内涵的终极关切:"沃尔夫假说"研讨述评	申小龙	云南师范大学哲学社会科学学报(昆明)—1992,(4):59-64
略论模糊语义的本质和根源:兼与符达维先生商榷	许丕华 吴博富	沈阳师范学院学报·社科版—1992,(4):92-96,103
螺旋式复归,学术新范型:申小龙《中国文化语言学》评述	杨启光	暨南学报·哲社版(广州)—1992,(4):144-152
关于问答对	易洪川	湖北大学学报·哲社版(武汉)—1992,(5):28-34
语言与宗教关系初步探讨	高长江	云南师范大学社会科学学报(昆明)—1992,(5):86-91
语境分析与语境	赵小沛	外语学刊(哈尔滨)—1992,(6):24-26
论语言学的多层次理论	肖平	东北师大学报·哲社版—1992,(6):85-88
系统演变哲学的语言学阐释	申小龙	江苏社会科学(南京)—1992,(6):106-112
吕叔湘与汉语语法研究	申小龙	语言文字学(北京)—1992,(6):150
语言文化研究的四个层面	陈月明	语言文字学(北京)—1992,(9):16-21
1991年我国大陆学者普通语言学研究回顾	伍铁平	语文建设(北京)—1992,(10):27-29
"乒乓"与"乒乓球"	李炜	语文建设(北京)—1992,(10):39-41
论语言"马赛克"现象	陈原	语文学习(上海)—1992,(11):34-35
语言哲学与语言逻辑	李先焜	湖北大学学报·哲社版(武汉)—1993,(1):1-8

加强学科建设,推动教育改革:在北京语言学院学科建设规划会上的报告	李 更 新	语言教学与研究(北京)—1993,(1):4-19
中国文化语言学的本体论和方法论	申 小 龙	北方论丛(哈尔滨)—1993,(1):16-30
语言跨文化研究管见	苏 金 智	汉语学习(延吉)—1993,(1):30-34
全方位的现代语言研究	刘 叔 新	南开学报·哲社版(天津)—1993,(1):61-65
现代语言学的研究特征	李 新 安	汉中师院学报·哲社版—1993,(1):75-76
廖秋忠和篇章分析	徐 赳 赳	语言研究—1993,(1):82-90
也评"关联理论"	曲 卫 国	外语教学与研究—1993,(2):9-13
语言规划	胡 壮 麟	语言文字应用(北京)—1993,(2):11-20
"语言与文化"研究的几个理论问题	陈 月 明	汉语学习(延吉)—1993,(2):29-34
从使用规则上来探究语言的文化视界	李 无 忌 秦 建 华	东疆学刊·哲社版(延吉)—1993,(2):44-48
语言学和民族学	[美]J·H·格林堡著 张镇华译	云南民族学院学报·哲社版—1993,(2):90-94
试论大语言观	卯 西 丁	汉字文化—1993,(3):12-15
语言关系研究的某些问题	孙 竹	民族研究—1993,(3):18-22,63
缅怀先驱 开拓未来	萧 虎	汉语学习—1993,(3):31-33
使用规则:语言的文化视界	牛 长 岁 秦 建 华	山西大学学报·哲社版—1993,(3):45-49
"语言学"应改称"语言文字学"——兼论重新认识语言和文字的关系	刘 立 群	汉字文化—1993,(3):46-49
讨论语言和文字问题要有严格的科学态度	伍 铁 平	北方论丛(哈尔滨)—1993,(3):81-93
人类文化的语言视界	申 小 龙	浙江社会科学(杭州)—1993,(3):91-96
《神经语言学·绪论》	王 德 春	外国语—1993,(4):30-33
语言属于生产力范畴——再谈语言和"吃饭"的关系	奚 博 先	语言文字应用—1993,(4):72-81
讨论语言和文字问题要有严格的科学态度	伍 铁 平	北方论丛—1993,(4):81-87
试析语言的系统性	王 霞	逻辑与语言学习—1993,(6):45-48
悖论与语言的相关性研究	李 蓝	求是学刊—1993,(6):75-79
反语言学,还是超语言学?	吴 疆	新华文摘—1993,(7):31-34
符号学与语言国情学的关系:兼论语言是一种多层级的符号系统	吴 国 华	解放军外语学院学报—1994,(1):31-35,30
文化语言学门外谈	陈 世 澄	牡丹江师范学院学报·哲社版—1994,(1):52-55
语言·哲学·哲学语言	魏 博 辉	北京师范大学学报·社科版—1994,(1):62-71
古典洪堡特主义与当代新洪堡特主义	申 小 龙	复旦学报·哲社版—1994,(1):64-69
论名与实	王 希 杰	淮北煤师院学报—1994,(1):108-115

标题	作者	出处
真理,意义与意义环境——语言哲学意义理论的探讨	杜金榜	现代外语—1994,(2):1-5
语言是什么?	王希杰	语文月刊—1994,(2):2-4
语言、言语的话语	范晓	汉语学习—1994,(2):2-6
试论语言文化的宏观结构	晁保通	外语教学—1994,(2):9-14
中国文化语言学质疑:与申小龙同志商榷	方文惠	浙江师大学报·社科版—1994,(2):67-70
中国语言文字之文化通观	申小龙	语言文字应用—1994,(2):93-100
从民族志学科到民族语言交际学:语言与文化研究的一个重要进展	潘永樑	解放军外语学院学报—1994,(3):1-8
语言不属于生产力范畴	伍铁平	语言文字应用—1994,(3):29-35
论语言批评的逻辑起点	孙文宪	华中师范大学学报·哲社版—1994,(3):41-47
八零年以来我国理论语言学的回顾与反思(上)	伍铁平	湖北大学学报·哲社版—1994,(3):51-57
八零年以来我国理论语言学的回顾与反思(下)	伍铁平	湖北大学学报·哲社版—1994,(4):57-62,72
语言学的发展趋势与人才培养	冯胜利	语言教学与研究—1994,(3):102-105
关于《语言属于生产力范畴》的驳诘	奚博先	语言文字应用—1994,(4):63-67
语言的理想和现实	王希杰	语文月刊—1994,(5):2-3
语言文化论析	夏雨	外语学刊—1994,(6):5-9
语言符号及其前景化	张德禄	外国语—1994,(6):9-14
义位的模糊性	张庆云 张志毅	语言文字学—1994,(6):18-24
语言文化论	陈保亚	读书—1994,(6):59
李方桂先生谈语言研究	马学良	中央民族大学学报—1994,(6):87-94
语言中的时效现象	莫诩	语文月刊—1994,(12):4
充分发挥民族语文的作用促进改革开放和各民族共同发展	孙竹	民族语文—1995,(1):1-4
语言的所指不只是音响形象,语言的所指不只是概念:七论汉语文教学与索绪尔的贡献和局限	徐德江	汉字文化—1995,(1):3-5
语言不具有生产力特征	洪成玉	汉字文化—1995,(1):48-55
港澳回归与双语问题	潘家懿	汕头大学学报·人文科学版—1995,(1):57-61
重视语言应用和理论研究结合:也谈重新认识语言问题	徐思益	语言文字应用—1995,(2):67-72
语言研究的个性和共性与文化语言学的价值取向	于全有	语文研究—1995,(3):43-46
我们需要怎样的语言观	刘大为	华东师范大学学报·哲社版—1995,(3):74-80
语言本质的再认识	王希杰	语言文字学—1995,(4):4-11

当代中国理论语言学的世纪变革	申 小 龙	华东师范大学学报·哲社版—1995,(4):82-87
语言学理论与外语教学笔谈(之二)	宫 立 都 宫 齐	齐齐哈尔师院学报—1995,(4):99-102
语言学与外语教学笔谈(之三)	傅 静 原	齐齐哈尔师院学报—1995,(6):101-106
语言学是一门领先的科学	吴 世 雄	解放军外语学院学报—1995,(6):1-5

语言和思维

浅谈语义记忆的几种认识模式	刘 劲	徐州师范学院学报·哲社版—1990,(3):163-167
试谈句群中心与思维顺序	唐 棣	江西教育学院学报·综合版(南昌)—1990,(4):40-45
共时点和历时链:关于语言变异问题的思考	冯 广 艺	学术研究(广州)—1990,(6):94-97
交际能力,语言水平及其它	Spolsky Bernard 著 张 逸 岗 庄恩忠摘译	国外外语教学(上海)—1991,(1):9-14,5
谈谈思维形式和语言形式的关系	蒋 以 璞	学语文(芜湖)—1991,(1):19-20
言语交际中词的意义结构	卞 成 林	广西民族学院学报·哲社版(南宁)—1991,(1):60-64
从语言学角度论委婉语的本质特征:兼与卢兹先生商榷	刘 锦 明	温州师院学报·哲社版—1991,(1):66-71
语言学习与直觉思维	韩 刚	海南师范学院学报(海口)—1991,(1):88-93,108
简论言语交际中的矛盾关系	王 建 华	温州师院学报·哲社版—1991,(1):94-98,90
语言之于人类思维的本体论意义	申 小 龙	学习交流—1991,(1):124-131
结合——语言理论研究的发展趋向	徐 通 锵	语文研究(太原)—1991,(2):1-9
语言、思维与情感(上)	黄 辅 雄	中学语文教学—1991,(2):14-15
语言、思维与情感(下)	黄 辅 雄	中学语文教学—1991,(3):5
论语言符号与文字符号的区分度互补原理	李 葆 嘉	江苏社会科学(南京)—1991,(2):73-78
论语言与人性的本质联系	申 小 龙	江苏社会科学(南京)—1991,(2):85-89
论公关语言学	黎 运 汉	暨南学报·哲社版(广州)—1991,(2):96-103
语言问题:一种思维模式的选择:论现代英美哲学与欧陆哲学的合流	江 怡	中国社会科学(北京)—1991,(2):101-113
未晚斋语文漫谈	吕 叔 湘	中国语文(北京)—1991,(2):146-148
论语言研究的泛时观念	陈 保 亚	语言文字学(北京)—1991,(3):5-9
模糊理论的若干问题	吴 涌 涛	外语学刊(哈尔滨)—1991,(3):22-26
语言的羡余现象	吴 安 其	民族语文(北京)—1991,(3):70-73
论语言空间	张 志 扬	湖北大学学报·哲社版(武汉)—1991,(3):73-80
思维和语言表达的逻辑性刍议	李 恩 江	编辑学报—1991,(3):92-96

交际话题及其存在的主要形式	李　延　瑞	福建师范大学学报·哲社版(福州)—1991,(3):107－112
语境与语言研究	[日]西慎光正	中国语文(北京)—1991,(3):195－200
欣赏:语言潜信息的开掘	龙　协　涛	安徽大学报·哲社版(芜湖)—1991,(3):280－286
关于思维与语言表达	李　作　南	语文学刊(呼和浩特)—1991,(4):1－5
思维和语言关系新探	王　晓　升	理论学习月刊—1991,(4):8－13
谈语言义向言语义的转化	常　敬　宇	语文研究(太原)—1991,(4):13－19
图象识别、语理解与直感思维——论语言在意识反映中的作用	雷　友　梧	江西师范大学学报—1991,(4):38－44
关于辩证思维与语言表达中的几个问题	韩　铁　稳	蒲峪学刊—1991,(4):57－60
人的思维形成认识表达网络的过程与方式	檀　　　宁	内蒙古社会科学·文史哲—1991,(4):116－118
话语语言学浅说	王　孝　军 刘　凤　枝	河南师范大学学报·哲社版(新乡)—1991,(4):127－131
索绪尔的语言学与信息论	[日]北川敏男著;许春淑译	逻辑与语言学习(石家庄)—1991,(5):35－37,46
日常交际的行为渠道及其与言语渠道的关系	陈　育　林	语言文字学(北京)—1991,(6):16－21
模糊语言学和术语学	伍　铁　平	语言文字学(北京)—1991,(8):6－15
论书面语语码转换	阳　志　清	现代外语—1992,(1):1－6
话语意义的间接传达与理解	高　乐　田	逻辑与语言学习—1992,(1):7－9
论儿童语言发展与聋儿听力语言康复训练	凌　德　祥	安徽教育学院学报·社科版—1992,(1):59－63
论语言的遮蔽及其对人类知识和思维的影响	周　静　芳	扬州师院学报·社科版—1992,(1):107－111
语言单位的粒、波、场性质	彭　德　固	现代外语—1992,(2):10－14
语言层次论	贺　广　明	中国图书馆学报—1992,(2):22－25
语言的机缘	[美]R.罗蒂著,季桂保译	哲学译丛—1992,(2):39－48
语言表达新议	陆　季　芳 王　栾　生	河南大学学报·社科版(开封)—1992,(2):104－106
论言语表达和知悟的三维结构	韩　宝　育	陕西师大学报·哲社版(西安)—1992,(2):113－117
思维活动中语言对客体的匹配和映射	王　晓　升	社会科学战线—1992,(3):8－14
神经语言学:对失语症中语言与脑关系的综观(上)	Blumstein,S.E.著 沈家煊译	国外语言学(北京)—1992,(3):10－12

神经语言学:对失语症中语言与脑关系的综观(下)	Blumstein, S.E.著 沈家煊译	国外语言学(北京)—1992,(4):4-13
语言的效率与机制	王治平	阅读与写作—1992,(3):26
言语行为的运行机制	周品淇	中州学刊(郑州)—1992,(3):72-75
关于说话艺术	王崇志	扬州师院学报·社科版—1992,(3):114-118,122
失读病人语句、篇章阅读中形、音、义关系的探讨	胡超群 李漪	中国语文(北京)—1992,(3):191-194
认知与外语学习	桂诗春	外语教学与研究(北京)—1992,(4):2-9
礼貌、语用与文化	顾曰国	外语教学与研究(北京)—1992,(4):10-17
口吃与语言学初探	辛斌 戴淑艳	现代外语—1992,(4):41-44
话题、述题和已知信息、未知信息	沈开木	语言教学与研究—1992,(4):58-69
词语意义间的依赖关系	刘叔新	汉语学习(延吉)—1992,(5):1-7
语言对比和文化对比	戚雨村	外国语(上海)—1992,(5):1-7
话语的暗示意义及其辨识	申镇	外语学刊—1992,(5):42-46
简论认识与语言的结构	李树琦	北方论丛(哈尔滨)—1992,(6):33-38
合作原则、思维定势和理解的误区	王希杰	语文月刊(广州)—1992,(9):2-4
语言和词项、概念	邵春林	学术月刊—1992,(10):16-20
语言的类推的心理	杨鼎夫	语文月刊—1992,(11):10
体态语的文化透视	耿二岭	语文建设(北京)—1992,(12):37-39
语言和语言学习	胡明扬	世界汉语教学(北京)—1993,(1):1-3
自我认识与跨文化交际	王宗炎	外国语(上海)—1993,(1):1-6
谈话里的协调	王得杏	外语教学与研究(北京)—1993,(1):9-16
交际因素与语篇分析	陶炀	外国语(上海)—1993,(1):15-21
词语的谦卑	西渡	延边大学学报·社科版—1993,(1):26-28,83
合作原则的意义与医护人员的口语交际	李胜梅	江西大学学报·社科版—1993,(1):51-54
话语的等值接受:话语接受类型论之一	唐跃	艺术广角—1993,(1):56-60
论语言对人类思维发展的促进作用	张浩	东岳论丛(济南)—1993,(1):61-65
试论皮亚杰关于语言和思维关系的基本观点	曹能秀	云南教育学院学报—1993,(1):86-91
喜剧表演中的体态语	袁嘉	戏剧—1993,(1):99-101,25
略论语言的词汇和言语的词汇	王希杰	杭州大学学报·哲社版—1993,(1):106-114
自然语言理解的语言学假设	袁毓林	中国社会科学(北京)—1993,(1):189-206
认知与语篇产生	胡壮麟	国外语言学—1993,(2):1-6
会话含意理论的新发展	徐盛桓	现代外语—1993,(2):7-15
婉语的社会语言学研究	王松年	外国语—1993,(2):22-25
交际法与结构法的比较	吴秋芬	宁波师院学报·社科版—1993,(2):46-49

言语交际的信息系统与逻辑链	李衍华	中国妇女管理干部学院学报—1993,(2):49-53
试论语感的性质要素和语感能力的培养	潘纪平	湖北大学学报·哲社版—1993,(2):52-56
语言迁移研究综述	黄丹丹 刘毅	汕头大学学报·人文版—1993,(2):52-58
论言语表达的策略性	徐炳昌	扬州师院学报·社科版—1993,(2):53-59
试论模糊语言与交际	杨坚定	绍兴师专学报—1993,(2):65-69
社会语言能力与会话规则	田在原	贵州师范大学学报·社科版—1993,(2):77-79
不同性别的人运用语言的特点	印辉	浙江大学学报·社科版—1993,(2):112-116
论语言"污染"问题	刘金海	西北大学学报·哲社版(西安)—1993,(2):122-128
交往与文化及其它	杨国章	语言教学与研究—1993,(2):143-153
语境选择的若干问题	申镇	外国语—1993,(3):14-18
交际能力与交际语言教学	黄国文	现代外语—1993,(3):14-19,30
语篇结构及其语境意义初探	赵晓环	外国语—1993,(3):19-22,28
民族文化、思维特征对语言交流的影响	刘丽	现代外语—1993,(3):27-30
话语分析:语言能力研究的一部分	徐赳赳译	国外语言学—1993,(3):35-47转封四
应该重视对非语行为的研究	乔寿宁	山西大学学报·哲社版—1993,(3):50-52
论语言在思维中发挥作用的机制	严火其	南京大学学报·哲社人文版—1993,(3):57-61
论说话艺术的美学传统及其特征	于天池	文艺研究—1993,(3):66-74
言语交际中的扬升抑降与礼貌原则	来定芳 王虹	外国语—1993,(3):7-13
"得体"的语用研究	索振羽	语言文字应用—1993,(3):77-85
论言语交际义的表达和理解	常敬宇	语言文字应用—1993,(3):86-92
语言态度对语言使用和语言变化的影响	刘虹	语言文字应用—1993,(3):93-102
"谦逊准则"运用的比较社会语用学分析尝试	[日]彭国跃文,郑贵友,崔健译	延边大学学报·社科版—1993,(3):101-108
口语在丰富多变的语境中	傅民	语言文字应用—1993,(3):103-109
"爱妻型"和男性话语中心	王千	读书—1993,(3):105-108
体态语简说	任丽芬	锦州师院学报·哲社版—1993,(3):114-119
言语交际的简洁手段	徐静茜	语言文字学(北京)—1993,(3):127-134
语言学范畴的心理现实性	袁毓林	汉语学习—1993,(4):1-5
从周总理接见黄春谷谈起:言语交际中的措词与受话人的心理	陈满华	演讲与口才—1993,(4):4-6
相关理论中的语用推理	孙玉	外国语—1993,(4):39-43
语言信息的并联和分离	周国光	学语文—1993,(4):42-43
漫谈言语交际的个性	沈志刚	学语文—1993,(4):44-45

语言的委婉与粗鄙	李文中	外语学刊—1993,(4):51-55,7
维特根斯坦论私人语言	韩林合	哲学研究—1993,(4):51-57
语言是在思维的呼唤下产生的	张 浩	社会科学研究—1993,(4):71-75
"语言是思维的工具"质疑	刘利民	社会科学研究—1993,(4):76-80
语言交际中的"意义"剖析	王永聘 底晓明	宜昌师专学报·社科版—1993,(4):78-81,40
语境对话语语体的选择	申 镇	殷都学刊—1993,(4):113-114
聊天与交际	陈贤纯	语言教学与研究—1993,(4):118-122
交际语言对逻辑的"突破"——一种语言结构的逻辑分析	王先荣	逻辑与语言学习—1993,(5):4-9
语言中的"性别歧视"两面观——兼议语义贬降规律和语言的从属性	孔庆成	外国语—1993,(5):15-19
语言能力与语言运用差异探析	任付标 胡志英	外语学刊—1993,(5):23-29
医患之间的话语沟通	周雍雍 孙洪文	修辞学习—1993,(5):34-35
形体动作语探源	盛跃东	外国语—1993,(5):59-61
试论公关语言的逻辑功能	张晓光	辽宁大学学报·哲社版—1993,(5):107-110
汉译佛典语文中的原典影响初探	朱庆之	中国语文—1993,(5):379-385
交际模式述平	王传经	外语学刊—1993,(6):18-24,29
语境与语言逻辑研究	胡泽洪	湖南师范大学学报·社科版—1993,(6):21-25
语境型和背景型	[日]木村英树文,郑贵友,崔健译	汉语学习—1993,(6):30-32
问话"四忌"	陈建民	汉语学习—1993,(6):46-48
语言、文字和民族	陈其光	中央民族学院学报—1993,(6):83-89
表现欲与表现机制	周思源	北京师范大学学报·社科版—1993,(6):89-93
模糊语言在信息接受中的运用	丁世洁	河南师范大学学报·哲社版—1993,(6):93-95
汉语与汉民族思维的文化通约	申小龙	社会科学战线—1993,(6):246-253
话语理论的诞生——哈佛谈书札记	赵一凡	读书—1993,(8):109-117
称谓方式与社会结构	吴振国	语文建设—1993,(9):33-34
交际的先行官——称谓	允贻 韦人	语文学习—1993,(10):36-38
试探"经济原则"在言语交际中的运用	陈新仁	外语学刊—1994,(1):8-12
浅谈交际与跨国文化	胡鉴明	中小学英语教学与研究—1994,(1):16-19
试论跨文化交际中的禁忌语	高永晨	苏州大学学报·哲社版—1994,(1):30-34
浅谈演讲中的心理相容	邓丽英	武当学刊—1994,(1):37-40
论思维中判断联系的方向	[俄]索尔加尼克	牡丹江师范学院学报·哲社版—1994,(1):56-60
孔子言语行为思想的道德价值取向	陈汝东	淮北煤院学报—1994,(1):124-127
关于认知语言学的理论思考	袁毓林	中国社会科学—1994,(1):183-198

标题	作者	出处
言语行为的拓展	王传经	外语教学—1994,(2):1-8
称呼的类型及其语用特点	卫志强	世界汉语教学—1994,(2):10-15
浅谈语言的内涵与联想	梁杰才	湛江师范学院学报·哲社版—1994,(2):123-130
非语言交际述评	杨平	外语教学与研究—1994,(3):1-6
言语平等关系与心理平衡结构：兼论社会权势关系中的礼貌扬升抑降现象与平等关系	王虹 束定芳	外国语—1994,(3):5-11
对方中心论	何恒幸	外语学刊—1994,(3):6-10
女性言语特征浅说	木子	修辞学习—1994,(3):12-14
增强跨文化意识,提高英语交际能力	史传高	上海科技翻译—1994,(3):13-15
会话的艺术	[美] Julia M. Dobson 著,刘萱译	国外外语教学—1994,(3):23-26
言谈交际中如何彬彬有礼	艾龙江 熊锟	上海科技翻译—1994,(3):45-46,43
话语的超表意信息与翻译(上)	喻云根 张积模	外语研究—1994,(3):46-50
语言与思维关系新探	熊雪林	宁夏大学学报—1994,(3):57-61
论语言的表达困境	王晓升	社会科学研究—1994,(3):74-79
从发生学角度看思维与语言的关系	张浩	青海师大学报·社科版—1994,(3):81-92
试论言语生成的四个层面	王力 秦建华	山西师大学报·社科版—1994,(3):93-95
语言的双重约束和社会心理	杨舒	徐州师范学院学报·哲社版—1994,(3):136-137
不同文化之间的交际——René Dirven 和 Martin Pütz《文化间交际》述评	王宗火	国外语言学—1994,(4):14-18
社交障碍与克服障碍的途径	[美]卡尔·R·罗吉斯著 池昌海译	修辞学习—1994,(4):25-26
语言的隐含信息	李海林	语文学习—1994,(4):39-40
人脑与人类自然：多方位研究中的神经语言学	卫志强	语言文字应用—1994,(4):43-49
会话含义：汉语若干实例透视	翰承	兰州学刊—1994,(4):52-57
话语的超表意信息与翻译(下)	喻云根 张积模	外语研究—1994,(4):51-55
语言、共同体与认识模式	陈建涛	探索—1994,(4):56-59
提问与答问：言语策略一隅	冯学锋	湖北大学学报·哲社版—1994,(4):67-72
语言与"性别歧视"关系辨述	陈新仁 徐同林	扬州师院学报·哲社版—1994,(4):78-81
试论语言的定义及其特质	方云钦	山西师大学报·社科版—1994,(4):91-93,96
话语宏观结构及其宏观操作	陈忠华	解放军外语学院学报—1994,(5):12-16

语言和言语问题值得进一步研究	王希杰	汉语学习—1994,(5):15-17
论会话关联	王传经	外语学刊—1994,(5):37-44
从"九·一三"事件的对外交涉看外交用语的准确性	王发平	语文建设—1994,(6):2
预审中逻辑语言的作用	李军华	语文建设—1994,(6):3-6
论认知的语言制约性	陈建涛	齐齐哈尔师院学报·哲社版—1994,(6):11-15
"镜中世界"看语言:谈语言交际中的跨文化差异	张朝宜	解放军外语学院学报—1994,(6):28-30
发话目的与会话含义	何恒幸	语言文字学—1994,(6):77-86
语言的崇拜和迷信	王希杰	语文月刊—1994,(7):2-3
语言的操作与情感的投入	何明	写作—1994,(7):24-25
谈话中的"破题"——开场语	允贻 韦人	语文学习—1994,(10):41-42
语文研究范式的嬗变及其科学取向	胡以申	江西社会科学—1994,(12):110-113
语言能力规律新探	陈伯安	语文教学与研究—1995,(1):30-31
散语言中的性别歧视	陈维平	江苏教育学院学报·社科版—1995,(1):49-52
庄子的语言观	刘泽民	兰州大学学报·社科版—1995,(1):125-131
说话"看人下菜碟"	吴郁	语文建设—1995,(2):44-46
从京都流行语看当前大众心理的一些倾向	孙曼均	汉语学习—1995,(2):46-50
语言观与汉语规范化:第5次语法学修辞学学术座谈会发言纪要	朱景松	语言文字应用—1995,(2):61-66
言语习得与外语学习	倪晓慧 季天祥	扬州师院学报·哲社版—1995,(2):101-104
哲学语言与日常语言	魏博辉	中国人民大学学报—1995,(3):33-38
"咨询员中心"与"来话者中心":两种电话心理咨询模式的会话结构特点	高一虹	语言文字应用—1995,(3):100-105
认知与语言理解	斯琴	内蒙古大学学报·哲社版—1995,(3):117-120
后现代话语错位与知识分子价值选择	王岳川	语言文字学—1995,(4):12-16
诱导消费心理的广告语言策略	肖群英	赣南师范学院学报—1995,(4):39-43
论汉语实词的多功能与中国传统思维方式意会特点之关系	陈立中	湘潭大学学报·社科版—1995,(4):103-107
谈吐:自我形象的包装	徐静茜	语文建设—1995,(7):40
为"语感中心说"申辩	王尚文	语文学习—1995,(9):6-9
汉语词汇的思维特征管窥:兼及语言与思维之关系	陈月明	语言文字学—1995,(9):86-94

语言的起源和发展

标题	作者	出处
语言类型学	Bernard Comrie 著 廖秋忠 译	国外语言学(北京)—1990,(4):1-10
论语言在人的意识建构中的作用	雷友梧	江西师范大学学报·哲社版(南昌)—1990,(4):69-76
俄苏文学作品中成语的艺术功能	冯锦珊	兰州大学学报·社科版—1990,(4):112-119
语言研究拾遗(续)	许威汉	上海师范大学学报·哲社版—1990,(4):113-116
论言语交际的效果	胡士云	语文建设(北京)—1990,(6):8-13
语境漫谈	筱筠	语文建设(北京)—1990,(6):48-51
语言学家追踪母语:通过比较,一些语言学家认为可以复制古代语言	周歧才 译	语言文字学(北京)—1990,(11):20-23
语言学的发展与研究方法的创新	纪秀生	吉林师范学院学报·哲社版—1991,(1):12-15
专用语研究中的几个主要理论问题	梁镰 钱敏汝	国外语言学(北京)—1991,(1):34-40
从语言学角度看中国远古神话断片化原因	花兰科	宁夏大学学报—1991,(2):35-38
论语言符号与文化符号的区分度互补原理	李葆嘉	江苏社会科学(南京)—1991,(2):73-78
语言人类学研究的主要问题	理群	语言与翻译(乌鲁木齐)—1991,(3):7-12
人类语言的共同化发展趋向	车安宁	科学·经济·社会—1991,(3):30-33
言语的生命意识	钱冠连	现代外语—1991,(4):1-6
图象识别、语言理解与直感思维:论语言在意识反映中的作用	雷友梧	江西师范大学学报·哲社版(南昌)—1991,(4):38-44
神话:仪式、语言的"科学"	叶铭	民间文学论坛—1991,(5):10-14
文化人类学与当代语言学研究论纲	何勇 王海龙	语言文字学(北京)—1991,(7):7-13
语言类型学	伍铁平	语文建设(北京)—1991,(8):36-38
汉藏语和南岛语的"米"同源试证	吴叠彬	语言研究(武汉)—1991,(增刊):42-50
语言变体与标准语	[英] Randolph Quirk 著 顾兴梁 译	国外外语教学—1992,(1):24-30
什么是语言	J.莱昂斯 著 颜森 译	江西师范大学学报·哲社版(南昌)—1992,(4):112-117
社会因素与语义标记对立的变异	尹铁超 周滨	外语学刊(哈尔滨)—1992,(6):31-35
语言的声望计划	苏金智	语文建设(北京)—1992,(7):41-42
认知科学的兴起与语言学的发展	郭承铭	国外语言学(北京)—1993,(1):1-7
言语生成的基本运动和状态	张宁	语言文字学(北京)—1993,(1):9-13

论自然语言人工语言及其在认识中的不同作用——语言与认识研究之一	胡泽洪	湖南师范大学学报·社科版—1993,(1):64-68
语言演变中的"葛氏定律"	刘宝俊	中南民族学院学报·哲社版(武汉)—1993,(1):93-99
语言在从猿到人转变过程中的作用	戴问天	中国教育报—1993,(11):10,3
语言的可证性	胡壮麟	外语教学与研究—1994,(1):9-15
语言神话的建构与消解	齐效斌	西安外院学报—1994,(1):71-75,56
语言和文字之间的区别、联系和相互转化	张朋朋	汉字文化—1994,(2):15-24
语音是口语王国的元首,字形是书语(文字)王国的元首:四论汉语文教学与索绪尔的贡献和局限	徐德江	汉字文化—1994,(2):34-36
语言起源的一源论	王钢	外语教学与研究—1994,(2):34-42
"语言起源的一源论"书后	周流溪	外语教学与研究—1994,(2):43-45
语言学的发展趋势与人才培养	冯胜利	语言教学与研究—1994,(3):102-105
语言随社会发展而发展质疑	刘英军	河北师范大学学报·社科版—1995,(4):78-82
毕苏语中的傣语借词	徐世璇	民族语文—1995,(5):47-55
论缅语复辅音的演变	蔡向阳	解放军外语学院学报—1995,(6):40-46
略论"卍"纹源流	安旭	南开学报·哲版版—1995,(6):73-82
绘画符号的形式与内容	张平 张士显	齐鲁学刊—1995,(6):121-124
北美印地安文字对文字源泉研究的启发意义	王元鹿	华中师范大学学报·哲社版—1995,(6):181-184
全民共同语与方言的形成和发展	胡瑞昌	语言文字学—1995,(7):124-130
论华夏汉语混成发生的考古文化与历史传说背景	李葆嘉	语言文字学—1995,(9):30-35

民族语言、文学语言(标准语)

语言、文学与文化	王守义	外语学刊(哈尔滨)—1991,(1):49-53
汉族人的取名与汉民族传统语言文化	黎辉亮	海南师范学院学报(海口)—1991,(1):98-102
文化语言学的方法	萧国政	华中师范大学学报·哲社版(武汉)—1991,(1):99-104
语言与文化透视	陈才俊	暨南学报·哲社版(广州)—1991,(1):108-115
民族语言的历史文化价值(上)	普学旺	语言美(昆明)—1991,(2):25①
文化语言学	伍铁平 吴涌涛	文史知识(北京)—1991,(2):85-87
社会语言的发展与文学语言的创新	崔俊臣	文学自由谈—1991,(2):88-90
通名报姓漫谈	李向农	学语文(芜湖)—1991,(3):42-44

语言与民族感情	刘宝俊	中南民族学院学报·哲社版(武汉)—1991,(3):107-113
民族语言与民族文化	张公瑾	汉语学习(延吉)—1991,(4):29-31
民族教育中的语言选择	李小平	贵州民族学院学报·社科版—1991,(4):61-66
语言学的文学本体论论纲	冯黎明	湖北大学学报·哲社版(武汉)—1991,(4):66-71
试论回族的语言特色	马耀圻 马永真	内蒙古社会科学·文史哲版(呼和浩特)—1991,(5):53-56
在社会语言学开辟的新天地里	洪毅	语言文字学(北京)—1991,(9):65-67
澳泰语发展的三个历史阶段——印尼语、雷德语和回辉语	蒙斯牧	语言研究(武汉)—1992,(1):104-109,8
试论民族语言与民族史研究	吴一文	贵州民族研究(贵阳)—1992,(1):140-144
论文学语言的特点	张德明	东疆学刊·哲社版(延吉)—1992,(2):16-22
少数民族文论家论语言的本质特征	哈斯朝鲁	民族文学研究—1992,(2):72-78
民俗事象的语言视界	申小龙	学术研究(广州)—1992,(3):91-95
避讳词语与民族习俗说略	谢明琴 王会银	语文知识(郑州)—1993,(2):2-4
体态语的性差异	范庆华 曹秀玲	东疆学刊·哲社版(延吉)—1993,(2):49-52
语言感情和语言歧视	王希杰	语文建设(北京)—1993,(3):13-15
从一组动作词的比较看民族语言和民族认识的关系	黄行	民族语文—1993,(3):64-68
对民族文化语义的几点思考	吴国华	外语学刊—1993,(6):37-40
论民族语言学的社会语言学研究	王远新	汉字文化—1994,(1):15-20
研究新时期人民群众的语言活动	陈建民	语言文学应用—1994,(1):19-21
文学写作的"心理语言"	金道行	写作—1994,(1):28-29
《麦田里的守望者》中的反正统文化语言	罗世平	外国文学评论—1994,(1):50-56
康家回族的亲属称谓语	席元麟	青海民族学院学报·社科版—1994,(1):93-94
语言与民俗文化例说	杨淑敏	山东师大学报·社科版—1994,(1):94-95
民族语言文化的心理探析	肖丽萍 刘应捷	中南民族学院学报·哲社版—1994,(1):125-128
汉语称呼语的合用及其相关因素	荣晶	思想战线—1994,(2):47-51
"言意这辨":语言的局限性与文学的重要性	宋协立	文史哲—1994,(2):71-75
文学文体学的分析模式及其面临的挑战	申丹	外语教学与研究—1994,(3):7-13
缅彝语语素比较研究	李永燧	民族语文—1994,(3):10-20
南岛语与百越诸语的关系	倪大白	民族语文—1994,(3):21-35
论母语与民族文化的关系	罗康隆	广西大学学报·哲社版—1994,(3):25-28
从语言学谈蒙藏文化交流	嘎尔迪	西北民族学院学报—1994,(3):96-100

语言的双重约束和社会心理	杨 舒	徐州师院学报—1994,(3):136-138
文艺语言学论纲	柳广民	人文杂志—1994,(4):100-107
论民俗语言	马学良 李耀宗	中央民族大学学报—1994,(5):70-82
民族语言学论纲	刘宝俊	中南民族学院学报·哲社版—1994,(5):109-114
"老字号"命名得失谈	陈妹金	语文建设—1994,(6):6-7
从汉语"自己"一词的历时性演变看新格赖斯主义语用照应理论	程 工	解放军外语学院学报—1994,(6):10-15,22
语言学和文学	王希杰	语文月刊—1994,(9):3-5
禹:中国民族精神的话语起源	朱大可	语言文字学—1994,(9):125-130
语言个性与文化差异	田惠刚	百科知识—1994,(12):28-29
语言与实在的意义关系	郭彦英	延安大学学报·社科版—1995,(1):84-88
汉语文献中的几个藏缅语词试释	黄树先	语言研究—1995,(1):182-187
蒙古国的语言文字及文字改革	图门其其格	语言与翻译—1995,(2):131-135
我国古代的改姓问题	张书岩	汉语学习—1995,(3):49-53
谈禅宗语言的模糊性	张育英	苏州大学学报·哲社版—1995,(3):93-95
中国文化语言学的涵义和界说	游汝杰	复旦学报·哲社版—1995,(3):217-222
蒙太古语义学	陆汝占 靳光瑾	语言文字应用—1995,(4):47-52
电影叙事中画面构图的"语式"功能	李显杰	华中师范大学学报·哲社版—1995,(4):80-86
"穿戴"语义场与语言的民族特点	金 石	汉语学习—1995,(5):30-34
人类语言的大趋势	李 春	北京大学学报·哲社版—1995,(5):93-97

方　言

语言和方言	胡明扬	语文建设(北京)—1991,(4):2-5
方言学的未来	[日]藤原与一著;华学诚译	扬州师院学报·社科版—1991,(4):70-74
论日本阿夷奴语和鄂温克语共有动词	朝 克	民族语文(北京)—1992,(1):17-24
杨雄《方言》中的秦晋方言	李恕豪	四川师范大学学报·社科版(成都)—1992,(1):76-82
汉语方言研究的回顾和前瞻	詹伯慧	学术研究(广州)—1992,(1):109-114
"方言"的涵义	鲁国尧	语言教学与研究(北京)—1992,(1):126-136
方言关系的计量表述	王士元 沈钟伟	中国语文(北京)—1992,(2):81-92
方言语调与民歌腔调	宋运超 朱显碧	贵州师范大学学报·社科版(贵阳)—1992,(4):70-75
方言与民俗	黄佩文	汉语学习(延吉)—1992,(6):40-41
新格赖斯会话含意理论和语用推理	徐盛桓	外国语(上海)—1993,(1):7-14
琐议方言的民俗蕴涵	贾敦儒	青海民族学院学报·社科版—1993,(3):69-74

标题	作者	出处
从现代哈萨克语词的构成看原始突厥语词汇的特点	吴宏伟	语言研究—1994,(1):191-196
民族文字的基础方言和标准音问题	杨应新	民族语文—1994,(2):8-10
白马话与藏语(上)	张济川	民族语文—1994,(2):11-24
白马话与藏语(下)	张济川	民族语文—1994,(3):53-67
怎样区分语言和方言	何知	语文世界—1994,(2):22-23
谈汉语方言的定量研究	沈榕秋	语文研究—1994,(2):45-52
浅析塔尔斯基的语言层次论	林琼	暨南学报·哲社版—1994,(3):19-25
方言习得的八条原则：介绍 J. K. Chambers 的《方言习得》	陈前瑞	国外语言学—1994,(3):39-42,27
汉语方言语法研究大有可为：序《汉语方言语法调查手册》	詹伯慧	语文研究—1994,(4):1-4
从青海汉语的几个方言词看语言间接触影响	贾儒	民族语文—1994,(4):57-63
《金瓶梅词话》方言新证	马永胜 姚力芸	山西大学学报·哲社版—1994,(4):59-65
从方言词汇透视闽台文化内涵	林寒生	厦门大学学报·哲社版—1994,(4):107-112
借重方言探明古书字义真谛	王海根	徐州师范学院学报·哲社版—1994,(4):115-118
方言与文化的宏观研究	李如龙	暨南学报·哲社版—1994,(4):139-148
《楚辞》楚语今证	邵则遂	语言文字学—1994,(8):36-38
关于方言差异的一点认识	俞正贻	语言文字学—1995,(3):134-138
汉语方言"祖父""外祖父"称谓的地理分布：方言地理学在历史语言学研究上的作用	岩田礼	中国语文—1995,(3):203-210
方言和水土	于根元	语文世界—1995,(5):43-44

社会方言、同行语

标题	作者	出处
从新词语看语言与社会的关系	王希杰	世界汉语教学(北京)—1991,(3):161-166
方言和婚姻	王希杰	语文月刊(广州)—1991,(5):13-14
方言与歇后语	丁全	语文知识(郑州)—1991,(5):17-19
略论图书馆语言的结构形式	刘本臣	锦州师院学报·哲社版—1992,(1):105-109
语言中的俗词源现象	范俊军	外国语(上海)—1992,(5):20-24
语言与社会	杨信川	阅读与写作—1994,(1):18
语言与社会(续)	杨信川	阅读与写作—1994,(2):16-17
流俗词源与语言文化心理	金基石	延边大学学报—1994,(2):82-86
论语言词汇与社会文化的关系	王建华	浙江社会科学—1994,(4):92-98
商品名称谈类	莫家泉	阅读与写作—1994,(6):39
"海关"无海"老外"不老	张德鑫	语文建设—1994,(12):35
角色语言规范性问题研究	王均裕	四川师范大学学报·哲社版—1995,(3):110-119,138

亚文化沟通中的公关言语	曾毅平	语文建设—1995,(7):37-39

国际辅助语、世界语

浅谈国语和世界共同语	塔依尔江	语言与翻译(乌鲁木齐)—1991,(1):78,77
德语的规范化	冯志伟	语文建设(北京)—1992,(3):40-42
美国俚语的作用与特点	原青林	河南师范大学学报·哲社版(新乡)—1992,(4):67-70
论英语谚语的修辞手段及思想内容	刘训爱	河南师范大学学报·哲社版(新乡)—1992,(4):76-79
试论美国英语中的方言	谢艳梅	湖南师范大学社会科学学报(长沙)—1992,(5):111-115
学习词汇及词的用法	В·Г·卡斯塔玛洛夫,О·Д·米特拉法诺瓦	佳木斯师专学报—1994,(1):40-43
古英语和中古英语简论	贺孟升	喀什师院学报·哲社版—1994,(1):95-101
"过正矫枉"法在英语语音教学中的运用	王绍灵	淮北煤师院学报—1994,(1):132-134
俄语动词不定式用体的某些规则	张熙雄	河北大学学报·哲社版—1994,(1):142-149
浅谈公外英语教学中教与练的辩证法	刘民	河北大学学报·哲社版—1994,(1):150-152
试析现代英语的构词理据	李兴华	华中师范大学学报·哲社版—1994,(2):121-123
谈谈better≤good	罗永合	解放军外语学院学报—1994,(3):9-11,8
法语谚语中一些常用的修辞手段	夏秀峰	解放军外语学院学报—1994,(3):19-24
浅析"～になる"与"～となる"表示结果的不同	周永利 刘晓燕	解放军外语学院学报—1994,(3):25-27
俄语成语的结构特征	丁昕 李桂芬	解放军外语学院学报—1994,(3):28-33,8
动词不定式与运动动词的功能语义搭配	王铭玉	解放军外语学院学报—1994,(3):34-39,18
印尼语的颜色词及其文化象征意义	吴瑞明	解放军外语学院学报—1994,(3):40-46
试析中国味英语发音	李小金	解放军外语学院学报—1994,(3):57-61,71
大学英语听力教学中的语音学研究	林祖安	解放军外语学院学报—1994,(3):62-71
英语成语用法初探	张富荣 崔永斌	河南师范大学学报·哲社版—1994,(3):75-77
创建英基国际语刍议	魏佑海	深圳大学学报·人文社科版—1994,(4):71-82

儿童语言

四岁前儿童"谁"字句的发展	李宇明 唐志东	语言研究(武昌)—1990,(2):46-51
西方小孩子是怎样"学"字的?	密勒G·A,基尔黛P·M 著;安子介译评	汉字文化(北京)—1991,(1):1-6

篇名	作者	出处
歌谣和儿语中的名词重叠	华玉明	学语文(芜湖)—1991,(2):29-31
1-5岁儿童使用介词"给"情况的调查和分析	周国光 孔令达 等	安徽师范大学学报·哲社版(芜湖)—1991,(2):229-234
儿童习得母语对外语教学的启迪	冯珍娟	温州师院学报—1991,(3):40-42
国内儿童语言研究鸟瞰	眸子	中文自学指导—1991,(4):28-30
儿童习得语言的偏向性策略	李宇明	华中师范大学学报·哲社版(武汉)—1991,(4):94-99
儿童比较句和介词"比"习得状况的考察和分析	李向农 周国光 等	语文建设(北京)—1991,(5):16-22,9
幼儿视觉图像的语言转化实验研究	雷舜珠	黑龙江教育学院学报—1992,(2):15-17
儿童理解数量词"几个"、"很多"的发展特点	李文馥 马谋超	心理学报—1992,(2):158-164
六、七岁儿童掌握词汇情况的调查与分析	亓艳萍 季恒铨	语言文学应用(北京)—1992,(4):84-90
国外儿童语言习得研究	贾玉新	语文建设(北京)—1992,(9):38-41
乳儿话语理解的个案研究	李宇明	语言研究—1993,(1):46-55
影响儿童理解选择问句的若干因素	郑厚尧	语言研究—1993,(1):56-64
关于婴幼儿识字问题	徐德江	汉字文化—1993,(2):52-54
儿童语言学习若干问题研究	佟乐泉 张一清	世界汉语教学—1993,(2):81-87
儿童语言研究的最新成果：评《汉族儿童问句系统习得探微》	邵敬敏 张桂宾	汉语学习—1993,(3):47-50
儿童动态助词"过"习得情况的调查和分析	孔令达 周国光 李向农	语言文字应用—1993,(4):93-99
汉语儿童的前语言现象	周兢	南京师大学报·社科版—1994,(1):45-50
小学儿童阅读能力发展研究	张一清	语言文字应用—1994,(2):34-39
对六七岁儿童掌握因果关系复句的浅析	季恒铨	语言文字应用—1994,(3):49-53
儿童语言中的述补结构	孔令达	世界汉语教学—1994,(4):42-48
儿童语言发展的连续性及顺序性	李宇明	汉语学习—1994,(5):18-23
儿童双语现象与双语教育	余珍有	南京师大学报·社科版—1995,(1):101-105

书　评

篇名	作者	出处
词典编纂家与词典	钱大卫	辞书研究(上海)—1990,(5):144-149
探索人脑黑箱奥秘的窗口——读《语言与思维关系新探》	霁昉	博览群书—1991,(1):18
几点疑惑：评申小龙的文化语言学	傅承德	语文研究(太原)—1991,(1):29-37

评《语言学教程》——兼谈几个理论问题	吴涌涛 杨清	福建外语—1991,(1-2):26-32
日本语言学家奥田靖雄	朱新华	国外语言学(北京)—1991,(1):41-44
重读《马克思主义与语言学问题》	熊寅谷	贵州大学学报—1991,(1):61-66
美国的翻译组织	穆雷	语言与翻译(乌鲁木齐)—1991,(1):62-63
从语言的模糊性看语言与思维的关系:读伍铁平《语言与思维关系新探》	彭望苏	贵阳师专学报·社科版—1991,(2):11-17
丰厚·严谨·创新·实用——《交际语言学》评介	张晓勤	营口师专学报—1991,(2):22-23
法国语言学家迪克罗的表述语言学观点	张学斌	外语教学与研究(北京)—1991,(2):26-29
现象学本意论:兼评《语言·心灵与意义分析》	陈发	苏州大学学报·哲社版—1991,(2):27-32
心灵与现象:《语言·心灵与意义分析》述评	陈发	社会科学辑刊(沈阳)—1991,(2):33-41
第23届国际汉藏语言和语言学会议	戴庆厦	国外语言学(北京)—1991,(2):43-46
《语言运用新论》序	徐中玉	修辞学习—1991,(2):45
英国语言学会1990年春季年会	黄衍	国外语言学(北京)—1991,(2):47
1990年春季日本国语学会和语言学会会议	陈力卫	国外语言学(北京)—1991,(2):48-封三
一部值得一读的语言学专著:评伍铁平著《语言与思维关系新探》增订本	黄河清	现代外语—1991,(2):54-57
中国文化语言学的发展方向——兼评《中国文化语言学丛书》	李静	汉字文化—1991,(2):57-59
《剑桥语言学综览》评介	王嘉龄	外语教学与研究(北京)—1991,(2):68-72
也评赫德森的《社会语言学》	沈思国	外语教学与研究(北京)—1991,(2):77-78
一部充满创新精神的著作——评鲁枢元的《超越语言》	白烨	文艺争鸣—1991,(2):78-80
语言学修辞学为文学者不可不学:怀念著名作家吴强同志	彭嘉强	学语文(芜湖)—1991,(3):3-5
《类型和共性》评介	沈家煊	国外语言学(北京)—1991,(3):25-28
一生站在进步思潮的最前线:陈望道先生诞辰100周年纪念	叶籁士 周有光等	语文建设(北京)—1991,(3):40-42
德高学富 功业长存:文化学术界隆重纪念陈望道先生100周年诞辰	田森	语文建设(北京)—1991,(3):43
第二十三届国际汉藏语言学会议观感	伍铁平	语文建设(北京)—1991,(3):44-45
苏联语言学家Арутюнова(1923-)	卫志强	国外语言学(北京)—1991,(3):45-48,封三

标题	作者	出处
《理论语言学基础》的两个特色	钱冠连 赵宏	现代外语—1991,(3):60-61,45
读《许国璋论语言》	柯飞	外语教学与研究—1991,(3):63-64
国外语言学文献述要	滕吉海 杨秀君	松辽学刊·社科版—1991,(3):64-69
《语言的范畴化:语言学理论中的典型》评介	廖秋忠	国外语言学(北京)—1991,(4):17-26
Hawkins《什么是语言共性》一书评介	沈家煊	外语教学与研究(北京)—1991,(4):65-68
"语言"视角中的"文化学":评《文化语言学》	张林川 冯天瑜	华中师范大学学报·哲社版(武汉)—1991,(4):105-106
实用性、理论性和可读性兼备的好教材——评王绍龄主编的《言语交际》	善忠	河南师范大学学报·哲社版—1991,(4):119-121
语言:人文科学统一的基础与纽带——《文化语言丛书》总序	申小龙	汉语学习—1991,(5):27-28
现代语言学研究成果的整体出新——评"现代语言学丛书"	晓鸣	中国图书评论—1991,(5):63-65
独具特色的文化语言学新作——评《浮出瀚海》	黄南松	学习与探索—1991,(5):143
学术兼实用 可授复可读——《交际语言学》评介	鲁金华	博览群书—1991,(6):10-11
迈向语言逻辑研究的新里程——《语言逻辑引论》一书评价	俞长春	江汉论坛—1991,(6):27-34
梳理语言旧苑林 建构言语新景观——鲁枢元近作《超越语言》述评	杜田材	郑州大学学报·哲社版—1991,(6):80-85
一门新兴的边缘学科——读《计算语言学导论》	张幼坤	博览群书—1991,(11):15
现代语言学的学科热点与陈平的语言研究:读《现代语言学研究》	姚亚平	江西大学学报·社科版(南昌)—1992,(1):41-44,73
评信德麟新作《斯拉夫语通论》	俞约法 李锡胤	外语学刊—1992,(1):57-58
《位与非位》评介	胡壮麟	国外语言学(北京)—1992,(1):7-10
评申小龙部分著述中的若干问题	伍铁平 范俊军	北方论丛(哈尔滨)—1992,(2):33-43
《民俗语言学》评介	金失根	汉语学习(延吉)—1992,(2):40-41
美国《藏缅区域语言学》杂志简介	刘光坤	民族语文(北京)—1992,(2):72-74
文化语言学——一个新的研究领域:评邢福义教授主编的《文化语言学》	李先焜	语言文字应用(北京)—1992,(2):89-92
《语言与社会心理学》评介:兼论社会心理语言学的研究对象、目标及方法	束定芳	外国语(上海)—1992,(3):8-12

《语言学百科词典》评介	卫志强	国外语言学(北京)—1992,(3):13-16
集语言研究之大成——苏联《语言学百科辞典》介绍	马 华	外语学刊—1992,(3):16-18
语文现代化运动100周年纪念会在北京举行	纪 信	中文信息(成都)—1992,(3):26
纵横六合 辨析毫厘:读申小龙《社区文化与语言变异》	臧克和	青岛师专学报—1992,(3):28-30
《对克拉申习得—学得说的异议》一文的商榷	刘 毅	汕头大学学报·人文科学版—1992,(3):37-41,48
多学科合作的中国社会语言学研究:第三届社会语言学学术讨论会综述	苏金智	语言文字应用(北京)—1992,(3):101-106
深入探讨学术,精心描绘蓝图:第二届应用语言学学术讨论会述评	阿 龙	语言文字应用(北京)—1992,(3):107-111
沉痛悼念朱德熙教授	本刊编辑部	语文研究(太原)—1992,(4):1-2
《语言与社会网络》简介	周 红	国外语言学(北京)—1992,(4):14-16,13
Roland Harweg	周恒祥	国外语言学(北京)—1992,(4):23
赫德森《社会语言学》简介	王启龙	贵州教育学院学报·社科版(贵阳)—1992,(4):66-70
斯人生华夏学术布全球:N·鲍培与八思巴字研究	紫 石	语言与翻译(乌鲁木齐)—1992,(4):73-76
语言学习理论研究座谈会纪要	张旺熹	语言文字应用(北京)—1992,(4):95-105
让语言研究从静态走向动态:评《语言运用新论》	华 言	华东师范大学学报·哲社版(上海)—1992,(4):97
怀念德熙	汪曾祺	方言(北京)—1992,(4):242
第一届国际汉语语言学会议在新加坡举行	沈 沉	中国语文(北京)—1992,(5):363
1991年社会语言学研究简述	陈建民 苏金智	语文建设(北京)—1992,(6):26-27
《语言之起源》补记	汤炳正	四川师范大学学报·社科版(成都)—1992,(6):53-55
博大、精深、求实、风趣:读《俞敏语言学论文集》	邹晓丽	语文建设(北京)—1992,(9):31-34
语文现代化运动的先驱卢戆章	许长安	语文建设(北京)—1992,(11):46-47
语言起源问题新探:《祖先的声音》评介	桂诗春	国外语言学(北京)—1993,(1):14-17,封四
《词汇映射理论》评介	傅承德	国外语言学(北京)—1993,(1):18-25
第四届国外语言学研讨会在京召开	徐赳赳	国外语言学(北京)—1993,(1):48-封三
《社区文化与语言变异——社会语言学纵横谈》(1991)评介	高一虹	外语教学与研究(北京)—1993,(1):75-77
赵元任先生所指引的	张清常	语言教学与研究(北京)—1993,(1):79-85

标题	作者	出处
纪念赵元任先生百年诞辰	袁毓林	语言文字应用(北京)—1993,(1):99
深切的怀念 沉痛的哀悼:写与朱德熙教授追思会	孙玉石	语言文字应用(北京)—1993,(1):100-102
文化视角——《文本·文化·接受》简介	吕炳洪	语言教学与研究(北京)—1993,(1):149-151
评鲁枢元著《超越语言》中的若干语言学观点:文学言语学刍议	伍铁平 孙逊	外语学刊(哈尔滨)—1993,(2):1-6
新颖独到的见解:简评保加利亚女学者安娜·利诺娃的专著《普通翻译学导论》	周德华译	怀化师专学报·社科版—1993,(2):116-120
读《假如我是语言学家》	[日]千野荣一文,张青蓝译	外语与外语教学—1993,(2):16-17,20
领先科学——语言学的本质:读《当代跨学科语言学》	于根元	语言文字应用(北京)—1993,(2):21-26
中国理论语言学的第一部史书:读邵敬敏、方经民的《中国理论语言学史》	吴勇毅	华东师范大学学报·哲社版(上海)—1993,(2):96
《社会的社会语言学》评介	郑荣萱	国外语言学—1993,(3):10-13
语言对思维构成的作用——《语言对中西方思维影响的研究》评介	张迈曾	国外语言学—1993,(3):14-17
80年代以来汉藏语系语言研究的主要收获及评价	李锦芳	语言文字学(北京)—1993,(3):23-31
师傅引进门,修行在个人:忆魏建功先生二三事	李行健	语文建设(北京)—1993,(3):39-41
试谈新著《语言变异艺术》的学科取向	陶原珂	中山大学学报·社科版—1993,(3):128-130
一部图文并茂的小百科全书:日本大修馆《中国语图解辞典》	曲翰章	中国语文(北京)—1993,(3):238-240
索绪尔《普通语言学札记》(俄文本)评介	信德麟	国外语言学—1993,(4):8-17
1992年社会语言学研究简述	苏金智	语文建设(北京)—1993,(4):10-12
《语言的社会语言学》评介	郑荣萱 张青	国外语言学—1993,(4):22-24,21
《语言文化社会新探》评介	王建华	中国语文—1993,(4):315-318
一位平凡而伟大的语言学家:怀念丁声树先生	李行健	语文建设—1993,(7):35-37
语言学的一朵奇葩:读《语言变异艺术》	朱刘芳 张勇君	语文月刊—1993,(7):42-43
"语言学根论"教材更新的一个尝试——评伍铁平主编的《普通语言学概要》	袁晓波	语文建设—1993,(11):39-41

标题	作者	出处
纪念村野辰雄先生:东方新语文运动的旗手	周有光	语文建设通讯(香港)—1993,(39):59-60
论元结构理论介绍	顾阳	国外语言学—1994,(1):1
《语言学理论:对几部重要著作的语篇研究》评介	刘世生	国外语言学—1994,(1):21-26,45
评《实验心理语言学纲要》	沈家煊	现代外语—1994,(1):25-28
讨论《美学语言学》的一封信	李锡胤	现代外语—1994,(1):30-31
为社会服务:我国语言文字学的繁荣之路	杜永道	汉语学习—1994,(1):32-34
王希杰的学术成就评介	金平	淮北煤师院学报—1994,(1):115-120
《国际语言学百科词典》简介	胡建华	国外语言学—1994,(2):28-31
学人谈治学:梅祖麟教授访谈录	石锋	语文研究—1994,(2):28-38
一位西方学者评《美学语言学》	姬一言	外语教学与研究—1994,(2):66-67
一项引人注目的语言计划:读《澳门语言论集》札记	毕谨畅	语言文字应用—1994,(2):89-92
索绪尔的语言观在中国的传播与中国现代语言学的发展:"现代语言学在中国"座谈会纪要	郭伯康	语言文字应用—1994,(3):2-8
《语用学读本》介绍	林书武	国外语言学—1994,(3):23-27
《语言交往》评介	王秀丽	国外语言学—1994,(3):28-31
奈达的《语言,文化与翻译》评介	孙玉	中国翻译—1994,(3):45-47
评《汉藏语概论》	田福	语文研究—1994,(3):63-封三
打开语言学宝库的金钥匙;评《现代语言学方法论》	邵敬敏	汉语学习—1994,(3):64-封三
评《翻译学的辩证逻辑学派》	郑诗鼎 潘维新	外国语—1994,(3):65-70
介绍《话语和语言教育》	陈章云 徐赳赳	外语教学与研究—1994,(3):69-72
介绍《心智与认知选读》	刘润清	外语教学与研究—1994,(3):76-77
研究和扩展新格氏理论:全国新格赖斯会话含意理论研究会述要	郑丹棉	华南师范大学学报·社科版—1994,(3):84-87
语体语言研究的创新与超越:喜读《语体语言教程》	张拱贵 孙余兵	南京师大学报·社科版—1994,(3):109-112
《玛纳斯》是一部语言文化渊源的详解辞典	李绍年	语言与翻译—1994,(4):15-21
更深刻地昭示人类语言的真谛——为《语言学发展简史》出版而作	张国扬	外国语—1994,(4):23-28
他深深地迷恋着语言学:读王希杰《这就是汉语》	周洪波	汉语学习—1994,(4):56-59

方经民的《现代语言学方法论》	陈宏珍	语文研究—1994,(4):59,34
《隐喻:其认知力与语言结构》评介	林书武	外语教学与研究—1994,(4):62-63
著名语言文字学家徐复	单汝鹏	南京社会科学—1994,(4):71-75
史存直和他的语言学研究	潘文国	华东师范大学学报·哲社版—1994,(4):85-86,41
语言学研究的统计分析——《语言学学术交流若干问题》评介	宫齐	齐齐哈尔师院学报·哲社版—1994,(6):74-76
谈《语言学是一门领先科学》	易敏	北京师范大学学报·社科版—1994,(6):107-108
岑麒祥教授和语言学系	黄伯荣	语文建设—1994,(7):44-45
深化对语言的认识,促进语言科学的发展	王希杰	语言文字应用—1994,(8):9-15
论构建语用推理模式的出发点:新格赖斯理论评论	钱冠连	语言文字学—1994,(11):21-26
重读高著《语言论》:纪念高名凯先生逝世30周年	石安石	语文研究—1995,(1):7-9
道路与榜样:评《陆俭明自选集》	邵敬敏	语言教学与研究—1995,(1):53-58
语言学革命和革命的语言学:读何勇著《汉语话语结构》	海龙	徐州师范学院学报·哲社版—1995,(1):144-149
从《理论符号学导论》谈起	王论跃	解放军外语学院学报—1995,(2):1-4,17
邢公畹先生访谈录	罗美珍	民族语文—1995,(2):16-18,25
纵浪大化中 不喜亦不惧:记著名翻译家、学者季羡林先生	刘军平	中国翻译—1995,(2):33-35
韩国吴文义的现代汉语形容词研究评介	方方	汉语学习—1995,(2):61-62
全国"语言学转向与文学批评"研讨会综述	黄耀华	暨南学报·哲社版—1995,(2):130-138,148
八十述怀:谈拙稿《语言学论文集》及其他	张清常	语言教学与研究—1995,(3):16-23
一部富于创新而扎实的语言文化专著:评陈保亚博士的《语言文化论》	丁崇明	汉语学习—1995,(3):63-64
从实地调查到理论探索——读胡明扬语言学论著	王宗炎	世界汉语教学—1995,(3):87-93
《黄景欣语言研究论文集》序	胡裕树	南京大学学报·人文哲社版—1995,(3):187-190
一本实用性很高的社会语言学著作:读程祥徽《语言与沟通》	黎运汉	语言文字应用—1995,(4):13-18
语言学研究的统计分析:《语言学学术交流若干问题》评介	宫齐	语言文字学—1995,(4):17-19
从一滴水看大潮:读10年来《汉语学习》上有关语言与文化研究的论文	潘文国	汉语学习—1995,(5):35-40

语言学史(外国)

英国语言学家贝尔纳·伯狄埃	徐 丹	国外语言学(北京)—1990,(4):41,40
评一部国外语言学史的新著	叶蜚声	语文建设(北京)—1990,(4):41
论现代美国俚语生成的宏观模式	冯 建	外国语(上海)—1990,(6):32-35
心理语言学概述(上)	Michael K. Tanenhaus 文 桂诗春译	国外语言学(北京)—1991,(1):1-10
心理语言学概述(下)	Tanenhaus, M.K.著 桂诗春译	国外语言学(北京)—1991,2.7-15
论索绪尔在语言学中的比喻	刘耀武	外语学刊(哈尔滨)—1991,(1):38-42
洪堡特的语言研究道路	姚小平	外国语(上海)—1991,(1):65-71,28
莫斯科大学历史比较语言学和普通语言学教研室的历史与任务简介	Ю·Рождественскй 著;孙培伦译;伍铁平审校	外国语(上海)—1991,(1):79-80,78
西方语言文学关系发展趋向	黄修齐	福建师范大学学报·哲社版(福州)—1991,(1):102-103
语言问题:一个斯芬克斯之谜:全国第二届"欧洲大陆语言哲学"研讨会侧记	路 路	语言文字学(北京)—1991,(2):7-9
Roeper 和 Williams 的《参数设定》	陈东东	国外语言学(北京)—1991,(2):16-20
海路进入美洲的语言学依据	[加]鲁思·格鲁斯著 张 英 周国炎译	民族译丛—1991,(2):36-40
国外关于成人的儿向言语的研究	王益明	心理科学—1991,(2):41-46
印欧语言起源新说	周流溪	外语教学与研究(北京)—1991,(2):73-76
古希腊语言研究的启示与借鉴	郭明仪	兰州大学学报·社科版—1991,(2):83-86
言语活动论概观:苏联学派心理语言学纵横	俞约法	外语学刊(哈尔滨)—1991,(3):9-17
法语正字法改革:法国面临的棘手问题	李秀琴	国外语言学(北京)—1991,(3):36-44
苏联民族共和国的国语运动和城市语言问题:苏联民族语言政策的失误与教训	阮西湖	语言文字学(北京)—1991,(9):147-152
A.M.Zwicky 谈当前美国语言学中的一些重要问题	方 立	国外语言学(北京)—1992,(1):1-6

日本近十年来的社会语言学研究	李 勉 东	语言文字学(北京)—1992,(2):11-17
苏联语言学界数十年来所走道路的回顾(上)	伍 铁 平	语言文字学(北京)—1992,(2):145-152
苏联语言学界数十年来所走道路的回顾(下)	伍 铁 平	语言文字学(北京)—1992,(3):146-152
卢利亚神经语言学说述介	蔡 寒 松	外语教学与研究—1992,(2):32-37
Morris Halle 与生成音系学	王 洪 君	国外语言学(北京)—1992,(2):33-39
J.J. Ohala——"总合音系学"的倡仪者	余 英 士	国外语言学(北京)—1992,(2):40-41
英国兰开斯特大学语言学系的教学与科研概况	俞 东 明	国外语言学(北京)—1992,(2):47-48
Wallace Chafe	胡 壮 麟	国外语言学(北京)—1992,(3):44-封三
语言与存在——浅谈西方语言哲学问题	贾 梁 豫	解放军外语学院学报—1992,(3):61-66
英语用法调查语料库及其他英语语料库	胡 明 扬	国外语言学(北京)—1992,(4):37-42
英国的语用学研究	张 春 隆	语文建设(北京)—1992,(4):43-48
越南汉字使用史上的两次失误	吴 受 祥	解放军外语学院学报(洛阳)—1992,(5):36-42
Chomsky 的心智主义语言观	徐 烈 炯	国外语言学(北京)—1993,(1):8-13
80 年代捷克语言学研究动态	Milena SRpova 著 王秀丽译	国外语言学—1993,(2):45-47
俄罗斯科学院语文工作近况	Чельшев, Е.П. 著 卫志强译	国外语言学—1993,(2):48-封三,封四
论日本阿夷奴语和阿尔泰诸语代词的关系	朝 克	民族语文—1993,(2):50-58
洛克的语言哲学思想及其历史地位	陈 义 平	安徽大学学报·哲社版—1993,(2):104-109
从索绪尔到布龙菲尔德	史 存 直	华东师范大学学报·哲社版—1993,(3):58-64
语言深层结构:亚里士多德早期体论的建构模式	崔 延 强	学术研究—1993,(3):68-74
诺斯特拉超语系假说	王 钢	外语学刊—1993,(4):1-7
当代西方语言概念与美学	王 一 川	语言文字学—1993,(4):25-28
索绪尔"价值"理论初探	肖 娅 曼	社会科学研究—1993,(4):81-84
布拉格学派和马泰休斯的语言理论	戚 雨 村	外国语—1993,(5):49-54
德国计算语言学研究近况	冯 志 伟	语文建设—1993,(8):39-41
葡萄牙与巴西的语言推广政策	苏 金 智	语文建设—1993,(8):44-45,8
乔姆斯基理论及其价值管见	王 永 聘	外语教学—1994,(1):1-9
论元结构理论介绍	顾 阳	国外语言学—1994,(1):1-11

论意向含意——新格赖斯会话含意理论系列研究之七	徐 盛 桓	外语研究—1994,(1):4-11
析评乔姆斯基的语言"生长"说	许 斗 斗	福州大学学报·社科版—1994,(1):7-11
结构法与交际法互相调和	[英]H.G. Widdowson 著 唐春毕摘译	国外外语教学—1994,(1):7-11
上指预测的语用因素——评列文森的上指推导模式	徐 盛 桓	现代外语—1994,(1):8-14,18
关于语源学	培里克·P·汉普文 格 培译	外语与外语教学—1994,(1):10-15
评露丝·肯普森的含糊语句分类与歧义句检验法	李 荣 宝	福建外语—1994,(1-2):13-17
英汉语叹词异同小异——英汉词汇比较系列研究之五	庞 林 林	广西民族学院学报·哲社版—1994,(1):14-18
施莱歇尔语言理论重评	姚 小 平	现代外语—1994,(1):15-18
伯明翰学派话语分析模式及其问题	张 杰	安庆师院社会科学学报—1994,(1):16-20
汉语"英化"现象浅析	董 义	修辞学习—1994,(1):19-20
大陆与台湾语词的差别		语文世界—1994,(1):21
谈谈汉英语言在文化上的差异与英语教学	钟 小 佩	广西民族学院学报·哲社版—1994,(1):26-28
跨文化交际学在美国	胡 文 仲	外语研究—1994,(1):35-38
日语拨音音节汉字的音读与汉语音韵的对比研究——兼论研究日语汉字音读的意义	刘 淑 学	河北大学学报·哲社版—1994,(1):35-43
现代语言学研究略述	蒋 澄 生 廖 定 中	黄淮学刊·社科版—1994,(1):45-50
论弗雷格的"辅助思想"	杨 景 德	哲学研究—1994,(1):57-64
古典洪堡特主义与当代新洪堡特主义	申 小 龙	复旦学报·社科版—1994,(1):64-69
从系统科学角度看韩礼德的系统功能语法	申 屠 菁 赵 国 浩	山西经济管理学院学报—1994,(1):71,70
太田辰夫语料观说略	王 魁 伟	日本研究—1994,(1):80-82,73
试论英汉词的象征意义	张 遘	山西师大学报·社科版—1994,(1):87-90
中英诗歌中的复义	刘 保 安	信阳师院学报—1994,(1):95-98,104
跨文化交际中的中英文化差异	黄 志 福	韶关大学学报·社科版—1994,(1):118-123
俄汉口语对比——一个待开拓的对比领域	徐 翁 宇	外语与外语教学—1994,(2):1-5
John Searle 的言语行为理论与心智哲学	顾 日 国	国外语言学—1994,(2):1-8

标题	作者	出处
心理语言学在美国——对趋势和研究领域的纵观	[美]David Moser 文 薛其林 译 伍铁平 校译	外语与外语教学—1994,(2):6-9
英汉比喻的地域和民族色彩	温 科 学	广西民族学院学报·哲社版—1994,(2):19-22
汉日疑问句语调对比(附《汉日疑问句语调对比》语音图表)	陈 文 芷	世界汉语教学—1994,(2):26-32
逻辑关系表达方式的俄汉对比	田 文 琪	外语学刊—1994,(2):33-37
汉法语言的差异对法语语言学习的影响	黄 秀 莲	广西民族学院学报·哲社版—1994,(2):38-41
日本语音学家藤崎博也	林茂灿 译	国外语言学—1994,(2):42-43
英汉主语对比	牛 保 义	外语教学—1994,(2):49-53
巴赫金与社会符号学	胡 壮 麟	北京大学学报·哲社版—1994,(2):49-57
索绪尔及其《普通语言学教程》	索 振 羽	外语教学与研究—1994,(2):51-56
马泰修斯及其语言理论	钱 军	外语教学与研究—1994,(2):57-61
试论英、汉语言的国俗语义差异	黎 昌 抱	台州专学报·社科版—1994,(2):63-67
中西文化差异造成语言障碍例析	刘 兰 萍	宁波师院学报—1994,(2):69-72
性别歧视在语言使用中的表现	王 永 聘	宜昌师专学报—1994,(2):74-77
汉法省略句初步对比	贾 秀 英 孙 福 兰	山西大学学报·哲社版—1994,(2):99-102
论构建语用推理模式的出发——新格赖斯理论评论	钱 冠 连	现代外语—1994,(3):1-6
汉俄语中主体范畴的一些问题	祝 肇 安	中国俄语教学—1994,(3):1-6
Chomsky新论:语言学理论最简单方案	程 工	国外语言学—1994,(3):1-9
John Searle的言语行为理论:评判与借鉴	顾 日 国	国外语言学—1994,(3):10-16
漫谈中西文化交汇中的语言污染——兼与何安平先生商榷	任 付 标	现代外语—1994,(3):18-21
论索绪尔符号任意性原则的失误与复归	李 葆 嘉	语言文字应用—1994,(3):22-28
关于中日汉字词的差异及其交流	黄 来 顺	外语研究—1994,(3):37-41
美国语言学家Dwight L.Bolinger	徐 赳 赳	国外语言学—1994,(3):43-46
美国语言学会年会:如何写论文提要	吴 伟 平	国外语言学—1994,(3):47-48
马丁内及其语言理论	徐 志 民	外语教学与研究—1994,(3):62-66
波铁布尼亚其人其说	常 宝 儒	外语教学与研究—1994,(3):67-68
莱布尼茨的语言哲学思想	葛 力	北京社会科学—1994,(3):81-88
藏汉语语法对比谈——藏汉双宾	刘 利	西南民族学院学报—1994,(3):83-85
英汉通用称谓变化的文化透视	马 川 东 谭 能 华	川东学刊·社科版—1994,(3):90-93,101

标题	作者	出处
西方与我国语言研究之比较	郭明仪 亢世勇	兰州大学学报·社科版—1994,(3):113-117
评索绪尔对语言和文字之间关系的论述	张朋朋	汉字文化—1994,(4):11-16
俄汉简略指称对比	汪嘉斐	外语研究—1993,(4):18-21
新Grice会话含意理论和含意否定	徐盛桓	外语教学与研究—1994,(4):30-35
乔治城大学语言学圆桌会议面面观	吴伟平	国外语言学—1994,(4):39-43
论弗雷格的语境原则	徐明明	广东社会科学—1994,(4):43-46
论威廉姆·洪堡的语言世界观	孙周兴	浙江学刊—1994,(4):50-54
创建英基国际语刍议	魏佑海	深圳大学学报·人文社科版—1994,(4):71-82
对前苏联民族语言问题及其政策的历史考察	詹真荣	江西社会科学—1994,(4):74-79
索绪尔语言学的根本原则	皮鸿鸣	武汉大学学报·社科版—1994,(4):82-89
台港和大陆词语差异的原因、模式及其对策	苏金智	语言文字应用—1994,(4):90-96
中德语言颜色象征意义对比	肖金龙	武汉大学学报—1994,(4):97-103
美国文化多元及其对语言和外语教学的影响	屠蓓	语言教学与研究—1994,(4):121-131
重视日汉语词义对照分析	刘和民	外语与外语教学—1994,(5):1-5
语域在英语报刊文章中的实现过程	白彬	辽宁师范大学学报·社科版—1994,(5):42-44
维特根斯坦论语言和规则	[美]马尔科姆文,伊丛译	哲学译丛—1994,(5):41-50,57
测验法——语言研究的科学方法	马博森	外国语—1994,(5):48-54
"能有私人语言吗?"	[美]里斯文 鲁旭东译	哲学译丛—1994,(5):51-57
我国国外语言学理论研究的现状	孟庆海	外语学刊—1994,(6):1
评索绪尔的语言符号任意观	杨信彰	外国语—1994,(6):3-8
中日称呼语比较	郑丽芸 方经民	修辞学习—1994,(6):7-8
索绪尔的符号学语言观	乐眉云	外国语—1994,(6):15-18,26
达尔文的"语言观"	张梦井	百科知识—1994,(6):20-21
略论语言哲学中的专名和通名——兼评罗素-克里普克的理论	朱志凯,邵强进	复旦学报·社科版—1994,(6):39-43
弗雷格的语言哲学	王路	哲学研究—1994,(6):69-76
从理性中心到语言中心——20世纪西方语言论诗学的兴起	王一川	文学评论—1994,(6):97-107
索绪尔逸闻趣事三则	索振羽	语文建设—1994,(7):45-46
论一种语言观的哲学意义:兼谈海德格尔的语言观	宋祖良	哲学研究—1994(9):26-32

谈汉语拼音与英语语音之间迁移	李安莉	语文教学通讯—1994,(12):38-39
关于语言学史学研究	姚小平	语言教学与研究—1995,(1):108-121
美国文化多元及其对语言和外语教学的影响	屠蓓	语言教学与研究—1995,(1):122-139
语言控制论与语言哲学:当代西方分析哲学与人文哲学背离语言本质的转向	雷友梧	江西师范大学学报·哲社版—1995,(2):37-41
索绪尔的语言符号任意性原则是正确的	索振羽	语言文字应用—1995,(2):73-76
论J·福多目的论的心理语义学	熊哲宏	华中师范大学学报·哲社版—1995,(4):8-13

历史比较语言学和对比语言学

语言自指、语义悖论和语义循环	刘大为	语言研究(武昌)—1990,(2):36-45
汉日语音对比与对日汉语语音教学	王彦承	汉语学习(延吉)—1990,(6):28-33
英汉语言宏观结构区别特征	王寅	外国语(上海)—1990,(6):36-40,24
文化差异和不可译性	关铄新	外国语(上海)—1990,(6):66-69
试论汉、朝并列式复合名词字序的共同点	全炳善	民族语文(北京)—1990,(6):71-73
未驻足于"英雄时代":中西方语言学转向之比较	予立	语言文字学(北京)—1991,(1):11
对比语言学问题	张会森	中外语言文化比较研究—1991,(1):14-23
论对比语言学在外语教学中的地位	杨镇雄	中外语言文化比较研究—1991,(1):24-33
中日两语量词用法分析	崔崟	外语学刊(哈尔滨)—1991,(1):33-37,19
对外汉语教学漫议之四	王德春	汉语学习(延吉)—1991,(1):35-38
英、汉定语位置比较	李定坤	华中师范大学学报·哲社版(武汉)—1991,(1):119-125
关于建立比较语文学刍议	林志坚	文教资料—1991,(1):121-124
英汉语主题结构的对比研究	金积令	外国语(上海)—1991,(2):1-7
从英语译文看汉语主语的省略现象	王菊泉	语言研究(武汉)—1991,(2):17-26
汉英量词辖域的对比及其解释	李晓光	外语学刊(哈尔滨)—1991,(2):26-31
朝鲜语中的汉字词:论汉语和日本语对朝鲜语的影响	许璧	汉语学习(延吉)—1991,(2):37-42
语言的"合作原则"	[美]韩源	语文研究(太原)—1991,(2):42,41
汉语述补(结果)宾谓语句在朝鲜语中的对应形式	崔承一	延边大学学报·哲社版(延吉)—1991,(2):94-102
汉语中的体态助词"着"、"了"、"过"及其在德语中的对应表达形式	林尔康 袁杰	世界汉语教学(北京)—1991,(2):96-99,116
对比语言学和外语教学	俞约法	中国俄语教学—1991,(3):6-10

В.Г.Гак 论对比语言学	文 治	外语学刊(哈尔滨)—1991,(3):18-21
谱系语言比较研究的历史文化价值	普 学 旺	语言美(昆明)—1991,(3):25①
论伽达默尔的解释学对语言的理解	江 怡	中国社会科学院研究生院学报(北京)—1991,(3):62-70
逆向输入:日语近代汉字词汇之返回中国	林 成 虎	延边大学学报·哲社版—1991,(3):78-81
普遍语法和外语学习:问题与谜	陈 维 振	福建师范大学学报·哲社版(福州)—1991,(3):103-106
浅谈英汉否定词的比较	郝 世 奇	河北师范大学学报·社科版(石家庄)—1991,(3):110-116
语文学科中的比较研究述略	林 志 坚	文教资料—1991,(3):121-125
对比、对比分析、对比语言学和外语教学	俞 约 法	外语与外语教学—1991,(4):3-9
关于建立比较语文学刍议	林 志 坚	语言文字学(北京)—1991,(4):5-7
现代语言学与维吾尔语研究	高 莉 琴	语言与翻译(乌鲁木齐)—1991,(4):47-51
汉语的"补语"概念在意大利语中的表现	赵 秀 英	语言教学与研究(北京)—1991,(4):84-90
葡萄牙语对澳门话的影响	胡 培 周	方言(北京)—1991,(4):241-242
"天"和"sky"的语言文化意义对比	苏 新 春	语文月刊(广州)—1991,(5):12-13
对比语言学与外语教学中的对比——教学法流派的对比观比较研究	俞 约 法	外语学刊—1991,(5):15-22,54
汉语外语比较研究的基本观点和方法	任 学 良	语言文字学(北京)—1991,(5):145-152
语言对比研究管窥	张 会 森	外语与外语教学—1992,(1):6-12
汉、英词语音译的语言学与社会语言学因素	蔡 寒 松	中国翻译(北京)—1991,(6):20-22
汉语和西班牙语语音对比:兼析各自作为外语学习的语音难点	陆 经 生	外国语(上海)—1991,(6):58-62,73
汉语助词"了"、"着"与阿尔泰诸语言的关系	宋 金 兰	民族语文(北京)—1991,(6):59-67,40
文化背景和英汉词义的差异	李 兴 华	华中师范大学学报·哲社版(武汉)—1991,(6):72-74
汉语与日本的对外意识	张 宽 信	湖南师范大学社会科学学报(长沙)—1991,(6):96-99
古汉语复辅音在印欧语词汇的印证	张 聪 东	语言研究(武汉)—1991,(增刊):19-24
语言能力与语用能力的联系——中国、拉美学生在英语字谜游戏中的交际策略对比	高 一 虹	现代外语—1992,(2):1-9
普通话发音水平与英语发音水平的关系:一份调查报告	孟 悦 王 艳 宇	外语教学与研究(北京)—1992,(1):10-13
中美两国儿童语文学习的比较研究	佟 乐 泉 方 格	语言文字应用(北京)—1992,(1):21-28

标题	作者	出处
Logos 与"道":中西古代语言哲学观同异谈	姚小平	外语教学与研究(北京)—1992,(1):34-45
汉语中的体态助词"着"、"了"、"过"及其在德语中的对应表达形式	林尔康 袁杰	世界汉语教学(北京)—1992,(1):40-44
动宾关系的俄汉对比	田文琪	外国语(哈尔滨)—1992,(1):45-48
汉语量词在英语中的表达	赵伟河	外国语(哈尔滨)—1992,(1):49-51
汉英迷信型禁忌语委婉语的比较及文化探源	杜景萍	牡丹江师范学院学报·哲社版—1992,(1):61-64
欧洲文化对中国传统语言学的影响:异质文化对中国传统语言学的影响	姜聿华	齐齐哈尔师范学院学报·哲社版—1992,(1):73-77
论汉英民族的句子观与汉语句子的生成	杨启光	暨南学报·哲社版(广州)—1992,(1):112-120
汉台语关系研究综述	覃晓航	贵州民族研究(贵阳)—1992,(1):155-161
通过对比研究语法	吕叔湘	语言教学与研究(北京)—1992,(2):4-18
英译汉中含蓄意义的处理	王东风	中国翻译(北京)—1992,(2):21-24
第二十四届国际汉藏语言学会议随想	聂鸿音	语文建设(北京)—1992,(2):38-40
论象声词:英汉象声词语义比较	王逢鑫	北京大学学报·英语语言文学刊—1992,(2):50-61
英汉谚语与民族文化	李长忠	徐州师范学院学报·哲社版—1992,(2):65-68
汉语主谓谓语在俄语中的表达	张歧鸣	外国语(上海)—1992,(2):65-68
朝汉双语声母对应规律初探	马洪海	天津师大学报·社科版—1992,(2):76-80
谈谈中国人学习意大利语时由母语带来的学习障碍	张全森	语言教学与研究(北京)—1992,(2):143-151
言意之间:从语言观看中西文化	叶舒宪	陕西师大学报·哲社版(西安)—1992,(3):33-40
汉法体态语言及其初步对比	贾秀英	山西大学学报·哲社版(太原)—1992,(3):93-94
汉英双语语言转换阶段的增、减、改	刘迎	广西师范大学学报·哲社版(桂林)—1992,(3):81-83
藏缅语表限定、工具、处所、从由和比较的结构助词(下)	张军	海南师院学报(海口)—1992,(3):111-116
汉语与斯瓦希里语被动意义表达方式的比较	周换琴	世界汉语教学(北京)—1992,(3):205-210
对比语言学的定义与分类	许余龙	外国语(上海)—1992,(4):12-17
比较语言学和对比语言学漫话	徐振忠	外国语(上海)—1992,(4):18-20
试论英汉语法学发展的共同趋向	杨自俭	外国语(上海)—1992,(4):21-26
论日语同突厥语的相同点	海木都拉·阿不都热合曼著;一文译	语言与翻译(乌鲁木齐)—1992,(4):25-27
英汉否定语素及否定词比较	郝世奇	解放军外语学院学报(洛阳)—1992,(4):26-32
China 一词小考	曾忠禄	四川师范学院学报·哲社版(南充)—1992,(4):40

试论双语对比研究的若干原则与方法	朱永生	现代外语—1992,(4):49-51
英汉禁忌语及其文化异同考	蔡建平	河南师范大学学报·哲社版(新乡)—1992,(4):71-75
现代美国语言教学理论的三次变革	鲁寿春	贵州师范大学学报·社科版(贵阳)—1992,(4):83-86
浅谈日语汉字与汉语汉字的异同	阎丽艳	沈阳师范学院学报·社科版—1992,(4):102-103
俄语口语中常见的语气词及其汉语表达法	袁建平	兰州大学学报·社科版—1992,(4):148-155
在对比研究中探索语言描写和外语教学的科学性(以舌辅音材料为例)	张学曾	外语学刊(哈尔滨)—1992,(5):1-6,12
语言对比与文化对比	戚雨村	外国语—1992,(5):1-7
英汉语言宏观结构的区别特征	王寅	外国语(上海)—1992,(5):25-28
漫谈俄汉谚语中的民族文化	魏天红	外国语(上海)—1992,(5):73-75
试论中国文化术语的英译原则	郭尚兴	河南大学学报·社科版(开封)—1992,(5):96-99
被动句的俄汉对比	田文琪	外语学刊(哈尔滨)—1992,(6):14-16,59
汉俄复合颜色词构成对比	许高渝	外国语(上海)—1992,(6):52-56
汉语兼语式与英语复合宾语句比较	何慎怡	湖南师范大学社会科学学报(长沙)—1992,(6):116-119
中古语音结构差别对语文的影响	葛遂元	语文建设通讯(香港)—1992,(35):33-40
从"龙的子孙"说到"星期七":关于语言和文化	邢福义	学语文(芜湖)—1993,(1):3-5
语言学习异同论	李宇明	世界汉语教学(北京)—1993,(1):4-10
构词法对无意识加工的影响:中德数字启动效应的比较研究	马红骊	心理科学—1993,(1):8-14
英语冠词及其在汉语中相对应的形式辨微	吕志鲁	湖北大学学报·哲社版(武汉)—1993,(1):16-21
"可变语言能力模式"与"监查模式"的比较	杨雪燕	外语教学与研究(北京)—1993,(1):17-21
汉语与一些汉藏系语言疑问句疑问手段的类型共性	陈妹金	语言研究—1993,(1):21-31
中日同形语词义差异的文化历史渊源	郭常义	外语研究—1993,(1):25-28
什么是现代语言学	余志鸿	语文研究(太原)—1993,(1):37-38
"汉英句子扩展机制"管见	蒋国辉	现代外语—1993,(1):38-44
现代汉朝语音体系对照研究	车光一	解放军外语学院学报(洛阳)—1993,(1):49-56
从民族的特点来研究英汉形象语言	郑声衡	佳木斯师专学报—1993,(1):62-64
语言能力相差悬殊的双方实现交际的可能性	郭金鼓	语言教学与研究(北京)—1993,(1):68-78
中西语言交流中的"文化休克"问题	王军	松辽学刊·社科版—1993,(1):92-95
从民族的特点来研究英汉形象语言	郑声衡	中南民族学院学报·哲社版(武汉)—1993,(1):100-102

标题	作者	出处
述宾结构体现出的汉蒙差异	王秀珍	内蒙古师大学报·哲社版(呼和浩特)—1993,(1):121-127
论英汉两种语言在直言命题中的逻辑差异	洪力翔	新疆大学学报—1993,(1):133-136,30
汉英反义词的成对使用比较	韩汉雄	杭州师院学报—1993,(1):134-140
英汉段落结构比较	安纯人	解放军外语学院学报(沈阳)—1993,(2):1-5
从民族的特点来研究英汉形象语言的翻译	郑声衡	贵州民族学院学报·社科版—1993,(2):48-50
关于语言历时性的几个问题	刘英军	河北师院学报·社科版—1993,(2):120-123
英汉词语的文化感情色彩	赵起	外语教学—1993,(3):10-20
中西文字在文化传递过程中的作用	马钦忠	外语教学与研究—1993,(3):16-22
菲律宾汉语变异浅谈	张绍滔	修辞学习(上海)—1993,(3):19-20
汉俄部分单句类型的比较	陈炳新	齐齐哈尔师范学院学报·哲社版—1993,(3):84-88
汉俄词组比较研究	刘小南	北方论丛(哈尔滨)—1993,(3):94-103
语言与社会生活:浅谈英语词汇中的俄语外来词	付莉莉	松辽学刊·社科版—1993,(3):106-108,99
语言各种单位的结合性是寓于人类一切语言中的语法——二论汉语文教学与索绪尔的贡献和局限	徐德江	汉字文化—1993,(4):16-18
英汉语反义词异同刍议	庞林林	解放军外语学院学报—1993,(4):20-26
中外语言学说史比较研究的方法论问题	杨光荣	语文研究—1993,(4):35-40
英、维形容词对比简述	古丽巴哈尔·买托乎提	语言与翻译—1993,(4):60-62,37
语言的结构对比	[德]沃尔夫冈·居尔晼文 阿龙译	语言文字应用—1993,(4):61-71
西语同汉语语音转变理论的比较	范俊军	北京师范大学学报·社科版—1993,(4):71-75
汉语、英语与思维定势:回应孔宪中教授引起的讨论	裴毅然	语文建设通讯—1993,(40):34-40
汉俄量词比较探微	李德祥	外语学刊—1993,(5):9-15
英译汉:句法结构比较	王寅	中国翻译—1993,(5):10-13
语言关于时间的认知特点与第二语言习得	刘宁生	汉语学习—1993,(5):39-41,45
试论澳门语言现状及其发展趋势	盛炎	中国语文—1994,(1):44-52
论语言与文化	沈锡伦	上海师范大学学报·哲社版—1994,(1):50-57
澳门开埠前后的语言状况与中外的语言沟通	刘羡冰	中国语文—1994,(1):53-56
论宏观语言比较	J.A.Matisoff	国外语言学—1994,(2):40-41

"结合法"构词模式导致的跨文化交际障碍:英汉特指动词缺项弥补比较	邵志洪	外语教学与研究—1994,(2):46-50
汉外对比研究与对外汉语教学:兼评汉外语言对比的若干论著	赵永新	语言文字应用—1994,(2):47-53
中日使用汉字之比较:兼论统一汉字简化字	马叔骏	内蒙古大学学报·哲社版—1994,(2):82-86
跨文化交际中的语体学问题	盛炎	语言教学与研究—1994,(2):152-160
国外英汉对比修辞研究及其启示	林大津	外语教学与研究—1994,(3):14-19
汉语和韩国语的"两"和"双"的用法比较	金廷恩	汉语学习—1994,(3):42-43
论汉英俄成语的民族文化内涵	周国定	重庆师院学报·哲社版—1994,(3):91-97
英语和汉语中的被动式之比较	范剑华	华东师范大学学报·哲社版—1994,(3):95-96,87
英汉两种语言之文字基础的比较研究及其意义	侯一麟	汉字文化—1994,(4):17-21
俄汉语中的名词修饰语	李宗江	解放军外语学院学报—1994,(4):41-46,40
英语形合传统观照下的汉语意合传统	刘英凯	深圳大学学报·人文社科版—1994,(4):61-70
助动词的日汉语差异	秦礼君 刘庆会	解放军外语学院学报—1994,(5):27-33
英汉对等词的观念补充特点与情感色彩差异论略	董剑桥	语言文字学—1994,(6):144-147
汉俄语比喻结构对比规律初探	朱励群	吉林大学社会科学学报—1994,(6):65-68
俄译汉中词义的动态引申	阎德胜	解放军外语学院学报—1994,(6):77-82
语言乌托邦之诞生:语言论转向与20世纪西方美学	王一川	北京师范大学学报·社科版—1995,(1):19-26
汉语和英语的完成态	胡明扬	语言教学与研究—1995,(1):25-38
英汉语言幽默表达的类似特点	丁俊良	河南大学学报·哲社版—1995,(1):77-81
六种语言的成语、谚语趋同现象	杨亥洲	内蒙古大学学报·哲社版—1995,(1):84-90
英汉朝复合动词词素间语义关系对比	张贞爱 朴松林	延边大学学报—1995,(1):93-97
德语和汉语的颜色词汇比较	黎东良	湖北大学学报·哲社版—1995,(1):107-109
澳泰语发展的三个历史阶段;印尼语和回辉语在语音语法上的差异与联系	蒙斯牧	语言研究—1995,(1):176-181
汉语方言发音与英语发音的关系	金玉	辽宁师范大学学报·社科版—1995,(2):3-4
中国语言对比研究的发展	赵永新	世界汉语教学—1995,(2):38-42
汉语"是非问句"与日语"肯否性问句"的比较	[日]于康	世界汉语教学—1995,(2):43-49
汉语"把"字句与维语SOV句的比较	金世和	新疆师大学报·哲社版—1995,(2):59-65
日汉朝结尾词"族"的借贷	张兴权	民族语文—1995,(2):70

汉英对比看汉语词汇的易读性		浙江大学学报·社科版—1995,(2):88-95
中国古典文学理论形态的语言寻根	要　　英	兰州大学学报·社科版—1995,(2):110-115
英语(N→)V第五类与汉语摹状动词比较	张　培　戫	语言教学与研究—1995,(2):145-158
土耳其语与蒙古语语音比较研究	武·呼格吉勒图	民族语文—1995,(3):24-28
从语言视角看明清之际中西文化交流的错位现象	刘　耘　华	湘潭大学学报·社科版—1995,(3):37-39,18
跨文化研究的新维度——学习者的中介文化行为系统	王　建　勤	世界汉语教学—1995,(3):38-49
英汉数目词语用意义对比	刘　宇　红	湘潭大学学报·社科版—1995,(3):40-43
从两套教材看汉英颜色词汇比较——兼论颜色词汇在第二语言习得中的特点	梁　　洁 梁　岚　林	新疆师大学报·哲社版—1995,(3):75-80
关于日本语的汉语词问题:中日汉语词比较	刘　玉　昆	辽宁大学学报·哲社版—1995,(3):99-103
英汉句子主谓关系对比	吴　丽　萍	浙江大学学报·社科版—1995,(3):105-111
英汉双语思维	侯　国　金	湖北大学学报·哲社版—1995,(3):122-124
从汉印尼几组词的对应看汉南岛的关系	吴　安　其	民族语文—1995,(4):14-22,29
现代汉语历史发展研究刍议	刁　晏　斌	辽宁师范大学学报·社科版—1995,(4):39-40
印度阿洪语文和我国傣语文的关系	罗　美　珍	民族语文—1995,(4):54-60
Contrast British English With American English Oh Pronunciation 英美英语语音对比	廖　春　红	牡丹江师范学院学报·哲社版—1995,(4):71-74
汉英定语对比及其翻译	胡　铁　生	吉林大学社会科学学报—1995,(4):91-94
英语与汉语在语音结构方面的异同	张　立　玉	中南民族学院学报·哲社版—1995,(4):102-105
英汉隐喻对比研究:隐喻的共根	温　科　学	解放军外语学院学报—1995,(5):5-12
韩文专用与韩汉混用	单　体　瑞	解放军外语学院学报—1995,(5):55-57,29
语言对比的哲学基础:语言世界观问题的重新考察	潘　文　国	华东师范大学学报·哲社版—1995,(5):81-88
"它"和"it"的对比	鲁　健　骥	中国语文—1995,(5):390-396
日汉人称指示的对比分析:对比语用学的尝试	余　　维	修辞学习—1995,(6):1-4,9
论汉藏语言的虚词	瞿　霭　堂	民族语文—1995,(6):1-10
汉、英成语的修辞特点	张　初　雄	中国翻译—1995,(6):11-15
汉苗语语义学比较法试探研究	邢　公　畹	民族语文—1995,(6):11-18
等值翻译理论在汉英成语和谚语词典编纂中的应用	衡　孝　军 王　成　志	中国翻译—1995,(6):16-18

中日同形词的比较研究	曲　维	辽宁师范大学学报·社科版—1995,(6):34-37
汉藏语比较的择词问题	吴清河	民族语文—1995,(6):65

应用语言学和数理语言学

Pit Corder 谈语言教学与应用语言学	王晓青 沈世云	国外外语教学(上海)—1990,(4):1-4
跨文化交际的语用问题	王得杏	外语教学与研究(北京)—1990,(4):7-11
关于写作水平测量的探讨	罗烈杰	华南师范大学学报·社科版(广州)—1990,(4):103-110
话语及意义段初探	王松林	外国语(上海)—1990,(6):25-29,78
工具书的类型(上)	杨祖希	辞书研究(上海)—1991,(1):1-8
工具书的类型(下)	杨祖希	辞书研究(上海)—1991,(2):10-22
应用语言学(一)	俞　涓	外语教学资料通讯—1991,(1):3-7
重视语用学的研究	徐思益	语言与翻译(乌鲁木齐)—1991,(1):15-20
应用语言学和中文信息处理	周有光	中外语言文化比较研究—1991,(1):39-41
词典学是应用语言学的重要分科	王德春	辞书研究(上海)—1991,(1):46-54
《语用学:语言适应理论》:Verschueren 语用学新论术评	钱冠连	外语教学与研究(北京)—1991,(1):61-66
语用学浅议	张　杰	安庆师范学院学报·社科版—1990,(4):108-113
应用语言学和有关的几个问题	戚雨村	国外外语教学(上海)—1991,(2):1-4
社会语言学概说	高树春	语言与翻译(乌鲁木齐)—1991,(2):11-15
体态语:一个值得重视的语言学领地	邵新芳	贵州教育学院学报·社科版—1991,(2):45-48
辞书学的今天和明天	徐祖友	辞书研究(上海)—1991,(2):88-91,97
母语:语言学家正在设法由现代语言追溯上去,想找出"人类"的第一或原始口语	安子介译评	汉字文化(北京)—1991,(3):1-6,19
理论语言学与应用语言学的关系	斯梯格·埃里阿森文 榕培译	外语与外语教学—1991,(3):1-7
陈望道功能学说与当代功能语言学——纪念陈望道诞辰100周年	申小龙	学术月刊(上海)—1991,(3):1-7
基于中间语言的汉语生成	耿亦兵	情报学报—1991,(3):195-201
论现代应用语言学的理论建构	李　开	南京社会科学—1991,(4):85-88
语感例说	吴淮南	南京大学学报·哲学·人文·社会科学—1991,(4):160-166
应用语言学研究刍议	龚千炎 冯志伟	语文建设(北京)—1991,(6):23-25
应用语言学的三大应用	周有光	语言文字应用(北京)—1992,(1):3-11
正确进行表达式的逻辑解读:再说语言困域的解脱	曹予生	逻辑与语言学习—1992,(1):13-15

自然语言接口模型的设计与实现	关英春 卢玉民 林进新 包　方	新浪潮—1992,(1):15-18
规范的实质及确定规范的标准	A. П. 斯图平著,郑述谱译	外语学刊—1992,(1):37-42,58
应用语言学和中文信息处理	周有光	中国出版—1992,(1):61-64
语言学方法在英诗批评中的运用	李兰生	益阳师专学报—1992,(1):74-79
计算语言学对理论语言学的挑战	冯志伟	语言文字应用(北京)—1992,(1):84-97
正向接受与逆向接受——话语接受方法论之一	唐跃 谭学纯	艺术广角—1992,(2):4-10
应用语言学术语数据库	李竹	中文信息(成都)—1992,(2):13-16
计算语言学简介	黄昌宁	语文建设(北京)—1992,(2):32-35
什么是中文信息处理　什么是自然语言处理(NLP)	白水	语文建设(北京)—1992,(2):36-37
北方话基本词汇数据库的研制	刘连元 陈敏等	语言文字应用(北京)—1992,(2):41-47
面向信息处理的汉语分析的类型和深度	董振东	语言文字应用(北京)—1992,(2):48-53
研制应用语言学术语数据库的几点认识	龙飞	语言文字应用(北京)—1992,(2):54-58
抵抗的语言与语言的抵抗——罗兰·巴尔特的写作观评述	蒲卫宁	青海师范大学学报·哲社版—1992,(2):80-86
应从语言和言语来研究语言逻辑	康家珑	九江师专学报·哲社版—1992,(2-3):84
汉字编码在信息符号编码中的地位和原理	彭泽润	湘潭大学学报—1992,(2):110-112
语息论	李继光 邵俊宗	华中师范大学学报·哲社版(武汉)—1992,(2):112-117
自然语言理解的研究与发展	蔡义发	计算机应用与软件—1992,(3):1-6,36
社会心理语言学的学科性质和研究对象	王德春 孙汝建	外国语(上海)—1992,(3):1-7
频率统计在语料库中的应用	方称宇 陈小力	现代外语—1992,(3):43-51
句子的篇章:句子及语篇理解能力与阅读理解关系的实验研究	赵勇	外语学刊(哈尔滨)—1992,(3):50-55
论口语外化形式的构成原理和特性	何仲生	绍兴师专学报—1992,(3):65-70
语言技能交际观	史景顺 王正仁	山西大学学报·哲社版(太原)—1992,(3):90-92
社会语言学与外语教学	王德田	河南师范大学学报·哲社版(新乡)—1992,(3):98-99

社会心理语言学的理论和方法论基础	王德春 孙汝建	外国语(上海)—1992,(4):1-5
论维柯诗性语言学研究方法及意义	姜建强	学习与探索—1992,(4):18-23
中文信息MMT模型	冯志伟	语言文字应用(北京)—1992,(4):21-30
机器翻译与汉语研究	董振东	语文建设(北京)—1992,(4):39-42
"交际文化"质疑	周思源	汉语学习(延吉)—1992,(4):44-49
字母学和应用语言学	周有光	语言文字应用(北京)—1992,(4):54-63
认字辨词与阅读理解能力	[新加波]谢世涯,苏启祯	语言教学与研究—1992,(4):128-140
语言·方言·语域	徐有志	河南大学学报·社科版(开封)—1992,(5):81-85
面向对象语言中的数据抽象和继承性	梅宏 孙永强	计算机应用与软件—1992,(6):12-17
透视与反思:"语言热"或"海德格尔影响"	陈旭光	艺术广角—1992,(6):19-26
汉语自然语言理解研究概况及前景	陈群秀	语文建设(北京)—1992,(9):34-37
汉语的处理与观念的转变:计算语言学与语言学工作者	史有为	语文建设(北京)—1992,(12):30-32
英汉在空间意义编码上的差异	严辰松	解放军外语学院学报(洛阳)—1993,(1):8-12
论现代汉语动名短语的句法结构和语义关系的自动识别	傅承德	语言研究—1993,(1):32-45
架起语言科学与计算机科学的桥梁:"进一步办好中文信息处理专栏"座谈会发言	林杏光 张著等	语文建设(北京)—1993,(1):38-42
诗歌作为一种言语的方式	[美]罗伯特·潘·沃伦等	延边大学学报·社科版—1993,(1):42-46
第19届国际系统功能语言学大会	方琰	国外语言学(北京)—1993,(1):44-45,封三
1992年国际言语处理学术会议	曹剑芬	国外语言学(北京)—1993,(1):46
信息处理用汉语语义词典的描述方法	孙宏林	语言文字应用(北京)—1993,(1):56-61
语码转换论析	丁崇明	语言文字应用(北京)—1993,(1):62-67
符号功能的体现和语言运用	齐沪扬	淮北煤师院学报·社科版—1993,(1):101-107,112
关于处理大规模真实文本的谈话	黄昌宁	语言文字应用(北京)—1993,(2):1-10
左角句子分析器与中心语驱动句子分析器	吴安迪	国外语言学—1993,(2):7-15
从数学符号公式的使用看语言学的两个争论	许寿椿	汉字文化(北京)—1993,(2):22-24,2
语言研究要注意人、机两用	林杏光	语文建设(北京)—1993,(2):37-39
新形式下的口才思维研究	刘美森	演讲与口才—1993,(2):39-40
机器翻译的优势与局限	刘淑英 赵启迪	中国翻译(北京)—1993,(2):53-54,61

标题	作者	出处
语言的 T 型结构刍议	曹聪孙	天津师大学报·社科版—1993,(2):73-77,42
语篇连贯与语篇的非结构性组织形式——论语篇连贯的条件	张德禄	外国语—1993,(3):1-6
语言使用的研究方法	桂诗春	现代外语—1993,(3):1-6
语面信息空缺及其填补	贾德霖	镇江师专学报·社科版—1993,(3):1-7,12
科技革命与语言科学的新视野:兼论语言交往中的科技影响	姚亚平	语言文字学(北京)—1993,(3):16-22
应用语言学和认知科学	桂诗春	语言文字应用—1993,(3):19-26
谈语言的反饰现象	罗英超	阅读与写作—1993,(3):27-28
"语言信息产业前途无量":陈肇雄和他的智能型机器翻译研究	王凡	语文建设(北京)—1993,(3):36-39
关于计算语言学的若干研究	俞士汶	语言文字应用—1993,(3):55-64
语言现实主义	南帆	上海文学—1993,(3):72-80
语句转换与语感培育	包围平	北京师范大学学报·社科版—1993,(4):106-112
汉语口语失误研究	邵敬敏	语言文字应用—1993,(4):35-42
语法教学必须与培养语感相结合	杨炳辉	语文学习—1993,(4):5-7
目前我国应用语言学研究方法的调查与分析	孟悦	语言文字学—1993,(4):57-62
现代语言运用的一个重要原则	冷瑾	宜春师专学报·社科版—1993,(4):70-72,55
关于在蒙古语文研究中运用统计学方法的问题	那顺乌日图	民族语文—1993,(5):46-50
语篇及其符号解释过程	张亚非	外国语—1993,(5):55-58
"言语学"论纲	李廉	语言文字学—1993,(5):107-109
语言研究与自然语言理解	吴蔚天	语文建设—1993,(6):40-43
语言应用研究与现代语言学的历史走向:兼评《交际语言学导论》	戚雨村	江西社会科学—1993,(7):24-30
语言的实践基础	钱伟量	哲学研究—1993,(7):29-37
语感建构与语感教学——兼介叶圣陶的"语感训练"	林运来	语文教学通讯—1993,(8):4-6
语感认识的特殊性	伊道恩 李中立	语文学习—1993,(9):8-11
科技术语必须国际化	刘泽先	语文建设通讯(香港)—1993,(39):1-7
中文信息处理的难点及其解决途径	刘涌泉	语文建设通讯(香港)—1993,(39):13-19
怎样听话	陈建民	汉语学习—1994,(1):61-62
我国情报语言学研究的方向重点及热点	全明	图书与情报—1994,(1):38-41
SLA 研究中的认同观点	卫乃兴 周珺英	河南师范大学学报·哲社版—1994,(1):65-68
语码转换与标记模式:《语码转换的社会动机》评介	祝畹瑾	国外语言学—1994,(2):11-15

标题	作者	出处
语言意义和言语意义杂谈	黄章恺	语文研究—1994,(2):13-17,12
信息化时代促使词汇研究蓬勃发展	林杏光	语文建设—1994,(2):33-36
研制汉字教学软件的几点体会	刘庆俄	汉字文化—1994,(2):43-46
法律语言学:会议、机构与刊物	吴伟平	国外语言学—1994,(2):44-48
预设及其应用	王相锋	长白论丛—1994,(2):47-53
加强应用研究果真是中国语言学的唯一出路吗:与胡明扬先生商榷	田惠刚	争鸣—1994,(2):49-51
短语结构语法:"信息处理用语言理论讲话"第一讲	林杏光	语言文字应用—1994,(2):58-64
汉语姓名自动辨识初探	郑家恒 刘开瑛	语言文字应用—1994,(2):65-68
词频统计的新概念和新方法	尹斌庸 方世增	语言文字应用—1994,(2):69-75
文化因素差异与交际失误例话	张伯敏 段翠兰	海南师院学报—1994,(2):79-81
谈谈数理语言学	白世云 张世武	解放军外语学院学报—1994,(2):82-87
略论语言的二重性	胡佑章	陕西师大学报·哲社版—1994,(2):102-107
从信息质量看语用认知模型	熊学亮	外国语—1994,(3):12-18
间接语言现象的两种基本类型	孙玉	外国语—1994,(3):19-24
语用的最高原则:得体	李瑞华	外国语—1994,(3):25-27
人称指示语研究	陈治安 彭宣维	外国语—1994,(3):28-34
汉字的信息量大不利于中文信息处理:再谈汉字的熵	冯志伟	语文建设—1994,(3):34-35
文化考察的新视角:语言文化与超语言文化	葛中华	汉语学习—1994,(3):55-59
语言的"陌生化"与广告词创作	肖贤彬	深圳大学学报·人文社科版—1994,(3):63-71
应用语言学与心理语言学在我国的发展	桂诗春	语言教学与研究—1994,(3):93-94
关于心理语言学:由来、现状与展望	俞约法	语言教学与研究—1994,(3):95-99
语言串理论:"信息处理用语言理论讲话"	黄昌宁	语言文字应用—1994,(3):99-104
关于语用原则意义的几点辨析:与钱昌勤先生商榷	李永宁	上海师范大学学报·哲社版—1994,(3):107-112
多元化的第二语言习得研究	吴增生	中山大学学报·哲社版—1994,(3):116-124
索引语词的逻辑研究	朱建平	逻辑与语言学习—1994,(4):8-10
应用语言学的系统论	桂诗春	外语教学与研究—1994,(4):9-16
语言和言语、语言的语言学和言语的语言学	岑运强	汉语学习—1994,(4):13-16

标题	作者	出处
跨语言研究的广度与深度	徐烈炯	外语教学与研究—1994,(4):25-29
神经生理基础的语言学意义	程琪龙	汕头大学学报·人文科学版—1994,(4):46-52
应用语言学新动向之一	刘凤霞	兰州大学学报—1994,(4):128-132
病态怪癖话根源:试析《The Libido for the Ugly》中的突出、对照和意象	程永生	淮北煤师院学报—1994,(4):156-158
体态语在言语交际中的作用	刘晓明	逻辑与语言学习—1994,(5):45-46
论语言符号的可论证性,论证模式及其价值	李葆嘉	语言文字学—1994,(6):9-12
符号学与广告语言	王少林	外国语—1994,(6):19-23
日本的电子词典研究	冯志伟	语文建设—1994,(6):34-35
语用前提设置的"远近原则"	吴明华	汉语学习—1994,(6):43
论符号学的研究对象	许艾琼	湖北大学学报·哲社版—1994,(6):77-81
1992-1993年我国计算语言学研究述评	黄昌宁	语文建设—1994,(7):16-19
英—汉计算语言学术语数据库	龚彦如 李竹	语文建设—1994,(7):33-37
论语境与语言表达	凌德祥	语文学习—1994,(7):36-38
汉语形式语法的拓荒之作:评《汉语形式语法和形式分析》	冯志伟	语文建设—1994,(7):38,19
迈向实用化和商品化的机器翻译研究	冯志伟	语文建设—1994,(8):36-39
汉字字形描述	刘连元	语文建设—1994,(9):37-39
基于统计的汉语词性自动标注方法	白栓虎	语文建设—1994,(10):38-40
从"拆字编码"到"拼音变换"	周有光	语文建设通讯—1994,(43):72-75
寄厚望于应用语言学	许嘉璐	语言文字应用—1995,(1):2-4
中文信息处理研究的现状和前瞻	曹右琦	语言文字应用—1995,(1):13-14
略谈模糊语言在治安工作中的运用	张斌 程业涛	学语文—1995,(1):37
现代汉语句型频度统计模型的研究	罗振声	语言研究—1995,(1):66-80
翻译性质与程序的理论认识	但汉源	语言与翻译—1995,(1):69-75
关于非标准形式的性质判断及"没有"的逻辑特性:兼与江东等同志商榷	辛菊	山西师大学报·社科版—1995,(1):84-87
扩充转移网络语法:"信息处理用语言理论讲话"第四讲	茂松	语言文字应用—1995,(1):105-111
机器翻译:发展与展望	白锡嘉	杭州大学学报·哲社版—1995,(1):119-123
欧美的机器翻译	柯平	中国翻译—1995,(2):47-54
报道性标题与称名性标题	尹世超	语言教学与研究—1995,(2):53-67
自然语言定义的种类和规则	吕正春	齐齐哈尔师院学报—1995,(2):68-71
电子词典中单词的词法分析问题	冯志伟	语言文字应用—1995,(2):82-88

中国文化语言学不是西方人类语言学	杨启光	暨南学报·哲社版—1995,(2):139-148
美国的汉英机译研究及最新成果	齐让孝	中国翻译—1995,(3):47-48
广告语言论衡	姚锡远 陈伟琳	信阳师范学院学报—1995,(3):65-68
对数学课程语言符号的分析	金丽 李延	齐齐哈尔师院学报—1995,(3):112-114
语言实验室与现代外语教学	赵京禄	河北师范大学学报·社科版—1995,(3):117-119
世纪之交的语言文字应用研究走势：华中师范大学语言学研究所"语言文字应用研究的现状与展望"座谈会纪要	萧国政	语言文字应用—1995,(4):2-8
说"应用"	张志公 王本华	语言文字应用—1995,(4):9-12
再论语言诱导功能	马啸	语言文字学—1995,(4):24-27
叫卖用语的文化特征	张爱民 杜文侠	徐州师范学院学报·哲社版—1995,(4):78-81
言语交际中的语码转换略探	张榕	语言文字学—1995,(4):92-96
从描写、解释走向应用研究：读龚千炎《语言文字探究》	张旺熹	语言教学与研究—1995,(4):142-148
代数语言学与英语的歧义现象	白世云	解放军外语学院学报—1995,(6):47-50
论口语交际的社会功能及其特征	姚锡远	语言文字学—1995,(7):88-91

语言学教学和语言学知识

语言单位的对立和不对称现象	文炼	语言教学与研究(北京)—1990,(4):95-100
语境与语言教学	[日]西慎光正	语言教学与研究(北京)—1990,(4):137-150
语言能力的培养问题	吕冀平	求是学刊(哈尔滨)—1991,(1):20-25
把语境引入对外汉语教学	程朝晖	汉语学习(延吉)—1991,(1):38-42
语言学理论与外语教学之间的内在联系	张秀桂	北京第二外国语学院学报—1991,(1):44-48
语言学语法和教学语法	韩以明 杨栋	内蒙古大学学报·哲社版(呼和浩特)—1991,(1):64-69
心理语言学与语言教学：兼评常宝儒的《汉语语言心理学》	盛炎	语言教学与研究(北京)—1991,(1):130-139
语言学理论,语言描写和语言教学	Eddy Route著；杜云峰 杨卫中译	语言文字学(北京)—1991,(4):8-17
英国牛津大学语言学教学和科研概况	黄衍	国外语言学(北京)—1991,(4):46-47
美国暑期语言学院介绍	戴庆厦	民族语文(北京)—1991,(4):71-75
语言能力与语法教学	王培光	中国语文(北京)—1991,(4):269-274

师范院校现代汉语课程改革的设想与建议	吴为善	语文建设(北京)—1991,(5):26-28
从抽象的语言到具象的文学	刘安海	华中师范大学学报·哲社版(武汉)—1991,(6):59-64,68
未晚斋 语文漫谈	吕叔湘	中国语文(北京)—1991,(6):472-473
南朝鲜的社会语言学研究	李勉东	语文建设(北京)—1991,(9):37
词汇意义、语法意义和类别意义	陶振民	语文知识(郑州)—1991,(11):18-19
文化教学与文化研究	胡文仲	外语教学与研究(北京)—1992,(1):3-9
言外之意的含义值:将语言教学运用于语言学研究	[英]Julian Edge 著 胡树国译	国外外语教学—1992,(1):5-10
言语研究展望	Fant,G.著 张家騄译	国外语言学(北京)—1992,(2):23-25
对语言标记作用之一的探讨	陈维平	徐州师范学院学报·哲社版—1992,(2):69-73
浅谈语言与社会之关系	王跃洪	河南师范大学学报·哲社版(新乡)—1992,(2):75
文化差异,跨文化语言交际与外语学习	尹苏 赵文静	河南师范大学学报·哲社版(新乡)—1992,(2):76-78
浅谈体语	徐阳春	江西大学学报·社科版(南昌)—1992,(2):80-83
词语的文化内涵与信息性的若干关系	许德楠	语言教学与研究(北京)—1992,(2):114-126
语言习得研究概述	温晓虹 张九武	世界汉语教学(北京)—1992,(2):147-153
语言教学中的交际理论	[英]Ken Hyland 著 朱继和译	国外外语教学—1992,(3):6-7,23
现代汉语通用语料库的建库原则和设想	胡明扬	语言文字应用(北京)—1992,(3):49-56
试论跨文化交际研究	胡文仲	语言文字应用(北京)—1992,(3):71-75
试论语言信息的交流	马立秦	兰州大学学报·社科版—1992,(3):163-170
相关语言学构想	瞿霭堂	民族语文(北京)—1992,(4):7-15
语境在语言运用中的作用	庞蔚群	修辞学习(上海)—1992,(4):8-10
会话的语用理论	潘永樑	解放军外语学院学报(洛阳)—1992,(4):15-21
社会语言学中的言语调节理论研究	袁义	外语教学与研究(北京)—1992,(4):18-24
第4届国际语用学会议明年召开	李秀琴	国外语言学(北京)—1992,(4):45-46
试论"言不由衷"现象	戴晓雪	汉语学习(延吉)—1992,(4):56-60
话题、述题和已知信息、未知信息	沈开木	语言教学与研究(北京)—1992,(4):58-69
论意义建构中的言语块模式	邵新芳	贵州教育学院学报·社科版(贵阳)—1992,(4):63-65
语言活动的"心理结构"——关于本国语言课程论的几个问题	宁武杰	湖北师院学报·哲社版—1992,(4):91-96
口误类例	沈家煊	中国语文(北京)—1992,(4):306-316
语法教学中贯彻交际性原则的特点	李国辰	外语与外语教学—1992,(5):29-32

标题	作者	出处
交际文化与语言教学	冯学锋 李祥坤	湖北大学学报·哲社版(武汉)—1992,(5):47-49
教学语法问题刍议	吴启主	湖南师范大学社会科学学报(长沙)—1992,(5):104-110
语境与符号场	杨甦	逻辑与语言学习(石家庄)—1992,(6):4-8
关于文化语言学的几个理论问题	张公瑾	民族语文(北京)—1992,(6):33-39
语用学	王惠	语文建设(北京)—1992,(6):42-44
第二届全语用学研讨会述要	王鹏	语言文字学(北京)—1992,(6):151-152
体态语散谈	李士敏	语言文字学(北京)—1992,(7):30-34
论标准语教学	刘照雄	语文建设(北京)—1992,(7):31-35
初阶语言研究二题	黄龙保	语言文字学(北京)—1992,(8):14-17
文化语言学的由来、现状和前途	戴昭铭	语文建设(北京)—1992,(8):22-25
语言和隐含意义、语感与语感教学	李海林	语文学习—1992,(10):13-16
民俗语言学新论	曲彦斌	语言文字学(北京)—1992,(11):19-28
"预设"新论	徐盛桓	外语学刊(哈尔滨)—1993,(1):1-8
传统语文教育答问	张志公	语文学习(上海)—1993,(1):2-3
关于中高级汉语教学的几个问题	吕必松	语言教学与研究(北京)—1993,(1):20-33
第二语言习得中课堂教学的作用	刘润清	语言教学与研究(北京)—1993,(1):34-44
学一点语言学知识	胡明扬	语文学习(上海)—1993,(1):43-45
论自然语言人工语言及其在认识中的不同作用:语言与认识研究之一	胡泽洪	湖南师范大学社会科学学报(长沙)—1993,(1):64-68
科学精神:中国文化语言学的紧迫课题	刘丹青	江苏社会科学(南京)—1993,(1):96-100
关于语言信息转换和交流的若干准则的探讨	马立秦	许昌师专学报·社科版—1993,(1):97-99
志公先生关于语文教学的两个观点	章熊	语文学习(上海)—1993,(2):9-10
论语言教学	林杏光	语言文字应用—1993,(2):66-68
语言交际能力与交际教学	赵敏	齐齐哈尔师范学院学报·哲社版—1993,(2):72-74
论汉语语法修辞在教学中加强结合的问题	李成蹊	徐州师范学院学报·哲社版—1993,(2):95-99,103
论语言教学	林杏光	中学语文教学—1993,(5):26-27
语言教学的目的和方向	赵世开	语文学习—1993,(5):32-33
语言教学的目标定位与课程建设	姚亚平	语文建设—1993,(6):26-29
语言和文化的关系与第二语言的教学	王魁京	北京师范大学学报·社科版—1993,(6):84-88
语言学习中的文化障碍	[英]斯特雷文斯(Strovens,P.)文,毛继光译	国外外语教学—1994,(1):1-6

标题	作者	出处
二语习得研究与课堂教学——Rod Ellis 访谈录	[美] Rod Ellis Trcia Hdage 文,崔树芝译	国外外语教学—1994,(1):14-20
布鲁卡氏失语症实例研究——兼谈词汇障碍对大脑词库研究的启示	崔 刚	外语教学与研究—1994,(1):27-33
外语教学中的社会文化问题	罗 虹	黔东南民族师专学报·哲社版—1994,(1):46-48
学生外语学习中的语音干扰因素浅析	段 树 庭	商业管理纵横—1994,(1):59-61,58
也谈"语感"——学习邢公畹先生语感论述札记	张 向 群	西安外院学报—1994,(1):69-70
语体的形成与语言外部因素	叶 林 海	阜阳师院学报·社科版—1994,(1):86-90
汉语对英语学习的干扰	潘 华 慧	广西民族学院学报·哲社版—1994,(1):100-102,99
多语混合现象与中介语浅析	翟 汎	武大学报—1994,(1):116-119
记忆,隐喻,箴言和神话:语言学习和文化意识	[英] Roger Bowers 文 王世静译	国外外语教学—1994,(2):1-6
现代语言测试模式及其应用	王 振 亚	外语教学与研究—1994,(2):7-11
浅谈第二语言习得的年龄差异	戴 曼 纯	外语界—1994,(2):18-22
国内外教师口语研究与课程设置	张 锐	语言文字应用—1994,(2):27-33
采用语言实验提高外语综合水平	兰 雄 荣	国际经贸研究—1994,(2):54-56
语感的含义和特征	李 广 才	宁夏大学学报—1994,(2):94-96
更新语言意识 深化语文教改	王 尚 文	北京师范大学学报·社科版—1994,(2):108-112
借鉴国外学"学术目的英语"(EAP)教学经验 提高留学人员在国外学习的语言适应能力	李 亚 宾	语言教学与研究—1994,(2):115-122
怎样叫"会一门语言"	[美]Bernaed Spolsky 文 余祥明译	国外外语教学—1994,(3):14-22
文字高于口语:五论汉语文教学与索绪尔的贡献和局限	徐 德 江	汉字文化—1994,(3):33-34
当代外语教学的发展趋势	淳于永琦 赵 海 波	黑龙江高教研究—1994,(3):35-37
年龄因素与外语教法选择:兼论 LAD 与 Filter 在外语习得中的影响	于 善 志	上海科技翻译—1994,(3):61-63
认知与释词	徐 子 亮	华东师范大学学报·哲社版—1994,(3):77-80
表达口误与程序训练初探	王 宝 江	齐齐哈尔师院学报—1994,(3):83-84,105
语言学的研究现状和发展趋势:从现代科学研究的特点看语言学和语言教学研究	张 斌	语言教学与研究—1994,(3):90-92
论外语教学传统法与交际法的有机结合	周 建 新	广西大学学报·哲社版—1994,(3):96-99

标题	作者	出处
我的语言学研究工作和博士生培养上的困难	邢公畹	语言教学与研究—1994,(3):99-101
教学语言的语体属性和分层次要求	金乃志	宁波师专学报—1994,(3):100-105
文化冲突在外语课堂中的反映——谈建立教学的全球性观念	林汝昌	语言教学与研究—1994,(3):106-115
语言观在民族预科教学中的重要性	宋维镒	语言与翻译—1994,(3):135-137
领悟语言内涵 培养语感能力	黄耀红	新语文—1994,(4):2-3
语言观和语言教学	胡明扬	语言文字应用—1994,(4):2-7
从高考说到中学语文教学中的语言教学——兼论语言教学中的一个备考阶段	何伟棠 徐自强	语言文字应用—1994,(4):13-16
论课文教学中的语言理解	高明	宁夏教育学院、银川师专学报—1994,(4):29-32
不仅仅是问题——谈中国和其它亚洲国家学生的英语语言障碍	[澳大利亚] Elizabeth Ginsburg 文,于鸣放编译	国外外语教学—1994,(4):32-34
中师生口语学习障碍及其对策	葛莱	语言文字应用—1994,(4):35-37
论语言的系统研究方法	何济生 张铭涧	青岛大学师范学院学报—1994,(4):41-43
人脑与人类自然语言——多方位研究中的神经语言学	卫志强	语言文字应用—1994,(4):43-49
对第二语言教学中激励式教学法探索	王珊	唐都学刊—1994,(4):58-60,57
人脑科学的最新发现及其对语言学和外语教学研究的启发	束定芳 张逸岗	外语界—1994,(4):60-62
母语在汉语教学中的作用	赛力克·穆斯塔帕	语言与翻译—1994,(4):75-76,19
语言与文化的关系探讨——兼论文化差异与语言教学	高志怀	河北师范大学学报·社科版—1994,(4):87-90
试析现代语言学的产生与发展	李芳	长白学刊—1994,(4):93-96
不应忽视电化教学在语言教学中的作用	华锦木	语言与翻译—1994,(4):99-101
中介语产生的诸因素及相互关系	王建勤	语言教学与研究—1994,(4):105-120
文化异同与交际语言教学	叶鸣	华中师范大学学报·哲社版—1994,(4):120-122
阅读难点:把握语言隐含信息	朱玉川	新语文—1994,(5):2-6
从语言的层面看语言教学的纲	张静	语文知识—1994,(5):2-7
外语教育的语言本质观	章兼中	中小学英语教学与研究—1994,(5):26-33
言语行为与行为动词	张绍杰	外语与外语教学—1994,(5):36-39
外语教学人性论	李维光	华东师范大学学报·哲社版—1994,(5):118-119
谈语言理解的广角性和层次性	彭庆达	语文月刊—1994,(6):6-7

语言与交往	范　进	中国社会科学院研究生院学报—1994,(6):55-59
语法重在应用——就中学语法教学改革访著名语文教育专家陶伯英先生	力　展	语文世界—1994,(9):4-5
结合语境品味词语——对叶圣陶语感论的一点探索和实践	潘　涌	语文教学之友—1994,(10):37页
把语言放在交际中来观察和教学：开设"语言交际艺术"课的一些认识	萧国政	语言文字应用—1995,(1):100-104
言语交际模式与外语教学	柏学翥	淮北煤师院学报—1995,(1):136-139
完整语言教学的探讨	[美]胡希明	语言教学与研究—1995,(2):74-81
论第二语言学习模式	马寅初	湖南师范大学社会科学学报—1995,(2):105-110
语言学范例、语言与文学性：对外国学生的文学教学策略	钱远晏 刘辰诞	信阳师范学院学报—1995,(3):80-88
心理语言学对"妈姆语"的研究及其对外语学习的启示	韩骁兵 钱　莉	河北师范大学学报·社科版—1995,(3):112-116,124
语言教学与言语教学的互补性	冯觉华 辛勇红	齐齐哈尔师院学报—1995,(3):120-124
浅谈语境与潜台词	宋　尧	解放军外语学院学报—1995,(4):51-56,60
错误分析理论与外语教学	刘　徽	牡丹江师范学院学报·哲社版—1995,(4):69-70
跨文化交际中的言谈规约问题探讨	许力生	浙江大学学报·社科版—1995,(4):118-124
词语的文化诠释	金舒年	语文建设—1995,(5):29-30
跨文化交际的语言会话类型及其教学	蒋立珠	解放军外语学院学报—1995,(5):64-68
论外语教学观念的转变	封大伟	齐齐哈尔师院学报—1995,(6):97-100
精读课教学的取向	袁世平 李　荣	齐齐哈尔师院学报—1995,(6):107-111
现代语言学理论与语文教学	覃长林	语文教学与研究—1995,(8):34
语用学研究与交际能力培养	李延福	语言文字学—1996,(1):19-26

书　评

浅评《系统功能语法概论》	林纪诚	外国语(上海)—1990,(5):77-78
美国暑期语言学院	戴庆厦	语文建设(北京)—1991,(4):40
语言研究的又一新突破：评刘焕辉教授的《交际语言学导论》	何一新	语言文字学(北京)—1992,(5):37-38
一本关于第二语言习得的书	刘润清	外语教学与研究(北京)—1993,(1):71-74
探讨语文教学理论的重要成果——读《语用学在语文教学中的运用》	于根元	语言文字应用—1994,(4):17-19
吕叔湘先生和《中学语文教学》	孙移山	中学语文教学—1994,(9):2-3
吕叔湘先生和中学语文教学研究会	陈金明	中学语文教学—1994,(9):3-4

语 音 学

音系学理论(下)	Hans Basboll 著；王嘉龄译	国外语言学(北京)1990,(4):11-20
苏联科学院文学与语言学部首位学与语音学常设委员会的组织和活动	Николаева,Т.М., Розанова,Н.Н.著 卫志强译	国外语言学(北京)—1990,(4):42-44
协同发音和时域调节	Keating,P.A.著；曹剑芬译	国外语言学(北京)—1990,(4):48,44
论音位组合及其选择性特点	徐 青	湖州师专学报·哲社版—1991,(1):1-7
句子语调在语言中的地位	诸通允	外国语(上海)—1991,(1):75-78
音位理论的产生、发展及其方法论的演进:音位学史论纲	金基石	延边大学学报·哲社版—1991,(1):90-97
听觉感知模型与机器语音理解系统	周志钢	语言研究(武汉)—1991,(2):27-35
关于"形态音位"的争论	信德麟	现代外语—1991,(4):7-12,41
汉藏语系语言声调的调型调值的理论构拟	王 君	延安大学学报·社科版—1991,(4):81-86
莫斯科音位学派的发展——阿瓦涅索夫及德米特连科的贡献	王宪荣	外语学刊—1991,(5):55-58
在更宽的语言环境中研究字调	张正生	语言研究(武汉)—1991,(增刊):196-207
语言符号的线性特征问题	杨 忠 张绍杰	外语教学与研究(北京)—1992,(1):46-51
音位学中的抽象形式问题	袁 义	外语教学与研究(北京)—1992,(1):58-62
论元音音区	罗安源 金雅声	民族语文(北京)—1992,(1):71-76,70
产生"谐音"的手段	付凯琳	四川外语学院学报—1992,(1):77-83
切音字运动百年祭	周有光	中文信息(成都)—1992,(2):3
语音学和音系学的总合	Ohala,J.J.著 石锋译	国外语言学(北京)—1992,(2):1-11,22
语音学理论	Beckman,M.E.著 王嘉龄译	国外语言学(北京)—1992,(2):12-22
修订后的国际音标	Ladefoged,P.著；丁信善译	国外语言学(北京)—1992,(2):42-46
语言学习系统的语音子系统设计	黄华灿	华侨大学学报·自然版—1992,(2):265-270
语言之妙,妙不可言——兼论双声、迭韵和头韵、内韵、尾韵(上)	伍铁平	外国语(上海)—1992,(3):13-16

论形态音位学	信 德 麟	外语学刊(哈尔滨)—1992,(4):1-8
语言之妙,妙不可言——兼论双声、迭韵和头韵、内韵、尾韵(中)	伍 铁 平	外国语(上海)—1992,(4):6-11
语言之妙,妙不可言——兼论双声、迭韵和头韵、内韵、尾韵(下)	伍 铁 平	外国语—1992,(5):8-12
《音系学基础》评介	项 梦 冰	语文建设(北京)—1992,(5):45-46
论音位系统及其历史演变	徐 青	湖州师专学报·哲社版—1993,(1):48-55
词汇音系学	宫 琪	蒲峪学刊(齐齐哈尔)—1993,(1):58-59
标准音的新发展:从巴黎音和RP的失势看新型标准音的崛起	杨 天 雨 杨 金 华	外国语(上海)—1993,(1):75-79
《生成音系学和非线性音系学》评介	[美]侍建国	国外语言学—1993,(2):16-23
语音学的类型与语音对比研究	张 学 曾	中国俄语教学—1993,(3):13-16
"声符表义"说与索绪尔的"音响形象"理论:论声音的联想性	冯 蒸	语言文字学(北京)—1993,(3):33-38
语音学是调查研究语言的一门领先的科学:从一部语言学新著想到的	马 学 良	中央民族学院学报(北京)—1993,(3):76-78
《生成音系学》评介	宫 琪	齐齐哈尔师范学院学报·哲社版—1993,(3):89-93
语音学的一种研究方法	周 同 春	方言—1993,(3):195-198
语音象征及其表意功能	项 成 东	现代外语—1993,(4):14-18,7
《说文》中的声训	侯 占 虎	东北师大学报·哲社版—1993,(4):47-49
布拉格学派的音位学研究	钱 军	外语学刊—1993,(5):1-6
论汉藏语言的声调	瞿 霭 堂	民族语文—1993,(6):10-18
国际音标及其应用	季 星	语文建设—1993,(7):44-46
音长形成的超音段成素	谢 云 飞	中国语文—1993,(431):16-19
音势形成的超音段成素	谢 云 飞	中国语文—1993,(432):15-18
试论中国人学习英语辅音过程中汉语辅音的移入	肖 德 法	外语与外语教学—1994,(1):21-27
汉语语句的节律问题	文 炼	中国语文—1994,(1):22-25
论汉藏语言的声调(续)	瞿 霭 堂	民族语文—1994,(1):75-78
词之宫商雌黄——试以实验语音学的方法探讨词之音乐性	罗 立 刚	学术月刊—1994,(1):81-87,110
《切韵》系韵书韵目字的选择原则与"最小对立"	张 树 铮	语言研究—1994,(1):108-113
《中州音韵》的全浊音声母	龙 庄 伟	语言研究—1994,(1):114-119
汉语节奏规律的限制条件	吴 洁 敏 朱 宏 达	杭州大学学报·哲社版—1994,(1):122-129
论近代书面音系研究方法	耿 振 生	语言文字学—1994,(2):15-24
《诗经》韵系的时代分野	金 颖 若	语言文字学—1994,(2):32-34

标题	作者	出处
续《汉语文化语音学虚实谈》	史有为	世界汉语教学—1994,(2):36-41
对于王力著《中国音韵学》审校及修订意见之意见	黎锦熙	汉字文化—1994,(2):48-52,56
舌面中音应该具有什么样的音值	王福堂	语言研究—1994,(2):133-134
音系的结构格局和内部拟测法——汉语的介音对声母系统的演变的影响(上)	徐通锵	语文研究—1994,(3):1-9
音系的结构格局和内部拟测法——汉语的介音对声母系统的演变的影响(下)	徐通锵	语文研究—1994,(4):5-14
汉语语势重音的音理(简要报告)	沈炯	语文研究—1994,(3):10-15
《尔雅音图》音注所反映的宋代知庄章三组声母演变	冯蒸	汉字文化—1994,(3):24-32,23
黎锦熙先生和《中国音韵学》	黎泽渝	语文建设—1994,(3):41-42
"儿化"性质新探	李立成	杭州大学学报·哲社版—1994,(3):108-115
言语节奏和语气是支撑有声语言的两大支柱	王春岭	华中师范大学学报·哲社版—1994,(3):110-112
语音表义传情的魅力	苏立康	语言文字应用—1994,(4):20-24
《西儒耳目资》的成书及其体制	金薰镐	河北学刊—1994,(4):76-82
史书平声示崇说	何惠娟	河南大学学报·哲社版—1994,(4):87-88
沈宠绥音韵学简论	都兴宙	青海师范大学学报·哲社版—1994,(4):87-92
论汉语音韵的文化内涵	谷木	江苏社会科学—1994,(4):120-125
试谈实验语音学与语言教学研究的关系	韩祝祥	语言教学与研究—1994,(4):131-139,104
音位标音的几种选择	陈其光	中国语文—1994,(4):266-273
藏缅语的松紧元音	盖兴之	民族语文—1994,(5):49-53
云南明代的音韵学研究	肖所 涂良军	云南师范大学学报·哲社版—1994,(5):70-75
颜师古《汉书注》喉音反切声类再研究	任福禄	求是学刊—1994,(5):87-90
陕西澄城方言心逢洪音读作[t]声母	孙立新	中国语文—1994,(5):392
一等韵在客家方言也在齐齿呼	日健	中国语文—1994,(5):400
哈萨克语土耳其语辅音对应特点:兼论语音对应与语言影响的关系	王远新	民族语文—1994,(6):27-33
汉藏语声调探源	陈其光	民族语文—1994,(6):37-46
对于王力著《中国音韵学》审校及修订意见之意见	黎锦熙	语言文字学—1994,(7):65-70
普通话韵母的分类	王洪君	语文建设—1995,(1):3-5
üan韵母主要元音的音值	王福堂	语文建设—1995,(1):6
中国新疆哈萨克人与哈萨克斯坦哈萨克人语音上的个别差异(待续)	N.S.努尔哈毕	语言与翻译—1995,(1):30-39

论文题目	作者	出处
论音位归纳和音变归纳的界限	刘祥柏	语文研究—1995,(1):33-34
全浊上声字是否均变为去声	那宗训	中国语文—1995,(1):61-64
也谈本悟《韵略易通》之"重×韵"	沈建民 杨信川	中国语文—1995,(1):65-69
论训诂之旨本乎声音	孙雍长	湖北大学学报·哲社版—1995,(1):85-92
《九经直音》反切的来源及其相关问题	李无未 王晓坤	吉林大学社会科学学报—1995,(1):87-94
轻声对非轻声音节调域的调节	王韫佳	世界汉语教学—1995,(2):10-17
从汉藏语系的角度论辅音三级分类法的一种新模式:兼论中国传统音韵学者对辅音分类的贡献	冯蒸	语言文字学—1995,(2):13-23
中国新疆哈萨克人与哈萨克斯坦哈萨克人在语音上的个别差异(续)	N.S.努尔哈毕	语言与翻译—1995,(2):30-34
韩日汉字音中的上古知章系与喻日母字	[韩]严翼相	语言研究—1995,(2):69-84
从朝汉对音考察-m韵尾的转化	[韩]安奇燮	语言研究—1995,(2):85-90
论古音十九纽的重新发现	李葆嘉	南京师大学报·社科版—1995,(2):101-107
汉语语音递增输出实验	[美]柯传仁	语言教学与研究—1995,(2):107-118
国际音标的一些主要特征	[美]Padefoged,halle	齐齐哈尔师院学报—1995,(2):149-152
中国古音学传统的理论嬗变	申小龙	南昌大学学报·社科版—1995,(3):51-59
哈萨克语与乌孜别克语音位比较研究	程适良	中央民族大学学报—1995,(3):82-90
汉语语音测试字表研究	朱川	华东师范大学学报·哲社版—1995,(3):84-88,73
学点音韵知识	叶盛	语文世界—1995,(4):14-15
重音和停顿浅谈:从为什么人的问题说起	林清和	语文世界—1995,(4):20-10
从共振峰看元音音区	罗安源	民族语文—1995,(4):69-71
《切韵指南》的列字和空圈:《切韵指南》研究之一	忌浮	吉林大学社会科学学报—1995,(4):76-83
日、汉语音对比分析与汉语语音教学	[日]余维	语言教学与研究—1995,(4):123-141
试论重纽的语音	(台湾)竺家宁	中国语文—1995,(4):298-305
连读变调与轻重对立	曹剑芬	中国语文—1995,(4):312-320
中古汉语鱼韵的音值:兼论人称代词"你"的来源	[日]平山久雄	中国语文—1995,(5):336-344
怎样才算是古音学上的审音派	陈新雄	中国语文—1995,(5):345-352
不送气音和送气音、清音和浊音的分辨		语文世界—1995,(6):15
关于Z、C、S的发音部位	程元冰 欣然	语文建设—1995,(6):46-47

舌尖后音 zh、ch、zh 和舌尖前音 z、c、s 的分辨	李　　明 石　佩　雯	语文世界—1995,(7):46,27
r-l.f-h 的分辨	李　　明 石　佩　雯	语文世界—1995,(8):18
按《审音表》修订字音之我见	王　建　堂	语文建设—1995,(9):10
轻声的特点	李　　明 石　佩　雯	语文世界—1995,(9):38-39
关于"纯轻声字"问题	王　汝　海 徐　世　荣	语文建设—1995,(9):47

词　汇　学

词义演变过程中的心理因素	董　为　光	语言研究(武昌)—1990,(1):1-10
阿尔泰诸语言的比较词汇学问题	[苏]钦齐乌斯,B.N.著 陈　伟　译	语言与翻译(乌鲁木齐)—1990,(4):72-75
序位语言学评析	李　学　平	外语学刊(哈尔滨)—1990,(6):9-13
词义结构中的四种意义	王　振　昆	逻辑与语言学习(石家庄)—1990,(6):32-35
词语的复活与复活的词语	扬　子　晴	逻辑与语言学习(石家庄)—1990,(6):43-45
词义演变规律述略	葛　本　仪 杨　振　兰	文史哲(济南)—1990,(6):97-100
词义演变与字词的分化	王　小　莘	语文月刊(广州)—1990,(11-12):25-26
词汇扩散的动态描写	王　士　元 沈　　钟	语言研究(武汉)—1991,(1):15-33
用于句子转换的词汇手段	华　　劭	外语学刊(哈尔滨)—1991,(2):1-10
对词汇是否成体系问题的刍议	陈　素　英	锦州师院学报·哲社版—1991,(3):101-105
言语反义词略谈	文　孟　君	语文学刊(呼和浩特)—1991,(4):9-13
词义与词汇意义类型	阿加弗诺娃,T.M.著；那纯志译	辽宁大学学报·哲社版(沈阳)—1991,(4):35-38
"块"字释义与语言的社会性	李　　润	四川师范学院学报·哲社版(南充)—1992,(5):83-87
试论教育言语	唐　　棣	江西教育学院学报(南昌)—1992,(1):30-33
论比较词源学	吴　玉　璋	外国语(上海)—1992,(1):43-50
汉语语素融合与融合词论：兼议汉语词汇的历史发展规律	李　伯　超	湘潭大学学报·社科版—1992,(1):110-116
义素脱落和语义重组：汉语称名学研究	凌　　云	语文月刊(广州)—1992,(2):8
也谈什么是"古今同形异义词"	安　秀　奎	语文知识(郑州)—1992,(2):19-22
论科学术语进入共同语词汇的条件及方式	王　吉　辉	汉语学习(延吉)—1992,(2):27-28

试论比较词源	吴玉璋	外国语—1992,(2):43-50
论公关语言学的性质、对象和范围问题	冯学锋	湖北大学学报·哲社版(武汉)—1992,(2):50-56
术语学概论	赵家琎	外国语(上海)—1992,(2):51-56
"零"带来的困惑:谈"世纪"与"年代"起讫之争的原因	吴继光	语言文字学(北京)—1992,(2):52-53
立体思维、辐射联想与线性言语链:对词语异常搭配的心理描述	贾德霖	外国语(上海)—1992,(3):45-48,68
论词义系统的构成及其功能	海阳	湘潭大学学报·社科版—1992,(3):68-72
建国以来对"词""词汇"概念的研究	葛本仪	语文建设(北京)—1992,(4):31-35
谈谈语词在集合意义上的运用	王立廷 蒋以璞	学语文(芜湖)—1992,(5):18-19
词的音义比较关系和词族	万世雄	语言文字学(北京)—1992,(8):83-87
语词杂考五则	富金壁	佳木斯师专学报—1993,(1):7-11
语词定义探新	邹德文 苑成存	佳木斯师专学报—1993,(1):48-51
杨雄对《太玄》符号系统的语形、语义解释	于庆峰 周文英	江西大学学报·社科版—1993,(1):92-97
词语与意象	王尚文	浙江师大学报·社科版—1993,(1):97-100
词义模糊的成因(上)	罗杰·麦克卢厄文,榕培译	外语与外语教学—1993,(2):8-14
从观念论的角度看指称问题	孙乃纪	求是学刊—1993,(2):9-13
简论词的模糊性、概括性和特指性	俞如珍	外国语—1993,(2):56-58
洛克词义论分析	张妮妮	北方论丛(哈尔滨)—1993,(3):16-20
方言词、文言词、普通话词比较示例	黄岳洲	中学语文教学—1993,(4):37-39
表示"明天"和"昨天"的词的类型学研究	伍铁平	语言教学与研究—1993,(4):87-102
词义的变量集合	贾德霖	外国语—1993,(5):11-14
词的表达色彩的性质和类别	周荐	天津社会科学—1993,(6):91-93
词汇研究的相对看法	周国正	语文建设通讯(香港)—1993,(39):32-43
《桃花源记并诗》疑义管窥	袁传璋	安庆师院学报·社科版—1994,(1):21-26
关于词的定义的一点商榷	任瑚琏	西南民族学院学报—1994,(1):29-30
论动态词义	葛要仪 刘中富	文史哲—1994,(1):32-36
心理动词的分类及其组合特点	卢福波	天津教育学院学报·社科版—1994,(1):35-39
当代汉语词汇研究的大趋势:词义研究	苏新春	广东教育学院学报·社科版—1994,(1):38-42
学习词汇及词的用法	吴恒菊译	佳木斯师专学报—1994,(1):40-43
说同字为训	杨安利	温州师院学报—1994,(1):57-58

标题	作者	出处
《河北通志稿·艺文志》校读举要	秦进才	河北师院学报·哲社版—1994,(1):59-66,85
孔疏释词论略	赵小刚	宁夏大学学报—1994,(1):61-66,93
简论词语的形象色彩	李瑞群	固原师专学报—1994,(1):64-67
《诗经》与汉语词汇(续)	向熹	河北师院学报·哲社版—1994,(1):68-73
对生成形容词义位的考察	孟义道	固原师专学报—1994,(1):73-74,90
利用"互文""对文"释义	杨冠华	牡丹江师范学院学报·哲社版—1994,(1):76
说趣	邓牛顿	南开学报·哲社版—1994,(1):76-80
论名词性并列复合词的词义与语素义之关系	王玉鼎	阜阳师院学报·社科版—1994,(1):82-90
谈同义词语、同一判断与等值判断的关系	辛菊	山西师大学报·社科版—1994,(1):84-86
论汉语词汇的发展与汉民族历史文化的变迁	徐正考	吉林大学社会科学学报—1994,(1):86-89
论模糊性在词义系统中的位置	马毅	中国人民大学学报—1994,(1):88-93
《通雅》训诂述略	关童	浙江大学学报·社科版—1994,(1):115-121
论黄侃的训诂学定义	刘世俊	宁夏大学学报—1994,(2):1-6
再谈汉语词的同义聚合与词性的关系问题	梅立崇	世界汉语教学—1994,(2):16-20
《管锥编》对传统训诂批评的独特视角	宋秀丽	贵州大学学报·社科版—1994,(2):35-40
应该建立一门中国"姓名学"	孙玉溱	内蒙古大学学报·哲社版—1994,(2):65-67
正确对待不同时期相互借用的词	邢国政 杨来复	语言与翻译—1994,(2):112-116
词汇的社会文化特征	杨平	外语与外语教学—1994,(3):1-6
关于语言的 Connotation	Beatriz Garza Cuarón 文,榕培译	外语与外语教学—1994,(3):7-11
词汇的文化伴随意义与信息性	金城	外语研究—1994,(3):34-36
几个被曲解了的比喻词	程瑞君	修辞学习—1994,(3):38-39
"旦日"非"明日"	洪东流	修辞学习—1994,(3):40-41
论语言的人文性与词的文化义	苏新春	学术研究—1994,(3):88-92
再论实义切分的理论基础——标准和手段	蒋国辉	外语学刊—1994,(4):1-7
非逻辑性词语的表意分析及规范	郭攀	语文建设—1994,(4):14-17
从隐性到显性:新词语产生的重要途径——兼谈新词新语词典的编写	周洪波	辞书研究—1994,(4):35-45
人体器官名词普遍性的意义变化	龚群虎	语文研究—1994,(4):42-48
词义商兑	吕永卫 苏晓青	徐州师范学院学报·哲社版—1994,(4):110-111
释"马包"和"马勃"	卢甲文	中国语文—1994,(4):317

标题	作者	出处
符号的任意性与词的理据	于海江	解放军外语学院学报—1994,(5):1-6
词语中的形式数字举类	王吉辉	语文月刊—1994,(5):4-5
乳名与叠词的审美特点	及文平	语言教学之友—1994,(6):40-41
色彩词摭谈	高承杰	语文教学之友—1994,(7):40-41
"反训"研究述评	余大光	语言文字学—1994,(8):29-34
古训新证	黄树先	语言文字学—1994,(9):37-41
谈谈字母词	刘涌泉	语文建设—1994,(10):7-9
八十年代的中国训诂学	申小龙	语文建设通讯—1994,(44):43-45,27
从思维角度分析同源词的产生	张仁立	山西师大学报·社科版—1995,(1):79-83
论训诂之旨本乎声音	孙雍长	湖北大学学报·哲社版—1995,(1):85-92
词的文质及理论探微:从《词论》到《词源》	张思齐	海南大学学报·社科版—1995,(1):88-94
训诂学性质研究述评	张月明	语言文字学—1995,(2):38-42
训诂学的现代观念	杨光荣	山西大学学报·哲社版—1995,(2):61-67
对现代汉语词汇系统研究的看法:[俄]A·谢米纳斯著《现代汉语词汇学》摘译	[俄]A·谢米纳斯	23-1375—1995,(2):67-73
汉语的借词与双向借词	孙玉溱	内蒙古大学学报·哲社版—1995,(2):82-84
关于词义的层次性问题的思索	王希杰	汉语学习—1995,(3):4-8
法律术语命名(选用)的方法及意义	张维仑	语言文字应用—1995,(3):29-33
谈立法语言	陈炯	语言文字应用—1995,(3):34-37
广告文稿的叙述方式	李胜梅	语言文字应用—1995,(3):38-41
广告中的数字用法	覃凤余	语言文字应用—1995,(3):42-46
从"所"字词义误增论词义研究方法	刘瑞明	四川大学学报·哲社版—1995,(3):42-47
广告用语的更换	郭龙生	语言文字应用—1995,(3):47-51
通假管见	戴云云	上海师范大学学报·哲社版—1995,(3):117-122
符号视角下的词和词义	王信泰	上海师范大学学报·哲社版—1995,(3):123-125
"风流"古今意义训释	陈学忠	语文世界—1995,(4):33
汉语词的理据及其基本类型	许光烈	语言文字学—1995,(4):48-53
汉语义素运动造词	凌云	语言教学与研究—1995,(4):108-115
论词的内部形式与社会文化	邹玉华	解放军外语学院学报—1995,(5):24-29
论假借义同化	罗积勇	武汉大学学报·社科版—1995,(5):93-98
汉苗语语义学比较法试探研究	邢公畹	民族语文—1995,(6):11-18
关于汉语词汇史研究的一点思考	张永言 汪维辉	中国语文—1995,(6):401-413

语　义　学

标题	作者	出处
关联模式和语义网络对掌握单词的作用	谢贤德	淮北煤师院学报·社科版—1990,(4):109-113

标题	作者	出处
语义形式化的研究	梅家驹 高蕴琦	外国语(上海)—1990,(5):9-11,32
语境与语义解释例说	郭穗 王作新	语文教学与研究(武汉)—1990,(11):35-36
语义表达的一些性质	张潮生	中文信息学报—1991,(1):1-12,27
"词汇背景"小议	郭聿楷	中国俄语教学—1991,(1):6-10
说明句语义结构浅析	柴天枢	中国俄语教学—1991,(1):11-16
论歧义与释义的关系	高锡九	外语与外语教学—1991,(1):14-18
词义和模糊性·概括性和民族性的区别与联系	于逢春	松辽学刊—1991,(1):38-42
词频统计的发展	刘洪波	图书与情报—1991,(2):13-19
一门新的语言学分科——国俗语义学	王德春	百科知识—1991,(2):20-21
语义跟语法的碰撞	余志鸿	语文研究(太原)—1991,(2):30-33
语义模糊——自然语言的属性	贾德霖	外语教学—1991,(2):36-39
论从表示人体部位的词派生的词或词义:比较词义学探索	孙逊	外语学刊(哈尔滨)—1991,(2):47-49,44
意义确证:一个难解的结——解构言语行为理论	陆扬	华中师范大学学报·哲社版(武汉)—1991,(2):49-55
义素组合论	王希杰	浙江师大学报·社科版—1991,(2):74-78
构词能力浅谈	张学忠	松辽学刊·社科版—1991,(2):90-92
上下文约束变换和语义限制	陈保亚	西南师范大学学报·哲社版(重庆)—1991,(2):96-99
从理论到概念与从事实到词	埃里克·德·格罗利耶文,陈思译	国际社会科学杂志·中文版—1991,(2):122-133
瑞恰兹的语义学美学	沈勇	上海大学学报·社科版—1991,(3):21-28
再论词义向其反面转化和一个词兼有相反的两个意义(上)	伍铁平	外国语—1991,(3):28-34,2
再论词义向其反面转化和一个词兼有相反的两个意义(下)	伍铁平	外国语—1991,(4):13-18
语义场理论和成分分析法在词汇教学中的运用	杨山青	贵阳师专学报·社科版—1991,(3):78-83
谈语言义向言语义的转化	常敬宇	语文研究—1991,(4):13-19
静态义素和动态义素	杨金华	外国语—1991,4.19-22
可能世界语义学与语言逻辑的研究	朱建平	逻辑与语言学习—1991,4.2-4
试论词汇的比较研究	郑述谱	中国俄语教学—1991,(4):9-12
试论工具充当施事及其语义关系	何玲梅	益阳师专学报—1991,(4):22-27
《世说新语》词语校读札记	方一新	杭州大学学报·哲社版—1991,(4):48-54
语感例说	吴淮南	南京大学学报·人文哲社版—1991,(4):160-166

标题	作者	出处
"语义的不确定性"和无法分化的多义句	沈家煊	中国语文(北京)—1991,(4):241-250
论词义分类和词语搭配	林杏光	中国人民大学学报(北京)—1991,(5):77-82
模糊语义再议:答符达维同志	石安石	中国语文(北京)—1991,(5):348-350
句子的预设及含义:兼谈"言外之意"	俞思义	中学语文教学(北京)—1991,(6):41-43,48
科学语义学的建立	[美]A·塔斯基文,张学钧译	哲学译丛—1991,(6):66-68
古汉语词义系统中的量变质变关系	黄易青	北京师范大学学报·社科版—1991,(6):69-78
词义判定十法	崔治峰	语文教学之友(廊坊)—1991,(10):34-36
连文析义	方步瀛	语言文字学(北京)—1991,(12):59-65
语义蕴涵与修饰性成分的移动	刘大为	世界汉语教学(北京)—1992,(1):17-22
词义变化的原因简析	李玉宝	世界汉语教学(北京)—1992,(1):29-32
状态补语的语境背景及其他	鲁健骥	语言教学与研究(北京)—1992,(1):32-42
语言与服饰文化浅探	岑运强	汉语学习(延吉)—1992,(1):35-40
谈谈对上下义关系的理解	姬少军	现代外语—1992,(1):38-39
介词"对于"的话语功能	王建勤	语言教学与研究(北京)—1992,(1):43-58
论语句的所指关系	倪波	外国语—1992,(1):53-57
关于符号——意象思维的描述	戴瑞琳	龙岩师专学报·社科版—1992,(1):58-64
论词的语用意义	徐盛桓	华南师范大学学报·社科版(广州)—1992,(1):63-72
现代西方哲学的语义理论探究	曹聪孙	天津师大学报·哲社版—1992,(1):68-75
怎样建立作为语言学一个分科的语义学	喻世长	语言研究(武汉)—1992,(2):1-18
句义蕴涵与句子等同	周小兵	语言研究(武汉)—1992,(2):27-30
用词准确三境界及用词准确能力训练:从词汇学、语义学、文章学角度的综合探究	李健海	齐齐哈尔师范学院学报·哲社版—1992,(2):35-39
"据境索义"概谈	张劲秋	安徽教育学院学报·社科版(合肥)—1992,(2):40-43
也谈专有名词普通化	金定元	外语教学与研究—1992,(2):43-46
符号场与意义	杨甡	牡丹江师院学报·哲社版—1992,(2):64-69
高频词与低频词的界分及词频估算法	孙清兰	中国图书馆学报—1992,(2):78-81
"人"与动性语素组合的语义	史锡尧	世界汉语教学(北京)—1992,(2):91-93
语言交际能力与话语的会话含义	崔希亮	语言教学与研究(北京)—1992,(2):97-113
句子加工和语义记忆结构的实验研究	陈永明 雷晓军	心理学报—1992,(2):113-119
语义与语境	胡兴德	淮北煤师院学报·社科版—1992,(2):113-121
谨防落入预设的圈套;再谈交际的"前提"	宗廷虎	语文月刊(广州)—1992,(3):9-10

语义研究的发展	贾彦德	语文建设(北京)—1992,(3):30-31
表达和理解:话语意义的双向建构	张 莹 邵新芳	贵州教育学院学报·社科版(贵阳)—1992,(3):44-47
词语组合在语义选择上所受的限制	亢世勇	延安大学学报·社科版—1992,(3):94-97
原型理论与词汇语义学(上)	D. A. 克鲁斯著,榕培译	外语与外语教学—1992,(4):1-5
原型理论与词汇语义学(下)	D. A. 克鲁斯著,榕培译	外语与外语教学—1992,(5):1-5
谈句子语义的研究与句子语义学的兴起	张振华 尹湘玲	解放军外语学院学报(洛阳)—1992,(4):1-14
从汉语角度看"通感"中的语义演变普遍原则	於 宁	修辞学习(上海)—1992,(4):14-15
话语的潜台词与交际策略	崔希亮	修辞学习(上海)—1992,(4):16-18
试论语言组合中的意义实现机制	章逸影	语言文字学(北京)—1992,(4):17-21
时间词的模糊性	蒋 跃	解放军外语学院学报(洛阳)—1992,(4):22-25
词义的演变与社会变异	梁 兵	语言文字学(北京)—1992,(4):26-29
言语交际学的性质及其他	刘焕辉	语言文字应用(北京)—1992,(4):31-38
影响提问的社会因素	易洪川	语言文字应用(北京)—1992,(4):39-43
半情态助动词与情态助动词情态意义的比较	袁伽倪林娜	四川外院学报—1992,(4):83-91
交际文化琐谈	张占一	语言教学与研究(北京)—1992,(4):96-114
跨文化交谈中的交际策略探讨	谢贤德	淮北煤师院学报·社科版—1992,(4):116-119
论会话含义的功能	李经伟	解放军外语学院学报(洛阳)—1992,(5):1-4
词语意义间的依赖关系	刘叔新	汉语学习—1992,(5):1-7
逻辑式的语义解释作用及其局限性	张亚非	解放军外语学院学报(洛阳)—1992,(5):5-11,4
词的"评价性语义特征"在 N-V Conversion 中的作用	邵志洪	外语与外语教学—1992,(5):20-24
语言中的俗词源现象	范俊军	外国语—1992,(5):20-24
社会因素与语义标记对立的变异	尹铁超 周 滨	外语学刊—1992,(6):31-35
论语言的社会类型学研究	李如龙	语文建设通讯(香港)—1992,(35):1-9
模糊语义研究的现状与未来:兼评石安石与符达维关于模糊语义之辩	陈新仁	外语学刊(哈尔滨)—1993,(1):9-14
广告语言初探	杨石泉	世界汉语教学(北京)—1993,(1):20-25
语义、语用与翻译	曾宪才	现代外语—1993,(1):23-27
从灵动到凝固:语言交际中的另一类语体选择	童其兰	修辞学习(上海)—1993,(1):24-25
对语义网络中概念非类属关系的实验研究	张 煜	心理学报—1993,(1):49-57

词义的变化及词的象征意义:兼谈语言文化词典的编写	谭　　林	外国语(上海)—1993,(1):64-68,63
论模糊语义产生的原因	王　红　旗	山东师大学报·社科版—1993,(1):69-72
语篇中的语义连贯	苗　根　成	吉安师专学报—1993,(1):75-79
论词语的意味	刘　叔　新	语言教学与研究(北京)—1993,(1):86-99
关于语义的性质	宋　振　华	东北师大学报·哲社版(长春)—1993,(1):87-91
再论模糊限制词的语义限制作用	肖　奚　强	江苏教育学院学报·社科版—1993,(1):89-91,19
语义成分分析的理论与辞典的释义	凌　德　祥	安徽教育学院学报·哲社版(合肥)—1993,(1):93-96
语用研究与听力理解	刘　光　明	湖南师范大学社会科学学报(长沙)—1993,(1):127-128
国俗语义学——语言学的新进展	孔　庆　成	外语教学—1993,(2):16-19
蒙太古语义学简介	邹　崇　理	国外语言学—1993,(3):1-9
客观事物与词语之间的语义矛盾及其解决办法	刘　福　长	现代外语—1993,(3):20-22,48
论词的文化义	谢　　荣	语言文字学(北京)—1993,(3):54-59
从模糊概念到模糊思维——二论模糊概念	许　世　茂　万　　林	扬州师院学报·社科版—1993,(3):88-92
语义学的对象问题	刘　叔　新	语文研究—1993,(4):1-7
语义结构与语义变化(上)	伊万·E·斯威策文,榕培译	外语与外语教学—1993,(4):6-13,43
下定义和语言表达	李　绍　林	逻辑与语言学习—1993,(4):30-32
词义的游离及固着:语境与语义关系谈	贾　德　霖	外语学刊—1993,(4):41-45
反应词语:特征、类型及语用	徐　翁　宇	外国语—1993,(4):60-67
"天人合一"与词义引申:文化词汇采微	陈　克　炯	学术月刊(上海)—1993,(4):72-76,54
费解·曲解·别解——四论语言歧义研究中应该划界的几个问题	黄　德　玉	安庆师范学院学报·社科版—1993,(4):78-83,71
跨文化交际中的语义位移研究	魏　春　木	南京大学学报·哲社版—1993,(4):99-104
语义范畴的转化	邱　述　德	外国语—1993,(5):1-10
论语义分析的心理模型理论	肖　　平	东北师大学报·哲社版—1993,(6):51-55
语言中异质共存的矛盾统一:谈词义羡余	刘　宝　俊	语言文字学—1993,(7):78-84
论词义、词的客观所指和构词理据——语义学中命名理论的一章		现代外语—1994,(1):1-7
语义关系多样化的一些原因	张　潮　生	语言研究—1994,(1):36-55
新义是怎样产生的	冯　春　灿	浙江师大学报·社科版—1994,(1):37-41

语境结构和诗歌语义的扩散	刘立辉	四川外语学院学报—1994,(1):40-45
试论语境对语义的限定功能	王殿珍	松辽学刊—1994,(1):65-70
论词语语义组合关系规律	陈洁	中国俄语教学—1994,(2):1-5
论"特殊含意"与"一般含意"之间的关系	钟百超	外语学刊—1994,(2):1-5
关于语义三角	Beatriz Garza Cuaron 文,榕培译	外语与外语教学—1994,(2):16-22
句法结构中隐含NP的语义所指关系	沈阳	语言研究—1994,(2):25-44
词义的语境偏移与语文词典释义	苏玉荣	河北师范大学学报·社科版—1994,(2):38-42
论模糊语言	朱千波	KU—1994,(2):45-50
"作"和"做"	胡双宝	逻辑与语言学习—1994,(2):46
论象征	张德明 张海城	东疆学刊·哲社版—1994,(2):47-52
汉语词义的显性理据和潜性理据	曹炜	沈阳师范学院学报·社科版—1994,(2):68-71
汉语面部语义场历史演变:兼论汉语词汇史研究方法论的转折	解海江 张志毅	语言文字学—1994,(2):94-102
论现代汉语现实体的三项语义特征	戴耀晶	复旦学报·哲社版—1994,(2):95-100
语义场和义素和性质及其研究价值	郭沈青	宝鸡文理学院学报·哲社版—1994,(2):102-104
亲属称谓在非亲属交际中的运用	潘文 刘丹青	南京师大学报·社科版—1994,(2):108-111
词义引申与文言教学	王锡强	西南师范大学学报·哲社版—1994,(2):126-128
胡同借自蒙古语水井答疑	张清常	语言教学与研究—1994,(3):34-42
论话语的衔接手段与话语的连贯及语义分层	刘哲	解放军外语学院学报—1994,(3):52-56
疑义相与析	许征	新疆师大学报·哲社版—1994,(3):54-57
"心"族词语的语义、语用考察	史锡尧	中国语文—1994,(3):194-196
说"语义特征"	张庆云	外语与外语教学—1994,(4):22-24
亲属称谓词的自称用法刍议	[日]大西智之	世界汉语教学—1994,(4):29-35
典故词语释义积小	管锡华 俞莉莉	学语文—1994,(4):34-36
俗词源现象浅议	杨清	外语学刊—1994,(4):50-54
语义模糊与词典定义	吴世雄 陈维振	辞书研究—1994,(4):153-156
语义信息表现涵项	梁锦祥	解放军外语学院学报—1994,(5):7-11,26
说"炒"	华旭	语文建设—1994,(5):16-18
词汇衔接与语篇	王志文	解放军外语学院学报—1994,(5):23-26
汉字释义二则	杨时俊	四川师范学院学报·哲社版—1994,(5):38-41
论模式意义	梁锦祥	外国语—1994,(5):38-42

论"特殊含意"与"一般含意"之间的关系	钟百超	外语学刊—1994,(5):45-48
交际中的模糊限制语	陈林华 李福印	外国语—1994,(5):55-59
论人对意义的主本性决定	李亚明	学术交流—1994,(5):97-100
语义干涉和义素脱落	王艾录	汉语学习—1994,(6):8-14
汉词的文化意蕴	任为新	语文学习—1994,(9):35-36
论双语交融过程中词语的规范	陈恩泉	语言文字学—1994,(10):148-152
对训诂学发展的思考	许嘉璐	语文建设—1994,(12):25-26
关于第三者的疑问句的否定式答语语义确定性初探	侯一麟	中国语文—1995,(1):11-16
试论具有反义要素的同义现象	郭攀	语言研究—1995,(1):27-36
自然语言的语义推理	邱德钧	兰州大学学报·社科版—1995,(1):59-65
模糊语义定量分析	杜厚文	语言教学与研究—1995,(1):64-81
语义问题说略	丁金国	烟台大学学报·哲社版—1995,(1):77-84
现代语义学的兴起及其特点	张敏	新疆师大学报·哲社版—1995,(2):54-58,46
对委婉语的若干语言学解释	怀宁	解放军外语学院学报—1995,(2):54-59
姿势教学语汇初探	尹宗利	南京师大学报·社科版—1995,(2):58-63
汉语"狮"一词的来源及其对汉文化的影响	邱晓伦	语言与翻译—1995,(2):59-61
"务实"学风与"表—里—值"验证方法	储泽祥	语言文字应用—1995,(2):77-81
当代中国商号命名的问题与对策	陈妹金	语言文字应用—1995,(2):97-101
开放改革以来汉语词汇的新发展及其社会心理原因	张维耿	暨南学报·哲社版—1995,(2):154-158
论诱发汉语词汇语法化的若干因素	刘坚 曹广顺 等	中国语文—1995,(3):161-169
语义指向研究漫谈	卢英顺	世界汉语教学—1995,(3):22-26
谈词的核心义	张联荣	语文研究—1995,(3):31-36
也谈词义感表色彩的偏移:答王化鹏先生	任奉	汉语学习—1995,(3):37-40
答句的语义类型	朱晓亚	语言教学与研究—1995,(3):47-60
词义的相背引申	董秀芳	汉语学习—1995,(3):53
同源词之间的意义关系	孙雍长	南昌大学学报·社科版—1995,(3):60-63
语义在次范畴确定中的自足价值	吴长安	东北师大学报·哲社版—1995,(3):80-83
数量份额词语的语义分析	陈月明	语言文字学—1995,(3):93-101
维汉亲属称谓对比研究	颜秀萍	语言文字学—1995,(4):136-143
语境:语义的信息源	贺水彬 张大鸣	辽宁师范大学学报·社科版—1995,(4):36-38
形容性义位语义模糊性管窥	海阳	湘潭大学学报·社科版—1995,(4):98-102
"的士"的"意化"过程	苏新春	语文建设—1995,(5):8-9

"出租汽车"与"面的"	杨光荣	语文建设—1995,(5):9-7
长辈对晚辈的谦称	吴小如	语文建设—1995,(6):40-41
试论《尔雅》在注释学上的地位和作用	林久贵	语言文字学—1995,(7):23-28
语义问题说略	丁金国	语言文字学—1995,(7):73-80
中西文化差异与语义歧义	马生仓	语言文字学—1995,(8):16-19
语素义的误解与失落	杨润陆	语文建设—1995,(10):32-33

书 评

美国柏克莱加州大学《汉藏语词源学分类词典》课题研究	戴庆厦	国外语言学(北京)—1990,(4):28-30
弗斯和伦敦语言学派:纪念弗斯诞辰一百周年	戚雨村	外国语(上海)—1990,(5):1-3
语气、训诂与音韵:《经传释词》的得失	毛毓松	广西师范大学学报·哲社版(桂林)—1991,(3):51-56
《中古汉语语词例释》序	蒋礼鸿	杭州大学学报·哲社版—1991,(4):46-47
汉语构词法研究的先驱薛祥绥	潘文国 叶步青等	中国语文(北京)—1993,(1):65-69
第一届词学国际研讨会综述	钟文	东北师大学报·哲社版—1993,(4):95-96
《可学得性与认知:论元结构的习得》评介	王初明	国外语言学—1994,(2):15-22
《语义学与认识研究》述介	王秀丽	外语教学与研究—1994,(3):73-75
语义研究的新进展:石安石新著《语义论》读后	王远新	语言文字应用—1994,(3):105-109
评贾彦德《汉语语义学》	邢公畹	中国语文—1995,(1):70-74
《汉语词汇研究史纲》序	刘叔新	汉语学习—1995,(3):61-62

语 法 学

藏缅语动词使动范畴的历史演变	杜若明	语言研究(武昌)—1990,(1):133-148
藏缅语表施动和受动的结构助词	张军	语言研究(武昌)—1990,(2):132-146
广义短评结构语法中的语义解释问题	金顺德	国外语言学(北京)—1990,(4):31-40
否定范围和否定中心的再探索	徐盛桓	外国语(上海)—1990,(5):17-27
篇章:情景的组合	徐盛桓	外国语(上海)—1990,(6):1-11,69
系统语法理论及其语言观	金顺德	外国语(上海)—1990,(6):19-24
语法、语义和语用等概念的形式描写	翟成祥	逻辑与语言学习(石家庄)—1990,(6):31-32
图式与篇章连贯性	李战子	外语学刊(哈尔滨)—1990,(6):44-50,33
论句子的预设及其预设的满足	柴生秦	北京师范大学学报·社科版—1990,(6):102-103
九十年代语法研究的新思路	刘大为 邵敬敏	语言文字学(北京)—1990,(9):133

标题	作者	出处
章句学的发展与得失论	张 辰	语言文字学(北京)—1990,(10):125-129
语用学理论与精读课的侧重点	杨 忠 张绍杰	外语与外语教学—1991,(1):1-5,13
黎天睦论"着"的核心意义	Light Timothy 著 王宗炎 译	国外语言学(北京)—1991,(1):15-24
渐变:探讨语法中模糊现象的新途径	宋志平 唐邦海	外语学刊(哈尔滨)—1991,(1):20-25
语法和统一性在语言意识中的地位	Parke Tim 著;徐经闩 译	国外外语教学(上海)—1991,(1):24-26,23
以认知为基础的汉语功能语法刍议(下)	James H-Y. Tai(戴浩一)著;叶蜚声 译	国外语言学(北京)—1991,(1):25-33
教学语法概述	[德] René Dirren 文,张恭瑾,孙骈 编译	国外外语教学—1991,(1):33-35
王力与韩礼德	胡壮麟	北京大学学报—1991,(1):49-57
深层结构、语义表达式和逻辑形式	赵 平	吴中学刊—1991,(1):65-69
自然语言句子识别的若干语法语义问题	黄自由	江苏教育学院学报·社科版—1991,(1):68-73
语法系统的非系统性	王希杰	丹东师专学报·哲社版—1991,(1):70-75
动词体用于否定结构中的语境类型	张沛恒	东北大学学报·哲社版—1991,(1):81-86
试论语用前提	盛 林	盐城师专学报·社科版—1991,(1):87-91,126
语用研究中的几个问题	余 力	现代外语—1991,(2):1-7
句法语义范畴的若干理论问题	胡明扬	语言研究(武汉)—1991,(2):1-10
也谈生成语法学的认识论和方法论	龚常木	语言文字学(北京)—1991,(2):10-13
萨莫斯的代词理论述评	孙学钧	湖北大学学报·哲社版(武汉)—1991,(2):10-16
篇章的语用推理	王左立	逻辑与语言学习—1991,(2):10-16
对自由间接引语功能的重新评价	申 丹	外语教学与研究—1991,(2):11-16
听觉感知模型与机器语音理解系统	周志钢	语言研究—1991,(2):27-35
论句法分析和句用分析及句子分析的多层次性	王希杰	昭乌达蒙古族师专学报·汉文哲社版—1991,(2):32-40
语境简论	庄 杰	上海大学学报·社科版—1991,(2):40-43
再论汉语广义语法学	马 啸	盐城教育学院学刊—1991,(2):49-53
与语言符号有关的问题:兼论语法分析中的三个平面	文 炼	中国语文(北京)—1991,(2):83-88
语流语法分析模式	吴葆棠	中国语文(北京)—1991,(2):104-112

语法学

标题	作者	出处
在社会语境中的语言处理:一个跨学科的描述	Dietrich, R. Graumann, C.F.著 廖秋忠译	国外语言学(北京)—1991,(3):1-9
对传统语法的思考	王文斌	语言文字学(北京)—1991,(3):24-31
语用学介绍	王克西	日语学习与研究—1991,(3):30-32
语义句法刍议:语言的结构基础和语法研究的方法论初探	徐通锵	语言教学与研究(北京)—1991,(3):38-62
名词可数性的语法学和语用学特征	[英]Randolph Quirk 文 周国强译	国外外语教学—1991,(3):44-封三
描写语法学的分析方法	凌德祥	安徽教育学院学报·社科版(合肥)—1991,(3):50-56,96
论变换分析的平行性原则	方经民	湖北大学学报·哲社版—1991,(3):89-96
浅析语境对词句意义的影响	蒋贻瑞	扬州师院学报·社科版—1991,(3):110-113
语法和语法教学	胡明扬	语文教学通讯(临汾)—1991,(4):2-4
漫话功能主义和语用研究	何兆熊	外国语—1991,(4):3-7
句法分析的三个平面与深层结构	王维贤	语文研究(太原)—1991,(4):5-12
言语交际中的语用移情	何自然	外语教学与研究—1991,(4):11-15
篇章与语用和句法研究	廖秋忠	语言教学与研究—1991,(4):16-44
浅论语境的功能	常俭	逻辑与语言学习(石家庄)—1991,(4):34-37
层次分析法在语法学习中的应用	陈妹金	中文自学指导—1991,(4):41-43
试论语法性质的二元对立组合特征	李大勤	内蒙古师大学报·哲社版(呼和浩特)—1991,(4):76-79
句子过程简论	胡华	东北师大学报·哲社版(长春)—1991,(4):81-85
非语法性及句法变异	傅勇林	外语教学—1991,(4):84-89
论语法形式的定义	沈开木	江淮论坛(合肥)—1991,(4):93-102
格的语法述评	李曼珏	湖南大学学报—1991,(5):9-18
试借用乔姆斯基语法分析简单辩证语句	刘高岑	逻辑与语言学习(石家庄)—1991,(5):10-11
再论语用学对篇章分析的影响	左欣	湖南大学学报—1991,(5):51-54
语用推理	徐盛桓	外语学刊—1991,(6):1-7
句法中潜层结构与理解的若干问题	申镇	外语学刊—1991,(6):12-17
话语语用结构对比刍议	许余龙	外国语—1991,(6):46-49
论句法分析和句用分析及句子分析的多层次性	王希杰	语言文字学(北京)—1991,(8):96-104
语用	沈开木	语文月刊(广州)—1991,(11):10-11
语法意义和语汇意义之间的相互影响	胡明扬	汉语学习(延吉)—1992,(1):1-6
系统功能语法中的"功能"辨析	朱永生	外国语—1992,(1):8-12
表情句法问题	鲍红	外语学刊—1992,(1):23-27

论层次分析法之"层次"	刘英军	河北师范大学学报·社科版(石家庄)—1992,(1):33－37
人称与句子功能的关系刍议	韩孝平	世界汉语教学(北京)—1992,(1):33－39
语法定义的演变	王明仁	宁夏大学学报·社科版(银川)—1992,(1):36－39
"形态",语言发展的桎梏——语法结构不能分优劣吗?	卓麟	汉字文化—1992,(1):57－61
从阅读轨迹透视句法结构对语意的决定效应	奚晏平	四川外语学院学报—1992,(1):84－91
转换语法从早期理论到标准理论	王运祥	河南师范大学学报·哲社版(新乡)—1992,(1):105－107
变换分析的同一性原则	方经民	上海师范大学学报·哲社版—1992,(1):131－136,76
系统语法与语用学	张德禄	外国语(上海)—1992,(2):10－14
非语法性及诗歌句法变异	傅勇林	外语教学—1992,(2):15－25,49
句法学与形态学的关系:接口语法纲要探索	方立	语言教学与研究(北京)—1992,(2):19－37
句法学与音系学的关系——接口语法探索	方立	外语教学与研究—1992,(2):24－31
"语流语法分析模式"给我们的一点启示	金立鑫	汉语学习(延吉)—1992,(2):25－26
语义——句法模式的特点及其优越性	程琪龙	汕头大学学报·人文科学版—1992,(2):29－34,39
口语、口语语法与口语教学——兼评《俄语口语语法概论》	俞约法	外语学刊—1992,(2):38－43
变换分析的约束性原则	方经民	湖北大学学报·哲社版(武汉)—1992,(2):41－49,56
词义关联性原理探讨	王阁	江西大学学报·社科版(南昌)—1992,(2):84－87
语法观念的更新:关于80年代中国语法学大变革的思考	李晋荃	苏州大学学报·哲社版—1992,(2):88－93
论句子的意义和形式	柴世森	河北师院学报·社科版(石家庄)—1992,(2):114－117
国外语言学家论语素	周一农	浙江师大学报·社科版—1992,(3):5－9
谈谈语法中的辨异分析	宋玉柱	语文月刊(广州)—1992,(3):12－13
歧义刍议	印述德	外语与外语教学—1992,(3):16－21
语法的心理现实性	李行德	国外语言学(北京)—1992,(3):25－34
Cliché 的语用学研究	王松年	外国语—1992,(3):35－39
"无规则"语法与"有规则"语法:当前美国理论语法学中的重大争论	方立	国外语言学(北京)—1992,(3):35－43
语篇程式、知识结子及话语分析	熊学亮	外国语(上海)—1992,(3):40－44
转换及其文体意义	董树荣	浙江大学学报·社科版(杭州)—1992,(3):113－121

标题	作者	出处
以目的信息为中心的语言分析	袁义林	语言文字学(北京)—1992,(4):22-26
也谈模糊限制词	李　敏 王安节	山西师大学报·社科版(临汾)—1992,(4):88-93
论语法学的研究对象	王希杰	南京大学学报·哲社版—1992,(4):139-146
实用化的汉语句法分析策略及其实现	李铁军 李　生等	情报学报(北京)—1992,(4):300-306
篇章结构与句子和词结构的关系	介　云	外语与外语教学—1992,(5):6-11
句法研究中一个基础理论问题	金立鑫	汉语学习(延吉)—1992,(5):8-11
汉语语法学史研究的几个问题：评邵敬敏《汉语语法学史稿》	吴继光	汉语学习(延吉)—1992,(5):45-49
句子与篇章——句子及语篇理解能力与阅读理解关系的实验研究	赵　勇	外语学刊—1992,(5):50-55
模糊性词语在交际中的作用	张兴禹	外国语(上海)—1992,(5):70-72
再论语法形式和语法意义	胡明扬	中国语文(北京)—1992,(5):364-370
关于句子模式理论的产生及其价值	李战国	高等学校文科学报文摘—1992,(9卷2):74
句法的象似性问题	沈家煊	外语教学与研究(北京)—1993,(1):2-8
模糊理论与汉语语法研究	梅立崇	语文研究(太原)—1993,(1):7-11
指称与内涵语境	孙学钧	湖北大学学报·哲社版(武汉)—1993,(1):9-15
中介语研究中的几个问题	鲁健骥	语言文字应用(北京)—1993,(1):21-25
一种否定方式的语用分析	贝新祯	逻辑与语言学习—1993,(1):26-28
语用推理的新发展	徐盛桓	逻辑与语言学习—1993,(1):29-31
句法、语义、语用三平面说的方法论分析	杨成凯	语文研究(太原)—1993,(1):39-45
省略的语法、语义、语用三维一起作功的结果	黄晓霞	四川教育学院学报—1993,(1):46-49
形式、意义和"三个平面"刍议	金立鑫	语文研究(太原)—1993,(1):46-51
论析句过程中两种分析方法的区别和联系：二分法和句子成分分析法的碰撞、比较和结合	葛润林	黄淮学刊·社科版—1993,(1):62-67,11
术语的语序问题和术语的系统调控机制	洪材章	语言文字应用(北京)—1993,(1):68-72
语句流的特点：语句流研究之二	方　东	内蒙古财经学院学报—1993,(1):73-76
浅析幽默话语的结构及语用功能	任付标	黄淮学刊·社科版—1993,(1):73-78
论汉语语法特点的探求方法	毛　宇	青海师范大学学报·社科版—1993,(1):88-90
关于语法形式与语法意义相结合的一些思考	宋玉柱	语言文字学(北京)—1993,(1):88-91
语境是培养和提高阅读能力的重要课题	柴春华 刘焕辉	海南师院学报(海口)—1993,(1):92-97,39
语法系统论	李富林	殷都学刊—1993,(1):98-101

话题连贯和述题连贯	李晋荃	语言教学与研究(北京)—1993,(1):100-113
语素的定义及其它	杨锡彭	淮北煤师院学报·社科版—1993,(1):108-112
接口语法:过去和现状	方立	语言教学与研究(北京)—1993,(1):126-148
关于汉语语法学史研究的思考	广梅村	兰州大学学报·社科版—1993,(1):136-143
交际的目的与语篇的功能	陶炀	解放军外语学院学报(洛阳)—1993,(2):6-10
论语用等同	张绍杰	现代外语—1993,(2):16-20
结构主义:从语言学到社会科学方法	杨忠 魏家骏	社会科学家—1993,(2):17-24
汉语语法研究方法的重大改进:评三个平面的语法研究思路	王文松	昭通师专学报·社科版—1993,(2):19-24
语法意义和语法形式简论	金立鑫	汉语学习(延吉)—1993,(2):27-29
从语用学角度看17年文学语言的公众化、社会化趋向	李道新	西北大学学报—1993,(2):34-39
话语中Please的语用分析	刘建达	外国语—1993,(2):38-41
关于"词"的名称与定义的重新审视与界说	刘尊明	湖北大学学报·哲社版—1993,(2):40-45
构词能力与偏误分析	[新加坡]谢世涯,苏启祯	语言文字应用—1993,(2):42-50
语体及语体之间的关系	张登岐 彭兰玉	衡阳师专学报·社科版—1993,(2):78-82
转换生成语法评介	张成材	青海师范大学学报·社科版—1993,(2):83-90
组词成句所受的语用制约	亢世勇	唐都学刊—1993,(2):96-101
"语篇体裁分析"理论评析	庞继贤	浙江大学学报·社科版—1993,(2):105-111
歧义与模糊辨析	秦洪林	徐州师范学院学报·哲社版—1993,(2):110-112
语言结构论	李富林	殷都学刊—1993,(2):112-114
语用含义浅说	李晶漪 罗国莹	信阳师范学院学报·哲社版—1993,(2):114-120
略谈诗词语言的语法结构变化	刘越	阅读与写作—1993,(3):13
语言结构中的语序问题	姚莫诩 王治平	阅读与写作—1993,(3):24-25
抽象的词和句与具体的词和句	王希杰	广西师范大学学报·哲社版—1993,(3):33-40
语法分析三个平面	范开泰	语言教学与研究—1993,(3):37-52
论模糊语法	张惠民	逻辑与语言学习—1993,(3):4-8
语法研究中的静态和动态	王希杰	语言教学与研究—1993,(3):53-68
"原则及参数语法"与英华对比分析(续完)	汤廷池	世界汉语教学—1993,(3):187-195
论语法意义和逻辑意义	严晓晖	逻辑与语言学习—1993,(4):2-6
预设,晦涩,歧义(上)	Ruth M. Kempson 文 沈家煊 译	国外语言学—1993,(4):33-36,封四

预设、晦涩、歧义(下)	Ruth M. Kempson 文 沈家煊 译	国外语言学—1994,(1):41-45
试论话语前提分析	向明友	外国语—1993,(4):34-38
"预设"在对外汉语教学中的运用	温洁	汉语学习—1993,(4):39-44
试论语病学的建构	孙汝建	语言文字学—1993,(4):41-45
语用学定义与研究范畴新探	俞东明	浙江大学学报·社科版—1993,(4):104-115,122
试论语法分析中的语用平面	章一鸣	杭州大学学报·哲社版—1993,(4):117-124
语义语法关系试析	聂仁发	湖南师范大学社会科学学报—1993,(4):125-128
句子及篇章的蕴含意义	邓军	外语学刊—1993,(5):16-22
汉语构词法的历史研究——《汉语的构词法研究:1898-1990》绪论	潘文国 叶步青 韩洋	华东师范大学学报·哲社版—1993,(5):58-63
汉语语法意合特点说略	刘玉杰	学术交流—1993,(5):133-138,4
"语用否定"考察	沈家煊	中国语文—1993,(5):321-331
多动词小句中的零形式	徐赳赳	中国语文—1993,(5):332-342
关于句子合语法或不合语法问题	范晓	中国语文—1993,(5):352-360
篇章结构的功能分析尝试	李锡胤	外语学刊—1993,(6):1-7
汉语句法与词法的错综现象	翰承	汉语学习—1993,(6):8-11
谈句群层次的调整	王聿恩	阅读与写作—1993,(6):20-21
论语法形式和语法意义的表现形式	金立鑫	外国语—1993,(6):44-48,75
近十几年汉语语法形式研究的发展	丁蔻年	南开学报·哲版—1993,(6):48-52
汉语语序变异及其原因	冯英	云南师范大学学报·哲社版—1993,(6):102-111
略论语境的特征	王均裕	四川师范大学学报·社科版—1993,(7):67-75
语法的多视角研究论纲	金立鑫	语言文字学—1993,(7):72-77
漫议语用省略的表达	赵淑端	语文月刊—1993,(8):7
语言结构中的停顿	姚莫诩	语文月刊—1993,(8):8
谈句群中多余的修饰语	王聿恩	语文学习—1993,(9):41-42
语言结构中的"1+1≠2"	姚莫诩	语文月刊—1993,(11):4-5
语法句群与篇章句群	周国正	语文建设通讯(香港)—1993,(41):54-64
中国语文精神之文化反思:郭绍虞语法哲学探究	申小龙	北方论丛—1994,(1):5-17
话语分析研究进展:1992年杭州话语分析研讨会论文综述	马博森 任绍曾	解放军外语学院学报—1994,(1):6-10
礼貌的概念及其他	张韧	外语教学—1994,(1):10-16
词义关系与句义关系	杨久铭	解放军外语学院学报—1994,(1):11-16
R.W.Langacker的"认知语法"	沈家煊	国外语言学—1994,(1):12-20
论语篇连贯的条件——谈接应,机制在语篇连贯中的作用	张德禄	现代外语—1994,(1):19-24

标题	作者	出处
时态与时间	[美]Ele Hinkel 文 郭 翠 张相铭 译	国外外语教学—1994,(1):21-25
论现代汉语语法单位等级体系	谷孝龙 张家泰	沈阳师范学院学报·社科版—1994,(1):22-27
生成语法对汉语"自己"一词的研究	程 工	国外语言学—1994,(1):34-40
主动态结构的被动态意义及两者的差别	孙汉军	解放军外语学院学报—1994,(1):36-38
试说句子话题	宋世平	荆州师专学报·社科版—1994,(1):39-43
略论语音、语义、语法、语用之间的相互制约性	王希杰	赣南师范学院学报·社科版—1994,(1):44-49
"减少几倍"格式的使用与来源考察	白 丁	语言研究—1994,(1):56-64
论语境与语言的表达	凌德祥	安徽教育学院学报·社科版—1994,(1):86-90
否定转移初探	孙 丽	四川师范学院学报·哲社版—1994,(1):122-125
"肚""腹"语用分析	史锡尧	语文月刊—1994,(2):7-8
井上和子的《转换语法与日语》简介	刘耀武	国外语言学—1994,(2):9-10
现代汉语语法元理论研究述要	杨成凯	语言研究—1994,(2):13-24
论同一替换律在间接引语语境中的使用	柴生秦	西北大学学报—1994,(2):14-19
有关汉语句子信息结构分析的一些问题	方经民	语文研究—1994,(2):39-44
现代汉语语法研究的未来走向	亢世勇 刘 艳	唐都学刊—1994,(2):50-53
补足语和修饰语	Radford Andrew	语文研究—1994,(2):53-55
刘师培文章学思想初探	张会恩 钟虎妹	中国文学研究—1994,(2):72-77
再谈意义和形式相结合的语法研究原则;兼论语法研究的三个平面	徐思益	新疆大学学报·哲社版—1994,(2):99-104
动词形态标志的句法效应	高尔锵	新疆大学学报·哲社版—1994,(2):105-111
这到底是一种什么语法现象	杨新亭	语言与翻译—1994,(2):122-126
论级阶数量含义的语用功能	易仲良	外国语—1994,(3):1-4
论篇章连贯率	李战子	外语教学—1994,(3):1-5
语法分析和语义分析	洪成玉	首都师范大学学报·社科版—1994,(3):1-7
句法空位和成分提取	袁毓林	汉语学习—1994,(3):2-10
语句的粘合及其在篇章中的文体色彩	关胜渝	外语教学—1994,(3):6-11
汉语语法学史的语素学考察	周一农	语文研究—1994,(3):16-20
汉语是否有语法功能:评两份博士论文对主语的讨论	文玉卿	国外语言学—1994,(3):17-22
论现代汉语中的"零位"现象	卢景文	语文研究—1994,(3):21-22,15

文章标题常用语		语文世界—1994,(3):23
也谈称谓方式	吴辛丑	语文建设—1994,(3):23-24
主位结构与语篇连贯	张德禄 刘洪民	外语研究—1994,(3):27-33
浅谈汉语语法研究中语法分析方法的发展	杨 华	牡丹江师范学院学报·哲社版—1994,(3):55-60
尊重事实 讲究文品:语法研究和文章写作的反思	邢福义	语言文字应用—1994,(3):59-65
否定与语用前提	盛 林	固原师专学报—1994,(3):60-62
树型中间语言分析	李 芸	天津商学院学报—1994,(3):77-78
科学革命:汉语语法学的出路所在	杨启光	广东社会科学—1994,(3):93-98
汉语语法学句子观的发展	亢世勇 史艳岚	延安大学学报·社科版—1994,(3):99-封三
"羡余"辨义	彭凤莲	浙江学刊—1994,(3):111-114
深化汉语的词法研究	胡裕树	语言教学与研究—1994,(3):131-134
汉语怎样表达物体的空间关系	刘宁生	中国语文—1994,(3):169-179
生成语法与非生成语法	方 立	国外语言学—1994,(4):1-7
语法研究中的"两个三角"和"三个平面"	眸 子	世界汉语教学—1994,(4):1-9
试论词的产生、发展兼议词法	卯西丁	汉字文化—1994,(4):6-10
我国近年来语用学研究	何自然	现代外语—1994,(4):13-17,12
"语法化"研究综观	沈家煊	外语教学与研究—1994,(4):17-24
论词语搭配及其研究	林杏光	语言教学与研究—1994,(4):18-25
有关汉语配价的几个理论问题	张国宪	汉语学习—1994,(4):20-25
汉语完句成分试探	贺 阳	语言教学与研究—1994,(4):26-38
语法规范化的再认识	谷宝田	青岛大学师范学院学报—1994,(4):35-40
语海泛舟录	王希杰	逻辑与语言学习—1994,(4):37-39
论文章结构分析的能动性和为动性	马文玉	浙江师大学报·社科版—1994,(4):45-47
语用学中会话合作原则对教学的指导意义	王莉娅 葛宝祥	黑龙江高教研究—1994,(4):53-54
《马氏文通》"顿""读"简论	蒋文野	南京大学学报·哲社版—1994,(4):54-57
试谈语法研究三个平面的几个问题	柴世森	河北学刊—1994,(4):65-69
语法词:功能视点上的结构角色	胡 华	东北师大学报·哲社版—1994,(4):78-82
语法的语用内涵	张 黎	学术交流—1994,(4):94-100
格语法及其在汉语研究中的应用:"信息处理用语言理论讲话"第三讲	王玲玲	语言文字应用—1994,(4):97-101
汉语配价语法论略	周国光	南京师大学报·社科版—1994,(4):103-106,121
略论汉语预设	黄华新	杭州大学学报(哲社版)—1994,(4):192-197
论汉语语法特点的研究	王明华	杭州大学学报·哲社版—1994,(4):198-202

标题	作者	出处
语法的四个平面:从逻辑语法转向全息语法:从言语理解的心理机制看语法四个层次的信息	雷友梧	汉语学习—1994,(5):24-27
析人称代名词与非独立前置修饰语的组合	郅友昌	解放军外语学院学报—1994,(5):34-39
试说隐性语法关系	詹人凤	北方论丛—1994,(5):67-75
与空语类有关的一些汉语语法现象	徐烈炯	中国语文—1994,(5):321-329
关于量词否定句	徐盛桓	外国语—1994,(6):32-38
《汉语文法学》理论体系简介	李富林	学语文—1994,(6):36-37
关于言语行为动词的几个问题	王传经	外国语—1994,(6):60-64
句子和语段理解中代词加工的研究	缪小春	语言文字学—1994,(7):56-60
语境是一块多功能的调色板	郭英莲	阅读与写作—1994,(8):20
从简帛文献看使成式的形成	张显成	语言文字学—1994,(8):58-61
谈学校语法的实用性问题	郑景荣	漳州师院学报—1994,(8):75-77
谈"语法"一词的含义变化	孙良明	语文月刊—1994,(9):7-8
汉语的配价语法理论研究	周国光 张国宪	语文建设—1994,(9):33-36
值得注意的另一种语病:"言语病"漫议	姜剑云	江西社会科学—1994,(9):82-85
语法结构关系和语义结构关系之间的矛盾现象	宋玉柱	语文月刊—1994,(12):6-7
词类问题的症结:中文本位文法刍论之二	胡百华	语文建设通讯—1994,(45):61-65
谈组合法	方立	语言教学与研究—1994,(增刊):1-10,71
语境与选词	周方珠	中国翻译—1995,(1):8-11
转域和张力:语言分析的柔性控制方法	史有为	语文研究—1995,(1):17-22
现代汉语语义场分析初探	郭伏良	河北大学学报·哲社版—1995,(1):34-40
汉语方言语法比较研究研讨会纪要	陈满华	语言教学与研究—1995,(1):59-63
孔颖达的语辞说:兼谈汉语虚词研究的奠基人	孙良明	山东师大学报·社科版—1995,(1):71-77
"配合原则"在汉语中的运用	刘思	海南大学学报·社科版—1995,(1):81-87
结合具体语境的句法分析	金立鑫	烟台大学学报·哲社版—1995,(1):85-89
句子的分析与理解及其相关问题	卞觉非	南京大学学报·哲社版—1995,(1):88-95
Saussure句段概念的话语性评析	陈忠华 刘德谦	河北师范大学学报·社科版—1995,(1):108-109,117
汉语语法单位分级理论的再探讨:杨成凯《关于汉语语法单位的反思》补议	刘丹青	汉语学习—1995,(2):6-12

有关法律语言风格特点的几个问题	宁致远	语言文字应用—1995,(2):24-27
法律语言准确为要	陈天恩	语言文字应用—1995,(2):28-31
语用疑问句	史金生	世界汉语教学—1995,(2):31-37
试论审讯语言中的反诘句	高平平	语言文字应用—1995,(2):32-35
汉语偏正结构的认知基础及其在语序类型学上的意义	刘宁生	中国语文—1995,(2):81-89
常用面称及其特点	郭继懋	中国语文—1995,(2):90-99
否定形式和语境对否定度量的规约	邢福义	世界汉语教学—1995,(3):5-11
意义泛化的性质的方式	王吉辉	汉语学习—1995,(3):33-36
谓词概念结构探索	程琪龙	汕头大学学报·人文科学版—1995,(3):50-54
功能合一语法	苗传江 张庆旭 等	语言文字应用—1995,(3):76-81
语素和词义	吴仁甫	华东师范大学学报·哲社版—1995,(3):89-92
关于变换和变换分析的探讨	吕宏声	辽宁大学学报·哲社版—1995,(3):104-108
语素在语音形式上的分类	张松林	西南师范大学学报·哲社版—1995,(3):112-116
汉语代词所指研究的新设想	王苏仪	浙江大学学报·社科版—1995,(3):112-118
试论语篇连贯	汪少华	淮北煤师院学报—1995,(3):126-129
周瑞家为何用眼色制止刘姥姥的话:语体与语境要相符	杜永道	语文世界—1995,(4):18
巧用"类比法"解题	韦秉文	语文知识—1995,(4):23-25
语言单位的有标记与无标记现象	张国宪	语言教学与研究—1995,(4):77-87
回顾·评论·指导——新时期汉语语法学史研究述论	陈昌来	齐齐哈尔师院学报—1995,(4):78-83
句子的衔接及其制约因素	晓东	上海师范大学学报·哲社版—1995,(4):90-93
语境与语言运用	尤爱莉	语言教学与研究—1995,(4):99-107
外语教学中的语法、语义、语用关系	刘作焕	中南民族学院学报·哲社版—1995,(4):100-101,105
略论从语篇层次研究汉语	严辰松	解放军外语学院学报—1995,(5):1-4,12
广告英语"促购"动词新探	左岩	解放军外语学院学报—1995,(5):13-18
功能语法中的"功能"与格语法中的"格"比较	王维民 李天行	四川师范学院学报·哲社版—1995,(5):113
题旨·语境·文化内涵:关于"生命终结"义的词语表达	史宝金	修辞学习—1995,(6):15-16
普遍语法与人类认知规律	傅洁 谢祖全	语言文字学—1995,(9):8-12
语义优先还是语用优先:汉语语法学体系建设断想	刘丹青	语言文字学—1995,(10):99-104
浅谈言语的分割	鲍红	北京大学学报·哲社版—1995,(?):104-107
功能主义语言理论在听力教材编写中的运用	王玲	北京大学学报·哲社版—1995,(?):158-164

此马非彼马:《白马论》与语符自指　何　　卫　北京大学学报·哲社版—1995,(?):63-68

修辞学、风格学

标题	作者	出处
修辞研究的文化视角	童　山　东	语言文字学(北京)—1990,(10):118-124
运用法位学的理论与方法来处理修辞问题的若干尝试	郑　有　志	福建外语—1991,(1-2):1-5
美国对比修辞学的诞生与发展	林　大　津	修辞学习(上海)—1991,(1):13-14
尊题·翻案·修辞	张　炼　强	修辞学习—1991,(1):19-20
卡里斯马典型与文化之镜(一)——近四十年中国艺术主潮的修辞学阐释	王　一　川	文艺争鸣—1991,(1):23-31
卡里斯马典型与文化之镜(二)——近四十年中国艺术主潮的修辞学阐释	王　一　川	文艺争鸣—1991,(2):8-16
卡里斯马典型与文化之镜(三)——近四十年中国艺术主潮的修辞学阐释	王　一　川	文艺争鸣—1991,(3):53-59,64
结合研究势在必行	陆　稼　祥	修辞学习—1991,(1):8-9
先秦修辞论说略	曾　毅　平	赣南师范学院学报·社科版—1991,(1):28-32
构词修辞学	王　长　春	中国俄语教学—1991,(1):32-36
修辞美学论略	朱　振　琪	渤海学刊—1991,(1):33-39
修辞与写作	[美]W·罗斯·温特欧德著;蔡明汛译	写作(武昌)—1991,(1):37-38
修辞学史家宗廷虎对修辞学的贡献	王　希　杰	松辽学刊—1991,(1):50-55
英语修辞学的起源、演变及当今的潮流	余　义　泂	扬州师院学报·社科版—1991,(1):54-57
试论写作中思维与语言的转换机制	郭　望　泰	山西师大学报·社科版(临汾)—1991,(1):62-66
试从逻辑维度谈语法修辞的结合	步　　云	淮阴教育学院学报·文科版—1991,(1):66-71
变异修辞学论略	冯　广　艺	云梦学刊·社科版—1991,(1):79-82
试论对比修辞学的产生过程及其发展	林　大　津	福建师范大学学报·哲社版(福州)—1991,(1):81-87
语体与修辞	郑　颐　寿	福建师范大学学报·哲社版(福州)—1991,(1):88-94
幽默发微	季　素　彩	河北大学学报·哲社版(保定)—1991,(1):89-94
试论修辞的逻辑功能	李　光　焜	湖北大学学报·哲社版(武汉)—1991,(2):1-9
论莎士比亚的修辞应用	罗　志　野	外国语—1991,(2):8-12
语言风格的分类和语言风格的形成	骆　小　所	武汉教育学院学报·哲社版—1991,(2):61-66
再论修辞链:兼论对言语表达中"离""合"现象的阐释	冯　广　艺	湖北师范学院学报·社科版—1991,(2):61-66
语法的修辞作用不等于语修结合	华　宏　仪	营口师专学报—1991,(2):62-63

标题	作者	出处
简评"语法修辞结合论"	王邦安	营口师专学报—1991,(2):64-65
"语法修辞结合论"之我见	李苏鸣	营口师专学报—1991,(2):66-67
试论文章语言的变化规律	赵俊华	苏州教育学院学报·社科版—1991,(2):67-68
语法修辞结合管见	朱茂汉	营口师专学报—1991,(2):68-69,23
语言具体形象化的修辞手法	赵学武	海南师范学院学报—1991,(2):69-73
"语法和修辞结合"可以作为一种研究方法	方武	营口师专学报—1991,(2):70-71
语法修辞结合小议	张之伟	营口师专学报—1991,(2):72,34
论中国古典风格学的形成及特色	吴承学	学术研究—1991,(2):98-104
"意接"简论	李同福	陕西师大学报·哲社版—1991,(2):105-111
论变异修辞和艺术感觉的内在关系	骆小所	语言文字学(北京)—1991,(2):110-116
西方传统修辞学的生成及其早期发展:兼谈对比修辞学的两个问题	张振华	解放军外语学院学报(洛阳)—1991,(3):1-13
移就修辞格的另一种形式:对《移就修辞格的理解与翻译》的一点补充	李树德	中国翻译(北京)—1991,(3):25
两岸修辞学研究之比较	柴春华	海南师范学院学报—1991,(3):62-69
谈谈我国古代文章的美文化	程福宁	北京师范学院学报·社科版—1991,(3):100-104,99
修辞要瞻前顾后	曾毅平	读写月报—1991,(4):1
拓展修辞学研究的思维空间	骆小所	修辞学习(上海)—1991,(4):1-3
九十年代修辞学的新格局和新面貌	潘庆云	修辞学习(上海)—1991,(4):3-4
训诂学对现代言语解码的两点意义:解码修辞学的历史思考	谢双成	修辞学习(上海)—1991,(4):5-7
演讲修辞漫谈	[美]R.R.艾伦等文,林大榕译	修辞学习—1991,(4):20-22
从句群方面看语修结合论	吴为章	修辞学习—1991,(4):22-23
"语修结合论"的提法真有必要吗?	瞿泽仁	修辞学习—1991,(4):23-24
语法修辞结合论之我见	徐青	修辞学习—1991,(4):24-25
个性心理和修辞	王泽龙	修辞学习(上海)—1991,(4):43-44
语言风格的研究平面	丁金国	烟台大学学报·哲社版—1991,(4):65-73
语言修辞学与言语修辞学浅探	孙宏毅	东岳论丛(济南)—1991,(4):97-99
近代修辞学史略说	戴婉莹	海南师范学院学报—1991,(4):110-115
修辞和修辞学的"三点一线"基本原理概述	色·苏雅拉图	内蒙古社会科学(呼和浩特)—1991,(4):112-115
论女性语言风格	张正举	湖南大学学报—1991,(5):19-24
语言风格与"心理频率"说	沈益洪	上海大学学报—1991,(5):63-66
逻辑、语法与修辞	郑重序	中国翻译(北京)—1991,(6):15-19
从本文自我解构到反语修辞学——德·曼的解构主义思路	叶舒宪	艺术广角—1991,(6):88-90

标题	作者	出处
西方传统修辞学的生成及其早期发展:兼谈对比修辞学的两个问题	张振华	语言文字学(北京)—1991,(8):105-117
新兴语言学对口语修辞研究的启发	李信潢	语文建设(北京)—1991,(9):18-19
词的修辞义和构词的修辞方法	白荃	语文月刊—1991,(10):9-10
说"谎"趣谈	莫家泉	语文月刊(广州)—1991,(10):25-26
修辞与民俗	薛忠正	语文月刊(广州)—1991,(11):26-27
语言风格的分类和语言风格形成	骆小所	语言文字学(北京)—1991,(12):126-131
语言幽默的物质基础和心理机制	许利英	安庆师范学院学报·社科版—1992,(1):80-87
关于修辞学的对对象和范围研究述评	李运富	重庆师院学报·哲社版—1992,(1):91-封三
试论修辞的逻辑含义	许世茂	扬州师院学报·社科版—1992,(1):112-114,120
语言风格与"心理频率"说	沈益洪	语言文字学(北京)—1992,(1):119-122
试论语言的科学美	张凡	北京社会科学—1992,(1):148-157
规律和体系:学习陈望道修辞学思想札记之一	李嘉耀	修辞学习(上海)—1992,(2):2-3
修辞学研究方法的继承和更新	郭永华	修辞学习(上海)—1992,(2):8-9
同义结构是修辞学研究的主要对象	周延云	修辞学习(上海)—1992,(2):10-11
修辞学在现代语言学中的地位	[苏]玛·科任娜著 张会森译	修辞学习(上海)—1992,(2):12-13,23
西方修辞学传统之管窥	胡曙中	外国语(上海)—1992,(2):36-42
修辞:人与人的世界的对话	杨帆	修辞学习(上海)—1992,(2):45
浅谈通用公文的语言特点	张礼勋	贵州师范大学学报·社科版(贵阳)—1992,(2):45-48,56
抵抗的语言与语言的抵抗:罗兰·巴尔特的写作观评述	蒲卫宁	青海师范大学学报·社科版(西宁)—1992,(2):80-86
论变异修辞和意象的内在关系	骆小所	云南师范大学学报·哲社版(昆明)—1992,(2):86-92
"平中求曲"是语言修辞的精髓	武占坤	修辞学习(上海)—1992,(4):10-11
零位修辞简论	李瑞进	修辞学习(上海)—1992,(4):12-13
论重复	瑞源	修辞学习(上海)—1992,(4):20-22
话语生成与"修辞过程"和"修辞现象":修辞科学基本概念新探索之二	王中和	盐城教育学院学报—1992,(4):25-29
语言形象与世界万物的多边两柄:钱钟书比喻哲学论析	胡范铸	贵州大学学报·社科版(贵阳)—1992,(4):41-47
数字的文化色彩	韩陈其 严国宁	语言文字应用(北京)—1992,(4):43
言内错位与言外错位:论 Sitera Meaning 对比喻的影响	邵志洪	外国语(上海)—1992,(4):69-72
论"恰当"的原则	林璋	福建师范大学学报·哲社版(福州)—1992,(4):77-81,102
论妙语的生成	张宏梁	扬州师院学报·社科版—1992,(4):78-82

浅析"答非所问"与"巧妙回答"	朱作俊	徐州师范学院学报·哲社版—1992,(4):94-98
接受心理与用词技巧	胡亦乐 陈彩霞	外语与外语教学—1992,(5):12-15
浅谈比喻的民族特征	葛丙辰	郑州大学学报·哲社版—1992,(5):32-33,46
社会科学翻译在中国近代翻译史上的地位及其现实意义	许崇信	外国语(上海)—1992,(5):33-36
英、汉习用性比喻中的喻体比较与翻译	李国南	外国语(上海)—1992,(5):37-42
从现代语言学的走向看陈望道的修辞理论:纪念《修辞学发凡》出版六十周年	董达武	复旦学报·社科版(上海)—1992,(5):79-83
论写作语言学研究的价值和意义	何明	东北师大学报·哲社版(长春)—1992,(5):84-87
中西古典修辞学传统比较	申小龙	复旦学报·社科版(上海)—1992,(5):90-95
深层修辞理论研究	陈广德 孙汝建	云南师范大学学报·哲社版(昆明)—1992,(5):92-96
替换—修辞学的手段和方法	冯广艺	修辞学习(上海)—1992,(6):5-6
我们所依存的隐喻	[美]赖可夫,G·约翰森,M·著 刘宁生译	修辞学习(上海)—1992,(6):7-9
虚实化意	冯建文	中国翻译(北京)—1992,(6):13-16
涵义·语气·风格:也谈翻译的艺术	黄宜思	外语学刊(哈尔滨)—1992,(6):52-55
张志公与汉语修辞学	胡裕树	语文学习(上海)—1993,(1):6-7
张志公的阅读思想	曹祥芹	语文学习(上海)—1993,(1):7-9
对联的修辞艺术浅说	蓝曼	宜春师专学报·社科版—1993,(1):25-29
略论修辞中的话语交际和社会角色的关系	骆小所	云南师范大学学报·哲社版(昆明)—1993,(1):61-66
体语初探	兰家广	云南师范大学学报·哲社版(昆明)—1993,(1):67-72
修辞功能二分说	程良焰	武汉教育学院学报·哲社版—1993,(1):68-74
汉语主题转换及其制约	张杰	安庆师院社会科学学报—1993,(1):89-93
口语修辞的含义及其特殊的矛盾性	刘子智	湘潭大学学报·社科版—1993,(1):97-101
80年代到90年代:修辞学的科学化	赵家新	修辞学习(上海)—1993,(2):1-2
我国现代修辞学发展的缩影:论上海修辞学发展80年	宗廷虎	曲靖师专学报·社科版—1993,(2):1-5,20
修辞学研究方法的定性分析	邓国栋	修辞学习(上海)—1993,(2):2-4
出发点、参照系与作业面	胡佑章	修辞学习(上海)—1993,(2):4-5
简论修辞学与语用学的关系	高万云	修辞学习(上海)—1993,(2):6-8
消极修辞是客观存在	陆文耀	修辞学习(上海)—1993,(2):10-11
80年代修辞学史研究概述	李运富	修辞学习(上海)—1993,(2):12-14

标题	作者	出处
"修辞效果"与"修辞目的":修辞科学基本概念探索之三	王中和	盐城教育学院学报—1993,(2):14-18
俄汉语词序修辞功能的对比	钱洪良	外语学刊(哈尔滨)—1993,(2):22-26
语言·审美·现实	南帆	读书(北京)—1993,(2):40-44
关于幽默的断想	陆谷孙	读书(北京)—1993,(2):45-49
形式逻辑在幽默中的应用	王保国	东疆学刊·哲社版(延吉)—1993,(2):52
修辞"毛坯"说	乐秀拔	营口师专学报·哲社版—1993,(2):53-55
非常规修辞和社会生活、民族文化、审美情趣	孙也平	齐齐哈尔师范学院学报·哲社版—1993,(2):65-71
浅谈语体和风格	黄晓东	喀什师范学院学报·哲社版—1993,(2):84-86,92
修辞与前提论	陆稼祥	浙江师大学报·社科版—1993,(3):1-8
近年来我国超常修辞研究述评	范文彬	松辽学刊·社科版—1993,(3):26-31
关于建设辞规的几个问题的意见	沈卢旭	延边大学学报·社科版—1993,(3):93-96
"描写"和"规定"	胡明扬	语言文字应用—1993,(3):109
无语境表达与修辞研究	詹继曼	新疆大学学报·哲社版—1993,(3):129-132
浅谈童话语言	张桂宾	修辞学习—1993,(4):5-7
委婉语交际中的解码技巧	李军华	语文建设(北京)—1993,(4):24-27
论修辞学的历史走向	王希杰	扬州师院学报·社科版—1993,(4):39-45
对修辞学的诽谤	[美]S.E.图尔明文,王彤译	哲学译丛—1993,(4):68-73
修辞学和哲学	王希哲	海南师院学报(海口)—1993,(4):91-95
利用逻辑进行修辞	林去病	厦门大学学报·哲社版—1993,(4):111-114,126
"神似"说探幽	孙迎春	中国翻译—1993,(5):5-10
语境与修辞学	李涛	修辞学习—1993,(5):9
试谈修辞研究的系统方法	王培基	修辞学习—1993,(5):10-11
演讲辞发端语的修辞美学效应	彭嘉强	修辞学习—1993,(5):32-33,6
修辞和语法的关系再探讨——兼论修辞学的性质	骆小所	云南师范大学学报·哲社版—1993,(5):60-65,59
修辞的源流及嬗变	骆小所	云南师范大学学报·哲社版—1993,(6):129-135
简论深层修辞及其功能	单春樱	云南师范大学学报·哲社版—1993,(6):136-140
略论修辞学研究的范围——兼评"修辞就是修饰词语"论	孙蕊	云南师范大学学报·哲社版—1993,(6):141-145
当前中国修辞学学术争鸣述要	冯广艺	语言文字学—1993,(8):121-123
修辞与审美	朱良志	人民日报—1993,(11):19,8
辞象论	白春仁	外语与外语教学—1994,(1):2-9
比喻类别的系统分析	李胜梅	修辞学习—1994,(1):8-10
比喻结构中的语义交叉搭配	姚亚平	修辞学习—1994,(1):10-12
谈谈设喻的基础	陆云武	修辞学习—1994,(1):26-27

"示现"修辞格分类之我见	王明瑞	修辞学习—1994,(1):30-31
浅谈学习修辞对教学的意义	胡性初	广东教育学院学报·社科版—1994,(1):31-37,42
科技文章修辞琐谈	林清书	龙岩师专学报·社科版—1994,(1-2):36-38
"修辞"在"酌句"中的运用	路曼	修辞学习—1994,(1):38-39
浅析口语句式的修辞作用	王庆生	郑州煤炭管是理干部学院学报—1994,(1):40-42
接受修辞学——按受修辞学的理论架构	孙汝建	外国语—1994,(1):40-43
评《卡夫卡传》的两个中译本	王柏华	牡丹江师范学院学报·哲社版—1994,(1):48-51
试论修辞学的学科形态和研究范围	肖庚远	齐齐哈尔师范学院学报·哲社版—1994,(1):50-53
中西古典修辞学说异同论:以春秋战国和古希腊罗马为例	宗廷虎 王文松	古汉语研究—1994,(1):56-61
列宁演说中的讽刺与幽默	[苏]Б·雅克乌利夫	牡丹江师范学院学报·哲社版—1994,(1):61-64
模糊修辞与语文教学	王桂凤	蒲峪学刊—1994,(1):62-63
科学方法和修辞学的繁荣	王希杰	苏州大学学报·哲社版—1994,(1):68-71,73
《德伯家的苔丝》的语言特色	诸国忠	徐州师范学院学报·哲社版—1994,(1):74-77
口语修辞研究纵向观	夏中华	锦州师院学报·哲社版—1994,(1):77-81
英语写作技巧的强调手段	华泉坤	安徽大学学报·哲社版—1994,(1):81-85
论辞章学	郑颐寿	福建师范大学学报·哲社版—1994,(1):82-89,108
从可接受性看教学言语的表达特点	陈智 皮秀云	佳木斯教育学院学报·社科版—1994,(1):87-89
《论语》修辞手法初探	毛学河	海南师院学报—1994,(1):87-90
含蓄风格的语言学分析	刘焕辉	南昌大学学报·社科版—1994,(1):91-100
双解———种出现在广告用语中的辞格	陈昌来	修辞学习—1994,(2):12-13
节奏规律是语音修辞的基础	吴洁敏 朱宏达	修辞学习—1994,(2):19-20
消极修辞和积极修辞之"对立统一"辩	陆文耀	修辞学习—1994,(2):21-23
论"相似点"及比喻的生成	史锡尧	语文研究—1994,(2):23-27
得体·新颖·自然:谈修辞活动中的几项原则	孙也平	绥化师专学报—1994,(2):28-32
语言的移用现象	陈修才	语文知识—1994,(2):36-37
"谬饰"修辞方式试谈	卢盛萱	修辞学习—1994,(2):37-38
论辞格研究的两大分野	郑荣馨	镇江师专学报·社科版—1994,(2):42-45
语境在修辞中的作用	侯友兰	绍兴师专学报—1994,(2):59-62,66
浅析阅读和写作中的连贯与衔接	陈淑芳	湘潭大学学报·社科版—1994,(2):71-74
修辞学的性质新论	骆小所	云南师范大学学报·哲社版—1994,(2):74-81

题目	作者	出处
略谈深层修辞与情感的关系	姚汝华	昭通师专学报·社科版—1994,(2):79-80
再论对比修辞学的产生过程及其发展	林大津	福建师范大学学报·哲社版—1994,(2):79-84
八十年代修辞学研究方法之管见——兼评王希杰先生的《双关论》	王晓娜	赣南师范学院学报·社科版—1994,(2):80-89
浅论俄汉诗歌的翻译	袁席箴	兰州大学学报·社科版—1994,(2):94-102
语体是言语行为的类型	刘大为	修辞学习—1994,(3):1-3
"Maolitau"阐释———一种后现代反话语风格	(澳门)黄晓峰	修辞学习—1994,(3):4-6
亚里士多德的风格论及其现实意义：读亚氏《修辞学》新译本有感	张德明	修辞学习—1994,(3):7-8
试论隐喻概念	朱小安	解放军外语学院学报—1994,(3):12-18
浅谈企业招牌的语言技巧	刘凤玲	修辞学习—1994,(3):14-16
谈拆音的修辞作用	梁宗奎	修辞学习—1994,(3):19-20
假冒的修辞式推论——亚里士多德《修辞学》的谬误论	武宏志 丁煌	延安大学学报—1994,(3):19-23
《麦田的守望者》口语特色分析	李战子	外语研究—1994,(3):22-25
修辞中的排名有序："名序"	吴士文	修辞学习—1994,(3):23-25
叙事文本分析的语言学模式	罗钢	北京师范大学学报·社科版—1994,(3):25-32
比喻式广告语言的定向策略	刘中富	修辞学习—1994,(3):26-27
语体语言初探	莫彭龄 段业辉	常州工业技术学院学报·社科版—1994,(3):28-31
再现与表现：摹绘的双重表达功能	吕华信	修辞学习—1994,(3):29-30
易色·反语·转品	万震球	修辞学习—1994,(3):30-31
缩喻探微	赵毅	修辞学习—1994,(3):32-33
新事物新喻体	胡小宁	修辞学习—1994,(3):34-36
马克·吐温的幽默语言艺术	范川凤	逻辑与语言学习—1994,(3):36-37
譬解现象与修辞学视野	唐松波	修辞学习—1994,(3):36-37
对"委婉"与"讳饰"的困惑	夏德骥	修辞学习—1994,(3):41-42
论文章风格和言语风格	《比较修辞学》课题组；郑颐寿执笔	福建学刊—1994,(3):51-59
Transferred Epithet与"移就"的比较分析	周方珠	安徽大学学报·哲社版—1994,(3):80-84
漫谈修辞的民族性	章忠云	西南民族学院学报—1994,(3):81-82
模糊修辞三论	胡佑章	川东学刊·社科版—1994,(3):85-89
主体论修辞观与现代修辞学	高长江	云南师范大学学报·哲社版—1994,(3):88-91
修辞期划与文章沿革	仝国斌	殷都学刊—1994,(3):94-99
论朱自清"谈话风"语言的审美特征及形成与发展	张王飞	江南社会科学—1994,(3):101-106

题名	作者	出处
修辞的最佳境界——真与美的有机统一	吴格明	河北大学学报·社科版—1994,(3):111-114
修辞学研究对象的文化透视	黎运汉	暨南学报·哲社版—1994,(3):125-130
话语交际和受话人的主观心境	骆小所	修辞学习—1994,(4):1-2
文学创作与鉴赏的矛盾焦点:语境差	李苏鸣	修辞学习—1994,(4):3-4
语言的变异艺术	叶梓	读写月报—1994,(4):6
语体的性质及语用功能	常敬宇	修辞学习—1994,(4):7-8
关于"寻常词语艺术化"的归属问题	胡宗哲	修辞学习—1994,(4):8-10
论汉语修辞的简洁风格	姚亚平	修辞学习—1994,(4):9-10,8
试谈文艺语体中的动态博喻	高平平	修辞学习—1994,(4):14-15
妙在合、分、倒、顺中:"互现"、"并提"、"互体"的分类和比较	徐在斌	修辞学习—1994,(4):16-17,15
记忆与修辞	贺诚璋	逻辑与语言学习—1994,(4):41-42
恢宏的修辞理论视野　大胆的开拓精神:读张炼强教授的新著《修辞理据探索》	骆小所	逻辑与语言学习—1994,(4):47-48
词义引申和修辞借代	罗正坚	南京大学学报·哲社版—1994,(4):47-53
象征:写实和寓象的统一——兼论象征和借喻的界定	曾祥华	湖南师范大学社会科学学报—1994,(4):63-65
修辞:神、圣、工、巧——杨慎修辞理论再探讨	骆小所	云南师范大学学报·哲社版—1994,(4):63-68
意识流语体的变异与表意功能	李维屏	外国语—1994,(4):63-69
试论致哀语体的语言特征	蔺璜	山西大学学报·哲社版—1994,(4):70-73
试析并提的运用及发展	李经洲	河南大学学报·哲社版—1994,(4):82-86
文体发展三律论	沈国芳	南京大学学报·社科版—1994,(4):89-93
比喻推理、比喻论证浅论	朱作俊 黄庆云	徐州师范学院学报·哲社版—1994,(4):100-103,118
文采生成浅论	王宝大	求是学刊—1994,(4):102-105
修辞学研究与运筹学方法	高万云	修辞学习—1994,(5):1-3
修辞学方法论的原则和品位	史灿方	修辞学习—1994,(5):4-5
人际修辞学论略	外厚生	修辞学习—1994,(5):6-7,5
修辞学家的修辞实践例谈	陈琪宏	语文月刊—1994,(5):6-7
联想与变异修辞现象的产生	刘良文	修辞学习—1994,(5):8-9
论隐喻	张会森	修辞学习—1994,(5):12-14
修辞交际学简介	陈汝东	修辞学习—1994,(5):14-15,46
浅谈对偶的基础	郭焰坤	修辞学习—1994,(5):16-17
购物称呼的艺术	杨秀明	修辞学习—1994,(5):17-18
变异搭配的语义同语境的关系	王志喜	修辞学习—1994,(5):21-22
借代手法造词探索	史锡尧	修辞学习—1994,(5):23-24

标题	作者	出处
漫谈通感	岳东生	修辞学习—1994,(5):26-27
应当重视对不自觉修辞的研究:从"读"和"匹"的超常用法谈起	曹德和	修辞学习—1994,(5):27-28
从正反同义聚合中看汉语的超逸灵活	任崇芬	修辞学习—1994,(5):29-30
民元以后初具胚胎的福建修辞学	邹光椿	修辞学习—1994,(5):31-32
诗歌中的悖论语言探析	张宏梁	逻辑与语言学习—1994,(5):31-34
浅谈中学修辞教学的重点和方法	淦家凰	修辞学习—1994,(5):33-34,25
比喻的基本类型及其变式(上)	张济生	语文教学与研究—1994,(5):38-39
比喻的基本类型及其变式(中)	张济生	语文教学研究—1994,(6):34-35
比喻的基本类型及其变式(下)	张济生	语文教学与研究—1994,(7):42-43
几种修辞格的辨别问题	宋芳彦	齐鲁学刊—1994,(5):43-45
仿拟五法	高承杰	语文教学与研究—1994,(5):44-45
重申"休将委婉混讳饰"	万震球	修辞学习—1994,(5):48-49
对《儒林外史》结尾词——沁园春的翻译研究	廖永煌 李国全	云南师范大学学报·哲社版—1994,(5):76-79
语体是言语的风格类型——兼与刘大为先生商榷	李文明	修辞学习—1994,(6):1-3
谐音手法与新闻语言的形象化	胡安良 吕庆飞	修辞学习—1994,(6):9-10
对比修辞学问题	张会森	外语与外语教学—1994,(6):11
数码谐音杂议	蒋子	修辞学习—1994,(6):11-12
断取现象与辞格的确定	唐松波	修辞学习—1994,(6):13-14
幽默语言的潜信息生成	祝敏青	修辞学习—1994,(6):19,3
接力点化出佳句:唐宋诗词"递相点化"散论	马国强	修辞学习—1994,(6):20,14
诗的倒语与修辞	张炼强	修辞学习—1994,(6):21-22
数字入诗的条件及其表达效果	王展采	修辞学习—1994,(6):23,12
"藏词"论略	鲍善淳	修辞学习—1994,(6):28-29,31
谈谈跳脱及其美学功能	骆小所	修辞学习—1994,(6):32-33
古代拟物辨正	石画	修辞学习—1994,(6):34-35
有关辞格界限的教学	余炳毛	修辞学习—1994,(6):38-39
"示姓"浅说	王志生	语文知识—1994,(6):39-40
辞格"舛互"与逻辑矛盾	蔡正时 蔡正序	语文学习—1994,(6):40-41
类比也是比喻刍议	倪培森	语文知识—1994,(6):40-42
远距离的比喻	王明文	语文学习—1994,(6):42-43
关于一个句子的修改	杨世俊	修辞学习—1994,(6):42
比喻的氛围	汪诚一	语文学习—1994,(6):43-44
古典诗歌语言修辞研究的开拓之作:评《古典诗歌的修辞和语言问题》	周荐	天津社会科学—1994,(6):111

一种方兴未艾的修辞方式——性	段忠林	语文知识—1994,(7):34-35
要注意词语的感情色彩	刘国杰	语文知识—1994,(7):39-48
语言的雅与俗	雷其坤	阅读与写作—1994,(8):12
谈古文中的"稽古"与"引经"论证法	丁毛	语文知识—1994,(9):44-45
古汉语的避复	唐嗣德	语文知识—1994,(9):47-48
浅谈"累语"的类型及修辞效果	杨其伦	语文知识—1994,(9):61-62
略谈"数概"修辞法	贺天鹏	语文知识—1994,(10):13
浅析比喻与类比辞格的异同	张先涛	语文知识—1994,(10):63-64
"向大平头掏关节"——兼及言语修辞的综合工程	刘良文	阅读写作—1994,(11):26
结构变换修辞论:定中式和主谓式的换用	郑远汉	修辞学习—1995,(1):1-4
应用修辞理当自立门户	吴松贵	修辞学习—1995,(1):5-6
风景这边独好:也谈"矛盾"辞格的运用	葛胜华	修辞学习—1995,(1):12,6
"连缀"略说	卢盛萱	修辞学习—1995,(1):13-14
由"祖国的生日"谈起	郁慕镛	思维与智慧—1995,(1):15
正述反限:用于辨似的古老而有生命力的修辞手段	裘惠楞	修辞学习—1995,(1):16,4
变异语言艺术的逻辑探讨	薛玲	思维与智慧—1995,(1):16-18
古诗文中的二步借代	张宏星	修辞学习—1995,(1):17
四难"消极修辞"	谭永祥	学语文—1995,(1):17-18
寻常词语艺术化的美学价值及其特征	姚锡远	修辞学习—1995,(1):18-19,17
四字格中的结构美	吴慧颖	修辞学习—1995,(1):21-22
试论赋的修辞特点	吴礼权	修辞学习—1995,(1):29-31
"谐音"与辞格	徐秀君	语文知识—1995,(1):30-32
试说排比的魅力	向元荣	语文教学与研究—1995,(1):32-33
求变:语言生动的要诀	王寿沂	语文建设—1995,(1):33-34
心理失衡和语言吸引:广告创意评析	凌云	语言文字应用—1995,(1):48-50
论广告语创作的定位策略	邵敬敏	语言文字应用—1995,(1):51-55
试论广告的语言变异运用	夏中华	语言文字应用—1995,(1):56-60
变异修辞的潜逻辑	聂焱	宁夏大学学报—1995,(1):70-78
词语的蓄积和选用	朱泳燚	语言文字应用—1995,(1):77-81
21世纪的学科结构与中国修辞学的发展问题	姚亚平	南昌大学学报·社科版—1995,(1):94-99
中国传统思维方式与汉语修辞	江南	徐州师范学院学报·哲社版—1995,(1):99-102
也谈中国修辞学的发展目标和研究方法	刘加夫 焦晓芳等	南昌大学学报·社科版—1995,(1):100-101
引用的语境观透视	邓国栋	修辞学习—1995,(2):1-2

标题	作者	出处
修辞学在西方认知语言学中有跃居首位的势头	伍铁平	修辞学习—1995,(2):3
论模糊修辞的定义	王玉新	修辞学习—1995,(2):4-5
莎士比亚戏剧中的演讲语言艺术	胡平	辽宁师范大学学报·社科版—1995,(2):5-6,31
动词、形容词的比喻造词	史锡尧	修辞学习—1995,(2):18-19
论隐喻的跨社会文化背景问题	朱小安	解放军外语学院学报—1995,(2):18-24
谈诗歌语体运用色彩词的特点	赵宁子	修辞学习—1995,(2):21-23
夸张研究史略论	孙建友	修辞学习—1995,(2):23-25
摹形种种	张之伟	修辞学习—1995,(2):28-29
互文:不应忽视的辞格	方武	修辞学习—1995,(2):34-35
"同格异称"现象一例	于树泉	修辞学习—1995,(2):36-37
诉求对象与广告语言的选择	荔枝	修辞学习—1995,(2):37-38
广告语言的变异运用	夏中华	修辞学习—1995,(2):39-40
刊名修辞纵横谈	谭汝为	修辞学习—1995,(2):41-43
广告语中的谐音手段	张婴	修辞学习—1995,(2):47-48
预设、蕴涵与假设比较	吴益民	江西师范大学学报·哲社版—1995,(2):48-52,47
"矛盾"辞格的五种格式	吴传飞	修辞学习—1995,(2):49
汉语修辞学历史发展的回顾与前瞻	刘哲	解放军外语学院学报—1995,(2):49-53,68
报道性标题与称名性标题	尹世超	语言教学与研究—1995,(2):53-67
借有限寓无限 借有形表无形:象征技法管窥	万奇	内蒙古师大学报·哲社版—1995,(2):55-60
民族文化:非常规修辞生长的沃土	王桂琴 赵梦雄	齐齐哈尔师院学报—1995,(2):59-60
论列宁的语言艺术	[俄]格·沙赫伯扎洛夫著;张国发译	牡丹江师范学院学报·哲社版—1995,(2):59-63
创造一个语言丰富的环境	吕文华译	牡丹江师范学院学报·哲社版—1995,(2):75-76
比拟的历史发展	丁广元	扬州师院学报·哲社版—1995,(2):89-96
先秦儒法修辞观比较	戴婉莹	海南师院学报—1995,(2):123-124
世纪之交的学科发展与修辞学研究的三大原则	姚亚平	暨南学报·哲社版—1995,(2):149-153
简论"无标点语句"存在的价值及其运用艺术	蒲喜明	KU—1995,(2):157-160
关于中国修辞学发展的历史分期问题——读郑子瑜先生《中国修辞学史稿》有感	吴礼权	修辞学习—1995,(3):5-6
汉语修辞学21世纪应成"显学":读伍铁平《语言学是一门领先的科学》札记	宗廷虎	修辞学习—1995,(3):7-9

读《文史通义》谈"修辞立诚"	朱茂汉	修辞学习—1995,(3):10-12
社会心理修辞学论略	陈汝东	修辞学习—1995,(3):13-14
欲穷千里目,更上一层楼:语体研究和行为理论	黄念慈	修辞学习—1995,(3):15-16
法律活动领域中的非精确表述	姜剑云	修辞学习—1995,(3):17-18
比喻与传统思维	彭焱清	辽宁师范大学学报·社科版—1995,(3):17-18
论假悖	胡卓学	修辞学习—1995,(3):28-29,31
反意正说的语言艺术	殷志平	修辞学习—1995,(3):30-31
新异性——比喻的内动力	贺建平	修辞学习—1995,(3):32-33
试谈承连	张国瑞	修辞学习—1995,(3):34-35
关于语序的几个问题:第五次语法学修辞学学术座谈会发言摘要	朱景松整理	语言教学与研究—1995,(3):35-46
《断取现象与辞格的确定》续貂	谭永祥	修辞学习—1995,(3):39-41
谬读修辞	萧晔	修辞学习—1995,(3):41
广告语研究的现状与我们的对策	邵敬敏	汉语学习—1995,(3):41-48
"就近设喻"小议	张鹄	语文知识—1995,(3):45-46
试论汉语委婉修辞手法的范围	吴礼权	南昌大学学报·社科版—1995,(3):70-74
比拟心理类型划分刍议	曹德和	新疆大学学报·哲社版—1995,(3):84-87
说"蕴涵"	丁力	湖北大学学报·哲社版—1995,(3):102-107
修辞内涵的文化意蕴	于全有	沈阳师范学院学报·社科版—1995,(3):108-110
当代汉语模糊修辞探寻	吴家珍	语言文字学—1995,(3):126-133
修辞机制的三个平面:兼论修辞与语义、语用的关系	高继平	修辞学习—1995,(4):1-2,1
"立象以尽意"和修辞	骆小所	修辞学习—1995,(4):3-4
寻常词语艺术化与词语超常搭配	田卫平	修辞学习—1995,(4):12-14
《围城》"降用"幽默艺术谈	刘增寿	修辞学习—1995,(4):14-15
播音广告文稿的结构类型和修辞特点	李胜梅	修辞学习—1995,(4):16-18
教师语言艺术:缩短初入学儿童的适应期	廖美光	修辞学习—1995,(4):20-21
关于"显学"问题的思考:同宗先生商榷	李嘉耀 李熙宗	修辞学习—1995,(4):24-25
一场关系到语体学方法论转变的讨论——兼谈刘大为和李文明的论文	陈宏珍	修辞学习—1995,(4):26-27
回环的连用及换用	盛书刚	修辞学习—1995,(4):27-28
谐音双关五彩纷呈	黄少芳	修辞学习—1995,(4):36-37
浅析"伸说"修辞格	王长生	语文知识—1995,(4):36-38
补语喻体式比喻	朱绍永	语文知识—1995,(4):38-39
静中求动寓动于静:对一些修辞现象的考察	凌云	修辞学习—1995,(4):38-39

算式标题中的辞格运用	曹津源	语文知识—1995,(4):40-41
自然语言"非"的逻辑意义	刘新友 雅贞	辽宁师范大学学报·社科版—1995,(4):41-44
试谈广告语言的真善美	朱茂汉	赣南师范学院学报—1995,(4):44-46
闲笔不闲:谈闲笔作为技巧的艺术效果	裴亚莉	辽宁大学学报·哲社版—1995,(4):99-102
论艺术语言的弹性美	骆小所	语言文字应用—1995,(4):103-108
比喻的运思:"神"的相通	骆小所	修辞学习—1995,(5):1-2
招呼语的修辞内涵	孟建安	修辞学习—1995,(5):3-4
九十年代以来词语修辞研究综述	黄丽芳	修辞学习—1995,(5):5-6
再论汉语修辞学 21 世纪应成"显学"——谈国内出现的良好的学术机遇	宗廷虎	修辞学习—1995,(5):7-10
对偶研究史漫谈	孙建友	修辞学习—1995,(5):12-13
复旦大学对繁荣中国修辞学研究起了推动作用	郑子瑜	修辞学习—1995,(5):14-16
演讲中口语修辞的几个理论问题	刘建祥	修辞学习—1995,(5):18-19
建国后的福建修辞学	邹光椿	修辞学习—1995,(5):20-21
"联边"突显以形图貌	徐子祥	修辞学习—1995,(5):22,21
试谈修辞教学中语言能力的培养	廖美光	修辞学习—1995,(5):23-24
语言的真谛在于修辞	林成植	修辞学习—1995,(5):25,24
"列锦"建格的前前后后——兼与《大学修辞》商榷	谭永祥	修辞学习—1995,(5):31-33
镶嵌与嵌字·镶字	万震球	修辞学习—1995,(5):33-34
论辩赛中辩词的语言运用特征	任志萍	修辞学习—1995,(5):39-40
试谈叠喻	朱洵	语文知识—1995,(5):40-42
语言风格的移植:评《与狼共舞》的三个译本	王荣生	中国翻译—1995,(5):44-47
身体语言的修辞作用	晓明	辽宁师范大学学报·社科版—1995,(5):53-56
打比方与词语的比喻意义	韩敬体	语文世界—1995,(6):12
隐喻的哲学分析	王松亭	解放军外语学院学报—1995,(6):12-15
掌握修辞原则与实现语言表达目标	李健海 丁淑兰	语文学习—1995,(6):39-41
说"谐趣"辞格	沈锡伦	语文学习—1995,(6):41-42
似矛盾处见精神:浅谈两种特殊修辞格	李如尧	语文知识—1995,(7):22-23
谈演讲辞的新颖性	孙更新	语言文字学—1995,(7):106-107
趣谈童话夸张	易岚	语文知识—1995,(8):25-27
修辞新格—凝式	萧红耘	语文知识—1995,(8):封三,16

理解·表达·文化	王钟华	语言文字学—1995,(8):114-117
貌合神离的答非所问	骆峰	语文建设—1995,(9):38-39
极端化语句的作用	杜永道	语文建设—1995,(9):41
比喻·通感·移情·移用	黄燕	语文教学与研究—1995,(10):32

文 字 学

论中日书艺交流与宗教、汉字的关系	李凌阁	牡丹江师院学报·哲社版—1990,(4):51-53
汉字里有大千世界	王力德	中文信息(成都)—1990,(4):53
汉字方块论	潘建维	中文信息(成都)—1990,(4):54-56
论语言类型与文字类型的制约关系	李葆嘉	南京师大学报·社科版—1990,(4):55-62
格雷马斯和符义学	王论跃	外国语(上海)—1990,(6):30-31,18
尔苏沙巴文字的特征及其在比较文字学上的认识价值	王元鹿	华东师范大学学报·哲社版(上海)—1990,(6):46-50
卅年心血尽于文:记著名古文字学家、书法篆刻家马国权	万兴坤	语言文字学(北京)—1990,(10):72
文字的文化属性	张公瑾	民族语文(北京)—1991,(1):19-24
文字分类原理	李万福	青海教育学院学报·综合版—1991,(1):41-47
语言类型与文字类型	李葆嘉	高等学校文科学报文摘—1991,(1):65
论语言符号体系的功能转换	李左人	祁连学刊—1991,(1):74-80
符号学简说	杨苏	牡丹江师范学院学报·哲社版—1991,(1):77-81
表音文字与表意文字的若干比较:兼谈比较文字学	王怀玉	北京大学研究生学刊—1991,(1):77-82
战后国际拉丁化的新浪潮	周有光	语言教学与研究(北京)—1991,(1):140-146
拉丁字符的转写原则和方法	金惠淑	语文建设—1991,(10):40-42
文字的定义必须发展	许佳好	汉字文化(北京)—1991,(2):3-7
符号:文化——逻辑的通天塔	王钟陵	苏州大学学报·哲社版—1991,(2):16-26
沈兼士先生谈语言文字学之方法	沈光海	湖州师专学报—1991,(2):63-66
语素文字是最科学的文字	陆秉庸	新疆师范大学学报·哲社版(乌鲁木齐)—1991,(2):80-82
关于标记理论	王立非	外国语—1991,(4):30-34
形象运动与语言符号的表象化	左人	当代文坛—1991,(4):53-55
论语言符号的论证性特征	金基石	延边大学学报—1991,(4):67
符号论与修辞学	[美]保罗·德曼文,沈勇译	上海文论—1991,(4):75-80
符号论与修辞学	陆稼祥	浙江师大学报·社科版—1991,(4):110-114
地名研究的符号学视界	牛汝辰	中国地名—1991,(5):8-9
漫谈语言文字	王均	民族语文(北京)—1991,(5):64-66

认识与评价的语言符号考察	张晓虎	理论探讨—1991,(5):102-106
学点符号学——关于交际	高锡九	外语与外语教学—1991,(6):29-34
诗创作的奥秘:从语言符号到艺术符号的蜕变	王赋元	诗刊—1991,(6):49-53
回族"消经"文字体系研究	阿·伊布拉黑麦	民族语文(北京)—1992,(1):25-32
形式辞典学	任小波	国外语言学(北京)—1992,(1):29-41
符号学和文字学——法国哲学家德里达与J.克里斯特娃的会谈	余碧平译 敬石校	哲学译丛—1992,(1):41-49
《汉语语言文字启蒙》一书在法国获得成功的启示	张朋朋	语言教学与研究—1992,(1):119-125
汉字部件出现的结构部位	傅永和	语言文字应用(北京)—1992,(2):7-21
文字学与文字学史义诠	张其昀	盐城师专学报·哲社版—1993,(1):55-59
反切表意文字是汉藏语系诸语言的新一代理想文字	杨庭硕 刘锋等	贵州民族研究(贵阳)—1993,(2):138-145
中国古代思维方式与文字	史瑞芬	河南财经学院学报—1993,(2):85-89
文字识别的心理问题	吴安其	民族语文—1993,(3):11-18,49
论多重文字现象	徐世璇	民族语文—1993,(3):19-25
中国古文字"学"的形成与教育起源	康乃美	教育评论—1993,(3):42-45
文字性质及其定义新论	晏鸿鸣	湖北民族学院学报·社科版—1993,(3):43-46
中日异而趋同的汉字观	吴长安	外国问题研究—1993,(3):57-59
应该恢复中国文字学的独立学科地位	曹念明	天津师大学报·社科版—1993,(3):61-63,54
"文字狱"随谈	李振墀	语文建设—1993,(4):43
人类文字学刍议	周有光	语言文字应用—1993,(4):50-60
对一个文字学术语汉译文的商榷	伍铁平	外语学刊—1993,(5):7-8
学一点文字学	毕星白	解放军外语学院学报—1993,(5):54-58
巫术的发展和文字的起源	胡培俊	江汉论坛—1993,(5):63-65
亚洲文字起源新探	杨邦拓	世界历史—1993,(5):64-72
1992年的文字学研究	胡厚宣 胡振宇	语文建设—1993,(6):32-34
关于新汉字观的断想	陈重愚	汉字文化—1994,(1):21-27
安子介汉字学说的理论基础:"采生活、科技、历史、人性观点"	李敏生	汉字文化—1994,(1):41-51
"假借"说略	戴建华	固原师专学报—1994,(1):58-63
异读字及其教学	康健 张立荣	喀什师院学报·哲社版—1994,(1):81-82
有关《形声字与汉字的表音趋向》的几个问题	一谭	语文建设—1994,(2):28-30
汉字视知觉一侧化研究评述	蔡厚德	南京师大学报·社科版—1994,(2):57-62
表音:并非汉字演进的终极目标	韩宝育	陕西师大学报·哲社版—1994,(2):95-101

正字法和正字的社会参与	孙宝成	上海师范大学学报·哲社版—1994,(2):98-104
论会意字与复合词的共同生成机制	苏新春	暨南学报·哲社版—1994,(2):119-126
关于语言文字的思考	吴世雄	外语教学与研究—1994,(3):24-27
现代汉字的构字法	苏培成	语言文字应用—1994,(3):71-75
宋体仿宋体字形比较	张书岩 李燕	语言文字应用—1994,(3):76-82
嫩黄新缘见于今日:《现代汉字学》读后	高更生	语言文字应用—1994,(3):110-112
文字系统的科学性:对文字创制改革的理论思考	徐世璇	民族语文—1994,(4):15-21
语言和文字之间的区别、联系和相互转化	张朋朋	汉字文化—1994,(4):15-24
"女书"系文字先秦流传地域辩正	晋风	中南民族学院学报·哲社版—1994,(4):73-79
汉字笔迹学在世界的崛起	徐建萍	语言文字学—1994,(6):8
汉字理论研究的重要进展:评孙雍长《转注论》	黄德宽	语文建设—1994,(7):39-42
现代汉字独体与合体的再认识	晓东	语文建设—1994,(8):28-31
意音文字略说:人类文字略说之二	周有光	语文建设通讯—1994,(43):51-57
字母文字略说:人类文字略说之三	周有光	语文建设通讯—1994,(44):1-7
谈俗形义学	李万福	汉字文化—1995,(1):6-10
也谈汉字的语言单位:学、应陈重愚的"结论"	王里	汉字文化—1995,(1):11-14
汉字类型问题辨证	胡华	汉字文化—1995,(1):15-17
试论《说文》中的"声兼义"现象	黄宇鸿	广西师范大学学报·哲社版—1995,(1):26-31
"文字是记录语言的符号"论辨析	曹念明	汉字文化—1995,(1):37-41
审文字之增殖 究转注之真谛	向光忠	南开学报·哲社版—1995,(2):1-10
德里达的文字学理论	尚杰	中国社会科学院研究生院学报—1995,(2):29-35
试论汉字表意字素的意义变异	刘志基	华东师范大学学报·哲社版—1995,(2):40-45
现代汉语常用字的结构类型	张玉金	汉语学习—1995,(2):41-45
作为视觉符号的汉字	林书武	齐齐哈尔师院学报—1995,(2):55-58
论"字说"现象	林志强	福建师范大学学报·哲社版—1995,(2):71-75,113
《说文》来、麦之释及其学术与文献价值	李裕	武汉大学学报·社科版—1995,(2):76-82
试论汉语中的谐音字	李世之	语言教学与研究—1995,(2):122-132
音节字的思考	王立廷	语文建设—1995,(3):2-4
从"扇"与"搧"谈分别字	厉兵	语文建设—1995,(3):5-8
试论以形说义	陈殿玺	辽宁师范大学学报·社科版—1995,(3):19-21
字形——本义——引申义	王国光	语文知识—1995,(3):26-28

谈多音字的成因及规范	杨 璇	贵阳师专学报·社科版—1995,(3):60-64
"爪"也是手	李乐毅	语文世界—1995,(5):13
形声字浅析	傅永和	语文世界—1995,(6):11
为"文字游戏"正名　批判地继承汉字文化	孙也平	语言文字学—1995,(6):27-32
多音字不是不同的字	石安石	语文建设—1995,(6):47
人类文字起源多元发生论	李葆嘉	解放军外语学院学报—1995,(6):6-11
文字学和文字类型学	周有光	中国语文—1995,(6):437-441
从汉字的用法讲开去	邹黎敏	语文学习—1995,(9):45-46
语言文字和语言文字科学的现代化	彭泽润	古汉语研究—1995,(增刊):39

计算机和语言学

汉字字元简化的似案：改革汉字应以电脑化、合理化为重点	(台湾)李美蕃	中文信息(成都)—1990,(4):1-5
印刷汉字视觉心理尺度评价初探	蒋文海　肖俊明等	中文信息(成都)—1990,(4):6-10
高精度的汉字点阵生成方法	傅振英	中文信息(成都)—1990,(4):11-14
汉字键盘输入速率与出错率的关系	陈代于　刘华明等	中文信息(成都)—1990,(4):14-16
汉字编码码长的研究	钱玉趾	中文信息(成都)—1990,(4):17-21
非键盘中文输入技术的研究与实现	侯义斌　张军	中文信息(成都)—1990,(4):22-24
汉语理解系统中数词的自动处理	周应权	中文信息(成都)—1990,(4):25-28
通用的联想汉字输入软件	汪文华	中文信息(成都)—1990,(4):29-33
PE2.EXE程序的汉化	黄本淑　吴小强	中文信息(成都)—1990,(4):34-42
中日英文混合字处理的分栏算法设计	孙传铮	中文信息(成都)—1990,(4):43-47
充分利用汉字的二维特征是优化汉字输入法的途径	郭徽	中文信息(成都)—1990,(4):57-59
为词码设计词汇多、输入快的词库	万国根	中文信息(成都)—1990,(4):60-62
自动生成词组和建立词库	李向方	中文信息(成都)—1990,(4):62-63
汉字矢量字形输出的新途径	孙亚梅　孙以义	地理学报(北京)—1990,(4):490-497
论话语生成的组合限制	林纪诚	外国语(上海)—1990,(6):12-18
计算机多语种语料库的设计和实现	孙宏开　郑玉玲	民族语文(北京)—1990,(6):30-37
语言学研究的新方向	本刊编辑部	中国计算机用户(北京)—1990,(11):30
计算语言学概述	刘开瑛	中国计算机用户(北京)—1990,(11):31-33
汉语分析模型概述	姚天顺	中国计算机用户(北京)—1990,(11):34-36

标题	作者	出处
词汇功能语法及其在计算语言学中的作用	冯志伟	中国计算机用户(北京)—1990,(11):37-39
广义短语结构语法 GPSG 简介	毛少伟	中国计算机用户(北京)—1990,(11):40-42
语料库语言学	黄昌宁	中国计算机用户(北京)—1990,(11):43-45
中国计算语言学的发展	陈群秀	中国计算机用户(北京)—1990,(11):46-47,36
计算机·数据库·辞书编纂	荣毓敏	辞书研究(上海)—1991,(1):9-15
键位分布合理指数与动态平均码长综合指标的自动测定	陈一凡 张鹿	中文信息学报—1991,(1):13-17
汉字操作系统 NHGDOS 的设计与实现	易宏元 邱百光	中文信息学报—1991,(1):19-26
字符集的序性	许寿椿	中文信息学报—1991,(1):28-34
汉字语音输入研究现状与前景展望	姜建新 甘圣子等	中文信息—1991,(1):30-32
汉语语音合成多音字的处理	苟大举 罗万伯等	中文信息—1991,(1):33-36
汉字字形编辑器	樊建平	中文信息学报—1991,(1):36-44
拼音变换法中文语词处理系统介绍	方世增	语文建设(北京)—1991,(1):38-41
汉字高低法检索及其在电脑上的应用	蔡勇飞	中外语言文化比较研究—1991,(1):42-46
汉字词组的快速排序研究	张钟澍 全大克	中文信息学报—1991,(1):45-51
大型汉字词库的生成环境	施广新 李劲等	中文信息—1991,(1):46-50
高频汉字优先技术原理及实现方法	王晓武	中文信息—1991,(1):56-57,60
词联码及词处理技术	许惠山	中文信息—1991,(1):58-59
竞式编码法	李英俊	中文信息—1991,(1):59-60
字典码的设计思想	姚良文	中文信息—1991,(1):59
计算机用汉字字号规格的理论分析与计算	林川 叶世融	中文信息学报—1991,(1):59-68
试论 Ayer-cavnap 模式——数学语言+数学	喻绍梧	四川教育学院学报—1991,(1):79-86
论汉语信息处理技术与对外汉语教学	张普	语言教学与研究—1991,(1):111-127
《高低法》再认识	范文咏	杭州师范学院学报·社科版—1991,(1):115-117
计算机辅助教育(CAE)发展的背景材料(1988年)	张普	语言教学与研究—1991,(1):128-129
书面汉语自动分词专家系统设计原理	何克抗 徐辉 孙波	中文信息学报—1991,(2):1-14,28
汉字是科学、易学、智能型、国际性优秀文字		中文信息—1991,(2):2-3
电脑输入汉字与输入西文速度的比较与分析	华绍和	中文信息—1991,(2):3-4

选择一种健康的中文输入法	刘 重 次	中文信息—1991,(2):5-8
东亚字码集及其编码结构特点	周 明 全	中文信息—1991,(2):8-12
东亚语文的新生	刘 涌 泉	中文信息—1991,(2):12-13
利用电脑开发拼音中文	吴 文 超	中文信息—1991,(2):14
中文信息处理系统及其集成支撑环境	王 建 波 王 开 铸	中文信息—1991,(2):15-19
面向整个华语社区的1K级汉字键盘的设计原则	许 家 梁	中文信息学报—1991,(2):15-21
电脑书同文的内涵与关键	张 轴 材	汉字文化(北京)—1991,(2):18-19,2
汉字输入技术分代与语句级音声输入法	王 晓 龙	中文信息(成都)—1991,(2):19-21
国内计算语言学的现状和展望	卢 元 孝	语言文字学(北京)—1991,(2):20-22
自然语言接口中语言变量处理新方法	吴 照 林	中文信息(成都)—1991,(2):22-24,28
一种用于话句识别系统的方法分析技术	林 道 发	中文信息学报—1991,(2):22-28
BASIC过程控制语言的研究与实践	李 华 春	计算机应用与软件—1991,(2):23-27,9
用于语音识别的拼音汉字转换系统SW-1	唐 武 杨 行 峻 等	中文信息(成都)—1991,(2):25-27
低点阵汉字字形缩小放大处理的新方法	赵 敏 鲁 元 魁	中文信息(成都)—1991,(2):28-32
关于汉字识别粗分类并行算法的研究	李 侠 民 刘 小 林	中文信息—1991,(2):29-35
Martin Kay 的功能合一语法	冯 志 伟	国外语言学(北京)—1991,(2):34-42
中日英文混合字处理中排版印刷参数设定算法设计	孙 传 铮	中文信息—1991,(2):36-41
试论键盘管理模块标准	吕 强	中文信息学报—1991,(2):36-42
西文软件显示信息汉化的新技术	陆 福 明	中文信息—1991,(2):42-43
联想功能在APPLE上的实现	张 民	中文信息学报—1991,(2):47-49
基于连接关系的汉语词典信息的推断	朱 美 英 内田裕士文 俞 士 汶 译	中文信息学报—1991,(2):50-58
为CC-DOS安装多级型汉字库	陈 永 平	中文信息—1991,(2):53-58
音形义字词兼容编码	李 一 新	中文信息(成都)—1991,(2):58
汉语声韵双拼键盘测试报告	司 玉 英	中文信息(成都)—1991,(2):59-62
汉字键盘输入机内词典使用规则	陶 沙	中文信息—1991,(2):62
从ATN到CD——简介几种自然语言分析模式及计算机实现方法(三)	许 罗 迈	现代外语—1991,(2):62-71
数据库汉字音顺排序	董 敏 张 小 朋	中文信息—1991,(2):63-64
拼音码的韵调结合法	萧 剑 平	中文信息—1991,(2):64-65

李氏拼音缩写输入法	李 约 瑟	中文信息—1991,(2):65-66
	李 骏 兴	
	李 淑 德	
汉字四角号码输入法	钟 国 华	中文信息—1991,(2):67
充分利用打印机功能打印多字体文件	谢 丹	中文信息—1991,(2):68-69
串文多行图注排版技巧	孙 卫	中文信息—1991,(2):70-71
为中文 WS 增加路径选择条形码与中文信息处理	黄 焕 如	中文信息—1991,(2):71;(4):64-66
	张 凡	
	徐 伟 中	
中华机与 IBM PC 机的汉字通讯	吴 庆 祥	中文信息—1991,(2):72-73
一种倒排文档的结构和算法设计	蔡 新 华	中文信息—1991,(2):73-74
一次排队插入法	梁 德 珍	中文信息—1991,(2):75-76
	杜 利 群	
	刘 国 衡	
汉字信息处理系统的诞生和发展	张 学 涛	中文信息—1991,(2):77-78
中文信息的非汉字化处理	刘 桓 中	中文信息—1991,(2):78-79
论"全汉字"	深圳《中华大典》基金会,全汉字操作系统研制组,张卫东执笔	深圳大学学报·人文版—1991,(2):95-102
标准汉字代码研究现状及应用	姜 振 儒	情报学刊—1991,(2):119-121
汉语组合类型语法	翟 成 祥	中文信息学报—1991,(3):1-6
	王 岩 冰	
	张 家 重	
	徐 家 福	
新一代汉字输入技术的研究和发展	王 晓 龙	中文信息—1991,(3):3-7,12
信息处理用现代汉语语义分析的理论与方法	张 普	中文信息学报—1991,(3):7-18
中华学习机汉字语音系统的实现	张 岚 等	中文信息—1991,(3):8-12
汉字点阵字模轮廓向量压缩及还原	王 绪 龙	中文信息—1991,(3):13-15
	黄 宜 华	
点阵汉字平滑无缩放技术	魏 燊 秋	中文信息—1991,(3):16-18
中国化工百科全书的计算机辅助编辑及在线检索(ECIDB)	董 茜 等	中文信息—1991,(3):19-23
基于规划的汉语话语生成	黄 昌 宁	中文信息学报—1991,(3):19-25
	李 东	
基于 DOS 的英文软件的汉化原理与方法	王 迎 庆	中文信息—1991,(3):26-27

标题	作者	出处
制订《信息处理用现代汉语常用词词表》的原则与问题的讨论	梁南元 刘源 沈旭昆 谭强 杨钱鹰	中文信息学报—1991,(3):26-37,25
电脑输入汉字与输入西文速度的分析与比较	华绍和	汉字文化(北京)—1991,(3):28-29
多功能造字程序在 PC 机上的实现	田志良	中文信息—1991,(3):28-34
汉字 PRECIS 在计算上的实现——汉字 PRECIS 款目生成系统研制报告	黄水清 侯汉清	中国图书馆学报—1991,(3):29-33
一个可用高级语言实现的 LOCK 和 UNLOCK 算法	吴建国	计算机应用与软件—1991,(3):31-35
NLP 与指挥自动化	吴照林	中文信息—1991,(3):34-36
汉文轴助字输入码	丁天铎	青岛师专学报—1991,(3):35-43
Applesoft 图示功能的再开发	凌志浩	中文信息—1991,(3):37-40
书面汉语自动分词专家系统的实现	徐辉 何克抗 孙波	中文信息学报—1991,(3):38-47
和CC-DOS 兼容的繁体汉字操作系统	陈勋 徐正荣	中文信息—1991,(3):41-44
一种文字符串纠错方法及其应用研究	李德银 张宁虹	计算机应用与软件—1991,(3):41-45,8
字处理中汇总连续印刷的算法设计	孙传铮	中文信息—1991,(3):45-46
位标识的汉字内码方案分析与改进	沈艺	中文信息—1991,(3):47-49
自然语言理解中的音字流自动分词	王晓龙 王开铸 白小华	中文信息学报—1991,(3):48-50
新见字识码	支秉彝 周宪	中文信息—1991,(3):59
直接映射式字符检索算法	杨宪泽	中文信息学报—1991,(3):59-64
计算机处理现代蒙古语 TAI、TEI 形式的尝试	那顺乌日图	民族语文(北京)—1991,(3):74-79
计算机国际音标显示——语音输出系统	周学文 曹雨生	民族语文(北京)—1991,(3):80-封三,14
汉字的视觉识别过程:对形码和音码作用的考察	谭力海 彭聃龄	心理学报—1991,(3):272-278
机器翻译系统中一种规则描述语言(CTRDL)	王宝库 张中义 姚天顺	中文信息学报—1991,(4):1-12
汉字输入电脑为什么比英文快——访"五笔字型码"发明人王永民	王增民	北京日报—1991,(4):10-2

汉语命令接口句的快速理解算法	钱树人 朱怀宏 王静英	中文信息—1991,(4):13-17
汉字键盘输入的认知模型	张　　侃 陈一凡	中文信息学报—1991,(4):13-19
拼文式汉字编码	罗贵伦	中文信息—1991,(4):20
实现汉字简繁体自动转换的一种方法	杜　　宇 何克抗	中文信息学报—1991,(4):20-26
汉语自动分词实用系统 CASS 的设计和实现	揭春雨 刘　　源 梁南元	中文信息学报—1991,(4):27-34
利用八卦、二进制编平面空间码	严文魁	中文信息—1991,(4):30
在 VAX/CVMS 环境中汉字 FMS 软件工具的实现和应用	潘荫荣 曾承兴 范　　力	计算机应用与软件—1991,(4):31-36
微机与四通 2401 汉字文件双向转换程序	王晓武	中文信息—1991,(4):33-36
汉字假名变换技术及其应用	朱学锋 俞士汶	中文信息学报—1991,(4):35-42
关系数据库汉语查询接口的设计与实现	吕光楣 陈清波	中文信息—1991,(4):43-49
台湾的中文输入法	王彩连 姜慧玲	中文信息—1991,(4):45
怎样解决中文信息处理中的繁简对换问题	吕叔湘	语文建设(北京)—1991,(4):45
组合式通用型汉字操作系统……	钱培德	中文信息—1991,(4):46-52
一个手写印刷体汉字识别实验系统	陈　　玲 陈学德 郑　　重 [日]青木由直	中文信息学报—1991,(4):50-55
拼音四角笔码编码方案	白定泉	中文信息—1991,(4):52
PC-1500 实用汉字库	曹来发	中文信息—1991,(4):53-56
编码字符集中子集的完整性	许寿椿	中文信息学报—1991,(4):56-62
汉字拼音化的设计方案	邱荷生	中文信息—1991,(4):57-58
键盘输入用汉语拼音编码设计	万建成	中文信息—1991,(4):59-60,63
中文标题关键词检索实用算法	苏新宁 容国强	中文信息—1991,(4):61-63
不兼容型简码对重码的制约效应	王力德	中文信息—1991,(4):67-68
在不同汉字操作系统下摘挂输入方法	李晓辉	中文信息—1991,(4):69-72
通用汉字打印机驱动程序	雷金海	中文信息—1991,(4):73-74
汉字信息通用加密技术	于幼弟 路　　枝	中文信息—1991,(4):76-78

汉语生成 P 型规则及其科学编码与排序	林杏光	汉语学习(延吉)—1991,(5):13-16
多功能二级语法分析器自动生成系统的理论与实现	李友仁 顾元祥	计算机应用与软件—1991,(5):19-26
在民族语言领域开展计算语言学研究的紧迫性	曹雨生	民族语文(北京)—1991,(5):46-50
汉语自动切词标引系统(CWSAIS)的研制及其应用	陈豫 曾民族	情报学报(北京)—1991,(5):352-357
词语结构类比自动标引系统	赵宗仁	情报学报(北京)—1991,(5):358-362
GRA 篇名英汉机器翻译系统 TYECT 的研制	王广义 郝志恒等	情报学报(北京)—1991,(5):363-369
书面汉语自动分词的"语境相关"方法	黄祥喜	计算机运用与软件—1991,(6):38-44
国外的语料库建设	王钢	语文建设(北京)—1991,(6):43-45
理想的汉字编码方案——简速汉字编码方案		天津日报—1991(10):20,7
计算语言学简介	鲁川	中文自学指导—1991,(10):35-36
国内计算语言学研究概述	金力	中文自学指导—1991,(10):37-38,49
计算机与术语标准化工作——介绍计算机辅助术语工作	龚彦如	语文建设—1991,(12):32-33
音韵学专家系统的生成机制初探	邓希敏 陈汉清	语言研究(武汉)—1991,(增刊):193-195
计算机多文种信息处理及中西文字的计算机计量	王懋江	中文信息学报—1992,(1):1-7
"电脑书同文"的发展前景	钱玉趾	中文信息—1992,(1):6-9
CDSA 模型及其在关系数据库自然语言接口中的实现	吴照林 高广峰	中文信息学报—1992,(1):8-14
论汉字编码的最短极限码长	李公宜 李海飚	中文信息—1992,(1):10-14
新的点阵汉字压缩存贮模型及转换算法	蒋昌俊	中文信息—1992,(1):15-16
中文词组的快速查找算法	张钟澍	中文信息学报—1992,(1):16-20
汉语自动分词歧义及处理策略	徐秉铮 贺前华	中文信息—1992,(1):17-20
基于动态规划的符号串比较算法	林道发	中文信息—1992,(1):21-24
关于二值图象结构补偿放大平滑的一点注记	徐佩珍 顾景文	中文信息学报—1992,(1):21-24
检索次序和情报检索语言——兼与张琪先生商榷	仇肖群	四川图书馆学报—1992,(1):23-27,22
各种字模汉字的提取和显示方法	敬奇	中文信息—1992,(1):25-31

标题	作者	出处
拼音－汉字转换输入中的结构识别方法	万建成	中文信息学报—1992,(1):25-31
信息加工深度与计算机辅助语言教学	孟 悦	现代外语—1992,(1):27-31
谈谈语言文字信息处理工作	刘连元	语文建设(北京)—1992,(1):30-32,7
九十年代中文信息处理技术的基本任务:为加强基础研究和促进产业化而努力	袁 琦 陈力为	语文建设(北京)—1992,(1):33-35
一种汉字键盘输入编码方案	程良鸿	中文信息学报—1992,(1):33-37
汉字点阵系列标准的研制	傅永和	语文建设(北京)—1991,(1):34-35
语文建设的新课题—电脑写作	袁明光	语文建设(北京)—1992,(1):37-38
基于词组的智能化汉字输入系统CIIIS/2 的设计	吕 强 钱培德	中文信息—1992,(1):39-47
汉字编码 CAD 系统受人赞誉		中文信息—1992,(1):49
汉字特点与三元汉字编码	万学仁	中文信息—1992,(1):49-52
印刷体汉字识别技术在我国的发展和应用	张炘中 沈兰生	中文信息学报—1992,(1):49-53
形音码解决汉字输入瓶颈问题	欧阳鹏	中文信息—1992,(1):52-55
智能编辑器配用五码拼词法	李先国 高集荣	中文信息—1992,(1):55-57
蒙古文信息处理全息内部码的编码设计	拉西吉格木德	中文信息学报1—1992,(1):55-63
中华学习机汉字编码的相互转换	廖大勇	中文信息—1992,(1):57-58
汉字模糊性编码	王正荣 温成友	中文信息—1992,(1):59
汉字输入支持系统的设计特点	孟 凯 万国根 许惠山	中文信息—1992,(1):60-62
汉字单双拼输入法	毕广吉	中文信息—1992,(1):62-63
影响键盘输入速度的原因分析	何秀全	中文信息—1992,(1):63-65
唯物码汉字输入法在 CCDOS4.0 中实现		中文信息学报—1992,(1):64
用C语言显示汉字	宫红兵	中文信息—1992,(1):67-68
键盘重新定义一法	魏 旭	中文信息—1992,(1):68
5550 微机制表符的修改	蔚京生	中文信息—1992,(1):68-69
中分辨率显示方式下的菜单技术	黄焕如	中文信息—1992,(1):71
中国人搞汉字编码要敢于世界领先	李竞远	中文信息—1992,(1):72-73
把偏旁部首当字母	张彦增	中文信息—1992,(1):73-74
术语必须标准化	沈 宽	中文信息—1992,(1):74-75
电脑速记/电脑打字技术	陶 沙	中文信息—1992,(1):76-77
现代汉语文"分词间隔排列"及其他	肖兴吉	兰州学刊—1992,(1):97-98

标题	作者	出处
自然语言篇章理解及基于理解的自动文摘研究	王建波 王开铸	中文信息学报—1992,(2):1-7
计算机汉语与汉语计算机	罗海清	中文信息(成都)—1992,(2):4-6
"一语两文"符合客观实际	张育泉	中文信息—1992,(2):6-11
基于Hypertext和多知识源的智能汉语教学系统	徐海平 阮晓钢	中文信息学报—1992,(2):8-16
中文今天面对的挑战	吴文超	中文信息—1992,(2):11-12
一种低点阵字库压缩算法	蒋贤春	中文信息学报—1992,(2):17-25
语文速符信息源头在东方	宋桧华 宋斌	中文信息—1992,(2):19-25
中文信息处理研究的一项历史使命	刘觉滨	中文信息—1992,(2):25-27
一个大陆汉字与台湾汉字文本文件间的智能转换系统	杨道沅 扶良文	中文信息学报—1992,(2):26-34
五码拼词法字词库的建立和维护	李先国等	中文信息—1992,(2):28-31
给CCDOS增配新的汉字输入码	田志良	中文信息—1992,(2):31-34
在西文操作系统下显示汉字的可行方案	刘启文 闻家星	中文信息—1992,(2):35-39
重要词语辖区和结构前后界——自然语言理解的谓框—功能优选试探法	黄自由	中文信息学报—1992,(2):35-45,57
电脑中文的突破性进展:迎接第一个国际汉字标准确定	栾贵明	汉字文化(北京)—1992,(2):38-41
汉字编码辅助设计环境HCCAD	舒展羽 胡勇新	中文信息—1992,(2):40-43
dBASE命令语言结构特点与程序设计	杨整	中文信息—1992,(2):44-49
计算机汉字I/O处理的数学模型	钱培德	中文信息学报—1992,(2):46-51
袖珍机系列24×24点阵汉字字模库	曹来发 张来新	中文信息—1992,(2):49-51
汉语音字转换中同音字(词)的概率后处理	唐武 杨行峻	中文信息学报—1992,(2):52-56
汉字排序技术	张小朋 董敏	中文信息—1992,(2):54-55
有关汉字编码方案的比较	葛遂元	中文信息—1992,(2):56-57
写作和翻译工作的好助手:用计算机自动检查文章的语法和风格	许丹	中国翻译(北京)—1992,(2):56-58
汉字编码的部件划分及命名	万学仁	中文信息—1992,(2):57-59
汉字是什么类型的键盘文字?	叶楚强 彭昌	中文信息学报—1992,(2):58-64
形音系列汉字编码	欧阳鹏	中文信息—1992,(2):59-60
汉字音形编码法	王法林	中文信息—1992,(2):60-62

汉字双拼的标准键盘设计	邱荷生	中文信息—1992,(2):62-63
标准键盘键位分析	何秀全	中文信息—1992,(2):63-65
从计算机生成汉语的角度看汉语语法研究	杨国文	中国语文(北京)—1992,(2):140-142
语料库、知识获取和句法分析	黄昌宁 苑春法	中文信息学报—1992,(3):1-6
电脑网络与中文电脑化	陈慧杰	中文信息—1992,(3):3-7
中日新韩实现拉丁文拼音缩写的通用性	李约瑟等	中文信息—1992,(3):7-10
多语料库作法之中文姓名辨识	张俊盛 陈舜德	中文信息学报—1992,(3):7-14
汉字字模生成和字形设计的数学方法	[加]Q. L. GU, C. Y. SUEN	中文信息—1992,(3):10-16
机译知识自动获取	韩向阳 陈肇雄	中文信息学报—1992,(3):16-20
用计算机比较中西文字的表达能力	王懋江	中文信息—1992,(3):17-19
XMMT英汉机器翻译系统	李堂秋 高庆狮	中文信息学报—1992,(3):21-27
汉字键盘输入方法	张普	语文建设(北京)—1992,(3):24-29
外文部采用哈工大首创的语句输入系统	《中文信息》记者	中文信息—1992,(3):27
音声汉字句输入系统	王晓龙	中文信息—1992,(3):27-28
管理系统多级菜单生成及驱动软件工具包	马扬	中文信息—1992,(3):28-31
QHFY英汉机器翻译系统的词典设计	陈圣信 包培文	中文信息学报—1992,(3):28-34,27
汉语分词神经网络方法的模拟实现	贺前华 徐秉铮	中文信息—1992,(3):32-37
机器翻译中介词的处理策略	黄建烁 徐秉铮	中文信息学报—1992,(3):35-41
多字体多尺寸彩色汉字显示画面制作	甄勃	中文信息—1992,(3):38-39
给TURBO PROLO 2.0编辑器增配拼词功能	李先国	中文信息—1992,(3):40-41
汉字键盘/鼠标输入法比较	李烈忠 周步祥	中文信息—1992,(3):42-45
日汉机译系统中有关汉语生成的几个问题及处理方法	陈群秀 李咏玖	中文信息学报—1992,(3):42-47
论汉字输速与码长/击键数	叶世绮	中文信息—1992,(3):45-46
语音转换为主、部首编码为辅的输入法	聂东明	中文信息—1992,(3):46-47
维文字符排序属性和词典序编码设计	傅勇	中文信息—1992,(3):48-52

标题	作者	出处
基于短语结构文法的分词研究	韩世欣 王开铸	中文信息—1992,(3):48-54
多文种系统中的蒙古文通用编码	巴力登	中文信息—1992,(3):52-56
非过程性规则描述语言 NRDL	赵振西 刘秀芬	中文信息学报—1992,(3):55-61
汉语的计算机理解模式	余志鸿 姚萝姑	语言文字应用(北京)—1992,(3):57-66
YFX 计算机音标处理系统简介	熊正辉	方言(北京)—1992,(3):186-188
中文系统目前最先进的水平——HIMEM 技术正风行海峡两岸	张平	中文信息—1992,(3):封三
中文电脑应取单一通用的符号系统	吴文超	中文信息—1992,(4):5-7
多文种信息系统是 90 年代发展重点	王之燿	中文信息—1992,(4):8-9
用于海外中文教学的多小字库技术	郑咸义 黄刚	中文信息—1992,(4):10-15
我国建成最大的汉字字形库		人民日报—1992,(4):19,4
直接语音接口扩展板的设计	王志孔	新浪潮 电脑·信息—1992,(4):20-22
中文信息 MMT 模型	冯志伟	语言文字应用—1992,(4):21-30
汉字计算机学问软件	罗海清	中文信息—1992,(4):25-28
中文速记汉卡及其编码	高永仁 唐亚伟等	中文信息—1992,(4):29-33
盲人用汉字计算机	韩萍 茅于杭	中文信息—1992,(4):34-35
通用的汉字盲文计算机翻译系统	茅于杭 包培文等	中文信息—1992,(4):35-36
盲人使用的中文电脑系统	张数玄	中文信息—1992,(4):36-38
用C语言开发高效微机编目系统	晏章军	现代图书情报技术—1992,(4):38-41
汉字编辑系统的总体设计	章森 张增荣等	中文信息—1992,(4):39-42
支持多文种处理的程序设计语言	钱树人	中文信息—1992,(4):42-45
自动提取报纸标题建题录库的程序设计	李民	中文信息—1992,(4):46-48
双方转换：中文信息处理的发展方向	尹斌庸	中文信息—1992,(4):50-52
可分隔动词及其在拼音-汉字输入中同音词识别的应用	万建成	中文信息—1992,(4):52-56
汉字拼音化的设计原则和方案	黄炳羽	中文信息—1992,(4):53-57
字母学和应用语言学	周有光	语言文字应用—1992,(4):54-63
用层次分析法评估中文系统输入方案	许家梁	中文信息—1992,(4):62-65
汉字字形向量轮廓压缩算法的设计与实现	黄宜华 王绪龙	中文信息学报—1992,(4):62-封三
三笔汉字输入法	陈代于等	中文信息—1992,(4):65-67
汉字编码的取码走向问题	胡锡全	中文信息—1992,(4):68-69

标题	作者	出处
PC-1500袖珍机打印点阵汉字	曹来发 张来新	中文信息—1992,(4):70-72
汉字通用数据库三维表的建立与应用	于功弟	中文信息—1992,(4):72-73
汉字编码安装服务		中文信息—1992,(4):80
在FoxBASE中建立与修改词组输入功能	王兆申	新浪潮 电脑·信息—1992,(5):19-20
FoxBASE+与汇编语言接口技术研究	邓京明	新浪潮 电脑·信息—1992,(5):30-34
手写体汉字识别字典实现方法研究	王亚民	新浪潮—1992,(6):26-28
计算机汉字识别技术	张炘中	语文建设(北京)—1992,(10):34-38
1991年中文信息处理技术的进展	刘连元	语文建设(北京)—1992,(11):8-9
智能计算机的知识表示和汉语的语义研究	鲁川	语文建设(北京)—1992,(11):30-33
"现代汉语题库微机系统"研究报告	陈昌来执笔	语文建设—1992,(12):25-29
"现代汉语题库微机系统"研究报告	烟台师院"现代汉语题库微机系统"课题组	语文建设(北京)—1992,(12):26-29
汉语孤立字声调的模糊识别方法	徐士林	中文信息学报—1993,(1):7-17
用光扫描进行汉字的识别与输入	CHING Y SVEN	中文信息—1993,(1):8-10
多级中文词库有理想的实用效果	钱培德	中文信息—1993,(1):11-14
统计语言模型及汉语音句转换的一些新结果	郭进	中文信息学报—1993,(1):18-27
微机中西文全文检索系统功能设计与实现	吴兰群 仝杰	中文信息—1993,(1):26-29
从信息处理看汉字阅读	Tzeng J.L.(曾志朗);Hung L.(洪兰)著;沈家煊译	国外语言学(北京)—1993,(1):26-33
以成语为范围的词汇支援系统	林联合 吴杰 吴亮	中文信息学报—1993,(1):28-32
可控制多种语言程序的主控程序	王志中	中文信息—1993,(1):30-32
汉语普通话声母的分类与识别	徐秉铮 邱伟	中文信息学报—1993,(1):33-39
汉语语素编码——声频码的设计及应用	罗小强 王仁华	中文信息—1993,(1):42-43
基于神经网络的手写体汉字识别实验系统	盛立东 何其明	中文信息学报—1993,(1):48-57
电脑字根浅论	高雅英	中文信息—1993,(1):52-53

标题	作者	出处
数据库中汉字错位和残缺汉字的查找	黄焕如	中文信息—1993,(1):58-59
特定人主题受限连续汉语人机对话系统的研究	王跟东 林道发 杨家源	中文信息学报—1993,(1):58-64
谈计算机汉字编码及其识字教育的统一	范柏泉	辽宁教育学院学报—1993,(1):70-74
字词频统计及存在的问题	李兆麟	江苏教育学院学报·社科版—1993,(1):80-83
基于合一语法的通用句法分析器:设计与实施	沙新时 吴立德 周斌	中文信息学报—1993,(2):1-17
汉语拼音新文字——拼音缩写输入法	[日]李约瑟 李骏兴 李淑德	中文信息—1993,(2):6-7
FPY 中的同音词智能识别方法	万建成	中文信息学报—1993,(2):27-35
地名词库的双树形结构和压缩存储技术	毕广吉	中文信息—1993,(2):34-38
基于神经网络的分词方法	徐秉铮 詹剑 贺前华	中文信息学报—1993,(2):36-44
汉字编码 CAD 系统的新发展	胡宜课 王沛礼 钟万勤	中文信息—1993,(2):37-40
汉字音形兼容二用数字码	林宇威	中文信息—1993,(2):38-40
通用汉字输入系统重码自动区分软件工具	崔广才 王锡龙	中文信息—1993,(2):40-42
论"汉字全息码"错码之成因	周宪	中文信息—1993,(2):44-45
拼音语句汉字输入系统 In Sun	王晓龙	中文信息学报—1993,(2):45-54
电脑教学必须为汉字字根统一定名	张在云	中文信息—1993,(2):46
《汉语拼音方案》是中西键盘文化之最佳接口	张孝存	中文信息—1993,(2):48-49
从"748"工程看五笔字型字根实用频度表的实质	张学涛	中文信息—1993,(2):49-50
自然语言处理中的媒介语问题	刘海涛	情报科学—1993,(2):54-60
一种汉语语音多级识别策略	邝继顺 何鎏藻	中文信息学报—1993,(2):55-61
汉字在计算机屏幕上的阅读适性讨论	林川 樊林 薛国光	中文信息—1993,(2):62-66
矢量汉字的字模提取及显示	张利波 周训策	中文信息—1993,(2):68-70
Turbo C 中汉字输出系统的研制	张法荣 陈清如	中文信息—1993,(3):15-18

篇名	作者	出处
一个基于神经网络的手写文字分类/识别模型	陈学德 陈玲	中文信息学报—1993,(3):16-25
谈计算机模拟人脑语言功能问题	刘利民	四川心理科学—1993,(3):24-27
基于神经网络的相似汉字识别的研究	梁曼君 石竹	中文信息学报—1993,(3):26-32
汉字编码界的"战国"时代	《中文信息》特约记者	中文信息—1993,(3):28
多功能的音形组合码	李一新	中文信息—1993,(3):31-33
智能自适应中文操作系统	于国荣 何克抗	中文信息学报—1993,(3):33-39
形码的低劣性与音码的优越性	钱玉趾	中文信息—1993,(3):37-40
FORTRAN语言实现动态图形显示的方法	王晓洪	计算机应用与软件—1993,(3):37-44
汉字点阵无级压缩的优化算法	傅晓宇 傅晓玲	中文信息学报—1993,(3):40-45
中文电脑汉字输入中的字根	张欣	中文信息—1993,(3):41
中文文本压缩的自适应算法	贺前华 徐秉铮 彭磊	中文信息学报—1993,(3):46-54
MIS混合式语言接口的研究与设计	许建潮	计算机应用与软件—1993,(3):49-53
PE3200系列机汉字显示系统方案与实现	何钟林	中文信息学报—1993,(3):55-60
建立"汉语中介语语料库系统"的基本设想	储诚志 陈小荷	世界汉语教学—1993,(3):199-205
略论情报检索语言的"域语言"和"操作语言"	任皓	情报学刊—1993,(3):236-238
统一汉字库的研究	周浩华	中文信息学报—1993,(4):1-9
安子介的汉字学说与当代脑科学	李敏生	汉字文化—1993,(4):3-9,18
良码中文系统	张良材	中文信息—1993,(4):6-8,10
在西文方式下输出汉字的工具设计	唐棠 徐戟 秦扬	中文信息—1993,(4):13-15
在汉字操作系统中组织大型词库	戴聚岭	中文信息—1993,(4):15-18
计算机辅助全文检索集成系统	王新宇等	中文信息—1993,(4):18-21
汉语真实文本的语义自动标注	黄昌宁 童翔	语言文字应用—1993,(4):18-25
N元汉字字词编码输入的最短码长和速度上限	王晓龙 王轩	中文信息学报—1993,(4):18-26
中文表格→数据库自动转换系统	王力德	中文信息—1993,(4):21-23
计算词法学中词法分析方法初探	石敏	外语学刊—1993,(4):21-26
电脑汉字分解原则初探	薛新立	中文信息—1993,(4):26-29

标题	作者	出处
大规模逻辑神经网络印刷体汉字识别系统	杨国庆 吕军	中文信息学报—1993,(4):27-33
全形(边道)汉字编码系统	昆明大学机电系课题组	中文信息—1993,(4):34-37
末笔字型交叉识别码的剖析	张在云	中文信息—1993,(4):38-40
汉字编码的几种错误导向	欧阳鹏	中文信息—1993,(4):40-41
论人脑同电脑的"思维"、自然语言同电脑"语言"的区别	伍铁平	北京师范大学学报·社科版—1993,(4):42-58
汉字认知心理研究对机器自动识别汉字的启示	韩布新 陈一凡	中文信息学报—1993,(4):60-66
语码选择及其相关因素	荣晶	云南教育学院学报—1993,(5):80-85
汉语拼音字符集被肢解的情况应该引起重视	许寿椿	语文建设—1993,(7):32-33
电脑在语言学里的运用	王士元	语言文字学—1993,(7):34-46
从电脑语音系统看文字的表音属性	许寿椿	语文建设—1993,(8):42-43
计算机教育与汉字字形编码方案研究(一)	潘德孚	教育研究—1993,(8):73-78
计算机辅助术语工作	冯志伟	语文建设—1993,(9):34-36
汉语真实文本自动语义标注	张庆旭	语文建设—1993,(9):37,44
黄金富和他的唯物码	宇键	语文建设—1993,(11):42-43
个人看中文信息处理	李约瑟	语文建设通讯—1993,(40):68-72
汉字立体处理的三种算法及其实现	吴永祥等	中文信息—1994,(1):13-15
语料库与知识获取模型	张敏 罗振声	中文信息学报—1994,(1):15-24
提高电脑排版汉字位置控制精度	吴庆祥	中文信息—1994,(1):16-17
中文文献自动标引技术	王新宇 郭力	中文信息—1994,(1):18-21
神经网络处理论应用于自然语言处理	贺前华 徐秉铮	KU—1994,(1):24-27
中国计算语言学研究的世界化刍议	冯志伟	语言文字应用—1994,(1):24-27
汉字库多级存贮系统的分析	陆建明 钱培德	中文信息学报—1994,(1):25-32
四码拼词法的设计与实现	李先国 高集荣	中文信息—1994,(1):29-30
汉字四笔画数码查字法	林宇威	中文信息—1994,(1):31-32
利用自然记忆信息发展普及型汉字编码	沈在爱	中文信息—1994,(1):33-35
汉字编码单项性能的横向可比性度量	周启海	中文信息—1994,(1):35-36

词语语音积散输入法	刘　纯朴	中文信息—1994,(1):37-38
计算机古籍字库的建立与汉字的理论研究	王　宁	语言文字应用—1994,(1):54-59
语言的内在随机性和计算机	李　明	语言文字应用—1994,(1):60-64
探索汉字编码的最佳途径(附方案)	杜　江 钱　腾蛟	广西师院学报·哲社版—1994,(1):85-90
三维图形显示技术在汉字显示中的应用	曾　大亮 陈　永平	中文信息—1994,(2):13-16
QB显示汉字的方法	杨　建华	中文信息—1994,(2):18-19
格文法分析与日汉机译研究	沙　虹	中文信息—1994,(2):20-21
知识表示与检索语言的关系	吴　小红	情报科学—1994,(2):21-24,11
汉字编码输入系统的开发	张　二虎	中文信息—1994,(2):26-29
一个中文数据库管理系统界面	森　耀森 张　少润	中文信息学报—1994,(2):26-31
基于N联字的汉字识别后处理研究	苗　兰芳 张　森	中文信息学报—1994,(2):39-46
一种多字体形数据结构之设计	唐　棠 秦　扬	中文信息学报—1994,(2):32-38
谈谈作家"换笔"问题	周　有光	语文建设—1994,(2):37-40
跨语言计算机网络中语言通讯障碍及解决方法	刘　海涛	情报科学—1994,(2):40-46
外挂式藏汉英混合处理系统	彭　寿全 黄　可等	中文信息学报—1994,(2):47-53
无编码通用词库的高倍逻辑压缩和反向查询技术	黄　希琛	中文信息学报—1994,(2):54-60
支持多文种多语种的多媒体信息系统	林　杏光	语言文字应用—1994,(2):58-64
语音代码——汉字智能转换研究	万　建成	中文信息学报—1994,(2):61-72
我国情报检索语言多样化的必然性	赵　云兰 方　习国	淮北煤师院学报—1994,(2):133,122
计算机进行藏缅语语音相关分析的尝试	孙　宏开 郑　玉玲	语言研究—1994,(2):168-180
NL句法分析中超语法符合现象的处理	翁　富良 周　斌	中文信息学报—1994,(3):1-13
中文信息与语文现代化	李　硕	中文信息—1994,(3):5-6
计算机外语试题库理论及题库系统的建立	章　国英	电化教育研究—1994,(3):5-8
汉字黑体字形衍生系统的设计与实现	岳　华 蔡　士杰等	中文信息学报—1994,(3):14-23
中文信息MMT模型中多标记集合的运算方法	冯　志伟	情报科学—1994,(3):14-25
汉语理解系统在计算机辅助教学中的应用	梁　庆龙 邬　丽萍	中文信息—1994,(3):22-26

标题	作者	出处
BASIC 语言题库的设计与实现	侯晓霞 董莉敏	中文信息—1994,(3):32-34
电脑专家所关心的字形属性问题	许寿椿	语文建设—1994,(3):36,46
面向语料库标注的汉语依存体系的探讨	周明 黄昌宁	中文信息学报—1994,(3):35-52
汉字系统的单键切换	毕广吉	中文信息—1994,(3):37-38
谈"音托"和"形托"的模糊性	王力德	中文信息—1994,(3):39-41
字块编码输入法	段利华	中文信息—1994,(3):42-43
计算机计量研究汉语方言分区的探索	杨鼎夫	语文研究—1994,(3):42-47
从用户角度评汉字编码	张考存	中文信息—1994,(3):45-46
汉字显示及菜单设计的方案选择	谷保山	中文信息—1994,(3):47-48
短语结构语法——"信息处理用语言理论讲话"第一讲	黄昌宁	语言文字应用—1994,(3):99-104
语言串理论——"信息处理用语言理论讲话"第二讲	黄永亨 郭红	中文信息—1994,(6):13-17
人工智能的语言学问题	卓新贤	现代外语—1994,(4):1-5
等线体和圆头体曲线轮廓字形的自动生成系统	武港山 叶晓路	中文信息—1994,(4):1-8
汉语计算机研究走向拼音文字	罗海清	中文信息—1994,(4):7
精密曲线轮廓字模的生成方法研究	瞿洋 张喜斌	中文信息学报—1994,(4):9-18
新型汉字编码的设计	张邦亮编译	中文信息—1994,(4):16
汉语语义范畴的计算机模拟	《中文信息》编译组	中文信息—1994,(4):17
基于字符串的汉字识别模式	《中文信息》编译组	中文信息—1994,(4):17
多维参数控制法及神笔汉字发生器	何尔恭 薛开平	中文信息学报—1994,(4):19-24
一个实验性的汉语篇章理解系统	崔耀 陈永明	中文信息学报—1994,(4):24-34
曲线轮廓汉字的网格适配技术	胡长原 武港山	中文信息学报—1994,(4):25-33
用OOP技术实现嵌入式汉字系统	田志良 李汉斌	中文信息—1994,(4):27-30
句法分析系统的知识表示和控制机制	栾浩 黄昌宁	中文信息—1994,(4):31-34
计算机辅助汉字书写教学的研究——书写汉字库生成系统的研究	刘禹 何克抗	中文信息学报—1994,(4):34-42
规范化的汉字音形编码	郭承安	中文信息—1994,(4):37-39
汉字联想简拼输入法	李振海	中文信息—1994,(4):39
规范码汉字编码方案	张汉民	中文信息—1994,(4):39-41

藏字叠加结构线性处理统计分析	江　荻 董　颖红	中文信息—1994,(4):44-46,54
在扩充内存装入汉字库的方法	戴聚岭	中文信息—1994,(4):47-50
中西文汉字系统下使用2.BH打印功能	曲吉林	中文信息—1994,(4):52-53
汉字编码的普及目标体系与编码实例	王力德	中文信息学报—1994,(4):55-62
语文信息处理与人机语言文字学	刘觉滨	中文信息—1994,(4):60-61
形码规范化的字根量化研究	张　欣	中文信息—1994,(4):61-63
格语法及其在汉语研究中应用——"信息处理用语言理论讲话"第三讲	王玲玲	语言文字应用—1994,(4):97-101
日本运用计算机辅助语言教学的发展概况	谢　谋	语言教学与研究—1994,(4):140-149
中文输入法应以自然语言理解为重心	徐火辉	中文信息—1994,(4):306
电子计算机软件与新时期语言文字工作	钱学森	语文建设—1994,(5):4-5
中文信息的发展方向	刘泽先	中文信息—1994,(5):12-14
汉字声母检索码的自动标注	大　庆 马彩芳	中文信息—1994,(5):20-22
高效汉字库生成及汉字动画显示	马思群	中文信息—1994,(5):22-23
语料库语言学与ICLE	钱　炜 马登阁 徐　坚	北京第二外国语学院学报—1994,(5):22-25
在西文状态下搜索汉字的实用程序	张有新	中文信息—1994,(5):23-25
Windows环境下用位图显示点阵汉字	刘启文 贺聿志 詹建桥	中文信息—1994,(5):40-41
世界机器翻译研究现状	李元亮	中国翻译—1994,(5):42-43
计算机汉语在中文信息处理中的优势	罗海清	中文信息—1994,(6):8-9
中文Windows 3.1下汉字输入法的实现	金　西	中文信息—1994,(6):19-22
在MS Windows环境下显示高点阵汉字	刘启文 曾大亮	中文信息—1994,(6):22-24
计算机转换生成汉英词典的探讨	解建和 肖建平	辞书研究—1994,(6):28-37
汉字输入系统的设计方法	章　森	中文信息—1994,(6):29-34
汉字形态编码的认知心理规律	王　璐	中文信息—1994,(6):34-41
中文输入法的误区与走出误区的思考	江　荻 董颖红	语文建设—1994,(6):36-38
计算语言学	林杏光	语文世界—1994,(6):38
海量词库的结构与动态查询方法	毕广吉 俞　雁	中文信息—1994,(6):41-43

多媒体技术在语言教学中的应用前景	赵艳芳	解放军外语学院学报—1994,(6):83-84,121
全面分析理论对现代情报检索语言的深刻影响	张　帆	华中师大学报·哲社版—1994,(6):116-121
1992-1993年我国计算机语言学研究述评	黄昌宁	语文建设—1994,(7):16-19
必须警惕汉字编码的副作用	张　普	语文建设—1994,(8):32-35
计算机辅助教学系统	冯志伟	语文建设—1994,(11):33-35
东洲藏卡系统的设计与实现	彭寿全 黄　可等	中文信息—1994,(20):16-18
电脑技术与语言观	许寿椿	语文建设—1995,(2):41-43
论计算机在现代大学外语教学中的作用	贾国栋	内蒙古师大学报·哲社版—1995,(2):112-115
电脑的信息处理	许寿椿	语文建设—1995,(3):41-42
中文信息处理的现状与展望	陈　敏 王翠叶	语言文字应用—1995,(4):26-32
汉语自动分词研究中的若干理论问题	孙茂松 邹嘉彦	语言文字应用—1995,(4):40-46
计算语言学应用中的模块化概念	刘海涛	语言文字应用—1995,(4):53-57

第二部分　汉语

中国语言学史

语感与语文理法	谢贤扬	重庆师院学报·哲社版—1991,(1):80-87
"不立文字,不离文字":试论汉语的超逻辑功能	朱良志 詹绪佐	江淮论坛(合肥)—1991,(1):91-98
汉语语言学发展的历史回顾	[美]王士元文,张文轩译	兰州学刊—1991,(2):79-89
关于汉语南岛语的发生学关系问题：L·沙加尔《汉语南岛语同源论》述评补证	邢公畹	民族语文(北京)—1991,(3):1-14
禅宗的语言观	袁宾	中文自学指导—1991,(3):45
汉语南岛语的声母的对应——L·沙加尔《汉语南岛语同源论》述评补证	邢公畹	民族语文—1991,(4):23-25
论宋明时代的语言研究	赵振铎	湖北大学学报·哲社版(武汉)—1991,(4):77-83,76
汉语助词"了"、"着"与阿尔泰诸语言的关系	宋金兰	民族语文—1991,(6):59-67,40
中国为何没有语言学流派？关于建构中国语言学流派的思考	孙汝建	语言文字学(北京)—1991,(7):30-34
民俗语言学新论	曲彦斌	民俗研究—1992,(1):14-23
关于中国文化语言学的反思	邵敬敏	语言文字应用(北京)—1992,(2):74-79
从语言遗迹看女真社会历史文化	王可宾	史学集刊—1992,(3):13-19
从汉民族具象思维的角度对汉语进行审视	梅立崇	世界汉语教学—1992,(3):173-178
从"雅言"到"华语"——寻根探源话名号	张德鑫	汉语学习—1992,(5):33-38
汉藏语语言学的现状与未来(上)	James A. Mattisoff 文 傅爱兰 译	国外语言学—1993,(3):22-28
汉藏语语言学的现状与未来(下)	James A. Mattisoff 文 傅爱兰 译	国外语言学—1993,(4):25-31,43
论我国语言学的继承与发展——兼述东西方文化培育中国语言学	许威汉	湖北大学学报·哲社版—1993,(5):112-120
语言札记三则	秦穗	语文月刊—1993,(6):5-6

从殷洪乔谈谦语文化	王希杰	语文学习—1993,(10):35-36
语词的文化资质	邓嗣明	阅读与写作—1993,(11):18
反切、四声与韵书的产生	杨荣祥	荆州师专学报·社科版—1994,(1):47-52
叶斯柏森学说与四十年代汉语语法学	李连进	广西师院学报·哲社版—1994,(1):66-72,90
汉语结果补语式的起源再探讨	宋绍年	古汉语研究—1994,(2):42-45
唐西州的译语人	李方	文物—1994,(2):45-51
中国文章史要略(西周至唐代)	程福宁	东疆学刊·哲社版—1994,(2):62-78
汉语语法学史的语素学考察	周一农	语文研究—1994,(3):16-20
佛教的东传与汉语的发展	罗春	语文月刊—1994,(3):22-23
汉字和汉语	华星白	解放军外语学院学报—1994,(3):47-51,56
我国速记学的演进与展望	庞麟	广西大学学报·哲社版—1994,(3):100-106
近代文化引进与汉语表述系统的更新	马怀荣	语言文字学—1995,(2):23-29
语言的罗网:谈语言塔布	刘宝俊	中南民族学院学报·哲社版—1995,(2):116-120
"背景语言"试探	龚重雅	语文教学与研究—1995,(4):35

研究方向、学术活动

期刊命名略析	孙力平	语文建设(北京)—1990,(3):25-29
中国现代语言学为何偏偏抛弃了孔子:论中国语言学的传统继承与未来发展	姚亚平	江西大学学报·社科版(南昌)—1990,(4):89-94
学报的标题语言	胡梅娜	河南大学学报·哲社版(开封)—1990,(5):116-119
论我国语言逻辑研究中面临的几大矛盾	胡泽洪	湖南师范大学社会科学学报(长沙)—1990,(6):13-15
当代社会语言学研究方法概述	[美]罗纳德·沃多夫	语言文字学(北京)—1990,(10):5-6
试论汉字、汉语、汉文句的关系	蔡勇飞	语言文字学(北京)—1990,(12):13-19
小议语言与文化心态	何方	语言美(昆明)—1991,(1):10①
语词·语用·语义	石云孙	安庆师范学院学报·社科版—1991,(1):39-46
关于语素理论的思考	陈重愚	汉字文化(北京)—1991,(1):42-53
试论现代语文学的研究对象	徐越化	南平师专学报·社科版—1991,(1):43-52
义素简论	王建	信阳师范学院学报·哲社版—1991,(1):94-98,71
论语法、语义、语用三结合进行语言研究	史锡尧	汉语学习(延吉)—1991,(2):1-5
现代汉语中的语法、语义和语用的相互作用	Chu,C.C.著;赵世开译	国外语言学(北京)—1991,(2):21-30
汉语无形态的多学科认同法研究	马啸	曲靖师专学报—1991,(2):25-29

说中国文化语言学的三大流派	邵敬敏	汉语学习(延吉)—1991,(2):27-30
试谈语句的内在矛盾	孙加厚	逻辑与语言学习(石家庄)—1991,(2):33-37
"东、西、南、北"及其文化内涵	范庆华	汉语学习(延吉)—1991,(2):35-37
言语中的虚实关系	郑远汉	逻辑与语言学习(石家庄)—1991,(2):38-41
语文运动的先驱 语文建设的巨匠：陈望道先生诞辰100周年纪念	陈光磊	语文建设(北京)—1991,(2):40-48
关于语言的语义与语感	曾宪柳	逻辑与语言学习(石家庄)—1991,(2):47-48
中国文化语言学的发展方向：兼评《中国文化语言学丛书》	李静	汉字文化(北京)—1991,(2):57-59
试论港台汉语与大陆汉语之差异及其发展趋势	顾兴义	广州师院学报·社科版—1991,(2):60-69
从汉语特有词类问题看语法的宏观研究	刘丹青	江苏社会科学(南京)—1991,(2):79-84
句间意义联系的形成条件初探	易匠翘	东北师大学报·哲社版(长春)—1991,(2):82-84
从反事实假设看汉语的高语境	李传全	海南大学学报·社科版(海口)—1991,(2):82-86,18
汉语社会语言学：一个待开发的大有可为的领域	何宝璋 [美]沈德思	世界汉语教学(北京)—1991,(2):85-89
汉语社会语言学：一个待开发的大有可为的领域	何宝璋 [美]沈德思	世界汉语教学(北京)—1991,(4):223-233
儿化和语言结构的变化	余志鸿	江苏社会科学(南京)—1991,(2):90-92
在语法研究中运用一点数学	沈开木	学术研究(广州)—1991,(2):94-98
汉族人的时间观念及其表达	金昌吉	河南大学学报·社科版(开封)—1991,(2):103-106,60
汉语正在走向世界	陈贤纯	现代中国—1991,(2):
语法研究座谈会纪要	《世界汉语教学》杂志编辑部,《语言教学与研究》杂志编辑部	语言教学与研究(北京)—1991,(3):4-20
汉语使成式的语义	Shou-hsin Teng(邓守信)著；廖秋忠译	国外语言学(北京)—1991,(3):29-35,16
礼、俗与语言	许嘉璐	北京师范大学学报·社科版—1991,(3):64-68
语义结构中的结果范畴浅论	李勉东	东北师大学报·哲社版(长春)—1991,(3):70-73
应当重视文献语言材料和方法的研究	朱承平	中南民族学院学报·哲社版(武汉)—1991,(3):114-120
80年代汉语语法研究的回顾与今后的任务	邵敬敏	世界汉语教学(北京)—1991,(3):153-160

标题	作者	出处
语言的连贯性(上)	章 熊	语文教学通讯(临汾)—1991,(4):8-11
模糊性语境的形成与运用	唐兆鹏	逻辑与语言学习(石家庄)—1991,(4):43-44
大学理科教材语言现象探析	褚福章	语言教学与研究—1991,(4):141-149
未晚斋语文漫谈	吕叔湘	中国语文(北京)—1991,(4):312-314
中国传统语言学在两个方面曾领先于欧洲	伍铁平	语言文字学(北京)—1991,(5):5-6
汉语与饮食文化	赵守辉	汉语学习(延吉)—1991,(5):22-26
中国文化语言学研讨综述	林归思	北方论丛(哈尔滨)—1991,(6):19-26,76
我国侦察语言学的缘起和发展	邱大任	语文建设(北京)—1991,(6):37-39
汉语与日本的对外意识	张宽信	湖南师范大学学报·社科版—1991,(6):96-99
四十年间	吕叔湘	语文建设(北京)—1991,(8):2
"黑、漆、七"和高涣之死及语言联想	王希杰	语文月刊(广州)—1991,(8):2-3
学习汉语的难和易	钱乃荣	语文学习—1991,(10):42-44
评80年代中国文化语言学之争：兼论语言研究的人文方法	姚亚平	语言文字学(北京)—1991,(11):10-17
杨树达语源学思想及其研究方法	徐 超	语言文字学(北京)—1991,(11):34-36
语文现代化之争述评	侯永正	辽宁师范大学学报·社科版(大连)—1992,(2):62-67
汉语文化语言学刍议	潘文国	汉语学习(延吉)—1992,(3):31-34
前苏联、波兰出版专书、专刊介绍中国语言学家著述	范俊军	语文建设(北京)—1992,(3):44
中国语言学的古典形态及其文化阐释	申小龙	辽宁师范大学学报·社科版(大连)—1992,(3):47-51,58
语文丛拾	张劲秋	学语文(芜湖)—1992,(3):48-封三,30
汉语研究的文化视界	余志鸿	汉语学习(延吉)—1992,(4):38-43
汉语语源研究的文化视角	陈建初	湖南师范大学社会科学学报(长沙)—1992,(4):115-119
创新和务实	吕叔湘	语文建设(北京)—1992,(6):8
简论佛教对汉语的影响	梁晓虹	汉语学习(延吉)—1992,(6):33-38
《语言之起源》补记	汤炳正	四川师范大学学报—1992,(6):53-55
语汇研究和语法研究	胡明扬	河北师院学报·社科版(石家庄)—1993,(1):6-10
明清欧人对中国语言文字的研究(一)	吴孟雪	文史知识—1993,(1):42-48
明清欧人对中国语言文字的研究(二)	吴孟雪	文史知识—1993,(2):40-45
明清欧人对中国语言文字的研究(三)	吴孟雪	文史知识—1993,(3):55-60
从《检论·清儒》看清代语言文字学的勃兴	刘兴均	成都大学学报·社科版—1993,(1):49-53
追寻中国古代的语言哲学	许国璋	中国语文(北京)—1993,(1):50-53
从汉语语法研究看中国语言学理论四十年	杨成凯	语言研究—1993,(1):65-81

标题	作者	出处
孔子语言观概论(上)	蔡育曙	云南民族学院学报·哲社版(昆明)—1993,(1):83-86
孔子语言观概论(下)	蔡育曙	云南民族学院学报·哲社版—1993,(2):77-82
古代汉语在西域	徐思益	语言与翻译—1993,(2):1-6
古代汉语在西域(续)	徐思益	语言与翻译—1993,(3):13-18
汉民族共同语的演变和推广	王兴佳	云南教育学院学报—1993,(2):78-82
焦点和两个非线性语法范畴:"否定""疑问"	徐杰 [美]李英哲	中国语文(北京)—1993,(2):81-92
洪堡特论汉语和汉字	姚小平	外语学刊(哈尔滨)—1993,(3):1-6
《史记》与汉代语言及关中方言	朱正义	渭南师专学报·社科版—1993,(3):5-18
加强应用研究是中国语言学的唯一出路	胡明扬	语言文字学—1993,(4):10
汉语言结构的历史文化根源	黄荣志	华南师范大学学报·社科版—1993,(4):66-74
我国当代语言学的四大用途	杜永道	阅读与写作—1993,(5):16
韩国的中国语教学与研究概述	[韩]李根孝	汉语学习—1994,(1):57-60
生产性双语现象考察	高一虹	外语教学与研究—1994,(1):59-64
双语交际的心理模式转换刍议	程克江	新疆大学学报—1994,(1):110-114,32
孔子言语行为思想的道德价值取向	陈汝东	淮北煤师院学报·社科版—1994,(1):124-127
谈双语——多语现象	田惠刚	语言教学与研究—1994,(1):143-152
韩国中国语言学研究概况	[韩]李根孝	天津教育学院学报·社科版—1994,(2):24-25
"双语"地名之我见	厉弘扬	语言与翻译—1994,(2):130
重视海外学者的汉语研究	胡明扬	语言教学与研究—1994,(2):135-138
"字"和汉语研究的方法论:兼评汉语研究中的"印欧语的眼光"	徐通锵	世界汉语教学—1994,(3):1-14
汉字是高级的书面语言:六论汉语文教学与索绪尔的贡献和局限	徐德江	汉字文化—1994,(4):4-5
汉语汉字文化的深入探讨:第三届全国文化语言学研讨会述评	金海澜	汉字文化—1994,(4):26-30
云南双语教学中的汉语方言问题	卢开礦	语文建设—1994,(4):33-35
古代语文传统的再研究与文化语言学的理论建设:评申小龙的《语文的阐释》	苏新春	汉字文化—1994,(4):45-48
立足汉语事实,着力理论探讨——《邢福义自选集》读后	眸子	语言教学与研究—1994,(4):76-82
建国以来语言文字工作综述	马孝义	殷都学刊—1994,(4):93-95
论双语交融过程中词语的规范	陈恩泉	学术研究—1994,(4):101-105
锡伯族中小学施行双语教学的意义及问题初探	何坚韧	语言与翻译—1994,(4):102-104
再论新疆的双语地名	牛汝极	语言与翻译—1994,(4):125-129

标题	作者	出处
汉语名词没有单复数语法范畴对汉人意识产生的影响	伍铁平	外语学刊—1994,(5):8-9,48
双语词典学研究大有作为	汪榕培	外语与外语教学—1994,(5):12-16
汉语0概念符号的历史来源和系统	唐建	中国语文—1994,(5):361-367
论符号学的研究对象	许艾琼	湖北大学学报·哲社版—1994,(6):77-81
近年来汉语口语研究成果与发展态势	张锐	语文建设—1994,(10):35-38
一九九三年近代汉语研究综述	王锳	语文建设—1994,(12):27-29
中国的语文现代化	周有光	语文建设通讯—1994,(45):1-4
加强"字"的研究,推进中国语言学的发展	徐通锵	语言文字应用—1995,(1):8-10
有关语言文字立法的几个问题:记专家学者语言文字立法研讨会	国家语委宣传政策法规室	语言文字应用—1995,(1):89-90
张琨时空二维研究模式述论:汉语史研究理论模式论之三	李葆嘉	徐州师范学院学报·哲社版—1995,(3):74-76
近代汉语上限问题讨论综述	张玉萍	河南大学学报·哲社版—1995,(4):52-55
关于分类的依据和标准	文炼	中国语文—1995,(4):256-259,288
对语言类型变化的一些看法	梁敏	民族语文—1995,(6):53-57
论中国语言学的现代化	申小龙	语言文字学—1995,(8):25-30
语言变革与中国近百年文化启蒙运动	肖同庆	语言文字学—1995,(8):31-36
语体障碍与语体转换	王春东	语文建设—1995,(10):29
关于语言及其类别与汉语言学发展走向若干问题的思考	陈功焕	语言文字学—1995,(12):123-125

书　评

标题	作者	出处
中学语文教材《汉语知识·句群》一文科学性商兑	张拱贵　沈春生	徐州师范学院学报·哲社版—1990,(3):125-130
《中国语文》1990年第1期读后	汪维辉	中国语文(北京)—1990,(6):463-464
心灵与现象——《语言心灵与意义分析》述评	陈弨	社会科学辑刊—1991,(2):38-41
中国语言学说史概览:评《中国历代语言学论文选注》	申小龙	青岛师专学报—1991,(2):58-61,48
《释名》语言学价值新论	卢烈红	武汉大学学报·社科版—1991,(2):92-97
评介新出高校教材《现代汉语》(钱乃荣主编)	施关淦　吕叔湘	中国语文(北京)—1991,(2):149-151
评申小龙的文化语言学理论:《汉语句型研究》读后	戴昭铭	汉语学习(延吉)—1991,(3):16-21

标题	作者	出处
论汉语宏观研究中的文化导入及某些偏差——兼评申小龙《论中国语言的艺术气质》	杨文全	北方论丛—1991,(5):41-48
现代西方语言学的述评和试用——评陈平《现代语言学研究》	王宗炎	外语教学与研究—1992,(2):67-72
《语言测试和它的方法》序	许国璋	外语教学与研究—1992,(2):73-74
一部必须认真修订的教材——林祥楣主编《现代汉语》补阙	严戊庚	新疆大学学报·哲社版—1992,(2):87-93
《语言文化社会新探》《异文化的使者——外来词》《文化的镜象——人名》《文化的撞击——语言交往》漫评	施一居	修辞学习—1992,(3):44
《中国古汉语学》序	徐复	徐州师范学院学报·哲社版—1992,(3):59-60
漫谈《胡同及其他》	姚小欧	读书—1992,(3):78-82
《语文论集》序	徐仲华	晋阳学刊(太原)—1992,(3):85-87
《语言与社会网络》简介	周红	国外语言学—1992,(4):14-16,13
《语言的演变》指要	胡平	语文教学与研究—1992,(9):30
钥匙、雕刀、标尺	文孟君	修辞学习—1993,(1):49
也谈"言语的生命意识"——钱冠连《言语的生命意识》读后	黄弗同	现代外语—1993,(1):64-65,33
全面反映中国语言文字学的历史与现状	马到	汉字文化(北京)—1993,(2):55-58
《优秀语言学博士论文丛书》介绍	王嘉龄	国外语言学—1993,(3):18-21
重读《方光焘语言学论文集》	卢英顺	赣南师范学院学报·社科版—1994,(3):43-47
中国的理论语言学——评《中国理论语言学史》	眸子	语言教学与研究—1993,(3):140-145
芳贺纯教授新著《语言心理学入门》	刘耀武	国外语言学—1993,(4):18-21
现代语言学的现代意识——读《赵元任语言学论文选》	邵敬敏	语文研究—1993,(4):56-57
从"仅"字说起——读张永言《语文学论集》札记	锐声	语文研究—1993,(4):58-59
语言:民族的历史记忆——评《汉语人文精神论》	王之江	沈阳师范学院学报·社科版—1993,(4):70-73
1992年中国文化语言学研究述评	邵敬敏	语文建设—1993,(5):6-8
1992年我国大陆出版的普通语言学著作评介	伍铁平	语文建设—1993,(11):7-9
化雅为俗说今译:古籍整理	刘烈茂	社科纵横—1994,(1):33-34,40
《书面藏语常用关联词用法举要》	更登	西南民族学院学报—1994,(1):104
祝畹瑾《社会语言学概论》评介	史宝辉	外语教学与研究—1994,(2):62-65

标题	作者	出处
中国的语言起源神话——《中国创世神话》读后	姚小平	外语教学与研究—1994,(2):68-70
汉语史研究的光辉篇章——评"汉语史断代研究丛书"	王炳英	中国图书评论—1994,(2):74-76
逻辑的方法与历史的方法相结合——读张会思的《文章学史论》	彭建明	中国文学研究—1994,(2):90
当代中国语言学的世纪变革——评八年来《北方论丛》开展的文化语言学论争	逸如 冯韧	北方论丛—1994,(3):11-13,28
评《汉藏语概论》	田福	语文研究—1994,(3):63-65
打开语言学宝库的金钥匙——评《现代语言学方法论》	邵敬敏	汉语学习—1994,(3):64-65
《中国理论语言学史》读后	姚小平	外语教学与研究—1994,(3):78
谈目前我国语言研究中的"文化过势"现象——兼评《国俗语义学——语言学的新进展》	田惠刚	名语教学—1994,(3):86-90
中国古代语言文献研究的又一硕果——《中国传统语言学要籍述论》评介	晓涵	古籍整理研究学刊—1994,(3):封底,6
《虚化论》评介	孙朝奋	国外语言学—1994,(4):19-25,18
方光焘与我国的理论语言学	边兴昌	南京大学学报·人文哲社版—1994,(4):32-40
读《新汉文化圈》	梅越	汉字文化—1994,(4):53-54
方经民的《现代语言学方法论》	陈宏珍	语文研究—1994,(4):59,34
人与动物的区别及其他——《语言学是一门领先的科学》读后	姚小平	外语教学与研究—1994,(4):64-67
五位著名中年语言学家自选集评介	麦耘	学术研究—1994,(4):99-100
语言学兴旺发展的标志:介绍我国第一部语言学年鉴	甘于恩	语文建设—1994,(5):23-24
文化语言学研究的理论探索——第三届全国文化语言学研讨会述评	木子	汉语学习—1994,(5):43-45
一部反映时代水平的学术丛书——简评《中年语言学家自选集》	季平	语文建设—1994,(6):39
博综约取,示人门径——《中国语言学要籍解题》评介	李行杰	语文建设—1994,(6):40-41
传扬我国现代语言计划——介绍《中国现代语言计划的理论和实践》	李振麟	学术月刊—1994,(7):111,25
1993年近代汉语研究综述	王英	语文建设—1994,(12):27-29
读太田辰夫《中国语历史文法·跋》	王魁伟	中国语文—1995,(2):158-160

伍铁平与《语言是一门领先的科学》	吴传飞 铁宗武	古汉语研究—1995,(增刊):93-95

汉　语

从"羊"字说到汉文化	韩少华	炎黄春秋—1991,(创刊号):86-87
重视语言的得体性:中国古人的言语准则之一	董　明	语言教学与研究(北京)—1991,(1):155-160
规范实用,切实有效简评《古代汉语精解》	沈锡伦	中文自学指导—1991,(2):21-22
论古人名字及其语文信息价值	郭文瑞	河北大学学报·哲社版—1991,(4):8-17
王力《古代汉语》有关语法问题商榷（上）	廖振佑	江西大学学报·社科版(南昌)—1991,(4):92-97
王力《古代汉语》有关语法问题商榷（下）	廖振佑	江西大学学报·社科版(南昌)—1992,(2):75-79
古人的"名"和"字"	徐　恒	中文自修—1991,(5):40-41
《释名》声训的文化内涵	卢烈红	中州学刊—1991,(5):82-87
汉学和西方汉学世界	阎纯德	中国文化研究—1993,(创刊号):153-160,163
汉语辞章学(一):概说	张志公	语文学习(上海)—1993,(1):4-6
汉语辞章学(二):说语言	张志公	语文学习(上海)—1993,(2):42-44
汉语辞章学(三):汉语简论	张志公	语文学习(上海)—1993,(3):36-38
汉语辞章学(四):语言的应用:简说"听说读写"(上)	张志公	语文学习(上海)—1993,(4):42-44
汉语辞章学(五):语言的应用:简说"听说读写"(下)	张志公	语文学习—1993,(5):35-37
汉语辞章学(六):篇章论(上)	张志公	语文学习—1993,(6):47-48
汉语辞章学(七):篇章论(中)	张志公	语文学习—1993,(7):47-48
汉语辞章学(八):篇章论(下)	张志公	语文学习—1993,(8):37-38
汉语辞章学(九):语汇论(上)	张志公	语文学习—1993,(9):47-48,30
汉语辞章学(十):语汇论(中)	张志公	语文学习—1993,(10):39-40,30
汉语辞章学(十一):语汇论(下)	张志公	语文学习—1993,(11):40-41
汉语辞章学(十二):语汇论(下)	张志公	语文学习—1993,(12):41-42
中国文化的民族性在汉语中的反映	刘新中	西部学坛—1993,(2):68-73
汉语的词义蕴含与汉字的兼义造字	董　琨	中国语文—1994,(3):226-230
"风"之谜和夷语走廊	尉迟治平	语言研究—1995,(2):24-37
汉语"吃~"类说法文化探源	筐为光	语言研究—1995,(2):170-176

古 汉 语

标题	作者	出处
"车错毂兮短兵接"非言"两军近战"	程邦雄	语言研究(武昌)—1990,(1):83-86
《新编古代汉语》刍议	江灏	湖南师范大学社会科学学报(长沙)—1990,(1):126-128
上古口语词溯源	唐钰明	语言文字学(北京)—1990,(11):67-71
《〈管子〉原本考》质疑	闻思	语言文字学(北京)—1990,(12):48
对两汉古今文经争论的反思	罗振跃	中山大学研究生学刊·社科版—1991,(1):32-37
文字狱的产生与类别:古代文字狱研究之一	谢苍霖	江西教育学院学报·综合版(南昌)—1991,(1):42-46
墨子与中国语文学	赵伯英	盐城师专学报·社科版—1991,(1):82-86
《古代汉语》札记	杨宝忠	河北大学学报·哲社版(保定)—1991,(1):82-88
汉语史断代专书研究方法论	程湘清	汉字文化(北京)—1991,(2):34-41
词义引申组系的"横向联系"	董为光	语言研究(武汉)—1991,(2):79-87
释《诗经》中"胡不",兼及 Contagion	李维琦	湖南师范大学社会科学学报(长沙)—1991,(2):80-83
阮元的小学成就及治学方法	顾之川	青海师范大学学报·社科版(西宁)—1991,(2):80-87
连词"所以"产生的时代与条件	甘子钦	西南师范大学学报·哲社版(重庆)—1991,(2):95,94
周代的"雅言"浅探	苏炳社	宝鸡师院学报·哲社版—1991,(2):98-101
《称谓录》及其作者梁章矩:兼论中国古代的称谓体系	李峻锷	上海师范大学学报·哲社版—1991,(2):135-139
就《司马光传注》的改笔谈古籍注释的标准	王同策	社会科学战线(长春)—1991,(2):340-343
从"右文说"产生的时代背景看其历史意义	王立军	语文学刊(呼和浩特)—1991,(3):34-37
谈文言文学习中释词与译句	秦玉鹏	中学语文教学(北京)—1991,(3):45-47
论老子的语言观和价值观	崔宜明	江苏社会科学(南京)—1991,(3):66-70
中国古代语法学发展缓慢原因之思考	郑贵友	延边大学学报·哲社版—1991,(3):82-87
中国古代的人文主义语言观	申小龙	复旦学报·社科版—1991,(3):86-92
论王国维驾驭古音学的学术效益	姚淦铭	南京师大学报·社科版—1991,(3):96-101
对郭编《古代汉语》的几点质疑	范天成	西北大学学报·哲社版(西安)—1991,(3):115-120
论古人名字及其语文信息价值	郭文瑞	河北大学学报·哲社版(保定)—1991,(4):8-17
孙文昱是《广韵》五十一声类说的创始人	王平	汉字文化(北京)—1991,(4):57-62
扬雄的语言观及其《方言》的价值	康建常	语言文字学(北京)—1991,(4):143-148
《古汉语的词义渗透》献疑	朱城	中国语文(北京)—1991,(5):390-392

论宋明时代的语言研究	赵振铎	湖北大学学报·哲社版—1991,(6):77-83,76
《左传》"相从为愈"旧解辨正:兼及"相"由正到偏之演进	周之朗	北京师范大学学报·社科版—1991,(6):83-86,112
古代汉语词义的整体贯通与中国文化词汇学	宋永培	语言文字学(北京)—1991,(7):58-67
古词语的确定及其范围	王吉辉	语言文字学(北京)—1991,(7):69-72
古汉语中的"说"	郭飞	语文教学之友(廊坊)—1991,(12):36
古汉语"仿佛"与"若"并非同义词:与康苏商榷	张寒松	中学语文教学(北京)—1991,(12):40-41
汉唐训读和汉藏语言比较举隅	黄树先	语言研究(武汉)—1991,(增刊):51-52
古代汉语单音词发展为复音词的转化组合	何耿镛	厦门大学学报·哲社版—1992,(1):116-119,109
对中国语言及古籍《经》和《传》的重新认识	靳极苍	山西大学学报·哲社版(太原)—1992,(2):7-9
文言对话艺术中的一朵奇葩:中学文言中相近语义重复对话语的例论析	于衍存 于春海	东疆学刊·哲社版(延吉)—1992,(2):22-25
评古汉语词义研究的逻辑取向	张希峰	东北师大学报·哲社版(长春)—1992,(2):84-87
汉语史料学概论	曹培根 曹炜	语言文字学(北京)—1992,(2):140-144
《西夏记》断句、标点商兑	王勇	宁夏大学学报·社科版(银川)—1992,(3):49-55
《中国古汉语学》序	徐复	徐州师范学院学报·哲社版—1992,(3):59-60
洞庭地区古代方言初探	张步天	益阳师专学报—1992,(3):67-70,95
汉魏六朝语言研究与古代疾疫	王云路	杭州大学学报·哲社版—1992,(3):131
《论语》在古代汉语发展史上的贡献	常林炎	语文研究(太原)—1992,(4):25-28
论范仲淹对北宋古文运动的贡献	洪本健	华东师范大学学报—1992,(4):53-56,15
孔子的语言观	卢文同 丁恒顺	河南大学学报·社科版(开封)—1992,(5):88-90
论原始汉语有形态变化说	冯英	云南师范大学哲学社会科学学报(昆明)—1992,(6):76-83
《管锥编》句样论	臧克和	学术月刊(上海)—1992,(10):53-58
1991年的训诂学研究	王宁	语文建设(北京)—1992,(11):10-11
略论宋代禅学的新特点	洪修平	南京大学学报·哲社、人文版—1993,(1):29-34
谈谈《古汉语读本》的编写原则	刘永山 杨丽珠	世界汉语教学(北京)—1993,(1):63-65
于阗经文中"作茧自缚"的来源	段晴	民族语文(北京)—1993,(1):63-66
旧时书信的礼貌用语	粟季雄	语文月刊(广州)—1993,(2):25
一字千金:郭沫若为《胡笳十八拍》"拍"字进一解	肖武	语文建设(北京)—1993,(2):44
汉语单音词溯源:关于汉语发生学的初步思考	饶尚宽	新疆师范大学学报·哲社版—1993,(2):55-61

标题	作者	出处
孔子人文语言思想刍议	张永隆	青海民族学院学报·社科版—1993,(2):105-110
《本草纲目》中"释名"的词源学价值	盛九畴	语文研究—1993,(3):7-11
汉文中阿拉伯数字使用的历史发展	凌远征	语文建设(北京)—1993,(3):8-10
谈谈会意字辨析	周兆道	西北大学学报·社科版—1993,(4):40-41
《墨经》的语义学	孙学钧	湖北大学学报·哲社版—1993,(4):43-50
利用佛经材料考察汉语词汇语法史札记	唐钰明	中山大学学报·社科版—1993,(4):91-94
上古汉语的大名冠小名语序	孟蓬生	中国语文—1993,(4):301-307
古书异文解释中的问题例说	王彦坤	中国语文—1993,(4):312-313
词义引申的系统性例谈	周守晋	语文月刊—1993,(5):6-7
谈尚五	张德鑫	汉语学习—1993,(6):34-39
《诗经》对中国语言文化隐喻品性形成的影响	王长华	天津师大学报·社科版—1993,(6):56-62
中国语境中的诠释循环	王宇根	文艺理论研究—1994,(1):32-38
注释杂记	王安节	松辽学刊·社科版—1994,(1):46-49
古汉语注释补正释例——兼谈古书注释中的几个问题	王世贤	松辽学刊—1994,(1):50-54
"橐"、"櫜"辨释	黄金贵	徐州师范学院学报·哲社版—1994,(1):57-58,73
方言证诂劄记	黄群建	湖北师范学院学报·哲社版—1994,(1):58-64
孔疏释词论略	赵小刚	宁夏大学学报—1994,(1):61-66
谈"转注"——兼及"六书"的分类	孙成田	辽宁教育学院学报—1994,(1):69-72
义训是一种训诂方法吗？	朱志军	河池师专学报·社科版—1994,(1):73-76
训用"互文"、"对文"、"释义"	杨冠华	牡丹江师院学报·哲社版—1994,(1):76
当前注解古书的几个问题	路广正	山东大学学报·社科版—1994,(1):84-88
"对文证义"说略	曹文安	信阳师院学报—1994,(1):92-94
近十年来中国训诂学之我见——从十部训诂学概论谈起	白兆麟	社会科学战线—1994,(1):272-277
我看古籍今译	刘梦溪	北京日报—1994,(2):16,7版
古汉语代称中的语义变异	周国光	学语文—1994,(2):42-43
释"辰"	张闻玉	贵州大学学报·社科版—1994,(2):53-62
论注释与训诂和古籍整理研究的关系	管锡华	安徽教育学院学报·社科版—1994,(2):58-62
魏晋"言意之辩"新析	徐阳春	绍兴师专学报—1994,(2):63-66
试论"女书"译释中应该注意的几个问题	唐功晖	中南民族学院学报·哲社版—1994,(2):75-79
《孟子译注》商兑三则	汪贞干	古汉语研究—1994,(2):86-88
《史记·三晋世家》注释商兑	谢孝苹	晋阳学刊—1994,(2):104-109
中国境内远古人类的语言起源时代的初步研究	刘民钢	上海师范大学学报·哲社版—1994,(2):105-111

标题	作者	出处
论先秦两汉汉语	赵振铎	古汉语研究—1994,(3):1-4,86
古籍名著译中误解字词古义举例	时永乐	古籍整理研究学刊—1994,(3):21-23
单字的形义及有关训诂问题	何金松	古汉语研究—1994,(3):41-44
高中语文通假字注释质疑——兼评《辞海》《辞源》对某些字的处置	黎曙光	语文学刊—1994,(3):42-45
简论《周易》语言的涵盖性	马恒君	逻辑与语言学习—1994,(3):44-45
古汉语"四字格"与语音修辞	李索	逻辑与语言学习—1994,(3):46-47
胡三省论注书(上)	陈国本	盐城师专学报—1994,(3):47-52
胡三省论注书(下)	陈国本	盐城师专学报—1994,(4):60-64
《说文》中的"否定训释法"	杨荣祥	古汉语研究—1994,(3):50-57
古文名篇注解献疑	尹君	古汉语研究—1994,(3):58-59
"擢德塞性"考辨	赵季	南开学报·哲社版—1994,(3):59-60
历代关于反训的研究	余大光	贵州文史丛刊—1994,(3):70-74
古代汉语的文化特征	申小龙	浙江社会科学—1994,(3):79-84
试论秦国历史上的三"书同文"	赵平安	河北大学学报·哲社版—1994,(3):81-84
马译《世说新语》商兑续貂(一)——为纪念吕叔湘先生九十寿辰作	张永言	古汉语研究—1994,(4):1-16
马译《世说新语》商兑续貂(二)	张永言	古汉语研究—1995,(1):1-13
传神达意译《诗经》	汪榕培	外语与外语教学—1994,(4):11-15
关于"反水浆"、"反坐"、"反左书"、"反侧"等词语的训释:兼与《辞源》、《辞海》、《汉语大词典》商榷	刘喜军 曾宪群 蒋南华	贵州师范大学学报·社科版—1994,(4):13-16
传注训诂初探	刘塞曦	云南教育学院学报—1994,(4):84-88
谈十三经及《诸子集成》的全译——《评析本白话十三经》和《评析本白话诸子集成》读后	赵诚	古汉语研究—1994,(4):91-95
音转研究述要	孙雍长	河北师院学报·社科版—1994,(4):131-136
语词考释二则	马国强	语文知识—1994,(5):31-33
《诗》训零补	吕朋林	古籍整理研究学刊—1994,(5):36-39
《尔雅义疏》增附式释义疏误略说	李亚明	古籍整理研究学刊—1994,(5):44-45
词类活用的"公式法"翻译例谈	蒋述塘 刘爱民	语文教学与研究—1994,(6):40
《孔雀东南飞》注商	木言	学语文—1994,(6):42-46
汉代散文名篇词语通解二则	王发国 李彤	西南民族学院学报—1994,(6):53-57
《水书》中的干支初探	刘日荣	中央民族大学学报—1994,(6):80-86
关于"七曜"的排列	符达维	中国语文—1994,(6):474
当代诠释学中的间距概念	潘德荣 彭启福	哲学研究—1994,(8):53-59
古代"席礼"例说	唐遇春	语文教学之友—1994,(11):37

对训诂学发展的思考	许嘉璐	语文建设—1994,(12):25-26
宋元明市语略论	王 英	语言研究—1995,(1):1-6
说"雅正":中国古代语文规范理论初探	戴昭铭	复旦学报·哲社版—1995,(2):103-109,54
战国时期语言文字的变迁	史 鉴	语文建设—1995,(3):45-46
《中国历代文学作品选》札记	袁津琥	古汉语研究—1995,(4):57-58
简化古代汉语与我国传统思维方式的相互影响	张晓虎	齐齐哈尔师院学报—1995,(4):72-77
《正字通》版本及作者考	[日]古屋昭弘	中国语文—1995,(4):306-311
论先秦名家的符号学	李先焜	湖北大学学报·哲社版—1995,(5):78-85
易占:古代的预测推理	陈宗明	湖北大学学报·哲社版—1995,(5):86-92
《论语》阐释比较札记	周光庆	华中师范大学学报·哲社版—1995,(5):93-98
龙的秘密	何金松	华中师范大学学报·哲社版—1995,(5):99-104,111
古文的"互文见义"	陈 绂	语文建设—1995,(6):28-30
从词的运用上揭示《列子》伪书的真面目	马振亚	吉林大学社会科学学报—1995,(6):77-80
"牺牲"的文化来源	雷汉卿	语文建设—1995,(7):26-27
谶纬中的文字应用	史 鉴	语文建设—1995,(7):46-47
文化阐释:中国古代语言学之源	申小龙	语言文字学—1995,(11):38-42
《汉书·艺文志》所载小学著作研究	陈黎明	语言文字学—1995,(11):43-47

校 勘 和 标 点

《永乐大典戏文三种校注》补正	王季思 康保成	文献—1991,(1):3-13
中华版古籍标点献疑	董志翘	古籍整理研究学刊—1991,(1):30-34
《宋高僧传》标线浅谈	张兆英	古籍整理研究学刊—1991,(1):35-37
古汉语中的插入语及其句读问题:从《鲁仲连义不帝秦》中的一句标点说起	刘 贞	营口师专学报·哲社版—1991,(1):47-48
论古书异文之间的关系	王彦坤	古汉语研究—1991,(1):84-87,89
《荀子简释》校勘真相管窥	张 觉	学术研究—1991,(1):127-134
《敦煌写本王梵志诗汇校》商补	王 锳	贵州民族学院学报·社科版—1991,(2):16-21
《世说新语》校议	吴金华	古籍整理研究学刊—1991,(2):26-30
《李陵变文》补校	刘瑞明	喀什师范学院学报—1991,(2):70-75
《敦煌唐人诗集残卷(伯2555)补录》校勘斠补	熊 飞	敦煌研究—1991,(2):93-94
标点古文应顾及文意	张永芳	辽宁教育学院学报—1991,(2):96

《世无匹》校记	辜美高	江汉大学学报·综合版—1991,(2):113-117
帛书《老子》和通行本的文字差异	毛远明	四川师范学院学报·哲社版—1991,(2):143-151
说"校雠"	王朝彬	辞书研究—1991,(2):149-151
论段、顾之争对乾嘉校勘学的影响	漆永祥	古籍整理研究学刊—1991,(3):13-16
《盐铁论》校释一脔	周乾溁	古籍整理研究学刊—1991,(3):26-29
《后汉书》校勘一得	彭华	古籍整理研究学刊—1991,(3):30
《中国历史文选》(下)校注商榷	修晓波	古籍整理研究学刊—1991,(3):31-34
《宋史》点校本献疑	张其凡	古籍整理研究学刊—1991,(3):35-37
许浑《丁卯集》叙录补正	拓晓堂	文献—1991,(3):36-40
《卢照邻集、杨炯集》校勘拾遗	卢红	古籍整理研究学刊—1991,(3):38-40
贯休诗歌订补	刘芳琼	文献—1991,(3):41-56
《渤海国志长编》(上册)校点校勘	张钧	牡丹江师范学院学报·哲社版—1991,(3):80-85
《武威汉代医简》释文再补正	陈国清	考古与文物—1991,(3):91-93
《逸周书》各家旧校注勘误举例	黄怀信	西北大学学报·哲社版—1991,(3):108-114
新版《苏轼诗集》断句标点纠误	吴雪涛	古籍整理研究学刊—1991,(4):1-7
苏轼诗注举正——兼论《苏轼诗集》的校勘	郭天祥	古籍整理研究学刊—1991,(4):8-13
《建康实录》校点本訾议	刘浦江	古籍整理研究学刊—1991,(4):14-17
《建康实录》标点献疑	蒋宗许	古籍整理研究学刊—1991,(4):18-21,17
《周易》标点的若干原则问题	詹鄞鑫	天津师大学报·社科版—1991,(4):69-74,63
钟嵘《诗品》校证举隅	曹旭	上海师范大学学报·哲社版—1991,(4):74-80,91
古书校读法略论	宋子然	四川师范大学学报·社科版—1991,(4):92-99
"半菽"与"卒乘"——辞书勘误二则	姚永铭	上海大学学报·社科版—1991,(4):94-97
读武威汉简本《仪礼》札记四则	李中生	暨南学报·哲社版—1991,(4):102-103
《韩子浅解》校勘失误管窥	张觉	河北师院学报·社科版—1991,(4):110-115,126
《章太炎全集(二)》标点辨误	顾义生	古籍整理研究学刊—1991,(5):23-31
古文标点与古代汉语形式标志	王元鹿	中文自学指导—1991,(5):37-39
《〈赤牍清裁〉点校》跋	邓元煊	四川图书馆学报—1991,(5):71
《小尔雅义证》引例校证	子叶	四川师范学院学报·哲社版—1991,(5):145-146
古籍译注释词的一条重要原则——谈贾公彦的"望文为义"说	孙良明	古籍整理研究学刊—1992,(1):13-15,36
《博物志校证》札记	卢红	南京师大学报—1992,(1):57-58
《孟子》"环"为筮名疏	杨清澄	怀化师专学报—1992,(1):63,66
杨伯峻《左传注》献疑(续)	汪贞干	怀化师专学报—1992,(1):66-71
《武经七书注释》商榷(续)	曾钢城	怀化师专学报—1992,(1):72-74
关于古籍整理的几个问题	王树民	河北师院学报·社科版(石家庄)—1992,(1):102-105
陆游"诗家三昧"辨	莫砺锋	南京大学学报—1992,(1):120-128

对《七发》"观涛"一节几个注释的商榷	元 木	河北师大学报·社科版—1992,(2):30-31
《易传》注释订误	李炳海	古籍整理研究学刊—1992,(2):4-7
《信陵君窃符救赵》注商	周 正	语文教学通讯—1992,(2):63
汉魏六朝翻译佛经释词	方一新	语文研究—1992,(2):156-160
古文今译的真善美——从《屈原列传》的多种今译本说起	夏俊荣	修辞学习—1992,(3):20-22
"中寿,尔墓之木拱矣"臆解	贾 骏	古籍整理研究学刊—1992,(3):28-31
卜辞"受䆃年"新解	朱 桢	郑州大学学报·哲社版—1992,(3):44-50
与先秦两汉冠服文化相关的词语考释	杨学军	北京师范学院学报·社科版—1992,(4):14-19
对《捕蛇者说》中一条注释的商榷	边之文	语文教学通讯—1992,(4):64
《经传释词》黄侃批语略评	杨合鸣	武汉大学学报·社科版—1992,(4):103-106
骆宾王诗文词语释	樊维纲	杭州师范学院学报—1992,(5):14-21
《唐文选》注商	管锡华	古籍整理研究学刊—1992,(6):1-4
古代典籍天文词语钩沉(之一):兼谈词语的文化宿主	张振兴	吉林大学社会科学学报(长春)—1992,(6):7-12
《〈论诗绝句辑注〉注商》之注商	刘世南	古籍整理研究学刊—1992,(6):34
论校勘与句读	任 远	语言文字学(北京)—1992,(6):127-133
《赤壁之战》注释商补	周 正	语文教学通讯—1992,(7):64
古文注释十则辨析	张显峰	语文教学与研究—1992,(11):42,17
"蹈其背以出血"解	林 森	语文教学与研究—1992,(11):44
《老乞大谚解》《朴通事谚解》汉文本序	朱德熙	语文研究(太原)—1993,(1):1
《古文观止》注译存在的问题	汪贞干	上海教育学院学报—1993,(1):23-26
诠释的循环	潘德荣	探索与争鸣—1993,(1):24-30
释咸说盐	阿 波	文史杂志—1993,(1):27-28
注释拨疑四则	木 言	学语文—1993,(1):36-37
《古代汉语》注释斟酌	白 平	山西大学学报·哲社版(太原)—1993,(1):51-55
从语言风格看《远游》非屈原所作	雷庆翼	衡阳师专学报·社科版—1993,(1):53-57
《尚书易解》注商	汪贞干	武汉教育学院学报·哲社版—1993,(1):75-80
《世说新语校笺》标点献疑	骆晓平	湖北民族学院学报·社科版—1993,(1):88-91
再谈文言文的语言分析	张九林	淮北煤师院学报·社科版—1993,(1):88-95,78
关于若干古汉语词汇和句子的释义——与余福智、江瑞娟二先生商榷	吴宝祥	佛山大学学报—1993,(1):89-94
高中文言文个别词语注商	刘剑三	海南师院学报—1993,(1):124-126
文心雕龙范注补(续三)	霍玉厚口述 霍恒昌笔录	社会科学辑刊—1993,(1):147-148
文心雕龙范注补(续四)	霍玉厚口述 霍恒昌笔录	社会科学辑刊—1993,(2):148-149
文心雕龙范注补(续五)	霍玉厚口述 霍恒昌笔录	社会科学辑刊—1993,(3):146-147

文心雕龙范注补(续六)	霍玉厚口述 霍恒昌笔录	社会科学辑刊—1993,(4):143-144
古文点注疑误举例	隋文昭	古籍整理研究学刊—1993,(2):34-36
《后出师表》标点商榷一则	徐 澄	古籍整理研究学刊—1993,(2):37,33
古书疑正二则	廖柏昂	宜昌师专学报·社科版—1993,(2):42-43,25
试论训诂与广义校勘的关系	吕友仁	河南师范大学学报·哲社版(新乡)—1993,(2):48-52
对沈玉成《左传译文》中一些词句的浅见	贾则复	陕西师大学报·哲社版—1993,(2):115
初中文言教材注释指瑕	冯国生	学语文—1993,(3):8-9
也谈古文今译的真善美——从《归去来辞》、《滕王阁序》谈辞赋、骈文的今译问题	沙 勤	修辞学习—1993,(3):10-11
《古代汉语》六朝文选注解拾遗	朱 城	古籍整理研究学刊—1993,(3):10-14
《〈孟子〉译注》误读一例	傅庭林	沈阳师范学院学报·社科版—1993,(3):56
王力先生主编《古代汉语》两条注释的商榷	贾玉琦	锦州师院学报·哲社版—1993,(3):113
《孟子》误读一例	王 晖	陕西师大学报·哲社版—1993,(3):114
古籍译注依据句法结构释义的一范例——读马瑞辰《毛诗传笺通释》	孙良明	古籍整理研究学刊—1993,(4):8-11
论注释典故六难	管锡华	古籍整理研究学刊—1993,(4):12-14,20
"客何为者"补释	刘光明	学语文—1993,(4):27-28
古文标点勘误一例	吴 敢	徐州师范学院学报·哲社版—1993,(4):82
中学语文课本古文注释献疑	高 辉	河北师范大学学报·社科版—1993,(4):85-88
古籍今译与"信、达、雅"	张清常	语言教学与研究—1993,(4):123-128,144
"死且不朽"释	周建成 冯汝汉	语文学刊—1993,(6):44-45
几种早期《诗经》注文的比较研究	祝敏彻	湖北大学学报·哲社版—1993,(6):67-72
《湘山野录》《玉壶清话》点校疑误举例	蒋宗福	古籍整理研究学刊—1994,(1):25-28
两《唐书》校读札记	丁 鼎	古籍整理研究学刊—1994,(1):33-35
《魏书》点校商榷七十例	高振铎	古籍整理研究学刊—1994,(1):36-41
《全元散曲》校议	李立成	古汉语研究—1994,(1):40-44
《唐会要》人名校考	陈冠明	古籍整理研究学刊—1994,(1):42-48
《史记·礼书·乐书》的标点举误	张家英	绥化师专学报—1994,(1):58-61
陆佃的《埤雅》及其学术价值	夏广兴	上海师范大学学报·哲社版—1994,(1):62-67
敦煌唐写本《西京赋》残卷校诂	伏俊连	敦煌研究—1994,(1):88-94
《山海经校注》"珂案"音释献疑	李无未	古籍整理研究学刊—1994,(2):17-19,16
《太平广记选》校语辨正	范崇高	古籍整理研究学刊—1994,(2):20-24
《客窗闲话》标点举误	周志锋	古籍整理研究学刊—1994,(2):25-32
《三国志》点校本专名号问题	周国林	古籍整理研究学刊—1994,(2):32-36

校勘是释义的前提:兼评《盐铁论简注》的注释	白兆麟	安徽大学学报·哲社版—1994,(2):33-36
《金薤琳琅》成书年代及版本考	李玉奇	古籍整理研究学刊—1994,(2):37-39
关于"弗可赦也已"的标点商榷	郁浓	贵州师范大学学报·社版版—1994,(2):72
古籍点校勘误二例	张新民	贵州师范大学学报·社科版—1994,(2):75
《欢喜冤家》断句举误	阜东	山西大学学报·哲社版—1994,(2):86-89
古籍中的独词与断句错误例析	王晖	陕西师大学报·哲社版—1994,(2):101
《西游记》校注匡补	王恺	南京师大学报·社科版—1994,(2):116-119
《琵琶行》的补注及校注	沈家仁	贵州教育学院学报·社科版—1994,(3):13-16
敦煌古藏文拼写的南语卷文的释读问题	陈宗 王健民	中国藏学—1994,(3):55-78,43
《词诠》引《左传》而误注引出处勘正	张在云	云南教育学院学报—1994,(3):62-64
新编诸子集成本《墨子闲话》点校失误指正	张新武	古汉语研究—1994,(3):87-90
《墨子闲话》标点订误	余国庆	古籍整理研究学刊—1994,(4):7-11
传世经典匡谬三则:出土文物研究札记	张显成	古籍整理研究学刊—1994,(4):26-29
唐代典籍注释方法论初探	王勋敏	湖北大学学报·哲社版—1994,(4):63-66
《天地阴阳交欢大乐赋》校补	伏俊连	古汉语研究—1994,(4):71-74
《抱朴子内篇校释》断句误一例	刘钊	古汉语研究—1994,(4):75
《元曲选》点校之误举隅	邓兴锋	晋阳学刊—1994,(4):109-112
《资治通鉴》标点献疑	邱进之	古籍整理研究学刊—1994,(6):30-32
《孔雀东南飞》训诂三则	于其	中学语文教学—1994,(10):38-39

现 代 汉 语

山东方言与社会文化二题	曹志耘	山东大学学报·哲社版—1991,(1):6-10
试论现代汉语行为方式的几个问题	[苏]郭特立波,O.	语言教学与研究(北京)—1991,(1):14-23
汉语种种(一)	倪培森	语言美(昆明)—1991,(1):25②
汉语种种(二)	倪培森	语言美(昆明)—1991,(2):25②
汉语种种(三)	倪培森	语言美(昆明)—1991,(3):25②
汉语种种(四)	倪培森	语言美(昆明)—1991,(4):25②
汉语信息点的表达法	方舟	逻辑与语言学习(石家庄)—1991,(1):41-43
语野问答(一)	史有为	汉语学习(延吉)—1991,(1):48-51
语野问答(二)	史有为	汉语学习(延吉)—1991,(2):41-42
语野问答(三)	史有为	汉语学习(延吉)—1991,(3):50-封三
语野问答(四)	史有为	汉语学习(延吉)—1991,(4):50-封三
语野问答(五)	史有为	汉语学习(延吉)—1991,(5):49-封三

语野问答(六)	史有为	汉语学习(延吉)—1991,(6):45-49
语野问答(七)	史有为	汉语学习(延吉)—1992,(1):48-51
汉民族文化与汉文汉语(上)	曹铁根	湘潭师范学院学报—1991,(1):64-70
文字与文学的关系面面观	王清林	学习与探索—1991,(2):115-119
"慢"话	王希杰	语文月刊—1991,(3):7-8
谈汉文化的汉语表征	刘宁	天津商学院学报—1991,4.29-35
论文化因素对词义的影响	刘顺	济宁师专学报·社科版—1991,(4):63-66
从"十三点"说起——数字吉凶象征的中外不同文化审美因素窥探	张德鑫	语言教学与研究—1991,(4):124-140,55
汉语与饮食文化	赵守辉	汉语学习—1991,(5):22-26
农业文化和语言映证	刘丹青	中文自学指导—1991,(6):34-35
数字的数学意义和文化意义(二)	刘丹青	学语文—1991,(6):47-封三
数字的数学意义和文化意义(三)	刘丹青	学语文—1992,(1):47-48
数字的数学意义和文化意义(四)	刘丹青	学语文—1992,(2):46-47
语言接触中的文明崇拜心理	黄明明	语文建设(北京)—1991,(8):16-18
饭店的标志字及其名称的美学意义	赵永新	语文建设—1991,(9):14-17
语言与服饰文化	岑运强	百科知识—1991,(9):20-21
试谈社会语言学	文薇	保山师专学报·综合版—1992,(1):28-31
未晚斋语文漫谈	吕叔湘	中国语文(北京)—1992,(2):150-151
语文现代化运动的成果不容否定	陈常新	语文建设(北京)—1993,(4):6-8
让汉语文站在巨人的肩膀上:回应黄、李、左、姚	孔宪中	语文建设通讯(香港)—1993,(39):44-50
著名语言文字学家论汉语汉字	田福口	汉字文化—1994,(2):57-61
"当代汉语"及其特点	马孝义	河南师范大学学报·哲社版—1994,(3):71-74
体态语琐谈	刘学柱	语文知识—1995,(7):2-5

汉族共同语问题

词语的总称和特称同体与社会文化心理的关系举例	邹哲承	汉语学习(延吉)—1991,(1):32-34
澳门的三语流通与中文的健康发展	程祥徽 刘羡冰	中国语文(北京)—1991,(1):41-46
浅论清代满族改操汉语问题:兼谈满汉民族关系	王会银	中央民族学院学报(北京)—1991,(4):63-69
论汉语中粗俗语言的社会文化内涵	王燕	营口师专学报·哲社版—1992,(1):10-12
论现代汉语语法的偶发义	姚锡远	河北大学学报·社科版(保定)—1992,(2):30-38
试论港台汉语与大陆汉语之差异及其发展趋势	顾兴义	广州师院学报·社科版—1992,(2):60-69
台湾汉语变异漫谈	林文金	修辞学习(上海)—1992,(3):4-7

题名	作者	出处
从汉民族具象思维的角度对汉语进行审视	梅立崇	世界汉语教学(北京)—1992,(3):173-178
人称与称谓中的排行	鲁健骥	世界汉语教学(北京)—1992,(3):232-236
汉民族共同语的确立	王兴佳	文史知识—1992,(5):12-13
马来西亚教育部副部长冯镇安支持在马推广华语		语文建设—1992,(6):19
第一要素	刘绍棠	语文建设(北京)—1992,(6):20
华夏人名文化一瞥	郑宝倩	语文建设(北京)—1992,(10):42-43
台湾与大陆华语文书面语的差异	游汝杰	语文建设—1992,(11):14-16
试论汉民族言语交际准则	杨晓黎	江淮论坛—1993,(2):104-109
新时期新词语研究述评	姚汉铭	汉语学习—1993,(4):27-32
中国姓氏的进化及不同方言区的姓氏频率	杜若甫 袁义达	中国社会科学—1993,(4):177-190
弄清词语的来龙去脉	陈建民	语文建设—1993,(7):24-26
全面继承文言活的部分丰富与发展现代汉语提高现代人的表达力:语文科发展趋向管窥	杜常善	汉字文化—1994,(1):28-31,27
中华爱国哲人安子介先生义责侮辱中国语文的谬说	李涛	汉字文化—1994,(2):10-14,24
现代汉语双方言和民族共同语	刘海章	荆门大学学报·哲社版—1994,(2):74-78
文言性质新论:古代汉民族共同语说述略	晏鸿鸣	语言文字学—1994,(3):43-48
吃与中国文化漫谈	温锁林	汉语学习—1994,(3):53-54
关于汉语语文学特点的思考	张国功	南昌大学学报·社科版—1994,(3):115-120
试谈对我国少数民族学生汉语教学的性质和特点	丁文楼	语文建设—1994,(4):27-29
海外华语与现代汉语的异同	田惠刚	湖北大学学报·哲社版—1994,(4):73-79
谈两岸语言文字的统一	王兴佳	语言文字学—1994,(5):12-13
语言文字管理要尽快立法	许嘉璐 葛志成	语言文字学—1994,(5):43-44
语言中的不变量	尹斌庸	语文建设通讯—1994,(43):58-62
汉语建设试议及其他:兼作"综合汉语"等的回应	史有为	语文建设通讯—1994,(43):63-71
积极施行双语制:关于海南省语言规划的探讨	宫日英	海南大学学报·社科版—1995,(1):15-22
"中国语文现代化"献疑	郎铸	汉字文化—1995,(1):34-36
回族话是汉民族共同语的民族变体	高莉琴	语言与翻译—1995,(2):21-23
试论语言文字的法制建设问题	王铁琨	语言文字应用—1995,(3):2-8
汉民族共同语的特点	何知	语文世界—1995,(3):44-45

经济建设和社会发展亟需加强语言文字工作:国家语委主任许嘉璐访谈录	孟　涛 叶　青	语文世界—1995,(4):4-5
"两岸语文问题比较研究"计划简介	(台湾)竺家宁	语文建设—1995,(11):40-41

规 范 化 问 题

论汉语规范化的层次性	周　一　农	语文建设(北京)—1990,(3):37-39
语文规范工作40年	吕　冀　平 戴　昭　铭	语文建设(北京)—1990,(4):18-26
纠正社会用字混乱现象	徐　思　益	新疆日报—1991年1月24日2版
有章必循　有字须究	陈　汝　立	新疆日报—1991年1月24日2版
社会因素对语言使用的影响:兼论目前的"闽粤方言热"	陈　松　岑	语文建设(北京)—1991,(1):31-32
消除社会用字混乱,需要全社会的重视	艾力·阿比提著;王振本译	语言与翻译(乌鲁木齐)—1991,(1):40-42
社会用语规范	徐　菊　秀	汉语学习(延吉)—1991,(1):46-47
谈谈报刊语言规范化问题	徐　世　杰	祁连学刊—1991,(1):117-126
使用规范的简化汉字人人有责	刘　元　璋	语文学习—1991,(2):8-9
出席《汉字简化方案》公布35周年纪念代表呼吁整顿社会用字混乱现象	李　泓　冰	语言文字学(北京)—1991,(2):19
词语的联接作用与隔离作用:兼谈语言的规范原则	雷　友　梧	汉语学习(延吉)—1991,(2):23-26
社会用字必须规范化	张　建　升	平原大学学报—1991,(2):55-57
语言文字的规范化与振兴中华息息相关	高　润　华	语文建设(北京)—1991,(3):25-26
与"研究生"有关的一些用语有待规范:社会用语规范杂议	史　锡　尧	语文建设(北京)—1991,(3):46-47
必须认真做好社会用字管理工作	张　　静	语文建设(北京)—1991,(4):14-16
论汉语"繁化"之成因	元　鸿　仁	宁夏大学学报·社科版(银川)—1991,(4):62-67
首都举行纪念《人民日报》关于语言规范化的社论发表40周年座谈会	佰　　人	中国语文—1991,(4):300
发展链:语言规范的本质:兼谈汉语规范化工作	龚　千　炎 周洪波等	语文建设(北京)—1991,(5):2-6
认真做好语言文字规范化工作——《人民日报》社论		人民日报—1991年6月6日1版
从词汇规范化看方言词的吸收	刘　叔　新	语文建设(北京)—1991,(6):6-7

标题	作者	出处
全社会都要重视语言文字规范化——《人民日报》、国家语委等六单位联合召开座谈会		光明日报—1991年6月7日1版
汉语规范之我见	钱乃荣	语文建设(北京)—1991,(6):8-9
规范献愚:为纪念《人民日报》1951年6月6日社论40周年而作	徐仲华	语文建设(北京)—1991,(6):14-17
《人民日报》1951年6月6日社论——正确地使用祖国的语言为语言的纯洁和健康而斗争!		语文建设(北京)—1991,(6):20-22
社会用语规范学术座谈会在延吉召开	F·C	汉语学习(延吉)—1991,(6):30-31
报纸语言谈	王希杰	逻辑与语言学习(石家庄)—1991,(6):36-38
社会用语规范研究中的几个问题	杭海	汉语学习(延吉)—1991,(6):41-44
公文写作中的法律用语必须规范	任静	秘书—1991,(6):44
加强电子印刷用字的规范化管理——全国电子印刷用字评审会侧记	康加深	语文建设—1991,(7):13-14
社会用字,剪不断理还乱	赵翔	法制日报—1991年7月24日第2版
笔画定序之我见	程养之	语文建设—1991,(9):4-5
应当重视理工科大学的汉字规范教育	王秉愚	语文建设—1991,(9):5-7,19
"餡子面"与语言文字规范化	时茂青	宁夏日报—1991年9月1日第1版
人事任免用语理应规范	罗智兴	秘书—1991,(9):25
行文用语切忌似是而非	朱寅健	秘书—1991,(9):25
出版物汉字使用管理规定(征求意见第三稿)	国家语委,中华人民共和国新闻出版署	语文建设—1991,(10):2-3
谈规范汉字	傅永和	语文建设—1991,(10):4-11
书名·广告——社会用语规范二题	王铁琨	语文建设—1991,(10):42-43
纯洁一下歇后语	吕志强	人民日报—1991年11月1日第1版
使用文言词语要注意规范	徐耀民	语文建设—1991,(11):41
加强国家对语言文字的管理	吕叔湘等	语文建设—1991,(12):2
外国留学生的困惑,谈社会用字规范问题	石定果	语文建设(北京)—1991,(12):9-10
进一步做好语言文字规范化工作	本刊编辑	语文建设(北京)—1992,(1):2-3
从全国报纸抽查评比结果看语言文字规范化问题	林穗芳	语文建设(北京)—1992,(1):4-7
《普通话水平测试标准》的研制与实践	孙修章	中国语文(北京)—1992,(1):12-19
论人口的多向流动与语言的统一趋势	乔全生	山西大学学报·哲社版(太原)—1992,(1):29-33
还是称"华语教学"好	关文新	汉语学习(延吉)—1992,(1):43-45

标题	作者	出处
社会用语规范学术座谈会纪要	郭龙生	语言文字应用(北京)—1992,(1):105-111
在1992年全国教育工作会议上关于语言文字工作问题的发言	柳斌	语文建设—1992,(2):2-5
语文规范工作中的几个疙瘩	刘泽先	语文建设(北京)—1992,(2):15-17
浅谈通用公文的语言特点	张礼勋	贵州民族学院学报·社科版—1992,(2):40-44,50
在山西省语言文字工作会议上的讲话	罗广德	语文研究—1992,(2):47-49
在山西省语言文字工作会议上的总结讲话	宋玉岫	语文研究—1992,(2):50-52
"吃"语言与"吃"文化	池昌海	杭州大学学报·哲社版—1992,(2):53-61
香港地区的语言文字规范问题	田小琳	中国语文(北京)—1992,(2):109-112
编辑出版工作中的语言文字规范化问题	陈谋勇	杭州大学学报·哲社版—1992,(2):158
关于加强语言文字规范化工作的呼吁和建议		语文研究—1992,(2):封三
近年北京的青年流行语	苏金智 韩荔华	修辞学习(上海)—1992,(3):7-9
广州青年流行语说略	陈慧英	修辞学习(上海)—1992,(3):10-11
异体词的规范问题	侯敏	语文建设(北京)—1992,(3):19-22
方言用字应适当规范	刘永发	语文建设(北京)—1992,(3):29
要有一个科学的规范化的标准	允贻	语文学习—1992,(3):34-35
流行歌曲中的语言问题	李嘉耀	语文学习—1992,(3):34-35
请宽容"发烧友"	明静	语文学习—1992,(3):36
出版物中的几种不规范"简化字"	何茂活	语文建设(北京)—1992,(3):39
略论社会用语规范	陈庆祥	学语文(芜湖)—1992.(3):40-42
台港澳不宜称作"海外"	雷良启	汉语学习—1992,(3):44-45
明天流行,还是今日流行?	徐国庆	汉语学习—1992,(3):45
社会用语学崛起的先声:读《广告、标语、招贴…用语》评析400例	周日安 郭水华等	语言文字应用(北京)—1992,(3):67-70
文学语言不规范现象的三个原因	吕叔湘	语文建设—1992,(4):26
应该重视文学语言规范问题	秦兆阳	语文建设—1992,(4):26-27
我看文学语言规范化	萧乾	语文建设—1992,(4):27
"扭断语法的脖子"	胡明扬	语文建设—1992,(4):27
医护人员应使用普通话	王孝军	语文建设—1992,(4):38
仿造词与生造词	邵敬敏	语文学习—1992,(4):44
慎用文言句式	李栋臣	逻辑与语言学习(石家庄)—1992,(4):47-48
普通话的儿化	林宝卿	语言文字应用(北京)—1992,(4):91-94
文学语言在本质上是反规范的	贺兴安	语文建设—1992,(5):28-29
语文课本和语言文字规范化	鄢高印	语文学习—1992,(5):41

篇名	作者	出处
美丽的错误	叶　军	语文学习—1992,(5):41-42
成人与儿童之间的口语交际	陈　健	汉语学习(延吉)—1992,(5):41-42
广告的妙引巧连	姚晓波	汉语学习(延吉)—1992,(5):43
人间のBEUATY:当代杂志栏"新闻"用字一瞥	陈姝金	汉语学习(延吉)—1992,(5):44
社会用字用语偏误现象探因	史灿方	学语文(芜湖)—1992,(5):45-46
香港流行语漫谈	陈慧英	修辞学习—1992,(6):9-11
深圳街面社会用语浅析	李翠芸	修辞学习—1992,(6):11-12
广州方言区汉语规范化中的文化问题	苏新春	语文建设(北京)—1992,(6):16-19
文学·风格·语言规范	张志公	语文建设(北京)—1992,(6):21-23
"敬词"不"敬"——从"请勿打扰"谈起	园　林	学语文—1992,(6):42-43
也谈"望×长(兴)叹":兼与金家年同志商榷	汪文璋	学语文(芜湖)—1992,(6):48
说"土"道"洋"	王希杰	语文月刊(广州)—1992,(7):10-12
由"望×兴叹"说语言规范	谢芳庆	语文建设(北京)—1992,(7):19-21
关于"好水平"	陈永舜	语文建设—1992,(7):22
试谈语文现代化	吕叔湘	语文建设—1992,(7):37
大陆外汉语规范化问题	朱　川	语文学习—1992,(7):38-41
"位"的滥用	思　蓓	语文学习—1992,(7):42-43
语言的创新与规范化	杨建国	写作(武汉)—1992,(8):26-27
"是否是"之类不规范	王庆俊 李少林	写作(武汉)—1992,(8):27
关于"羡""盗"等字的整理和规范	高洪年 高景成	语文建设—1992,(8):封三
关于在各种体育活动中正确使用汉字和汉语拼音的规定	国家体委、国家语委联合制定	语文建设(北京)—1992,(9):2
要规范化,不要绝对化	刘国正	语文建设(北京)—1992,(9):14-15
承认规范　尊重创新	王景山	语文建设(北京)—1992,(9):15-16
艺术语言与语言规范	张潇华	语文建设(北京)—1992,(9):16-17
国务院常务会议原则通过国家语委的请示,努力促进语言文字规范化标准化		光明日报—1992年9月26日第1版
难免越出规范	张　原	语文建设—1992,(9):81
新闻出版署、国家语委关于使用不规范汉字的报头、刊名等如何改正问题的答复		语文建设—1992,(10):18
"垂手"岂可得乎?	崔道怡	语文建设(北京)—1992,(10):20-22
作家使用语言的权利和义务	赵长天	语文建设(北京)—1992,(10):23
文学语言的规范与非规范	叶　辛	语文建设(北京)—1992,(10):24

题名	作者	出处
说说"不用引号"的现象	宋玉柱	语文建设(北京)—1992,(10):25
要规范,更要研究怎样规范	左思民	语文学习(上海)—1992,(10):44-45
评论语言应规范	何金海	语文学习—1992,(10):46-47
港台影视语言与语言规范化	周润年	语文学习—1992,(10):47-48
国务院举行常务会议原则通过《关于当前语言文字工作的请示》		语文建设—1992,(11):2
谈犬说狗	王希杰	语文月刊(广州)—1992,(11):2-4
作家应是语言规范化的模范	叶永烈	语文建设(北京)—1992,(11):19
背景·现状·态度	俞天白	语文建设—1992,(11):19-20
汉语规范化求疵	沈怀兴	语文建设(北京)—1992,(11):23-26
"水平"没有好坏之分	林穗芳	语文建设(北京)—1992,(11):27,16
巧为商品作"嫁衣":谈广告语言的追求	胡宏峻	写作(武汉)—1992,(11):31-32
国务院批转国家语委关于当前语言文字工作请示的通知		语文建设—1992,(12):2
关于当前语言文字工作的请示	国家语委	语文建设(北京)—1992,(12):3-5
上海青年流行语面面观	熊文	语文学习—1992,(12):34-35
海峡两岸语文的统一刍议	吕作昕	语文建设通讯(香港)—1992,(35):17-20
李铁映同志谈语言文字工作:领导要关心支持 政策要集中统一		语文建设—1993,(1):2
语言文字的传播与规范	苏金智	语文建设(北京)—1993,(1):21-24
天欲堕,赖以柱其间——学习江泽民同志关于语文的谈话	李涛	汉字文化—1993,(1):22-24
正确理解全面执行党的语文政策	刘庆俄	汉字文化—1993,(1):25-27
北京社会用字管理又有新进展	卢新宁	人民日报—1993年1月27日第3版
北京市三条繁华大街社会用语规范调查报告	龚千炎 吕宏伟等	语言文字学(北京)—1993,(1):31-36
国务院批转国家语委报告,纠正语言文字应用中的混乱现象		语言文字学(北京)—1993,(1):32-33
语病分析二例	阎伟臣	学语文—1993,(1):33
一字之差不可小视	余惠邦	汉语学习(延吉)—1993,(1):47-48
注解文字及其格式规范化刍议	黄德玉	安庆师院社会科学学报—1993,(1):99-102
关于现代汉语异形词规范化问题的思考	田雨泽	锦州师院学报·哲社版—1993,(1):100-105
雄鸡一唱……	王希杰	语文月刊(广州)—1993,(2):2-4
汉语称谓中的长幼伦理文化	刘丹青	语文月刊(广州)—1993,(2):4-5
建设现代化新型城市 实现社会用字规范化	河北省唐山市人民政府	语文建设(北京)—1993,(2):13-4

标题	作者	出处
踏破铁鞋 百折不回 为社会用字规范化做贡献	刘桂珍	语文建设(北京)—1993,(2):14-15
语言的演变与规范漫议	全裕慧	修辞学习(上海)—1993,(2):35-37
"词汇"的用法应当规范	傅惠钧	语文学习(上海)—1993,(2):37-38
论文写作中的语言文字规范化	王雪萍	扬州大学商学院学报—1993,(2):37-40
工欲善其事 必先利其器:从吕叔湘先生修改"通知"中受到的教育	李行健	语文建设(北京)—1993,(2):43
关于毛泽东著作语言的分析	邢福义	语言文字应用—1993,(2):78-83
规范·风格·变异	郑远汉	语言文字应用—1993,(2):91-95
品名、企业名对专名的移用及其规范问题	徐国庆	语言文字应用—1993,(2):101-109
与分类有关的几个问题	文炼	汉语学习—1993,(3):1-3
总结经验 继续提高——首批城市社会用字检查工作采访记	《语文建设》记者	语文建设—1993,(3):3-4
谈谈学校里的规范语法	陈建民	语文建设(北京)—1993,(3):5-7
"圆××梦"	[新加坡]汪惠迪	语文建设(北京)—1993,(3):10
"英国留学生"还是"中国留学生"?	林利藩	语文月刊—1993,(3):10
"扫描"还是"扫瞄"?	谭志龙	语文月刊—1993,(3):11
"针砭"不作"针贬"	郑爱群	语文月刊—1993,(3):11
电视新闻播音中的不规范读音	孙修章	语文建设(北京)—1993,(3):11-12
中国人名拼写亟待规范化	李秀芳	中国科学报—1993,(3):12,4
福建省推广普通话规定		福建日报—1993,(3):20,5
国家语委副主任仲哲明谈社会用字管理中的政策问题	冯树林	语言文字学(北京)—1993,(3):32
词汇规范化应具有层次观念	赵怀印	语文建设(北京)—1993,(4):16-18
社会用字混乱原因辨	李祥鹤	汉字文化—1993,(4):25,34
语言规范的动态性、相对性、开放性	龚千炎	语文学习(上海)—1993,(4):38-40
教师课堂语言初探	蒋文森	修辞学习—1993,(4):39-40
加强语言文字的社会管理——马庆雄同志接受本刊记者采访时的谈话	《语文建设》记者	语文建设—1993,(5):3,11
方言与错别字	冯齐	学语文—1993,(5):9
国家语委检查19个城市社会用字	方兴	人民日报—1993年5月19日第3版
诉讼用语,贵在准确	吴焰	语文建设—1993,(5):44
合肥社会用字混乱情况的调查及对策	吴欣欣	江淮论坛—1993,(5):108-111
一些人大代表政协委员建议大力加强语言文字规范标准工作		语文建设—1993,(5):封四
谨防语言污染	张百栋	语文月刊—1993,(6):2
广东人竞说普通话	刘霄	人民日报—1993,(6):28,4

我谈语文规范化	张　文　范	语文建设—1993,(6):封二
我谈语文规范化	胡　明　扬	语文建设—1993,(7):封二
我谈语文规范化	吕　必　松	语文建设—1993,(10):封二
我谈语文规范化	刘　　　坚	语文建设—1993,(11):封二
我谈语文规范化	马　大　猷	语文建设—1993,(12):封二
我谈语文规范化	许　嘉　璐	语文建设—1994,(1):封二
我谈语文规范化	甘　国　屏	语文建设—1994,(2):封二
我谈语文规范化	张　志　公	语文建设—1994,(3):封二
我谈语文规范化	李　行　健	语文建设—1994,(4):封二
我谈语文规范化	詹　伯　慧	语文建设—1994,(5):封二
我谈语文规范化	邢　福　义	语文建设—1994,(6):封二
我谈语文规范化	张　永　言	语文建设—1994,(7):封二
我谈语文规范化	邢　公　畹	语文建设—1994,(8):封二
我谈语文规范化	胡　裕　树	语文建设—1994,(9):封二
我谈语文规范化	戴　庆　厦	语文建设—1994,(10):封二
我谈语文规范化	徐　思　益	语文建设—1994,(11):封二
我谈语文规范化	刘　焕　辉	语文建设—1994,(12):封二
也谈"挡不住的感觉"	崔　建　新	语文建设—1993,(7):9
语言规范:自发与自觉、主观与客观的辩证统一——兼答戴昭铭同志	龚　千　炎 周洪波等	语文建设—1993,(7):10-12,8
讲授"汉语规范化"课的点滴体会	苏　培　成	语文建设—1993,(7):13-15
应当重视教材的语言文字规范化问题	刘　国　正	语文建设—1993,(7):18
语文课本中的语言文字规范化问题	庄　文　中	语文建设—1993,(7):19-20
叶圣陶与语文课本语言文字的规范化	顾　振　彪	语文建设—1993,(7):21-22
做好文字规范培训工作	周　寿　仁	语文建设—1993,(7):29
应重视并正确对待教材的语言文字规范化	周　正　逵	语文建设—1993,(7):30-31
规定性与描写性:孰为语言规范的根据?	刘　福　长	语文建设—1993,(8):5-8
历史性原则,描写性方法:关于现代汉语词汇规范	周　元　琳	语文建设—1993,(8):9-11
说"邮政编码"	高　元　石	语文建设—1993,(8):11-13
法律语言的类别和特点	刘　愫　贞	语文建设—1993,(8):25-27
出版物错别字多,社会上繁体字滥,全社会必须重视规范用字,不能再错下去了!	袁　　　晞	人民日报—1993年8月28日第8版
汉语规范宜宽松	钱　乃　荣	语文学习—1993,(8):31-32
待显词语及规范	周　洪　波	语文学习—1993,(8):32-34

标题	作者	出处
卫生部抓用字规范的启示	《语文建设》记者	语文建设—1993,(9):2
汉语规范化的柔性原则	张先亮	语文建设—1993,(9):7-9
广播电视节目中常见的一些不规范的汉字读音	宋克敏	语文月刊—1993,(9):9
书法艺术与汉字规范化	何年	语文建设—1993,(9):27-29
国家语委检查19个城市社会用字,规范化成绩不小,乱用字问题不少	李仲春	人民日报—1993年9月29日第4版
从"荫"字的读音谈起	厉兵	语文建设—1993,(10):14-16
广播电视与语言文字规范化——兼谈克服"口语至上"倾向	张颂	语文建设—1993,(10):24-26
字形规范化的重要依据——学习《现代汉语通用字表》的一点认识	高更生	语文建设—1993,(11):10-13
文学语言应该规范化	曹禺杂谈 李润新整理	语文建设—1993,(11):15
我对文学语言规范的理解	高万云	语文建设—1993,(11):15-17
"反规范"例析	戴昭铭	语文建设—1993,(11):17-18
文学语言规范三说	贾崇伯	语文建设—1993,(11):20-21
对外汉语教学中的汉语规范问题	陈满华	语文建设—1993,(11):23-25
树立"大规范"意识——播音语言规范的思考	姚喜双	语文建设—1993,(11):30-34
"贸然"不能写成"冒然"	姜佐楹	语文学习—1993,(11):38-39
不要把"迷你"写成"迷您"	姜文	语文学习—1993,(11):39
毛泽东重视语言文字的纯洁与规范	王凡	语文建设—1993,(12):6
这句题辞有语病	周建成	读写月报—1993,(12):7
经济发展与推广普通话	詹伯慧	语文建设—1993,(12):12-14
改革书法教学 促进汉字规范化	张良甫 张桂权	语文建设—1993,(12):14-15
从"幽了一默"谈词的离合规范化问题	贺水彬	语文建设—1993,(12):27-28
浅谈播音语言规范化的几个问题	邹家兰	语文建设—1993,(12):29-31
香港普通话科教师的意见调查	何国祥	语文建设通讯(香港)—1993,(41):43-50
海峡两岸的语文差异与统一	朱广祁	山东大学学报·哲社版—1994,(1):1-7
语言文字应用研究的广阔天地	禹永平	语言文字应用—1994,(1):2-4
我国术语标准工作应和国际标准接轨	冯志伟	中文信息—1994,(1):5-6
关于语言规划理论研究的思考	仲哲明	语言文字应用—1994,(1):5-7
立足现代 面向未来 分清缓急 统筹协调	王均	语言文字应用—1994,(1):8-10
时代的呼唤:《现代汉语规范词典》在编写中	李行健	语文建设—1994,(1):10-13
语文生活调查刍议	陈章太	语言文字应用—1994,(1):11-13

关于语文教学若干问题的思考	王建华	语言文字应用—1994,(1):14-16
音节简省是外来新词语规范化的首要原则	聂鸿音	语文建设—1994,(1):15-16
也谈"圆××梦"	徐国庆 朱慧娟	语文建设—1994,(1):17-18
现代汉语拟声词的规范问题	杨碧珠	语文建设—1994,(1):18-19
关于正确语句问题	丁昕	解放军外语学院学报—1994,(1):24-30
关于汉字规范化的几个具体问题:答王义明先生	费锦昌	语文建设—1994,(1):25-27
关于使用规范汉字之刍议	韩正西	宁夏大学学报—1994,(1):50-54
读《琐议》杂感	李祥鹤	汉字文化—1994,(1):62-63
汉语异体词规范之我见	刘鑫全	渤海学刊—1994,(1-2):67-70
"三峡"识字教学新系统	葛遂元	三峡学刊:三峡大学社会科学学报—1994,(1):79-84
堵源截流 标本兼治——北京、上海、长春等地社会用字堵源工作巡礼	王铁琨	语文建设—1994,(2):4-6
从"天然饮料是奥林"谈起	宋玉柱	语文月刊—1994,(2):9
语法规范中的语言系统问题	汪大昌	语文建设—1994,(2):9-10,8
古汉语知识对字词规范化的意义	魏德胜	语文建设—1994,(2):11-12
中小学教材的词形要规范	孙光贵	语文建设—1994,(2):20-21
谈统编初中语文教材的文字规范问题	孙少烽	语文建设—1994,(2):22-23
汉语规范化简议	刘兴策	语文教学与研究—1994,(2):35
制作广告要注意语言规范	陈满华	写作—1994,(2):38-39
改革开放以来汉语词汇的发展与规范化问题	李仁孝	内蒙古大学学报·哲社版—1994,(2):74-81
社会用语研究的两个问题	冯学锋	语言文字应用—1994,(2):101-103
激发学生兴趣,提高规范意识	金祎	语文建设—1994,(3):5
中学语文教材不规范用字述评	刘文仲	贵州教育学院学报·社科版—1994,(3):17-21
删,还是不删?	黄鸿森	语文建设—1994,(3):32-33
哪个字是姓?——汉语拼音姓名次序的紊乱	慧生	语文建设—1994,(3):33
报纸语言中的不规范现象	乔全生	山西大学学报·哲社版—1994,(3):41-43
打非·打飞	苏萍	语文建设—1994,(3):45
司空见惯须留神——谈现代汉语字形、字音的新规定	刘淑兰	阴山学刊—1994,(3):97-100
真抓实干,深化城市社会用字管理工作——直辖市、省会、自治区首府城市社会用字检查工作总结	闻飙	语文建设—1994,(4):2-4
社会生活用语中的言语病	姜剑云	语文建设—1994,(4):9-12

汉语规范化研究的现代化	冯学锋	语文建设—1994,(4):13-14
非逻辑性词语的表意分析及规范	郭 攀	语文建设—1994,(4):15-17
"诞辰"语用小议	曾晓渝	语文建设—1994,(4):18
试论搞活现代汉语教学	岳方遂 孙洪德 阮显忠	语言文字应用—1994,(4):38-42
推行普通话(国语)的回顾与前瞻	侯精一	语言文字应用—1994,(4):74-78
经济合同中常见的语言错误	黄 云 邵 超	演讲与口才—1994,(4):86-89
港台和大陆词语差异的原因、模式及其对策	苏金智	语言文字应用—1994,(4):90-96
信息时代的语文规范化问题	戴昭铭	求是学刊—1994,(4):97-101,105
关于加强语言文字管理、尽快立法的倡议书	许嘉璐等	语文建设—1994,(5):2-4
现代汉语规范回顾：现代汉语规范讲话之一	施春宏	学语文—1994,(5):3-5
规范的涵义和原则：现代汉语规范讲话之二	庄 莹	学语文—1994,(6):26-27
规范就是服务：现代汉语规范讲话之三	郭龙生	学语文—1995,(1):31-33
抓住机遇　开拓进取	《语文建设》编辑部	语文建设—1994,(5):6
关于出版物上数字用法的规定(修订本、征求意见稿)	修订小组	语文建设—1994,(5):7-11
汉字编码/语言文字都要符合国家规范	《中文信息》记者	中文信息—1994,(5):10-12
纯洁语言	王大辉	语文世界—1994,(5):22
使用九年义务制教材能取代"注·提"实验吗？	张开勤	语文建设—1994,(5):41-42
"注音识字,提前读写"和"三个面向"	王 均	语文建设—1994,(5):41-42
"注·提"实验的三项改革与五个突破	宋家东	语文建设—1994,(5):42-44
当前广告中的一些问题	张耀兰	河南大学学报·哲社版—1994,(5):124-129
毕竟不能等量观——谈"做"与"作"的用法	蓝天照	阅读与写作—1994,(6):25
江南方言正悄然为普通话所代替	申屠平 董思平	语文世界—1994,(6):21-22
"其他"和"其它"应该规范	何 知	语文世界—1994,(6):23,22
报刊常见错用词语辨证	许正元	语文教学通讯—1994,(6):48
北京市加强社会用字管理力度	《语文建设》记者	语文建设—1994,(6):封三
词义演变漫议	李行健	语文建设—1994,(7):2-5

紊乱的根源在哪里？	彭树楷	语文建设—1994,(7):10
还是应该姓在前,名在后	方 彦	语文建设—1994,(7):11
爱国,从语言开始	王为政	语文世界—1994,(7):17
谈谈标准音示范点的建立	彭云帆	阅读与写作—1994,(7):20
汉字书写四十二"不"	张国学 李秀莲	中学语文教学—1994,(7):45-47
用字要规范	徐无忌	语文知识—1994,(7):57-58
一"萧"写两体何者为规范	潘继成	中学语文教学—1994,(8):38
滥用"的"漏用"的"	张辛耘	语文学习—1994,(8):48
试谈十二省（原九省）"注·提"教材修订本的特色	张开勤	语文建设—1994,(9):2-4
关于出版物上数字用法的调查	陈昌来	语文建设—1994,(9):17-19
提倡"咬文嚼字"——谈中学生的错别字问题	李卯圈	语文教学之友—1994,(9):22-23
关于对普通中小学普及普通话工作进行检查评估的通知	国家教育委员会国家语言文字工作委员会	语文建设—1994,(10):2-4
报刊标题应避免使用歧义结构	石 川	语文建设—1994,(10):13
从"雅言"到"普通话"	程忠学	阅读与写作—1994,(10):17
新闻出版署强调本系统要带头使用规范字	冬 虎	语文建设—1994,(10):22
词语指瑕三处	吕厚盈	中学语文教学—1994,(10):44
"树荫"不宜改作"树阴"	林 廉	语文学习—1994,(10):44-45
关于社会用字管理工作的意见	国家语言文字工作委员会	语文建设—1994,(11):2-3
从定量分析的角度看异体词的规范	马 彪	语文建设—1994,(11):4-6
"笔划",还是"笔画"？	韩布新	语文建设—1994,(11):6
异体词的语义差别及规范问题	邓英树	语文建设—1994,(11):7-10
异形词的定义及词形规范的范围和原则	孙光贵 钱宗武	语文建设—1994,(11):10-13
词语规范二题	刘文仲	语文建设—1994,(11):12-13
关于编写《现代汉语规范词典》的几点想法	许嘉璐	语文建设—1994,(11):15-16
谈谈高师教材《现代汉语》	邢福义	语文建设—1994,(11):17-19
再接再"励"	李 亮	语文世界—1994,(11):19
"加点××"说法不规范	许国庆	语文学习—1994,(11):44-45
国家法规用词不当数例	程瑞君	语文学习—1994,(11):46-47
新说法"诞辰××周年"	高文龙	语文建设—1994,(12):14-16

浅谈规范口语	高有祥 牟治媛	语文建设—1994,(12):21-22
电影局重申:国产影片必须使用普通话和规范汉字		语文建设—1994,(12):41
商业用字现象浅析	苏 瑞	语文建设通讯—1994,(45):32-34
"减少若干倍"商兑	林穗芳	语文建设—1995,(1):7-9
"倍"的用法亟须规范	符达维	语文建设—1995,(1):10
面向未来,必须加强语文规范化工作	李行健	语言文字应用—1995,(1):11-12
语言的扭曲	石 英	语文建设—1995,(1):14-16
广告语言课题研究纲要	语用所广告语言研究组	语言文字应用—1995,(1):15-18
广告文案写作中的几个问题	曹志耘	语言文字应用—1995,(1):19-23
广告语文失范现象的心理分析	史灿方	语言文字应用—1995,(1):24-27
国家法令的语言文字状况令人忧虑	程瑞君	语文知识—1995,(1):38-41
试论新词语与规范化	姚汉铭	语言教学与研究—1995,(1):82-95
从"咬文嚼字"谈起	文 炼	汉语学习—1995,(2):4-5
文字处理与语文规范	陈亚川	语言教学与研究—1995,(2):4-9
现代汉语规范化漫议	胡明扬	语文建设—1995,(2):5-7
"国际间"的使用	[新加坡]汪惠迪	语文建设—1995,(2):13
漫谈当今外来词的吸收与规范	黄丽芳	修辞学习—1995,(2):19-21
语文教材中的汉字规范问题	高更生	语文建设—1995,(2):25-28
注意新的统读字	周跃文	汉语学习—1995,(2):40
语言工作者应切实注意语言规范	杨桂梅	牡丹江师范学院学报·哲社版—1995,(2):58-59
"规范口语"特色新论	高有祥 牟治媛	陕西师大学报·哲社版—1995,(2):161-166
洋文并非越多越好	方梦之	语文建设—1995,(3):9-11
汉语的规范化问题和语言的自我调节功能	王希杰	语言文字应用—1995,(3):9-15
外语缩写字符不宜滥用	李建玲	语文建设—1995,(3):14
汉语规范化问题断想	黄佑源	语言文字应用—1995,(3):16-20
从语言不是数字说起	邢福义	语言文字应用—1995,(3):21-23
从"这个地方很郊区"谈起	桂诗春	语言文字应用—1995,(3):24-28
社会用字:开放莫忘规范	白 英	语文世界—1995,(3):31
"错语约定俗成说"不能成立	徐 昊	汉语学习—1995,(3):55
汉字必须规范化	王秉愚	语文世界—1995,(4):19
汉语规范化的成功实践:重读《语法修辞讲话》	朱景松	语言文字应用—1995,(4):33-39
"新时期语言文字规范化"笔谈	许嘉璐 胡明扬 等	中国人民大学学报—1995,(4):81-91

标题	作者	出处
初中语文课本中的统读字	范茂成	语文建设—1995,(5):25-28
"龟袭片"的"龟"读音辨析	金元中	语文世界—1995,(5):28
说说"橘"和"桔"	于虹	语文世界—1995,(5):28
关于"例外"和"错误"	程观林	语文学习—1995,(5):40-41
关于正确使用祖国语言文字的倡议书	中国语文报刊协会会员代表大会	汉语学习—1995,(5):49-50
书面广告用语中的不规范现象	唐韵	四川师范学院学报·哲社版—1995,(5):91-96
四十年来的普通话语音规范	徐世荣	语文建设—1995,(6):2-6
漫议"换字广告"	孙雍长	语文建设—1995,(6):7-9
广告创作的误区	邵敬敏	语文建设—1995,(6):10-11
广告"成语新编"满纸荒唐言	高慎盈	语文建设—1995,(6):12-13
粤方言进入普通话	钱冠连	语文建设—1995,(6):37-38
用谐音肢解成语之风不可长	周胜鸿	语文建设—1995,(6):46
论现代汉语异体词的规范	罗远林	辽宁大学学报·哲社版—1995,(6):85-88
关于"捱"和"挨"	余培英 高景成	语文建设—1995,(7):42
"执著"还是"执着"	张树铮	语文建设—1995,(7):48
地名规范化概览	王际桐	语文建设—1995,(8):5-8
亚规范:语言空符的无奈选择	方武	语文建设—1995,(8):12-13
《说文解字》与汉语规范	史鉴	语文建设—1995,(8):44-45
新词新语和语言规范	于根元	语文建设—1995,(9):2-4
早日把规范词典编出来	吕叔湘	语文建设—1995,(9):5-6
是误用,也是翻新	陈满华	语文学习—1995,(9):43-44
净化我们的语言	邵岩	语文学习—1995,(9):47-48
让语言文明起来	南京市精神文明建设委员会办公室	语文建设—1995,(10):34-35
现代汉语词汇规范的标准问题	刘叔新	语文建设—1995,(11):2-5
新时期说老话题:继续为祖国语言的纯洁健康而斗争	许嘉璐	语言文字学—1995,(11):33-37
我国的术语规范化工作	冯志伟	语文建设—1995,(12):2-4
多音字统读与异形词规范	黎新第	语文建设—1995,(12):8-10
现阶段的交际语言的变化与语言规范	姚亚平	语文建设—1995,(12):27-28
50句"服务忌语"的语用特点	程凯	语文建设—1995,(12):29

书面语和口语

标题	作者	出处
四代同堂的语言生活:陈延年一家语言使用的初步考察	陈章太	语文建设(北京)—1990,(3):17-19

论口语与书面语的差异	何伟渔	上海师范大学学报·哲社版—1990,(4):117-123
词缀意义辨析	陶小东	上海师范大学学报·哲社版—1990,(4):124-127,134
源于三段论的机智谈话法	李正纲	修辞学习—1991,(1):15-16
电话沟通语定位功能及相关问题	左思民	修辞学习—1991,(1):17-18
谈营业员的语言修养	苏向红	湖州师专学报·哲社版—1991,(1):17-22
怎样使演讲语言口语化	杨秋泽	演讲与口才—1991,(1):20-21
"官话"——干部语言艺术(之一)	旭东	文秘—1991,(1):36-37,42
"恭维"答语的中外文化模式	吴勇毅	中文自学指导—1991,(1):41-42
谈领导者的语言修养	刘喜印	祁连学刊—1991,(1):93-100
中学生书面语发展中的"低俗"现象	崔承日	北京师范大学学报·社科版—1991,(2):100-109
汉语句子语境对单词识别的效应	朱晓平	心理学报—1991,(2):145-151
语词文拆	周善甫	语言美(昆明)—1991,(2):14②
浅谈讲话稿的语言特点	张廷友	秘书—1991,(2):33-34
语境对语言运用的制约	宋兴	广西民族学院学报·哲社版—1991,(2):85-89,100
"文"义阐释的文化内涵	朱良志 詹绪佐	安徽师大学报·哲社版(芜湖)—1991,(2):197-204
打电话也应讲究语言美	洪国良	语言美(昆明)—1991,(3):10①
语言的大敌:错别字与废话	杨增强	语言美(昆明)—1991,(3):25①
问话和答话的技巧	陈波	汉语学习(延吉)—1991,(3):45-46
广告语言的心理效应	李明	苏州大学学报·哲社版—1991,(3):86-89
法律语言运用中的辩证法	代磊 邵健	理论学刊—1991,(3):92-95
标题说略	尹世超	语文建设(北京)—1991,(4):6-8
演讲语言的风格美	南玉杰	演讲与口才—1991,(4):12-13
古代口语与佛经中的口语成分考探	徐时仪	宜春师专学报—1991,(4):34-38
系统地解决培养语言交际能力问题	于延	汉语学习(延吉)—1991,(4):36-39
语言交际趣话二则	许婧	中文自学指导—1991,(4):37-38,8
汉语口语研究	陈建民	语文建设(北京)—1991,(4):37-38
杂谈书信用语和格式	锐声	语文建设(北京)—1991,(4):38-39
招呼语·搭讪语·呼应语	素虹	汉语学习(延吉)—1991,(4):47-49
汉语运用三律	孙寿璋	天津教育学院学报·社科版—1991,(4):56-59
语境与会话语句的理解	朱建华	绍兴师专学报—1991,(4):68-73
语境与会话语句的理解(续)	朱建华	绍兴师专学报—1992,(1):84-89
试论战国策士的语用策略	饶尚宽	新疆师范大学学报·哲社版—1991,(4):75-79,85
语词换位:一种有趣的演讲辞构成法	彭京宜	现代交际—1991,(5):27
说和写的距离	陈建民	语文建设(北京)—1991,(5):40-41
祝福语	陈健	汉语学习—1991,(5):43

致谢语	向　　南	汉语学习—1991,(5):44-45
试论口语的交际性特点	姚　亚　平	语文建设(北京)—1991,(6):26-30
教师怎样使自己的语言富有感染力	刘　志　宇	演讲与口才—1991,(6):28-29
外交语言的风格特征	姚　亚　平	现代交际—1991,(6):32-34
自谦语	陈　　波	汉语学习—1991,(6):38-39
汉语会话结构与会话原则初探	易　洪　川	湖北大学学报·哲社版—1991,(6):70-76
课堂教学的语言艺术	王　明　西	西北师大学报·社科版—1991,(6):93
言语交际与社会生活	刘　锟　龄	理论学刊—1991,(6):93-96
汉语口语的特点	赵　柳　英	中文自修—1991,(7-8):21
中师口语表达训练初探	应　天　常	语文建设(北京)—1991,(7):26-29
浅谈通俗文学口语化的语言机制	刘　　建	文艺报—1991,(7):27,3
关于培养中师生听说能力的思考	杨　文　仲	语文建设(北京)—1991,(7):29-30
口语句子的特点	陈　建　民	语文建设(北京)—1991,(7):34-35
汉语的礼貌原则与交际文化	易　洪　川	语文建设(北京)—1991,(8):11-15
新兴语言学对口语修辞研究的启发	李　信　潢	语文建设—1991,(9):18-19
口语里的新词新语与社会生活	陈　建　民	语文建设(北京)—1991,(9):38-39
词语运用七戒	元　鸿　仁	光明日报—1991,(10):6,3
写作与语言	金　健　人	写作—1991,(10):14-15
语境:美文的情感表达式	邓　嗣　明	语文月刊—1991,(10):27-29
烹饪教学中的语言表述	茅　建　民	中国食品—1991,(10):30-31;11.29-31
汉语的祝福语	陈　建　民	语文建设—1991,(10):38-39
学习汉语的难和易	钱　乃　荣	语文学习(上海)—1991,(10):42-44
机智语言的机制	丁　如　泉 唐　锦　涛	阅读与写作—1991,(11):26
浅谈礼貌语言	张　树　铮	语文建设—1991,(11):34-37
寒暄语使用的态度、频度和长度问题	齐　沪　扬	中文自学指导—1991,(11):46-47
"妙语"的技巧	赵　振　汉	中学语文教学参考—1991,(12):25
从"心不在焉"到"心不在马"——谈口 　语中一种明知故错的修辞现象	陈　琪　宏	中文自修—1991,(12):26-27
汉语的道谢用语	陈　建　民	语文建设—1991,(12):30-31
语言的巧妙运用	世　　钦	新闻与写作—1992,(1):8
论汉语交际能力的培养	范　开　泰	世界汉语教学(北京)—1992,(1):13-16
论言语交际与惠州经济的发展	杨　烈　雄	惠阳师专学报·社科版—1992,(1):26-32
礼貌原则新拟	徐　盛　桓	外语学刊—1992,(2):1-7
语境源流论	董　达　武	修辞学习(上海)—1992,(2):6-7
如何成功地与幼儿交谈——母子对话 　艺术一得	肖　　莉	修辞学习—1992,(2):14-15
征婚启事语言风格	孟　建　安	修辞学习—1992,(2):29,33
现代汉语社交称谓系统及其文化印记	陈　月　明	汉语学习(延吉)—1992,(2):32-36

标题	作者	出处
"你觉得荣幸吗?"——谈对外汉语教学中的语境问题	石慧敏	修辞学习—1992,(2):35-36
论广告的语言特质	汪缚天	徐州师范学院学报·哲社版—1992,(2):41-42
从"母亲台鉴"说起	胡明扬	语言文字应用(北京)—1992,(2):47
试论汉语交际的得体性	常敬宇	徐州师范学院学报·哲社版—1992,(2):48-51
从"满意在北京"谈起	詹人凤	汉语学习(延吉)—1992,(2):51
浓淡兼施 调抹适度——语文教学语言技术谈之四	万恒德	盐城师专学报·哲社版—1992,(2):80-83,120
在认识语言的路上——编辑手记	李印堂	贵州民族学院学报—1992,(3):11-15
在大庭广众中你能侃侃而谈吗?	易蒲	修辞学习—1992,(3):16-17
征婚启事的语言和写作	张登岐	修辞学习—1992,(3):27-28
口语规范琐议	张登岐	语文学习—1992,(3):36-37
言语自我控制	素虹	汉语学习(延吉)—1992,(3):47-48
言语交际与交际语言	陈波	汉语学习(延吉)—1992,(3):48
广告语言与社会心理	孙曼均	语言文字应用(北京)—1992,(3):76-81
礼貌语言述略	黄得莲	青海民院学报·社科版—1992,(3):89-91
秘书工作言语表述的基本美学要求	来玉英	青海民族学院学报·社科版—1992,(3):92-95
引语的作用——消息语言散论	芮必峰 林勇	新闻与写作—1992,(4):16
谈谈广告词的撰写	张满飙 陈月琴	应用写作—1992,(4):21-22
语言习惯、约定俗成和语言描写:答《发展链》作者	戴昭铭	语文建设(北京)—1992,(4):21-25
演讲中"详略呼应句"的运用	黄祖泗	演讲与口才—1992,(4):22-23
情书语言断想	沈益洪	修辞学习—1992,(4):31-32
汉语象征词语的文化含义	常敬宇	语言教学与研究(北京)—1992,(4):115-127
汉民族文化心态对汉语语法特点的影响	常敬宇	世界汉语教学(北京)—1992,(4):317-320
标牌广告写作中的语言变异	刘夏塘	应用写作—1992,(5):24-25
选词的庄重高雅与粗俗	李绍林	阅读与写作—1992,(5):27-28
谈谈应用语体的语言特点	于立源	秘书之友—1992,(5):38
谈谈讲话稿的语言	林骥良	汉语学习(延吉)—1992,(5):39-41
试论汉语书面语的语气系统	贺阳	中国人民大学学报(北京)—1992,(5):59-66
社会用语研究刍议	龚千炎	汉语学习(延吉)—1992,(6):1-5
语言表述的四种顺序	章熊	中学语文教学参考—1992,(6):2-4
香港流行语漫谈	陈慧英	修辞学习(上海)—1992,(6):9-11
深圳街面社会用语浅析	李翠芸	修辞学习(上海)—1992,(6):11-12
近几年的公关语言研究	孙良止	修辞学习(上海)—1992,(6):13-15
公关语言研究的新进展——喜读黎运汉的《公关语言学》	刘焕辉	修辞学习(上海)—1992,(6):16-17

柜台用语	虹 素	汉语学习(延吉)—1992,(6):50-51
语言表述的四种顺序(续)	章 熊	中学语文教学参考—1992,(7):2-4
两把钥匙	叶 雷	语文月刊—1992,(7):15-16
"日子算什么东西"	李兆汝	语文月刊—1992,(8):16
"意思"是什么意思?	史锡尧	语文月刊—1992,(8):19-20
"语感"浅说	李准南	中学语文教学(北京)—1992,(9):42-43
说"深则厉,浅则揭"	王功龙	文史知识—1992,(10):100-101
引用指要	李志浓	语文月刊—1992,(11):8
"万古留芳"应为"万古流芳"	马蹄声	语文月刊—1992,(11):12
台湾与大陆华语文书面语的差异	游汝杰	语文建设(北京)—1992,(11):14-16
小议街道语言	覃凤余	阅读与写作—1992,(11):17
再谈语言的巧妙运用	世 钦	新闻与写作—1992,(11):27
"园满"不圆满	翟 汛	写作—1992,(11):30
巧为商品作"稼衣"——谈广告语言的追求	胡宏峻	写作—1992,(11):31-32
目前商业用词漫谈	杜 皋	中文自修—1992,(11):42-43
建国以来拟亲属称呼的变化	吴慧颖	语文建设(北京)—1992,(12):6-8
试论演讲语言的两种风格	周继圣	演讲与口才—1992,(12):21-22
口语和口语的训练	李如龙	语言文字应用(北京)—1993,(1):1-8
演讲的几种结构方法——演讲基础知识系列讲座之十三	邵守义	演讲与口才—1993,(1):23
演讲语言的第一要素:准确简洁——演讲基础知识系列讲座之十四	邵守义	演讲与口才—1993,(2):26
演讲语言的第二要素:通俗平易——演讲基础知识系列讲座之十五	邵守义	演讲与口才—1993,(3):23
演讲语言的第三要素:形象生动——演讲基础知识系列讲座之十六	邵守义	演讲与口才—1993,(4):28
演讲稿的写作与修改——演讲基础知识系列讲座之十七	邵守义	演讲与口才—1993,(5):22-23
演讲者的形象——演讲基础知识系列讲座之十八	邵守义	演讲与口才—1993,(6):28
演讲者有声语言的声音美——演讲基础知识系列讲座之十九	邵守义	演讲与口才—1993,(7):23
有声语言的声调与节奏——演讲基础知识系列讲座之二十	邵守义	演讲与口才—1993,(8):23
演讲者的态势语言——演讲基础知识系列讲座之二十一	邵守义	演讲与口才—1993,(9):21
演讲者的情感表达——演讲基础知识系列讲座之二十二	邵守义	演讲与口才—1993,(10):28

哈尔滨街头的语言喜剧	王　力	大学生—1993,(1):41-43
汉语语感说略	赵双之	天津师大学报·社科版—1993,(1):71-74
浅论"你"与"您"	郭　丽	深圳大学学报·人文社科版—1993,(1):84-91
教师语言的特征	郭启明	殷都学刊—1993,(1):101-103
语用频率效应刍议	邹韶华	语言教学与研究—1993,(2):32
试论语感的本质及形成条件	陈金明	辽宁教育学院学报—1993,(2):61-66
师范院校"教师口语"课程标准(试行)	国家教育委员会	语言文字应用—1993,(3):1-4
漫谈"口"与"舌"	史锡尧	语文月刊(广州)—1993,(3):8-9
自称说略	张　犁	语文建设(北京)—1993,(3):16-18
"机趣"语言杂谈	赵振汉	阅读与写作—1993,(3):25-26
汉语语感说略	赵双云	逻辑与语言学习—1993,(3):32-36
称呼语的文化色彩和称呼语学	王希杰	语文月刊(广州)—1993,(4):2-4
"凌晨一点"一类的说法怎么会流行开来:兼谈词汇规范化的三原则	何伟渔	语文建设(北京)—1993,(4):19-20
"他、她、它"三分法的弊端、根源与对策	刘丹青	语文建设(北京)—1993,(4):21-23
未来教师口语技能培养工程	李　珉	语言文字应用—1993,(4):43-49
从"吃了没有"看招呼语的适用性	杨月蓉	修辞学习—1993,(4):45-46
论编辑的形象语言	胡梅娜	北京师范大学学报·社科版—1993,(4):76-81
口语中对称的使用	李　炜	语文建设—1993,(5):27-29
"语感"本质浅探	洪　梅	中学语文教学—1993,(5):28-30
委婉语交际中的应答策略	李军华	语文建设—1993,(5):30-31
说一说"笔"	史锡尧	语文月刊—1993,(7):7
论矛盾表达法在汉语中的地位	王叔新	中学语文教学—1993,(9):31-33
谈江湖用语的"畅销"	刘　建	语文建设—1993,(12):41-42
亲属称谓语的简化趋势	潘　攀	语文建设通讯—1993,(40):56-61
一种容易被误为疑问句的陈述句	李文栓	逻辑与语言学习—1994,(1):43
赞美与答谢	潘肖珏	修辞学习—1994,(1):12-13
说"谈笑"	陈汝法	语文建设—1994,(1):46-47
差之毫厘,谬以千里	王　镁	语文建设—1994,(1):5
词语鉴赏瑕瑜说	祝敏青	理论学习月刊—1994,(1):51-55
交际中言语幽默的机理透视	贺水彬	语文月刊—1994,(2):4-5
说贬词褒用	陈琪宏	语文月刊—1994,(2):8
下定义和语言表达	李绍林	阅读与写作—1994,(2):19-20
试谈友谊卡赠言选句的情感性	侯复生	修辞学习—1994,(2):33-34
"请您"未必礼貌	奚博先	语文建设—1994,(2):48
论口语研究的价值	李战国	外语研究—1994,(3):1-5
语言的应用与高考命题	伊道恩　李中立	语文教学通讯—1994,(3):4-5

口语研究与口语教学刍议	张玉柱	外语研究—1994,(3):6-10
师范院校开设教师口语课的几点思考	连秀云	语文建设—1994,(3):8-10,3
切忌把话说反了	史灿方	学语文—1994,(3):36
写作时要特别警惕的一种语病	李汉威	写作—1994,(3):39-40
日常会话语篇中的次词语	黄和斌	外国语—1994,(3):42-47
浅说语言的得体	严荣森	语文学习—1994,(3):44-45
从语言入手进行语文美育	文心 张素华	阴山学刊—1994,(3):88-92
谈语言的"翻新"	罗英超	阅读与写作—1994,(3):封三
中学生语言文字应用能力的现状与对策	李锽	语言文字应用—1994,(4):8-12
"人"也可以为"言"!	孟宪爱	语文月刊—1994,(4):9
人物称谓与言语行为——读《水浒》"金评"札记	赵英明 王懋明	阅读与写作—1994,(4):16-17
亲属称谓词的自称用法刍议	[日]大西智之	世界汉语教学—1994,(4):29-35
话说"妈妈"和"母亲"	王晓娜	学语文—1994,(4):31-32
拯救语言:谛听诗人的言说	傅道彬	黑龙江日报—1994年4月7日第7版
语海泛舟录	王希杰	逻辑与语言学习—1994,(4):37-39
怎么打招呼	允贻 魏雨	语文学习—1994,(4):41-42
"温馨"的走红	杨必胜	语文建设—1994,(4):46
谈《食物从何处来》的句群修改	王聿恩	修辞学习—1994,(4):47-48
"二人称"叙述及其审美效果	麻晓燕	学术交流—1994,(4):106-107
略论汉语预设	黄华新	杭州大学学报·哲社版—1994,(4):192-197
行文请避免重复	孟守介	中国语文—1994,(4):318
购物称呼的艺术	杨秀明	修辞学习—1994,(5):17-18
梁实秋谈说话艺术	梁实秋	语文世界—1994,(5):18-19
科技书稿中的易混字、词辨析	田凡	应用写作—1994,(5):41-43
奇怪的语言现象	周庆	语文世界—1994,(5):46-47
交际中的模糊限制语	陈林华 李福印	外国语—1994,(5):55-59
口语研究:意义、方向、材料来源及方法	徐翁宇	外国语—1994,(5):64-68
"死去"的"小姐"又活了	守介 启华	语文世界—1994,(6):26
答问时的短话长说	易洪川	语文建设—1994,(7):15-16
语言乱弹	何二元	阅读与写作—1994,(7):18-19
教师语言要有音韵美	姜长福	语文教学与研究—1994,(7):29
"诞生""诞辰"辨	林利藩	语文建设—1994,(8):7-8
老舅、老爷、老太太——称谓的方言差异	张鸿魁	语文世界—1994,(8):20

对"称呼"的误解	张发明	语文世界—1994,(8):22
优化你的社交语言	姚扶有	演讲与口才—1994,(9):4-5
论书面语和口语	李绍林	语言文字学—1994,(10):5-11
语言应用散记	林盛祥	语文世界—1994,(10):17-18
公文标题中"关于"的处理方法	阎桂新	秘书—1994,(10):37-38
谎言和语言艺术	王希杰	语文月刊—1994,(12):2-3
"论"等用语的位置对论文标题题意的影响	郑荣基	语文月刊—1994,(12):10-11
新说法"诞辰××周年"	高文成	语文建设—1994,(12):14-16
谈谈"即席演说"的技巧	苏冰	语文建设—1994,(12):23-24
语言修改艺术的第三层次	刘素琴	写作—1994,(12):26-28
要培养清醒的语言意识	张鹄	写作—1994,(12):30-31
吕叔湘先生的语文教育思想	胡明扬	语文建设—1994,(12):30-32
汉语书面语运用难	张伟中	语文建设通讯—1994,(44):28-30
语言能力规律新探	陈伯安	语文教学与研究—1995,(1):30-31
主持人即兴口语特点探讨	吴郁	语言文字应用—1995,(2):107-111
现代汉语称谓系统变化的两大基本趋势	姚亚平	语言文字应用—1995,(3):94-99
试谈公文语言的口语化和形象化:论公文语言发展的一个新走向	袁晖	语言文字应用—1995,(3):106-111
浅谈"说"的能力的培养	李春莲	语文世界—1995,(4):26-28
两顶并不合适的帽子	白丁	汉字文化—1995,(4):43-44
不许撒野	李远明	汉字文化—1995,(4):45-46
也谈语言能力和交际能力的关系	吴书祉	徐州师范学院学报·哲社版—1995,(4):83-85
关于现代汉语书面语研究的典范对象科学方法及分布计划的理论思考:读《毛泽东著作语言分析》	李胜梅	南昌大学学报·社科版—1995,(4):117-122
说话训练的途径与方法	蒋祖德 刘品贤	语文建设—1995,(6):26-27
语境在口语中的作用	张玉柱	解放军外语学院学报—1995,(6):34-39
营销技巧中的语言运用	邵庆春	语言文字学—1995,(6):102-106
口语表达与思维运用	周静 董忠	语文建设—1995,(7):17-18
在外来文化的影响中:汉语现代书面语演变的历史和现状	张介明	语言文字学—1995,(9):104-110
试论口语的求美特色	耿红岩	语言文字学—1995,(10):123-128
汉语生人交际和语言伦理观念的变化	姚亚平	语文建设—1995,(11):25-27

文 学 作 品 语 言

文学语言二题	王 崇 志	扬州师院学报·社科版—1990,(4):68-73
《儒林外史》语言琐记	王 希 杰	阅读与写作—1991,(1):10-11,16
论文学作品中的意义:对语言艺术的审美语义学分析	徐 岱	文艺评论—1991,(1):18-23
论戏剧语言的动作性与揭示性	田 洪 英	齐鲁艺苑—1991,(1):25-33
双语与民间文学的跨语言传播	李 炳 泽	民族文学研究—1991,(1):27-31
从异文看《史记》的语言锤炼	蔡 镜 浩	常州工业技术学院学报·社科版—1991,(1):28-35
当代小说语言的反叛	戴 少 瑶	重庆师院学报·社科版—1991,(1):35-45
论废名小说的语言和意境	何 本 伟	集美师专学报—1991,(1):39-42
文学作品的语言格调和修辞法	李 丕 显	菏泽师专学报—1991,(1):40-46
佛面不需乱贴金《〈春蚕〉的语言艺术》质疑	周 年 昌	修辞学习—1991,(1):43
文学语言研究管窥	吴 家 珍	国际关系学院学报—1991,(1):45-51
转化·超越——从心灵意象到语符文字	韩 健 敏	重庆师院学报—1991,(1):46-52
文学的变异语言初探	岳 东 生	菏泽师专学报—1991,(1):47-51
暴力与游戏:无主体的话语:孙某露与后现代的话语特征	陈 晓 明	当代作家评论—1991,(1):47-62
《水浒》幽默论	郭 兴 良	曲靖师专学报—1991,(1):50-54
《金瓶梅》语言艺术略论	洪 兆 平	唐山师专唐山教育学院学报·社科版—1991,(1):56-60
台词"反复"的妙用	黄 先 德	萍乡教育学院学报·社科版—1991,(1):58-62
略论文学语言的表现功能	高 德 昌 汤 云 航	承德师专学报·社科版—1991,(1):58-63
逃避语言	李 洁 非	文学自由谈—1991,(1):66-69
让心灵的外显走着自己的路——话剧《家》的人物语言	赵 惠 平	上海大学学报·社科版—1991,(1):66-70
论散文的语言美	杜 福 磊	信阳师范学院学报·哲社版—1991,(1):72-76,93
文学作品怎样使用方言	邵 则 遂	湖北教育学院学报·哲社版—1991,(1):76-80
《红楼梦》和《金瓶梅》的语言比较	张 惠 英	红楼梦学刊—1991,(1):177-190
文学语言模糊特性的转换机制与人文精神	程 灿	益阳师专学报—1991,(2):2-7
眼句:《孟子》篇章修辞的特色	李 丹 甫	修辞学习—1991,2.22-23
新文学的宏观视角:论中国新文学的三次语言革命	韩 毓 海	当代作家评论—1991,(2):22-28

标题	作者	出处
《水浒传》语法修辞的审美效应析例	[美]裴碧兰	中国文学研究—1991,(2):32-40
试论韩愈散文的语言美	范文质	大庆师专学报—1991,(2):34-38
灵心八面斗玲珑——谈薛宝钗的语言美	单长江	红楼—1991,(2):56-59
旁搜杂取,雅俗兼备 《红楼梦》修辞之二:引用	陈大夫	松辽学刊·社科版—1991,(2):59-61
论古代文言小说的语言特色	陈炳熙	东岳论丛(济南)—1991,(2):72-77
文学作品中深层语义句理解探微——兼对《挖荠菜》中一个句子的研讨	吴建平 沈振元	毕节师专学报—1991,(2):77-79
《子夜》中联合式四字语类析	张汉民	浙江师大学报·社科版—1991,(2):91-96
命名常规与国情文化	吴晓露	南京大学报·社科版—1991,(2):93-98
度隔情:关于文学语言问题的思考	孙钧政	语言教学与研究(北京)—1991,(2):145-156
《围城》的讽喻与掌故	赵一凡	读书—1991,(3):3-13
浅谈《管锥编》的文学语言论	阎诚	内蒙古民族师院学报·哲社汉文版—1991,(3):11-15
语言的困扰与创新:论当代文学作品中语言的走向	董小玉	当代文坛—1991,(3):14-18
词语的联想意义说略	匡吉	学语文(芜湖)—1991,(3):20-22
走出尴尬与困惑——冯于文学语言的思考	李鲁祥	枣庄师专学报·社科版—1991,(3):24-27,31
"文化"源流	李良品	语言美(昆明)—1991,(3):25②
《中国人失掉自信力了吗》的修辞简析	钱坤	绥化师专学报·社科版—1991,(3):57-59
柳宗元"永州八记"的语言特色	傅惠钧	浙江大学报·社科版—1991,(3):69-72
文学语符化中的矛盾消解	阳友权	求索—1991,(3):81-85
淳朴清新 自然恬淡——谈《边城》的语言艺术风格	史青	信阳师范学院学报·哲社版—1991,(3):81-87
《围城》人物命名的修辞机趣	马钧	名作欣赏—1991,(3):82-83
文学语言的功能分类与作家、作品语言风格特色的研究	曹炜 蔡永良	吴中学刊—1991,(3):85-91
消解意义:走向寂灭的语言游戏	向荣	四川文学—1991,(3):87-90
文学语言的心理特征	王烟生	徐州师范学院学报·哲社版—1991,(3):147-151
小说的思想和语言	汪曾祺	写作—1991,(4):3-7
试析文学语言以形容词作宾语的表达形式	吴战文	语文学刊(呼和浩特)—1991,(4):5-8
谈对话描写中的"言外之意"	高选勤	写作—1991,(4):14-15
《我的空中阁楼》的语言艺术	傅惠钧	修辞学习—1991,(4):33-34
琐谈《雷雨》语言的动作性	易接道 甘久生	宜春师专学报—1991,(4):39-45
文学语言的回归	张奥列	长江文艺—1991,(4):65-66

谈谈李清照词中"红"字的巧用	凌晓雷	贵州师范大学学报·社科版—1991,(4):71－72,98
也谈中国小说叙述中转述语的独特性——兼与赵毅衡先生商榷	申丹	北京大学学报·哲社版—1991,(4):79,82
文学语言散论	刘绍智	宁夏社会科学—1991,(4):96－100
《呐喊》《彷徨》中运用句式的艺术	立芬	锦州师院学报—1991,(4):103－107,79
语言意识的觉醒——当代中国文学的新进展述要	毕光明	社会科学动态—1991,(5):21－24
新故事的语言特色	张伯利	民间文学—1991,(5):62－64
当代小说的语言探索——以台湾小说的变革为例	黎湘萍	文艺争鸣—1991,(5):65－68
从"表达"到"创造"——新时期小说语言变革断想	刘克宽	文学评论家—1991,(6):25－28
文学修辞手法在新闻标题中的应用	夙循	应用写作—1991,(6):33
从抽象的语言到具象的文学	刘安海	华中师范大学学报·哲社版—1991,(6):59－64,68
汉译《静静的顿河》的特有修辞手法	刘驾超	湖南师范大学学报·社科版—1991,(6):100－103
漱玉词和稼轩词选字比较	沈荣森	东岳论丛—1991,(6):101－104
《围城》比喻的艺术特色	张大鸣	社会科学辑刊—1991,(6):134－137
小说的语言艺术	贺光鑫	百花洲—1991,(6):191－200
言语行为·人称·自我分裂	刘大为	中文自学指导—1991,(9):33－35,39
形象思维与文学语言	李浚平	中文自学指导—1991,(9):35－37
散文的节奏	文炼	电大文科园地—1991,(10):2－3
吴洁敏教授揭示汉语节奏规律	吴洁敏	光明日报—1991年10月18日第1版
从雨果成了"笔杆贩子"说起——关于交际的"前提"	宗廷虎	语文月刊—1991,(11):7－9
新笔记小说的语言及心态、文体	谢锡文	写作—1991,(11):7－9
含糊语义在小说中的妙用	王鸿杰	语文月刊—1991,(11):9
《孙子》文辞纵论	寿涌	中文自学指导—1991,(11):41－43
《岳阳楼记》中的语言美、图画美、结构美	饶君剑	语文教学之友—1991,(12):24－25
《水浒》人物的个性化语言	林同	明清小说研究—1991,(增刊):49－56
熔铸点染,化俗为雅:论《聊斋》语言艺术的魅力的特色	林同	明清小说研究—1991,(增刊):129－143
新时期探索小说语言变革倾向初探	范玉刚	吉林师范学院学报—1992,(1):37－41
《聊斋志异》语言的模糊性	张晓西	东疆学刊·哲社版(延吉)—1992,(1):50－53
云南少数民族民间传说故事语言艺术简论	龚维顺	云南师大学报·哲社版—1992,(1):82－85
文学作品语言的理论与实践	张会森	求是学刊—1992,(1):89－93

谈文学语言	秦　牧	修辞学习—1992,(2):30-31
文学语言符号和形象思维	李　满	江西社会科学—1992,(2):64
文学语言的音乐美	祝敏青	福建师范大学学报—1992,(2):88-92
汉语节奏的周期及层次:节奏规律研究之一	吴洁敏	中国语文(北京)—1992,(2):129-135
汉语节奏中的套叠现象:节奏规律研究之二	吴洁敏	杭州大学学报·哲社版—1991,(3):164-175
文学的语言文字中介与文学史研究	张　弘	江海学刊—1992,(2):147
论文学语言的认可性	齐沪扬	暨南学报·哲社版—1992,(3):134-140
语言的魔力:巫术与审美之语言心态一瞥	黄伦生	云南师范大学哲学社会科学学报(昆明)—1992,(4):25-30
文学语言再认识	缪开和	云南师大学报·哲社版—1992,(4):65-70,93
文学语言崇拜评说	刘大枫	天津文学—1992,(4):73-80
文学语言的双重品格——"有限手段的无限运用"	刘晓文	北京师范大学学报·社科版—1992,(4):96-103
文学史与语言学	陶东风	艺术广角—1992,(5):4-15
对文学语言应当有高尚的审美观	草　明	语文建设—1992,(5):29
论文学语言的特殊表征	冯广艺	解放军外语学院学报(洛阳)—1992,(5):43-48
现代小说叙述语言谈	贾　越	浙江学刊—1992,(5):92-96
文学语言:遵循规范与突破规范	杜书瀛 俞　岸	语文建设(北京)—1992,(7):27-30
论文学创造的语符化行程	阳友权	江汉论坛—1992,(8):66
文学语言的共性和个性	常敬宇	语文建设(北京)—1992,(9):17
文学语言变异刍议	刘素琴	语文建设—1992,(11):20-22
文学语言的特殊性	毛时安	语文建设—1992,(11):22
语言自述与小说叙事的新观念	青　萍 达　微	修辞学习—1993,(1):3-4
近期新潮小说语言革新扫描	陈江平	修辞学习—1993,(1):5-7
广告语言的逻辑妙用	黄　骏	逻辑与语言学习—1993,(1):17-18
对前一时期文学语言探索中某些偏向的思考	路国藩	佳木斯师专学报—1993,(1):23-27
试论"十七年"文学语言的人工性	李道新	唐都学刊—1993,(1):79-82,87
也谈"文学是语言的艺术":兼论文学的所谓"真实性"	陶东风	艺术广角—1993,(2):4-7
文学语言研究我见	马大康	艺术广角—1993,(2):13-15
关于文学语言规范化问题	李润新	语文建设(北京)—1993,(2):21-23,19
从女作家的创作看文学语言与作家自身	彭　宁	广西师院学报·哲社版—1993,(2):41-45
文学语言的变异及其"陌生化"	詹少平	九江师专学报·哲社版—1993,(2):48-52

文学语言的物质与误区	杨守森	青岛文学—1993,(2):69-72
文学语符意象化的心理阐释	赵子清	赣南师范学院学报·社科版—1993,(2):92-97
语言的纯粹与圆熟——40年代散文语言的考察	蔡世连	山东师大学报·社科版—1993,(2):98-99
汉语的节奏规律和朗读艺术	吴洁敏	世界汉语教学—1993,(2):103-109
空符号·潜词·仿词·新词	徐国珍	语文月刊(广州)—1993,(3):4-5
文学语言形象美的成因	董小玉	写作—1993,(3):23-24
文学语言的"陌生化"和"自动化"	刘谋	盐城师专学报·哲社版—1993,(3):38-42,33
广告语言中的文化心理透视	危磊	广西师院学报·哲社版—1993,(3):86-89
试论文学语言研究的功用	林立	江苏社会科学—1993,(3):119-122
京味儿——开放型文化传统影响下的语言艺术	张伯江 金汕	北京社会科学—1993,(3):121-128,120
曹雪芹与高鹗语言的比较	晁继周	中国语文(北京)—1993,(3):225-230
公文模糊语言使用浅说	谢高进	应用写作—1993,(4):9-11
语言的诗化	马立鞭	写作—1993,(4):13-14
《金瓶梅》人物语言描写的艺术特色	陈家生	写作—1993,(4):18-19
论文学语言的变异	刘萍	宜春师专学报·社科版—1993,(4):25-27
新时期小说叙述语言的演化	曹书文	锦州师院学报·哲社版—1993,(4):62-67
"语言僵化"评析	邓刚	四川师范学院学报·哲社版—1993,(4):83-86
艺术与语言的综合——一种对文学性的描述	郁晓耕	江海学刊—1993,(4):146-152
谈商标命名的语言艺术	张德明	修辞学习—1993,(5):36
广告语言的外部关系义初探	王霞	逻辑与语言学习—1993,(5):43-45
结构于多维网络——文学语言深表结构的动态探因	缪开和	云南师范大学学报·哲社版—1993,(5):66-72
略谈文学语言的功能	黄海	文学评论—1993,(5):157-158
《红楼梦》人物的个性化语言	陈家生	修辞学习—1993,(6):26-27
动感性语言——晴雯艺术形象的主要特征	邹光椿 陈慧娜	修辞学习—1993,(6):28-29
文学语篇基本结构分析	杨慧	荆州师专学报·社科版—1993,(6):45-49
《毛选》应用文体的语言特色	万承恩	应用写作—1993,(7):3-4
公文运用模糊语言的积极意义及其要求	莫俊生	应用写作—1993,(9):10-12
体验性——诗歌语言的特点	刘大为	语文学习—1993,(9):42-44
散淡——散文语言的特点	张放	语文学习—1993,(9):44-45
散文贵在锤炼语言	陈由泓	读写月报—1993,(10):7
也谈文学语言的规范与创新	彭树楷	语文建设—1993,(11):19-20
贾政的口才和耳才——《红楼梦》第17回漫语	王希杰	语文月刊—1993,(12):2-4

标题	作者	出处
广告语言创意手段探微	黄 雷	阅读与写作—1993,(12):5-6
试论科学论文的语言	龙厚雄	应用写作—1994,(1):21-23
文学语言鉴赏时的心理定势	李延瑞	修辞学习—1994,(1):32-33
甜·酸·辣·土·洋·古——毛泽东的语言有"味"可品	霍晏平	秘书—1994,(1):33-34
郑板桥艳词初探	徐有富	南京大学学报·哲社版—1994,(1):51-53
略论小说译笔优美的标准	张光明	外语研究—1994,(1):56-58
论文学语言能指与所指的分离	叶向东	云南教育学院学报—1994,(1):63-65,62
论小说语言的风格美及其形成与超越	王文松 叶林海	云南师大学报—1994,(1):86-91,94
论小说语言的风格美及其形成与超越	王文松 叶林海	云南师大学报—1994,(2):86-91,94
《论语》修辞手法初探	毛学河	海南师院学报·人文版—1994,(1):87-90
论文学作品中的描写性语言	陈 炯	江南大学学报—1994,(2):39-45
语言视野中的古典叙事诗	余 松	云南大学学报—1994,(2):59-66
《伤逝》语言艺术探秘	金慧萍	宁波师院学报—1994,(2):80-86
《呐喊》、《彷徨》中的艺术修饰语散论	周自厚	长沙水电师院社会科学学报—1994,(2):101-104
语言的艺术——文学书简之二	张 炯	语文月刊—1994,(3):12-13
古朴顿挫 凝炼醒目——鲁迅作品短句修辞揽胜	徐应葵 蒋 鹏	修辞学习—1994,(3):21-22
论朱自清"谈话风"语言的审美特征形成与发展	张玉飞	江苏社会科学—1994,(3):44-45
浅说《战国策》的论理技巧与语言艺术	党天正	宝鸡文理学院学报·哲社版—1994,(3):62-68
现代公文用语刍议	魏峙东	应用写作—1994,(4):14
文学语言朴素美的成因	董小玉	写作—1994,(4):26-27
艺术语言再探讨	骆小所	语言文字应用—1994,(4):50-56
潘金莲语言的交际特征和个性特征	曹 炜 蔡永良	齐齐哈尔师范学院学报·哲社版—1994,(4):85-89
张天翼童话的语言学分析	何 群	山东大学报·社科版—1994,(4):86-89
青出于蓝而胜于蓝——《王西厢》《董西厢》语言艺术比较	袁启明 张粤民	名作欣赏—1994,(4):99-111
文学语言的规范与艺术	高万云	河北师学报·哲社版—1994,(4):115-125
试论中国古代小说的用语特点	王启忠	齐鲁学刊—1994,(5):13-20
苏辛词叠字艺术之比较	沈荣森	山东师大学报·社科版—1994,(5):91-93
关于文学的语言问题	王汶成	江海学刊—1994,(5):181-185
曹雪芹擅构语境绘人物	邹光椿 陈慧娜	修辞学习—1994,(6):30-31
《井冈翠竹》——学习修辞格的好教材	朱振华	语文教学之友—1994,(6):36-37
许达然散文的语言美	史灿方	修辞学习—1994,(6):40-41

郭沫若巧写贺年片	田　叶	语文建设—1994,(6):47-48
《阴理交接》集的长句类型及修辞作用 　　——蒋子龙小说语言探索之一	丁　安　仪 原　新　梅	河南师范大学学报·哲社版—1994,(6):53-57
《庄子》的语言特色	赵　纯　伟	百科知识—1994,(9):20-21
变体议论文萃评	程　海　林	语文教学通讯—1994,(10):24-25
语言是漂浮在小溪上的树叶——著名 　　演员郑榕先生谈艺术语言的塑造	张　继　先	语文世界—1994,(12):4-6
并非作家们写不出文雅词语:谈小说 　　语言粗俗化的原因	王　耀　辉 吴　　雪	语文建设—1995,(1):17-19
不可忽视语言艺术	刘　绍　棠	语文建设—1995,(2):14
欧·亨利短篇小说的语言特色:简析短 　　篇小说集《四百万》	董　少　葵	江西师范大学学报·哲社版—1995,(2):65-69
突出:语言描述与文学解释	吴　建　刚	华中师范大学学报·哲社版—1995,(4):87-93
关于文学语言粗俗化问题:答《语文建 　　设》记者问	张　　炯	语文建设—1995,(6):14-16

文学作品和方言

早期白话著作词语的地域归属研究	张　　崇	西北大学学报·哲社版(西安)—1991,(4):92-97
令人叫绝的广告	王　小　灵	汉语学习(延吉)—1993,(1):48-49
新写实小说的语言变异	高　爱　琴	上海师范大学学报·哲社版—1993,(1):116-121
语言规范化是文艺工作者的神圣职责	夏　　衍	语文建设(北京)—1993,(2):20
广告词的流行色彩	邵　敬　敏	语文学习(上海)—1993,(2):41-42
《儿女英雄传》是《红楼梦》通向现代北 　　京话的中途站	龚　千　炎	语文研究—1994,(1):27-31
文学作品中的新词语	于　根　元	修辞学习—1994,(5):10-11
《女神》中的方言词补漏	黄　泽　佩	阅读与写作—1994,(6):38
吴方言区作家的普通话和方言	石　汝　杰 周　长　楫	语言文字应用—1995,(3):65-70
东北作家创作中的情义民风、乡土语 　　言与文本特征	逄　增　玉	东北师大学报·哲社版—1995,(5):80-86

诗 的 语 言

古诗词名句修辞艺术举隅	罗　毓　开	黔南民族师专学报—1991,(1):16-20
化枯燥为生动:谈古典诗歌中的数量 　　词	唐　雪　凝	语文函授—1991,(1):28-29
诗歌艺术的语言学求解	魏　家　骏	文学评论家—1991,(1):35-38
古典诗歌数词运用摭谈	莫　　非	贵州民族学院学报—1991,(1):39-45
诗语言的跳摆空间与外围空间	潘　灵　剑	台州师专学报·社科版—1991,(1):46-49

标题	作者	出处
《诗经》中"维"字考察	李维琦	古汉语研究—1991,(2):1-8
近体诗的词类活用及其修辞功能	韩晓光	营口师专学报—1991,(2):6-11
近体诗的拗救	康泰	吉安师专学报·哲社版—1991,(2):12-16
诗歌语词的"越位"	范一直	写作—1991,(2):14-15
多少与久暂——诗词若干疑问词语相反义项试解	王海棻	古汉语研究—1991,(2):37-42
例析先锋诗语言变革的三种模式	周迎春	福建文学—1991,(2):71-72
论毛泽东同志对词律的运用	虞成	云南教育学院学报—1991,(2):87-93
诗歌语言的奇与常和巧与朴	黄益庸	写作—1991,(3):14-16
歌的语言 情的语言——析流行歌曲的语言风格	连晓霞	修辞学习—1991,(3):47-48
诗歌语言论探微	李元胜	探索·哲社版—1991,(3):62-64
《诗经》"维"字解	张联荣	语文研究—1991,(4):24-31
论《九江》"兮"字之性质与作用	陈自力	广西师范大学学报—1991,(4):58-65
论古典诗词中的"名词句"	刘子敏	延边大学学报—1991,(4):76-81
中国古代诗歌的语言结构与人的情感——情感结构	孙绿江	兰州大学学报·社科版—1991,(4):122-128
诗歌韵律的民族性	陈延河	民族语文—1991,(5):76-78
汉语新诗的形式美与现代汉语的特点	郑福田	内蒙古社会科学·文史哲—1991,(5):92-96
挪前移后 巧运匠心——谈旧体诗词的语序美	臧正民	古典文学知识—1991,(6):94-98
以情选韵 因韵显意——浅谈诗歌创作的用韵	呼玉山 张学军	读写月报—1991,(7):8.4-6
诗歌鉴赏中的语言"刺激"	熊南雁	语文月刊—1991,(7):10-11
走向语言本体的诗歌美学——当前诗歌语言美学研究的反思构想	陈旭光 冯冀	学术月刊—1991,(8):70-76
玻璃工厂:纯粹的语言平面世界	游刃	诗歌报月刊—1991,(9):43-45
怎样掌握近体诗的平仄	顾义生	中文自修—1991,(10):30-32
诗歌语言:意象符号与文本结构:从诗歌语言角度对诗歌文本的一种欣赏探奥	陈旭光	名作欣赏—1992,(1):4-10
东坡词音律问题新说	刘石	江汉论坛—1992,(2):64
诗词源流格律概略	刘腴深	湖南师范大学学报—1992,(2):93-96
古诗文"代为自称"表达方式述略	廖柏昂	修辞学习—1992,(3):32-33
从语言结构谈近体诗的理解和欣赏	文炼	上海师大学报·哲社版—1992,(3):119-123
《聊斋俚曲》不同韵辙之字押韵一例	罗福腾	语文研究—1992,(4):29
陆游诗用韵中"浊上变去"的考察	林长伟	福建师范大学学报—1992,(4):70-76
文学语言的指称与非指称——关于西方诗学的评述之一	陈兴伟	浙江师大学报·社科版—1992,(4):84-90

柳宗元诗文用韵	荀春荣	社会科学战线—1992,(4):301-309
格律——诗歌语言的性质——诗歌格律讲座(一)	林仲湘	阅读与写作—1992,(1):17-18
汉语诗歌的体裁——诗歌格律讲座(二)	林仲湘	阅读与写作—1992,(2):27-28
汉语诗歌的格律要素——诗歌格律讲座(三)	林仲湘	阅读与写作—1992,(3):20-21
节奏——诗歌格律讲座(四)	林仲湘	阅读与写作—1992,(4):15-16
押韵——诗歌格律讲座(五)	林仲湘	阅读与写作—1992,(5):11-12
平仄——诗歌格律讲座(六)	林仲湘	阅读与写作—1992,(6):15-16
对仗——诗歌格律讲座(七)	林仲湘	阅读与写作—1992,(7):5-6
律绝的格律——诗歌格律讲座(八)	林仲湘	阅读与写作—1992,(8):10-11,30
律诗的格律(上)——诗歌格律讲座(九)	林仲湘	阅读与写作—1992,(9):30-31
律诗的格律(下)——诗歌格律讲座(十)	林仲湘	阅读与写作—1992,(10):26-27
律诗的格律(三)——诗歌格律讲座(十一)	林仲湘	阅读与写作—1992,(11):9-10
排律的格律——诗歌格律讲座(十二)	林仲湘	阅读与写作—1992,(12):10-11
旧体诗写作中的音韵问题	沈祥源	写作—1992,(5):18-19
四声摭谈	周正举	阅读与写作—1992,(8):21-22
论宋词声韵的历史特征	张惠民	汕头大学学报·人文版—1993,(1):19-25,34
诗歌语言中的体词块状铺排	林华东	修辞学习—1993,(2):16-17
诗与广告	吕锶	大学生—1993,(2):38-39
诗话与古典诗歌的语境——中国古代诗话的现代阐释	高小康	天津社会科学—1993,(2):53-57,46
七绝的仄平仄式与平仄仄式的比较	姚彝铭	语言研究—1993,(2):76-80
汉语诗歌的语法学研究	高万云	河北师院学报·社科版—1993,(2):124-130
诗歌与模糊修辞	陈位祥	暨南学报·哲社版(广州)—1993,(2):135-144
古体诗的格律(下)	林仲湘	阅读与写作—1993,(3):20-21
现代歌词的语言特征	许建章 王耀辉	修辞学习(上海)—1993,(3):22-24
汉语传统诗歌的语言风格	唐松波	修辞学习(上海)—1993,(3):24-26
"言词突出"及其它——读万稼祥的短诗《获奖》	天帆	写作—1993,(3):40
汉语诗歌语言风格略论	唐松波	中国人民警官大学学报·哲社版—1993,(3):72-75
汉语诗歌语言的音乐性原理	王东升	东岳论丛—1993,(3):91-95
论从古诗到律诗的语言结构发展	王德明 覃喆	语言文字学(北京)—1993,(3):138,42

标题	作者	出处
意象是诗歌语言的最小单位吗？ ——与陈旭光同志商榷	陈 炯	名作欣赏—1993,(5):10-12
中国古典诗律之语言天赋	申 小 龙	学术研究—1993,(5):104-108
诗歌格律讲座(十八)	林 亦 林 仲 湘	阅读与写作—1993,(6):24-25
诗歌格律讲座(十九)	林 亦 林 仲 湘	阅读与写作—1993,(7):20-21
诗歌格律讲座(二十)	林 亦 林 仲 湘	阅读与写作—1993,(8):25-26
诗歌格律讲座(二十一)	林 亦	阅读与写作—1993,(9):27-29,34
诗歌格律讲座(二十二)	周 莹 林 仲 湘	阅读与写作—1993,(10):15-16
诗歌格律讲座(二十三)	周 莹 林 仲 湘	阅读与写作—1993,(11):21-22
诗歌格律讲座(二十四)	周 莹 林 仲 湘	阅读与写作—1993,(12):18-19
释子的梵呗转读与近体诗的平仄格式	姜 聿 华	吉林大学学报·社科版—1993,(6):74-80
不依古法但横行　自有云雷绕膝生 ——略论中国诗词对语言的变异技巧	刘 平 都	云南师范大学学报·哲社版—1993,(6):124-128,101
浅谈诗歌的节奏及其划分	李 敦 才	读写月报—1993,(9):8-9
读词应该注意的语音停顿	高 如 珍	读写月报—1993,(10):12
独语句及其在律诗对仗中的运用	张 炼 强	中学语文教学—1993,(11):36-38
怎样朗读旧体诗词	曹 乃 木	语文建设—1993,(12):26,31
小议戏剧语言	王 胜 华	修辞学习—1994,(1):33-35
时间表述的艺术化：谈诗、词的语言	史 锡 尧	修辞学习(上海)—1994,(2):14
诗的语言和事实	陈 炼 强	修辞学习—1994,(2):15-16
刍议语义对立和矛盾修辞格的关系	王 大 正	阅读与写作—1994,(2):20-21
古诗专用词语例释	王 志 生	文史杂志—1994,(2):47
从语言与音律的运用看清真词的审美取向	潘 裕 民	安庆师院社会科学学报—1994,(2):66-70,100
断取现象与辞格的确定	唐 松 波	修辞学习(上海)—1994,(6):13-14
从单字词的灵活性谈到旧体诗的修辞问题	启 功	北京师范大学学报·社科版—1994,(6):53-62
从稼轩词中语气词的运用看宋词与唐代近体诗语言的差异	王 绍 新	湖北大学学报·哲社版—1995,(3):116-121
叠字在古典诗歌中的善与修辞功能	吴 宗 渊	宁夏大学学报—1995,(4):61-66

戏曲和曲艺语言

标题	作者	出处
辅音特征和声调识别中的耳优势	杨 玉 芳	心理学报—1991,(2):131-137

叙述与对话——中国戏剧话语模式比较	周 宁	中国社会科学—1992,(5):181-194
试论戏剧语言的艺术美	刘 洪 甲	徐州师范学院学报·哲社版—1993,(1):79-83
京剧唱念中垫字的语音原理	程 从 荣	中南民族学院学报·哲社版(武汉)—1993,(1):105-108
抑扬多变　和谐悦耳:浅谈语言的音乐美	李 阳 海	中学语文教学(北京)—1993,(2):37-39,42
学习评弹语言艺术札记	陈 炯 黄 茂 忠	修辞学习—1993,(3):43
汉语和中国戏曲	朱 玲	语文月刊—1994,(4):10-11
散曲中的修辞	元 硕	语文知识—1995,(7):34-35

话剧、电影和广播语言

商品牌号宣传的语言技巧	邵 敬 敏	中文自学指导—1991,(1):39-40
广告语言的运用	黄 其 亨	应用写作—1991,(3):23-24
试论广播电视节目主持人的语言艺术	田 富 华	淮南社会科学—1991,(3):46-48,15
商业广告中的语言技巧	徐 小 江	应用写作—1991,(4):22-23
语言在电视广告中的作用	陆 云 鹏	新闻战线—1991,(4):37-38
广告语言与社会心理	甘 于 恩	暨南学报·哲社版—1991,(4):104-108
话说标题艺术	史 灿 方	学语文—1991,(5):7-8
"请大家告诉大家……"	洪 舒	汉语学习—1991,(5):48
浅谈广告语言	高 岩	河南大学学报·社科版—1991,(5):94-98
化妆品用语点滴	徐 丽 华	学语文—1991,(6):43-45
艺术化的广告语言	韩 士 奇	读写月报—1991,(12):41
关于影视方言问题的讨论	顾　　设 南　　方 殷 作 炎 文 志 传	语文建设—1992,(2):11-14
主持人语言的口语化应适度	尹 常 林	新闻与写作—1992,(6):27-28
关于影视方言问题的讨论	玉　　良 刘　　斌 碣　　黎 景 永 垣	语文建设—1992,(7):23-26
"上口"和"入耳":增强广播电视语言的适听性	孔 德 明	语文建设(北京)—1993,(1):25-27
电台节目主持人语言运用得失谈	张 建 民	修辞学习(上海)—1993,(1):28-29
电视广告语言对幼儿的影响	盛 爱 平	修辞学习(上海)—1993,(1):30-31
广播电视语言应当在规范与普及文学语言语音中起带头作用	海比布拉· 肉孜买提著 路 石 译	语言与翻译(乌鲁木齐)—1993,(1):67-70

《野草》的曲笔及其语言形式	罗 淑 芳	河北大学学报·社科版—1993,(2):51-57
《日出》戏剧语言的语用分析	王 希 杰	上饶师专学报—1993,(3):57-61
广播新闻听力课教学论略	金 天 相 李 泉	汉语学习—1994,(3):60-63
再造时空:诗和电影的共同语言	蔡 良 骥	杭州大学学报·哲社版—1994,(2):89-97
文学语言与电影语言的比较	赵 可 书	唐都学刊—1994,(5):57-59,62
电影译名初探	虞 莉	华东师范大学学报·哲社版—1995,(3):93-95,24

新 闻 语 言

普通话播音和朗诵中的字音规范化问题	殷 作 炎	语言文字学(北京)—1990,(12):31-39
放笔为文洒脱难——萧乾谈新闻与语言	简 妮	对外报道—1991,(1):4-7
电视新闻导语刍议	王 英 杨 民 生	语言美(昆明)—1991,(1):10①
通讯语言的特色(三)情感丰富(上)	马 向 伍	新闻与写作—1991,(1):15-17
通讯语言的特色(三)情感丰富(下)	马 向 伍	新闻与写作—1991,(3):15-16
试谈幽默在新闻写作中的运用	徐 映 珉	新闻通讯—1991,(1):36-37
试论新闻语言的特性	马 醒 民	新闻通讯—1991,(1):38-40
新闻导语语义结构初探	陈 力 菲	江西教育学院学报·综合版(南昌)—1991,(2):39-43
期如其事 适如其人——通讯新闻语言的特性	马 先 义	山东师大学报·社科版—1991,(2):74-79
试论新闻语言的基本特征	郭 熙	南京大学学报·人文·哲社版—1991,(4):167-172,177
话须通俗方传远——关于通讯语言的对话(上)	刘 波	新闻与成才—1991,(5):17-18
真花要带泥土香——关于通讯语言的对话(中)	刘 波	新闻与成才—1991,(7):38-39
语言要有音乐感——关于通讯语言的对话(下)	刘 波	新闻与成才—1991,(9):8-9
报纸语言谈	王 希 杰	逻辑与语言学习—1991,(6):36-38
新闻中的群众语言(上)	孙 世 恺	新闻与写作—1991,(9):14-15
新闻中的对话	杜 长 久	新闻与写作—1992,(1):18
再谈"新闻语言的准确性"	邹 哲 承	语文建设(北京)—1992,(1):41
新闻报道中的一种简缩词语	袁 嘉	逻辑与语言学习(石家庄)—1992,(1):43-45
广播电视语言:语言应用研究的新天地:读牛印文等《广播电视语言应用》	周 洪 波	语言文字应用(北京)—1992,(1):56-60

"科学语体"和"政论语"是同一种语体	张登岐	阜阳师院学报·社科版—1992,(1):67-73,80
新闻语言初探	冯利	北京大学学报·英语语言文学专刊—1992,(2):86-90
略说新闻语言的现场性和形象性	林唯舟	修辞学习(上海)—1992,(4):23-24
语言学家对广播语言研究的贡献	吴为章	语文建设(北京)—1992,(5):17-18
新闻写作的语言与逻辑	苏越 徐方强	新闻与写作—1992,(6):31-32
正确使用祖国语言文字　更好地发挥传播媒介文化导向作用	新闻出版报社	语文建设(北京)—1993,(2):2-4
报刊标题语言拾误	贺水彬	语文建设(北京)—1993,(2):15-16
新闻的潜信息	李元授	修辞学习—1993,(3):16-17
从"东方风来满眼春"谈起:报刊标题语言文化浅议	赵清永	汉语学习—1993,(3):33-36
谈形象语言在经济新闻中的运用	李金宝 王诗武	写作—1993,(4):29-30
为北京立交桥增色生辉——谈《北京立交桥》的语言特色	勇全	修辞学习—1993,(4):41-42
论新闻语言的朴实美	柳宏	应用写作—1993,(5):32-34
广告语言研究面临的课题:深化和实用化	曹志耘	语言文字应用—1994,(1):21-23
广告语言和广告文学	孟宪爱	学语文—1994,(1):40-41
广告词语生涯——谈话文稿写作的基本要求	李中榜	秘书—1994,(1):41-42
浅论司法语言的准确性和简洁性	姚锡运 张焱	驻马店师专学报·社科版—1994,(1):57-60,68
试论广告语体的风格特征	宗廷虎	西安外院学报—1994,(1):58-64
四字广告漫谈	段晓平	杭州师范学院学报—1994,(1):87-90
广告词创新意的思维方法	汤定宗	漳州师院学报—1994,(1):95-98,15
报纸语言的示范作用和语言的阶层性	张巨龄	语文建设—1994,(2):7-8
广告写作中的双关语	李灿辉	应用写作—1994,(2):20-21
可证性,新闻报道和论辩语体	胡壮麟	外语研究—1994,(2):22-28
论修辞手法在新闻导语中的运用	华光耀	江西教育学院学报—1994,(2):74-77
论商标词的文化底蕴及其功能	于逢春	延边大学学报—1994,(2):102-105
报章标题多仿拟	黄南方 杜文星	学语文—1994,(3):31-32
广告语言疏误谈	郑荣馨	修辞学习—1994,(3):44-45
报刊语病类辑	张志达	语文建设—1994,(3):46-47
广告乱弹	凌乙	语文学习—1994,(3):48
广告语乱弹	凌乙	语文学习—1994,(12):40-41
语言的"陌生化"与广告词作	肖贤彬	深圳大学学报—1994,(3):63-71

标题	作者	出处
1993年部分广告用语分析报告	94全国广告词评选专家委员会	语言文字应用—1994,(3):88-91
规范文字环境	张巨龄	语言文字学—1994,(3):119-120
优秀广告词评析	童家宾	学语文—1994,(5):35-36
谐音手法与新闻语言的形象化	胡安良 吕庆飞	修辞学习—1994,(6):9-10
电视节目主持人的语言	王秋祥	修辞学习—1994,(6):33,22
广告语中夸张手法运用的两个问题	陈桂良	修辞学习—1994,(6):36-37
发挥广告语言的优势	张宏梁 马爱华	应用写作—1994,(7):21-22
议案的写作	徐华芸	秘书—1994,(7):38-39
公文语言的不确定性	黄涧秋	秘书—1994,(7):41
杂糅:报刊上常见的一种语病	叶景烈	语文建设—1994,(8):9-10
报刊语病评改	黄芬香	语文知识—1994,(8):35-39
经济合同用语要准确	吴思	语文建设—1994,(8):38-39
广告语言美	何宇辉	语文学习—1994,(8):41-42
广告语言的文化品位	李嘉祥	语文学习—1994,(8):44
具象性思维与广告语言	覃凤余	阅读与写作—1994,(9):20
"商标广告语"现象初探	谭建淋	应用写作—1994,(10):21-22
一个成功的广告语言创意	王益洋	演讲与口才—1994,(10):36
广告制作中双关语的运用	李欣	写作—1994,(12):29

普通话和方言

上海口音普通话初探	汪平	语言研究(武昌)—1990,(1):51-66
西安方言 pf、pfʰ 音的共对变异	唐明路	语言研究(武昌)—1990,(2):25-31
信宜方言的文白异读	叶国泉 罗康宁	语言研究(武昌)—1990,(2):32-35
宜兴方言同音字汇	叶祥苓 郭宗俊	方言(北京)—1990,(2):88-98
普通话与方言问题学术讨论会上的发言	吕叔湘	语文建设(北京)—1990,(4):6
《朱子语类》方言俗语词考	袁庆述	语文研究(太原)—1990,(4):29-32
论汉语方言俗语的考源及段玉裁的贡献	罗宪华	四川大学学报·哲社版(成都)—1990,(4):60-67
方言音系自动整理系统——"FYCL系统"	吴道勤	湘潭大学学报·社科版—1990,(4):112-115
飑风的本字(上)	李荣	方言(北京)—1990,(4):241-244
飑风的本字(中)	李荣	方言(北京)—1991,(1):1-9
飑风的本字(下)	李荣	方言(北京)—1991,(2):83-87

丰富的语言	郭　诚	中国语文(北京)—1990,(6):462
澳门中文官方地位的提出与实现	程祥徽	中国语文(北京)—1991,(1):20-25
从郭璞注看晋代方言地理及其与汉代方言地理的关系	沈榕秋	衡阳师专学报·社科版—1991,(1):46-51
潮州话的一种特殊变调	林道祥	汕头大学学报·人文科学版—1991,(1):51-54
潮州话动词或处所名词前面的"来"	王彦坤	汕头大学学报·人文科学版—1991,(1):54-57
包头方言中几个特殊语法现象	吕世华	喀什师范学院学报—1991,(1):66-71
九江话"八×"社会分层情况考察	张林林	江西师范大学学报·哲社版(南昌)—1991,(1):94-97
万荣方言语法的两个特点	吴建生	语文研究(太原)—1991,(2):43-47
朔城区方言"哩"的几种用法	江荫褆	语文研究(太原)—1991,(2):48,47
山西省方言志丛书序	李　荣	方言(北京)—1991,(2):81
汉语各方言的关系和特点	李新魁	学术研究(广州)—1991,(2):87-93
昆明方言"得"字用法	张华文	方言(北京)—1991,(2):133-137
大冶金湖话的"的""个"和"的个"	汪国胜	中国语文(北京)—1991,(3):211-215
《贵州毕节方言的文白异读》及《读后》订补	李　蓝	中国语文(北京)—1991,(3):216-220
多音节词的语音换位一例	张树铮	中国语文(北京)—1991,(3):221
江永的方言观	唐作藩	语言研究(武汉)—1991,(增刊):1-2
也谈方言词的运用	凌　乙	语文学习(上海)—1992,(2):41-42
关于邢公畹教授对拙作《汉语南岛语同源论》的述评	L.沙加尔	民族语文(北京)—1992,(5):37-41
汉语对维吾尔语语音的影响	依米提·赛买提著 解牛译	语言与翻译(乌鲁木齐)—1993,(1):27-29
上海话与普通话动作类对应词的比较	何干俊	江西教育学院学报·社科版(南昌)—1993,(1):47-53
《审音表》修订追记(一)	徐世荣	语文建设(北京)—1993,(2):34-36
《审音表》修订追记(二)	徐世荣	语文建设(北京)—1993,(3):46-48,
《审音表》修订追记(三)	徐世荣	语文建设(北京)—1993,(4):47-48,42
普通话"南下"与粤方言"北上"	詹伯慧	学术研究—1993,(4):67-72
普通话"南下"与粤方言"北上":在香港中国语文学会的演讲	詹伯慧	语文建设通讯(香港)—1993,(39):51-57
达县方言词语记略(一)	谭伦华	达县师专学报·社科版—1994,(1):10-15
吕四方言两字组连读变调	卢今元	方言——1994,(1):46-55
荆沙方言中的两种特殊语言现象	王群生	荆州师专学报·社科版—1994,(1):53-56
汉口方言的 nia	潘　攀	江汉大学学报—1994,(1):60-63
宜昌市方言的儿化现象	胡　海	宜昌师专学报—1994,(1):60-65
汉口方言句末的"在"	潘　攀	武汉教育学报·哲社版—1994,(1):76-79
荔浦话里的反复问句及其否定回答	覃远雄	广西民族学院学报·哲社版—1994,(1):87-91

标题	作者	出处
官话方言全浊清化的一颗化石：四川境内的现代"老湖广话"及其他	黎新第	古汉语研究—1994,(2):22-27,51
汉语方言的定量研究	沈榕秋	语文研究—1994,(2):45-52
四川民俗与四川方言	黄尚军	文史杂志—1994,(2):46
黄州话的"得"	汪化云	黄冈师专学报·社科版—1994,(2):77-80
大冶方言语法札记	汪国胜	华中师范大学学报·哲社版—1994,(2):115-120
淄博地区的语言崇拜与习俗	孟庆泰	民俗研究—1994,(3):55-57
新时期活跃的柳州方言词汇综析	蔡德宪	学术论坛—1994,(3):57-61
四川话部分词语本字考	黄尚军	川东学刊·社科版—1994,(3):72-76
滇南方言可能补语的否定式	杨信川	广西大学学报·哲社版—1994,(3):76-79
南宁平话语音探微	罗乐瑜	广西地方志—1994,(4):35-37
江淮方言语法散记三则	张其昀	盐城师专学报—1994,(4):54-59
试析南诏的语言	段伶	云南民族学院学报—1994,(4):62-64
彭州话入声字分析	杨绍林	四川师范大学学报·社科版—1994,(4):82-87
方言与文化的宏观研究	李如龙	暨南学报·哲社版—1994,(4):139-148
昆明方言"着"字	丁崇明 荣晶	方言—1994,(4):277-279
南宁白话同音字汇	谢建猷	方言—1994,(4):286-303
现代宜昌音与中古音的比较	刘兴策	华中师范大学学报·哲社版—1994,(6):108-115
四川方言研究述评	崔荣昌	中国语文—1994,(6):419-429
《方言·郭注》述例	吴庆峰	古汉语研究—1995,(1):19-24
明清时期的南方系官话方言及其语音特点	黎新第	重庆师院学报·哲社版—1995,(4):81-88,封三
试论普通话对方言语音的影响	张树铮	语言文字应用—1995,(4):94-98

推 广 普 通 话

标题	作者	出处
我对推广普通话若干问题的认识	徐亦尤	语文建设(北京)—1990,(3):30-34
在香港热心推广普通话的陈和景先生	赵元孚	语文建设(北京)—1990,(3):35-36
"乌鲁木齐普通话"的启示	杨秉一	语言与翻译(乌鲁木齐)—1990,(4):6-7,5
普通话与方言问题学术讨论会上的总结发言	于根元	语文建设(北京)—1990,(4):7-9
关于普通话与方言的几个问题	陈章太	语文建设(北京)—1990,(4):27-29
"推普"刍议	徐世荣	语文建设(北京)—1990,(6):33-35
关于普通话测试标准的思考	庄守常	语文建设(北京)—1990,(6):36-38
论推广普通话工作的十大关系	林运来	语文建设(北京)—1990,(6):38-41
湖北十堰市普通话与方言的使用情况	郭友鹏	中国语文(北京)—1990,(6):427-432
在全国城市社会推广普通话工作经验交流会开幕式上的讲话	柳斌	语文建设—1991,(1):2-3
全国城市社会推广普通话工作经验交流会纪要	《语文建设》记者	语文建设—1991,(1):3-4

标题	作者	出处
积极开展社会推普工作努力为社会主义现代化建设服务	上海市语言文字工作委员会	语文建设—1991,(1):5-8
深圳推广普通话的工作怎样深入下去	陈思泉	深圳教育学院深圳师范专科学校学报·综合版—1991,(1):28-33
普通话阳平调特征和教学方法(二)	胡灵荪	绍兴师专学报—1991,(1):67-73
推广普通话的理论和实践	朱建颂	华中师范大学学报·哲社版(武汉)—1991,(1):111-114
推普艺术论:YTGY	善通	南都学坛·社科版—1991,(2):23-27
浙江人学说普通话的一些词汇问题	陈月明	宁波师院学报·社科版—1991,(4):46-48
双语习得:一个值得研究的课题——兼议双语习得与普通话的推广	赵宏	华中师范大学学报·哲社版—1991,(6):69-71
"推普"是提高服务质量的重要手段——在全国公交系统"推普"工作经验交流会上的发言	赵宗富	语文建设—1991,(8):20-21
齐太祖推广普通话	刘启恕	阅读与写作—1991,(8):38
关于对中等师范学校普及普通话工作进行检查验收的通知		语文建设—1991,(9):2-3
广州话播音与推广普通话	谭伟新 凌云	语文建设(北京)—1991,(9):21-24
元、明、清三代的"推普"工作	傅力	语文建设(北京)—1991,(9):24-25
多渠道·多方法:中师普通话教学札记	周润年	语文建设(北京)—1991,(9):30-31
这些词的读音为何被删并?	龙建春	阅读与写作—1991,(10):19
普及普通话的语音标准框架	宋欣桥	语文建设—1991,(10):20-22
"普通话水平测试标准"的研制与实践	孙修章	语言文字应用(北京)—1992,(1):12-20
当代中学生的双方言现象	王建华	语言研究(武汉)—1992,(1):19-25
谈中等师范学校的推普工作	庄守常	语文建设—1992,(2):18-21
从方言吸取营养——普通话新词语产生的重要途径	于夏龙	语言文字应用—1992,(2):35-40
听读游戏识字是幼儿学好普通话的捷径	傅继英 毛龙珍	汉字文化—1992,(2):52-53
广东决定用普通话统一全省语言,机关团体新闻单位学校要带头推广普通话	彭周贤	光明日报—1992,(3):5,1
口语课、口语表达训练及推广普通话	郭启明	语文建设(北京)—1992,(3):36-38
论普及普通话的基本条件和最终条件	陈恩泉	学术研究(广州)—1992,(3):87-90
中共广东省委广东省人民政府关于大力推广普通话的决定(一九九二年二月二日)		语文建设—1992,(4):2-3
师范院校推普工作思考	徐安蓉	语文建设—1992,(4):36-37

标题	作者	出处
推广普通话是现代化建设的要求	江 玉	语言文字学(北京)—1992,(5):45-46
普通话中必读的轻声调	史 定 国	语文建设(北京)—1992,(6):28-34
国家语委、教委要求中等师范学校加强推广普通话	白 英	光明日报—1992年8月23日第2版
处理好中师普及普通话工作中的几个关系	袁 钟 瑞	语文建设—1992,(11):34-36
对兰州师专二年级学生学习普通话的心理调查	于 光 远 高 继 先	语言文字应用(北京)—1993,(1):9-13
讲普通话 用规范字	本刊特约评论员	语文建设(北京)—1993,(1):20,24
说普通话,写规范字	《人民日报》评论员	语言文字学(北京)—1993,(1):33-34
农村中学推广普通话工作小议	高 文 昭	思茅师专学报·综合版—1993,(1):86-88
克服阻力 常抓不懈 大力推广普通话	广东省顺德师范学校	语文建设(北京)—1993,(2):7-8
坚持推广普通话 争创一流服务水平	山东三联集团商业总公司	语文建设(北京)—1993,(2):12-13
论普通话的确立和推广	刘 照 雄	语言文字应用—1993,(2):57-65
充分发挥语文报刊的作用	张 伯 海	语文建设—1993,(4):2
浅谈高校"普通话"教学	刘 玉 屏	宁夏教育学院、银川师专学报·社科版—1993,(4):34-38
学校应在推广普通话方面起带头作用——谢非同志谈学校推普工作		语文建设—1993,(5):2
采取多种形式培训教师推普骨干	周 永 锋	语文建设—1993,(6):6
试论普通话测试标准的方法论基础	王 渝 光	云南师范大学学报·哲社版—1993,(6):85-87
地方普通话与汉民族文化心理	崔 梅	云南师范大学学报·哲社版—1993,(6):152-153
从一次调查看中学生说普通话的心理障碍	李 缵 仁 李 盛 礼	语文建设—1993,(9):24-26
请准确使用汉字·标点·数量语	张 保 忠	秘书—1993,(9):46-47
台头小学普及普通话工作的调查报告	庄 守 常	语文建设—1993,(10):4-8
谈谈如何提高高师普通话课教学质量	杨 绍 林	语文建设—1993,(10):29-30
"老大"抓,抓"老大"——宁波推广普通话工作侧记	《语文建设》记者	语文建设—1993,(11):2-3
普通话定义献疑	史 有 为	语文建设通讯(香港)—1993,(41):51-53
小议北京话与普通话	屠 晓	语文世界—1994,(1):18-19
香港普通话科教师基本要求研究	何 国 祥	语文建设—1994,(1):34-39
普通话训练是教师职业口语训练的前提	刘 兴 策	语言文字应用—1994,(1):43-47
现代汉语方言音系简化的趋势与推广普通话	张 树 铮	语言文字应用—1994,(1):48-53

现代化教学物质手段与普通话教学	屠国平	绍兴师专学报—1994,(1):69-74
普通话水平测试之我见	张颂	语文建设—1994,(2):7-8
当今,黑龙江人学习普通话的重点是调值问题	冯文洁	大庆高等专科学校学报—1994,(2):48-51
贵阳人学习普通话的障碍及对策(待续)	孙悦	贵阳师专学报·社科版—1994,(2):51-58
我看普通话在香港	陈建民	语文建设—1994,(3):25-28
贵州人学习普通话声调指要	薛国富	贵州师范大学学报·社科版—1994,(3):65-67
普通话是汉民族共同语的标志	何知	语文世界—1994,(4):15,14
推广普通话的重要举措——普通话水平测试简论	刘照雄	语言文字应用—1994,(4):68-73
民族地区学校普通话教学的思考	王贵生	语言文字应用—1994,(4):86-89
要说普通话		语文世界—1994,(5):3-5
香港文化词汇是如何融入普通话的	陈建民	语文建设—1994,(7):29-33
社会变迁普通话发展	(香港)施仲谋	语文世界—1994,(8):17
谈谈加强普通话教学问题	黎荣德	语文月刊—1994,(9):10
关于开展普通话水平测试工作的决定	国家语委国家教委广播电影电视部	语文建设—1994,(12):2-4
学校普及普通话工作评估的原则和意义	李家斌 袁钟瑞	语文建设—1994,(12):5-6,10
普通话对香港词语的取舍问题	陈建民	语文建设通讯(香港)—1994,(43):1-12
普通话是香港的第二语言	何元建	语文建设通讯(香港)—1994,(43):13-22,80
香港该如何进行普通话教学	(香港)施仲谋	语文建设通讯(香港)—1994,(44):33-42
"普通话训练"和"一般口语交际训练"的几个问题	万里	语言文字应用—1995,(1):72-76
普通话码值和语码转换	周国光	语言文字应用—1995,(2):19-23
黔东南方言在学校教学中的负面影响:民族地区推广普通话的深层思考	王贵生	中央民族大学学报—1995,(2):66-70
不说普通话,麻烦就是多	喻卫平	语文世界—1995,(4):16
《粤语时髦》,短暂的语言文化现象	袁祥 吴燕	语言文字学—1995,(4):20-21
普及共同语,抵挡不了的潮流	袁祥 吴燕	语言文字学—1995,(4):21-22
普通话,何时能普及	袁祥 吴燕	语言文字学—1995,(4):23-24
语感训练:普通话教学的高级阶段	金银珍	汉语学习—1995,(5):26-29
粤方言进入普通话	钱冠连	语文建设—1995,(6):37-38
什么话最时髦	嘤鸣	语文建设—1995,(6):39

推广普通话工作40年	力 展	语文世界—1995,(9):4-5
胶东人如何学普通话	赵玉君	语文世界—1995,(9):40-41
因一句方言,差点被打死	张元恩	语文世界—1995,(9):41
雅言·官话·国语·普通话	艾 维	语文学习—1995,(9):46-47
汉语方言调查与汉语规范化	詹伯慧	语文建设—1995,(10):2-4
深圳幼儿普通话与粤语的杂糅	黄永坚	语文建设—1995,(10):10-11
闽南方言区学生学好普通话的要领	林清和	语文世界—1995,(10):19-20
可怕的方言优越感	夏 鸿	语文世界—1995,(10):21
一次普通话水平等级测试的实践	张家芝 韩少华	语文建设—1995,(10):35-36

方言和方言调查

扬州方言词语选释	吴继光 李 建	徐州师范学院学报·哲社版—1990,(4):91-99
固原方言本字考释	杨子仪	固原师专学报—1991,(1):4-16
"地方普通话"的性质特征及其他	陈来川	世界汉语教学(北京)—1991,(1):12-17
"我国的八大方言"	韩君生	《中国体育报》—1991,(1):20,7
《蜀语》词语的记录方式	甄尚灵 张一舟	方言(北京)—1991,(1):23-30
苏州方言的发问词与"可VP"句式	刘丹青	中国语文(北京)—1991,(1):27-33
南城方言的语音系统	邱尚仁	方言(北京)—1991,(1):30-39
海口方言的指示代词和疑问代词	陈鸿迈	中国语文(北京)—1991,(1):34-40
释湖南双峰话的部分古合口三等见系字读七一系声母:古唇化牙音演变一例	王 畅	汉字文化(北京)—1991,(1):37-39
甘肃省武都方言同音字汇	时建国	方言(北京)—1991,(1):45-53
忻州方言"圪"头词语汇释(五)	《忻州方言词典》编写组	语文研究(太原)—1991,(1):48-封四
忻州方言"圪"头词语汇释(六)	《忻州方言词典》编写组	语文研究(太原)—1991,(2):封三-封四
神木话表过去时的"来"	邢向东	延安大学学报·社科版—1991,(1):66-71
柳州方言语言地理过渡性浅议	黎江影	广西师院学报·哲社版(南宁)—1991,(1):70-73
新建方言音系	陈昌仪	抚州师专学报—1991,(1):85-90
现代台湾话与海南话的初步比较	陈 波	海南大学学报·社科版(海口)—1991,(1):95-104
扬州方言词语选释(二)	吴继光 李 建	徐州师范学院学报·哲社版—1991,(1):102-106,111
横县平话中的韵随调转现象	闭克朝	华中师范大学学报·哲社版(武汉)—1991,(1):105-110

西北方言语法调查提纲	张成材	固原师专学报—1991,(2):5-7
石嘴山市市区方言的现状和未来	李树俨	固原师专学报—1991,(2):8-15
六朝时期南京方言的演变	卢海鸣	南京社会科学—1991,(2):28-30
济南方言若干声母的分布和演变——济南方言定量研究之一	曹志耘	语言研究—1991,(2):36-44
现代汉语方言分区方法问题初探	薛才德	语言研究—1991,(2):45-54
内蒙古西部地区何以能保留大量元杂剧中的方言俗语	韩登庸	内蒙古师大学报·哲社汉文版—1991,(2):52-60,73
滨海方言二字连读变调	赵昌	淮阴师专学报·哲社版—1991,(2):79-80
淮安人学好普通话的障碍之一——淮安方言中的声调转换	王毅 徐向顺	淮阴师专学报·哲社版—1991,(2):81
山东临朐话的时间助词"着"	王晖	中国语文(北京)—1991,(2):103
薛家湾人的语言问题述论	吴景山	西北民族学院学报·哲社版—1991,(2):111-116
嘉戎语梭磨话有没有声调	戴庆厦 严木初	语言研究(武汉)—1991,(2):115-121
湖北方言里的十个词语现象	陈有恒	咸宁师专学报—1991,(2):118-119
丹阳市坲城的河南方言岛	郭熙 蔡国璐	徐州师范学院学报·哲社版—1991,(2):130-136
广西百色蔗园话影喻两母区分的特点	郑作广	中国语文(北京)—1991,(2):145
汉语方言研究的现状与展望	贺巍	语文研究(太原)—1991,(3):1-10
宁夏盐池话的语音状况及归属	张安生	宁夏大学学报·社科版—1991,(3):40-48
方言词汇只应收录"土特产"吗?	黄泽佩	毕节师专学报—1991,(3):42-44
皖西潜怀十县方言语法初探	李金陵	安徽大学学报·哲社版(合肥)—1991,(3):45-51
黔南汉语方言的特点	徐凤云	贵阳师专学报·社科版—1991,(3):57-63
毕节方言的文白异读及其历史文化背景	李蓝	毕节师专学报—1991,(3):58-64
江陵话中的"破"字句	王群生 吴菘	荆州师专学报—1991,(3):60
毕节方言的语流音变	明生荣	毕节师专学报—1991,(3):65-68
毕节方言的文白异读	李蓝	贵州大学学报·社科版—1991,(3):78-84
论广州话韵尾的繁衍化	陈定方	中山大学学报·社科版(广州)—1991,(3):146-150
湖北方言调查报告·特字表		方言(北京)—1991,(3):161-163
太平(仙源)方言同音字汇	张盛裕	方言(北京)—1991,(3):188-199
屯奚方言的小称音变及其功能	钱惠英	方言(北京)—1991,(3):200-203
临夏方言"是"字的用法	王森	方言(北京)—1991,(3):204-205
伊盟方言的"分音词"	栗治国	方言(北京)—1991,(3):206-210
语言关系研究中的一些理论问题:《汉语河州话与藏语的句子结构比较》读后	喜饶嘉措	民族语文(北京)—1991,(4):11-22

标题	作者	出处
东台方言的类定与人口地理因素(上篇)	杨振国	盐城师专学报·社科版—1991,(4):38-42
东台方言的类定与人口地理因素(下篇)	杨振国	盐城师专学报·哲社版—1992,(4):54-58
阳声韵在山西方言中的演变(上)	王洪君	语文研究(太原)—1991,(4):40-47
阳声韵在山西方言中的演变(下)	王洪君	语文研究—1992,(1):39-48,封三、封四
扬州地方文艺作品中的方言词语选择	吴继光 李建	扬州师院学报·社科版—1991,(4):75-79
豫闽方言源流考	崔灿	郑州大学学报·哲社版—1991,(4):118-122
泰州方言同音字汇	俞扬	方言—1991,(4):259-274
泰州方言的两种述补组合	俞扬	中国语文(北京)—1991,(4):279-280
六朝时期南京方言的演变	卢海鸣	语言文字学(北京)—1991,(5):112-114
从粤方言看汉语声母的发展	任民	佛山大学、佛山师专学报·社科版(佛山)—1991,(1):58-62
华南一些语言的清浊对对转	陈其光	民族语文—1991,(6):1-11
北京话的文白竞争和普通话的正音原则	靳光瑾	语文建设(北京)—1991,(6):31-34
汉语方言发展的不平衡性	张光宇	中国语文(北京)—1991,(6):431-438
山西西部方言白读的元音高化	陈庆延	中国语文(北京)—1991,(6):439
贵阳话的副词"把"	彭可君	中国语文(北京)—1991,(6):445-448
大田普通话的普及和偏误	许长安	语文建设(北京)—1991,(7):19-22
创造一个良好的环境	张国祥	语文建设(北京)—1991,(7):23-24
《渡江书十五音》跋	李熙泰	语言文字学(北京)—1991,(7):35-47
湖北天门方言的异读	邵则遂	语言研究(武汉)—1991,(增刊):166-168,2
武汉口音普通话的调位辨正	刘兴普	语言研究(武汉)—1991,(增刊):169-170
温岭方言的轻声	李荣	方言(北京)—1992,(1):1-8
霍州方言的小称变韵	田希诚	山西大学学报·哲社版(太原)—1992,(1):1-8
清徐方言中所见早期白话词语选释	潘耀武	山西大学学报·哲社版(太原)—1992,(1):9-14
苏州吟咏诗文的乐调	汪平	方言(北京)—1992,(1):9-16
繁峙方言的助词"的"	杨象宁	山西大学学报·哲社版(太原)—1992,(1):15-18
台湾汉族同胞的祖根在中原(中)——方言土语对比	欧谭生	中州古今—1992,(1):26-27,40
祁县方言动词结果体的内部屈折	王艾录	语言研究(武汉)—1992,(1):26-30
洛阳市普通话使用情况调查分析	李小金	语文建设(北京)—1992,(1):27-29
贵阳话中的叠音后缀"兮兮"	王建设	贵州师范大学学报·社科版(贵阳)—1992,(1):28-30
海口方言的"睞"	陈鸿迈	语言研究(武汉)—1992,(1):31-36
山东诸城方言的语法特点	钱曾怡 罗福腾等	中国语文(北京)—1992,(1):52-55
潮汕方言的虚词及其语法意义	林伦伦	汕头大学学报·人文科学版—1992,(1):53-61
山西方言的"V+将+来/去"结构	乔全生	中国语文(北京)—1992,(1):56-59

标题	作者	出处
大理方言中与动词"给"相关的句式	丁崇明	中国语文(北京)—1992,(1):60-61
忻州方言形容词的重叠式	张光明	方言(北京)—1992,(1):61-65
无锡(薛典)方言单音词汇释	翁寿元	方言(北京)—1992,(1):66-77
大荆方言的连读变调	蒋坚禄	温州师院学报·哲社版—1992,(1):71-78
大同方言语助词"着"	马文忠	中国语文(北京)—1992,(1):76
云南墨江方言量词浅谈	高文昭	思茅师专学报·综合版—1992,(1):83-85
临猗方言的子尾与子变韵母	王临惠	山西师大学报·社科版(临汾)—1992,(1):96-99
神木方言四字格的结构和语法、修辞特点	邢向东	内蒙古师大学报·哲社版(呼和浩特)—1992,(1):99-104
舟山方言征故	颜洽茂	杭州大学学报·哲社版—1992,(1):100-109
海南汉语方言的演变	陈波	海南师院学报(海口)—1992,(1):108-111
盐城语音与北京语音的比较	苏晓青	徐州师范学院学报·哲社版—1992,(1):145-147
山西平遥方言的状态形容词	侯精一	语文研究(太原)—1992,(2):6-10
台湾南岛语言的舟船同源词	李壬癸	民族语文(北京)—1992,(2):14-17,33
汉语方言研究中的几个问题	詹伯慧	暨南学报·哲社版(广州)—1992,(2):35-39
河东民俗事象中的谐音双关语	屈殿奎 孙清眠	语文研究(太原)—1992,(2):45-46
湖北宣恩话中一种特殊的语词重叠格式	屈哨兵	湖北大学学报·哲社版(武汉)—1992,(2):57-58
黄州话阳去同阴去声合流的征兆	汪华云	黄冈师专学报—1992,(2):65
论牡丹江方言语法	王磊	牡丹江师范学院学报·哲社版—1992,(2):72-74
新疆汉语方言语法述要	陈汝立	新疆师范大学学报·哲社版(乌鲁木齐)—1992,(2):72-76
荆州城的"东边腔"	王群生	语言研究(武汉)—1992,(2):78-82
福建方言与福建文化的类型区	李如龙	福建师范大学学报·哲社版(福州)—1992,(2):80-87
钟祥方言的助词	赵元任	方言(北京)—1992,(2):81-82
北京助词	赵元任	方言(北京)—1992,(2):83-84
潍坊方言的代词	冯荣昌	语言研究(武汉)—1992,(2):83-88
东北方言中附加式词	范庆华	延边大学学报·社科版(延吉)—1992,(2):83-88
北京、苏州、常州语助词的研究	赵元任	方言(北京)—1992,(2):85-111
陕北方言本字再考	安宇柱 张子刚	延安大学学报·社科版—1992,(2):95-101
论"子"脚词语中上声"子"与轻声"子"的区分	林绍伴	海南师院学报(海口)—1992,(2):98-103,116
沭阳音系及其历史演变	[美]侍建国	语言研究—1992,(2):100-109
福州话"下雨"的本字	李荣	方言(北京)—1992,(2):112-114
扬州话的声韵调	王世华	方言(北京)—1992,(2):115-119
宝应氾光湖方言中的 m 尾	黄继林	方言(北京)—1992,(2):120-124
余干方言入声调的不连续成分	陈昌仪	方言(北京)—1992,(2):125-128

标题	作者	出处
穗港新词试析	王建伦 梁道洁	中国语文(北京)—1992,(2):136-139
明本潮州戏文疑难字试释	曾宪通	方言(北京)—1992,(2):138-144
牟平方言的几种常见句式	罗福腾	方言(北京)—1992,(2):145-147
新晃方言的"片+动词+地"	张桂权	方言(北京)—1992,(2):148
大冶方言的程度副词"闷"	汪国胜	方言(北京)—1992,(2):149-150
漳州方言词汇(一)	林宝卿	方言(北京)—1992,(2):151-160
漳州方言词汇(二)	林宝卿	方言(北京)—1992,(3):230-240
港台词语在大陆的使用情况	李明	汉语学习(延吉)—1992,(3):27-31
壮语汉语方言连读变调对比研究	陈忠敏	民族语文(北京)—1992,(3):33-40,18
太原方言同音字汇	温端政 陈子明	语文研究(太原)—1992,(3):46-封三
太原方言同音字汇(续)	温端政 陈子明	语文研究(太原)—1992,(4):44-46
天津方言岛的语音探讨	李世瑜 韩根东	天津师大学报·社科版—1992,(3):65-70
四川方言与普通话口语词汇问题	石美珊	重庆师院学报·哲社版—1992,(3):82-86
对乌鲁木齐汉语一些典型市井话词语及其使用者的社会语言学研究:兼谈乌鲁木齐汉语普通话及其词语的特点	徐清泉 刘卫平	新疆大学学报·哲社版(乌鲁木齐)—1992,(3):87-91
长沙方言的几个语法特点	崔振华	湖南师范大学社会科学学报(长沙)—1992,(3):94-96
广州话的 œ	黄家教	中山大学学报·社科版(广州)—1992,(3):127-128
神木话的"尝试补语"和"短时补语"	邢向东	中国语文(北京)—1992,(3):140
汉语方言语法研究的几个问题	贺魏	方言(北京)—1992,(3):161-171
连城(新泉)方言的人称代词	项梦冰	方言(北京)—1992,(3):172-180
泉州方言的述补结构	陈法今	方言(北京)—1992,(3):181-185
吴江方言声调格局的分析	石锋	方言(北京)—1992,(3):189-194
广东省吴川方言记略	张振兴	方言(北京)—1992,(3):195-213
山东方言比较句的类型及其分布	罗福腾	中国语文(北京)—1992,(3):201-205
义乌方言量词前指示词与数词的省略	陈兴伟	中国语文(北京)—1992,(3):206
宁夏盐池方言的语音及归属	张安生	方言(北京)—1992,(3):214-221
江西省于都方言两字组连读变调	谢留文	方言(北京)—1992,(3):222-227
蒲城(兴镇)方言见知章组声的读音	孙立新	方言(北京)—1992,(3):228-229
山西方言词汇异同例说	吴建生	语文研究(太原)—1992,(4):41-43
临桂两江平话两字组的连读变调	梁金荣	广西师范大学学报·哲社版(桂林)—1992,(4):66-71
关于遵义话"X的+量"的语法形式	杨军	贵州民族学院学报(贵阳)—1992,(4):69-72
方言语调与民歌腔调	宋运超 朱显碧	贵州师范大学学报—1992,(4):70-75

苍南蛮话	潘悟云	温州师院学报·哲社版—1992,(4):85-96
陕西方言与民俗	张崇	唐都学刊·社科版(西安)—1992,(4):89-92,75
上海地区方言的分区及其历史人文背景	陈忠敏	复旦学报·社科版(上海)—1992,(4):101-108
上海现代方音的变化速度	沈榕秋 陶芸	复旦学报·社科版(上海)—1992,(4):109-113,108
乌鲁木齐回民汉语中的双焦点辅音	刘俐李	新疆大学学报·哲社版(乌鲁木齐)—1992,(4):111-112
广东东莞莞城话的"起"	陈晓锦	学术研究(广州)—1992,(4):142-143,135
宝应方言的边音韵尾	王世华	方言(北京)—1992,(4):272-274
广东开平方言的中性问句	[美]余霭芹	中国语文(北京)—1992,(4):279-286
太平(仙源)方言叹词记略	张盛裕	方言(北京)—1992,(4):290-293
延川方言的逆序词	张崇	方言(北京)—1992,(4):307-312
普通话词、北京话词、杭州话词及其他	殷作炎	杭州师范学院学报—1992,(5):51-58
大冶话的"倒"字及其相关句式	汪国胜	华中师范大学学报·哲社版(武汉)—1992,(5):88-93
陕县方言远指代词的面指和背指	张邱林	华中师范大学学报·哲社版(武汉)—1992,(5):94-96
方言与民俗	黄佩文	汉语学习—1992,(6):40-41
大陆的汉语方言语法研究	项梦冰 曹晖	云南师范大学社会科学学报(昆明)—1992,(6):73-75,46
书同文与广方言	周振鹤	读书—1992,(10):147-150
杨时逢《湖南方言调查报告》衡山音系读后	郭锡良	语文研究(太原)—1993,(1):22-28
湖南城步(儒林)方言音系	鲍厚星	方言(北京)—1993,(1):31-41
甘青汉语选择问句的特点	宋金兰	民族语文(北京)—1993,(1):32-36
江陵方言古语词举隅	王群生	荆州师专学报·社科版—1993,(1):38-39
试析湖北天门话中声母的特点	杨蔚	荆州师专学报·社科版—1993,(1):40-42
琼州方言训读字补	陈鸿迈	方言(北京)—1993,(1):42-45
隰县方言咸山宕三摄舒声字的韵尾	刘勋宁	方言(北京)—1993,(1):53-56
湖北阳新方言的小称音变	黄群建	方言(北京)—1993,(1):59-64
娄底方言的两个语法特点	颜清徽 刘丽华	方言(北京)—1993,(1):65-68
龙岩话的"仔"尾	陈慧娜 庄初升	龙岩师专学报·社科版—1993,(1):70-76
文昌方言两字组的连读变调	黄谷甘 冯成豹	海南大学学报·社科版(海口)—1993,(1):72-75,95
高密方言的儿化	董绍克	山东师大学报·社科版—1993,(1):73-76,96
大冶方言考	黄群建	湖北师范学院学报·哲社版—1993,(1):74-78
贵阳方言语气词初探	涂光禄	贵州大学学报·社科版(贵阳)—1993,(1):78
焉耆汉语方言词汇(上)	刘俐李	新疆大学学报·哲社版(乌鲁木齐)—1993,(1):83-87,111

焉耆汉语方言词汇(下)	刘　俐李	新疆大学学报·哲社版—1993,(2):100-104
论盐城方言咸山两摄舒声韵与阴声韵的关系	顾　　黔	徐州师范学院学报·哲社版—1993,(1):84-86
方言的客观评价	熊　惠珍	同济大学学报·人文、社科版—1993,(1):106-109,113
汉语方言见系二等文白读的几种类型	张　光宇	语文研究(太原)—1993,(2):26-36
新化方言形容词的重叠式	周　本良	广西教育学院学报·综合版—1993,(2):33-38
山西的羊文化	潘　家懿 李　小平	语文研究(太原)—1993,(2):37-40
大同民俗与谐音	马　文忠	语文研究(太原)—1993,(2):41-45
永登话的语音特点	张　文轩	兰州学刊—1993,(2):46-50
西宁方言中的虚词"着"辨异	都　兴宙	青海民族学院学报·社科版(西宁)—1993,(2):47-51,46
广东闽方言语法特点的比较研究	林　伦伦	汕头大学学报·人文版—1993,(2):59-64
"移词":回族语言特征谈略	马　　平	民族艺术—1993,(2):61-64
汉语方言连读变调研究综述	陈　忠敏	语文研究(太原)—1993,(2):63,封四
通泰方言声调的历史演变	顾　　黔	南京师大学报·社科版—1993,(2):80-84
神木方言四字格例释	邢　向东	内蒙古师大学报·哲社版—1993,(2):88-93
南岳方言的语音系统及其来源	郭　锡良	北京大学学报·哲社版—1993,(2):109-124
大冶方言的物量词	汪　国胜	语言研究—1993,(2):114-121
江苏省盐城方言的语音	苏　晓春	方言—1993,(2):121-128
厦门、泉州、漳州的语音差异	林　宝卿	厦门大学学报·哲社版—1993,(2):122-129
乐平方言形容词"量"的表达式	刘　　坚	语言研究—1993,(2):122-131
山西灵石方言中的后置词"行"	赵　秉璇	语言研究—1993,(2):132
荆沙方言中的"不过"补语句	王　群生	中国语文(北京)—1993,(2):141-142
增城方言的语法特点	何　伟棠	方言—1993,(2):148-155
运城方言两个表时间的助词	吕　枕甲	方言—1993,(2):156-157
文昌方言常用虚词的用法	黄　谷甘 朱　运超	海南大学学报·社科版—1993,(3):25-30
晋中话反语骈词集释	赵　秉璇	山西师大学报·哲社版—1993,(3):53-56
汉语方言区划分概说	田　惠刚	学术界—1993,(3):90-92,96
海南临高话汉字音	刘　剑三	海南师院学报—1993,(3):91-98
闻喜方言对英语读音的影响	郭　平建 张　海龙等	山西师大学报·社科版—1993,(3):94-封三
莘开方言中[n(I)]和[d]、[t]音变——兼谈来母、日母的音值及其变化	张　归璧	海南师院学报—1993,(3):105-107,104
吴闽方言关系试论	张　光宇	中国语文(北京)—1993,(3):161-170
连城(新泉)方言的疑问代词	项　梦冰	方言—1993,(3):176-184
汕头方言的人称代词	施　其生	方言—1993,(3):185-190

甘肃临夏方言的两种语序	王　森	方言—1993,(3):191-194
扬州话单音动词的生动重叠	朱景松	中国语文(北京)—1993,(3):196
漳州方言同音字汇	马重奇	方言—1993,(3):199-217
湖南安仁方言的句段关联助词	陈满华	中国语文(北京)—1993,(3):207-208
湖北大冶方言的语缀	汪国胜	方言—1993,(3):218-227
湖北崇阳方言流、臻、曾开口一等字读细音	刘宝俊	中国语文—1993,(3):224
南昌县(蒋巷)方言词语举例	谢留文	方言—1993,(3):228-235
舟山(定海)方言渔业词汇(一)	方松熹	方言—1993,(3):236-240
舟山(定海)方言渔业词汇(二)	方松熹	方言—1993,(4):311-313
舟山(定海)方言渔业词汇(三)	方松熹	方言—1994,(1):78-80
阿坝州汉语方音指归	郭福义	西南民族学院学报·哲社版—1993,(4):55-58
汉语方言研究的方法论——读《汉语方言及方言调查》	石　锋	语文研究—1993,(4):60-63
徐州方言詈词"丈人"的词义词性变化和句法特点	张爱民	徐州师范学院学报·哲社版—1993,(4):61-65
靖江老岸话的语音特点	陈　慰	徐州师范学院学报·哲社版—1993,(4):66-68
宜昌方言"AA神"的语法特点	李祖林	宜昌师专学报·社科版—1993,(4):76-77
《楚辞》中荆沙方言词例略	王群生	武汉大学学报·社科版—1993,(4):112-113
河西走廊的汉语方言	张盛裕	方言—1993,(4):253-264
新疆汉语方言的形成	刘俐李	方言—1993,(4):265-274
现代汉语方言音档·总序	侯精一	中国语文—1993,(4):275
江苏如东(掘港)方言古通摄阳声韵收-m尾	季明珠	中国语文—1993,(4):280
襄城方言音系	刘颂浩	方言—1993,(4):284-294
粤东粤西闽方言词汇的同与异	林伦伦	中国语文—1993,(4):288-291
宝安沙井话入声舒化现象:对粤方言入声现状的再探讨	陈晓锦	中国语文—1993,(4):293-294
宁波方言声调变异	陈忠敏	中国语文—1993,(5):367-373
甘肃临夏话作补语的"下"	王　森	中国语文—1993,(5):374-376
普通话轻声字在大同方言的读音	马文忠	中国语文—1993,(5):377-378
贵州铜仁话"臭死了的臭"式结构	肖黎明	中国语文—1993,(5):388
武汉方言中的两种问句	赵蔡欣	汉语学习—1993,(6):51-52,48
云南蒙自话的同形动补/形补式	孙占林	中国语文—1993,(6):439-441
湖北宣恩话语法札记	屈哨兵	中国语文—1993,(6):442-444
方言词的流动	熊　文	语文学习—1993,(8):34-35
南腔北调　南蛮北侉	王希杰	语文月刊—1993,(9):2-4
方言和地域文化在语言跨文化研究中的作用	苏金智	语文建设通讯(香港)—1993,(41):73-80,30

标题	作者	出处
海南方言的特点	梁明江	海南大学学报·社科版—1994,(1):17-23
贵州丹寨方言音系	李蓝	方言—1994,(1):20-30
临桂两江平话的声韵调	梁金荣	方言—1994,(1):31-36
福建南平方言同音字汇	苏华	方言—1994,(1):37-45
海丰话形容词的生动形式	潘家懿	语文研究—1994,(1):38-42
同心回族方言语词考释	张安生	宁夏大学学报—1994,(1):38-45
吕四方言两字组连续变调	卢今元	方言—1994,(1):46-55
晋语的声母特征	陈庆延 文琴	语文研究—1994,(1):50-51,59
汾阳方言的语气词	宋秀令	语文研究—1994,(1):52-59
晋中文白异读在地名读音上的反映	赵秉璇	语文研究—1994,(1):60-63
汾阳方言的指示代词与疑问代词	宋秀令	山西大学学报·哲社版—1994,(1):61-67
湖北应山方言形容词的重叠式	陈淑梅	方言—1994,(1):64-67
广西横县平话词汇(一)	闭克朝	方言—1994,(1):70-77
广西横县平话词汇(二)	闭克朝	方言—1994,(2):153-160
广西横县平话词汇(三)	闭克朝	方言—1994,(3):229-235
广东澄海方言音系记略	林伦伦	汕头大学学报·人文科学版—1994,(1):82-91
四川方言的被动式的"着"	李海霞	西南师范大学学报·哲社版—1994,(1):87-90
荥阳(广武)方言的分音词和合音词	王森	语言研究—1994,(1):160-165
诸暨方言的代词	孟守介	语言研究—1994,(1):166-169
苏州方言的声调系统	汪平	语言研究—1994,(2):45-55
湖南方言分区述评及再分区	李蓝	语言研究—1994,(2):56-75
忻州方言逆序词	张光明	语文研究—1994,(2):62-64
济南方言上上相连前字变调的实验分析	刘娟	语言研究—1994,(2):76-84
海南临高话中的汉语借词	刘剑三	中央民族大学学报—1994,(2):85-89
《金瓶梅词话》中所见兰州方言词语	王森	语言研究—1994,(2):90-93
无为方言反复问句"VP没有"的表述	焦长华	南昌大学学报·社科版—1994,(2):102-104
大冶方言语法札记	汪国胜	华中师范大学学报·哲社版—1994,(2):115-120
扬州评话中的"方口"与"圆口"	易德波	方言—1994,(2):119-124
广东省澄海方言同音字汇	林伦伦	方言—1994,(2):128-142
徐州方言詈词"文人"的词义词性变化和句法特点	张爱民	徐州师范学院学报·哲社版—1994,(2):133
广东省惠东客家方言的语缀	周日健	方言—1994,(2):143-146
呼和浩特方言感叹句的常用句式	邢向东	方言—1994,(2):147-152
广州话形容词表示程度差异的方式	邓少君	语文研究—1994,(3):51-57
黑龙江方言方位复合后缀.banrlǎr	聂志平	大庆高等专科学校学报—1994,(3):58-60
大同方言入声字两读详例	马文忠	语文研究—1994,(3):58-62
广州话三字格词语研究	汤志祥	深圳大学学报·人文社科版—1994,(3):72-78

标题	作者	出处
漳属四县闽南话与客家话的双方言区	庄初升 严修鸿	福建师范大学学报·哲社版—1994,(3):81-87,94
广东揭西县方音研究	林伦伦	汕头大学学报·人文科学版—1994,(3):82-89
周辨明、林语堂、罗常培的厦门方言拼音研究	许长安	厦门大学学报·哲社版—1994,(3):105-111
连县四会话与广州话声韵特点比较	张晓山	暨南学报·哲社版—1994,(3):131-140
禁忌字举例	李荣	方言—1994,(3):161-169
湖南道县(小甲)土话同音字汇	周光义	方言—1994,(3):201-207
建瓯话中的衍音现象	潘渭水	中国语文—1994,(3):206-207
神木话的结构助词"得来/来"	邢向东	中国语文—1994,(3):208-209
遵义方言的儿化韵	胡光斌	方言—1994,(3):208-211
长沙方言的动态助词	伍云姬	方言—1994,(3):218-220
泰兴方言词汇(一)	顾黔	方言—1994,(3):236-240
泰兴方言词汇(二)	顾黔	方言—1995,(4):304-307
入声与芜湖方言	张方正	学语文—1994,(4):30
《南京官话》所记南京音系音值研究：兼论方言史对汉语史研究的价值	邓兴锋	南京社会科学—1994,(4):45-47
黑龙江方言带后缀"乎""拉"的双音谓词	聂志平	佳木斯师专学报—1994,(4):50-54
洪桐话轻声的语法语义作用	乔全生	语文研究—1994,(4):52-58
彭州话入声字分析	杨绍林	四川师范大学学报·哲社版—1994,(4):82-87
信阳方言的声韵调系统及其特点	许仰民	信阳师范学院学报—1994,(4):96-100
新疆霍城县清水河镇汉语方言调查	李金葆	新疆大学学报·哲社版—1994,(4):105-108
宜昌方言儿化现象初探	胡海	华中师范大学学报·哲社版—1994,(4):108-114
台湾语言现状的初步研究	仇志群 [荷兰]范登伯格	中国语文—1994,(4):254-261
湖北安陆方言词汇(一)	刘兴策 刘坚 盛银花	方言—1994,(4):308-313
湖北安陆方言词汇(二)	刘兴策 刘坚 盛银花	方言—1995,(1):74-80
关中方言词语考	刘百顺	西北大学学报·哲社版—1994,(4):
梅县方言的文白异读	余伯禧	语言文字学—1994,(5):139-144
济南话的虚词"可"	岳立静	东岳论丛—1994,(5):封三
四川方言研究述评	崔荣昌	中国语文—1994,(6):419-429
新时期活跃的柳州方言词汇综析	蔡德宪	语言文字学—1994,(7):144-148
广州方言的声调格局	石锋	语文建设通讯—1994,(45):66-71
海南方音与普通话语音的异同比较	陈善	海南大学学报·社科版—1995,(1):23-29
建阳方言否定词探源	[美]罗杰瑞	方言—1995,(1):31-32

篇名	作者	出处
藤县方言单音形容词的变形重叠	邓玉荣	方言—1995,(1):33-46
赣语泰和方言语法完成体(上)	戴耀晶	语文研究—1995,(1):40-44
江西铅山方言人称代词单数的"格"	陈昌仪	中国语文—1995,(1):45-48
方言用字问题刍议:兼谈《海丰歌谣》用字	杨必胜	语文研究—1995,(1):45-51,44
成都方言ABB式形容词的特点	杨绍林	方言—1995,(1):47-48
山东省寿光方言的助词	张树铮	方言—1995,(1):49-50
四川省宜宾王场方言记略	左福光	方言—1995,(1):51-62
潮汕方言声调研究	林伦伦	语文研究—1995,(1):52-59
江西省大余(南安)方言音系	刘纶鑫	方言—1995,(1):63-69
《金瓶梅》东北方言100例	李凤仪	KU—1995,(1):63-71
论母语方言对共同语学习的影响	沙平	福建师范大学学报·哲社版—1995,(1):79-85,100
新疆汉语方言语音特点的扩散	刘俐李	新疆大学学报·哲社版—1995,(1):80-86
新疆汉语方言中"×上×不上""×下×不下"	王燕	新疆师大学报·哲社版—1995,(1):81-84
国外关于阳谷方言儿化现象的理论分析	仇克群	山东师大学报·社科版—1995,(1):92-97
鲁南方言"的""的个"及方位词的特殊用法	丁振芳	山东师大学报·社科版—1995,(1):98-99
徽语的特殊语言现象	孟庆惠	安徽师大学报·哲社版—1995,(1):98-106
论广州方言虚成分的分类	施其生	语言研究—1995,(1):114-123
南方系官话方言的提出及其在宋元时期的语音特点	黎新第	重庆师院学报·哲社版—1995,(1):115-123,87
临夏方言的儿化音变	王森	语言研究—1995,(1):161-165
天门方言的"两个"	郭忠	语言研究—1995,(1):166-167
邯郸方言的语音特点及其形成	尹大仓	河北师范大学学报·社科版—1995,(2):55-60
黑龙江方言动词后缀——"巴"	孙也平	23-1375—1995,(2):74-81
内蒙古西部汉语方言祈使句的常用格式和语气词	邢向东	内蒙古大学学报·哲社版—1995,(2):85-91
试论关中方言语音变化的类型	王玉鼎	延安大学学报·社科版—1995,(2):91-94
近代广州话"私""师""诗"三组字音的演变	陈万成 莫慧娴	中国语文—1995,(2):118-122
山东方言比较句式溯源简说	徐复岭	中国语文—1995,(2):130-148
襄樊方言"AA神"式特点和性质探微	罗自群	语言研究—1995,(2):186-189
作为古百越语底层形式的先喉塞音在今汉语南方方言的表现和分布	陈忠敏	民族语文—1995,(3):1-11
山西晋语区的助词"的"	田希诚 吴建生	山西大学学报·哲社版—1995,(3):46-54

山西方言"子尾"研究	乔全生	山西大学学报·哲社版—1995,(3):55-65
合肥话"-i"、"-y"音节声韵母前化探讨	伍巍	语文研究—1995,(3):58-60,21
关于陕北延安、延长、甘泉话的归属问题	刘育林	语文研究—1995,(3):64-封三
哈密汉语方言的词汇特点	张洋	新疆大学学报·哲社版—1995,(3):107-109
韶关本城话中的变音	邵慧君	暨南学报·哲社版—1995,(3):135-140
汉语官话方言入声消失的成因	贺巍	中国语文—1995,(3):195-202
牡丹江方言词汇	王磊	牡丹江师范学院学报·哲社版—1995,(4):47-50
自贡方言音系	萧玲玲	四川大学学报·哲社版—1995,(4):65-73
昆明方言的"着"字	丁崇明 荣晶	方言—1995,(4):277-279
南宁白话同音字汇	谢建猷	方言—1995,(4):286-303
广东开平方言的"的"字结构:从"者""之"分工谈到语法类型分布	[美]余霭芹	中国语文—1995,(4):289-297
陕县(原店镇)方言蟹摄开口二等见系的读音	张邱林	华中师范大学学报·哲社版—1995,(5):85-86,127
安康方言中的"V开(NP)了"结构	丁力	湖北大学学报·哲社版—1995,(6):10-16
内蒙古西部地区汉语方言里的蒙语借词	卢芸生	民族语文—1995,(6):19-25
南海沙头话古云、以母字今读初析	彭小川	中国语文—1995,(6):461-463
照组字在会同方言中的读音及其音韵学意义	谢伯端	古汉语研究—1995,(增刊):22-23
中国中部方言的拉丁化:湖南湘潭与湘乡方言	E. H. 龙果娃,A. A. 龙果夫,曾毓美	古汉语研究—1995,(增刊):24,28

北方话方言

河北滦南话的声调	王辅世	语言研究(武昌)—1990,(1):92-105
再论天津话声调及其变化:现代语音学笔记	石锋	语言研究(武昌)—1990,(2):15-24
进一步加强山西方言的研究:纪念《语文研究》创刊十周年	徐通锵	语文研究(太原)—1990,(4):12-13
山西人名琐谈	潘家懿	语文研究(太原)—1990,(4):39-42
甘肃临夏方言的疑问句	谢晓安 张淑敏	中国语文(北京)—1990,(6):433-437
阳曲方言两字组连续读变调	孟庆海	方言(北京)—1991,(1):50-55
中古入声字在西宁方言中的读音分析	都兴宙	青海师范大学学报·社科版(西宁)—1991,(1):79-85

标题	作者	出处
闻喜方言中的"圪"与"古"	任林深	山西师大学报·社科版(临汾)—1991,(1):89-93
闻喜方言中的 da 和 te	刘婷	山西师大学报·社科版(临汾)—1991,(1):94-95
东北方言的几个语法问题	王光全	吉林师范学院学报·哲社版—1991,(2):27-30
西宁方言词正字考	都兴宙	青海民族学院学报·社科版(西宁)—1991,(2):38-43
略论天津方言岛	李世瑜 韩根东	天津师大学报·社科版—1991,(2):71-76
天津方言的形成:静海话是流不是源	伶军	天津师大学报·社科版—1991,(2):77-80
胶东方言语言崇拜与民俗	罗福腾	民俗研究—1991,(2):87-89,20
北纬37°以南的古-K韵尾字与二合元音	黎新第	语言研究—1991,(2):96-106
北方话词汇的内部差异与规范	陈淑静	河北大学学报·哲社版(保定)—1991,(3):23-31
北京话与四周邻近地区四声调值的差异	刘援朝	语文研究(太原)—1991,(3):40-45
太谷方言的儿韵、儿尾和儿化	杨述祖	语文研究(太原)—1991,(3):46,45
晋北方言的"灰"字	马文忠	语文研究(太原)—1991,(3):47-48
北京话元音音位系统新探——现代北京话有十五个元音音位说	王毓英	汉字文化—1991,(3):54-61
夏县话里"圪"的用法	赵宏因	山西师大学报·社科版(临汾)—1991,(3):79-80
山东肥城方言的语音特点	钱曾怡 曹志耘等	方言(北京)—1991,(3):182-187
黄县话中的"子"与"着"	王庆安	青岛师专学报—1991,(4):22-24,21
北京话部分儿化韵读音调查	孙德金	语言教学与研究—1991,(4):56-71
论黑龙江汉语方言词汇的特点	刘小南	北方论丛(哈尔滨)—1991,(4):95-100
北京方言动词的常用后缀	周一民	方言(北京)—1991,(4):233-298
朔州市朔城区方言的连续变调	江荫禔	方言(北京)—1991,(4):255-258
泰州方言同音字汇	俞扬	方言(北京)—1991,(4):259-274
元明清白话著作中的枣庄方言词汇	王希文	方言(北京)—1991,(4):278-282
北京口语儿化轻读辨义	贾采珠	中国语文(北京)—1991,(4):281-282
北京方言动词的常用后缀	周一农	方言—1991,(4):283-298
北京话文白异读的形成及消长	靳光瑾	语文建设(北京)—1991,(5):10-12
获嘉方言的疑问句:兼论反复问句两种句型的关系	贺巍	中国语文(北京)—1991,(5):333-341
《方言》中的齐鲁方言	李恕豪	语言文字学(北京)—1991,(7):146-152
过去五十年中昆明方言的语音变化和发展	桂明超	语言研究(武汉)—1991,(增刊):159-165
吉林方言"子"缀名词的结构类型及主要特点	王立和	吉林师范学院学报—1992,(1):21-22
汾阳方言的人称代词	宋秀令	语文研究—1992,(1):32-38
北京话的轻声儿化韵	贾采珠	中国语文(北京)—1992,(1):39-44

题名	作者	出处
北京话中的语法标记词"给"	徐 丹	方言(北京)—1992,(1):54-60
怎样根据东北方言识别入声字	吕朋林	松辽学报·社科版—1992,(1):74-77
闻喜话的指示代词	任林深	山西师大学报·社科版(临汾)—1992,(1):95-封三
现代北京话的儿语或昵称边际音位	李诗涓	汉字文化(北京)—1992,(2):37
"京片子"的魅力：谈谈北京话的一些方言特色	黄晓鹊	语文学习(上海)—1992,(2):42-44
潍坊方言的代词	冯荣昌	语言研究—1992,(2):83-88
魏县话的若干后缀	吴继章	河北师院学报—1992,(3):32-39,49
北京话语汇研究略论	胡双宝	世界汉语教学(北京)—1992,(3):185-187
北京话化入普通话的轨迹——老舍作品语言研究的新途径之一	张清常	语言教学与研究—1992,(4):26-32
山西方言词汇异同例说	吴建生	语文研究—1992,(4):41-43
济宁话语音向普通话靠拢的趋势简析	华 灿	济宁师专学报—1992,(4):50-52
牡丹江方言	王 磊	牡丹江师范学院学报·哲社版—1992,(4):85-89
平谷方言的两种构词方式	陈淑静	方言(北京)—1992,(4):300-306
明代官话基础方言新论	邓兴锋	南京社会科学—1992,(5):112-115
老北京打招呼	俞 敏	修辞学习—1992,(6):19-20
四川话的"只有"和含"只有"的一种句法形式	聂敏熙	四川师范大学学报·社科版(成都)—1992,(6):56-62
也谈北京土语形容词中的 laba	杨永隆	语文建设通讯(香港)—1992,(35):68-69
山西方言的文白异读	侯精一 杨 平	中国语文(北京)—1993,(1):1-15
从方言看程高本后四十回作者	郑庆山	蒲峪学刊(齐齐哈尔)—1993,(1):22-25
山东阳谷方言的变调	董绍克	方言(北京)—1993,(1):57-58
黑龙江方言带后辍"挺""道""搭"的双音谓词	聂志平	绥化师专学报—1993,(2):33-37
北京话的"俩"与"仨"	林 根	新疆大学学报·哲社版—1993,(2):114
从固原方言看汉语语音变化	王恺树	银川师专、宁夏教育学院学报·社科版—1993,(2):45-50
东北方言源于古词语例析	崔棠华	辽宁大学学报·哲社版(沈阳)—1993,(2):73-75
西宁方言中表示重复的"再"	任碧生	青海师范大学学报·社科版—1993,(2):91-94
陕西方言词与北京话语素同义、词等义举隅	张 崇	唐都学刊—1993,(2):91-95
北京话中的"一十名"	杜永道	中国语文(北京)—1993,(2):142
黑龙江省的站人和站话述略	游汝杰	方言—1993,(2):142-147
银川方言的语汇特点	林 涛	固原师专学报—1993,(3):67-71
山西方言调查研究的回顾	温端政	学术论丛—1993,(3):69-75
论内蒙古本部汉语方言重叠式构词法	哈 森	内蒙古师大学报·哲社版—1993,(3):70-77

标题	作者	出处
北方话词汇的内部差异与规范化	卢甲文	湖北大学学报·哲社版—1993,(3):80-84
山西方言古二等字的韵母略说	田希诚	语文研究—1993,(4):41-48
大同方言札记二则	马文忠	语文研究—1993,(4):64
天津方言后缀试说	朝根东	天津师大学报·社科版—1993,(4):75-79
神木话表将来时的"呀"	邢向东	延安大学学报·社科版—1993,(4):95-97
北京话中的满汉融合词探微	赵杰	中国语文—1993,(4):281-287
宁夏同心(回民)方言的语法特点	张安生	宁夏社会科学—1993,(6):74-80
甘肃临夏一带方言的后置词"哈""啦"	李炜	中国语文—1993,(6):435-438
牟平方言上上相连的变调分析	刘娟	山东大学学报·哲社版—1994,(1):8-16
扶风话和普通话语音比较	毋效智	伊犁师院学报—1994,(1):37-56
晋中文白异读在地名读音上的反映	赵秉璇	语文研究—1994,(1):60-63
北京话的语气词"哈"字	贺阳	方言—1994,(1):60-63
汾阳方言的指示代词与疑问代词	宋秀令	山西大学学报·哲社版—1994,(1):61-67
青海民族语言研究之现状与展望	贾桂英	青海民族研究·社科版—1994,(1):72-75
黑龙江方言中的后附式双间谓词	聂志平	呼兰师专学报—1994,(2):54-62
论内蒙古西部汉语方言缀式构词法	哈森	阴山学刊—1994,(2):59-64
忻州方言逆序词	张光明	语文研究—1994,(2):62-64
古四声在河北方言中的演变	陈淑静	河北大学学报·哲社版—1994,(2):76-83
济南方言上上相连前字变调的实验分析	刘娟	语言研究—1994,(2):76-84
固原回族方言拾趣	马玉虎	民族艺林—1994,(2):77-78
金瓶方言琐屑	梁今知	青海师大学报·哲社版—1994,(2):84-87
北方话词汇的初步考察	陈章太	中国语文—1994,(2):86-91
《金瓶梅词话》中所见兰州方言词语	王森	语言研究—1994,(2):90-93
洮州方言与普通话语音的差别	卢玉明	西北民族学院学报—1994,(2):103-105
秦汉"关西语"——古代关中方言简说二	朱正义	渭南师专学报—1994,(3):8-15
北京话里的六个"跟"	杜永道	语文世界—1994,(3):17
北京方言中的语素"爷":从方言透视地域文化	董树人	汉语学习—1994,(3):49-52
黑龙江方言方位复合后缀 bànrlǎr	聂志平	大庆高等专科学校学报—1994,(3):58-60
大同方言入声字两读详例	马文忠	语文研究—1994,(3):58-62
北京地名谐音改字试析	张清常	中国语文—1994,(3):197-200
关于北京话中的满语词(一)(二)	周一民 朱建颂	中国语文—1994,(3):201-205
《燕京妇语》所反映的清末北京话特色(上)	江蓝生	语文研究—1994,(4):15-19
《燕京妇语》所反映的清末北京话特色(下)	江蓝生	语文研究—1995,(1):10-16

陕西方言与古汉语	张　　崇	陕西史志—1994,(4):18-21
关中方言词语考	刘　百　顺	西北大学学报—1994,(4):29-35
洪洞话轻声的语法语义作用	乔　全　生	语文研究—1994,(4):52-58
信阳方言的声韵系统及其特点	许　仰　民	信阳师院学报—1994,(4):96-100
东北方言词汇的构词和修辞特点初探	许　皓　光	辽宁大学学报·哲社版—1994,(4):97-99
新疆霍城县清水河镇汉语方言调查	李　金　葆	新疆大学学报—1994,(4):105-108
试论任丘方言的"多多"	刘　金　表	河北师院学报·哲社版—1994,(4):137-138
河北定县七堡村呼母作"婆"考	宋　均　芬	中国语文—1994,(4):253
内蒙西部方言句法结构三题	邢　向　东	语文学刊—1994,(5):33-35
凉城话中的动词后缀	马　金　河	语文学刊—1994,(5):36-37
甘肃汉语方言词法初探	一　　虚	西北师大学报—1994,(6):42-45,51
"贼多"	刘　士　娟	语文世界—1994,(10):25
北京口语里的多音入声字	俞　　敏	方言—1995,(1):26-30
山东青州北城满族所保留的北京官话方言岛记略	张　树　铮	中国语文—1995,(1):30-35
天津话的语流音变	崔　建　新 黎　　意	中国语文—1995,(1):36-44
黑龙江方言口语中的代词	聂　志　平	齐齐哈尔师院学报—1995,(1):81-87
北京文言音基础方言里入声的情况	[日]平山久雄	语言研究—1995,(1):107-113
黑龙江方言后附式双音谓词	聂　志　平	语言研究—1995,(1):132-145
河北任丘方言的一种特殊程度补语"多多"	刘　金　表	中国语文—1995,(2):104
内蒙古西部地区汉语方言里的蒙语借词	卢　芸　生 道　尔　吉	内蒙古大学学报·哲社版—1995,(4):55-63
苏南地区的河南方言岛群	郭　　熙	南京大学学报·人文哲社版—1995,(4):120-125,136
北方官话里表示可能的动词词尾"了"	柯　理　思	中国语文—1995,(4):267-278
再论汉语北方话的分区	刘　勋　宁	中国语文—1995,(6):447-454
嘴里哪来"热豆腐":试谈北京土音	奚　博　先	语文建设—1995,(12):5-8

吴　方　言

宁波方言(老派)的单字调和两字组变调	汤　珍　珠 游汝杰等	语言研究(武昌)—1990,(1):106-117
宁波方言新派音系分析	钱　乃　荣	语言研究(武昌)—1990,(1):118-125
宁波方言连调的探讨	汪　　平	语言研究(武昌)—1990,(2):9-14
吕四方言里的阳上字	卢　今　元	方言(北京)—1990,(4):262-264
泰兴方言同音字汇	顾　　黔	方言(北京)—1990,(4):284-292
吴方言与文学	范　伯　群 翁　寿　元	文史知识(北京)—1990,(11):42-47

宁波方言同音字汇	高志佩 辛　创 杨开莹	宁波大学学报·人文科学版—1991,(1):59-69
吴川方言亲属称谓词	林　彬	方言(北京)—1991,(1):64-67
绍兴话与普通话鼻韵母对应规律初探	余源根	绍兴师专学报—1991,(2):65-68
扬州方言单音词汇释(一)	吴继光 李　建	方言(北京)—1991,(3):211-222
扬州方言单音词汇释(二)	吴继光 李　建	方言(北京)—1991,(4):299-309
湖南辰溪方言中三个表进行、持续的助词	谢伯端	湘潭大学学报·社科版—1991,(4):116-117
浙江吴语声调略说	徐　越	杭州大学学报·哲社版—1991,(9):176-186
吴江方言[g]声母字研究	刘丹青	语言研究(武汉)—1992,(2):65-71
宁波方言"虾猪鸡"类字声调变读及其原因:兼论汉语南方方言表小称义的两种语音形式	陈忠敏	语言研究(武汉)—1992,(2):72-77
从历时观点论吴语变调和北京话轻声的关系	[日]平山久雄	中国语文(北京)—1992,(4):244-252
《苏州方言词典》引论	叶祥苓	方言—1992,(4):255-271
上海地区方言的分片	许宝华 汤珍珠等	方言(北京)—1993,(1):14-30
无锡方言概貌	陈祺生	无锡教育学院学报—1993,(1):31-36
无锡方言中的惯用语	侯家欣	无锡教育学院学报—1993,(1):37-38
吴方言词小考(续)	吴连生	吴中学刊·社科版—1993,(1):65-67
金华汤溪方言词汇(一)	曹志耘	方言(北京)—1993,(1):69-80
金华汤溪方言词汇(二)	曹志耘	方言—1993,(2):158-160
南京方言社会学初探	费　嘉	南京社会科学—1993,(1):99-104
方言渗透的特点及其研究方法:从上海市区方言的某些共时差异谈起	陈忠敏	语言研究—1993,(1):120-127
崇阳方言本字考	刘宝俊	语言研究—1993,(1):128-135
谈谈宁波人如何学好普通话声母	王　苹	宁波师院学报·社科版—1993,(2):25-28
宁波学生容易念错的复韵母	郑文华	宁波师院学报·社科版—1993,(2):32-33
吴语里的反复问句	游汝杰	中国语文(北京)—1993,(2):93-102
浙江吴方言里的儿尾	方松熹	中国语文(北京)—1993,(2):134-140
谈中学语文教材里的吴方言词语	田恒利	学语文—1993,(3):5-6
福州台江区地名溯源	林　东	中国方域—1993,(4):37
江淮方言的特点	鲍明炜	南京大学学报·哲社、人文版—1993,(4):71-76
谈谈南京口头俗语	沈孟璎	修辞学习—1993,(6):14
"帐颜"本字说	王世华	扬州师院学报—1994,(1):104-105,126
《肉蒲团》、《绣榻野史》、《浪史奇观》三书中的吴语	钱乃荣	语言研究—1994,(1):136-159

苏州方言的声调系统	汪　平	语言研究—1994,(2):45-55
无锡话部分词语杂考	洪　沉	铁道师院学报·社科版—1994,(2):47-49
温州乱弹白语音现状概说	金升荣	温州师院学报—1994,(2):57-62
黔南语音和上海吴语的比较及两者文化底层的探索	徐凤云	贵州教育学院学报·社科版—1994,(4):49-53
吴语在历史上的扩散运动	张光宇	中国语文—1994,(6):409-418
"囡"所反映的吴语历史层次	潘悟云	语言研究—1995,(1):146-155
明清小说和吴语的历史语法	石汝杰	语言研究—1995,(2):177-185
浅说上海话的"四声"	鲁启华	语文世界—1995,(12):14-15

湘　方　言

试谈湘方言中的词尾缀"叽"	李润波	湖南地方志—1991,(1):40-42
益阳方言词考释(续完)	黄声义	益阳师专学报·哲社版—1991,(1):43-46
湖南江永方言词汇(一)	黄雪贞	方言(北京)—1991,(1):68-80
湖南江永方言词汇(二)	黄雪贞	方言(北京)—1991,(2):143-152
湖南江永方言词汇(三)	黄雪贞	方言(北京)—1991,(3):223-231
澧县方言的音系	应雨田	武陵师专学报—1991,(2):66-76
澧县方言与普通话语音上的对应关系	易亚新	武陵师专学报—1991,(2):77-85
中古全浊声母在益阳话中的演变	蔡梦琪	湖南教育学院学报—1991,(4):43-48
湘西方言话词(hai)本字考	杨子仪	怀化师专学报·社科版—1992,(2):55-62
遂昌方言词选释	王正明	丽水师专学报·社科版—1993,(1):67-71
漫说常宁话的声调	谢一枝	衡阳师专学报·社科版—1993,(1):87-90
华容方言句法初探	白祖偕	益阳师专学报—1993,(2):40-43
四川湘语记略	崔荣昌	方言—1993,(4):278-283
湘潭方言同音字汇	曾毓美	方言—1993,(4):295-305
湖南耒阳方言的三个古语词	钟隆林	中国语文—1993,(6):473
湖南冷水江方言的代词	陈建初	古汉语研究—1995,(增刊):16-21

赣　方　言

赣语及其抚广片的若干特点	颜　森	江西师范大学学报·哲社版(南昌)—1990,(4):77-82
江西上犹社溪方言的"子"尾	刘纶鑫	中国语文(北京)—1991,(2):127-130
南昌县(蒋苍)方言的"子"尾和"里"尾	谢留文	方言(北京)—1991,(2):138-142
论赣方言的形成:兼论赣方言对客家话的一个重大影响	陈昌仪	江西大学学报·社科版(南昌)—1991,(3):71-76
南城方音与中古音系韵母比较	邱尚仁	江西师范大学学报·哲社版(南昌)—1991,(4):125-144
九江话里的"着"	张林林	中国语文(北京)—1991,(5):347
九江话里的儿化现象和化尾	张林林	江西师大学报·哲社版—1992,(2):98-102

九江话的"着"及其相关句式	张 林 林	九江师专学报·哲社版—1992,(2-3):101
赣方言的"加"	饶 星	宜春师专学报·社科版—1993,(1):30-31,29
玉山话形容词的"级"形态	汪 应 乐	上饶师专学报—1993,(1):78-79
南昌方言语气词	万 里 凤	江西教育学院学报·社科版—1993,(3):41-45
广丰话形象词语的修辞分析	胡 松 柏	上饶师专学报—1993,(3):62-67
怀化方言本字(下)	张 学 成	怀化师专学报·社科版—1994,(1):92-95
赣方言"霞""砣""贺"本字考	陈 昌 仪	南昌大学学报·社科版—1994,(1):101-104
湖南方言分区述评及再分区	李 蓝	语言研究—1994,(2):56-75
屈辞湘方言小笺	刘 晓 南	古汉语研究—1994,(3):95-96
湖南道县(小甲)土话同音字汇	周 先 义	方言—1994,(3):201-207
湘方言词汇特点	袁 家 骅 等	语文世界—1994,(10):24-25
江西方言研究的历史与现状	颜 森	江西师范大学学报·哲社版—1995,(1):49-52
赣榆方言词语例释	李 竹 君	方言—1995,(1):70-73

客 家 方 言

广东新丰客家方言记略	周 日 健	方言(北京)—1991,(1):31-44
客方言口语中的古词语考辨:为客家研究学术交流会而作	李 惠 昌	汕头大学学报·人文科学版—1991,(1):37-50
客家方言与赣南民歌	蔡 德 予	江西师范大学学报·哲社版(南昌)—1991,(1):87-91
武平方音记略	林 清 书	龙岩师专学报·社科版—1991,(1):109-111
闽西客话区语音的共同点和内部差异	林 宝 卿	语言研究(武汉)—1991,(2):55-70
潮汕方言实词的几种词法特点	林 伦 伦	汕头大学学报·人文科学版—1991,(2):62-69
汕头方言词汇(一)	林 伦 伦	方言(北京)—1991,(2):153-160
汕头方言词汇(二)	林 伦 伦	方言(北京)—1991,(3):232-240
汕头方言词汇(三)	林 伦 伦	方言(北京)—1991,(4):310-314
汕头方言词汇(四)	林 伦 伦	方言(北京)—1992,(1):78-80
海丰福老话文白异读研究	潘 家 懿	山西师大学报·社科版(临汾)—1991,(3):81-87
惠东多祝客家话名量词、数词的"A打A"重叠式	陈 延 河	暨南学报·哲社版—1991,(4):113-114,85
海南省三亚市汉语方言的分布	黄 谷 甘	方言(北京)—1991,(4):243-254
福建惠安话的动态助词"者、睞、咧"	陈 法 今	中国语文(北京)—1991,(5):363-365
客方言的词汇特征	李 惠 昌	汕头大学学报·人文科学版—1992,(3):59-66
长汀客话几个基本词的考释	蓝 小 玲	厦门大学学报·哲社版—1992,(4):113-116
梅县客家话的语音特点	黄 雪 贞	方言(北京)—1992,(4):275-289
客家的迁移与客家方言的分布	练 春 招	福建师范大学学报·哲社版(福州)—1993,(1):69-75
五华客家话的"哩"尾	朱 炳 玉	深圳教育学院深圳师范专科学校学报·综合版—1993,(1):74-77
关于客家话字音的审订问题	赖 江 基	暨南学报·哲社版(广州)—1993,(1):130-133

梅县客家方言词汇散论	陈亦良	暨南学报—1993,(1):141-142,150
闽西客话区词汇、语法的共同点和内部差异	林宝卿	语言研究—1993,(2):98-113
厦门话的被动句	周长楫	厦门大学学报·哲社版—1993,(3):80-85
梅县方言的文白异读	余伯禧	韶关大学学报·社科版—1994,(1):21-26
浅议客话与北方话关系	谢栋元	辽宁教育学院学报—1994,(2):81-83
广东省惠东客家方言的语缀	周日健	方言—1994,(2):143-146
客方言五华话"廉"、"寻"二字的白读音	李惠昌	语文研究—1994,(3):48-50
客家方言的词汇和语法特点	黄雪贞	方言—1994,(4):268-276
一等韵在客方言也有齐齿呼	日健	中国语文—1994,(5):400
客家方言词汇特点	袁家骅等	语文世界—1994,(11):16-17
客家方言古入声次浊声母字的分化	谢留文	中国语文—1995,(1):49-50
客家方言与民系形成的时间和地点	吴金夫	汕头大学学报·人文科学版—1995,(3):83-89
从客家谚语看客家的家庭观和家庭制	练春招	福建师范大学学报·哲社版—1995,(4):75-80
客家方言的词汇和语法特点	黄雪贞	方言—1995,(4):268-276

闽　方　言

平南闽南话的音韵特征及声母的古音痕迹	李玉	语言研究(武昌)—1990,(1):25-36
福州话"着"的词性与语法功能	梁玉璋	语言研究(武昌)—1990,(1):126-132
江山方言中类似闽语的成分	[美]罗杰瑞	方言(北京)—1990,(4):245-248
福州方言词汇里普通话词儿替换现象	梁玉璋	语文建设(北京)—1990,(6):14-18,13
谈台湾国语词汇与普通话的一些差异	万星	内江师专学报·社科版—1991,(1):13-16
潮汕人的远祖及其语言源流探索	郭伟川	韩山师专学报—1991,(1):14-20
综论海南话语音若干特点	冯成豹	广东民族学院学报·社科版—1991,(1):52-60
再论比较闽方言	张琨	语言研究(武汉)—1991,(1):93-118
连城(新泉)话语法三题	项梦冰	语言研究(武汉)—1991,(2):71-78
福州话的"做"字	梁玉璋	福建师范大学学报·哲社版(福州)—1991,(2):79-81
厦门方言同音字汇	周长楫	方言(北京)—1991,(2):99-118
永安方言本字考	林宝卿	厦门大学学报·哲社版—1991,(2):123-129
莆仙方言第一人称代词的本字应是"我":与田富同志商榷	林宝卿	中国语文(北京)—1991,(2):131-132
试探闽方言中的壮侗语底层:兼论百越民族史研究的几个问题	赵加	语言文字学(北京)—1991,(3):141-152
福建永春方言词汇概说	林连通	中国语文(北京)—1991,(3):201-210
从自然语言的数学模式的研究,谈如何解开福州话n音节变调之谜	张次曼	厦门大学学报—1991,(4):151-153

海南省三亚市汉语方言的分布	黄 谷 甘	方言—1991,(4):243-254
福清话名词性后缀"团"	冯 爱 珍	中国语文(北京)—1991,(6):440-444
闽方言区的语码选择	苏 金 智	语文建设(北京)—1991,(12):15-18
官话和闽方言中的几个动词短语结构的比较研究	[美]李英哲著;赵宏译	语言教学与研究(北京)—1992,(1):63-74
广东闽方言的分布及语音特征	林 伦 伦	汕头大学学报·人文科学版—1992,(2):54-58
仙游方言的六个合音字	吴 启 禄	语言研究—1992,(2):89-90
略论闽南话词汇与普通话词汇的主要差异	周 长 楫	语言文字应用(北京)—1992,(3):1-11
连城(新泉)方言的指示代词	项 梦 冰	方言(北京)—1992,(4):294-299
漳州话中的一种特殊的"毛"字句	杨 秀 明	漳州师院学报—1993,(1):80-84
论泉州方言丰厚的文化积淀	王 建 设	华侨大学学报·哲社版—1993,(1):90-99,73
闽北的方言与历史行政区划	詹 文 华	福建史志—1993,(2):36-37
福州方言的入声	冯 爱 珍	方言—1993,(2):101-118
闽南话的"去"字句	陈 垂 民	暨南学报·哲社版—1993,(3):138-142
福建南平方言同音字汇	苏 华	方言—1994,(1):37-45
从浙南闽南话形容词程度表示方式的演变看优势方言对劣势方言的影响	温 端 政	语文研究—1994,(1):43-49
闽南方言的"厌"字	张 光 宇	方言—1994,(1):58-59
闽南漳州方言中的反切语	马 重 奇	福建师范大学学报·哲社版—1994,(1):70-81
泉州话"呣"字句位功能	陈 法 今	华侨大学学报·哲社版—1994,(1):99-106
福州话中的外来词	陈 泽 平	福建师范大学学报·哲社版—1994,(2):85-88
福州方言的一种构词方法	梁 玉 璋	语言研究—1994,(2):85-89
从闽南话到日本汉字音	严 棉	中国语文—1994,(2):92-101
闽方言在广东的分布及其音韵特征的异同	林 伦 伦	中国语文—1994,(2):155-160
从《世说新语》的语言现象看闽语的来源	王 建 设	语言文字学—1994,(3):134-141
粤北曲江的闽语:连滩话特点简述	陈 晓 锦	暨南学报·哲社版—1994,(3):141-145
闽南方言常用指示词考释	张 惠 英	方言—1994,(3):212-217
从方言词汇透视闽台文化内涵	林 寒 生	厦门大学学报—1994,(4):108-112
小议潮汕方言的宏观研究	詹 伯 慧	学术研究—1994,(5):106-107
汕头话受粤语的影响及其趋向	林 伦 伦	学术研究—1994,(6):136-139
闽北方言弱化声母和"第九调"之我见	王 福 堂	中国语文—1994,(6):430-433
介绍流行悠久的闽南白话字	许 长 安	语文建设通讯—1994,(45):72-79
漳州方言重叠式动词研究	马 重 奇	语言研究—1995,(1):124-131
广东潮汕闽方言区的糜文化和茶文化	潘 家 懿	语言文字应用—1995,(2):94-96
漳州方言的重叠式形容词	马 重 奇	中国语文—1995,(2):123-129
闽南方言与闽台文化溯源	陈 荣 岚	厦门大学学报·哲社版—1995,(3):19-22,32

福建永春方言的述补式	林连通	中国语文—1995,(6):455-460

粤 方 言

广东境内三大方言的相互影响	詹伯慧	方言(北京)—1990,(4):265-269
广东增城方言同音字汇	何伟棠	方言(北京)—1990,(4):270-283
廉州方言形容词的特殊形式及其用法	蔡权	方言(北京)—1990,(4):293-296
广州方言词考释(二)	张惠英	方言(北京)—1990,(4):298-306
粤语中的壮侗语族语言底层初析	李锦芳	中央民族学院学报(北京)—1990,(6):71-76
粤方言研究中的几个理论问题	高华年	学术研究(广州)—1990,(6):98-100
粤方言语音特点探讨	李新魁	语言文字学(北京)—1990,(10):141-152
明本潮州戏文所见潮州方言述略	曾宪通	方言(北京)—1991,(1):10-29
新加坡潮州话的外语借词和特殊词语	李永明	方言(北京)—1991,(1):56-63
广州话的"异式词"	麦耘	广东民族学院学报·社科版—1991,(1):61-65
粤语在汉藏语研究中的地位和作用	戴庆厦	语言文字学(北京)—1991,(10):146-152
广州市东郊乡音特点	黄家教	中山大学学报·社科版(广州)—1991,(2):118-120
广州方言的介音	施其生	方言(北京)—1991,(2):119-125
广州方言常见的语气词	邓少君	方言(北京)—1991,(2):126-132
论广州话韵尾的繁衍化	陈定方	中山大学学报·社科版(广州)—1991,(3):146-150
粤语方言分区问题初探	[美]余霭芹	方言(北京)—1991,(3):164-181
也谈粤东方言的形成及其有关问题——兼与黄甦先生商榷	林伦伦	广东社会科学—1991,(4):72-77
广州话与普通话名量词差异的成因	黎玮杰	暨南学报·哲社版—1991,(4):109-112
粤语中的百越语成分问题	李敬忠	学术论坛(南宁)—1991,(5):65-72
广州话的趋向范畴	刘叔新	南开学报·哲社版(天津)—1991,(6):19-24,9
广州人如何学讲普通话	周少泉	广州师院学报·社科版—1992,(1):67-76,26
仙游方言的六个合音字	吴启禄	语言研究(武汉)—1992,(2):89-90
潮州话的一个特殊词儿"来$_2$"	林道祥	汕头大学学报·人文科学版—1992,(4):60-64
粤语里"叹"字的妙用	肖砾	阅读与写作—1992,(7):18
梅县话同音字汇	林立芳	韶关大学学报·社科版—1993,(1):76-1-3
广东省饶平方言记音	詹伯慧	方言—1993,(2):129-141
广州话四字格词语研究	汤志祥	深圳大学学报·人文、社科版—1993,(3):92-98
广州话又读字辨析	罗伟豪	中山大学学报·社科版—1993,(4):111-122
粤语是汉语的一支方言——与李敬忠先生商榷	麦耘	语文建设通讯(香港)—1993,(41):65-72,38
把握方向,大力开展粤方言的研究工作	詹伯慧	岭南文史—1994,(1):4-7
粤方言常用词考释	林伦伦	语文研究—1994,(1):32-37

粤方言词语探源	黎汉鸿	广西民族学院学报·哲社版—1994,(1):80-86
广州话三字格词语研究	汤志祥	深圳大学学报—1994,(3):72-78
粤北十县(市)白话的语音特点	詹伯慧 张日昇	方言—1994,(4):281-285
粤方言区作家笔下的民族共同语和方言因素	陶原珂	广东社会科学—1994,(5):120-124,130
粤方言词汇的特点	袁家骅	语文世界—1994,(9):45-46
粤北十县(市)粤方言常用词语的一致性和差异性	张晓山	语文研究—1995,(1):60-封三
粤语源流考	叶国泉 罗康宁	语言研究—1995,(1):156-160
粤北十县(市)白话的语音特点	詹伯慧	方言—1995,(4):281-285
两广粤方言壮语的种种关系	欧阳觉亚	民族语文—1995,(6):49-52

官 话

淮安方言单音动词汇释	汪国怀	方言(北京)—1990,(4):307-314
贵阳方言中表示复数的"些"	涂光禄	中国语文(北京)—1990,(6):438

书 评

简评《语文研究》创刊10年来的方言论文	钱曾怡	语文研究(太原)—1990,(4):14-18
第二届国际闽方言研讨会述评	詹伯慧	学术研究(广州)—1990,(6):101-103
一部富有时代气息的现代汉语教材；评钱乃荣主编的《现代汉语》	杨成凯	语文研究(太原)—1991,(1):38-41
不中不西,园融无碍:评田申瑛先生的新著《语法述要》	申小龙	汉语学习(延吉)—1991,(1):42-46
富有创造性的探讨——《词结构新探》英译本后记	朱曼华	汉字文化—1991,(1):62
《苍南方言志》序	侯精一	语文研究(太原)—1991,(2):10,9
评张清常的《胡同及其他》	李润新	博览群书—1991,(2):12-14
读《新闻语言分析》随感	张万象	博览群书—1991,(2):26-27
处处留心皆学问——《胡同及其他》简评	杨寄洲	中国图书评论—1991,(2):72-73
山东省方言志丛书序	李荣	方言(北京)—1991,(2):81-82
生活到处有学问——张清常《胡同及其他》读后	董树人	世界汉语教学—1991,(2):125-127
结构谨严 新意盎然:评钱乃荣主编的《现代汉语》	平悦铃	汉语学习(延吉)—1991,(3):39-43

对外汉语教学与《中国家常》	王国璋 王安陆	北京大学学报·哲社版—1991,(3):124
汉语南岛语声母的对应：L·沙加尔《汉语南岛语同源论》述评补证	邢公畹	民族语文(北京)—1991,(4):23-35
评对外汉语新编教材《中国家常》	邵敬敏	语言教学与研究—1991,(4):158-160
汉语南岛语声母及韵尾辅音的对应：L·沙加尔《汉语南岛语同源论》述评补正	邢公畹	民族语文(北京)—1991,(5):13-25
将人文精神还给汉语	王之江	中国评论—1991,(5):99-100
评《中国大百科全书·语言文字卷》	玛莉·S·厄鲍	中国语文(北京)—1991,(5):398-399
注意篇章表达：纪念1951年6月6日《人民日报社论》发表40周年	张寿康	语文建设(北京)—1991,(6):17-19
无言历史的旁白(《胡同及其他》)简评	黄集伟	读书—1991,(6):103-104
评《苍南方言志》	颜逸明	中国语文(北京)—1992,(1):72-74
《珠江三角洲方言调查报告》评介	郭振芝	暨南学报·哲社版(广州)—1992,(1):121-122
民俗语言学的又一新著——谈《江湖隐语行话的神秘世界》	彭定安	社会科学辑刊—1992,(1):148-149
语言文字工作必须坚持实践是检验真理的标准：答《〈神奇的汉字〉专家座谈会纪要》作者	本刊编辑部	汉字文化(北京)—1992,(2):1-10
中国文化语言学的类型化趋势：第二届全国语言与文化学术研讨会纪要	林归思	汉语学习(延吉)—1992,(2):37-39
破译诗歌语言奥秘的钥匙：读谢文利《诗歌语言的奥秘》杂感	梁南	文艺评论—1992,(2):68-73
探讨汉语的民族文化精神：第二届全国语言与文化学术研讨会述评	苏新春	学术研究(广州)—1992,(2):100-105
语文学的奇葩：读《中国民间秘密语》	张天堡	淮北煤师院学报·社科版—1992,(2):109-112
简评林祥楣主编《现代汉语》	邵敬敏	语文建设(北京)—1992,(4):46-48
有关汉语现象的一些思考：《汉语现象论丛》前言	启功	文史知识(北京)—1992,(7):3-11
评《闽语研究》	胡明扬	语文建设(北京)—1992,(11):44-45
努力开创语言文字工作的新局面：在全国语言文字工作先进单位、先进工作者表彰大会开幕式上的报告	柳斌	语文建设(北京)—1993,(1):3-7
在全国语言文字工作先进单位、先进工作者表彰大会闭幕式上的讲话	柳斌	语文建设(北京)—1993,(1):8-9
在全国语言文字工作先进单位、先进工作者表彰大会闭幕式上的总结发言	仲哲明	语文建设(北京)—1993,(1):10-13

标题	作者	出处
张志公与汉语修辞学	胡裕树	河北师院学报·社科版(石家庄)—1993,(1):11-12
志公先生关于语文教学的两个观点	章熊	河北师院学报·社科版(石家庄)—1993,(1):13,20
语文教学应有规律可循：张志公先生的说和做	顾黄初	河北师院学报·社科版(石家庄)—1993,(1):14-20
张志公语言和语文教育思想研讨会综述	林言	河北师院学报·社科版(石家庄)—1993,(1):21-22,39
呼唤柔性　走向柔性	史有为	汉语学习(延吉)—1993,(1):23-24
张志公先生与口语教学	陈建民	语文建设(北京)—1993,(1):28-31
评郭建荣《太原方言民俗词语》的抄袭行为	余志鸿　王临惠　马文忠	语文研究—1993,(1):59-64,封三
四川方言研究史上的丰碑：读《四川方言调查报告》	崔荣昌	四川大学学报·哲社版(成都)—1993,(1):71-79
"现代汉语"如何面向应用：评介高校教材《应用汉语教程》(易洪川主编)	徐静茜	语言文字应用(北京)—1993,(1):73-76
张永言《语文学论集》读后	徐文堪	中国语文(北京)—1993,(1):73-77
读《汉语口语教科书》	张志毅	世界汉语教学—1993,(1):76-79
北京地区青年语言工作者座谈会纪要	晓光	语言文字应用(北京)—1993,(1):103-108
积极开展语言文字工作　努力为社会主义现代化建设服务	上海静安区人民政府	语文建设(北京)—1993,(2):5-6
加强社会用字规范管理　争创良好商业服务环境：西单北大街社会用字整治工作介绍	北京市西城区人民政府西长安街道办事处	语文建设(北京)—1993,(2):8
我把语言文字工作作为自己毕生的事业	秦津源	语文建设(北京)—1993,(2):9
我们是怎样搞好语言文字工作的	成都军区56107部队	语文建设(北京)—1993,(2):10-11
史有为《呼唤柔性》序	胡明扬	语文建设(北京)—1993,(2):40-42
北京地区青年语言工作者座谈会在京举行	晓光	语文建设(北京)—1993,(2):47-48
语言与文学交叉研究丛书之一：《实践中的文学研究》	申丹	外语教学与研究—1993,(2):68-69
对外汉语教学理论的一块基石——评《华语教学讲习》	杨石泉	语言教学与研究—1993,(2):101-109
读《清词三百首今译》	高海夫	延安大学学报·社科版—1993,(2):104-105
构建文学翻译批评理论的追求——评许钧著《文学翻译批评研究》	刘锋	语言与翻译—1993,(3):58-62
《扬州方言词典》引论	王世华　黄继林	方言—1993,(3):161-175

标题	作者	出处
《当说必说》语言美	周陶钧	学语文—1993,(4):7
艺术语言研究的深入与开拓:读《艺术语言学》有感	庞蔚群	修辞学习—1993,(4):10-12
《汉语情景会话》序	张斌	汉语学习—1993,(4):36
可贵的探索,可喜的收获——评《文学语言审美论析》	崔绍范	修辞学习—1993,(4):48
黄伯荣、廖序东主编的《现代汉语》中的几个问题	王立和	语言文字学—1993,(7):130-132
丁公陶文集说	肖武	语文建设—1993,(9):16-18
《增城方言志》序	李新魁	语文月刊—1993,(12):10-11
《忻州方言词典》引论	温端政 张光明	方言—1994,(1):1-12
《长沙方言词典》出版		方言—1994,(1):13-15
《苏州方言词典》出版		方言—1994,(1):16-19
《关于方言古词论稿》序	钱曾怡 张守基 刘晓东	渭南师专学报—1994,(1):25-26
李实《蜀语》简论	蒋均涛	四川教育学院学报—1994,(1):60-69
《陕北方言略说》补正	王军虎	方言—1994,(1):68-69
评张崇著《陕西方言古今谈》	郭子直	西安外院学报—1994,(1):80
从《文学语言概论》谈起	季羡林	新华文摘—1994,(1):204
《郭在贻语言文学论稿》读后	王魁伟	古汉语研究—1994,(2):4-6,32
《南京方言词典》引论	刘丹青	方言—1994,(2):81-102
《丹阳方言词典》引论	蔡国璐	方言—1994,(2):103-118
语言规范化需要楷模——读王勤先生主编《论毛泽东语言艺术》	王均	湘潭大学学报—1994,(3):124
《南昌方言词典》引论	熊正辉	方言—1994,(3):180-181
《徐州方言词典》引论	苏晓青 吕永卫	方言—1994,(3):184-197
《苏州方言词典》编后记	缪咏禾	方言—1994,(3):198-200
汉语方言语法研究大有可为——序《汉语方言语法调查手册》	詹伯慧	语文研究—1994,(4):1-4
方言研究述略——兼说《长阳方言志》	曹文安	宜昌师专学报—1994,(4):49-51
刘汉城主编的《现代汉语》评介	海宁	汉语学习—1994,(4):54-55
周代"雅言":《关中方言古词论稿》节选	朱正义	语言文字学—1994,(4):107-116
《乌鲁木齐方言词典》引论	周磊	方言—1994,(4):241-251
《金华方言词典》引论	曹志耘	方言—1994,(4):252-267
《文学语言艺术谈》序	郑子瑜	修辞学习—1994,(5):37

普及提高　雅俗共赏——评王希杰《说写的学问和情趣》	彭嘉强	修辞学习—1994,(5):42
《牟平方言词典》引论	罗福腾	方言—1995,(1):1-16
《哈尔滨方言词典》引论	尹世超	方言—1995,(1):17-25
《当代吴语研究》述评	石汝杰 刘丹青	语言研究—1995,(1):196-200
李行健教授和他主编的《现代汉语规范词典》	本刊记者	语言文字应用—1995,(2):112
文学名著的赏析与语言研究:《红楼梦的语言》序	张清常	语言教学与研究—1995,(2):119-121
评《山西方言调查研究报告》	胡双宝	语文研究—1995,(3):1-4
现代汉语:90年代的风格	邹玉华	语言文字学—1995,(7):98-102

汉　语　语　音

什么是语言的节奏:汉语音律研究札记	吴洁敏	语文建设(北京)—1991,(5):13-15
论汉语音韵研究的传统方法与文化学方法	李葆嘉	江苏社会科学—1992,(4):106-110
方言音韵学研究小史	张玉来	山东师大学报·社科版—1993,(1):97-100
秦汉华夏通语的由来	朱正义	文史哲—1993,(5):99-100
汉字语源研究中的音韵问题	[日]藤堂明保文,王继如译	古汉语研究—1994,(2):7-12
论汉语音韵文化内涵	谷木	江苏社会科学—1994,(4):120-125
从汉藏语系的角度论辅音三级分类法的一种新模式——兼论中国传统音韵学者对辅音分类的贡献	冯蒸	首都师范大学学报·社科版—1994,(5):28-38
1993年的汉语音韵研究	张渭毅 唐作藩	语文建设—1994,(11):28-32

古代和近代语音

老乞大、朴通事谚解汉字音的语音基础	尉迟治平	语言研究(武昌)—1990,(1):11-24
论原始汉语"二"的语音形式	刘宝俊	语言研究(武昌)—1990,(1):37-50,86
上古入声韵尾的清浊问题	郑张尚芳	语言研究(武昌)—1990,(1):67-74
中古影、喻、疑、微诸纽在北京音系里全面合流的年代	孙建元	广西师范大学学报·哲社版(桂林)—1990,(3):6-14
中古汉语擦音的上古来源	潘悟云	温州师院学报·哲社版—1990,(4):1-9

上古汉语的 S-头	郑张尚芳	温州师院学报·哲社版—1990,(4):10-19
古音学与清代语文学	刘　利	徐州师范学院学报·哲社版—1990,(4):74-79
读《切韵》残卷	李国华	云南民族学院学报(昆明)—1990,(4):86-92
《汉书·音注》声母系统	欧阳宗书	江西大学学报·社科版(南昌)—1990,(4):102-107
福清方言韵母与《广韵》韵母的比较	冯爱珍	方言(北京)—1990,(4):249-261
音有正变:音之敛侈必适中:读段玉裁《六书音韵表》札记之一	孙玉文	湖北大学学报·哲社版(武昌)—1990,(5):101-105
"入派阴声"始于六世纪	廖名春	语言文字学(北京)—1990,(10):13-15
殷商音系研究述评	马如森	语言文字学(北京)—1990,(11):36
郭璞音	简启贤	语言文字学(北京)—1990,(11):45-53
从中古音到北京音系,阴平调流入与流出的字数比较	[新加坡]陈重瑜	世界汉语教学(北京)—1991,(1):3-11,54
从中古音到北京音系:阴平调流入与流出的字数比较(续完)	[新加坡]陈重瑜	世界汉语教学—1993,(2):93-102
《新集古文四声韵》与《集古文韵》辨异	周祖谟	古籍整理研究学刊—1991,(1):7-9
新化邹氏古声二十纽说研究	李葆嘉	古汉语研究—1991,(1):15-23
精庄双声补证	孙剑艺	固原师专学报—1991,(1):17-19,22
等韵学讲话提纲(四)	张世禄口述 李行杰整理	青岛师专学报—1991,(1):22-31
略论汴洛语音的历史地位	张启焕	古汉语研究—1991,(1):24-29
汉语音韵札记四则	陈　晨	语言文字学(北京)—1991,(1):24-35
《尔雅音图》音注所反映的宋初零声母:兼论中古影、云、以母的音值	冯　蒸	汉字文化(北京)—1991,(1):29-36
中古通、江二摄字在魏晋南北朝的押韵分析	刘纶鑫	古汉语研究—1991,(1):30-34
论音韵学在古籍阅读中的作用	牛春生	宁夏大学学报·社科版—1991,(1):44-52
王文璧校正《中州音韵》的初刻年代和诸版本的关系问题	许德宝	中国语文(北京)—1991,(1):47-59
玄奘《大唐西域记》中《四十七言》问题	季羡林	文史知识—1991,(1):53-58
元散曲的用韵	杨载武	西南师范大学学报·哲社版(重庆)—1991,(1):57-65
《汉语音韵札记四则》补论	陈　晨	汉字文化(北京)—1991,(1):58-61,12
论方以智的音转学说	顾之川	淮阴教育学院学报·文科版—1991,(1):59-65
论科举考试与韵图	王兆鹏	山东师大学报·社科版—1991,(1):60-63
"《中原雅音》就是《中州音韵》"质疑	曾晓渝	中国语文(北京)—1991,(1):60-63
从王氏四种看先秦文献语言的音转规律	吴泽顺	青海师范大学学报·社科版(西宁)—1991,(1):60-71
唐宋间止、蟹二摄的分合	唐作藩	语言研究(武汉)—1991,(1):63-67

近代汉语官话入声的消亡过程及相关的语音性质	张玉来	山东师大学报·社科版—1991,(1):64-69
论《中原雅音》与《中州音韵》的关系	龙庄伟	中国语文(北京)—1991,(1):64-69
义净梵汉对音探讨	柯蔚南	语言研究—1991,(1):65-92
试论《西儒耳目资》的语音基础及明代官话的标准音	曾晓渝	西南师范大学学报·哲社版(重庆)—1991,(1):66-74
《释名》声训所反映的古音现象	李茂康	青海师范大学学报·社科版(西宁)—1991,(1):72-78,104
"东"的"外方"义	艾荫范	中国语文(北京)—1991,(1):73-74
古反切的"音和"、"类隔"与今音"剪桐"音辨——也谈"桐叶封弟"传说之成因	王雪樵	晋阳学刊—1991,(1):75-76
陆游诗的入声韵系	冯志白	南开学报·哲社版(天津)—1991,(1):75-80
关于"气、韵"	程千帆 金克木	读书(北京)—1991,(1):90-92
说"纽"及其他	张柏青	安徽师大学报·哲社版(芜湖)—1991,(1):117-118
匣母字上古一分为二试析	邵荣芬	语言研究(武汉)—1991,(1):118-127
"庄"归"精"说再证	周长楫	厦门大学学报·哲社版—1991,(1):119-126
汉藏文献学相互为用一例：从郑注《周礼》"古者立位同字"说到陆法言《切韵序》"秦陇则去声为入"	俞敏	语言研究(武汉)—1991,(1):128-132
陶诗用韵考	钟名立	九江师专学报·哲社版—1991,(2):1-6
《尔雅音图》音注所反映的宋代浊音清化	冯蒸	语文研究(太原)—1991,(2):21-29
心母三源	张儒 郭存礼	山西大学学报·哲社版(太原)—1991,(2):25-33
从白居易讽谕诗的用韵看元和魂痕分用的现象	程垂成	河北大学学报·哲社版—1991,(2):42-47
从"台"谐声系统的古今音变	龚嘉镇	思茅师专学报·综合版—1991,(2):43-51
陈澧《切韵考》反切之疏述评	谢伯良	西部学坛·哲社版—1991,(2):44-51
周德清是"最小对立"理论的创始人：《中原音韵·正语作词起例》新探	李文煜	汉字文化(北京)—1991,(2):50-55,62
《〈广韵〉四声韵字今音表》校补	熊庆年	江西教育学院学报·综合版(南昌)—1991,(2):56-57
《韵略汇通》的语音系统	张鸿魁	青岛师专学报—1991,(2):62-70,74
中原雅音辨析	刘静	陕西师大学报·哲社版(西安)—1991,(2):66-70
《老乞大谚解》中古入声字分派情况研究	吴葆棠	烟台大学学报·哲社版—1991,(2):71-82,29
汉魏六朝译经对汉语词汇双音化的影响	梁晓虹	南京师大学报·社科版—1991,(2):73-78

格里姆定律和钱大昕古无轻唇音说比较	张盛龙	广州师院学报·社科版—1991,(2):74-80
唐写本《礼记音》考	许建平	敦煌研究—1991,(2):85-91
试论黄侃上古音的研究方法	李长仁	松辽学刊·社科版—1991,(2):86-89
南北朝韵部研究方法论略	李露蕾	华东师范大学学报·哲社版(上海)—1991,(2):89-94,50
北纬37°以南的古-k韵尾字与二合元音	黎新第	语言研究(武汉)—1991,(2):96-106
《韵镜》是宋人拼读反切的工具书	赖江基	暨南学报·哲社版(广州)—1991,(2):104-112
《切韵》知、庄、章组及相关诸声母的拟音	麦耘	语言研究(武汉)—1991,(2):107-114
论李元的古声互通说	李葆嘉	徐州师范学院学报·哲社版—1991,(2):119-123
上古-ng尾诸韵部上去声的数理探讨	辛世彪	陕西师大学报·哲社版(西安)—1991,(2):120-127
道孚藏语双塞音的声母学性质	孔江平	语言研究(武汉)—1991,(2):122-133
《广韵》校勘拾零	蓟郛	社会科学战线(长春)—1991,(2):318-321
"遇"摄音值新证:古音寻踪之一	黄奕佗	郑州大学学报·哲社版—1991,(3):29-31
唐代八世纪长安音的韵系和声调	刘广和	河北大学学报·哲社版(保定)—1991,(3):32-39
《校订五音集韵》序	唐作藩	学术研究丛刊—1991,(3):46-50
《切韵指南》唇音字分析:《切韵指南》研究之三	忌浮	学术研究丛刊—1991,(3):50-56
论清(轻)、浊(重)	胡从曾	浙江师大学报·社科版—1991,(3):62-65
论《切韵》语音性质的几个问题	张玉来 徐明轩	徐州师范学院学报·哲社版—1991,(3):77
《李氏音鉴》的声、韵、调系统	杨亦鸣	徐州师范学院学报·哲社版—1991,(3):82-89
《朱熹反切考》后记	陈鸿儒	怀化师专学报—1991,(3):84-93
上古音"之"部及其发展	李新魁	广东社会科学—1991,(3):94-100
浊音清化溯源及相关问题	周长楫	中国语文(北京)—1991,(3):283-288
展望九十年代的汉语音韵学	唐作藩 杨耐思	语文研究(太原)—1991,(4):1-4
《新集古文四声韵》与《集古文韵》辨异	周祖谟	语言文字学(北京)—1991,(4):32-34
音韵研究的实用性	林宝卿	语文研究(太原)—1991,(4):33-39
徐用锡舌上古读舌头说述论	李葆嘉	语言文字学(北京)—1991,(4):35-40
《西厢记》中的"大"读"堕"音考	王雪樵	文献—1991,(4):50-56
孙文昱是《广韵》五十一声类说的创始人	王平	汉字文化—1991,(4):57-67
王恽诗词用韵个别现象浅析	刘青松	怀化师专学报—1991,(4):60-64
古音阴入对转疏证	马重奇	福建师范大学学报·哲社版(福州)—1991,(4):61-68
试说汉语语音史上的几个"为什么"	张九林	淮北煤师院学报·社科版—1991,(4):70-77

标题	作者	出处
晋以前四声别义补例	孙玉文	湖北大学学报·哲社版(武汉)—1991,(4):72-78
从《玉篇》看照系三等声母的产生	朱声琦	山西师大学报·社科版—1991,(4):91-93
上古汉语 ST—类型复声母考	李玉	学术论坛(南宁)—1991,(4):101-103
长人说质疑	胡安顺	陕西师大学报·哲社版(西安)—1991,(4):105-112
《尔雅》郭璞注的反切(上)	彭辉球	湘潭大学学报·社科版—1991,(4):111-115
《尔雅》郭璞注的反切(下)	彭辉球	湘潭大学学报·社科版—1993,(2):112-117,126
从方言读音看上古汉语入声韵的复韵尾	李新魁	中山大学学报·社科版(广州)—1991,(4):111-121
《李氏音鉴音系研究》序	杨耐思	徐州师范学院学报·哲社版—1991,(4):133,69
古全浊声母清化规则补议	麦耘	中国语文(北京)—1991,(4):289-290
周德清不是《中州音韵》的编者	慧生	中国语文(北京)—1991,(4):298-300
音韵与古籍整理	顾义生	语言文字学(北京)—1991,(5):30-34
古书中的异读现象及其今读问题	钟名立	中文自学指导—1991,(5):32-33,39
《青郊杂著》音系简析	耿振生	中国语文(北京)—1991,(5):374-379
元明以来韵书中的入声问题	张玉来	中国语文(北京)—1991,(5):380-382
藏文字性法与古藏语音系	格桑居冕	民族语文(北京)—1991,(6):12-22,35
《广韵》与方言	汪寿明	华东师范大学学报·哲社版(上海)—1991,(6):33-38
《汉书》颜氏直音释例	谢纪锋	北京师范大学学报·社科版—1991,(6):54-61,109
近代汉语官话入声的消亡过程及相关的语音性质	张玉来	语言文字学(北京)—1991,(8):33-38
宋词的声词之美与入声字的关系	徐培均	文史知识—1991,(10):8-15
普通话一些音节与古入声的关系	郭焰坤	语言文字学(北京)—1991,(10):42-49
诗韵杂谈	仲跻培	文史知识—1991,(11):114-120
论汉字的词根音谐声	贺德扬	语言文字学(北京)—1991,(12):30-47
孔广森上古去声长短说对后世之影响	李思敏	语言研究(武汉)—1991,(增刊):3
内外转补释	陈振寰	语言研究(武汉)—1991,(增刊):11-13
《切韵指南》入声韵兼配阴阳试析	宁忌浮	语言研究(武汉)—1991,(增刊):14
说之:简论跟舌音相通的章组的上古音	尉迟治平	语言研究(武汉)—1991,(增刊):15-17
上古声母系统及演变规律	郑张尚芳	语言研究(武汉)—1991,(增刊):18
中古汉语合口介音的一个来源	施向东	语言研究(武汉)—1991,(增刊):23-31
陈独秀《中国古代语音有复声母说》今证	赵秉璇	语言研究(武汉)—1991,(增刊):25-27
上古汉语和古藏语元音系统的历史比较	潘悟云	语言研究(武汉)—1991,(增刊):32-34
楚方言考略	刘志成	语言研究(武汉)—1991,(增刊):53-56

秦汉之际楚方言中的 ml-复辅音声母	李　　玉	语言研究(武汉)—1991,(增刊):57-58
"齐人言殷声如衣"补释	张　树　铮	语言研究(武汉)—1991,(增刊):59-61
古汉语内言外言读音论	肖　亚　东	语言研究(武汉)—1991,(增刊):62-63
陆德明反切用字析略	邵　荣　芬	语言研究(武汉)—1991,(增刊):64
东晋译经对音的晋语声母系统	刘　广　和	语言研究(武汉)—1991,(增刊):65-70
利用梵汉对音构拟《切韵》遇流二摄元音	麦　　耘	语言研究(武汉)—1991,(增刊):71-72
《尔雅音图》音注所反映的宋代 k-/x- 相混	冯　　蒸	语言研究(武汉)—1991,(增刊):73,107
客家方言与宋代音韵	邓　晓　华	语言研究(武汉)—1991,(增刊):74-78
八思巴字汉语音系拟测	杨　耐　思	语言研究(武汉)—1991,(增刊):79
古官话音考:以十五世纪朝鲜时人的认识为中心	[韩]柳应九	语言研究(武汉)—1991,(增刊):80-86
韵会音系基础初探	王　硕　荃	语言研究(武汉)—1991,(增刊):87-97
古清音入声字在《词林韵释》里的分化	林　宝　卿	语言研究(武汉)—1991,(增刊):102-103
论《韵略汇通》的入声	张　玉　来	语言研究(武汉)—1991,(增刊):104-107
《李氏音鉴》与十八世纪末的北京音系	杨　亦　鸣	语言研究(武汉)—1991,(增刊):108-114
清代吴人南曲分部考	马　重　奇	语言研究(武汉)—1991,(增刊):115-121
汉语鼻音韵尾的演变	陈　其　光	语言研究(武汉)—1991,(增刊):122-129
近代以来的北方方言中古庄章知组声母的历史变化	黎　新　第	语言研究(武汉)—1991,(增刊):130-137
汉语卷舌声母的起源和发展	郑　仁　甲	语言研究(武汉)—1991,(增刊):138-141
近代-m韵嬗变证补	曹　正　义	语言研究(武汉)—1991,(增刊):142-143
"鼻"字读音的启示	林　　端	语言研究(武汉)—1991,(增刊):144
中古知、庄、章三组声母字在南城、攸县方言中演变情况	蒋　希　文	语言研究(武汉)—1991,(增刊):145-148
《广韵》的合口呼与广州话的 u 介音	罗　传　豪	语言研究(武汉)—1991,(增刊):149-150
福建省永春方言古音的遗存	林　连　通	语言研究(武汉)—1991,(增刊):151
中古三等韵庄组字在闽南话里的读音	周　长　楫	语言研究(武汉)—1991,(增刊):152
知庄章日晋南今音	吕　枕　甲	语言研究(武汉)—1991,(增刊):153-155
清徐话与广州话入声来源的比较	潘　耀　武	语言研究(武汉)—1991,(增刊):156-158
地名读音与音韵之学	张　清　常	语言研究(武汉)—1991,(增刊):171-172
避讳与古音研究	虞　万　里 杨　蓉　蓉	语言研究(武汉)—1991,(增刊):173-184
两种不同的音变:分化与合并	张　生　汉	语言研究(武汉)—1991,(增刊):223-225
关于琉球官话课本研究(二):《尊驾——学官话》	[日]濑户口律子	语言研究(武汉)—1991,(增刊):228-231
上古收-p、-m诸部	潘　悟　云	温州师院学报·哲社版—1992,(1):1-12

标题	作者	出处
《古汉语复声母论文集》序	严学宭	语言研究(武汉)—1992,(1):2-8
形音字声符表音功能侧议:《入声论》之二	夏中易	成都大学学报·社科版—1992,(1):24-27
中古开口一等韵字在今武山方言也有[i]介音	一虚	中国语文(北京)—1992,(1):25
"颤"字读音考辨	杨时俊	四川师范学院学报·哲社版(南充)—1992,(1):51-53
《韵略汇通》的语音性质	张玉来	山东师大学报·社科版—1992,(1):61
从"花"字的产生看"平分阴阳"开始的时代	朱声琦	中国语文(北京)—1992,(1):69-71
湘赣语里中古知庄章三组声母的读音	蒋希文	语言研究(武汉)—1992,(1):69-74
陶渊明诗文的韵部初考	舒志武	语言研究(武汉)—1992,(1):75-83
乌鲁木齐回民汉语声母与《广韵》声母比较	刘俐李	新疆大学学报·哲社版(乌鲁木齐)—1992,(1):109-116
朱熹用韵考	陈鸿儒	龙岩师专学报·社科版—1992,(1):148-157
论《广韵》反切今音标读	李葆嘉	盐城教育学院学报—1992,(2):27-30
之、鱼不分,鱼读人之	黄绮	河北学刊(石家庄)—1992,(2):34-40
对古典诗中入声调的一点看法	赵宏	贵州师范大学学报·社科版(贵阳)—1992,(2):51-52,63
整理反切的方法	蒋希文	贵州大学学报·社科版(贵阳)—1992,(2):53-57
汉语音韵研究的历史考察与反思	李葆嘉	南京师大学报·社科版—1992,(2):69-76
"益、石"分合及其涵义	张光宇	语言研究(武汉)—1992,(2):91-99
狄族异名与上古汉语复辅音声母	赵秉璇	宁夏社会科学(银川)—1992,(2):100-102
沭阳音系及其历史演变	[美]侍建国	语言研究(武汉)—1992,(2):100-109
《汉书》颜氏音切韵母系统的特点——兼论切韵音系的综合性	谢纪锋	语言研究—1992,(2):110-118
武当山道教韵腔特异风格的形态学研究	蒲亨建	西南师范大学学报·哲社版—1992,(2):119-126
论重纽及《切韵》的介音系统	麦耘	语言研究—1992,(2):119-131
《西儒耳目资》的调值拟测	曾晓渝	语言研究—1992,(2):132-136
论清代上古声纽研究	李葆嘉	语言研究—1992,(2):137-149
近代汉语"人"的读音	马思周	中国语文(北京)—1992,(2):147-149
《汉书》颜氏音切韵母系统的特点:兼论切韵音系的综合性	谢纪锋	语言研究(武汉)—1992,(2):110-118
论清代上古声纽研究	李葆嘉	语言研究(武汉)—1992,(2):137-149
论"东""冬"之分——兼说等韵原理	胡从曾	浙江师大学报·社科版—1992,(3):1-4
《蒙古字韵》校勘补遗	忌浮	内蒙古大学学报·哲社科版(呼和浩特)—1992,(3):9-16

诗词中容易读错的字音	冯桂江	阅读与写作—1992,(3):28-29
试论段玉裁的合韵说	陈 燕	天津师大学报·社科版—1992,(3):57-64
《越谚》声母古音考	袁傲珍	绍兴师专学报—1992,(3):59-64
元代大都口语的调位系统	林 端	新疆大学学报·哲社版(乌鲁木齐)—1992,(3):79-86
韵会唇音开合口辨析	王硕荃	河北学刊(石家庄)—1992,(3):94-100
"四声一贯"说之我见	孟蓬生	河北学刊(石家庄)—1992,(3):101-107
《诗经》用韵的两大方言韵系:上古方音初探	王健庵	中国语文(北京)—1992,(3):207-212
卢戆章在切音字正词法方面的贡献:纪念我国切音字运动一百周年	丁方豪	语文建设(北京)—1992,(4):28-30
《聊斋俚曲》不同韵辙之字押韵一例	罗福腾	语文研究(太原)—1992,(4):29
"脂""微"关系探赜——兼论《诗经》韵部系统的综合性	曹小云	安徽教育学院学报·社科版(合肥)—1992,(4):48-50
从《掌中珠》夏汉对音看13世纪前后汉语西北方言声纽系统若干特点	马忠建	中央民族学院学报(北京)—1992,(4):55-61
《宋代西北方言》跋	李范文	宁夏社会科学(银川)—1992,(4):65-67
汉语声响形态及其变异特征	冯广艺	东疆学刊·哲社版(延吉)—1992,(4):70-73
陆游诗用韵中"浊上变去"的考察	林长伟	福建师范大学学报·哲社版(福州)—1992,(4):70-76
《长铗歌》韵释	郗政民	西北大学学报·哲社版(西安)—1992,(4):82-85
《董西厢》曲句"着""咱"二字的平仄——汉语轻声的早期历史印迹之一	黎新第	重庆师院学报·哲社版—1992,(4):82-93
云南省馆藏音韵学著作综述	李国华	云南民族学院学报—1992,(4):88-92
略论清儒关于上古汉语四声别义的研究	孙玉文	湖北大学学报·哲社版(武汉)—1992,(4):88-94
论《琼林雅韵》的性质	张竹梅	陕西师大学报·哲社版(西安)—1992,(4):117-122
《切韵》"祭泰夬废"四韵不带辅音韵尾	麦 耘	中山大学学报·社科版(广州)—1992,(4):127-130
论神珙元音描写	张文轩	兰州大学学报·社科版—1992,(4):131-134
粤语韵书《分韵撮要》及其韵母系统	彭小川	暨南学报·哲社版(广州)—1992,(4):153-159
汉语方言中的几种音韵现象	张 琨	中国语文(北京)—1992,(4):253-259
移民北京使北京音韵情况复杂化举例	张清常	中国语文(北京)—1992,(4):268-271
"鸟"字古音试论	单周尧	中国语文(北京)—1992,(4):294-296
柳宗元诗文用韵	荀春荣	社会科学战线(长春)—1992,(4):301-309
1991年的汉语音韵研究	唐作藩	语文建设(北京)—1992,(5):21-22
1991年近代汉语研究回顾	江蓝生	语文建设(北京)—1992,(5):24-26
中古音之前入声舒化的路线	[新加坡]陈重瑜	中国语文(北京)—1992,(5):352-363
"见牛羊"音义别解	周章轼	语文教学论坛(沈阳)—1992,(6):28-29

标题	作者	出处
从顾炎武对入声的认识看其古音研究的得失	杨荣祥	语言文字学(北京)—1992,(6):37-41
论中古"明"、"晓"二母在上古的关系	徐莉莉	华东师范大学学报·哲社版(上海)—1992,(6):51-56,72
略论四声别义与中古口语之关系	孙玉文	湖北大学学报·哲社版(武汉)—1992,(6):75-82
《卢宗迈切韵法》述评	鲁国尧	中国语文(北京)—1992,(6):401-409
李方桂先生《上古音研究》的几点质疑	陈新雄	中国语文(北京)—1992,(6):410-417
和体抑扬 声不失序:刘勰声律论的历史意义	朱广成	语言文字学(北京)—1992,(7):130-134
古诗韵字音序新编	许梦麟	语文知识(郑州)—1992,(9):42-49
论《切韵》语音性质的几个问题	张玉来 徐明轩	高等学校文科学报文摘—1992,(9卷3):74
等韵门法通释	李运益	西南师范大学学报·哲社版(重庆)—1992,(专刊):5-12
从南充方言语音看古今音变的规律性	汪坤玉	四川师范学院学报·哲社版(南充)—1993,(1):1-10
《益部方物略记》用韵与《广韵》音系的比较	黄尚军	渝州大学学报·哲社版—1993,(1):14-19,34
四十年来的汉语音韵研究	李新魁	中国语文(北京)—1993,(1):16-22
台湾四十年来的汉语音韵研究	(台湾)竺家宁	中国语文(北京)—1993,(1):23-32
《卢宗迈切韵法》述评(续)	鲁国尧	中国语文(北京)—1993,(1):33-34
《文子》韵读所显示的方言时代特点	王三峡	荆州师专学报·社科版—1993,(1):33-37
展望世纪交会的汉语音韵学研究	李葆嘉	语言文字学(北京)—1993,(1):45-49
关于"平分阴阳"起始年代的质疑	杨剑桥	中国语文(北京)—1993,(1):48-49
论陈第对我国古音学的贡献	林海权	福建师范大学学报·哲社版(福州)—1993,(1):62-68
《晋书音义》的"协韵音"	李无未	吉林大学社会科学学报(长春)—1993,(1):71-76
二百年前的潮州音	李新魁	广东社会科学—1993,(1):74-78
记汲古阁影宋抄本《集韵》	赵振铎	四川大学学报·哲社版(成都)—1993,(1):80-87
汉字自反读音	李国华	语言研究—1993,(1):144-154
《韵镜》李校补遗	谢伯良	语言研究—1993,(1):155-164
谈谈"角"部中一些字的读音和含义	奚广银	语文知识(郑州)—1993,(2):29-30
《汉书》音切校议	谢纪锋	语言文字学(北京)—1993,(2):29-35
再论《切韵》音——释内外转新说	余迺永	语言研究—1993,(2):33-48
"毓"、"后"语源及部分牙喉舌齿音声母通变关系合解	王蕴智	郑州大学学报·哲社版—1993,(2):35-43
金诸宫调曲句的平仄与入声分派	黎新第	语言研究—1993,(2):49-75
《类篇》中的同字重韵初探	马重奇	福建师范大学学报·哲社版(福州)—1993,(2):74-80
论《说文系传》中的因声求义	周信炎	贵州大学学报·社科版(贵阳)—1993,(2):77-82

标题	作者	出处
《戚林八音》异常用字考	王升魁	福建师范大学学报·哲社版(福州)—1993,(2):81-85
元杂剧助词"得"用"的"字及其他:汉语轻声的早期历史印迹之二	黎新第	重庆师院学报·哲社版—1993,(2):92-98
江永《诗》韵研究得失浅析	郭 力	重庆师院学报·哲社版—1993,(2):99-102
两周金文韵文和先秦"楚音"	喻遂生	西南师范大学学报—1993,(2):105-109
反切源于佛教说辨析	刘 静	陕西师大学报·哲社版—1993,(2):122-127
记中山大学馆藏海内孤本《韵玉函书》	陈定方	学术研究(广州)—1993,(2):123-126
"图们"的口语读音及其来源	李无未	东疆学刊·哲社版—1993,(3):54-55,77
论通假字的语音基础——《人声论》之三	夏中易	成都大学学报·社科版—1993,(3):75-79
简论入声韵与入声字韵母的关系	陈淑静	河北大学学报·社科版—1993,(3):90-93
试论入声质的特征	许梦麟	信阳师范学院学报·哲社版—1993,(3):90-94
"中古韵部系统"试拟	居思信	齐鲁学刊—1993,(3):124-128
《五方元音》作者的地望辨误	余明象	中国语文—1993,(3):180
试论叠韵连绵字的统谐规律	郭小武	中国语文(北京)—1993,(3):209-216
反切和汉语音韵学的产生	张传曾	宁夏教育学院、银川师专学报·社科版—1993,(4):6-10,19
从《广韵》反切看北京语音的一些变异现象	何一凡	宜春师专学报·社科版—1993,(4):19-24
古音构拟与方言特别语音现象的研究	邓晓华	语文研究—1993,(4):49-55
论戴震的古音学	李 开	南京大学学报·哲社、人文版—1993,(4):77-85
敦煌俗音考辨	黄 征	浙江社会科学—1993,(4):84-88
《〈尔雅音图〉音注所反映的宋代浊音清化》补遗	冯 蒸	语文研究—1993,(4):封三
也谈上古复声纽的存在	杨一擎	杭州师范学院学报—1993,(5):102-106
李贤《后汉书音注》的音系研究(上)	孙玉文	湖北大学学报·哲社版—1993,(5):121-126
李贤《后汉书音注》的音系研究(下)	孙玉文	湖北大学学报·哲社版—1993,(6):61-66,78
《金瓶梅词话》字音商榷一则	侯利民	中国语文—1993,(5):400
古声不分清浊说	周玉秀	西北大学报·社科版—1993,(6):22-27
从临沂汉简、长沙帛书通假字再证古声十九纽	时建国	西北大学报·社科版—1993,(6):28-33
钱大昕音韵学述论——兼谈钱氏对少数民族语言的研究	漆永祥	西北大学报·社科版—1993,(6):34-38
曾运乾先生对中国声韵学的杰出贡献——兼谈古声十九纽与三十二纽之争	伏俊连	西北大学报·社科版—1993,(6):39-43
试论陈澧《切韵考》辨析"重纽"方法的得失	陈 燕	天津师大学报·社科版—1993,(6):68-74

标题	作者	出处
双反翻语：反切的一种特殊运用	宋子尧	文史知识—1993,(6):87-89
《切韵指南》的唇音开合与入配阴阳——《切韵指南》研究之二	忌浮	社会科学战线—1993,(6):254-265
黄侃的古音学	陈新雄	中国语文—1993,(6):445-455
南朝诗中的次韵问题	启功	文史知识—1993,(7):25-30
1992年的汉语音韵学研究	杨耐思 张渭毅	语文建设—1993,(11):5-6
论夏燮的古声合用说	李葆嘉	古汉语研究—1994,(1):17-20
关于章组声母翘舌化的动因问题	麦耘	古汉语研究—1994,(1):21-25,32
清代今音学述略	刘民钢	古汉语研究—1994,(1):26-32
《周易》韵语对《诗经》音律的影响	李荀华	古汉语研究—1994,(1):33-34
《史记正义》反切考	龙异腾	贵州师范大学学报·社科版—1994,(1):33-38
全国师专教材《古代汉语》音韵篇问题商榷	饶星	宜春师专学报—1994,(1):40-43
略论古典律体的诗的形体美与声音美	张福深	齐齐哈尔师范学院学报·哲社版—1994,(1):64-67
谈谈"韵书"和"韵部"的定义	王开扬	古汉语研究—1994,(1):82-84
《洪武正韵》与明初官话音系	叶宝奎	厦门大学学报·哲社版—1994,(1):89-93
《诗经》时代的声调	许绍早	语言研究—1994,(1):94-107
女真文中汉语介词的音韵特点	聂鸿音	语言文字学—1994,(1):138-142
"阿房"的审音问题	殷作炎	语文建设—1994,(2):13
论中古船禅二母的分合演变	寻仲臣	古汉语研究—1994,(2):13-18,69
《中原音韵》一处的"开合"问题：兼与王洁心先生商榷	邓兴锋	古汉语研究—1994,(2):19-21
李贤《后汉书》注声类考	游尚功 廖廷章	贵州教育学院学报·社科版—1994,(2):27-32,43
音韵与佛学研究浅谈	陈云龙	湛江师范学院学报·哲社版—1994,(2):48-54
《蒙古字韵》单字校勘补正	忌浮	民族语文—1994,(2):71-75
南北朝至明代的音韵学史料概论	曹炜	吴中学刊—1994,(2):77-82
上古汉语的双音现象	许进	济宁师专学报—1994,(2):80-83
《广韵》二百零六韵拟音之我见	陈新雄	语言研究—1994,(2):94-111
《韵诠》五十韵头考——《韵诠》研究之二	尉迟治平	语言研究—1994,(2):112-115
《切韵》二十八声母说	麦耘	语言研究—1994,(2):116-127
《史记》三家注之开合现象	黄坤尧	中国语文—1994,(2):121-124,138
《蒙古字韵》与《平水韵》	忌浮	语言研究—1994,(2):128-132
试论唐五代全浊声母的"清化"	黄笑山	古汉语研究—1994,(3):38-40
汉语中古音的日母可能是一个鼻擦音	冯蒸	汉字文化—1994,(3):62
押韵还是押调——《入声论》之四	夏中易	成都大学学报—1994,(3):90-94
略论杜甫排律仄韵律的特色	欧凤威	华中师大学报·哲社版—1994,(3):105-109

徐邈反切系统中的特殊音切举例	蒋希文	中国语文—1994,(3):210-215
关于"朱门酒肉臭"的"臭"的音义	陶新民	学语文—1994,(4):11-12
《西儒耳目资》没有儿化音的记录	麦耘	语文研究—1994,(4):49-51,14
《文选》李善音注声类考	徐之明	贵州大学学报·社科版—1994,(4):80-84
声韵双拼使反切获得新生	吴荣爵	贵州大学学报·社科版—1994,(4):85
《淮南子》分音词三例	许匡一	古汉语研究—1994,(4):86,65
沈宠绥音韵学简论	都兴宙	青海师大学报·社科版—1994,(4):87-92
韵书和汉语音韵学	张传曾	宁夏教育学院、银川师专学报—1994,(4):88-91
说"韵"	毛宣国	江海学刊—1994,(4):139-145
古典诗歌欣赏中的音韵问题	王珏	解放军外语学院学报—1994,(6):43-51
从上古同源词看上古汉语四声别义	孙玉文	湖北大学学报·哲社版—1994,(6):63-70
郭象音注考	简启贤	云南教育学院学报—1994,(6):91-96
关于《拍掌知音》的成书时间问题	[日]古屋昭弘	中国语文—1994,(6):452-453
《周易》韵语对《诗经》音律的影响	李苟华	语言文字学—1994,(8):13-14
1993年的汉语音韵研究	张渭毅 唐作藩	语文建设—1994,(11):28-32
"骰""峪"等字的读音	唐作藩	语文建设—1995,(1):29-31
从《红楼梦》中的词语看儿化韵的表义功能	李明	世界汉语教学—1995,(1):32-36
《南音三籁》曲韵研究	马重奇	福建师范大学学报·哲社版—1995,(1):68-78
《韵镜校证》补正	杨军	贵州大学学报·社科版—1995,(1):75-80
"入派三声"论	董绍克	山东师大学报·社科版—1995,(1):87-91
《老子》用韵研究	喻遂生	西南师范大学学报·哲社版—1995,(1):108-114
近代汉语共同语语音的构成、演进与量化分析	黎新第	语言研究—1995,(2):1-23
"针"古读小议	吴清河	民族语文—1995,(2):11
释重纽	余迺永	语言研究—1995,(2):38-68
李树侗话辅音尾的演变规律	黄勇	民族语文—1995,(2):48-54
神珙《九弄图》再释	杨剑桥	中国语文—1995,(2):147-148
《诗经》通韵合韵说疑释	周长楫	厦门大学学报·哲社版—1995,(3):12-18
这些字该怎么读	杨世俊	语文建设—1995,(3):24
上古喻纽字浅议	殷寄明	杭州大学学报·哲社版—1995,(3):59-64,81
王国维于高邮王氏之学的研究	姚淦铭	古汉语研究—1995,(3):79-83,94
梵汉对音概况	储泰松	古汉语研究—1995,(4):4-13
试论《中原音韵》的读音基础	丁喜霞	古汉语研究—1995,(4):14-17
《尔雅音图》音注所反映的宋初非敷奉三母合流:兼论《音图》微母的演化	冯蒸	语言文字学—1995,(4):31-37
《尔雅音图》音注所反映的宋初三、四等韵合流	冯蒸	汉字文化—1995,(4):48-62

大都剧韵所见《中原音韵》两韵并收字	邓兴锋	南京大学学报·人文哲社版—1995,(4):109-119,131
吴棫《韵补》和宋代闽北建瓯方音	邵荣芬	中国语文—1995,(5):321-335
谈"甭"的读音	杨玉玲	汉语学习—1995,(5):50
《切韵》侯韵明母字在现代汉语方言中的演变	张琨	中国语文—1995,(5):353-356
汉语声调与形态	冯英	云南师范大学学报·哲社版—1995,(6):64-66
重建汉语中古音系的一些想法	丁邦新	中国语文—1995,(6):414-419
古诗中今读 ai.ei 两韵的字为何能通押	张先涛	语文知识—1995,(8):34-35
唱词的韵律例谈	荆武臣	语文知识—1995,(8):36-40
谈古诗长尾韵的形成与嬗变	孙孟明	语文知识—1995,(11):22-24
怎样借助古音韵知识进行声母辨证	胡力文	语言文字学—1995,(11):61-64
清代的语音规范	史鉴	语文建设—1995,(12):43-44

现 代 语 音

谈谈《汉语词汇等级大纲》(试行)中的轻声词和儿化词	钱学烈	深圳大学学报·人文社科版—1991,(1):26-36
释童蒙、四海	刘钧杰	中国语文(北京)—1991,(4):296-297
一些多音字的音应简化	林廉	辞书研究—1991,(5):78-81
聋童声母获得状况研究	李宇明 徐昌洪	语言文字应用(北京)—1992,(1):29-37
语音转录在阅读中的作用	谭力海 彭聃龄	北京师范大学学报·社科版—1991,(1):45-52
话剧舞台语言嗓声特点分析	徐平	戏剧—1991,(1):46-52
从声学语音学的角度对普通话元音音位系统的初步研究	杨顺安	语文研究(太原)—1991,(2):11-20
谈形声字的读音与音韵发展规律	居思信	齐鲁学刊—1991,(2):40-63
双声、叠韵审美运用的历史嬗变	祁志祥	修辞学习—1992,(2):43-44
北京话韵律特征的多角度研究:读《语音探索集稿》	石锋	语言教学与研究(北京)—1991,(2):134-144
汉语句长的制约因素	左思民	汉语学习(延吉)—1992,(3):16-21
哈汉语元音音位对比	范道远	语言与翻译(乌鲁木齐)—1992,(3):66-69
语音与修辞	杨育林	内蒙古师大学报·哲社版—1991,(3):86-94
嗓音的喉腔状态	李维	辽宁教育学院学报—1992,(3):140-144,59
汉语声响形态及其变异特征	冯广艺	东疆学刊·哲社版—1992,(4):70-73
汉语语音研究的方向和道路:兼谈"人体信息语言学"	李振玺	延边大学学报·社科版(延吉)—1992,(4):101-103
乌鲁木齐回民汉语中的焦点辅音	刘俐李	新疆大学学报·哲社版—1992,(4):111-112

汉语文化语音学虚实谈	史有为	世界汉语教学(北京)—1992,(4):261-264
普通话书面语双音节形容词重叠后的语音模式	胡明扬	语文建设—1992,(5):13
汉语语音识别的现状与展望	吴文虎	语文建设(北京)—1992,(6):35-37
汉字音节结构的普遍意义	尚营林 沈瑶	河南大学学报—1992,(6):88-91
语音合成与语音学研究	杨顺安	语文建设(北京)—1992,(8):35-42
再谈汉字读音及其简化问题	任蒙	语文教学与研究(武汉)—1992,(12):40-41
汉语形态的节律制约:汉语语法的"语音平面"丛论之一	刘丹青	南京师大学报·社科版—1993,(1):91-96
汉族民俗文化中的谐音现象	周星	社会科学战线(长春)—1993,(1):276-282
半元音j应置于何序列	吕朋林	语言研究—1993,(2):81-82
北方话人称代词鼻韵尾的来历	徐世荣	语言教学与研究—1993,(3):32-36
谐音的新样式	丁琳	读写月报—1993,(7):11-12
语音变化中的弱化作用	谢云飞	中国语文(台北)—1993,(427):10-12
语音教学偶得	李务云	零陵师专学报—1994,(1-2):113-115
民间韵文的复韵脚	孙昭琪	民俗研究—1994,(3):47-54
音系的结构格局和内部拟测法:汉语的介音对声母系统演变的影响	徐通锵	语文研究—1994,(4):5-14
试论声调和发生机制	马林可	贵州教育学院学报·社科版—1994,(4):27-30,32
论汉语的单音孤立性	李先耕	学术交流—1994,(4):101-105
音转研究述要	孙雍长	河北师院学报·哲社版—1994,(4):131-136
数码谐音杂议	蒋子	修辞学习—1994,(6):11-12
等音词趣谈	刘英凯	学汉语—1994,(12):12-13
试论汉语中的谐音字	李世之	语言教学与研究—1995,(2):122-132

字调和语调

关于双音节词语合成中的连读变调问题	杨顺安	语言研究(武昌)—1990,(2):3-8
现代汉语音节结构分析浅谈	亓泰昌	语言文字学(北京)—1990,(12):40-42
北京东郊阴阳平调值的转化	林焘	中国语文(北京)—1991,(1):21-26
语音的功能风格及其应用	陈晨	语文建设(北京)—1991,(1):23-26
病理语言学中的异常发音类型	哈平安 徐方	汉字文化(北京)—1991,(1):54-55
汉语声调起源窥探	[日]平山久雄	语言研究(武汉)—1991,(1):145-151
普通话儿化音节规则合成的初步研究	杨顺安	中国语文(北京)—1991,(2):89-95

儿化韵研究中的几个问题:与李思敬先生商榷	王理嘉 王海丹	中国语文(北京)—1991,(2):96-103
唇腭裂语音初探	王建华 孙永清	语文研究(太原)—1991,(3):32-36
北京话元音音位系统新探:现代北京话有十五个元音音位说	王毓英	汉字文化(北京)—1991,(3):54-61
文字孳乳和词的音义关系	王理嘉	汉语学习(延吉)—1991,(4):1-5
谈声调及其在语音教学中的地位	王群生	语文建设(北京)—1991,(4):30,46
北京话部分话儿化韵读音调查	孙德金	语言教学与研究(北京)—1991,(4):56-71
"嗲"在这儿确实用得不妥	于宁	汉语学习(延吉)—1991,(5):47-48
华南一些语言的清浊对转	陈其光	民族语文(北京)—1991,(6):1-11
轻声在声乐演唱中的读音问题	黄国勇	语文建设(北京)—1991,(7):25
说"蝥"字音	马思周	语文建设(北京)—1991,(8):3-5
论清(轻)、浊(重)	胡从曾	语言文字学(北京)—1991,(11):18-21
汉语的词调和句重音:功能语法中的语音映现	[荷兰]范登伯格	语言研究(武汉)—1991,(增刊):208-215
语调单位作为言谈的基本单位	陶红印	语言研究(武汉)—1991,(增刊):216-220
现代汉语疑问句的重音移动	周小兵	语言研究(武汉)—1991,(增刊):221-222
北京话的声调格局	石锋	语言研究(武汉)—1991,(增刊):226-227
说货声	朱建颂	中国语文(北京)—1992,(1):50-51
谈谈现代汉语声调教学	[美]杜秦还	语言教学与研究—1992,(1):75-81
疑问句的句尾语调	黄明晔	上海师范大学学报·哲社版—1992,(1):141-144
两种少见的声调演变模式	李如龙	语文研究(太原)—1992,(2):11-17
汉语普通话声调的协同发音	Shen,X.N.S.著 林茂灿译	国外语言学(北京)—1992,(2):26-32
北京话语调的实验探索	贺阳 劲松	语言教学与研究(北京)—1992,(2):71-96
北京话的语气和语调	劲松	中国语文(北京)—1992,(2):113-123
北京话的轻声去化及其影响	王旭东	中国语文(北京)—1992,(2):124-128
北京话多音节组合的韵律特性的实验研究	杨顺安	方言(北京)—1992,(2):128-137
从音读到默读	李长声	读书—1992,(2):135-143
"胙"字的读音	冯志明 厉兵	语文建设(北京)—1992,(3):42-43
海峡两岸字音比较	李青梅	语言文字应用(北京)—1992,(3):42-48
文章做在耳朵上:听觉是确定播音停连和重音位置的重要依据	姚喜双	语言文字应用(北京)—1992,(3):82-85
汉语的渗透和满语的连锁式音变	赵杰	语文研究(太原)—1992,(4):3-15
汉语语调模型刍议	沈炯	语文研究(太原)—1992,(4):16-24

试论普通话高元音[i][ɿ][ʅ]在音位上的分合	李　秀	语文学刊—1992,(4):33-36,46
论中国口音的典型特征(音素部分)	王宪荣	外语学刊(哈尔滨)—1992,(5):7-12
藏语拉萨话语音声学参数数据库	鲍怀翘 徐昂 等	民族语文(北京)—1992,(5):10-20,9
情愫·气韵·风格——诗歌吟诵三要素	程建民	语文教学论坛—1992,(5):25-26,22
北京话的字调和语调:兼论汉藏语言声调的性质和特点	瞿霭堂 劲松	中国人民大学学报(北京)—1992,(5):67-74
有趣的迭音名字	李春华	语文教学之友—1992,(6):35,41
汉字音节结构的普遍意义	尚营林	河南大学学报·社科版(开封)—1992,(6):88-91
谈"拎"字的读音	林　廉	语文建设(北京)—1992,(8):34
说话本领和朗诵艺术	秦　牧	写作—1992,(9):1-2
普通话"多"字读阳平调的考察分析	罗福腾	语文建设(北京)—1992,(9):28-29
相对性与确定性:谈普通话的口语测试	庄守常	语文建设(北京)—1992,(9):30-31
谈谈日本人名、地名汉字的中国读音	李思敏	语文建设—1992,(9):45-47
停延节奏和朗读	吴洁敏	语文建设(北京)—1992,(11):12-14
再谈"三个上声字连读的变调问题"	傅永康 甘虹祯	中学语文教学(北京)—1992,(11):40-41
谈形容词ABB重叠形式的读音	林　廉	语文建设(北京)—1992,(12):22-25
汉语四字格的平起仄收势:统计及分析	崔希亮	修辞学习(上海)—1993,(1):13-15
大学生演讲语言的书卷气及克服方法	金失根	修辞学习(上海)—1993,(1):34
毛泽东同志演讲的音韵美	黄祖泗	写作(武汉)—1993,(1):44-45
论现代汉语方言中"一等i介音"现象	刘宝俊	华中师范大学学报·哲社版(武汉)—1993,(1):73-77
普通话多音节词音节时长分布模式	王　晶 王理嘉	中国语文(北京)—1993,(2):112-116
汉语方言连读变调研究综述　续	陈忠敏	语文研究—1993,(3):55-60,21
陈述语调和疑问语调的"吧"字句	胡明扬	语文建设—1993,(5):32
普通话音节究竟有多少	金惠淑	语文建设—1993,(5):35-36
国语词尾鼻音[n]与[ŋ]的发音与感知之实验研究	谢国平	华文世界(台北)—1993,(67):42-54
试论教学语言中几类特殊元音和辅音的发声方法	吴国群	绍兴师专学报—1994,(1):60-68
普通话调型值误读量化分析与对策研究	于思湘	淄博师专学报—1994,(1):86-92
汉字识别中的语音效应	张　武 冯　玲 田	语言文字学—1994,(1):117-122
试论教学语言中"字"的发声	吴国群	绍兴师专学报—1994,(2):49-55

现代汉语的独字音节	张　普	语言文字应用—1994,(2):76-82
四川口音普通话的语音特征	王文虎	四川大学学报·哲社版—1994,(3):56-61
汉语合音现象简论	崔　黎	郑州大学学报·哲社版—1994,(3):118-120
汉语语调构造和词调类型	沈　炯	方言—1994,(3):221-228
北京话上声连读的调型组合和节奏形式	沈　炯	中国语文—1994,(4):274-281
"白登"之"登"应读去声	孙继善	中国语文—1994,(4):308
声调和腔调	李业宏	语文建设通讯—1994,(43):49-50
普通话调型调值量化教学初探	于思湘	语言文字应用—1995,(2):9-12
汉语音高系统的有声性和区别性	沈　炯	语言文字应用—1995,(2):13-18
北京话儿化韵的语音分析	林　焘　沈　炯	中国语文—1995,(3):170-179
论汉语的大音节结构	石毓智	中国语文—1995,(3):230-240
叹词的超语音系统现象浅述	傅　力	语文知识—1995,(5):16-18
破音异读字和多音多义字的区别	王　建	语文知识—1995,(5):25-27

语　音　规　范

"亚"不读"哑"	冯　隆	逻辑与语言学习(石家庄)—1991,(3):39-40
贰的读音及其他	曹先擢	语文建设(北京)—1991,(5):29-30
店名标音小议	龙　岩	汉语学习(延吉)—1991,(5):46-47
怎样掌握常用字的普通话读音	马瑞超	语文教学之友(廊坊)—1991,(6):28
ABB式形容词BB部分读音简介	唐张新	语文知识(郑州)—1991,(6):45-46
关于"法"字的读音	孔昭琪	语文建设(北京)—1991,(7):41
浅谈汉语语音规范化	潘　莉	佳木斯师专学报—1992,(4):42-43
读成小字眼的词应当标出"儿"	王宝贵	汉语学习—1992,(3):45-46
关于"野""衰"等字的读音	曾福安	语文教学通讯—1992,(3):62
韵母辨证点滴:o-e、uan-an两组韵母的辨误	聂鸿英	东疆学刊·哲社版(延吉)—1992,(3):65-66
"×模×样"和"模样"中的"模"字读音应该统一	林　廉	语文建设(北京)—1992,(11):37
作为姓氏的"纪"的读音	董树人	语文建设(北京)—1992,(12):25
多音字杂说	韩敬体	语文建设(北京)—1992,(12):40
"似(Shi)的"并非"似(Si)的"	张国学　李秀莲	语文知识(郑州)—1993,(2):28-29
说"戊"字的读音	张　建	中国语文(北京)—1993,(2):111
"从容"读音辨正	赵增民	语文知识(郑州)—1993,(3):27-28
谈方言区语音课的后续工作	李延瑞	语文建设(北京)—1993,(4):3-5
有关"2"的读和写	杜　皋	语文月刊—1993,(5):8-9
谈谈人名的读音问题	厉　兵	语文建设—1993,(5):21-23

"粘"字的读音	吕福中	语文知识—1993,(7):14-15
也谈姓氏"纪"的读音	马学敏	语文建设—1993,(8):13-14
现代汉语方言音系简化的趋势与推广普通话	张树铮	语言文字应用—1994,(1):48-53
关于正音的三个问题:兼论标准语有无变体的问题	伍铁平	外国语—1994,(2):27-31
讲声韵之美,求表述之效:朗诵叙论之三	国非	固原师专学报—1994,(2):59-65
汉语普通话播音声母发音中容易出现的几个问题	贾丽	许昌师专学报·社科版—1994,(2):115-117
"模"字在以"模样"构成的成语中的读音问题	[马来西亚] 黄中和	语文建设—1994,(10):12
牛仔(zǐ)裤还是牛仔(zǎi)裤	黄岳洲	语文学习—1994,(10):42-43
"凿"字的读音辨	徐有修	语文研究—1995,(3):40
四十年来的普通话语音规范	徐世荣	语文建设—1995,(6):2-6
地名字"溪""阜"的读音	伍魏	语文建设—1995,(8):14
地名定音琐议	苏锡育	语文建设—1995,(8):15,13
《现代汉语词典》修订中的语音规范	晁继周	语文建设—1995,(9):6-9
《审音表》剖析	徐世荣	语文建设—1995,(11):6-9
荧屏正音	徐世荣	语文建设—1995,(12):11-12
多音字地名要读准	吾煌	语文建设—1995,(12):13
关于"朝鲜"的读音	董明	语文建设—1995,(12):14

书　评

《汉魏六朝韵谱》简评	祝敏彻 孙玉文	博览群书—1991,(1):16-17
《古韵通晓》简评	陈复华 何九盈	中国社会科学—1991,(3):149-151
声韵学史上的重大事件:中国声韵学国际研讨会(香港1990年)述评	陈振寰	语言文字学(北京)—1991,(8):22-26
《汉语语音学》评介	曹剑芬	语文建设(北京)—1991,(12):36-39
再论《琼林雅韵》的性质	龙庄伟	语言研究(武汉)—1991,(增刊):98-101
《类音》读后:《等韵学讲话》续貂	李行杰	青岛师专学报—1992,(2):24-30
《表音四百字及其它》序	胡德润	汉字文化—1992,(2):61
《音韵学教程》读后	薛平	语文研究(太原)—1992,(3):42-44
现代汉语研究的成功途径:读《北京话初探》	石锋 李泉	语言教学与研究(北京)—1992,(3):149-158

《语言学探微》读后	石汝杰	语言研究—1993,(1):194-199
《古音类表》述评	酆亭山	贵州教育学院学报·社科版—1993,(2):44-48,43
《韩汉中介语研究》(语音)评介	崔吉元	汉语学习—1993,(2):47-51
中国音韵学研究的四大阶段及其形成的原因和条件	陈振寰	语言文字学—1993,(6):27-31
读《汉语文化语音学虚实谈》	史有为	世界汉语教学—1994,(2):36-41
古老学科的青春活力——评《实用汉语音韵学》	王洸朗	武大学报—1994,(5):125
一本正字正音的好书:序王秉愚的汉字的《正字与正音》	胡明扬	语文建设—1994,(11):38-39
《李氏音鉴音系研究》述评	徐复	徐州师范学院学报·哲社版—1995,(1):143-157
再续《汉语文化语音学虚实谈》	史有为	世界汉语教学—1995,(4):38-45

汉 语 词 汇

古今"同形异义词"及其辨析方法	鲍雄松 褚玉芳	牡丹江师院学报·哲社版—1990,(4):72-75
从新词新义看社会变异	梁兵	新疆大学学报·哲社版(乌鲁木齐)—1990,(4):96-99
街巷胡同名儿里有大学问:读张清常的《胡同及其他》	于根元	语言教学与研究(北京)—1990,(4):151-封三
汉语词义对词汇演变的推动作用	元鸿仁	语言文字学(北京)—1990,(12):49-53
"水"中沉淀的民族文化说略——文化词汇学问题探讨之一	陈克炯	中南民族学院学报·哲社版—1991,(6):29-36
释"海"	李嘉	语言文字学(北京)—1991,(8):38
同源词·同族词·词族	张博	语言文字学(北京)—1991,(10):68-71
试论汉语语素的分类	[德]柯彼德	世界汉语教学(北京)—1992,(1):1-2
空的及其标记语词	徐思益	语言文字应用(北京)—1992,(2):101-111
试谈简称选词的成因及原则	吴海峰	逻辑与语言学习(石家庄)—1992,(3):42-44
汉语词义结构的新思考	周光庆	语言文字学(北京)—1992,(3):64-69
"柆、拉、啦"源流考	梁光华	贵州师范大学学报—1992,(3):67-69,66
特殊语素辨识谈	钱惠英	北京师范学院学报·社科版—1992,(3):74-80
词源概说	赵福坛	广州师院学报·社科版—1992,(4):12-23
从《释名》看刘熙在词源学上的成就和局限	张希峰	古籍整理研究学刊—1992,(6):38-43
傀儡源起说	王小莘	语文月刊—1992,(12):10-11
试论贞辞的本质	莫绍揆	南京大学学报·哲社、人文版—1993,(1):35-38

从词的表象意义看语言的艺术化	郭文国	台州师专学报·社科版—1993,(1-2):56-57,88
避讳对汉语词汇的影响	章新传	上饶师专学报—1993,(1):68-73
词义千变万化,不必拘泥成"格"——兼与丁桂江、张圣兰、雷其坤先生商榷	梁信德	中学语文教学—1993,(2):39-40
新词林	霜晨	语言文字应用—1993,(2):65
试析词义演变中的相似现象	张仁立	山西师大学报·哲社版(临汾)—1993,(2):92-95
汉语派遣义用词浅论	赵旭东	信阳师范学院学报·哲社版—1993,(2):108-113
简论语境对词义的作用	郑志忠	语文教学论坛—1993,(3):23-25
论词义的包含关系	徐盛桓	华南师范大学学报·社科版—1993,(3):69-77
词的理性意义与形象意义	陆述生	河北师院学报·社科版—1993,(3):112-116
说"礼拜"——语言与文化的关系之一例	张清常	语言文字应用—1993,(4):1-8
物体大小表述方式的历史考察	王海棻	北京师范大学学报·社科版—1993,(4):66-70
"骑马词"的成因及对策	袁嘉	语文建设—1993,(6):19-20,18
试论词义与语素义	杨振兰	汉语学习—1993,(6):24-27
谈谈字音不同词义迥异的奥妙	张世铎	阅读与写作—1993,(8):27
令人耳目一新的词义返本	高霭亭	语文月刊—1993,(10):4
异语和非异语	丛扬	语文月刊—1993,(10):6-7
叠音词与重叠式试探	肖伟良	阅读与写作—1993,(10):21-22
"黑"义探源	钟如雄	西南民族学院学报—1994,(1):31-34
关于"朱"字的初始义与源流	朱维德	湖南教育学院学报—1994,(1):57-63
"训诂"一词的最早出现	予朗	山东师大学报·社科版—1994,(1):69
"完"字本义考	蔡松年	杭州师范学院学报—1994,(1):75-78
"运气"古义说略	李惠昌	古汉语研究—1994,(1):78,68
试论《释名》中的流俗词源	刘言周	达县师专学报·社科版—1994,(1):92-96,75
"雠"之同源字考证	杨双安	怀化师专学报—1994,(1):96-98
我国"体育"一词可能出现在十九世纪的六十年代	沈寿	成都体育学院学报—1994,(2):18,43
文言"是"义演化说略	段家旺	益阳师专学报—1994,(2):25,29
兼指代词语源考	洪波	古汉语研究—1994,(2):33-39,90
汉语水泽词语的地理分布初探	张树铮	古汉语研究—1994,(2):62-66
"支那"之谜与苗族	石宗仁	民族文学研究—1994,(2):80-86
文言词语在后世的俚俗化现象	苏宝荣	文史知识—1994,(2):85-87
回族汉语的词汇变异现象	刘鑫民	修辞学习—1994,(3):9-11
词的象征意义:民族文化特点的凝聚	汪成慧	川东学刊·社科版—1994,(3):94-96
对联考源	谭步云	中山大学学报·社科版—1994,(3):125-127
"市井"的起源兼释"市"	阿波	文中杂志—1994,(4):36-37
"唐花·堂花"溯源	周士琦	语文建设—1994,(4):47-48

俗词源现象浅议	杨　　清	外语学刊—1994,(4):50－54
"可汗"一词之源流	侯尔瑞	语言与翻译—1994,(4):50－55
词类活用和词义引申之区别浅探	赵成林	湘潭大学学报·社科版—1994,(4):84－86
"醍醐"、"三昧"的早期用例——兼谈汉语佛教用语溯源	朱庆之	文史知识—1994,(4):108－110
试析"什么"的语源与结构	方环海	徐州师院学报—1994,(4):112－114
"权舆"音义探源	孟蓬生	辞书研究—1994,(4):143－145
汉语名词没有单复数语法范畴对汉人意识产生的影响	伍铁平	外语学刊—1994,(5):8－9
比较词源学及对语言教学的意义	伍铁平	百科知识—1994,(5):14－15
"锛儿头"的来源	思　周	语文建设—1994,(6):45－46
成语溯源规范浅议	王光汉 万　卉	辞书研究—1994,(6):55－64
"江左"语源考	曾　良	文史知识—1994,(9):97－99
论语言单位多义的形成	盛新华	古汉语研究—1995,(增刊):54－57
社会变革与语词嬗变	李晓燕	古汉语研究—1995,(增刊):62－64

汉　语　词　典

简评《汉语多用词典》	许嘉璐	语文建设(北京)—1990,(4):47
我国俗语研究的新贡献:《中国俗语大辞典》评介	卢润祥	语文建设(北京)—1990,(4):48－50
会意字归部辨析:对《论非形声字的归部及〈说文解字〉部首的形成》一文所析《说文解字》会意字归部的意见	高一勇	河北大学学报·哲社版(保定)—1990,(4):113－118
论《说文解字》的亦声部首	薛克谬	河北大学学报·哲社版(保定)—1990,(4):119－125,130
《说文》兼用三家《诗》凡例说略	李先华	安徽师大学报·哲社版(芜湖)—1990,(4):425－430,436
从《康熙字典》到《汉语大字典》	黄孝德	辞书研究(上海)—1990,(5):2－12
《汉语大字典》的整体性和系统性	杨宗义	辞书研究(上海)—1990,(5):13－18
文字形义学的新发展:关于《汉语大字典》字形部分的初步评估	夏　渌	辞书研究(上海)—1990,(5):19－27
《汉语大字典》的义项理论与实践	彐　邑	辞书研究(上海)—1990,(5):28－36
从虚词研究的历史看《汉语大字典》的创新	赵学清	辞书研究(上海)—1990,(5):36－44
谈字典的修订工作:写在《汉语大字典》全书出齐的时候	天　水	辞书研究(上海)—1990,(5):44－51
词典类型的发展与辞书学属性的思考	梅家驹	辞书研究(上海)—1990,(5):52－57
再论"词典学"与语言学的关系	唐超群	辞书研究(上海)—1990,(5):57－62

辞书学学科地位考探	徐时仪	辞书研究(上海)—1990,(5):62-64,12
《汉语大字典》是我的良师益友	杨合鸣	辞书研究(上海)—1990,(5):65-69
字典论稿	赵振铎	辞书研究(上海)—1990,(5):70-78
辞书评估问题的补充意见	李祖希	辞书研究(上海)—1990,(5):79-84
人名的修辞价值:《人名修辞词典》代序	王德春	辞书研究(上海)—1990,(5):85-94
《说文解字》的学术价值:纪念《说文解字》成书1890年	董希谦	河南大学学报·哲社版(开封)—1990,(5):94-98
关联词语与关联词语词典编纂	戴木金	辞书研究(上海)—1990,(5):95-103
试论词的比拟义	黎新第	辞书研究(上海)—1990,(5):104-111
词典应以语言中的原形式立目	方彦	辞书研究(上海)—1990,(5):112-113,103
评《中国大百科全书·语言文字》	陈炳迢	辞书研究(上海)—1990,(5):114-121,78
《汉语称谓词典》献疑	文熙	辞书研究(上海)—1990,(5):122-124,138
郝懿行的《证俗文》	张子才	辞书研究(上海)—1990,(5):130-138
《汉代简牍草字编》编后	陆锡兴	辞书研究(上海)—1990,(5):139-143
词典学学科地位之我见	刍邑	辞书研究(上海)—1990,(6):1-5
以争鸣促发展:对辞书学三大基本问题的探讨	杨祖希	辞书研究(上海)—1990,(6):6-19
词典释义的特点和词典学的学科地位	符淮青	辞书研究(上海)—1990,(6):20-22,45
字义的类型	赵振铎	辞书研究(上海)—1990,(6):23-31
关于汉字检字法研究的思考	涂建国	辞书研究(上海)—1990,(6):32-38
统一汉文辞书检索与编排体例探究	龚平如	辞书研究(上海)—1990,(6):38-45
论汉语词典按"单层拼音次序"排列的必要性和迫切性	[美]梅维恒(Victor H. Mair) 著;徐文堪译	辞书研究(上海)—1990,(6):46-55
专科词典的排检法	罗禹	辞书研究(上海)—1990,(6):56-62
略论辞书的外延和类型	詹德优	辞书研究(上海)—1990,(6):63-68
《换称词语》及其在辞典中的反映	许德楠	辞书研究(上海)—1990,(6):69-79
汉语特殊词义探源与语文词典编纂	苏宝荣	辞书研究(上海)—1990,(6):80-87
事物异名义类词典的编纂	张履祥	辞书研究(上海)—1990,(6):88-96
《说文解字》成书年代考	仲扬	辞书研究(上海)—1990,(6):97-99
《中华成语大辞典》简评	邓明	辞书研究(上海)—1990,(6):105-109
评《古汉语书目指南》	罗懋群	辞书研究(上海)—1990,(6):109-114
王云五与四角号码检字法	徐祖友	辞书研究(上海)—1990,(6):128-134
《汉语大词典》摘瑕	汪维辉	语言文字学(北京)—1990,(9):71-75
简论戴震对乾嘉语言解释学的建树	李开	学术月刊(上海)—1990,(11):49-51
"许学"研究的历史、现状与任务	董希谦	语言文字学(北京)—1990,(11):129-138
《古汉语教学词典》序	周祖谟	古汉语研究—1991,(1):1-2

标题	作者	出处
《骈雅》、《别雅》与《叠雅》	姜津华	佳木斯师专学报—1991,(1):1-5
共成伟业——《音韵学辞典》序	俞敏	古汉语研究—1991,(1):3,10
《音韵学辞典》序	许嘉璐	古汉语研究—1991,(1):4-5
"打"雅	俞敏	语言教学与研究(北京)—1991,(1):4-13
《说文》省声研究	何九盈	语文研究(太原)—1991,(1):4-18
李瑞环同志谈《汉语大字典》	楚竹	中国图书评论—1991,(1):5
《辞源》(修订本)通假注释的几个问题	余大光	黔南民族师专学报·哲社版—1991,(1):11-15
《辞海》应补年号词目23例	贾忠匀	贵图学刊—1991,(1):12-16
词典释义的两个层次	汪耀楠	辞书研究(上海)—1991,(1):16-22
《说文》引《诗》略考	李合鸣	武汉大学学报·社科版—1991,(1):20-23
简析现代汉语词语新义形成的规律和趋势	诸丞亮	辞书研究(上海)—1991,(1):23-28
通假字和《通假字表稿》	伍宗文	辞书研究(上海)—1991,(1):29-37
文化史年表编纂琐议:兼评《中国文化史年表》	朱甫	辞书研究(上海)—1991,(1):38-45
《辞源》订讹一则	蒋禄信	邵阳师专学报—1991,(1):40-41
"太阳"的异名及其例释:《古汉语同实异名词典》简介	杨士首	营口师专学报·哲社版—1991,(1):41-46
《说文》540部辨疑——兼论《周易》对《说文》的影响	崔枢华	内蒙古民族师院学报·哲社汉文版—1991,(1):43-46
论《尔雅》	吕琨荧	唐山师专唐山教育学院学报·社科版—1991,(1):45-49
《汉语大字典》援用古籍时出现的错误(六)说"请业"之"业"	余让尧	争鸣—1991,(1):57
《汉语大字典》援用古籍时出现的错误(七)"机"训"迅疾"质疑	余让尧	争鸣—1991,(1):12
《汉语大字典》援用古籍时出现的错误(八)"翳"义辨	余让尧	争鸣—1991,(4):19
《汉语大字典》援用古籍时出现的错误(九)"门"非祭祀名	余让尧	争鸣—1991,(5):88
《汉语大字典》援用古籍时出现的错误(十)"觌"非祭祀义	余让尧	争鸣—1991,(6):53
字典论稿	赵振铎	辞书研究(上海)—1991,(1):67-76
《说文解字系统·通释》初探	李法信	山东师大学报·社科版—1991,(1):69-74
《辞海》年号词目补正	贾忠匀	贵州民族学院学报·社科版—1991,(1):72-76,93
壮族文化的宝贵遗产:《古壮字字典》读后	郑贻青	民族语文(北京)—1991,(1):76-78
一条公式的运用	杨祖楞	辞书研究(上海)—1991,(1):77-79

标题	作者	出处
英汉成语词典的修订——兼评《综合英语成语词典》	燕华兴	辞书研究—1991,(1):80-89
《汉语大字典》——中国出版界创造的一项吉尼斯世界纪录	晨峦	中国图书评论—1991,(1):87-89
精益求精 更上一层楼——对《汉语大词典》定稿的意见	诸丞亮	云南教育学报—1991,(1):92-98
周春的《佛尔雅》	梁晓虹	辞书研究—1991,(1):97-106
《百科知识辞典》人物条目浅议	嵇果煌	辞书研究(上海)—1991,(1):116-122
调查研究是编好工具书的第一步	张蕙	辞书研究(上海)—1991,(1):123-126
以密集成块的知识构成词条	少彦	辞书研究(上海)—1991,(1):126-129
《百科知识辞典》成书前后的想法	习乐	辞书研究(上海)—1991,(1):129-130,122
绳愆纠谬 嘉惠士林——评田忠侠《辞源考订》	罗邦柱	辞书研究—1991,(1):131-136
我国科技翻译的历史足迹:《中国科技翻译家辞典》代序		上海科技翻译—1991,(2):1-4
儒家经学与中国古代辞书编纂	徐时仪	辞书研究(上海)—1991,(2):1-9
《古汉语实词活用词典》序	张涤华	学语文—1991,(2):3
《现代汉英词典》的若干问题	陈中绳	外语教学与研究—1991,(2):5-8
《说文》中应有两个"去"字说:上古"去"字-b尾说质疑	冯蒸	汉字文化(北京)—1991,(2):9-14
许慎的六书"假借"说	戚桂宴	山西大学学报·哲社版(太原)—1991,(2):13-18
《汉语大字典》书证错误举例:《字典》援用《仪礼》时出现的错误	余让尧	江西教育学院学报·综合版(南昌)—1991,(2):50-55
许慎生卒年异议	刘志成	汉字文化(北京)—1991,(2):15-17
词典与索引	时永乐	辞书研究(上海)—1991,(2):23-29
关于"义项"认识的歧异	王粤汉	湖北大学学报·哲社版(武汉)—1991,(2):26-28
辞书与语言	王光汉	辞书研究(上海)—1991,(2):30-37
"东、西、南、北"及其文化内涵	范庆华	汉语学习(延吉)—1991,(2):35-37
论反义辞典的编纂原则	刘叔新	辞书研究(上海)—1991,(2):38-51
《说文》意义体系记载了"尧遭洪水"事件	宋永培	古汉语研究—1991,(2):43-47
《骈雅》、《骈雅训纂》及其作者	黄今许	龙岩师专学报—1991,(2):51-58
语文词典中系列条目的处理	陈增杰	辞书研究(上海)—1991,(2):52-58
《汉语大词典》摘瑕(续)	汪维辉	宁波师院学报·社科版—1991,(2):57-60,91
《现代汉语词典》和《小罗贝尔词典》的收词对比	杨金华	辞书研究(上海)—1991,(2):59-68
社会新发展的真实镜相:评《新词新义词典》	钱宗武	汉字文化(北京)—1991,(2):60-62
字典论稿·有关释义的几个问题	赵振铎	辞书研究—1991,(2):69-76

论段玉裁对《说文》形声字的改说	刘成德	兰州大学学报·社科版—1991,(2):87-93
中国辞书编纂的历史分期、概况和特点	林玉山	编辑学刊—1991,(2):92-96
一本独具特色的辞书:简评《简称合称词典》	姚学贤	信阳师范学院学报·哲社版—1991,(2):93-94
释男	崔枢华	古汉语研究—1991,(2):93-96
排列组合论:兼论辞书功用	袁世全	淮北煤师院学报·社科版—1991,(2):94-99
谈谈辞书条目中的纪年换算	黄鸿森	辞书研究(上海)—1991,(2):98-101
字、词典对字的注释不该如此歧异	魏励	辞书研究(上海)—1991,(2):101-103
《现代汉语词典(补编)》收词的特点和不足	李文明	辞书研究(上海)—1991,(2):104-109
《简明东北方言词典》漫评	刘永发	辞书研究(上海)—1991,(2):110-117
《大陆和台湾词语差别词典》补遗	郑启五	台湾研究集刊—1991,(2):111-113
俗字与《说文》"俗体"	顾之川	语言文字学(北京)—1991,(2):117-123
《类篇》在中国辞书史上的地位	王箕裘	辞书研究(上海)—1991,(2):118-127
《现代汉语词典·补编》商榷	张谊生	徐州师范学院学报·哲社版—1991,(2):124-129
形声字声符的位置、结构和标音	温知本	语言文字学(北京)—1991,(2):124-129
《新词新义词典》简评	王德春	华中师范大学学报·哲社版(武汉)—1991,(2):125-126
论汪耀楠的《词典学研究》	[德]伊尔丝·卡尔	辞书研究(上海)—1991,(2):128-135
中国现代词典学的生长	邹酆	辞书研究(上海)—1991,(2):136-146
《辞书编纂符号》国家标准发布	思惠	辞书研究—1991,(3):1-2
中华人民共和国国家标准辞书编纂符号	国家技术监督局	辞书研究—1991,(3):3-7
汉语计量研究与语文辞书编纂	李光麟	辞书研究—1991,(3):8-16
说非义立义	鄢先觉	辞书研究—1991,(3):17-24
《汉语大字典》书证指瑕三则	朱城	中国图书评论—1991,(3):22-23
谈泛义动词的释义——兼评《汉语大词典》"作"字释义	刘瑞明	辞书研究—1991,(3):25-33
《〈世说新语〉词典》编纂琐谈	蒋宗许	辞书研究—1991,(3):34-42
论《尔雅》的词典属性	宛志文	辞书研究—1991,(3):43-50
段玉裁《说文解字注》在词义引申研究方面的贡献	黄大荣	贵州师范大学学报·社科版—1991,(3):48-53
要重视词典的功用	徐中玉	辞书研究—1991,(3):51-53
学习·编纂·评介	陈增杰	辞书研究—1991,(3):53-56
金铜名辨	崔枢华	沈阳师范学院学报·社科版—1991,(3):54-55
《说文》释字考误	杨子禹	盐城师专学报·社科版—1991,(3):55-58
《汉语大字典》体例商榷	王瑾	晋阳学刊—1991,(3):57-60

论段玉裁《说文解字注》的体例与学术成就	吕琨荧	唐山教育学院唐山师专学报·社科版—1991,(3):60-66
浅说《说文解字》中的"一曰"与"阙文"	张玉惠	松辽学刊·社科版—1991,(3):70-73
释"则"	田忠侠	齐齐哈尔师范学院学报·哲社版—1991,(3):71-75
自出机杼 不同凡响——评《写作成语词典》	何华连	图书情报论坛—1991,(3):73-75
《汉语大词典》一、二、三卷阙误举隅	李靖之	山西大学学报·哲社版—1991,(3):78-80
一部颇具特色的汉语字典——读《汉语通用字字典》	岩公	辞书研究—1991,(3):79-84
近代汉语词义系统与辞书编纂	蒋冀骋	湖南师范大学社会科学学报(长沙)—1991,(3):84-88,43
别开生面 独树一帜——介绍《常用反义词语手册》	仲鑫	辞书研究—1991,(3):85-89
泛论古汉语虚词词典	杨起予	辞书研究—1991,(3):90-101
现代专科(翻译)词典的释义系统——谈王宗炎主编的《英汉应用语言学词典》	陶原珂	学术研究—1991,(3):99-103,80
郭璞的《尔雅注》	赵伯义	河北师院学报·社科版—1991,(3):117-125
《辞源》(修订本)指瑕	王彦坤	暨南学报·哲社版(广州)—1991,(3):127-132
扬州学派辞书编纂的理论和实践	班吉庆	扬州师范学院学报·社科版—1991,(3):135-139
《现代汉语形容词用法词典》样条	郑怀德 孟庆海	中国语文(北京)—1991,(3):175-182
《金瓶梅词典》释义商补	王迈	中国语文(北京)—1991,(3):235-237
《汉语大词典》疏失举隅	李敏 朱茂汉	安徽师大学报·哲社版(芜湖)—1991,(3):374-封三
《说文》不少用作"某声"的与"亦声"	贺永松	怀化师专学报—1991,(3):
《近代汉语词典》序言	罗竹风	青岛师专学报—1991,(4):1-2
专科辞典的语言翻译义和概念释义	苏宝荣	辞书研究—1991,(4):12-17
从《尔雅》看周秦文化	郭书兰	郑州大学学报·哲社版—1991,(4):12-17
《说文》"多形多声"说研究(待续)	汤可敬	益阳师专学报—1991,(4):13-21
《说文》"多形多声"说研究(续完)	汤可敬	语言文字学(北京)—1992,(2):117-129
再论《说文》非形声字的归部	薛克谬	河北大学学报·哲社版(保定)—1991,(4):18-24
专科辞典的分类编排问题	李尔钢	辞书研究—1991,(4):18-27
"沉滓"与"沉滓一气"	肖丹	语文建设(北京)—1991,(4):35-36
汉语语文词典的自造例	高兴	辞书研究—1991,(4):36-41
《汉语大词典》摘瑕(再续)	汪维辉	宁波师院学报·社科版—1991,(4):41-45
成语词典编纂与成语探源	刘尚慈	辞书研究—1991,(4):42-49
词义注释中的公理原则	江景志	解放军外语学院学报—1991,(4):43-45
《辞源》献疑	村夫 李翔德	博览群书—1991,(4):46-47

标题	作者	出处
《说文》的词源学观念——《说文》所释"词的理据"	张志毅	辞书研究—1991,(4):50-58
论转注及其同源字的关系:与杜桂林先生商榷	牛春生	宁夏大学学报·社科版(银川)—1991,(4):55-62
《说文解字》研究拾遗	肖莉	佳木斯师专学报—1991,(4):57-58
论《尔雅》的"经典"性质	张林川	江汉大学学报·综合版—1991,(4):57-61,17
一代巨著,巍巍丰碑:《汉语大字典》全套八卷出版综述	方夏	四川师范大学学报·社科版(成都)—1991,(4):61-64
略谈字典编撰的历史继承	杜道生	四川师范大学学报·社科版(成都)—1991,(4):65-66
论历史音变与字典编纂的关系	熊月安	四川师范大学学报·社科版(成都)—1991,(4):67-72
引例诸忌及有关问题	赵振铎	辞书研究—1991,(4):68-76
字典编撰中字义的判定	李道明	四川师范大学学报·社科版(成都)—1991,(4):73-77
为提高双语词典的质量而努力——评《小学生汉维词典》和《中学生汉维词典》	郭志刚	语言与翻译—1991,(4):76,80
略谈《金部》编写中新义项的建立及金属元素字的释义	谢光琼	四川师范大学学报·社科版(成都)—1991,(4):78-82
谈《汉语大字典》编纂中对按语的使用	黄仁寿	四川师范大学学报·社科版(成都)—1991,(4):83-87
要从实际出发	韦实	辞书研究—1991,(4):83-88
热情地支持 无私地奉献	蔡长芬	四川师范大学学报·社科版(成都)—1991,(4):88-91
从《玉篇》看照系三等声母的产生	朱声琦	山西大学学报·社科版(临汾)—1991,(4):91-93
"断取"造词与词典释义——从释义用语"比喻"的误用谈起	谭永祥	辞书研究—1991,(4):92-96
单字字义与复词词目	郭芹纳	辞书研究—1991,(4):97-98
《同义词反义词对照词典》自序	鲍克怡	辞书研究—1991,(4):99-103
评《现代汉语通用字典》	彭泽润	辞书研究—1991,(4):103-109
继承创新 后出转精——评《甲骨文字典》	陆庆和	辞书研究—1991,(4):110-114
再评《名联鉴赏词典》	蒋竹荪	辞书研究—1991,(4):115-120
方以智撰刊《通雅》年代考述	李葆嘉	辞书研究—1991,(4):121-126
试论《说文》会意字	韩陈其	徐州师范学院学报·哲社版—1991,(4):126-131,138
部首"隹"辨正	余家骥	辞书研究—1991,(4):145-147
历代雅书述略(下)	赵世举	辞书研究—1991,(4):149-152
试论断代语言词典的编纂	蒋宗许 李润	辞书研究—1991,(4):28-35

标题	作者	出处
《汉语大词典》一、二、三卷读后	汪维辉	中国语文(北京)—1991,(4):307-311
辞书质量概念及质量管理刍议	刘志荣	辞书研究—1991,(5):1-10
语文词典释误说因	谢芳庆	辞书研究—1991,(5):11-18
词义的自由度与词典释义	陈克炯	辞书研究—1991,(5):19-26
成语研究和成语词典的编纂	卢卓群	湖北大学学报·哲社版—1991,(5):28-36
《汉语大字典》所收单字的若干数据	张猛	语文建设(北京)—1991,(5):30-31
"马迹"新解	晋家泉	汉语学习(延吉)—1991,(5):32
俄汉语文词典与 ТОЛКОВЫй СЛОВАРЬ	那纯志	外语与外语教学—1991,(5):36-41
外汉词典语义切分之比较及思考	郑述谱	外语学刊—1991,(5):37-40
评《中国翻译家辞典》	张万方	中国翻译—1991,(5):43-44
一种实用的音序查字法	曹乃木	语文建设(北京)—1991,(5):48
年鉴大事记体例探微	邢星	辞书研究—1991,(5):52-55
外国人名词典的编纂工艺	王毅成	辞书研究—1991,(5):56-63
名句辞典泛论	杨起予	辞书研究—1991,(5):82-90
一部颇具特色的新词辞典——评《新词新义辞典》	祝注先	辞书研究—1991,(5):91-98
汉语兼类词研究的新成果——评《兼类词辨析词典》	蒋有经	辞书研究—1991,(5):98-102
我看《英汉大词典》的专有名词词条	岁寒	辞书研究—1991,(5):103-113
《汉法现代用语词典》评介	谢培森	辞书研究—1991,(5):113-119,125
普通词典中的专有名词	[苏]г.л.斯莫利茨卡娅文,邢行译	辞书研究—1991,(5):126-134
先秦——中国辞书编纂萌芽期	林玉山	辞书研究—1991,(5):139-144
词典和词语规范	郭良夫	语文建设(北京)—1991,(6):2-3
论《说文》意义体系的内容与规律	宋永培	华东师范大学学报·哲社版(上海)—1991,(6):39-47
《广雅·释诂》疏证以声音通训诂发覆	崔枢华	北京师范大学学报·社科版—1991,(6):39-53
由人及事 通晓全貌——评介《中国语言学大辞典·人物卷》	陆仁	语文月刊—1991,(6):43
伞	李学勤	语文建设(北京)—1991,(6):47-48
汉语称谓的名实关系及其辞典编纂	杨应芹	学术界(合肥)—1991,(6):59-62
《辞源》教育科举条目释义疑误	张虎刚	天津师大学报·社科版—1991,(6):62-68
新版《辞海》新在哪里?	周金林	黑龙江图书馆—1991,(6):64-65
《中国成语大词典》个别词条的释义问题	赵宗乙 孙玉峰	齐齐哈尔师范学院学报·哲社版—1991,(6):73-77
从语言的基本性质谈社会需求与辞书编纂出版	达·巴特尔	内蒙古社会科学·文史哲版—1991,(6):88-90
《辞源》(修订本)补证	张喆生	中国语文(北京)—1991,(6):460-466

标题	作者	出处
最大的汉语辞书	简启贤	云南日报—1991,(10):27,4
《说文解字》部首浅谈	潘桂芝 缪贺萍	语文月刊(广州)—1991,(11):11-13
《方言》:我国最早的一部方言词典	顾关元	语言文字学(北京)—1991,(11):109
《说文》的词源学观念:《说文》所释"词的理据"	张志毅	语言文字学(北京)—1991,(12):66-73
继承创新 后出转精:评《甲骨文字典》	陆庆和	语言文字学(北京)—1991,(12):74-77
说文的归类方法与一些省声字	金钟囍	语言研究(武汉)—1991,(增刊):4-10
语文辞典音项概说	王吉尧	语言研究(武汉)—1991,(增刊):185-186
论差异:"两典"注音差异平议之二	严承钧	语言研究(武汉)—1991,(增刊):187-192
试论《说文系传》对段《注》的影响	米万锁	语文研究—1992,(1):18-20
《甲骨文简明字典》序	胡厚宣	语文建设(北京)—1992,(1):36
《辞源》引例考证	陈霞村	山西大学学报·哲社版(太原)—1992,(1):39-42
谈《俄汉详解大词典》中的地名词	穆武祥	外语学刊—1992,(1):43-44,56
说讹字	子叶	四川师范学院学报·哲社版(南充)—1992,(1):45-50
《古汉语同实异名词典》序	胡裕树	辽宁师范大学学报·社科版(大连)—1992,(1):50-51
《汉俄医学大辞典》中医中药词条详编体会	王忠亮	现代外语—1992,(1):51
"白纳"解	郭良夫	中国语文(北京)—1992,(1):62-63
释"鹑鷚"与"貆、特、鹑":《说文解字段注》引文解误二则	邬玉堂	齐齐哈尔师范学院学报·哲社版—1992,(1):78-80
《汉语大字典》体例商榷	王瑾	语言文字学(北京)—1992,(1):84-87
《音韵学辞典》简评	任远	河北师院学报·社科版(石家庄)—1992,(1):109-110
《成语字位词典》的性质和任务	张勇 卫东	扬州师院学报·社科版—1992,(1):115-116
《玉篇》与喉牙声转	朱声琦	徐州师范学院学报·哲社版—1992,(1):142-144
应该编纂搜国全备之古汉语通假字典	王海根	徐州师范学院学报·哲社版—1992,(1):148-150,144
吸取科研成果,方便语文学习:评《新编说文解字》	蔡镜浩	徐州师范学院学报·哲社版—1992,(1):151-152
辞书研究的现状与展望	卢润祥	语文研究(太原)—1992,(2):1-5
许学研究的现状及其发展趋向:"许慎与'说文学'国际学术研讨会"论文述评	范进军	齐齐哈尔师范学院学报·哲社版—1992,(2):30-34
《辞源》释义补证	陈霞村	语文研究(太原)—1992,(2):40-44
《说文》中词的引申义初探	古敬恒	徐州师范学院学报·哲社版—1992,(2):52-54,57

《汉语大辞典》车部字释义订误	胡锦贤	湖北大学学报·哲社版(武汉)—1992,(2):59-65
《说文》的特点及释义之得失	殷寄明	浙江师大学报·社科版—1992,(2):61-66
《维汉词典》编纂笔记	王廷杰	民族语文(北京)—1992,(2):68-71
《说文》部首字说解与所属字说解违反同一律考	张显成	四川大学学报·哲社版(成都)—1992,(2):74-80
对《说文解字》学术价值的再认识:许慎与《说文》学国际学术研讨会综述	王宁	中国社会科学(北京)—1992,(2):82-84
从《玉篇》看舌上音知系声母的产生	朱声琦	南京师大学报·社科版—1992,(2):82-86
《说文解字》产生的历史条件	董希谦	信阳师范学院学报·哲社版—1992,(2):90-92,82
《说文》与先秦文献词义	宋永培	青海师范大学学报·社科版(西宁)—1992,(2):93-100
部分异体字的特征、性质和来源	黄颂康	语言文字学(北京)—1992,(2):100-106
使用常用的字、词典中的失误	张文虎 袁国雄 沈郁菁 王积庆	语文教学通讯—1992,(2):105-134
释"方"	刘又辛 张博	语言研究(武汉)—1992,(2):150-155
《港台语词词典》略评	董琨	中国语文(北京)—1992,(2):152-155
说词藻:兼论语文词典收列词藻的原则	张劲秋	安徽师大学报·哲社版(芜湖)—1992,(2):253-259
多语词典	黄建华 陈楚祥	现代外语—1992,(3):1-6
用CDS/ISIS的词典功能辅助编制,更新汉语主题词表	张忠友 杨要武	现代图书情报技术—1992,(3):11-14
汉语成语词典出版综述	何华连	浙江师大学报·社科版—1992,(3):13-18
对辞书中若干"比喻义"的异议	蔡正学	修辞学习—1992,(3):42
《汉语大字典》究竟收了多少字?	于广元	语文建设—1992,(3):48
新版《辞源》释义补正	丁鼎	徐州师院学报·哲社版—1992,(3):70-72,76
以词组字探秘:兼论《说文》四体的层级	马文熙	西南师范大学学报·哲社版(重庆)—1992,(3):73-80
外向型汉外词典的编纂	翁仲福	语言教学与研究(北京)—1992,(3):119-132
工具书概念新探	夏南强	华中师大学报·哲社版—1992,(3):122
略论规范型词典的特点:兼论《现代汉语大词典》的收词原则	晁继周	中国语文(北京)—1992,(3):195-200
释"妓""撒"	郑红	中国语文(北京)—1992,(3):205
《吕氏春秋词典》序	周祖谟	语文研究(太原)—1992,(4):2
新词语的判定标准与新词新语词典编纂的原则	王铁琨	语文文字应用(北京)—1992,(4):14-20
《汉语大字典》求疵录	王海根	温州师院学报·哲社版—1992,(4):39-41

标题	作者	出处
《说文》对反义同义同源关系的表述与探讨	宋永培	河北大学学报·社科版(保定)—1992,(4):58-67
试评《汉英综合辞典》	方明	外国语(上海)—1992,(4):78-79
《诗经》押韵与《说文》谐声中的方音	舒志武	中南民族学院学报·哲社版(武汉)—1992,(4):97-100,104
"影响"今义的来源	朱庆之	文史知识(北京)—1992,(4):99-100
《说文解字》省声类字疑误析辨	李家祥	语言文字学(北京)—1992,(4):144-152
汉语新词词典选目三议	薛遴	南京大学学报·哲社版—1992,(4):158-160
方言词典说略	李荣	方言(北京)—1992,(4):243-254
《苏州方言词典》引论	叶祥苓	方言(北京)—1992,(4):255-271
《标点符号词典》序	张涤华	安徽师大学报·哲社版(芜湖)—1992,(4):415-418,427
《汉语大字典》释义小札	张孝纯	湖北大学学报·哲社版(武汉)—1992,(5):42-46
方言词典说略	李荣	中国语文(北京)—1992,(5):321-324
义类词典编纂小议	刘效武	学语文(芜湖)—1992,(6):46-47,11
关于古籍整理中异体字的研究	杨应芹	江淮论坛—1992,(6):103-109
方言和词典编纂	贺巍	中国语文(北京)—1992,(6):423-429
谈方志"述体"的设置与编写	杨代舜	写作(武汉)—1992,(8):36-38
《说文》与先秦文献词义	守永培	语言文字学(北京)—1992,(8):49-56
辞书释义应注意的几个问题	罗少卿	高等学校文科学报文摘—1992,(9卷2):72
还是应叫"拐杖"或"拐棍"	方彦	语文建设(北京)—1992,(12):40-41
同体会意字的比合和指扬	马文熙	西南师范大学学报·哲社版(重庆)—1992,(专刊):74-77
许慎转注原意新考	徐志奇	西南师范大学学报·哲社版(重庆)—1992,(专刊):78-81,89
从比较中认识规范型词典:再论规范型词典的特点	晁继周	辞书研究—1993,(1):12-19,25
分地方言词典总序	李荣	方言(北京)—1993,(1):1
《成都方言词典》引论	梁德曼	方言(北京)—1993,(1):2-13
宦懋庸及其《〈六书〉评议》	易健贤	贵州教育学院学报·社科版—1993,(1):6-12
翻阅词典想到的	向熹	辞书研究—1993,(1):20-25
文字的动态考释方法与字典本义	苏宝荣	辞书研究—1993,(1):26-33
关于汉语词典的字词标注问题	孙全洲	辞书研究—1993,(1):34-41
双语词典(编纂)学刍论	张柏然	外语与外语教学—1993,(1):44-48
辞书与辞书学散论	王宁	语言文字学(北京)—1993,(1):49-54
辞书与辞书学散论(续)	王宁	辞书研究—1993,(4):1-10
读《小学答问》札记	沈光海	湖州师专学报·哲社版—1993,(1):56-61,83
从《全晋文》看《汉语大词典》的书证溯源问题	汪维辉 徐晓蓝	宁波师院学报·社科版—1993,(1):58-61
词义系统与辞书编纂	宋永培	语言文字学(北京)—1993,(1):62-68

《1991汉语新词语》前言	于根元	辞书研究—1993,(1):64-66
双语词典的宏观结构(上)	黄建华 陈楚祥	现代外语—1993,(1):68-71
双语词典的宏观结构(下)	黄建华 陈楚祥	现代外语—1993,(2):67-71,40
编写《1991汉语新词语》的几点认识	周洪波	辞书研究—1993,(1):67-75
《辞源》拾遗	王立	外交学院学报—1993,(1):72-75
一部多功能汉字信息处理工具书:《汉字属性字典》读后感	姚行地	图书情报论坛—1993,(1):77-79
《1991汉语新词语》	季恒铨	语言文字应用—1993,(1):77-80
《马氏文通刊误》省略说质疑——纪念《马氏文通》出版95年	孙良明	山东师大学报·社科版—1993,(1):81-84
新版《辞海》献疑(续)	范崇俊	华东师范大学学报·哲社版—1993,(1):89-91,73
修订词典	松田一文 中绳译	辞书研究—1993,(1):98-99,110
新选定部首查字法	黄庆传	宁德师专学报·哲社版—1993,(1):123-126
辞书编纂理论系统化的新探索:《辞书编纂学概论》读后	乌邑	辞书研究—1993,(1):126-135,145
《类篇》方言考:兼评张慎义《方言别录》所辑唐宋方言	马重奇	语言研究—1993,(1):136-143
从《说文解字注》看段玉裁的哲学思想	刘成德	兰州大学学报·社科版—1993,(1):143-150
再论辞书特性与质量标准:兼答林玉山先生	李尔钢	辞书研究—1993,(2):1-10
《中文大辞典》、《中华大字典》传讹一例	施民权	吉安师专学报·哲社版—1993,(2):8
适合高频先见和多音字处理的拼音字典	王泽兵 陈增武	中文信息—1993,(2):8-10
汉语语文词典质量评估	邹酆	辞书研究—1993,(2):11-20
《方言》体例发凡	杨钢	昭通师专学报·社科版—1993,(2):16-18,24
论影响辞书质量的几个问题	林玉山	编辑学刊—1993,(2):22-26
《古语词今用词典》序	方夏	四川师范学院学报—1993,(2):28-36
《古语词今用词典》词条选样	周永惠 谢光琼	四川师范学院学报—1993,(2):37-42
关于《说文解字》部首的几个问题	史建伟	天津教育学院学报·社科版—1993,(2):41-43
略谈《佩文韵府》的产生及其查找方法	丁宏宣	贵图学刊—1993,(2):42-45
双语科技辞典略述(上)	黎难秋	上海科技翻译—1993,(2):46-48,41
辞书编纂出版的无序状态亟需改变:建议开展关于中国辞书体系的讨论	薛培华	语言文字学(北京)—1993,(2):65-69
《实用汉语语法大辞典·修订本》序	胡裕树	营口师专学报·哲社版—1993,(2):74

词典释例的作用及配例原则	冯 清 高	广东民族学院学报·社科版—1993,(2):75-81
中国少数民族语言系列词典丛书述评	禹 岩	民族语文—1993,(2):79-80
从社会需求看辞书编纂出版	高 兴	辞书研究—1993,(2):81-86
读《汉语新词新义词典》	于 根 元	语言教学与研究—1993,(2):82-92
《金瓶梅词典》拾误	侯 兰 笙	西北师大学报·社科版(兰州)—1993,(2):84-89
论"辞典热"现象	夏 南 强	辞书研究—1993,(2):87-94
《说文解字》与南阳俗语	聂 振 欧	新疆大学学报·哲社版—1993,(2):111-113
中国经典解释学研究刍议	周 光 庆	华中师范大学学报·哲社版—1993,(2):113-118
朱熹经典解释方法论初探	庆 甫	华中师范大学学报·哲社版—1993,(2):119-124
评两本语言学辞典	杨 剑 桥	辞书研究—1993,(2):124-126
《唐摭言》语词札记	祝 鸿 杰	语言研究—1993,(2):133-136
读《水浒词典》札记	蒋 冀 骋	语言研究—1993,(2):137-139
大型字词工具书使用札记之一:《汉语大词典》、新版《辞源》若干条目商兑	张 标	河北师范大学学报·社科版—1993,(3):3-9
修订版《辞源》检读零札	丁 鼎	镇江师专学报·社科版—1993,(3):27-30
关于《现代汉语动词句式词典》的几点说明	王 玲 玲	汉语学习—1993,(3):28-30
再论"词典是词的一份单子"	黄 建 华	外语与外语教学—1993,(3):38-44,50
一部体例新颖、内容宏富的虚词著作——评介《古代汉语虚词类解》	小 芳	山西大学学报·哲社版—1993,(3):44
谈释义	阿布力米提·巴克	喀什师院学报·哲社版—1993,(3):54-59
评《汉语方言常用词词典》	汪 耀 楠	语文研究—1993,(3):61-63
整理汉语新词语的若干思考	语用所"新词新语新用法研究"课题组	语言文字应用—1993,(3):65-69
辞书概述	李 峰	图书馆论坛—1993,(3):88-89
索引词的语用学考察	许 艾 琼	湖北大学学报·哲社版—1993,(3):91-98
扩大词典功能刍议	闵 龙 华	南京师大学报·社科版—1993,(3):99-101
《康熙字典》关于处理异体、通假字术语的运用	胡 锦 贤	湖北大学学报·哲社版—1993,(3):99-104
《说文解字》顺递析形	赵 伯 义	河北师院学报·社科版—1993,(3):117-121
《敦煌变文字义通释》商补	樊 维 纲	杭州大学学报·哲社版—1993,(3):121-127
达斯《藏英词典》错误举隅:[萨罗物·旃陀罗·达斯]	黄 显 铭	西藏研究—1993,(3):137-139
《说文解字注》词义引申发凡	吕 朋 林	文献—1993,(3):217-231
词典学教学与研究初探	宋 文 伟	辞书研究—1993,(4):11-18,92
编纂现代汉语规范词典的几点意见	胡 明 扬	语文建设(北京)—1993,(4):13-16

汉语词汇

标题	作者	出处
似是而非和似非而是——词(辞)典名实辨	顾 劳	贵州师范大学学报·社科版—1993,(4):15-16
完善辞书索引,强化检索功能	贺剑峰	辞书研究—1993,(4):19-23
"郁洲"、"鬱洲"和"郁州"、"鬱州"综考:兼谈有关辞书的解释疏失	丁 鼎	中国方域—1993,(4):26-27,36
双语词典的微观结构(上)	陈楚祥 黄建华	现代外语—1993,(4):29-34,28
词典的收词、释义和语言规范化:《汉语大词典》学习札记	陈庆祜	语文学习—1993,(4):38-40
编排新颖 简明实用:评《谚语分类词典》	亦 成	学语文—1993,(4):40-42
戴震"四体二用法"研究	江中柱	湖北大学学报·哲社版—1993,(4):51-56
辞书编纂出版与社会需求:加拿大魁北克词典编纂动向的启示	黄建华	辞书研究—1993,(4):53-57
说文旁见说解论析	林银生	北京师范大学学报·社科版—1993,(4):59-66
《说文解字注》和《广雅疏证》的右文说	胡继明	四川大学学报·哲社版—1993,(4):64-68
"成语之妙,在于运用":《多功能义类成语大词典》序	李行健	天津师大学报·社科版—1993,(4):73-74
评《群书学辞典》	卢润祥	辞书研究—1993,(4):77-81
近代汉语词汇研究的可喜收获:《近代汉语词典》简评	骆伟里	辞书研究—1993,(4):82-87
《古汉语虚词用法词典》评介	杨金鼎	辞书研究—1993,(4):88-92
中国近代辞书的发展及其历史背景	雷永立	辞书研究—1993,(4):100-111
《重刊详校篇海》管见	杨载武	辞书研究—1993,(4):112-119
英语学习词典中例证的语言问题	A.P.考依文 江检英译	辞书研究—1993,(4):120-129
《太原方言词典》引论	沈 明	方言—1993,(4):241-252
行业词语"挪用"浅谈	高 航	语文月刊—1993,(5):10
《中外名言分类大辞典》简介	石常乐	博览群书—1993,(5):32
中韩双语词典编纂史上的创举——评介《中韩辞典》系列	金 石	汉语学习—1993,(5):46-49
释义学的"实践哲学"	张汝伦	哲学研究—1993,(5):65-71
《辞源》释义考	史晓平	华东师范大学学报·哲社版—1993,(5):66-69
辞书条目结构分类区别标志	达·巴特尔	内蒙古社会科学·文史哲版—1993,(5):91-96
《世说新语辞典》(张永言等)读后	方一新 王云路	中国语文—1993,(5):393-400
《中国俏皮话大辞典》序	俞 敏	语文建设—1993,(6):15
说文解字省声类字疑误析辨补	李家祥	语言文字学—1993,(7):60-64
如此词典,匪夷所思:评《语言大典》	徐庆凯	语言文字学—1993,(7):139-147
《汉语大字典》疏误举隅	朱 城	语言文字学—1993,(7):148-152

标题	作者	出处
文字学研究之必备:漫话《康熙字典》	李歆	中国教育报—1993,(8):29,2
古今兼收的汉语字典	古月	人民日报—1993年12月30日第5版
评王同亿主编的《新编现代汉语词典》	高云祥	语文建设—1993,(12):35-37
大专家和小字典	苏培成	语文建设—1993,(12):40-41
词典评价标准十题	陈楚祥	辞书研究—1994,(1):10-21
伯明翰学派话语分析模式及其问题	张杰	安庆师院学报·社科版—1994,(1):16-20
释义中的区别性特点问题	刘叔新	语言文字应用—1994,(1):32-38
谈谈双语词典的释义与例证	薛诗绮	外语与外语教学—1994,(1):36-41
《说文》意义体系与成体系的中国上古史	宋永培	四川大学学报·哲社版—1994,(1):42-54
论专书词典编纂的几个问题	陈海伦	河池师专学报·社科版—1994,(1):45-49
机器词典的信息表示及在汉英机器翻译中的实现	李生 赵铁军	中文信息学报—1994,(1):45-54
《文选》注引小学书辑录	蒋礼鸿	温州师院学报—1994,(1):48-56
《辞源(修订本)》引用书证举误	张家英	语言文字学—1994,(1):51-57
词典的语言释义和语用释义	苏宝荣	辞书研究—1994,(1):56-63
《说文段注》精核发微(附索引)	余行达	成都师专学报·文科版—1994,(1):58-63
《现代汉语词典》在词语释义方面的贡献	符淮青	语言文字学—1994,(1):58-65
校勘校读在辞书编写上的功用	赵传仁	辞书研究—1994,(1):64-69
浅议军事辞书的语言文字表述	周世昌	辞书研究—1994,(1):70-78
机器可读词典的快速查找技术	张永奎	中文信息学报—1994,(2):20-25
Kess的《心理语言学》简介	熊帆	国外语言学—1994,(2):23-27,43
俄文辞书中"加仑"的误释及对我国辞书的影响	徐树德	上海科技翻译—1994,(2):39-41
法律语言学:会议、机构	吴伟平	国外语言学—1994,(2):44-48
用科学精神编词典	张万起	辞书研究—1994,(2):45-51
辞书编纂与成人教育	唐超群	辞书研究—1994,(2):52-59
澄清两件事	吕叔湘	辞书研究—1994,(2):68
繁荣我国索引事业的目标与对策	罗春荣 曹树金	辞书研究—1994,(2):69-76
新版《辞海》古汉语词语札记	刘敬林	古汉语研究—1994,(2):71-73
关键词索引与主题索引比较研究	黄萍莉	辞书研究—1994,(2):77-82
古籍引书索引的功用和编纂	朱迎平	辞书研究—1994,(2):92-97
索引的辅助手段	晏雁	辞书研究—1994,(2):98-99
关于现代汉语词典的配例问题	张锦文	辞书研究—1994,(2):100-101
百科全书的质量与百科全书编辑的修养	刘正萍	辞书研究—1994,(2):138-142
读《金瓶梅词典》札记	邵则遂	语言研究—1994,(2):139-144

替"青青"词条增补义项	(澳门)邓景滨	辞书研究—1994,(2):147-149
新版《辞海》错漏举要	夏 泉	暨南学报·哲社版—1994,(2):148-151
《汉语大词典》编纂出版工作的回顾	阮锦荣	辞书研究—1994,(3):29-35
谈谈新词词典编写中有关收词的几个问题	董树人	语言教学与研究—1994,(3):43-48
谈谈《汉语大词典》的收词与立义	傅元恺	辞书研究—1994,(3):45-49
词书编纂中的形态学与语义学问题	王德双	外语学刊—1994,(3):52-55
《汉语大词典》分卷主编责任制与编辑工作	郭忠新	辞书研究—1994,(3):59-65
借鉴·纠谬·提高	张履祥	辞书研究—1994,(3):66-73
《周礼》双注"读为(曰)"、"读如(若)"新探——略兼及《说文》"读若"例	江中柱	湖北大学学报·哲社版—1994,(3):73-78
《汉语大词典》插图的特点与工艺流程	孙立群	辞书研究—1994,(3):74-80
《汉语大字典》释义商兑	王粤汉	湖北大学学报·哲社版—1994,(3):79-83
再论词义研究和语文词典编纂	陈汝法	辞书研究—1994,(3):108-117
《汉书》颜注引证《说文》述评	班吉庆	扬州师院学报·哲社版—1994,(3):112-116,120
辞书比较分析应实事求是	陆嘉琦	辞书研究—1994,(3):118-128,136
徐锴对《说文》释义的阐发与补正	古敬恒	徐州师院学报—1994,(3):124-127
"超韦伯斯特"辨	罗 禹	辞书研究—1994,(3):129-132
《汉语大词典》往事拾零	吉常宏	辞书研究—1994,(3):134-136
1992年汉语语文辞书编纂述评	赵克勤 金欣欣	辞书研究—1994,(3):142-146
外汉词典中的"释义词"和"释义语"	黄河清	辞书研究—1994,(3):147-153
读《古代疑问词语用法词典》	赵 诚	中国语文—1994,(3):239-240
辞书,勿忘金钥匙使命	徐 可	光明日报—1994年4月7日第1版
术语·术语学·术语词典	陈楚祥	外语与外语教学—1994,(4):16-21
开发辞书阅读功能浅探	李文明	辞书研究—1994,(4):28-34,45
双语辞书书名刍议	王毅成	外语与外语教学—1994,(4):42-46
《汉语大字典》辨误六则	戴金盈	逻辑与语言学习—1994,(4):45-46
关于《十三经辞典》的编纂	刘学林 迟 铎	辞书研究—1994,(4):46-54
《陕北方言词典》读后	曹 晖	语文研究—1994,(4):60-63
大型字词工具书使用札记:《汉语大字典》、《汉语大词典》若干条目商兑	张 标	河北师范大学学报·社科版—1994,(4):66-74
论辞书的客观属性:也谈辞书特性和质量标准	黄孝德	武汉大学学报·社科版—1994,(4):75-81
专科辞典相关条目的撰写安排	曾大力	辞书研究—1994,(4):136-139,146
词典编纂与人文精神	陈思和	辞书研究—1994,(4):147-150
评《现代汉语词典》对异体字的处理	陈 抗	中国语文—1994,(4):282-286

《辞源》订误四则	毛远明	中国语文—1994,(4):309-310
辞书质量纵横谈	王　宁	辞书研究—1994,(5):5-9
我国中文工具书编纂出版述略	何华连	辞书研究—1994,(5):10-21
我国辞书事业在新时期的发展	韩敬体	辞书研究—1994,(5):22-29
辞书的继承和发展	朱祖延 杨　薇	辞书研究—1994,(5):30-37
词义与语文词典释义	潘竟翰	辞书研究—1994,(5):38-46
简编本《汉语大词典》的编辑工作	王粤汉	编辑之友—1994,(5):51-53
吕叔湘词典三论试析	邹　酆	辞书研究—1994,(5):51-61
质量是辞书的生命	杨志本	辞书研究—1994,(5):62-65
《说文解字诂林》的体例和性质	王英明	辞书研究—1994,(5):87-94
不朽的"苦力"和失败的"将领"	思　惠	辞书研究—1994,(5):113-116
俄语反义词词典的编纂	郭定泰	辞书研究—1994,(5):121-127
双语词典的微观结构	陈楚祥 黄建华	辞书研究—1994,(5):145-153
评《现代汉语大词典》和《新现代汉语词典》	韩敬体	中国语文—1994,(5):388-392
评《新现代汉语词典》中的英汉对译问题	李伯纯	中国语文—1994,(5):393-395
评《语言大典》	徐庆凯	中国语文—1994,(5):396-397
"狮子心"与"豹子胆"	崔山佳	中国语文—1994,(5):399
因声溯源考析汉字本义——《辞源》编后琐议之二	刘基森	辞书研究—1994,(6):11-17,27
浅谈《现代汉语词典》的虚词注释	孟庆海	语文建设—1994,(6):12-14
辞书发展的社会环境	李景成	辞书研究—1994,(6):18-27
成语理论研究与成语辞书编纂质量的关系	何华连	辞书研究—1994,(6):38-47
成语词典述评	杨起予	辞书研究—1994,(6):65-73
《说文解字》订补	孙雍长	湖北大学学报·哲社版—1994,(6):71-76
《语言大典》词目类型举隅	徐庆凯	辞书研究—1994,(6):74-86
从"横殃殃习祸"谈起	寸　冰	辞书研究—1994,(6):114-116
多媒体技术与辞书编纂	麦志强	辞书研究—1994,(6):121-128
规范型汉语词典应适当增收北京话词语	贾采珠	语文建设—1994,(7):6-8
在《汉语大词典》全书出版庆祝大会上的讲话	罗竹风	语文建设—1994,(9):13-14
《汉语大词典》的编纂	阮锦荣	语文建设—1994,(9):15-16,14
词典标注词性浅谈	陈瑞国	理论学习月刊—1994,(9):47-50
《辞海》(89年版)考辨	田忠侠	语言文字学—1994,(9):70-75

评介几部汉语成语词典	周维网	语文建设—1994,(10):33-34,32
编词典的两点经验	吕叔湘	语文建设—1994,(11):14
《历代典故辞典》读后	王 英	语文建设—1994,(11):36-37
十五年来《说文解字》研究述评	董莲池	语言文字学—1994,(11):110-114
权威辞书要精益求精	金树培	语文建设—1994,(12):13-16
关于《汉语常用语词典》编写中的几个问题	温端政	语文研究—1995,(1):1-6
徐锴《系传》对词的本义的再阐释	古敬恒	古汉语研究—1995,(1):16-18,15
《现代汉语词典》收词立目商榷	闵龙华	南京师大学报·社科版—1995,(1):48-51,78
《辞源》修订本条目札记	陈兴伟	古汉语研究—1995,(1):53-54
《现代汉语词典》修订述略	晁继周	语文建设—1995,(2):2-4
关于北方话词汇调查、整理、编纂的几个问题	陈章太 李行健	语言文字应用—1995,(2):2-8
关于规范型词典的收词问题	晁继周 单耀海	语言文字应用—1995,(2):89-93
一部颇具研究特色的新词词典	王铁琨	语文建设—1995,(3):43-44
《汉语大词典》书证商榷	吴金华	南京师大学报·社科版—1995,(3):109-114
《说文解字注》拾遗	王克让	四川大学学报·哲社版—1995,(4):74-75
《说文》段注申许法举例	肖 兴	古汉语研究—1995,(增刊):6-7

古 代 词 汇

《世说新语》语词释义	方一新	语言研究(武昌)—1990,(2):92-102
汉魏六朝词语杂释	汪维辉	语言研究(武昌)—1990,(2):103-109
"谁何"通说	王继如	语言研究(武昌)—1990,(2):110-114
"勠力"释义考辨	张生汉	语言研究(武昌)—1990,(2):115-118
《经传释词》"所""可"互训异议	毛毓松	广西师范大学学报·哲社版(桂林)—1990,(3):1-5
词义演变过程中的离析与综合现象	符 浩	广西师范大学学报·哲社版(桂林)—1990,(3):15-25
副词"但、只、仅、才"辨义析流	马贝加	温州师院学报·哲社版—1990,(4):20-29
词尾"自"臆说	白振有 蒋宗许	延安大学学报·社科版—1990,(4):71-75
《屈原列传》训诂三考	彭 杰	淮北煤师院学报·社科版—1990,(4):82-84,48
"缩酒"训辨	王 珏	徐州师范学院学报·哲社版—1990,(4):85
语义网络初探:语义学学习札记	郭锦桴	汉语学习(延吉)—1990,(6):9-12
节奏停顿与语义理解	吴为善	汉语学习(延吉)—1990,(6):12-15
古代歇后语的种类与源流	雨 时	文史杂志(成都)—1990,(6):40-41
释中学文言教材中几条中古词语	赵丕杰	北京师范学院学报·社科版—1990,(6):89-91
"子"作尊称及其所构成的尊称词说略	鲍延毅	语言文字学(北京)—1990,(10):49-52

标题	作者	出处
古代交友用语谈	陈继明	语文教学与研究(武汉)—1990,(11):39-40
文言修辞与训诂	路广正	语言文字学(北京)—1990,(11):115-120
"声训"质疑	马玉山	语言文字学(北京)—1990,(12):43-47
唐《律》释词	王锳	黔南民族师专学报·哲社版—1991,(1):1-5
从"蟋蟀"和"杜鹃"看词语的文化传统	钟良弼	外语教学与研究(北京)—1991,(1):7-12
"为报"并非只能理解为"替我告诉"	崔山佳	中国语文(北京)—1991,(1):9
"问鼎"与"第一"	李有爱	语文知识(郑州)—1991,(1):12-13
《史记》名篇今注四字正诂	朱维德	菏泽师专学报·社科版—1991,(1):12-15
古汉语文中词义的确定	段家旺	菏泽师专学报—1991,(1):16-21
古汉语种种代称及其作用	朱自强	中文自修—1991,(1):19-21
温庭筠《菩萨蛮》"小山重叠金明灭"考辨	艾思	语文学刊—1991,(1):21-22
"不蔓不枝"解	吴欣桂	语文教学与研究—1991,(1):23
词的源流新探	毛雨先	江西教育学院学报—1991,(1):33-37
简论古汉语词汇的演变	王松柏	邵阳师专学报—1991,(1):34-39
《左传》读书札记(待续)	邵文利	内蒙古民族师院学报·哲社汉文版—1991,(1):37-42
"因句辨词"例说	朱光珏	语文教学与研究—1991,(1):40
"爱而不见"之"爱"	马啸	银川师专学报·社科版—1991,(1):42-43
"暖(煖)"与"餪"	王雪樵	语文建设—1991,(1):43-44
神秘的"三"	王镛	文史知识—1991,(1):44-48
"悠哉悠哉"与"优哉游哉"辨	木圭	电大文科园地—1991,(1):44
西周金文"啬官"一词释义	王人聪	故宫博物院院刊(北京)—1991,(1):47-48
关于注释古书的几点体会	贾百卿	太原师专学报—1991,(1):47-49
反训研究之检讨	杨放之	萍乡教育学院学报·社科版—1991,(1):51-57
"刘真长与殷渊源谈"条辨释	范子叶	齐齐哈尔师范学院学报·哲社版—1991,(1):52-54
二王杂贴语词散释	陈松长	古汉语研究—1991,(1):52-55
《橘颂》"抟"义释辨正	陈日汉	苏州大学学报·哲社版—1991,(1):58-59
说"厕"	李先耕	古汉语研究—1991,(1):61-64
西域"粟特"考	穆德全	河南大学学报—1991,(1):61-65
说"百姓"	胡继明	万县师专学报·社科版—1991,(1):65-66
"难"字古义发微	陈兴伟	古汉语研究—1991,(1):65-67
"离形得似"之"离"一解	祥林	江海学刊—1991,(1):66
文献训诂拾零	朱城	河南师范大学学报·哲社版(新乡)—1991,(1):66-70
"距闉"考略	张传曾	江汉大学学报—1991,(1):67-70
训诂的文化镜象作用	詹绪佐 朱良志	天津师大学报·社科版—1991,(1):68-74
战国记容铜器刻铭"赓"字试释	王人聪	江汉考古—1991,(1):70-72

释"军实""侵官"	赵丕杰	中国语文(北京)—1991,(1):75-76
说"緐"兼论通用字的训释问题	彭占清	吉林大学社会科学学报—1991,(1):75-79
"宫"字说	梁冬青	古汉语研究—1991,(1):78-83
郑注群经体例发微——兼谈训诂学的起源	唐文	吉林大学社会科学学报—1991,(1):80-85
"次"的时间义及其源流	段文清	四川大学学报·哲社版(成都)—1991,(1):83-86
"匆匆(忽忽)"解诂	陈鸿儒	龙岩师专学报·社科版—1991,(1):87-89
《陈涉世家》"守令""守丞"解	陈增杰	温州师院学报·哲社版—1991,(1):87-90
"率土之滨"释义辨正	刘家钰	人文杂志—1991,(1):88-89
高中教材《海瑞传》《谭嗣同》注释纠谬	许廷桂	古汉语研究—1991,(1):88-89
对新编高中文言课文若干注释的商榷	陈斌世英	古汉语研究—1991,(1):90-92
"官奴"考辨	虞万里	温州师院学报·哲社版—1991,(1):91-93
论同义复词的类型及其作用	吴鸿逵	徐州师范学院学报·哲社版—1991,(1):91-96,101
《左传》"寡君之所以为戮死且不朽"误解辨正	张觉	古汉语研究—1991,(1):95-96
唐人小说《宣室志》札记	古敬恒	徐州师范学院学报·哲社版—1991,(1):97-99
释"校"	师弘	徐州师范学院学报·哲社版—1991,(1):100-101
"蹲鸱"趣谈	周士琦	文史知识—1991,(1):113-114
"青春"为酒名说	傅易	文史知识—1991,(1):115-116
释"庶吉士"	王恩厚	文史知识—1991,(1):117-119
"龙钟"董理	王继如	辞书研究—1991,(1):145-149
戴震《孟子字义疏证性》今译	冒怀章	徽州师专学报·哲社版—1991,(2):6-13
晋南北朝乐府民歌词语校释	樊维纲	杭州师范学院学报—1991,(2):7-13
释"早"及其他	刘宗彬	吉安师专学报·哲社版—1991,(2):10-11
"蘦白""蔰臼"辨	吴新群	语文月刊—1991,(2):12-13
从俞樾对《孙子》"卒"字的考辨说起	许威汉	湖北大学学报·哲社版(武汉)—1991,(2):17-20
"流光""三江考释"	王义方	南开学报—1991,(2):21
从"周章"、"章皇"的训释论及词义研究方法	刘瑞明	湖北大学学报·哲社版(武汉)—1991,(2):21-25
《世说新语》解诂	方一新	古籍整理研究学刊—1991,(2):31-35
《诗》"周行""周道"辨	刘乃叔	古籍整理研究学刊—1991,(2):39-42
"脂粉"考释	何坦野	语文研究(太原)—1991,(2):40-41
复语考略(上)	张其昀	盐城师专学报·社科版—1991,(2):41-44
复语考略(下)	张其昀	盐城师专学报·社科版—1991,(3):52-54
词语注释商榷	吕庆业	古籍整理研究学刊—1991,(2):43-45
词义札记五则	于江	上海大学学报·社科版—1991,(2):44-46
古籍译注的几个问题	刁晏斌	古籍整理研究学刊—1991,(2):46-49

说"左右"	井　心	中文自学指导—1991,(2):47-48
《酉阳杂俎》释词	刘凯鸣	古汉语研究—1991,(2):52
释"将谓"	张涤华	古汉语研究—1991,(2):53-54
"有女如云"解	伏　连	古汉语研究—1991,(2):55
词语考释二则	何金松 潘荣生	古汉语研究—1991,(2):56-57
《行次昭陵》"幽人"辨释章志华	颜洽茂	绍兴师专学报—1991,(2):57-61
释"静言庸违"	贺吉德	宁夏社会科学—1991,(2):58
说"史"	袁　林	兰州大学学报·社科版—1991,(2):62-67
王念孙父子的"连语观"及其训解实践（下）	李运富	古汉语研究—1991,(2):64-71
古汉语中的服饰词	俞允海	湖州师专学报—1991,(2):67-72
《登泰山记》"若偻"释义质疑	杨宝生	天津师大学报—1991,(2):69-70
《义府续貂》增附	颜若愚	杭州大学学报·哲社版—1991,(2):70-74
"浴乎沂,风乎舞雩"考释	李伯勤	兰州大学学报·社科版—1991,(2):77-82
"肺腑"、"录囚"通说:汉代语词考释之六	王继如	南京师大学报·社科版—1991,(2):79-83,88
辨《孟子》"不得于言"句——兼释得、中、当、称	陈兴伟	浙江师大学报·社科版—1991,(2):83-86
谈古书不必骤言通假	王大年	湖南师范大学社会科学学报(长沙)—1991,(2):84-86,83
释"麾旗"	蒋冀骋	文史知识(北京)—1991,(2):88
诗诂旁证	黄树先	语言研究(武汉)—1991,(2):88-95
刘禅之"禅"释义补正	王立军	河南师范大学学报·哲社版(新乡)—1991,(2):89-90
诗词曲语辞解诂	段观宋	湘潭大学学报·社科版—1991,(2):112-115
古训旁证	黄树先	语言研究(武昌)—1991,(2):119-121
"方将"有"将要"义	廖振佑	中国语文(北京)—1991,(2):126
《朱子语类》词语考释	徐时仪	上海师范大学学报·哲社版—1991,(2):127-134
《〈诗·新台〉鸿宇说》辨	马承玉	中国语文(北京)—1991,(2):143
再谈"乐岁终身饱"的"身"	张归璧	中国语文(北京)—1991,(2):144-145
还是右券责偿更合理	黄任轲	辞书研究—1991,(2):147-149
唐兰释"中"补直	胡念耕	安徽师大学报—1991,(2):205-207
郑玄《三礼注》释词要例举证	冯浩菲	文献—1991,(2):220-231
浅谈《论语》中的"中庸"	谭元昌	语文学刊—1991,(3):8-9
《离骚》释词二则	范三畏 伏俊连	古籍整理研究学刊—1991,(3):17-18
释"焜黄"	黄　征	古籍整理研究—1991,(3):19-20
古代习用语"左右"	孙孟明	语文知识(郑州)—1991,(3):20-22
"淹通"一解	于曼玲	古籍整理研究学刊—1991,(3):21-22

《史记》语词训释举正	王　继　如	古籍整理研究学刊—1991,(3):22-25,44
汉语词义理据初探	盛　九　畴	上海教育学院学报·社科版—1991,(3):28-33
古代汉语词汇现象中的民族因素	沈　锡　伦	中文自学指导—1991,(3):46-47
词义、训诂与音韵——《经传释词》的得失	毛　毓　松	广西师范大学学报—1991,(3):51-56
《庄子》成语释义商兑	王　凌　青	湖州师专学报—1991,(3):71-74
"停烛"、"停灯"——唐人习语新探	陶　亚　舒	万县师专学报·社科版—1991,(3):71-75
谈"辟易"和"披靡"	林　海　权	福建师范大学学报·哲社版(福州)—1991,(3):98-102
"之为言"是声训的专用术语吗	张　新　武	新疆大学学报·哲社版(乌鲁木齐)—1991,(3):102-103
高诱在训诂学上的贡献	韩　阙　林 陈　静　言	河北师院学报·社科版—1991,(3):107-116,125
杨·柳·杨柳	张　先　觉	文史知识—1991,(3):108-111
从合音词的训释看"如何"结构	王　维　理	南京师大学报·社科版—1991,(3):108-112
《墨子间诂》书名正义	汪　少　华	江西大学学报·社科版(南昌)—1991,(3):109-110
释"卧"	张　世　超	文史知识—1991,(3):112-114
古汉语迭音词的产生及其发展	杨　鼎　夫	暨南学报·哲社版(广州)—1991,(3):119-126
古书文例在训诂中的运用	陈　焕　良	中山大学学报·社科版(广州)—1991,(3):137-145
"长公主"释义再商	钱　剑　夫	辞书研究—1991,(3):140-143
说"瘄生"、"昼寝"及其他	马　固　钢	湘潭大学学报·社科版—1991,(3):141-144
"陆离"无"长貌"义	马　固　钢	辞书研究—1991,(3):144-147
"被发"与"断发"辨析	屈　彦　萍	辞书研究—1991,(3):148-149
释"含脸"	李　景　泉	中国语文(北京)—1991,(3):174
试解"落英缤纷"之"落英"	杜　蔚　蓝	陕西师大学报·哲社版—1991,(3):封三
"吾子"新训	胡　广　文	河北师范大学学报—1991,(4):22-24
《史记》"爱奇"说考述	曹　东　方	古籍整理研究学刊—1991,(4):36-38
中学古文中的同形异义词	夏　广　溥 胡　爱　廉	语文教学与研究(武汉)—1991,(4):37-38
说"主"	刘　志　基	中文自学指导—1991,(4):38-39
试论古汉语"大家"的意义演变	王　　　宇	古籍整理研究学刊—1991,(4):39-40,7
元曲词语注释三题	孙　继　献	天津教育学院学报·社科版—1991,(4):41-43
论《文心雕龙》的训诂思想	王　启　涛	四川师范大学学报·社科版(成都)—1991,(4):47-54
《世说新语》词语校读札记	方　一　新	杭州大学学报·哲社版—1991,(4):48-54
释"教""诲"	晁　广　斌	语言文字学(北京)—1991,(4):56-58
六"为寿"考释	杨　永　爱 王　仁　武	西北师大学报·社科版—1991,(4):58-59
"烟"字最入唐诗	李　孟　萧	上海师范大学学报·哲社版—1991,(4):81-84

标题	作者	出处
"娄罗"语源小考	黄 钺	云南民族学院学报—1991,(4):87-88
《国殇》"车错毂兮短兵接"新解	许迁桂	重庆师院学报·哲社版—1991,(4):88-92
论王念孙"同义相因"说	姜跃滨	北方论丛(哈尔滨)—1991,(4):89-92
《唐宋八大家文选评注》若干注释析（续）	秦 良	争鸣—1991,(4):94
《唐宋八大家文选评注》若干注释析（续一）	秦 良	争鸣—1991,(5):112
《唐宋八大家文选评注》若干注释析（续二）	秦 良	争鸣—1991,(6):69
从语境诂解《礼记》之语义举隅	王作新	华中师范大学学报·哲社版(武汉)—1991,(4):100-104
杨树达语源学思想及其研究方法	徐 超	文史哲—1991,(4):101-103
"聊赖"释义辨证	汪维辉	文史知识—1991,(4):107-108
《论语》考辨一则	廖焕超	孔子研究—1991,(4):118-119
《离骚》诂义	黄灵庚	浙江师大学报·社科版—1991,(4):119-122,126
"比"字古义通解纠缪	张 觉	西南师范大学学报·哲社版(重庆)—1991,(4):122
中学文言文注释辨正三题	夏麟勋	西南师范大学学报·哲社版(重庆)—1991,(4):123-126
王字本义试探	齐文心	历史研究—1991,(4):141-145
"货殖"释	张仲荧	辞书研究—1991,(4):147-148
语词札记四则	顾 久 连登岗等	中国语文(北京)—1991,(4):304-306
《木兰诗》"唧唧"释义	林延君	社会科学战线—1991,(4):307-309
"将谓"广证	张涤华	安徽师大学报·哲社版—1991,(4):471-472
"履""屦"辨	王小莘	语文月刊(广州)—1991,(5):9-10
"风乎舞雩"析疑	傅承德	中文自学指导—1991,(5):34,30
《江水·三峡》"自"字义	阚绪良	中文自学指导—1991,(5):34
释"海"	李 嘉	中文自学指导—1991,(5):35
浅谈《诗经》中的性爱隐语	吴培德	云南师范大学学报—1991,(5):37-40
"葵"字注见流弊	荣耀祥	中国图书评论—1991,(5):43-45
古词语辨正四则	王承惠	语文学习(上海)—1991,(5):44-46
《汉书》颜注再探	孙 兵	郑州大学学报·哲社版—1991,(5):50-54,28
古汉语同实异名现象的产生	杨士首	辽宁大学学报·哲社版(沈阳)—1991,(5):72-74
《诗经》五首篇名试解	杨合鸣	辽宁大学学报—1991,(5):75-76
小议"小姑始扶床"	林延君	辽宁大学学报—1991,(5):77
几个表情感的词的源	曾光平	河南大学学报·社科版(开封)—1991,(5):81-83
《释名》声训的文化内涵	卢烈红	中州学刊(郑州)—1991,(5):82-87
论"楚辞"注解的难与易——兼评陈子展先生的《楚辞直解》	周斌武	复旦学报·社科版—1991,(5):85-90

说"封"	姚炳祺	广东社会科学—1991,(5):96-97
敦煌吐鲁番文献词语校释	黄幼莲	杭州师范学院学报·社科版—1991,(5):101-109
"碗盘"乎?"五碗盘"乎?——《世说新语》阅读一题	骆晓平	文史知识—1991,(5):102-103
《小尔雅义证》引例校正	子叶	四川师范学院学报·哲社版(南充)—1991,(5):145-146
"历史"一词探源	彭忠德	辞书研究—1991,(5):150-152
释"故"	蒋宗许	中国语文(北京)—1991,(5):399
文言文注释刍议	李志龙	中学语文—1991,(6):17-20
释"舍皆取诸其宫中而用之"之"舍"	李恩江	语文知识(郑州)—1991,(6):35-38
古代表示亲属关系的几个称谓	葛全德	语文学习—1991,(6):38-39
古代短时词辨释	王作新	语文学习—1991,(6):39-40
《广雅·释诂》疏证以声音通训诂发覆	崔枢华	北京师范大学学报·社科版—1991,(6):39-53
王念孙的"连语"新探	吕政之	语言文字学(北京)—1991,(6):49-54
古汉语词义系统中的量变质变关系	黄易青	北京师范大学学报·社科版—1991,(6):69-78
《左传》"相从为愈"旧解辨正——兼及"相"由互到偏之演进	周之朗	北京师范大学学报·社科版—1991,(6):83-86,112
释"外承欢之约约"	天鹤 天华	文史知识—1991,(6):89-90
"面缚"释义商兑——兼谈中学文言文中的正反同辞	夏麟勋	西北大学报—1991,(6):94-95
《诗经》"木"字说	邢公畹	中国语文(北京)—1991,(6):449-450
敦煌变文词义商榷	董希谦 马国强	中国语文—1991,(6):467-468
紧县、望县	蒋宗许	中国语文—1991,(6):478
说"规矩"	立励	中文自学指导—1991,(7):43-44
说"神"	肖丹	语文建设—1991,(7):46
论训诂引据法	周复纲	语言文字学(北京)—1991,(7):50-57
简谈古汉语词的特定含义——兼说"都"、"国"	詹鄞鑫	中文自学指导—1991,(8):41-42
说义理对训诂的制约作用	傅卓荦	中文自学指导—1991,(8):42-44
"河苦而不平"新解	盛济民	中文自学指导—1991,(8):46
《桃花源记并诗》"复"字新释	阚绪良	中文自学指导—1991,(8):47-48
说"脚"	王云路	中文自学指导—1991,(8):48
"辇"及其释义	程邦雄	文史知识—1991,(8):105-106
从语法角看《周易》"贞"字的训诂	吴辛丑	语文月刊—1991,(9):9-11
"亲戚"释义质疑	于其	语文教学之友—1991,(9):24-25
说"胜贵"及其他	方青稚	中文自学指导—1991,(9):39
说"追逐"	戴娟	中文自学指导—1991,(9):41

篇名	作者	出处
图清、屏、偃——厕所名字及其文化内涵	王　新　作	语文建设—1991,(9):46-47
论方以智的音转学说	顾　之　川	语言文字学(北京)—1991,(9):58-64
孤寡不穀本义探	刘　秉　忠	语言文字学(北京)—1991,(9):75-77
《水经注·三峡》中的"奔"和"以"	涂　太　品	文史知识—1991,(9):108-110
为"计极"进一解	朱　碧　莲	中文自修—1991,(10):33
"华衣乘马"辨析	吴　康　君	语文教学与研究—1991,(10):41-42
释"魁父之丘"的"之"	严　　　慈	中学语文教学—1991,(10):45-47
文言文词义判定八法	崔　治　峰	语文教学通讯(临汾)—1991,(10):46-47
王字本义试探	齐　文　心	语言文字学(北京)—1991,(10):50-54
谈"头颅"	齐　冲　天	文史知识—1991,(10):108-111
古代官吏任命、调动、升贬常用词例释	杨　崇　理	中学语文教学参考—1991,(11):37
使用文言词语要注意规范	徐　耀　民	语文建设(北京)—1991,(11):41
"冶"字的一种古义	王　学　勤	语文建设(北京)—1991,(11):42-43
"吴"字本义考	詹　鄞　鑫	中文自学指导—1991,(11):47-48
"国"与"域"	徐　莉　莉	中文自学指导—1991,(11):49,43
《烛之武退秦师》中的"说"字	汪　少　华	文史知识(北京)—1991,(11):108-109
《木兰诗》注解订疑	席　文　天	文史知识(北京)—1991,(11):110-111
"阏氏"考辨	储　先　亮	中学语文—1991,(12):22-23
古汉语中的"说"	郭　　　飞	语文教学之友—1991,(12):36
钱钟书先生说"互文"	臧　克　和	语文学习—1991,(12):37-38
说"德行"	刘　志　基	语文学习—1991,(12):40-41
"省恐"试释	张　涌　泉	古籍整理研究学刊—1992,(1):11-12
古汉语指示代词的转化	段　德　森	语文研究—1992,(1):12-17
说"鼎新"	黄　镇　华	语文教学与研究—1992,(1):15
试说虚词"者""所"的内在联系	何　坦　野	中文自修—1992,(1):24
释"英"	马　国　强	黄淮学刊·社科版—1992,(1):30-31
卜辞"勿中"释义	汤　余　惠	考古文物—1992,(1):40
耦耕解	钱　　　玄	南京师大学报—1992,(1):54-56
《说文》中的"气"字及气论	杨　清　澄	怀化师专学报·社科版—1992,(1):59-65
秦之"过"安在	杨　明　训 张　明　谦	语文教学通讯—1992,(1):62-63
汉魏六朝俗语词杂释	方　一　新	中国语文(北京)—1992,(1):64-68
雅学史初探(上)	赵　世　举	语言文字学(北京)—1992,(1):66-74
雅学史初探(下)	赵　世　举	语言文字学(北京)—1992,(1):74-84
《方言》中的卫宋方言	李　恕　府	天府新论—1992,(1):71-75
"筚路"考	张　　　君	湖北大学学报·哲社版(武汉)—1992,(1):71-76
浅谈古汉语词义的外部求证	高　一　勇	四川大学学报·哲社版(成都)—1992,(1):75-79
汉语造词与传统哲学观、伦理观	郭　锦　桴	中国人民大学学报(北京)—1992,(1):76-81

标题	作者	出处
"追释"分类例说	张剑	营口师专学报·哲社版—1992,(1):79-80
释"对":《诗经》字义探源之一	王敬骝	云南民族学院学报(昆明)—1992,(1):80-83
中国传统词法研究的虚字阐释形态	申小龙	求是学刊(哈尔滨)—1992,(1):83-88
金文"对扬"历史观	虞万里	语言研究(武汉)—1992,(1):84-95
谈古文中的多音多义词	刘维祥 黎潞	佳木斯教育学院学报—1992,(1):86-88
《墨子》复音词初探	钱光	甘肃社会科学(兰州)—1992,(1):89-97
佛经用词特色杂议	梁晓虹	语言文字学(北京)—1992,(1):98-101
训诂术语补正	卢烈红	河北师院学报·社科版(石家庄)—1992,(1):106-108,142
试谈"敢,不敢也"	苗文利	聊城师范学院学报·哲社版—1992,(1):117-119
试评《孟子集注》的训诂得失	曹小云	淮北煤师院学报·社科版—1992,(1):123-128
读骚札记	郭晋稀	古籍整理研究学刊—1992,(2):1-3
训诂学与现代阅读学	谢双成	语文学习—1992,(2):7-9
《"利屣"臆解》质疑	陈延嘉	古籍整理研究学刊—1992,(2):8-9,7
《汉书》师古注的虚词研究	王宇	古籍整理研究学刊—1992,(2):15-19
释"欧""鸥""沤"	张民	贵州民族研究(贵阳)—1992,(2):17-22
训诂浅说	蒋礼鸿	汉字文化(北京)—1992,(2):30-33
《通诂》释疑举隅	刘廷武	四川师范学院学报·哲社版(南充)—1992,(2):31-39
论《左传》"率领"义之"以"	钱坤	绥化师专学报·社科版—1992,(2):34-37
"可以"确诂	杨猛	语文学刊(呼和浩特)—1992,(2):41
《史记》词语拾诂四例	赵宣	盐城教育学院学报—1992,(2):42-44
苏轼诗文俗语词辑释	黄征	宁波师院学报·社科版—1992,(2):44
关于上古汉语中"有"字的无定代词用法	张其昀	盐城师专学报·哲社版—1992,(2):52-55,36
古汉语单音词散论	孟广道	语言文字学(北京)—1992,(2):54-57
慧琳《一切经音义》转注、假借考	解冰	贵州大学学报·社科版(贵阳)—1992,(2):55-64
"顶"的本义和引申义辨析	张仁立	语文教学通讯—1992,(2):62-63
杜诗"屋漏"新解异议	靖微	怀化师专学报—1992,(2):64-66
慧苑及《华严经音义》的几点考证	刘春生	贵州大学学报·社科版(贵阳)—1992,(2):65-68
《老子》"同词反义"浅探	商聚德	河北大学学报·社科版(保定)—1992,(2):67-73,96
镳斗考	张小东	故宫博物院院刊—1992,(2):82-85
王念孙训诂述评	张治樵	四川师范大学学报·社科版(成都)—1992,(2):90-96
"益、石"分合及其涵义	张光宇	语言研究—1992,(2):91-99
《说文》与先秦文献词义	宋永培	青海师大学报·哲社版—1992,(2):93-100
论训诂在文学赏析中的应用	黎汉鸿	广西民族学院学报·哲社版—1992,(2):105-109
试论反训中的辩证法	罗少卿	武汉大学学报·社科版—1992,(2):105-110

标题	作者	出处
释"还归细柳营"中的"还"	郭征宇	中国语文(北京)—1992,(2):108
《侗款》的"款"字探源——兼谈"都"字	吴治德	贵州民族研究—1992,(2):145-149
释"方"	刘又辛 张博	语言研究—1992,(2):150-155
商品牌名的选定技巧	甘于恩	语文月刊(广州)—1992,(3):9-10
也说《诗·新台》之"鸿"	汪维辉	古籍整理研究学刊—1992,(3):35-36
古汉语词义研究巨著《古词辨》介绍	珊瑚	古籍整理研究学刊—1992,(3):37-41
反训研究的可贵收获:谈徐世荣《古汉语反训集释》	曹先擢	语文研究(太原)—1992,(3):39-41
古代妇女代称种种	杨一吾	修辞学习—1992,(3):43
释"唯陈言之务去"	刘国盈	北京师范学院学报·社科版—1992,(3):53-59
训诂方法之我见	姚继舜	解放军外语学院学报(洛阳)—1992,(3):55-60
从《诗经》看古汉语判断词"是"的产生	王霁云	齐齐哈尔师院学报—1992,(3):69-70
训诂笺识	韩峥嵘	吉林大学社会科学学报(长春)—1992,(3):76-80,95
六朝语词杂释	蒋宗许	四川大学学报·哲社版(成都)—1992,(3):78-82
王力主编《古代汉语》若干释义商榷	余福智	佛山大学学报—1992,(3):99-100
王力《古代汉语》诂训质疑	杨凤萍 关童	浙江大学学报·社科版—1992,(3):110-112
"野人与之块"正解	崔俊清	文史知识—1992,(3):115-116
论邢昺的《尔雅疏》	赵伯义	河北师院学报—1992,(3):120-127
哀成叔鼎"盌夓"解	赵平安	中山大学学报·社科版—1992,(3):129-130
说"瘖生"、"昼寝"及其他	马固钢	湘潭大学学报·社科版—1992,(3):141-144
"和"非铎于	谢芳庆	中国语文(北京)—1992,(3):237
释"刍""刍荛""刍豢""飞刍挽粟""刍狗"	李人鉴	扬州师院学报·社科版—1992,(3):119-122
汉魏六朝语言研究与古代疾疫	王云路	杭州大学学报·哲社版—1992,(3):131-135,130
披沙终见宝,苦草何成编——"六绝"群书异释说略	王同策	古籍整理研究学刊—1992,(4):1-3
楚辞"兮"字说	陈士林	民族语文(北京)—1992,(4):1-6
文心雕龙疑义辨析举隅:《乐府》,八条	张灯	贵州师范大学学报·社科版(贵阳)—1992,(4):6-9
说"铭"	朱承挥	宁波师院学报·社科版—1992,(4):11-18
也谈"新发于硎"	牛鸿恩	北京师范学院学报·社科版—1992,(4):20-21
词义辨释二则	元木	河北师范大学学报·社科版(石家庄)—1992,(4):27-29
《尔雅·释诂·释言》的同义原则	张德意	江西教育学院学报·综合版(南昌)—1992,(4):27-32
古代语词类活用与修辞	叶正渤	修辞学习—1992,(4):28
说"孰与"与"孰若"	王阜彤	语文研究—1992,(4):30-31,28
《孔雀东南飞》中表示"说"的词语	孙民立	逻辑与语言学习(石家庄)—1992,(4):37-38

古汉语中语气助词"也"和"矣"的用法区别	张以民	中文自修—1992,(4):43
古诗词中"一"字的运用及其艺术效应	岳梅珍	衡阳师专学报·社科版—1992,(4):50-52
先秦形容词后缀"如、若、尔、然、焉"考察	张博	宁夏大学学报·社科版—1992,(4):58-66,73
《文心雕龙·颂赞》疑义辨析举隅	张灯	贵州大学学报·社科版(贵阳)—1992,(4):71-75
关于《观猎》诗中"还"字意义的商榷	赵宾	牡丹江师范学院学报·哲社版—1992,(4):74-75
苏轼对婉约词的雅正	王利华	内蒙古师大学报·哲社版—1992,(4):74-78
《诗经》名物训诂史述略	余家骥	内蒙古师大学报·哲社版—1992,(4):79-84,122
说卜辞中的"至日"、"即日"、"戠日"	张玉金	考古与文物—1992,(4):82
词义引申中的遗传义素	张联荣	北京大学学报·哲社版—1992,(4):82-90
中古以后表令未的单音词	侯兰笙	西北师大学报·社科版(兰州)—1992,(4):87-91
疑义相与析	祝秉权	贵州师范大学学报·社科版(贵阳)—1992,(4):90-91,75
先秦"同义词区别使用"的理据	罗积勇	武汉大学学报·社科版—1992,(4):91-96
析"文"	黄保真	中国人民大学学报—1992,(4):97-106
释"越×日(月、年)"的"越"	张斯忠	文史知识(北京)—1992,(4):101-102
略论用于专名的语间助词"之"——兼释"魁父之丘"	汪泰荣	江西师大学报·哲社版—1992,(4):118-121
训诂札记	王宏理	杭州大学学报·哲社版—1992,(4):136-138
唐五代宋元集体量词的发展	赵中方	南京大学学报·哲社版—1992,(4):153-157
从"补阙"看训诂学在语文教学中的应用	陈湘	阅读与写作—1992,(5):26-27
古代汉语同素逆序词历时演革浅探	千里	杭州师院学报—1992,(5):59-62
古汉语中词与词组的辨析	徐乃忠	语言文字学(北京)—1992,(5):75-77
"块"字释义与语言的社会性	李润	四川师范学院学报·哲社版—1992,(5):83-87
《论语》"是"字简论	牛宝彤	北京师范学院学报·社科版—1992,(5):86-92
《白虎通》对训诂学的贡献	卢烈红	武汉大学学报·社科版—1992,(5):99-105
说《垓下歌》中的"逝"字	师为公	文史知识—1992,(5):100-102
"豕"、"彘"辨	程义铭	文史知识—1992,(5):108-110
《伐檀》"变文"字义新解	陈柏华	江海学刊—1992,(5):151
也谈"死海不死"的"死"——与王达五同志商榷	郑延喻	语文教学通讯—1992,(5-6):101
"公将驰之"的"驰之"应如何解释	元木	语文教学通讯—1992,(5-6):103
适当的字训不可少	丘厄	语文教学之友—1992,(6):6-7
"衙门"辨证	郑红	语文建设—1992,(6):40-41
"混沌"转语记:民俗训诂学举例之一	吴泽顺	语言文字学(北京)—1992,(6):41-44
杜预虚词观初探	王宇	古籍整理研究学刊—1992,(6):44-47
《经传释词》黄侃批语略评	杨合鸣	武汉大学学报·社科版—1992,(6):103-106

标题	作者	出处
释《诗经》和《楚辞》中的"爱"	罗英凤	学术研究（广州）—1992,(6):117-120,111
《搜神记》复音词研究——重叠式和附加式	李新建	郑州大学学报·哲社版—1992,(6):101-103
"患得之"解	王大年	湖南师范大学学报—1992,(6):114-115
"行歌"、"拟"训释	杨克明	语文教学通讯—1992,(7):65
虚数说——兼及"唐时酒价"之辨	欧阳鹏程	阅读与写作—1992,(8):24
说"不废"	王云路	语文建设—1992,(8):29
两汉四部训诂专著作者的语言观	康建常	语言文字学（北京）—1992,(8):57-66
虫部字及其文化蕴含	李海霞	文史知识—1992,(9):121-124
1991年的训诂学研究	王宁	语文建设—1992,(11):10-11
例释文言句子中的"可以"	谢达淄	语文教学与研究—1992,(11):43
"胡卢"释义	胡渐逵	语言知识—1992,(11):100-102
《论语》中的"而后""而已""既而""然而"	陈宝勤	电大语文—1992,(11-12):46-48,77
古今汉语"婉词"浅释	王俊英	电大语文—1992,(11-12):90-91
试释"按酒"之"按"	周建成 冯汝汉	语文月刊（广州）—1992,(12):5
古汉语的单音词	郑超	语文知识（郑州）—1992,(12):23-25
释"闺"	陈岳文	语文月刊（广州）—1992,(12):26
"师"和"医师"	王云路	语文建设（北京）—1992,(12):35
"大方""小气"古今谈	肖武	语文建设（北京）—1992,(12):36-37
古人怎么走路	任泽	语文月刊（广州）—1992,(12):43
"间"字并非指"小路"	张永扬	语文月刊（广州）—1992,(12):45
论《诗经》训诂的一个方法	秦学颀	西南师范大学学报·哲社版（重庆）—1992,(专刊):86-89
"不屑"试解	杨忠诚	学语文—1993,(1):22
传统文化典籍的符号特征与典籍阐释	邓生庆	哲学研究—1993,(1):26-33
《小尔雅》概说	赵伯义	古籍整理研究学刊—1993,(1):27-30
《荀子》"而为"辨析	方有国	贵州教育学院学报·社科版（贵阳）—1993,(1):31-34
释"窾"——关于双声为训与叠韵为训的结合	齐冲天	汉字文化—1993,(1):33-37
阴阳五行说在汉语词汇中的投影	盛九畴	上海教育学院学报—1993,(1):35-38
《宋书》词语札记	余让尧	江西大学学报·社科版—1993,(1):37-41,45
从帛书异文看《周易》训诂中存在的问题	吴辛丑	华南师范大学学报·社科版（广州）—1993,(1):38-42
语言哲学侧记：中国传统训诂学"统言—析言"的认识论分析	李亚明	蒲峪学刊（齐齐哈尔）—1993,(1):39-43
屈赋中的重言词和联绵词	廖晓桦	江西大学学报·社科版—1993,(1):42-45
"思无邪"新论	杨敏	陕西师大学报·哲社版—1993,(1):52

"反训"的提法欠妥	冯浩菲	辞书研究—1993,(1):52-54
浅议"敢"字可以训"能"	纪国泰	成都师专学报·文科版—1993,(1):52-54
谈"化学(chemistry)"一词的起源	潘吉星	情报学刊—1993,(1):67-70
词义考辨三则	李先华	汉中师院学报·哲社版—1993,(1):72-74,71
训诂学的历史、现状和未来	华学诚	扬州师院学报·社科版—1993,(1):74-79,130
古代文化词辨析二则	黄金贵	天津师大学报·社科版—1993,(1):75-80
训诂札记五则	谭峰	湖北民族学院学报·社科版—1993,(1):84-87
"有如"、"忽如"溯源	曾良	九江师专学报·哲社版—1993,(1):85-86,84
试论汉语"人"的来源——兼及汉族和汉语的来源	张树铮	山东师大学报·社科版—1993,(1):93-96
古代短时词语的构成方式	王海棻	镇江师专学报·社科版—1993,(1):93-97
浙江训诂学研究概述	傅杰	浙江社会科学—1993,(1):98-101
也谈"之"的本义	张政英	许昌师专学报·社科版—1993,(1):100-105
"劣"字表义浅析	张生汉	语言研究—1993,(1):114-118
汉文佛典中的"著"	李维琦	湖南师范大学社会科学学报(长沙)—1993,(1):115-120
释"河"	李梦龙	语言研究—1993,(1):119
省陌制度名词通考	彭占清	辞书研究—1993,(1):136-144
"神川"考	潘发生	西藏研究—1993,(1):137-138
"去往"之"去"的训释和用例	肖贤彬	辞书研究—1993,(1):144-145
从修辞的观点来训释词句	池太宁	台州师专学报·社科版—1993,(1-2):52-55
说"秃""充""失""俰"	梁东汉	汕头大学学报·人文版—1993,(2):1-5
古汉语常用多音多义字	李忠田	营口师专学报·哲社版—1993,(2):11-17
释"后"	郭焰坤	文史杂志—1993,(2):15-16
"买""卖"有缘分	刘建国	语文知识(郑州)—1993,(2):20-21
"二百五"语源新考	兰殿君	黑龙江日报—1993,(2):24,7
文言词语的俚俗化现象	苏宝荣	语文建设(北京)—1993,(2):27-28
"音乐"首出《大乐》质疑	姜兆周	中国音乐—1993,(2):29-31
《太平广记》词义散记	周志锋	古籍整理研究学刊—1993,(2):29-33
"浴乎沂"诂正	杨振国	盐城师专学报·哲社版—1993,(2):31-33
论《尔雅》的实用性	管锡华	安徽教育学院学报·哲社版—1993,(2):34-37
保定地区方言古语词释例二	刘广智	承德民族师专学报—1993,(2):35-38
训诂传注与专著散论	康建常	殷都学刊—1993,(2):36-40,45
论训诂统计法	周复纲	贵州教育学院学报·社科版—1993,(2):36-43
语言哲学侧记:古代汉语反训的认识论分析	李亚明	大庆师专学报—1993,(2):41-42,80
古时语的特质	孟肇咏	语文研究(太原)—1993,(2):46-50
存同求异 探幽察微:古汉语同义词辨析举隅	高昱华	河南师范大学学报·哲社版(新乡)—1993,(2):53-56

标题	作者	出处
"凿空"别解	星汉	贵州师范大学学报·社科版—1993,(2):55-56
先秦骂人语言的发展和归宿	刘福根	青海师范大学学报·社科版—1993,(2):63-68,72
建木考	吴泽顺	求索—1993,(2):69-72
训诂研究二题	王海根	四川师范大学学报·社科版(成都)—1993,(2):72-74
读《包山楚简》偶记,"受贿"、"国帑"、"茅门有败"等字词新义	夏渌	江汉考古—1993,(2):77-85
文言文词语训释三则	程瑞君	天津师大学报·社科版—1993,(2):78-79
说"趋"	周文德	四川师范大学学报·社科版(成都)—1993,(2):79-81
立足于阐发汉民族传统文化真谛——论训诂研究的价值系统取向	李亚明	北方论丛—1993,(2):102-103
哈密汉话中的古汉语词(下)	张洋	新疆大学学报·哲社版—1993,(2):105-110
"并皆"辨释	张志达	北京师范大学学报·社科版—1993,(2):111-112
古代文化词辨释二篇	黄金贵	杭州大学学报·哲社版—1993,(2):115-123
漫谈"行"字的义项问题	张福印	河北师院学报·社科版—1993,(2):116-119
反训刍议	李国正	厦门大学学报·哲社版—1993,(2):116-121,87
"食"、"蚀"略说	庞子朝	文史知识—1993,(2):117-119
关于中古汉语的"自"和"复"	姚振武	中国语文(北京)—1993,(2):143-150
"茶"字的字源学考证	龚淑英	语文研究—1993,(3):7-11
训诂三则	方文一	浙江大学学报·社科版—1993,(3):18-19,34
太平天国文献注释指瑕——兼谈训诂的运用	刘村汉	广西师范大学学报·哲社版—1993,(3):25-32
"龍"字解说	王笠荃	汉字文化—1993,(3):26-31
量词产生与发展之我见	努尔哈比勒·苏里堂躯甫文,李冬梅译	语言与翻译—1993,(3):30-34
文言文的单音词、复音词辨析	周秀芳	语文教学论坛—1993,(3):33
"伤"字的一个特殊意义	王典馥	语文知识(郑州)—1993,(3):39
"谓"、"曰"的异同及合用	孙民立	学语文—1993,(3):39
古汉语偏义复词刍议	李索	逻辑与语言学习—1993,(3):47-48
略论现代汉语一般疑问语气助词的由来	王修力	镇江师专学报·社科版—1993,(3):51-54
《史记注释》疑义举例	王永安 王立军	河南师范大学学报·哲社版—1993,(3):55-59
扬雄《方言》中的"东齐"考辨	汪启明	四川大学学报·哲社版—1993,(3):59-64
试论钱大昕的字词考释	肖建春	西南民族学院学报·哲社版—1993,(3):60-67
论古代文化词语的训释	黄金贵	天津师大学报·社科版—1993,(3):64-72,32
同源词拾零	李玉	四川大学学报·哲社版—1993,(3):65-69

论反训的产生、发展和消亡	王玉鼎	延安大学学报·社科版—1993,(3):82-87,93
"铿锵"解诂	张涌泉	文学遗产—1993,(3):94-95
《论语》"侍坐"撰字训释质疑	张振兴	吉林大学社会科学学报—1993,(3):96-封三
王梵志诗语词札记	王继如	南京师大学报·社科版—1993,(3):102-108
"夏"名新考	窦志力	学术研究—1993,(3):104-105
释自	何金松	中南民族学院学报·哲社版—1993,(3):115-117
关于无名类、历类卜辞中用辞性质的考察	黄天树	陕西师大学报·哲社版—1993,(3):119-122
汉语"苦力"词源考略	华昶	学语文—1993,(3):331-332
试论《说文解字》中的互训	王广聪	宁夏教育学院银川师专学报·社科版—1993,(4):14-19
"腹、厚也"旧训质疑	吕朋林	古籍整理研究学刊—1993,(4):21-23
《孟子》"良"字释义	姚振武	语文研究—1993,(4):24-25
"相望"补释	李炜	语文研究—1993,(4):26,25
得、旱之分合及其与悥、德之通假	姚炳祺	海南师院学报—1993,(4):33-35
"瓜子"考辨	雒江生	西北师大学报·社科版—1993,(4):33-37
文言词语的几种多词一义现象	马全德	语文教学通讯(临汾)—1993,(4):44-45
《颜氏家训》中反映魏晋南北朝时代特点的语词的研究	王小莘	华南师范大学学报·社科版—1993,(4):46-55
释"所"	华星白	解放军外语学院学报—1993,(4):47-48,59
《颜氏家训》中的"断代"性词义现象研究	魏达纯	华南师范大学学报·社科版—1993,(4):56-65
《诗经》与汉语词汇	向熹	河北师院学报·社科版—1993,(4):58-63,99
《诗经》与汉语词汇(续)	向熹	河北师院学报·社科版—1994,(1):68-73
唐宋俗语释例	秦崇海	河南大学学报—1993,(4):65-67
训诂功能摭谈	张帜	锦州师院学报·社科版—1993,(4):73-77
"训诂"的由来及含义	黄怀信	西北大学学报·哲社版—1993,(4):79-81
论"所""可"互训	杨郁	语言文字学—1993,(4):79-82
方俗语源杂释	陈五云	上海师范大学学报·哲社版—1993,(4):127-130
俚语以"牧童"为"芒儿"小考	潘荣生	中国语文—1993,(4):314,318
《尔雅》古今研究述评	吴礼权	古籍整理研究学刊—1993,(5):12-16
古汉语同义复词的修辞阐释	毛学河	修辞学习—1993,(5):19-20,19
江南·江东·江左·江表	马志国	语文月刊—1993,(5):22
"荆""楚"趣谈	高天友	语文月刊—1993,(5):25
"行""走""趋""步"辨义	郑炳泉	语文知识(郑州)—1993,(5):39
"有以""无以"析解	苏瑞卿	辽宁师范大学学报·社科版—1993,(5):42-45
关中农村保存的古汉语	武伯纶	文博—1993,(5):43-45
《诗经》异文类型研究	张树波	河北学刊—1993,(5):72-79
《广释词》补遗(二)	缪树晟整理 徐湘云校订	四川师范学院学报·哲社版—1993,(5):73-75

训民正音与汉文化因素	李 炬	中央民族学院学报—1993,(5):84-86,94
"万岁"的起源与演变	杜波澄	文史知识—1993,(5):126-127
"焉"字作"兼词"的基本特点	胡书仁	读写月报—1993,(6):17
古代工具书的释义与并列式合成词的形成	高元石	辽宁师范大学学报·社科版—1993,(6):57-60
《诗小学》训诂述评	张华文	云南师范大学学报·哲社版—1993,(6):94-101
训诂学理论建设在语言学中的普遍意义	王宁	中国社会科学—1993,(6):193-200
诗词曲语词考释六则	段观宋	中国语文—1993,(6):462-464
朱子语类词语杂释	姚振武	中国语文—1993,(6):465-467
"苛刻""衙署""达官"并非"满汉融合词"	肖丹	中国语文—1993,(6):468
古汉语中表"水边"的词语	张国学	语文知识—1993,(7):21
三字成语探源	莫家泉	阅读与写作—1993,(7):36-37
"何"与"谁"可以互训	杨猛	语文教学与研究—1993,(7):41
漫话"其实"	严慈	中学语文教学—1993,(7):44-46,33
"为报"是多种意义的同形异构体	刘瑞明	语言文字学—1993,(7):65-66
"孳乳"略说	知常	文史知识—1993,(7):109,111
"金石为开"置疑	张子开	文史知识—1993,(7):110-111
"爵"和"尊"	黄桂初	文史知识—1993,(7):112
《敦煌变文选注》校释商兑	黄灵庚	语言文字学—1993,(8):24-28
同源词的同源线是形象义	苏新春	语言文字学—1993,(8):29-32
说"城"及其他	高美岱	语文知识—1993,(8):33-35
释"相"	董秋成	中学语文教学—1993,(9):37-39
释"面首"	沈玉成	文史知识—1993,(9):111-112
"瓖"字的音义	赵伯义	语文建设—1993,(10):32-33
论"有"	齐冲天	文史知识—1993,(10):108-111
"A音B"训式含义种种	冯浩菲	语文月刊—1993,(11):8-9
也谈"榅桲"	周士琦	语文建设—1993,(11):47,27
古汉语多义词的辨别与选择	王国彬	读写月报—1993,(12):8-9
《百喻经》语词探微	山人	阅读与写作—1993,(12):12-13
浅谈文言文中的"异读字"	康苏	语文教学之友—1993,(12):35-36
"二百五"小考	王君	语文学习—1993,(12):40-41
从复音词与衍文的角度辨"以戏弄臣"	唐荣尧	语文月刊—1993,(12):41
推断文言词义十法	陈耀中	语文教学通讯—1993,(12):46
训诂与修辞	池太宁	语文建设通讯—1993,(40):41-44,11
"更赢"源流考	陈加亮等	盐城师专学报—1994,(1):
周代"雅言"——《关于方言古词论稿》节选	朱正义	渭南师专学报—1994,(1):15-24

《离骚》鸠、鸠新说	柯　伦	古籍整理研究学刊—1994,(1):19-21
"隐几而卧"诂正	王作新	古籍整理研究学刊—1994,(1):22-24
疑义相与析：《国语》一条注释质疑	王一鸣	汉字文化—1994,(1):34-35
"会意"训释献疑	司继庆	汉字文化—1994,(1):35-36
"幽"字探义	秦建明	庆阳师专学报·社科版—1994,(1):39
"明驼·的卢·纥逻敦"释	刘文性	语言与翻译—1994,(1):42-47
《文心雕龙》疑义辨析举隅	张　灯	贵州民族学院学报·社科版—1994,(1):43-47
古书疑辞辨例	田忠侠	绥化师专学报—1994,(1):43-49
释"昏"	刘福铸	福建师大福清分校学报—1994,(1):46-48
《诗》"既醉以酒"辨正	李中生	古汉语研究—1994,(1):51-52
自考教材《古代汉语》注释商榷	暴拯群	古汉语研究—1994,(1):55
释"羹"——兼谈对立词项的义素分析与词义解说	王作新	宜昌师专学报—1994,(1):55-58
《山海经》动植物名词形义不一致	程　泱	淮阴师专学报—1994,(1):56
"囊"、"橐"辨释	黄金贵	徐州师院学报—1994,(1):57-58
《周易》流行语及文化层面	王建堂	山西大学学报·哲社版—1994,(1):57-60
《诗经·常棣》"鄂不韡韡"考释	杨合鸣 李云贵	宜昌师专学报—1994,(1):59,45
《楚辞》楚语今证	邵则遂	古汉语研究—1994,(1):62-64
《左传》语词探讨二题	吴东平	古汉语研究—1994,(1):65-67
本义域举例	徐　山	苏州大学学报·哲社版—1994,(1):72-73
《史记》中的同义词语连用	罗正坚	安徽大学学报·哲社版—1994,(1):75-80
说"黄鹤"	严　军	杭州师范学院学报—1994,(1):79-81
释"鄙"、"固"	杨宝忠	古汉语研究—1994,(1):79-81
古汉语特殊词义的分析和理解	罗　琴	西南师范大学学报·哲社版—1994,(1):80-82
双语人"您"类词误用研究	易洪川	湖北大学学报·哲社版—1994,,(1):83-87
"摩顶放踵"正诂	马智强	古汉语研究—1994,(1):85
《水浒全传》词语汇释	卢甲文	信阳师范学院学报—1994,(1):87-91
"龚黄"与"槲叶"：《辞海》修订得失例说	王同策	吉林大学社会科学学报—1994,(1):93-95
鸠与鹬	周士琦	文史知识—1994,(1):105-107
《论语》"萧墙之内"辨义	陈世钟	孔子研究—1994,(1):115-120
"薪"字"古"义辨释	朱维德	衡阳师专学报·社科版—1994,(1):117-120
"事理"在古汉语词义辨正中的作用	李景新	淮北煤师学报—1994,(1):121-123
《游仙窟》释词补	张美兰	南京师大学报·社科版—1994,(1):126-127
《后汉书》李贤注辨析	顾义生	古籍整理研究学刊—1994,(2):5-7
谈谈《说文》言部几个字的义训	董莲池	古籍整理研究学刊—1994,(2):8-11
说"狼犺"	汪维辉	古籍整理研究学刊—1994,(2):12-13
《戏为六绝句》其二、三两首试解	顾永新	古籍整理研究学刊—1994,(2):14-16

标题	作者	出处
论《诗经》中的衬字	高 林	佳木斯师专学报—1994,(2):20-23
"莫众而迷"释义辩正	立 文	语文研究—1994,(2):27
释"姐"	庄初升	汉字文化—1994,(2):33
说"炒"	华 旭	逻辑与语言学习—1994,(2):43-45
"鸣金"不等于"敲锣"	戴金盈	逻辑与语言学习—1994,(2):47-48
"眉毫不如耳毫,耳毫不如老饕"释义辩正	立 文	语文研究—1994,(2):52
《文心雕龙·铭箴》疑义辨析举隅	张 灯	上海教育学院学报—1994,(2):53-59
《尚书》无"也"字说	钱宗武	古汉语研究—1994,(2):55-59
《许行》注释商榷	袁傲珍	绍兴师专学报—1994,(2):56-58
帛书导引图题记"㑁欤考"	廖名春	古汉语研究—1994,(2):60-61
朝聘礼仪称名通释	王作亲	宜昌师专学报—1994,(2):63-66,77
文言实词虚化的基本因素	李生信	固原师专学报—1994,(2):66-68,82
释"马包缕"	徐顺平	温州师院学报—1994,(2):67
《汇释·语辞备考录》臆考	蒋宗许	古汉语研究—1994,(2):67-69
《太平广记》词语选择二则	古敬恒	古汉语研究—1994,(2):70
关于动词"走"行义的产生问题	杨克定	东岳论丛—1994,(2):73-75
《管锥篇》校读续记	汪少华	南昌大学学报·社科版—1994,(2):79-84
诗骚疑义四例	聂振欧	新疆师大学报·哲社版—1994,(2):86-89
释"伯、叔"	黄瑞云	文史知识—1994,(2):88-90
"厥""其"在上古的历时演变	钱宗武 陈 宁	长沙水电师院社会科学学报—1994,(2):97-100,96
"城旦、城旦舂、城旦书"考译	张述铮	河北师院学报·哲社版—1994,(2):106-110
说楚辞"皇之赫戏"和"繁鸟萃棘"——楚辞文化语辞考绎(一)	江林昌	杭州大学学报·哲社版—1994,(2):130-136
"羊狠狼贪"和"述而不作"的本义	连登岗	辞书研究—1994,(2):145-147
读《诗》说"麟":兼说"驺虞"	周 蒙	蒲峪学刊—1994,(3):1-4
"田畯""后稷"考	张希峰	古籍整理研究学刊—1994,(3):7-9
《诗经》《尚书》中"诞"字的研究	张玉金	古汉语研究—1994,(3):34-37
"已"字正诂	唐遇春	语文月刊—1994,(3):43
《说文段注》的同源词研究	陆忠发	古汉语研究—1994,(3):45-47
先秦单音反义词简论	饶尚宽	新疆师大学报·哲社版—1994,(3):46-53
据《广雅·释诂》论古词同义	曹国安	古汉语研究—1994,(3):48-49,75
古汉语单音同义词双音化问题初探	王浩然	河南大学学报·哲社版—1994,(3):52-55
古汉语词语琐记	曾 良	南昌大学学报·社科版—1994,(3):63-66
释美	郑 红 陈 勇	古汉语研究—1994,(3):64-67
"何遽"辨	钟业枢	古汉语研究—1994,(3):68-70
水·浍·江·河·川词义辨析	黄金贵	湖北大学学报·哲社版—1994,(3):69-72

《后汉书》札记	顾义生	古汉语研究—1994,(3):72-75
《周礼》汉注"读为(曰)"、"读如(若)"新探:略兼及《说文》"读若"例	江中柱	湖北大学学报·哲社版—1994,(3):73-78
语文版《古代汉语》注释商榷	汪少华	古汉语研究—1994,(3):76-80
"况"和"况且"义	朱运申	古汉语研究—1994,(3):81,67
"放蛊"真相略考	谭新民	贵州文史丛刊—1994,(3):81-82
王力主编《古代汉语》词义注释指瑕	张新武	新疆大学学报—1994,(3):102-105
魏晋南北朝俗语词辑释	黄征	杭州大学学报·哲社版—1994,(3):104-107
"台"辨	张爽	杭州大学学报·哲社版—1994,(3):116-118
徐锴对《说文》释义的阐发与补正	古敬恒	徐州师范学院学报·哲社版—1994,(3):124-127
试论古汉语中"黑"与"微""黴""墨""煤"之关系	黄英	四川师范大学学报·社科版—1994,(3):136-139
释"姆"	沈洪保	辞书研究—1994,(3):137-138
关于古汉语中"然而"表顺接问题的讨论	谢质彬 李先耕	中国语文—1994,(3):231-235
乐府民歌中的新词新义:兼论新旧词的特点	刘翠	安徽师大学报·哲社版—1994,(3):333-338
"捐失成功"别解	张克哲	学语文—1994,(4):9
"嗟来食"考辨	李思乐	古籍整理研究学刊—1994,(4):20-22
试析"这"(者、遮)字早期用例作用	陈卫兰	语文研究—1994,(4):25-27
也说"隐几而卧"	吴郁芳	古籍整理研究学刊—1994,(4):30-31
魏晋南北朝词语杂释	朱城	古籍整理研究学刊—1994,(4):31-35
典故词释义识小	管锡华 俞莉莉	学语文—1994,(4):34-36
词语札记	王宣武	唐都学刊—1994,(4):42-47
大数的名称及其他:语言与文化杂谈之一	吕朋林	汉语学习—1994,(4):43-46
《文心雕龙·定势》疑义辨析举隅	张灯	贵州社会科学—1994,(4):54-59
释"披靡"与"辟易":联锦绵字分释举例之一	白平	山西大学学报·哲社版—1994,(4):56-58
"庸"字考释	杨福泉	古汉语研究—1994,(4):68-69
"艳曳"解诂	关童	古汉语研究—1994,(4):70,58
"蛮"为古代壮族族称考	李连进	民族语文—1994,(4):70-71
释"吟口"	黄群建	古汉语研究—1994,(4):91
《庄子·秋水》语词疑解	贾齐华 李义海	信阳师范学院学报—1994,(4):91-95
滦州影卷	魏力群	河北师院学报·哲社版—1994,(4):92-97
释"螯"	施谢捷	南京师大学报·社科版—1994,(4):112-117
借重方言探明古书字义真谛	王海根	徐州师院学报—1994,(4):115-118

标题	作者	出处
《后汉书》词语札记	何亚南	南京师大学报·社科版—1994,(4):118-121
"夷"字的方言义	闵家骥	辞书研究—1994,(4):140-141
"土著"的"著"辨音释义	李润	辞书研究—1994,(4):141-143
《诸病源侯论》释词	王云路	杭州大学学报·哲社版—1994,(4):181-183
论佛教词语对汉语词汇宝库的扩充	梁晓虹	杭州大学学报·哲社版—1994,(4):184-191
唐诗注释举疑	潘竟翰	安徽师大学报·哲社版—1994,(4):436-440
关于马王堆和张家山出土医书中两个词语解释的辨正	刘钊	古籍整理研究学刊—1994,(5):34-35
《说文》"诸,辨也"试解	董莲池	古籍整理研究学刊—1994,(5):40-42
《淮南子·时务篇》"赏有功"辨正	傅亚庶	古籍整理研究学刊—1994,(5):42-43
《唐律疏议》"以""准"字例析	霍存福 丁相顺	吉林大学社会科学学报—1994,(5):42-47
"彼"字的辨析	孙心伟	辽宁师范大学学报·社科版—1994,(5):45
《古代"死"的别名》补遗	吕友仁 冯好杰	河南师范大学学报·哲社版—1994,(5):68-74
说"怒目"	曾良	文史知识—1994,(5):103-104
《红楼梦》儿化词初探	海洋	中南民族学院学报·哲社版—1994,(5):121-125
"围"字释义正	李光华	辞书研究—1994,(5):128-131
说"葵"	徐传武	辞书研究—1994,(5):132-134
《山海经》中的"原"	王宗祥	中国语文—1994,(5):398-399
名物词语考辨九则	马振亚 王惠莲	古籍整理研究学刊—1994,(6):41-43
从上古同源词看上古汉语四声别义	孙玉文	湖北大学学报·哲社版—1994,(6):63-70
"药栏"本义探赜发覆;兼析历代学者之诠解误释	马天祥	语言文字学—1994,(7):71-74
释"方局"	刘翠	文史知识—1994,(7):100-101
"拜"礼仪和语义	朱玲	文史知识—1994,(7):102-104
"摩顶放踵"正诂	马智强	语言文字学—1994,(8):35
古今白话同形异义词例析	周照明	语文学习—1994,(8):38-39,25
"堕于橐驼前"释	刘喜军	文史知识—1994,(8):98-100
《离骚》灵氛筮语用两"日"字发微	黄录庚	文史知识—1994,(8):101-103
如何理解"嗟来之食"的"来"字	许锡强	语文世界—1994,(9):13
"偏袒"辨	胡念耕	语文知识—1994,(9):34-35
"田畯""后稷"考	张希峰	语言文字学—1994,(9):45-47
关关、复关、间关——《诗经》疏证之一	胡振华	文史知识—1994,(9):99-102
古代表示官职变更的常用词语例释	郝宝群	语文教学之友—1994,(11):38-39
释《朱子语类》中的"撮""绰":与袁庆述先生商榷	保洪峰	武当学刊·社科版—1994,(11):48-51
释"脩能"	胡培俊	湖北教育学院学报—1994,(11):91-92
"三寸丁谷树皮"诠释	张泽	文史知识—1994,(11):106-107

释"家"	黄 颉	文史知识—1994,(11):108-111
兮兮复兮兮	陈无忧	语文学习—1994,(12):37-38
朱熹集注释例	石云孙	安庆师院学报·社科版—1995,(1):2-9
黄侃先生对汉魏六朝词语的研究	苏 瑞	古汉语研究—1995,(1):14-15
《太平经》语词诠释	王云路	语言研究—1995,(1):15-19
《论衡》中的"虽然"不是复合连词	王志瑛	汉字文化—1995,(1):18,20
说"兮"	王家祥	汉字文化—1995,(1):19-20
"坐"义梳厘	周国光	学语文—1995,(1):22-23
释"零""落"兼释"受""萚"	谢质彬	河北大学学报·哲社版—1995,(1):28-33,18
《太平经》释词	王云路	古汉语研究—1995,(1):46-50,52
释"搜牢"	蒋宗许	中国语文—1995,(1):49
《论语》旧诂质疑(二则)	杨宝忠	古汉语研究—1995,(1):58-60
说声训	黄丽丽	中国语文—1995,(1):58-60
古汉语同义词辨释两组	黄金贵	山东师大学报·社科版—1995,(1):78-82
"式夷式己"理校	范三畏	古汉语研究—1995,(1):80-81
唐代文本诠释学的实绩与基本阐释风格	王勋敏	湖北大学学报·哲社版—1995,(1):93-100
高亨《诗经今注》订误	卢甲文	湖北大学学报·哲社版—1995,(1):101-106
《鸿门宴》疑难词语辨析二则	张志达	山东师大学报·社科版—1995,(1):109-112,99
《型世言》词语例释	张克哲	淮北煤师院学报—1995,(1):118-124,105
徽宗语	张天堡	淮北煤师院学报—1995,(1):125-128
唐前"辞(词)"名义源流考	周延良	河北大学学报·哲社版—1995,(2):25-30,50
"毛"是"草木"还是"苗"?	杨端志 杨 贺	语文建设—1995,(2):29-30
中国古代"文化"一词的本义	宋永培	华东师范大学学报·哲社版—1995,(2):46-52
"苦力"词源考辨	刘以焕	齐齐哈尔师院学报—1995,(2):61-65
简述《论语》成语的文化影响	史震已 张 峰	内蒙古师大学报·哲社版—1995,(2):61-68
《史记·五帝本纪》疑诂(十二则)	张家英	海南大学学报·社科版—1995,(2):78-83,89
《庄子·逍遥游》"六月息"新解	史佩信	中国语文—1995,(2):143-144
郑伯克段于鄢的"鄢"	荆贵生	中国语文—1995,(2):145-146
词义商兑三则	李惠昌	语文研究—1995,(3):37-40
形训界说辨正	马文熙	古汉语研究—1995,(3):37-43
"东家"杂谈	张民权	语文学习—1995,(3):38-39
"为"义申许	孟蓬生	古汉语研究—1995,(3):44,43
谈睡虎地秦简中的"璆"字	刘 钊	古汉语研究—1995,(3):57
《诗经》古词在内蒙古西部方言里的孑遗	卢芸生	内蒙古师大学报·哲社版—1995,(3):58-63
释"社"	雷汉卿	古汉语研究—1995,(3):60-64,76

标题	作者	出处
读《世说新语》杂识	方一新	杭州大学学报·哲社版—1995,(3):65-68
《广雅疏证》的"字异而义同"	胡继明	古汉语研究—1995,(3):69-73
释"子罕言利与命与仁"中的"仁"字	陈蒲清	古汉语研究—1995,(3):74-75
"狼狈"辨释	谢芳庆	古汉语研究—1995,(3):78,56
"无赖"词义辨误及梳理	刘瑞明	湖北大学学报·哲社版—1995,(3):108-115
表"暂"的文言词语	王治诚	语文知识—1995,(4):10-13
"敷衍"小释	周建成	语文知识—1995,(4):17-18
词的相应分化与义分词族词系列	张博	古汉语研究—1995,(4):23-30
《尚书》通假研究	钱宗武	古汉语研究—1995,(4):31-40
周札《中札》"通"、"达"词义的系统联系	宋永培	古汉语研究—1995,(4):41-44
谈《汉语大字典》在运用系统训诂资料方面的问题	王若江	古汉语研究—1995,(4):45-47,77
《诗经》词语札记	陈兴伟	古汉语研究—1995,(4):50-52,13
古代文献中几个词的来源	黄树先	古汉语研究—1995,(4):59-60
古汉语中"敢"表"能"义例说	王镆	古汉语研究—1995,(4):61-63
与否定词连用的"初"释义辨正	周建成	古汉语研究—1995,(4):65-66
释"施"	谢质彬	古汉语研究—1995,(4):67-68
"熊经"新解	李怀之	古汉语研究—1995,(4):69
释"万人空巷"的巷	汪少华	古汉语研究—1995,(4):70,68
《史记》词诂	郭芹纳	古汉语研究—1995,(4):71-73
成语正义二则	杨琳	古汉语研究—1995,(4):74,36
《古代汉语》注释商榷	许征	古汉语研究—1995,(4):75-79
弗的本义及其孳乳字训诂	丁昌信	古汉语研究—1995,(4):76-77
释"遮要"、"挺"	方向东	古汉语研究—1995,(4):78-79
《孔雀东南飞》注释商榷	张帆影	古汉语研究—1995,(4):80,44
高中文言词语注释札记	刘敬林	古汉语研究—1995,(4):81-83
联绵词名义再认识	关童	浙江大学学报·社科版—1995,(4):125-131
言约而事半:谈《左传》的军事用语	王颖	解放军外语学院学报—1995,(5):61-63,44
释"泰"	刘汉生 阎鸿	武汉大学学报·社科版—1995,(5):99-102
《尔雅》分卷与分类的再认识:《尔雅》的文化学研究之一	许嘉璐	中国语文—1995,(5):321-329
释卜辞中的范围副词"率":兼论诗中"率"字的用法	詹鄞鑫	华东师范大学学报·哲社版—1995,(6):174-180
"道、歧、旁、衢、康、庄"义辨	张勇	语文知识—1995,(9):24
"絜大"正诂	张克哲	语文建设—1995,(10):21-22
"葵"字的误释	周照明	语文建设—1995,(10):23
中古三等韵十介音的前移和保留	黄笑山	语言文字学—1995,(12):6-13

破读与古诗的读音问题	顾　之	语文学习—1995,(12):17-19
"薄汗我么,薄澣我衣"解	王大年	古汉语研究—1995,(增刊):3
《尚书》虚词通假兼论通假成因	钱宗武	古汉语研究—1995,(增刊):4-5
"着"字古今形音义辨略	张学成	古汉语研究—1995,(增刊):8-9
"嬉"、"娭"考辨	杨义仪	古汉语研究—1995,(增刊):10-12
人名的民族文化内涵	李淑芬	古汉语研究—1995,(增刊):83

近 代 词 汇

谈《金瓶梅》中的歇后语	孟宪幸	徐州师范学院学报·哲社版—1990,(4):25-30
《金瓶梅词话》与《聊斋俚曲》的方言比较	郑庆山	蒲峪学刊—1991,(1):7-12
《世说新语》词语考释(续)	吴金华	南京师大学报·社科版—1991,(1):20-28
《世说新语》词语考释(三)	吴金华	南京师大学报·社科版—1994,(1):62-66
《敦煌变文集补编》校补	蒋礼鸿	汉字文化(北京)—1991,(1):27-28
禁止词"别"考源	江蓝生	语文研究(太原)—1991,(1):42-47
诗词曲词义析疑三则	段观宋	中国语文(北京)—1991,(1):70-72
"撒摔"释义辨正	徐复岭	中国语文(北京)—1991,(1):72
辨释几个近代汉语语词	宋开玉	山东师大学报·社科版—1991,(1):79-81
敦煌文献俗语词方言义证	黄武松	贵州师范大学学报·社科版(贵阳)—1991,(1):86-89
敦煌变文迭字初探	沈荣森	敦煌研究—1991,(1):87-90
《敦煌变文集》的称数法	周春梅	新疆大学学报·哲社版(乌鲁木齐)—1991,(1):113-119
释"趁急"	钟兆华	语文研究(太原)—1991,(2):38-39
论近代汉语的上限(下)	蒋冀骋	古汉语研究—1991,(2):72-78,28
试论慧琳《一切经音义》在近代汉语词汇研究中的价值	徐时仪	喀什师范学院学报—1991,(2):76-80
释"磨旗"	蒋冀骋	文史知识(北京)—1991,(2):88
《李陵变文》校补拾遗	赵逵夫	甘肃社会科学(兰州)—1991,(2):89-92
戏曲词语新释	卢甲文	许昌师专学报—1991,(2):95-99
《金瓶梅》词语零札	李　申	徐州师范学院学报·哲社版—1991,(2):116-118,140
"杀鸡抹脖"新解	顾冠华	红楼梦学刊—1991,(2):218
就《西厢记》中方言注释与王季思先生商榷	邢文英 赵小茂	河北大学学报·哲社版(保定)—1991,(3):40-44,65

标题	作者	出处
《金瓶梅词话》词语札记	蒋礼鸿	文献—1991,(3):68-75
《太子成道变文》(斯3096卷)疑难点校释补遗	黄武松	敦煌研究—1991,(3):88-89
关于鲁南风俗——台湾子云《金瓶梅词话注释》读后	魏一冰	民俗研究—1991,(3):92-94
读《魏晋南北朝小说词语汇释》札记	高福生	江西师范大学学报·哲社版(南昌)—1991,(3):98-100
唐宋语词札记	曾良	江西大学学报·社科版(南昌)—1991,(3):106-108
论《红楼梦》对俗语的熔铸和提炼	钟必琴	红楼梦学刊—1991,(3):153-171
第二人称"贤、仁、您、您"语源试探	张惠英	中国语文(北京)—1991,(3):226-232
同形复词须辨析	徐安基	语文知识(郑州)—1991,(4):13-14,12
《金瓶梅》中俗语的连用	沈慧云	语文研究(太原)—1991,(4):32-37
《李陵变文》补校	郭在贻 黄征 等	语言文字学(北京)—1991,(4):58-62
《金瓶梅》词语补释	顾冠华	徐州师范学院学报·哲社版—1991,(4):78-81
早期白话著作词语的地域归属研究	张崇	西北大学学报·哲社版—1991,(4):92-97
早期白话小说俗词语注释匡议	张崇	陕西师大学报·哲社版(西安)—1991,(4):113-116
《搜神记》复合词研究:就词性看联合式、偏正式复合词的构成	李新建	郑州大学学报·哲社版—1991,(4):113-117,111
《金瓶梅词话注释》质疑	姜志信	河北师院学报·社科版—1991,(4):116-122
《金瓶梅词话注释》质疑(续一)	姜志信	河北师院学报·社科版—1993,(2):104-111
佛经用词特色杂议	梁晓虹	浙江师大学报·社科版—1991,(4):123-126
元明清白话著作中的枣庄方言词汇	王希文	方言—1991,(4):278-282
《西游记》注释订误	卢甲文	中州学刊(郑州)—1991,(5):92-94
语词札记四则:剑界·煨·废·追	龙庄伟 张生汉 等	中国语文(北京)—1991,(5):393-397
八十年代近代汉语词语研究概述	金汉平	中文自学指导—1991,(6):30-31
《金瓶梅词话》语词校释	隋文昭	天津师大学报·社科版—1991,(6):69-75
词语溯源二例	朱庆之	文史知识(北京)—1991,(6):97-100
"毕月"辩讹	贾笑孟	文史知识(北京)—1991,(6):101-103
敦煌变文词义商榷	董希谦 马国强	中国语文(北京)—1991,(6):467-468
《金瓶梅》中的"达达"考	魏聊	东岳论丛—1991,(6):封二
宋元词语汇释	卢甲文	语言文字学(北京)—1991,(9):67-74
宋元词语汇释	卢甲文	南都学刊·社科版—1991,(11):98-102
《敦煌歌辞总编》校议	张涌泉	语言研究(武汉)—1992,(1):53-60
《敦煌变文集》校注笺识	蒋冀骋	湖南师范大学学报(长沙)—1992,(1):57-59
《聊斋俚曲集》中粗俗语举例	张惠英	语言研究(武汉)—1992,(1):61-68
试论变文中的词尾"即"	蒋宗许	敦煌研究—1992,(1):81-85

标题	作者	出处
关于《近代汉语语法资料汇编》的唐代变文校补	古敬恒	敦煌研究—1992,(1):86-88
敦煌变文校勘辨补(续)	都兴宙	青海师范大学学报·社科版(西宁)—1992,(1):88-93
全本新注《聊斋志异》部分注释失误失当	张学忠	古籍整理研究学刊—1992,(2):10-14
《西游记》韵文的用韵	杨载武	四川师范学院学报·哲社版(南充)—1992,(2):40-44
《祖堂集》词语选释	吕幼夫	辽宁大学学报·哲社版(沈阳)—1992,(2):46-48
《董西厢》选词艺术初探	周义芳	西南师范大学学报·哲社版(重庆)—1992,(2):70-73
敦煌变文词语拾零	张美兰	南京师大学报·社科版—1992,(2):100-101
《敦煌变文集》第一卷六篇补校	赵逵夫	兰州大学学报·社科版—1992,(2):127-133
汉魏六朝翻译佛经释词	方一新	语言研究(武汉)—1992,(2):156-160
《醒世姻缘传》注补	邵则遂	语言研究(武汉)—1992,(2):161-165
《三言》词语札记	周志锋	宁波师院学报·社科版—1992,(3):38
元杂剧方言俗语之我见	孙兰廷	语文学刊(呼和浩特)—1992,(3):38-39
《〈金瓶梅词话〉语词札记》补正三则	汪维辉	宁波师院学报·社科版—1992,(3):45
元曲词语释例	王奇学	徐州师院学报·哲社版—1992,(3):66-69
释"鼎"	王敬骝	民族语文(北京)—1992,(3):70-72
词话本·崇祯本两个版本两种文化:《金瓶梅》词语俗与文的异向分化	傅憎享	社会科学辑刊—1992,(3):131-136
金评《水浒》的语用分析	赵英明	安徽师大学报·哲社版(芜湖)—1992,(3):357-364
补《敦煌〈藏汉对照词语〉残卷考辨订误》	郑张尚芳	民族语文(北京)—1992,(4):25-32
书面语中记载的"分音词"	邢向东	语文研究(太原)—1992,(4):39-40
谈古代白话小说中的"把"、"打"、"相"、"地"	王海棻	山西师大学报·社科版—1992,(4):94-96
《红楼梦》时间讨论研究札记	胡晓萍	解放军外语学院学报(洛阳)—1992,(4):102-109
论"声(音)随义转"说	孙雍长	湖南师范大学社会科学学报(长沙)—1992,(4):120-124
读项楚《王梵志诗校注》	平新谊	杭州大学学报·哲社版—1992,(4):130-135
释"香火"	晓文	北京师范学院学报·社科版—1992,(5):69-70
《〈三国志〉今译》误译举隅	刘范弟	古籍整理研究学刊—1992,(6):5-6,4
"朋友"谈趣	张树铮	语言建设(北京)—1992,(6):46
"州"、"洲"义小辨	刘立钿	语文教学与研究(武汉)—1992,(8):38
从《红楼梦》中有关"死"的讳饰看语境对语义模糊度的影响	韩臻	逻辑与语言学习(石家庄)—1993,(1):37-39
"辣子"新释——《红楼梦》探微之一	王人恩	西北师大学报·社科版—1993,(1):51-55

标题	作者	出处
《两拍》词语札记	汪维辉	语言研究—1993,(1):108-113
话说"瓷"字	王　英	语文月刊(广州)—1993,(2):7
《金瓶梅》方言词语零札	鲍延毅	徐州师范学院学报·哲社版—1993,(2):36-37
释"一晌"	贺陶乐	延安大学学报·社科版—1993,(2):70
《敦煌资料》词语拾零	熊庆年	江西教育学院学报·社科版—1993,(2):77-80
敦煌藏经洞封闭年代献疑	徐时仪	喀什师范学院学报·哲社版—1993,(2):103-104,102
《老乞大》中的'这们''那们'与'这般''那般'	[韩]柳应九	语言研究—1993,(2):140-143
《金瓶梅》某些词语释义和字形问题	张鸿魁	中国语文(北京)—1993,(2):153-156
《金瓶梅》语词短札	张喆生	中国语文(北京)—1993,(2):157-158
"有教无类"辨	史震已	语文学刊—1993,(3):29
"颖脱"辨	吕锐章	中学语文教学(北京)—1993,(3):39-40
近代汉语词杂释	周志锋	宁波师院学报·社科版—1993,(3):59-63
骆越之"骆"义何在	谷　因	贵州民族研究—1993,(3):124-132
"嵌Ⅰ词"探源	张　崇	中国语文(北京)—1993,(3):217-222
魏晋南北朝语词零札:指授、指取	黄　征	中国语文(北京)—1993,(3):231-232
《近代汉语读本》注释校勘商补	王　锳	湖北大学学报·哲社版—1993,(4):33-38
浅议《红楼梦》中的民间俗语	李国梁	北方论丛—1993,(4):78-80
敦煌释词	蒋冀骋	湖南师范大学社会科学学报—1993,(4):121-124
《金瓶梅》俗谚求因	博憎享 杨爱群	社会科学辑刊—1993,(4):123-130
"兀底、兀那"考	张惠英	方言—1993,(4):306-310
"大惊小怪"别义	侯兰笙	中国语文—1993,(4):319
《金瓶梅》方言俗语臆释(上)	魏连科	河北学刊—1993,(5):64-71
《金瓶梅》方言俗语臆释(下)	魏连科	河北学刊—1995,(6):61-66
《宋元语言词典》释义商议	刘学智	云南教育学院学报—1993,(5):75-79
"告了"与"角先生"释	张　崇	文史知识—1993,(5):113-114
《新编全唐五代文》整理札记	徐予方	古籍整理研究学刊—1994,(1):15-16
《西游记》虚词"却"词义探	杨载武	贵州教育学院学报·社科版—1994,(1):28-34
唐诗色彩词的附加意义说略	李　直	修辞学习—1994,(1):35-36
元曲疑难词语辨义	刘瑞明	古汉语研究—1994,(1):45-48,50
英藏敦煌本《六祖坛经》通借字刍议	邓文宽	敦煌研究—1994,(1):79-86
明清白话小说词语札记	王东中	古汉语研究—1994,(1):86-88,77
《敦煌歌辞总编》校读记	蒋冀骋	湖南师范大学学报·社科版—1994,,(1):108-112
《世说新语》词语拾诂	方一新	杭州大学学报·哲社版—1994,(1):117-121
近代俗语词及俗语义	张天堡 禹和平	淮北煤师院学报·社科版—1994,(1):128-131

敦煌俗语词辑释	黄　征	语言研究—1994,(1):170-175
《世说新语》笺疑	吴金华	古籍整理研究学刊—1994,(2):1-4
"扑朔迷离"新解	游任遂	温州师院学报—1994,(2):68
鸠摩罗什同支谦、竺法护译经中语词的比较	胡湘荣	古汉语研究—1994,(2):75-79,21
释"大古、过从、摘庋"	李崇兴	语言研究—1994,(2):135-138
《敦煌变文集校议》述评	陈东辉	语言研究—1994,(2):150-153
《杨家将演义》词语重释	卢甲文	语文研究—1994,(3):30-32
鸠摩罗什同支谦、竺法护译经中语词的比较(续)	胡湘荣	古汉语研究—1994,(3):82-86
《世说新语》札记二则:(一)"澧阳"辨 (二)"海鸥鸟"解	田懋勤 张永信	古汉语研究—1994,(3):92-94
戏曲小说词语杂释	车文明	山西师大学报·社科版—1994,(3):96,封三
说"旋"、"旋子"	蒋礼鸿	中国语文—1994,(3):200
《金瓶梅》"扛"字音义及字形讹变:近代汉语词语训释方法探讨	张鸿魁	中国语文—1994,(3):221-235
话本小说俗语辞考释——为纪念吕叔湘先生九十寿辰作	蒋冀骋	古汉语研究—1994,(4):38-40
《西湘记》文献与《西湘记》研究	蒋星煜	河北师院学报·哲社版—1994,(4):86-91
试论审辨敦煌写本俗字的方法	张涌泉	语言文字学—1994,(8):39-48
《金瓶梅》"反切"语趣	傅憎享	语言文字学—1994,(9):9-13
说"措大"	江蓝生	语言研究—1995,(1):7-11
《六度集经》词语例释	李维琦	古汉语研究—1995,(1):39-43
话本小说俗语辞考释(二)	蒋冀骋	古汉语研究—1995,(1):44-45
《〈太平广记〉词语小札》商榷	周志锋	古汉语研究—1995,(1):51-52
语言札记	李明孝	古汉语研究—1995,(1):55-57
敦煌变文《双恩记》校注商补	马国强	古汉语研究—1995,(1):81-82
《全本新生聊斋志异》指瑕	胡渐逵	古汉语研究—1995,(1):84-88
《金瓶梅》逆序词与中古词汇变迁	鲍延毅	西南师范大学学报·哲社版—1995,(1):115-116
元代词语拾零	李崇兴	语言研究—1995,(2):123-127
《金瓶梅词话》切口语的构成	白维国	语言研究—1995,(2):128-132
近代汉语中的时间词语	郭芹纳	语言研究—1995,(2):141-155
"臊皮"、"燥脾(胃)"辨析	李蓝 张贞	中国语文—1995,(2):150-153
近代汉语词语选释:方言佐证词义举例	周志锋	语言研究—1995,(2):156-160
《梦溪笔谈》中的汉字文化	安作相	汉字文化—1995,(4):13-18
读书小札	蒋冀骋	古汉语研究—1995,(4):48-49
唐代墓志语词考释	罗维明	古汉语研究—1995,(4):53-56

疑难词语试释三则	曾　　良	古汉语研究—1995,(4):62-64
明代拟话本小说《型世言》语词例释	董志翘	古汉语研究—1995,(4):84-89,83
《五灯会元》词语考释	滕志贤	古汉语研究—1995,(4):90-91
《歧路灯》词语例释	张生汉	古汉语研究—1995,(4):92-94
"没挞煞"索解	王宗祥	古汉语研究—1995,(4):95-96,64
《金瓶梅》中的体育词语	刘秉果	徐州师范学院学报·哲社版—1995,(4):146-149
近代汉语词汇研究中的推源问题	张联荣	北京大学学报·哲社版—1995,(5):81-84
"唯是"、"唯时"解	姜定琦	云南师范大学学报·哲社版—1995,(6):59-63
释"方便"	徐梦葵	吉林大学社会科学学报—1995,(6):87-89,76
评《敦煌文书校读研究》	寄　明	湖南师范大学社会科学学报—1995,(6):125-126

现　代　词　汇

港台语词的一些特点	黄丽丽	语文建设(北京)—1990,(3):20-24
汉语多义词义派生类型的重新划分	卢丹慈	赣南师范学院学报(赣州)—1990,(5):48-52
"×么(摩)"类词语的内部结构分析	冯春田	东岳论丛(济南)—1990,(6):37-42
"外后日"补例	吴辛丑	中国语文(北京)—1990,(6):432
《世说新语》词义散记	方一新	中国语文(北京)—1990,(6):454-456
《世说新语》语词小札	王建设	中国语文(北京)—1990,(6):457-462
继承　拓展　前进	朱瑞平	语言文字学(北京)—1990,(9):43-46
基本词汇能产性质疑	叶宝奎	语言文字学(北京)—1990,(10):93-96
浅谈"歧义"	缪金兴	语文知识(郑州)—1991,(1):18-22
汉语新词的特点	马林芳	固原师专学报—1991,(1):20-22
现代汉语时间词说略	陆俭明	语言教学与研究(北京)—1991,(1):24-37
几种特殊的词义转移现象	许德楠	世界汉语教学(北京)—1991,(1):29-32
漫谈词义运用中的错误(三)——词义重叠	金锡谟	新闻与写作—1991,(1):29-31
漫谈词义运用中的错误(四)——词义与所写对象的性质特征不符	金锡谟	新闻与写作—1991,2.28-29
漫谈词义运用中的错误(五)——弄错适用对象	金锡谟	新闻与写作—1991,3.18-20
漫谈词义运用中的错误(六)——词义相矛盾	金锡谟	新闻与写作—1991,4.31-32
漫谈词义运用中的错误(七)——再谈词义相矛盾	金锡谟	新闻与写作—1991,5.26-27
漫谈词义运用中的错误(八)——词义含混费解	金锡谟	新闻与写作—1991,6.31-33

也说"有意见"和"不是地方"	张　登　岐	逻辑与语言学习(石家庄)—1991,(1):47
对汉语语法语音文字诸问题的词义学考察	苏　新　春	广州师院学报·社科版—1991,(1):51-55
一词多义辨正	萧　泰　芳	山西大学学报·哲社版(太原)—1991,(1):78-81
词与非词的界线	李　扶　乾	祁连学刊—1991,(1):109-116
语素逆序的现代汉语复合词	周　荐	逻辑与语言学习(石家庄)—1991,(2):36-38
字义同词义的区别	叶　正　渤	昆明师专学报·哲社版—1991,(2):51-57
关于《再话语词》:和王蒙先生抬杠	桑　晔	读书—1991,(2):68-74
汉语双音词化的根据和动因	苏　新　春	语言文字学(北京)—1991,(2):69-76
词义引申组系的"横向联系"	董　为　光	语言研究—1991,(2):79-87
汉语"敬词"探释	许　正　元	台州师专学报·社科版—1991,(2):86-88
对词汇是否成体系问题的刍议	张　素　英	锦州师院学报·哲社版—1991,(2):101-105
旧词"回潮"现象初探	车　如　舜	贵州民族学院学报·社科版—1991,(3):10-12
论语词时代色彩的主要特征	沈　孟　璎	内蒙古民族师院学报·哲社汉文版—1991,(3):24-29
试探生造词产生的原因	沈　怀　兴	河南师范大学学报·哲社版—1991,(3):37-41
汉语词义结构的新思考	周　光　庆	荆州师专学报—1991,(3):54-59
论清以来联绵字观念嬗变	姚　淦　铭	语言文字学(北京)—1991,(3):70-75
汉语词汇结构的具象性和辩证性	苏　新　春	江西师范大学学报—1991,(3):92-97
试谈语言类推与新词语的产生	彭　水　昭	重庆师院学报·哲社版—1991,(3):106-封三
上海青年的新词语	叶　骏	修辞学习—1991,(4):9-10
"搞"字妙用	孙　子　杰	语文知识(郑州)—1991,(4):9-11
10年来的汉语新词语研究	王　铁　琨	语文建设(北京)—1991,(4):9-13
语海钩沉	李　敬　尧	语言美(昆明)—1991,(4):10②
试论等义词及其规范问题	侯　敏	语文建设(北京)—1991,(4):16-21
词语的别义引申	卢　卓　群	中学语文(武昌)—1991,(4):33-34
汉语词汇双音节化源流初探	许　光　烈 孙　永　兰	内蒙古民族师院学报·哲社汉文版—1991,(4):57-60
词义的比喻引申	黄　荣　发	安庆师范学院学报·社科版—1991,(4):88-93
褒贬词的判定标准问题	谭　达　人	语文建设(北京)—1991,(5):7-9
浅说轻声词的特点	王　会　银 胡　明　琴	语文知识(郑州)—1991,(5):27-28
常用题款、谦辞释文	刘　汉　勤	书法艺术—1991,(5):38
"隐语"趣谈	樊　明　芳	语文月刊(广州)—1991,(5):43
读报琐记	王　希　杰	语文学习(上海)—1991,(5):43-44
几个表情感的词的源	曾　光　平	河南大学学报·社科版—1991,(5):86-88
是误解不是"挪用":兼谈古今联绵字观念上的差异	李　运　富	中国语文(北京)—1991,(5):383-387
名与实之间	孟　宪　爱	语文月刊(广州)—1991,(6):11-13
词义的概括性与规定性	赵　声　磊	学语文—1991,(6):25-26

亲属称谓的特殊现象	索 虹	汉语学习—1991,(6):39-40
应当认可"您们"	沈卢旭	逻辑与语言学习(石家庄)—1991,(6):40-41
《亲属称谓词的变读》再补	汪维辉	中国语文—1991,(6):410
新词新语新用法	语用所"新词新语新用法研究"课题组	语文建设(北京)—1991,(7):9
新词新语新用法(卡拉OK、换位意识、软件)	语用所"新词新语新用法研究"课题组	语文建设(北京)—1991,(8):19
新词新语新用法(希望工程、知识产权、百分点、计划单列市、南浦大桥)	语用所"新词新语新用法研究"课题组	语文建设(北京)—1991,(9):20
新词新语新用法(开启、脑体倒挂、优化组合、绿色食品)	语用所"新词新语新用法研究"课题组	语文建设(北京)—1991,(10):19
新词新语新用法(持续农业、搭车、大哥大、返贫)	语用所"新词新语新用法研究"课题组	语文建设(北京)—1991,(11):16
新词新语新用法	语用所"新词新语新用法研究"课题组	语文建设(北京)—1992,(1):26
新词新语新用法(内耗、台阶、盲道、老少边、同比、内功)	语用所"新词新语新用法研究"课题组	语文建设(北京)—1992,(3):18
新词新语新用法(三笔字、小气候、大气候、地方粮票、电报拜年)	语用所"新词新语新用法研究"课题组	语文建设(北京)—1992,(5):20
新词新语新用法(三铁、下浮、上船、黄帽子、鞭打快牛)	语用所"新词新语新用法研究"课题组	语文建设(北京)—1992,(6):13
新词新语新用法(特一级、人年、二名烟、在读、四开放、可批性)	语用所"新词新语新用法研究"课题组	语文建设(北京)—1992,(8):13
新词新语新用法(筑巢引凤、打托儿、愚昧消费、健康步道)	语用所"新词新语新用法研究"课题组	语文建设(北京)—1992,(10):26
新词新语新用法(科技特区、大腕儿、高保真、练摊儿、香波、户力、实转)	语用所"新词新语新用法研究"课题组	语文建设(北京)—1992,(11):17
新词新语新用法(台阶论、空转、廉业、点子商品、售外服务、礼品音带、形状书)	语用所"新词新语新用法研究"课题组	语文建设(北京)—1992,(12):9
表示身体部件的名词的特殊使用	史锡尧	语文月刊(广州)—1991,(7):9
略说词序颠倒	罗维炽	语文月刊(广州)—1991,(7):11
语词的语言意义和言语意义	韦城	中学语文—1991,(7):30-32

词的偶发义类型系统分析	姚锡远	语言文字学(北京)—1991,(7):105-112
古今词义感情色彩变化举例	戴建华	文史知识—1991,(7):123-124
试析称谓运用中的错误	金锡谟	新闻与写作—1991,(8):28-30
迥别与微殊——浅谈古今词义的差别	江琦	中文自修—1991,(9):14-16
词义判定十法	崔治峰	语文教学之友—1991,(10):34-36
词语的配合和呼应	俞敦雨	语文教学与研究(武汉)—1992,(10):40-41
以今通古掌握词义	韩陈期 严国年	中文自学指导—1991,(11):39-40
语素的虚实与词的虚实	乔承风	中学语文教学(北京)—1991,(12):34-36
合成词中指人的语素	符淮青	语文建设(北京)—1991,(12):40
说"饺子"	贾采珠	语文建设(北京)—1991,(12):42
多义、歧义、双关	王希杰	学语文(芜湖)—1992,(1):3-5
试谈《中学教学语法系统提要》中的结构对称的习惯语	孙振	吉林师范学院学报—1992,(1):18-20
社会与词汇的动态发展	曾良	九江师专学报·哲社版—1992,(1):20-24
现代汉语中义项平行的多义复合词	朱景松	语文建设(北京)—1992,(1):23-25
谈谈词的借代义	王福良 王聚元	中文自修—1992,(1):29-30
说"州""洲"	林木	语文建设(北京)—1992,(1):45
汉语隐语说略:一种语言变异现象的分析	曹聪孙	中国语文(北京)—1992,(1):45-50
论委婉	尹林春	暨南大学研究生学报—1992,(1):48-49
一种同源对似词新探	刘先擢 黄运亭	许昌师专学报·社科版—1992,(1):106
汉语词汇双音代换管窥	董为光	语言研究—1992,(2):19-26
台湾国语词汇与大陆普通话词汇的比较	严奉强	暨南学报·哲社版(广州)—1992,(2):40-48,51
新词语的容量和寿命	王森	兰州大学学报·社科版—1992,(2):120-126
"X"和"某"的同异	陈吉祥	语文知识(郑州)—1992,(3):12-14
委婉·不委婉·过度委婉	童其兰	修辞学习—1992,(3):37
汉语词源中的汉字沉积	马国凡	内蒙古师大学报·哲社版(呼和浩特)—1992,(3):38-44
小谈词的概念义和修辞义	周敏	语文教学通讯—1992,(3):49
下海	凌云	语言文字应用(北京)—1992,(3):66
词语组合在语义选择上所受的限制	亢世勇	延安大学学报·社科版—1992,(3):94-97
"意内言外"与词学正变观	蒋哲伦	江海学刊—1992,(3):162
人名与称谓中的排行	鲁健骥	世界汉语教学—1992,(3):232-236
没有骂人功能的骂人话	吴辛	语文月刊—1992,(4):16-17
说说跟人有关的"子"	史锡尧	语文月刊(广州)—1992,(4):20-21
隐语与修辞	潘庆云	修辞学习—1992,(4):29

标题	作者	出处
扒手切口透视	李海珉	汉语学习(延吉)—1992,(4):35-37
论偶发词义产生的理论基础	姚锡远	逻辑与语言学习(石家庄)—1992,(4):35-38
新时期汉语新词的出现与新时期社会心态	萧雁	语言文字学(北京)—1992,(4):38-41
丰富语汇和变化句式——从上海地区青少年某些流行词说起	蒲人	修辞学习—1992,(4):39-40
书面语中记载的"分音词"	邢向东	语文研究—1992,(4):39-40
汉语新词语的易色与移觉	马林芳	逻辑与语言学习(石家庄)—1992,(4):43
1992年出现的汉语新词新语选登	语用所"新词新语新用法研究"课题组	语言教学与研究(北京)—1992,(4):49-57
浅论言语交际中复数人称的灵活运用	王志瑛	广西师范大学学报·哲社版(桂林)—1992,(4):61-65
汉语特性语言词义的构成	周光庆	荆州师专学报·哲社版—1992,(4):61-66
词的音义比较关系和词族	万世雄	湖北师院学报·哲社版—1992,(4):78-82,90
六、七岁儿童掌握词汇情况的调查与分析	亓艳萍 季恒铨	语言文字应用—1992,(4):84-90
话说同源词	华星白	解放军外语学院学报(洛阳)—1992,(4):85-89
略论现代汉语词汇层	徐国庆	北方论丛(哈尔滨)—1992,(4):92-96
骂詈行为与汉语詈词探论	陈伟武	中山大学学报·社科版(广州)—1992,(4):114-123
词义研究中的三个问题	葛本仪 王立廷	语文建设(北京)—1992,(5):14-16
"多义"与"歧义"简说	吴俊明	逻辑与语言学习(石家庄)—1992,(5):35-36
"文化大革命"词语的更新和异化	孟国	天津师大学报·社科版—1992,(5):76-80
字源说	尹黎云	中国人民大学学报(北京)—1992,(5):79-84
汉语词义引申中的文化心理	周光庆	华中师范大学学报·哲社版(武汉)—1992,(5):120-126
从台湾中学生作文看海峡两岸词语差异	郑启平	语文教学与研究—1992,(8):9-10,6
必读儿化词研究报告(节录)	孙修章	语文建设(北京)—1992,(8):30-33
港台词语研究与大陆汉语词汇研究	朱广祁	语言文字学(北京)—1992,(8):67-71
现代汉语词义的派生方式新论	曲钽	语言文字学(北京)—1992,(8):119-125
汉民族若干文化心理素质在汉语语词中的表现	徐静茜	语言文字学(北京)—1992,(9):27-33
语词,不止是语词	孙歌	读书—1992,(11):89-94
别解指误	丛杨	语文月刊—1992,(12):4-5
建国以来拟亲属称呼的变化	吴慧颖	语文建设—1992,(12):6-8

汉语多义词在日语中的表现	迟　军	外语与外语教学—1993,(1):17-20
认识汉语特质的新视点、短语中的粘着形式	陈　一	北方论丛(哈尔滨)—1993,(1):31-35
说"假名"	李思敬	语文建设—1993,(1):46-48
当今中小学流行新语词初探	张奎文	天津教育学院学报·社科版—1993,(1):58-61
关于多义词研究中的几个问题	孔昭琪	山东师大学报·社科版—1993,(1):77-80
寻求新的色彩,寻求新的风格:新词语产生的重要途径	刘一玲	语言文字应用(北京)—1993,(1):85-90
为"乐"字正义	周武彦	音乐研究—1993,(1):87-89
"块"字辨	张继定	浙江师大学报·社科版—1993,(1):101-103
汉语词义人文研究论纲	苏新春	学术研究(广州)—1993,(1):124-129
说"龙"	尉迟治平	语言研究—1993,(2):1-21
释"引定"、"执定"、"傍地"、"坐地"	杨树森	营口师专学报·哲社版—1993,(2):10-11
论类推创造新词	岳长顺	世界汉语教学—1993,(2):116-119
汉字词特征语义提取的实验研究	张积家	心理学报—1993,(2):140-147
"冰凉"与"冰冷"	赵静贞	世界汉语教学—1993,(2):158-159
也谈联绵词形式的特殊性	吴宏林	语文知识(郑州)—1993,(2):17-18
汉语复合词词素义和词义的关系	王树斋	汉语学习(延吉)—1993,(2):17-22
联绵词例说	薛振华	语文知识(郑州)—1993,(2):21-25
语义创新组合及其内部语义联系	李昌年	江西教育学院学报·社科版—1993,(2):24-28
论汉语中介语的研究	吕必松	语言文字应用(北京)—1993,(2):27-31
关于缩略词语、简称与对应原式之间同义关系的研究	王吉辉	学语文(芜湖)—1993,(2):33-35
相关词词义的横向考释	徐成志	辞书研究—1993,(2):34-40
索引表达式的不同用法及其语用分析方法初探	唐晓嘉	逻辑与语言学习(石家庄)—1993,(2):37-39
说"名"	王晓娜	河池师专学报·文科版—1993,(2):49-56
汉语颜色词的人文色彩	孟广道	蒲峪学刊—1993,(2):54-56
试论佛教对汉语词汇的影响	尤俊成	内蒙古师大学报·哲社版—1993,(2):94-99
说"师兄"、"师弟"	周殿龙	山西师大学报·社科版(临汾)—1993,(2):96-98
说"某某热"	周洪波	汉语学习—1993,(3):21-24
试论词语意义的双层性	李瑞群	逻辑与语言学习—1993,(3):37-38
说"东"	郑　红	新疆师范大学学报·哲社版—1993,(3):44-46
"雾谷""人壳"	尚喜平	语文建设—1993,(3):45
"装潢"正解	潘振中	文史杂志—1993,(3):47-48
用词不当二三例	刘德斋	汉语学习—1993,(3):51-52,封三
现代汉语词义的组合方式和言语表达	曹　炜	语言文字学(北京)—1993,(3):60-63
骆驼称名小考	贾　骏	杭州大学学报·哲社版—1993,(3):128-131
汉语称谓中的男女伦理文化	刘丹青	语文月刊(广州)—1993,(4):5-6

关于"反水浆"、"反坐"、"反左书"、"反侧"等词语的训释——兼与《辞源》、《辞海》、《汉语大词典》商榷	曾宪群 蒋南华	贵州师范大学学报·社科版—1993,(4):13-14
"发展"这词的三种意义	谢遐龄	天津社会科学—1993,(4):16-18
论双音合成词"-不-"式及其词汇音节缩略形式	胡华	齐齐哈尔师范学院学报·哲社版—1993,(4):68-71
谈词的褒贬义与构词语素义之关系	刘缙	中国人民大学学报—1993,(4):71-76
汉语单音词使用的文化透视	王作新	宜昌师专学报·社科版—1993,(4):72-75
生父称谓字析解	萧泰芳	山西大学学报·哲社版—1993,(4):94-98
"看"和"看见"等词义的同异和制约	符淮青	汉语学习—1993,(5):1-5
仿拟型新词语试析	杨晓黎	修辞学习—1993,(5):17-19
论毛泽东著作中的同指词语	吴永德 朱磊	华中师范大学学报·哲社版—1993,(5):22-27
异形词的性质、特点和类别	周荐	南开学报·哲社版—1993,(5):76-80
语言也是杀人的刀	王希杰	语文月刊—1993,(6):3-5
"很多"与"很少"	张维耿	汉语学习—1993,(6):12-14
流行语的惯性突破力	郑荣馨	修辞学习—1993,(6):15-16
寒暄的策略	张犁	语文建设—1993,(6):16-18
一类特殊的多义词	王吉辉	汉语学习—1993,(6):28-29
汉语的时间词"礼拜""星期"	张清常	中国语文—1993,(6):420-422
说"收族"	张家英	中国语文—1993,(6):475
说一说"笔"	史锡尧	语文月刊—1993,(7):7
由"元珠笔"想到的	姚楚材	语文月刊—1993,(7):9
从"间"的一词多义谈起	汪克谦	读写月报—1993,(7):12
语境和词语阐释	褚树荣	语文教学与研究—1993,(7):37-38
论语言信息和汉语词汇系统双音节化的关系	李恕豪	四川师范大学学报·社科版—1993,(7):76-81
连类推及的一种词语	徐伟武	阅读与写作—1993,(8):26
色彩词摭谈	高承杰	阅读与写作—1993,(9):21
语言意义与言语意义——谈对高考现代文阅读题中的词语辨析	何新优	读写月报—1993,(10):37-38
从"大人""小人"谈开去	仉玉烛	语文月刊—1993,(10):5
"截止"与"截至"、"期间"与"其间"	周维网	语文建设—1993,(11):34
是"筹"、不是"愁"	于海洲	语文月刊—1993,(12):15
称"前"说"后"	凌乙	语文学习—1993,(12):38-39
"谷皮"是什么?	锐声	语文建设—1993,(12):42
"州"和"洲"	程忠学	阅读与写作—1993,(12):9
"语文建设"是难以翻译的"中国概念词"	姚德怀	语文建设通讯(香港)—1993,(39):80,封三

汉语词汇

现代汉语常用亲属词的语义特点	贾彦德	世界汉语教学—1994,(1):7-11
大学生评出'93大众十大流行语	陈孚	语文世界—1994,(1):19-20
多义词义项之间的语法差异	朱景松	学语文—1994,(1):27-28
近年来汉语"新词爆炸"的特点及原因	韩臻	逻辑与语言学习—1994,(1):35-39
异体词整理问题——庆祝殷焕先师80华诞	高更生	山东师大学报·社科版—1994,(1):65-69
隐语黑话的演变及当代隐语黑话的特点	周兰星	中国人民警官大学学报—1994,(1):67-71
"一词多义"说应当取消吗?	纪国泰	成都师专学报·文科版—1994,(1):73-78
"词语"离开"句子"能产生规范化和艺术化的功能吗?	邱巨	语文月刊—1994,(2):6-7
"渡假"还是"度假"?	永炎	学汉语—1994,(2):23
限定现代汉语词汇范围的理论框架——评刘叔新的描写主义词汇观	邓国栋 张炎	新疆师大学报—1994,(2):81-85
新词语和旧词语	施光亨	语言文字应用—1994,(2):100
汉语单音成义在新时期的运用	刘剑三	语言文字应用—1994,(2):104-109
新潮一"族"	张高明	语文世界—1994,(3):21-22
现代隐语的社会语言学的考察	沈明	民俗研究—1994,(3):36-40
1993年出现的汉语新词新语选登	语用所"新词新语新用法研究"课题组	语言教学与研究—1994,(3):49-59
社会流行语浅析	赵佳	修辞学习—1994,(3):49,47
隐语行话黑话浅探	孙一冰	公安大学学报—1994,(3):57-60,67
论生殖隐语与原始禁忌	郝志伦 刘兴均	贵州师范大学学报·社科版—1994,(3):62-64,79
琐说汉语词的理据	王艾录	山西大学学报·哲社版—1994,(4):6-69
现代汉语通用词研究的若干原则和方法	通用词研究课题组	语文建设—1994,(4):36-38
新词小识	吴淮南	南京大学学报·哲社版—1994,(4):42-46,57
谈多义词的词义判断规律	李冠理	语文教学与研究—1994,(4):43-44
改革开放与词汇发展	苏锡育	江淮论坛—1994,(4):106-110
"异体词"的处理浅谈	刘云	语文教学之友—1994,(5):39-40
正确使用略语	任琦运	语文教学之友—1994,(6):39-40
同音字错用	若谷	中国出版—1994,(6):59-61
从词与词的组合上划分多义词的义项	赵应铎	江淮论坛—1994,(6):83-86
古今白话同形异义词例析	周照明	语文学习—1994,(8):38-39,25
"大哥大"和"大姐大"	雷良启	语文学习—1994,(9):39-41

多义词的比较区分法	陈思科 王光武	语文教学之友—1994,(10):38-39
异体词的语义差别及规范问题	邓英树	语文建设—1994,(11):7-10
异形词的定义及词形规范的范围和原则	孙光贵 钱崇武 汤淑琴 宋　元	语文建设—1994,(11):10-13
让"流行语"为你的言谈添姿着色	陈兆奎	演讲与口才—1994,(12):6-7
为什么叫"发烧友"	伍铁平	语文学习—1994,(12):39
论词的表层义和深层义:兼论词义系统	常敬宇	语文建设通讯—1994,(45):35-40
"分疏"新义	袁津琥	语言研究—1995,(1):14
垃圾与杂质:小议几种常见的词汇现象	周明荣	学语文—1995,(1):35-36
侃"侃"而谈	张辛耘	语文学习—1995,(1):44-45
现代汉语新词的词型特点分析	周　静	河南大学学报·哲社版—1995,(1):74-76
中国大陆、台湾、香港、新加坡汉语词汇方面若干差异举例	汤志祥	徐州师范学院学报·哲社版—1995,(1):103-109
组合流行语考察	刘大为	汉语学习—1995,(2):25-31
海峡两岸同形异义词研究	苏金智	中国语文—1995,(2):107-117
"诞生"与"诞辰"	彭晓东	语文知识—1995,(3):3
看·望·见	吴登云	语文知识—1995,(3):25
方位称谓词的语言文化分析	周前方	世界汉语教学—1995,(4):46-51
关于新词语词义表面化倾向的考察	沈孟璎	语言文字应用—1995,(4):66-72
语境对词义的影响	侯维东	河北师范大学学报·社科版—1995,(4):83-85
词义构成略说	刘桂芳	沈阳师范学院学报·社科版—1995,(4):89-91
表示开端的几个词	汤玫英	语文知识—1995,(5):23-24
试论偶发词	宗守云	汉语学习—1995,(5):58-61
人类语言音义同构现象与人类文化模式:兼论汉诗音象美	辜正坤	北京大学学报·哲社版—1995,(6):87-95,108
从"启"字说开去	吴小如	语文建设—1995,(9):40
海峡两岸用语对照表	陈家西	语文知识—1995,(10):12-13
从"舅""姑"谈起	吴小如	语文建设—1995,(10):28
"谈笑"补说	孙剑艺	语文建设—1995,(11):21-23
"公而忘私"新解:换义、倒文、易色合用例说	倪培森	语文知识—1995,(11):26-27
说"衣""食"	陈　东	语文建设—1995,(11):32-33
抱·抛·炮	洪成玉	语文建设—1995,(12):18-19
多音节同音词的分类	吴　亮	语文建设—1995,(12):23

同义词、反义词

反义词划界浅探	广　达	语言文字学(北京)—1990,(9):57-62
	林　玉	
辨几组同音近义易混词	王东波	语文教学与研究(武汉)—1990,(11):37-38
论现代汉语同音词	孔昭琪	山东师大学报·社科版—1991,(1):87-91
近义词说略	周　荐	语言文字学(北京)—1991,(1):96-101
谈同形同音词的范围	段晓平	杭州师范学院学报·社科版—1991,(2):65-70
论同义词的研究:《同义词语的研究》序	邢公畹	语言教学与研究(北京)—1991,(2):129-133
词语对比的聚合及其与反义聚合的比较	刘叔新	语文研究(太原)—1991,(3):11-21
反义词的同一	严廷德	四川大学学报·哲社版(成都)—1991,(3):67-72
关于"肯定:否定"反义组	王吉辉	天津师大学报·社科版—1991,(3):75-80
汉语词汇结构的具象性和辩证性	苏新春	江西师范大学学报·哲社版(南昌)—1991,(3):92-97
言语反义词略谈	文孟君	语文学刊—1991,(4):9-12
多义词和同音词的区别	孟　华	辞书研究—1991,(4):89-91
再谈词性不同的词能否构成同义词	梅立崇	世界汉语教学(北京)—1991,(4):234-236
褒义、贬义词在搭配中的方向性	郭先珍	中国人民大学学报—1991,(6):96-100
	王玲玲	
"无礼"与"无理"——谐音比照浅说	黄知常	阅读与写作—1991,(9):13-12
对拟声词定义的异议	夏孟珏	语文教学与研究—1991,(10):42
怎样辨析同义词	单际芬	语文知识(郑州)—1992,(11):20-22
字义同词义的区别	叶正渤	语言文字学(北京)—1991,(12):6-12
同义词和反义词的区别和联系	石毓智	汉语学习(延吉)—1992,(1):28-34
同义词和同一关系的概念	辛　菊	山西师大学报·社科版(临汾)—1992,(1):90-94
"起用"和"启用"	雷良启	语文学习(上海)—1992,(2):45
同义复词一题	李中生	广州师院学报·社科版—1992,(2):70-73
反义词判定标准研究述评	华　旭	语言文字学(北京)—1992,(3):59-63
谈汉语同音词	刘芝芬	沈阳师院学报·社科版—1992,(4):97-101
兔·兔子·兔儿·大白兔·兔儿爷……	王希杰	学语文(芜湖)—1992,(6):18-20
谈"买""卖"	刘建国	语文学习—1993,(11):33-35
证明:"团结—勾结"不是反义词	聂焱	固原师专学报—1993,(3):64-66,75
谈谈单音词、复音词、同义词、反义词的关系	顾淑彬	广西师院学报·哲社版—1993,(3):90-93
同义词的不同义性	高文祥	中学语文教学—1993,(4):33
狗、狗狗、天狗、泥泥狗	王希杰	语文月刊—1993,(8):2-3
"口"、"嘴"语义语用分析	史锡尧	汉语学习—1994,(1):11-14
谈谈"需"和"须"	世　勋	语文月刊—1994,(2):10

相反相成——谈谈反义词配合运用	胡 莹	修辞学习—1994,(2):26-27
"词义之间的关系与同义词、反义词的构成"兼与石毓智先生商榷	陈满华	汉语学习—1994,(2):32-36
关于汉语同义单双音节的教学	王又华	语言与翻译—1994,(4):108-110
词义的感情色彩刍议	王化鹏	汉语学习—1994,(5):30-31
"做""作"考辨	成 科	语文教学之友—1994,(5):38-39

特 种 词 汇

创新还是冲击:对于某些广告词的思考	沈锡伦	语文建设(北京)—1990,(6):43-44
缩略语琐谈	华 旭	中学语文教学(北京)—1990,(11):41-43
隐语、犯罪隐语和隐语研究	潘庆云	刑侦研究—1991,(1):34-36
与佛教有关的贬义俗语的文化审视	尤俊成	语文学刊(呼和浩特)—1991,(1):35,34
简称的性质和特点	孙也平	牡丹江师范学院学报·哲社版—1991,(1):69-71
试论现代委婉词形成的特征	孟 国	天津教育学院学报·社科版—1991,(2):33-34
司法文书不能排斥模糊语言	张虹霞	逻辑与语言学习(石家庄)—1991,(2):41-43
广告语言的特点及其应用	朱红兵	新疆大学学报·哲社版(乌鲁木齐)—1991,(2):109-111
委婉语及其委婉表达方式	熊金丰	龙岩师专学报—1991,(2):129-134
谈谈信息写作中简称的运用	裴彦贵	写作—1991,(3):28-29
简论汉语同族词的类别及其特征	张 博	宁夏大学学报·社科版(银川)—1991,(3):33-40
法律语言及其特点	吴树和	语文研究(太原)—1991,(3):37-38
合称及其构成方式	国怀林	逻辑与语言学习(石家庄)—1991,(3):45-47
禁忌语、委婉语和吉祥语	徐静茜	湖州师专学报—1991,(3):65-70
谈谈语言类推新与新词语的产生	彭永昭	重庆师院学报·哲社版—1991,(3):106-封三
方剂名称的文化印记	徐 文	汉语学习(延吉)—1991,(4):32-35
广告中的繁与简	语 斯	汉语学习(延吉)—1991,(4):45-46
新闻隐语试论	周文定	宜春师专学报—1991,(4):46-50
亲属称谓的特殊现象	素 虹	汉语学习(延吉)—1991,(6):29-40
自谦语	陈 波	汉语学习(延吉)—1991,(6):38-39
简称的笑话和现实	王希杰	语文建设(北京)—1991,(6):42
惯用语感情色彩试谈	华培芳	语文知识(郑州)—1991,(6):42-43
从"艺人"和"歌手"的不同说起	符淮青	语文建设(北京)—1991,(6):46,9
商标语言初探	曹志耘	语文建设(北京)—1991,(7):2-8
骚语初探	雷 涛	语言文字学(北京)—1991,(7):112-115
汉语的道谢用语	陈建民	语文建设(北京)—1991,(12):30-31
敬语如何表"敬"?	符淮青	语文建设(北京)—1992,(1):44
传统穴位名称与新穴名称的造词对比	林贵夫	汉语学习—1992,(6):22-24

我国茶叶的命名及其语言特点	赵 永 新	逻辑与语言学习(石家庄)—1992,(6):30-32
姓名称说漫议	梅 立 崇	逻辑与语言学习(石家庄)—1992,(6):33-35
试谈词语缩略	程 荣	语文建设(北京)—1992,(7):15-18
"邮政编码"的简略式	张 纯 武	语文学习—1992,(7):41-42
通用成语与异体成语	聂 言 之	语言文字学(北京)—1992,(7):61-66
墓葬的词语的文化蕴涵——词语与文化的互为观照	王 作 新	宜昌师专学报·社科版—1993,(1):56-59
反映人体器官的词语及其文化因素	赵 永 新	语言文字应用—1993,(2):96-100
汉语缩略语三题	吴 欣 欣	安徽大学学报·哲社版—1993,(3):102-106
军用俚语初探	吴 树 凡	上海科技翻译—1993,(4):31
革命的粗野:文革语言浅议	李 逊	文学自由谈—1993,(4):33-39
关于上海股语的"买"与"卖"	鲁 珉	修辞学习—1993,(6):12-13
漫话缩略	周 章 轼	读写月报—1993,(7):9-10
数字与避讳	蓝 延 生	读写月报—1993,(8):3
也说"工农兵学商"——谈商界术语的"扩用"	黄 知 常	新闻与写作—1993,(10):1-2
特殊的缩略语	华 旭	读写月报—1993,(12):6-7
"家庭教师""家教"?	屠 林 明	语文学习—1993,(12):39-40
汉语亲属称谓的连锁文化现象	郭 锦 桴	文史知识—1994,(1):102-104
南方汉语中的古南岛语成分	邓 晓 华	民族语文—1994,(3):36-40
缩略语补议	周 维 网	学语文—1994,(4):29-30
试析汉语谦语的文化内涵	王 群 利	辽宁大学学报·哲社版—1994,(4):105-107
商潮冲击下的语言失恒	陈 冠 明	淮北煤师院学报—1994,(4):150-155
论佛教词语对汉语词汇宝库	梁 晓 虹	杭州大学学报·哲社版—1994,(4):184-191
时钟计时词语浅析	孙 艳	逻辑与语言学习—1994,(5):41-42
称谓词语和人际关系	盛 银 花	语文建设—1994,(7):12-15
广告视点移动带来的变化	邵 敬 敏	语文学习—1994,(8):40-41
广告语言的文化品位	李 嘉 祥	语文学习—1994,(8):44
汉语词汇所反映的伦理观念	常 敬 宇	语言教学与研究—1994,(增刊):144-152
广告创作审美表现原理	方 蔚 林 王 晓 燕	湖北大学学报·哲社版—1995,(1):119-123

成语、谚语、歇后语、同行语

俗语的性质和范围:俗语论之一	王 勤	湘潭大学学报·社科版—1990,(4):107-111
成语生造例析	吴 丽 萍 卢 国 雄	学语文(芜湖)—1990,(6):30
一种特殊的汉语构词方式:浅谈成语的"略语"	蔡 正 时 蔡 正 序	逻辑与语言学习(石家庄)—1990,(6):45-46
中国灯谜的渊源和演变	宁 兴	语言文字学(北京)—1990,(10):114

标题	作者	出处
汉语成语非规范义变现象初探	肖 红 佩	语言文字学(北京)—1990,(12):59-66
从成语特点看汉语词义的人文性	李 启 文	语言文字学(北京)—1990,(12):67-73
成语略语初探	晓 喻 李 然	中学语文(咸宁)—1991,(1):15-16
以管窥豹,蔚为大观:从有关成语看汉民族的言语交际观	杨 晓 黎	营口师专学报·哲社版—1991,(1):28-33
浅谈成语的美学意义	张 良 国	学语文(芜湖)—1991,(1):29-30
常用字与成语	匡 群	邵阳师专学报—1991,(1):32-33,31
成语中的数字	聂 言 之	吉安师专学报·哲社版—1991,(1):38-39,56
"与人为善"的现用义	李 海 霞	语文建设—1991,(1):44
汉语成语误用的七种类型试析	卢 国 雄	徽州师专学报·哲社版—1991,(1):64-70
《三国志通俗演义》谣谚成语经纬谈	顾 鸣 塘	海南大学学报·社科版—1991,(1):74-82
并列式成语的四声序列	张 文 轩	兰州大学学报·社科版—1991,(1):151-158
韩愈与成语	王 今 铮 刘 永 良	内蒙古民族师院学报·哲社汉文版—1991,(2):1-6
记台湾民俗学家朱介凡及其谚语研究	王 康 建 中	文史杂志—1991,(2):4-5
成语活用与评论出新	刘 澈	新闻通讯—1991,(2):17-19
影响深远 古为今用——《论语》中的格言与成语浅说	施 辉	语文月刊—1991,(2):24
浅析行业词对一般交际用词的渗入	印 平	盐城教育学院学报—1991,(2):54-56
包头方言四字格成语的构成方式	吕 世 华	阴山学刊·哲社版—1991,(2):74-78
成语结构分析	李 家 昱	天津教育学院学报·社科版—1991,(3):29-35
关于反说谚语的命名与立类	刘 明 春	民间文学论坛—1991,(3):35-36,77
浅论汉语成语的逻辑功用	朱 作 俊	徐州师范学院学报·哲社版—1991,(3):90-95
汉语成语"节缩"论析	白 曦	学术交流—1991,(3):113-117
论熟语的民族气质	武 占 坤 张 莉	河北大学学报·哲社版(保定)—1991,(4):1-7,17
台湾青年流行语杂谈	文 金	修辞学习—1991,(4):7-8
农谚略谈	钱 斌	学语文(芜湖)—1991,(4):28-30
试析歇后语的一种新形式:影视片名歇后语浅论	詹 继 曼	新疆大学学报·哲社版(乌鲁木齐)—1991,(4):97-102
成语研究和成语词典的编纂	卢 卓 群	湖北大学学报·哲社版(武汉)—1991,(5):28-35
成语的语素义说略	姚 鹏 慈	中文自学指导—1991,(5):31-32
"马迹"新解	晋 家 泉	汉语学习—1991,(5):32
歇后语嬗变 吴歌格形成	颜 新 腾	民间文学论坛—1991,(5):33-37,25
祝福语	陈 健	汉语学习(延吉)—1991,(5):43
致谢语	向 南	汉语学习(延吉)—1991,(5):44-45
试谈成语中古汉语暗喻表达形式	刘 铁 军	逻辑与语言学习(石家庄)—1991,(5):48-封三
浅谈广告语言	高 岩	河南大学学报·社科版(开封)—1991,(5):94-98

新时期行业语涌入全民用语现象的透视	吴海峰	逻辑与语言学习(石家庄)—1991,(6):32-33
谜语中的语文知识	黄知常	语文知识(郑州)—1991,(6):32-34
说"胡说八道"	于谷	中文自学指导—1991,(6):41-42
成语的"节缩":从"墨守、穷经、挂漏"谈起	俞敦雨	中学语文教学参考(西安)—1991,(6):42,38
化妆品用语点滴	徐丽华	学语文(芜湖)—1991,(6):43-45
说"不A不B"四字格	赵淑端	语文月刊(广州)—1991,(8):9
成语活用出巧智	汪诚一	语文知识(郑州)—1991,(8):14-15
"公共关系"词义质疑	董为光	语文建设(北京)—1991,(9):8-10
别有情趣的同字新谣谚	梦茵	阅读与写作—1991,(9):33-34,25
现代汉语成语中几种常见的古汉语现象	王冠先	语文知识(郑州)—1991,(9):50-52
专业词语移用现象试析	王士杰	阅读与写作—1991,(10):17-18
谦称和敬称	粟季雄	语文月刊(广州)—1991,(10):22
歇后语和动物	王守民	中学语文—1991,(10-11):13-14
成语略语浅谈	张宏星	语文月刊(广州)—1991,(11):13-14
浅谈礼貌语言	张树铮	语文建设(北京)—1991,(11):34-37
成语辨析三则	谭汝为	语文月刊(广州)—1991,(12):8-9
成语变用种种	樊世富	中学语文—1991,(12):16-17
联合式成语的理解	林曙	语文教学之友(廊坊)—1991,(12):33-34
说"盲人骑瞎马"的"瞎"	方一新	文史知识—1991,(12):82-83
说"倒过醮来了"	伍翰仁	文史知识—1991,(12):83-84
俗语:一种独立的熟语语种	徐建华	衡阳师专学报·社科版—1992,(1):70
论谚语	朱千波	大理师专学报·哲社版—1992,(1-2):72-79
谚语是固定词组吗	阿不都海列力肉孜著 田希玲译	语言与翻译(乌鲁木齐)—1992,(3):30-32
四字格成语的有形裂断及其作用	卢卓群	世界汉语教学(北京)—1992,(4):265-268
谈成语中的"一"	刘淑娥	世界汉语教学(北京)—1992,(4):283-284
惯用语初论	华培芳	许昌师专学报·社科版—1992,(4):49-102
试论毛泽东同志的成语语用义诠释	卢卓群	湖北大学学报·哲社版(武汉)—1992,(5):35-41
从成语看汉语的"意合"特征	韩晓光	学语文(芜湖)—1992,(6):20-21
成语的民族特征和通用性质是语言学的研究对象	陈楚祥译述	外语与外语教学—1992,(2):19-23
汉语俗语词研究的几个理论问题	黄征	杭州大学学报·哲社版—1992,(2):45-52,30
从谚语看我国传统文化中的择偶观	杨万娟	中南民族学院学报·哲社版—1992,(2):95-97
试论成语的形式变化	谢芳庆	安徽师大学报·哲社版(芜湖)—1992,(2):247-252
"不A不B"四字格的逻辑表达	赵淑端	逻辑与语言学习(石家庄)—1992,(4):7-8

标题	作者	出处
惯用语初论	华培芳	许昌师专学报·社科版—1992,(4):49-52
"A而不B"格式的文化内涵	白丁	中南民族学院学报·哲社版(武汉)—1992,(4):91-96
"虎兕相逢"还是"虎兔相逢"	姜涛	南京社会科学—1992,(4):94-96
异形成语浅析	孙连华 薛从军 陈德荣	语文建设(北京)—1992,(6):10-12
汉语四字成语的意义切分	祝鸿熹	语文建设(北京)—1992,(8):26-27
宰相和"歇后郑五"	宗廷虎	语文月刊(广州)—1992,(11):6-7
汉语国俗词语刍议	梅立崇	世界汉语教学(北京)—1993,(1):33-38
概说歇后语在使用中的异变	杨惠临	民间文学论坛—1993,(1):54-60,9
试析成语中的古汉语现象	孙继贤	湖南教育学院学报—1993,(1):81-83,88
汉语成语与佛教文化	梁晓虹	语言文字应用(北京)—1993,(1):91-98
关于科技汉语的词语和句型教学	陈慧	新疆大学学报·哲社版(乌鲁木齐)—1993,(1):129-132
被误解的成语"不可一世"	李定与	文史杂志—1993,(2):19
"克力架"的困惑:兼议外来词语的翻译与引进	黄天源	语言与翻译—1993,(2):40-43
数字成语的抽象义说略	章康美	逻辑与语言学习(石家庄)—1993,(2):44-45
瞎子——"摸鱼",还是"摸象":兼谈汉语成语的规范化	臧学鹏	齐齐哈尔师范学院学报·哲社版—1993,(2):75-78
再说惯用语	张清常	语言教学与研究—1993,(2):76-81
日本江户后期的汉语俗语研究	[日]盐见邦彦	河北师院学报·社科版—1993,(2):98-103
《景德传灯录》成语札记	章备福	徐州师范学院学报·哲社版—1993,(2):104-105
成语中的古汉语知识	吴玉明	贵州教育学院学报·社科版—1993,(3):33-39
熟语文化内涵浅探	谢资娅	益阳师专学报—1993,(3):49-50
谚语格言的社会学透视	李丽芳	中国社会科学院研究生院学报—1993,(4):58-62
谈谈四字语的修辞作用	王化鹏	语言教学与研究—1993,(4):156-160
同义的成语和谚语	郭永兴	语文知识(郑州)—1993,(5):3-4
歇后语和歇后格	张宗正	修辞学习—1993,(5):21-22
王朔小说中的北京青年流行用语	韩荔华	汉语学习—1993,(5):35-38
成语在结构上的灵活性	孙民立	逻辑与语言学习—1993,(5):45-46
成语误用例说	李栋臣	读写月报—1993,(6):6-7
名言和警句	陈原	语文学习—1993,(6):42-43
十余年来的成语研究	卢卓群	语文建设—1993,(7):5-8
漫谈成语"误区"	徐秀君	语文知识—1993,(7):12-14
说"俏皮话儿"	刘广和	语文建设—1993,(7):38-39
论"X而Y之"短语	白曦	语言文字学—1993,(7):101-104
歇后语的修辞特征	赵耀昌	读写月报—1993,(8):2-3

反成语	王希杰	语文月刊—1993,(10):2-4
俗语探源	陶西坤	语文学习—1993,(11):36-37
成语、熟语中的家畜	史锡尧	语文月刊—1993,(12):6-7
汉语比喻中负载的汉文化信息	吴继光 王洪梅	修辞学习—1994,(1):16-18
成语是古汉语特点的缩影	毛学河	汉语学习—1994,(1):28-31
成语与民族文化	青阳	语言与翻译—1994,(1):78-83
漫谈数字应用的文化色彩	董绍克	山东师大学报·社科版—1994,(1):91-93
军事成语通用化缘由探析	张峰屹	内蒙古大学学报·哲社版—1994,(1):103-107
谚语群初探	陶汇章	民间文学论坛—1994,(2):24-33
浅谈成语的谐音改造	高万云	修辞学习—1994,(2):29-30
略说成语义的转移	谢芳庆	学语文—1994,(2):35-37
略谈现代汉语成语的结构	陈庆祜	学语文—1994,(2):37-39
汉语语音与成语	师为分	铁道师院学报·社科版—1994,(2):50-52,62
隐语与秘密社团文化	潘庆云	海南大学学报·社科版—1994,(2):59-62
"一字之差"成语琐议	倪宝元 姚鹏慈	杭州大学学报·哲社版—1994,(2):114-121
浅析来源于《论语》的成语	吴辛丑	语文月刊—1994,(3):2-3
癞蛤蟆和天鹅肉	王希杰	语文月刊—1994,(3):5-6
民间詈词詈语初探	张廷兴	民俗研究—1994,(3):30-35
熟语的经典性和非经典性	周荐	语文研究—1994,(3):33-38
口彩初探	曹志耘	民俗研究—1994,(3):41-43
德州地区常用俗语例释	曹廷杰	民俗研究—1994,(3):58-61
有关"放猫子"的两长俚语	国光红	民俗研究—1994,(3):62-63
谚语的是与非(三篇)	田贷泉 济冬	民俗研究—1994,(3):64-67
当代谚谣概论	蒋荫楠	安徽大学学报·哲社版—1994,(3):72-79
谚语特点的文化、美学探讨	周植荣	华南师范大学学报·社科版—1994,(3):74-78
熟语文化论	姚锡远	河北大学学报·哲社版—1994,(3):85-91
汉语歇后语中的"谤佛"现象与中国佛教	郑贵友	延边大学学报—1994,(3):100-104
汉俄成语的结构及语义特点	王冬竹	安徽师大学报·哲社版—1994,(3):353-355
谈广告中的活用成语现象	沈孟璎	语文建设—1994,(4):5-8
汉谚与汉民族的传统文化心理结构	孙洪德	赣南师范学报·社科版—1994,(4):17-21
带刺的奇葩——新顺口溜	姚汉铭	阅读与写作—1994,(4):25-26
"不三不四"杂议	倪培森	文史杂志—1994,(4):37
三音节新俚语词汇	姚汉铭	语文学习—1994,(4):42-43
《孟子》的成语研究	郑涛	古汉语研究—1994,(4):76-81
谐音换字巧用成语	王克平	汉语学习—1994,(5):62
成语内部形式论	周光庆	华中师范大学学报·哲社版—1994,(5):112-117

篇名	作者	出处
耳熟未必能详——谈成语语义的认知	石 川	学语文—1994,(6):38-40
汉语中有关花草树木成语的文化内涵	李 大 农	汉语学习—1994,(6):44-47
从格式上看成语活用的几种方法	刘 铁 钧	逻辑与语言学习—1994,(6):47-48,46
成语与中国文化	李 大 农	南开学报·哲社版—1994,(6):68-71,59
隐语黑话的演变及当代隐语黑话的特点	周 兰 星	语言文字学—1994,(6):87-91
成语另解二则	杨 琳	辞书研究—1994,(6):117-118
"两袖清风"与"清风两袖"	导 夫	辞书研究—1994,(6):119-120
"成语之妙,在于运用"	不 言	语文世界—1994,(7):18-19
关于饮食文化对汉语成语的影响	魏 威	学汉语—1994,(8):22-24
成语在广告中的运用	王 勇 新	语文学习—1994,(8):43-44
陌生化:广告中的成语变异现象	慕 明 春	语文建设—1994,(9):25-27
"模"字在以"模样"构成的成语中的读音问题	[马来西亚] 黄 中 和	语文建设—1994,(10):12
谚语群初探	陶 汇 章	语言文字学—1994,(10):71-80
成语的流俗义	潘 竟 翰	语文学习—1994,(11):37-39
四字成语中间的停顿	周 照 明	语文教学之友—1994,(11):38
成语与社会生活	陈 国 庆	语文学习—1994,(11):40-41
成语错用例析	严 荣 森	语文学习—1994,(11):42-43
俗语词研究与历代词汇研究的关系	黄 征	语文建设通讯—1994,(45):54-59
也谈现代汉语成语的结构	谢 逢 江	学语文—1995,(1):21-22
漫谈成语的双关	姚 鹏 慈	修辞学习—1995,(1):23-24
新时期的俚俗词语	姚 汉 铭	语文研究—1995,(1):23-27
等义成语四题	倪 宝 元 姚 鹏 慈	中国语文—1995,(1):23-28
论典故词语及使用特点和释义方法	管 锡 华	安徽大学学报·哲社版—1995,(1):37-42
隐语词汇构造规律探津	曹 德 和	江苏教育学院学报·社科版—1995,(1):46-48,55
成语中介符号论	周 光 庆	语言文字应用—1995,(1):91-96
"抬轿子"和"开小差"	王 新 华	语文建设—1995,(2):35-24
论汉语成语的价值系统	李 娴 霞	贵州师范大学学报·社科版—1995,(3):54-58
汉语熟语的民族性与时代性	李 恕 仁	云南民族学院学报—1995,(3):90-94
成语与民族文化背景	刘 培 华	语言与翻译—1995,(3):109-115
关于四字格及其语音节奏:从"一衣带水"和"一肚子气"谈起	史 有 为	汉语学习—1995,(5):15-21
成语的范围界定及其意义的双层性	王 吉 辉	南开学报·哲社版—1995,(6):68-72
流行语探源	刘 彦 武	语文学习—1995,(9):44-45
试论体态成语	董 世 福 刘 永 发	语言文字学—1995,(9):95-97
巧用成语成句	王 寿 沂	语文建设—1995,(10):19-21

外 来 语

《异文化的使者——外来词》序	季羡林	语文研究(太原)—1991,(1):1
外来词研究的十个方面	史有为	语文研究(太原)—1991,(1):2-3,28
汉语外来语与汉民族文化心理	陈榴	高等学校文科学报文摘—1991,(2):57
论近几年外来词"OK""bye-bye"在我国的广泛应用	楚之江	西北第二民族学院学报·哲社版—1991,(2):86-89
一种误解被借的词原义的现象:兼论"胡同"与蒙古语水井的关系	张清常	语言教学与研究(北京)—1991,(4):50-55
葡萄牙语对澳门话的影响	胡培周	方言—1991,(4):241-242
茅盾小说中外来词的规范运用	徐丽华	语文月刊(广州)—1991,(5):16-17
外来词:两种语言文化的融合	史有为	汉语学习(延吉)—1991,(6):23-28
论汉语中的蒙古语借词"胡同"	照那斯图	民族语文(北京)—1991,(6):30-35
外来词研究之回顾与思考	史有为	语文建设(北京)—1991,(11):6-12
近代汉语外来词的不平衡性	卞成林	广西民族学院学报·哲社版—1992,(2):99-104
佛经翻译对现代汉语吸收外来词的启迪	梁晓虹	语文建设(北京)—1992,(3):14-17
从香港新外来概念语词到词库建设	肖正方 李薇	语言教学与研究(北京)—1992,(4):33-48
汉语外来词译名的倾向性	欧治梁	重庆师院学报·哲社版—1992,(4):94-97
外来语的引进及仿洋心理	冠明	学语文(芜湖)—1992,(6):44-46
汉语新外来语的文化心理透视	王铁琨	汉语学习(延吉)—1993,(1):35-40
汉语对外来词的语音驯化	王珏	解放军外语学院学报(洛阳)—1993,(1):62-66,101
汉语对外来词的词义驯化	王珏	解放军外语学院学报(洛阳)—1993,(2):34-39
"方言词"与"外来词"	张晓勤	零陵师专学报—1993,(2):73-75
也谈"扎啤"	姚德怀	语言教学与研究—1993,(2):93-94
第三次浪潮:外来词引进和规范刍议	张德鑫	语言文字应用—1993,(3):70-76
丐帮切口透视	李海珉	汉语学习—1993,(4):32-35
汉语外来词音译艺术初探	吴礼权	修辞学习—1993,(5):13-15
汉语对外来词的语法驯化	王珏	解放军外语学院学报—1993,(5):59-63
满族转用汉语的历程与特点	季永海	民族语文—1993,(6):38-46
谈外来词"OK""拜拜"的词义变异	余淑珍	语文建设—1993,(8):31-33
大陆粤方言区与香港地区使用外来词之区别:粤方言外来语三探	谭海生	广东教育学院学报·社科版—1994,(1):43-46,68
SIR、生、先生	马文熙	语文建设—1994,(1):48
民俗语源与外来词的汉化	徐淑贞	四川外语学院学报—1994,(1):84-86
中日两国外来语借用方式的比较	阎雪雯	锦州师院学报·哲社版—1994,(1):87-90
汉语外来词二则	朱庆之	语言教学与研究—1994,(1):153-160

胡同、水井、火巷	周 士 琦	语文建设—1994,(2):46-48
对《马可波罗游记》中"古德里"一词的看法	郭　　杰	民族—1994,(3):33
"电话"、"蜜月"不是外来词——自学考试教材《语言学概论》中的问题商榷	郭 良 夫	逻辑与语言学习—1994,(3):48
汉语外来词音译的特点及其文化心态探究	吴 礼 权	复旦学报·社科版—1994,(3):82-88,107
"CT"和"BP机"等等	胡 明 扬	语文建设—1994,(4):17
现代汉语外来词浅析	赵 玉 乐	河北师范大学学报·社科版—1994,(4):75-78
谈某些汉语外来词的词义及其翻译	刘 凯 芳	中国翻译—1994,(5):46-48
《华夷译语》研究	张 双 福	内蒙古社会科学—1994,(5):87-92
汉语外来词中的"归侨词"——略读源自汉语的汉语外来词	华　　昶	学语文—1994,(6):40-41
从某些外语专名的汉译看海峡两岸语言使用的同与异	黄 长 著	中国语文—1994,(6):401-408
谈汉语音译外来词规范化	周 定 国	语文建设—1994,(10):9-11
悲冷翠和借词的文化价值取向	王 希 来	语文月刊—1994,(11):2-4
浅议新外来词及其规范问题	杨　　华 蒋 可 心	语言文字应用—1995,(1):97-99
商标外来词初探	郝　　琳	佳木斯师专学报—1995,(2):72-75
外来词译音成分的语素化	周 洪 波	语言文字应用—1995,(4):63-65
广告中的外语词	郭 龙 生	汉语学习—1995,(5):51-54

科学名词、人名地名

用科技词语充实普通词汇	杨 靖 轩 刘 爱 兰	语言教学与研究—1991,(4):150-157
"邮编"还是"邮码":小议"邮政编码"的缩略形式	李 苏 鸣	语文建设(北京)—1991,(9):13
汉人姓名的两重意义与语素分析	杨 月 蓉	逻辑与语言学习(石家庄)—1992,(3):34-35
动植物词语的文化色彩	朱　　敏	语文月刊(广州)—1992,(6):15-16
科技词语在社会生活领域中运用的方式及其词义转化	肖 群 英	赣南师院学报·社科版—1993,(2):37-42
经济类新词语的特点和使用	戴 林 发	郑州大学学报·哲社版—1993,(4):81-84
合称品名说略	徐 国 庆 朱 慧 娟	语文建设—1993,(8):28-31
专业用语的借用浅说	程 海 林	语文学习—1995,(4):42-44

化 学 名 词

缩略词浅议	孙鲁痕	贵州教育学院学报·社科版(贵阳)—1993,(1):25-30
"高买"探源:兼论隐语的通用化	唐钰明	语文建设—1994,(1):2-5

计 量 单 位

事物单位词的由来及使用	史锡尧	语言教学与研究(北京)—1992,(2):33-46

人 名 地 名

地名的语言分析	郭锦桴	汉语学习(延吉)—1991,(3):26-31
命名的构成方式	孟 华	青岛师专学报—1991,(3):44-50
人名与社会文化	柳金殿 孟建安	汉语学习—1994,(1):38-39
"参"字的人名读音	陈冠明	学语文—1994,(5):43-45
地名标志用英文的做法应当纠正	骆 毅	语文建设—1994,(6):8-10
西陲地名的语言考察	李文实	语言文字学—1994,(7):149-152

译名统一问题

关于"犹太"民族的译名用字问题	冯志伟	汉字文化(北京)—1991,(1):56-57
科技翻译的业务修养:学习刘伯承元帅题词的粗浅体会	项啸虎	上海科技翻译—1991,(2):8-11
大型引进工程翻译的原则性与灵活性	李景山	上海科技翻译—1991,(2):19-22
业务知识是确切翻译的基础	陈西庚	上海科技翻译—1991,(2):46-47
论中医翻译的原则	李照国 刘希和	中国翻译—1991,(3):41-45
高级技术职务名称英译初探	李学金	中国翻译—1991,(4):36-37
英译单位名称应规范化	徐大伟	中国翻译—1991,(4):39-40
科技翻译文体问题浅谈	瓜景云	中国翻译—1991,(5):26-29
从译名现状看外国人名翻译的必然趋势	李韧之 沈 刚等	中国翻译(北京)—1991,(6):33-36
姓名翻译问题浅见	卫 纯	中国翻译(北京)—1991,(6):36-37
译名和译名方式的文化透视	孟 华	语文建设(北京)—1992,(1):19-22
旅游资料中的译名问题	谢 沅	安庆师范学院学报·社科版—1992,(2):105-106
英语专有名词的汉译技巧探讨	袁斌业	广西师范大学学报·哲社版(桂林)—1992,(3):71-76
语言学术语译名中的新问题	赵世开	语言文字应用(北京)—1992,(4):51-53
谈谈日本人名、地名汉字的中国读音	李思敏	语文建设(北京)—1992,(9):45-47

列宁著作中的译名问题	中央编译局列宁著作编译室资料处	中国翻译(北京)—1993,(2):20-23
试谈"往X里V"式及其翻译	张立荣	喀什师范学院学报·哲社版—1993,(2):98-102
科技英语中多词一义的翻译	丁棣	中国翻译—1993,(3):25-27
汉字译名中的困惑	刘泽先	语文建设—1993,(5):16
论电子学名词的审定与统一	吴鸿适	中国科技翻译—1994,(1):31-35
三评《大俄汉词典》法学术语的译名	谯绍萍	贵州大学学报·社科版—1994,(2):93-97
我国地名拼写国际标准化问题	史定国	语言文字应用—1994,(4):102-108
谈汉语音译外来词规范化	周定国	语文建设—1994,(10):9-11
《外来专名专词的翻译和处理原则》倡议	吴文超	语文建设通讯—1994,(45):5-7
外国人名地名的中译问题	姚德怀	语文建设通讯—1994,(45):8-12
中文专名的西写问题	白辛	语文建设通讯—1994,(45):13-17
英汉医学翻译中的词义选择	季拜华	中国翻译—1995,(1):16-17,22
外国人名译名的规范	刘金表	语文建设—1995,(3):15
谈现代汉语外来语的规范化问题	祁素芳	语文世界—1995,(6):14,45

个别词语(包括实词和虚词,按音排列)

日汉接续词语之对比	方懋	外语学刊(哈尔滨)—1990,(6):53-57
"此致敬礼"的释义	杨启寿	秘书—1991,(1):17
"关于"的正确使用例	葛文志	秘书—1991,(1):23
浅释"问题"	孙选中	百科知识—1991,(1):28-29
说"群众"	井心	中文自学指导—1991,(1):43
"当"和"每当"	华一新	中文自学指导—1991,(1):46
说"碴儿"和"茬儿"	石毓智	语言教学与研究(北京)—1991,(1):58-63
说"饭店"	赵永新	世界汉语教学(北京)—1991,(1):63-64
由"达到"和"到达"的误用说起	马洪海	天津师大学报·社科版—1991,(1):78-80
普通话中副词"在"和"正在"的来源	仇志群	聊城师范学院学报·哲社版—1991,(1):84-89
普通话里的程度副词"很、挺、怪、老"	马真	汉语学习(延吉)—1991,(2):8-13
对"此致敬礼"的再辨析	一成	秘书—1991,(2):10
拍马	夏俊山	写作—1991,(2):15
断肠	吴斧平	写作—1991,(2):34
"编辑"辞义辨析	姚福中	编辑学刊—1991,(2):38-41
关于"只好/只有"之我见	[日]高桥弥守彦	海南师范学院学报—1991,(2):65-68
"明显"与"明确"	谢红 宋奔	语文月刊(广州)—1991,(3):13
"老""道""脑"语助初探	王学奇	天津教育学院学报·社科版—1991,(3):19-22,28

"涉外"释义质疑	吴　　　清	学语文—1991,(3):23
论与"关""机""几""讥"有关的几组同源词	曾　广　平 侯　红　卫	许昌师专学报·社科版—1991,(3):84-86
限定副词"只"和"就"	周　小　兵	烟台大学学报·哲社版—1991,(3):92-96
"的"字的分化	凌　远　征 嘉　　　漠	语言教学与研究—1991,(3):104-114
"念念不忘"与"念念"	连　登　岗	辞书研究—1991,(3):149-152
时间副词"正""正在"和"在"的分布情况	郭　志　良	世界汉语教学—1991,(3):162-172
"满"可修饰"是"	顾　志　刚	中国语文—1991,(3):240
大气功师和气功大师	斯　　　雨	语文建设(北京)—1991,(4):36
论"这本书的出版"中"出版"的词性 ——对汉语动词、形容词"名物化"问题的再认识	项　梦　冰	天津师大学报—1991,(4):75-80
"坛"义一释试辨	祝　注　先	辞书研究—1991,(4):143-144
说"明天(明日)"	谢　芳　庆	学语文—1991,(5):8-10,42
"各自为战"本义解	尹　日　高	语文月刊(广州)—1991,(5):10
"耳闻目睹"与"耳濡目染"	张　贵　元	中学语文(武汉)—1991,(5):38-39
应当认可"您们"	沈　卢　旭	逻辑与语言学习—1991,(6):40-41
再谈"象"和"像"	苏　培　成	语文建设(北京)—1991,(6):41,30
释"幽默"	马　振　亚	吉林大学社会科学学报—1991,(6):91
"和(与)"字的位置	吕　云　九	中国语文(北京)—1991,(6):416
"当"字的语法功能及"当"字句的规范	阎　仲　笙 孙　也　平	语文建设(北京)—1991,(7):10-13
"斩"字新解	王　志　方	语文学习(上海)—1991,(7):29
"的"和"地"用法小议	黄　金　旺	秘书—1991,(7):46
也谈"关于"正确用法析	许　贺　龙	秘书—1991,(8):29
说"肥美"	黄　奇　志	中文自学指导—1991,(8):
"公共关系"词义质疑	董　为　光	语文建设—1991,(9):8-9
"决定"与"决议"混用之一瞥	谢　丁　宁	秘书—1991,9.23-24
"晨"辨	林　利　藩	语文月刊—1991,(9):28
"度""渡"辨析议	杨　春　霖	陕西日报—1991年1月24日第3版
我·你·他——第二人你及其使用	舒　安　娜	阅读与写作—1991,(10):15-16
说"马"及与"马"相关的字	金　　　寅	中文自学指导—1991,(10):39
"醉"字巧用引人醉	鞠　党　生 夏　策　香	中学语文教学—1991,(10):41-43
说"副、付、服、傅"	林　　　木	语文建设—1991,(10):48
说"我"(续)	王　希　杰	语文月刊—1991,(11):4-5
说"一"	史　锡　尧	语文月刊(广州)—1991,(11):6-7

标题	作者	出处
"的"、"地"不能合二为一	张炳华	语文教学与研究—1991,(12):15
谈"世纪"与"年代"起讫之争的原因	吴继光	中文自学指导—1991,(12):35-36,40
"农历十二月的别名"表达不当	戚晓杰	语文月刊—1992,(1):12
"起来"的分布和语义特征	房玉清	世界汉语教学(北京)—1992,(1):23-28
说"着"	费春元	语文研究(太原)—1992,(2):18-28
口语中"个"的两种特殊用法	胡中文	学语文(芜湖)—1992,(2):30-31
"曝光"的字形、读音和用法	肖卜典	语言文字应用(北京)—1992,(2):111
"杨柳轻飏直上重霄九"的"杨柳"	谭永祥	语文月刊—1992,(3):11-13
"无A无B"中的"无"及"无时无刻"的误用	谢逢江	学语文(芜湖)—1992,(3):23
副词"比较"的含义及其相关句式	李杰	徐州师范学院学报·哲社版—1992,(3):77-80
试析表示"体"的"在"	彭玉兰	上海师范大学学报·哲社版—1992,(3):124-127
"所"字小识	姚永铭	淮北煤师院学报·社科版—1992,(3):128
说"饭"	赵平安	语文建设—1992,(4):48
"儿化"、"儿尾"的分类和分区初探	[俄]莫景西	中山大学学报·社科版(广州)—1992,(4):131-138
口才和"耳才"	宗廷虎	语文月刊—1992,(5):11-12
说"长"道"短"	史锡尧	语文月刊—1992,(5):12-13
"是"的含义与用法种种	冯树鉴	语文知识(郑州)—1992,(5):19-22
联绵词特点概说	孙正龙	语文知识(郑州)—1992,(5):22-24
"十二"探微	张德鑫	华东师范大学学报·哲社版(上海)—1992,(5):61-67
说说"彼此彼此"	范庆华	汉语学习(延吉)—1992,(6):39-40
行李	赵克勤	语文建设—1992,(6):41
是拐杖还是夹杖?	张箭	语文建设—1992,(7):43
"勿要忒"是啥意思	齐沪扬	语文学习—1992,(7):44-45
"其他"与"其它"	苑真	语文学习—1992,(7):47
"坚明约束"详解	陈和器	语文教学通讯—1992,(7):65
"媳妇"古今谈	赵克勤	语文建设—1992,(8):14
为何用"举"不用"发"	叶根奎	语文教学通讯—1992,(8):64
不妨认可"您们"	沈如旭	读写月报—1992,(9):10-11
说"头"	史锡尧	语文学习(上海)—1992,(9):43-44
说"虫"	李海霞	语文学习(上海)—1992,(9):44-45
说"子"	童为凯	语文学习(上海)—1992,(9):45-46
说"鼓"	张文甫	语文学习(上海)—1992,(9):46-47
说"顶"	杨时俊	语文学习(上海)—1992,(9):47
谈谈"好像"的臆测性用法	皮运鏊	语文知识(郑州)—1992,(10):14-16
"乒乓"与"乒乓球"	李炜	语文建设—1992,(10):39-41

"愁"字的由来及其本义	齐冲天	文史知识—1992,(10):103-106
"很"字用法不当举例	李芳杰	语文月刊(广州)—1992,(11):11
幻化有趣话"片"字	周章轼	语文知识(郑州)—1992,(11):18-19
怎样区别象、像、相	荣可吉	语文教学之友—1992,(11):24-25
几对容易用错用混的词	毛惜珍	中文自修—1992,(11):40-41
"师"和"医师"	王云路	语文建设—1992,(12):35
"赶大车"、"赶路"、"赶明儿"等:"赶"语义分析	史锡尧	中学语文教学(北京)—1993,(1):41-42
掌握词义 对号入句:"即兴"误用例析	刘博峤	学语文(芜湖)—1993,(1):封三
"儿"语缀的语境语义分析	张宁	汉语学习(延吉)—1993,(2):16-17
"吃"法种种	史锡尧	语文学习(上海)—1993,(2):40-41
关于口语中位于句首的"那么"	崔建新	逻辑与语言学习—1993,(3):39-41
"意思"的意思的意义及用法	赵守辉	汉语学习—1993,(3):44-45
说"行"	贺凯林	湖南师范大学社会科学学报—1993,(3):122-125,128
"口"、"嘴"语义语用分析	史锡尧	汉语学习—1994,(1):11-14
"枸酱"是一种果汁饮料	袁华忠	贵州师范大学学报·社科版—1994,(1):21-22
"拥"、"抱"都是中性词	方文一	古汉语研究—1994,(1):49-50
"法"字新考	武树臣	中外法学—1994,(1):63-64
说"爷"和"爹"	胡士云	语言研究—1994,(1):120-135
说"子"	朱庆明	学汉语—1994,(2):11-12
"所以"古今谈	严慈	海南大学学报·社科版—1994,(2):45-53
谈"天"说"地"	史锡尧	语文月刊—1994,(3):6-7
"一"的引申义	徐建华	学汉语—1994,(3):18-20
"下来"还是"进来"	史有为	汉语学习—1994,(3):21-22
说"话"二题	沈志刚	学语文—1994,(3):34-35
说"小话"	黄德玉	语文建设—1994,(3):45
语词札记二则	侯兰笙	西北师大学报—1994,(3):96-98
"落成"解	张十才	辞书研究—1994,(3):139-141
"必需""必须"辨	李栋臣	语文建设—1994,(4):35
"三十六、七十二、一零八"阐释	张德鑫	汉语学习—1994,(4):38-42
《〈百家姓〉的同音姓》补遗	孔渊	语文建设—1994,(4):48
说"分子"	厉兵	语言文字应用—1994,(4):57-62
方和方×里、平方里关系辨析	袁长江	文史知识—1994,(4):105-107

标题	作者	出处
"芒儿"义是"村民"	阚绪良	中国语文—1994,(4):310
说"炒"	华 旭	语文建设—1994,(5):16-18
说"春"道"秋"	史锡尧	语文学习—1994,(5):44-45
"朱门酒肉臭"的"臭"是香吗？	汪少华	文史知识—1994,(5):101-102
"天荒"和"破天荒"	陈汝法	辞书研究—1994,(5):117-120
关于"自"的再讨论	刘瑞明	中国语文—1994,(6):458-459
说"间"、"闲"和"门"	文 木	阅读与写作—1994,(7):17,16
"国"字新解与现代"谬训"	黄知常	阅读与写作—1994,(7):21-22
词义沧桑说"阳谋"	丛 杨	语文月刊—1994,(8):5
富翁、倒爷、小姐及其他	王立廷	语文建设—1994,(8):24-27
漫说"寒暄"	允贻 魏雨	语文学习—1994,(8):45-48
陵、东陵与"东陵大盗"	刘复生	文史知识—1994,(8):70-71
"物"作"人"讲	吕叔湘	语文世界—1994,(9):12
"大""小"的褒与贬	肖贤彬	语文学习—1994,(9):37
"大哥大"和"大姐大"	雷良启	语文学习—1994,(9):39-41
"下海"溯源	周士琦	语文建设—1994,(9):43-45
"心"话	王希杰	语文月刊—1994,(10):3-5
析"海"	史锡尧	语文月刊—1994,(10):6-7
"孳乳"略说	知 常	语文世界—1994,(10):15
"书"话	史锡尧	语文学习—1994,(10):43
北面·败北	张民权	语文学习—1994,(10):44-45
"海关"无海"老外"不老	张德鑫	语文建设—1994,(12):35
"真的"还是"真地"？	戚晓杰	语文建设—1994,(12):44
鲁迅用的"HUAZAA"辨释	廖大国	语文建设通讯—1994,(44):65-66
"邂逅"新义	袁津琥	语言研究—1995,(1):20
说"连及"	程邦雄	语言研究—1995,(1):21-27
析"却"	景士俊	内蒙古师大学报·哲社版—1995,(1):40-46
也谈"很多"与"很少"	王灿龙	世界汉语教学—1995,(2):28-30
"旮旯"议	梁特猷	海南师院学报—1995,(2):125-127
"一会儿"的来历	徐世荣	语言文字应用—1995,(3):28
"看勿懂"和"勿要忒好"	史有为	汉语学习—1995,(3):54-55
谈"凡"和"凡是"	张新荣	新疆大学学报·哲社版—1995,(3):93-95
释"感冒"	郭芹纳	陕西师大学报·哲社版—1995,(3):133-135
谈"面的"	李先耕	语文建设—1995,(5):6-7
析《论语》中的"何有"	吴 丕	齐鲁学刊—1995,(6):125-126
也说"留学生"	白 文	语文学习—1995,(8):38-39
应当给"您们"词籍	沈卢旭	语文学习—1995,(8):39-40
"狼狈"质疑	岳梅珍	语文学习—1995,(8):40-42

| 有孚众望≠有负众望 | 田　丰 | 语文知识—1995,(10):6 |

书　评

评两则标语口号	洪　舒	语文建设(北京)—1990,(6):46-47
《近代汉语词汇研究》弁言	蒋礼鸿	古汉语研究—1991,(1):6
《汉语释疑辨难集》序	胡裕树	学语文—1991,(1):27-29
《唐宋八大家古文修辞疏举要》序	郑子瑜	中国人民大学学报—1991,(1):108-109
《古汉语实词活用词典》序	张济华	学语文(芜湖)—1991,(2):3-4
《同义词语的研究》序	刘叔新	天津教育学院学报·社科版—1991,(2):64
评《春秋左传词典》	陈克炯	中国语文(北京)—1991,(2):152-160
《中古汉语语词例释》序	蒋礼鸿	杭州大学学报·哲社版—1991,(4):46-47
《金瓶梅方言俗语汇释》序	王学奇	天津师大学报·社科版—1991,(6):76-78
《汉语描写词汇学》读后	周　荐	中国语文(北京)—1991,(6):474-478
字典三特点——《表形码编排汉语字典》序	曹先擢	语言研究—1992,(1):9-11
文化语言学的新收获——读史有为《异文化的使者——外来词》	刘丹青	语文研究—1992,(1):21-23,17
一部建构现代词典学体系的力作《现代词典学教程》评介	肖世民	吉林师范学院学报—1992,(1):23-26
评《汉语大字典》"扁"字音义项的分合取舍及引证	陈世桂	江汉大学学报·社科版—1992,(1):58-59
《现代汉语褒贬用法词典》序言	张寿康	沈阳师范学院学报·社科版—1992,(2):62-63
《模糊语义问题辨述》的辨述	马　毅	现代外语—1992,(3):6-11
《〈世说新语〉辞典》序	罗国威	四川大学学报·哲社版(成都)—1992,(3):74-77
汉语历史词汇研究的新境界——读《古汉语词汇纲要》	周光庆	语文研究—1992,(4):35-38
《吕氏春秋词典》序	周祖谟	语文研究—1992,(4):42
也评《朗曼读音词典》	王易仓	浙江师大学报·社科版—1992,(4):77-83
评《大俄汉词典》中习语的编纂方法	归定康	外语学刊—1992,(5):13-17,41
汉语研究的新收获:评《生态汉语学》	辛舒萍	汉语学习(延吉)—1992,(5):50-51
创新与讨论是学科发展的动力:1992年汉语词汇研究述评	舒　辛	语文建设—1992,(6):35-39
浅谈系联同源字的标准——读《同源字典》后记	黎千驹	语言文字学(北京)—1992,(7):146-152
人名研究的新收获——《文化的镜象——人名》评介	曹志耘	语文建设(北京)—1992,(8):48,29
《多功能解形说义字典》评介	江　河	语言文字学(北京)—1992,(12):37-39

标题	作者	出处
新词新语词典编纂的新收获——读《1991汉语新词语》	季恒铨	语言文字应用(北京)—1993,(1):77-80
简评《1991汉语新词语》	王铁琨	语言文字应用(北京)—1993,(1):80-84
评《辞书编纂学概论》	钱剑夫	复旦学报—1993,(2):99-103
《同义词语的研究》读后	王吉辉	语文研究—1993,(3):64-封三
读王力《汉语词汇史》札记	罗正坚	中国语文(北京)—1993,(3):235-237
探讨汉语词义贵在多角度多层次——评苏新春《汉语词义学》	周光庆	学术研究—1993,(4):72-76
读《说文》记二篇	蒋礼鸿	杭州大学学报·哲社版—1993,(4):110-116
在《现代汉语词典》出版二十周年学术研讨会上的发言	胡绳	中国语文—1993,(4):241-242
在《现代汉语词典》出版二十周年学术研讨会上的讲话	吕叔湘	中国语文—1993,(4):243
汉语研究的一个重要途径和方法	陈亚川	中国语文—1993,(4):276-280
1992年近代汉语研究综述	蒋绍愚	语文建设—1993,(8):18-19
《宋元语言词典》商补	刘瑞明	庆阳师专学报·社科版—1994,(1):8-13,38
读《佛典与中古汉语词汇研究》	方一新 王云路	古汉语研究—1994,(1):11-16
读《长沙方言词典》	李行之	方言—1994,(1):14-15
《苏州方言词典》(苏州市学术界座谈《苏州方言词典》)		方言—1994,(1):16
读《苏州方言词典》	翁寿元	方言—1994,(1):16-19
《同源字典》笺识	殷寄明	古汉语研究—1994,(1):35-39
一本实用的英汉词典——《英国词典》简介	李为	中国翻译—1994,(1):49-50
一部新闻编译的宝典	黄文范	中国翻译—1994,(1):50-51
五种汉英词书联评	陈中绳	四川外语学院学报—1994,(1):51-58
四部大型汉语辞书浅议	黄小芸	当代图书馆—1994,(1):56-57
《广雅》的词典属性	李亚明	淮阴师专学报—1994,(1):57
《辞源》(修订本)献疑	毛远明	四川师范学院学报·哲社版—1994,(1):61-66
《陕北方言略说》补正	王军虎	方言—1994,(1):68-69
《汉语源学》评介	陈建初	古汉语研究—1994,(1):69-73
中古汉语词汇研究的新拓展:评《佛经释词》	刘晓南	古汉语研究—1994,(1):74-77
胡澍《素问校义》发微	施观芬	山东师大学报·社科版—1994,(1):89-90,93
评《英汉辞海》	武原	辞书研究—1994,(1):104-115
评《新现代汉语词典》	方进	辞书研究—1994,(1):116-112
《现代汉语词典》在词典史上的贡献	汪耀楠 张林川	辞书研究—1994,(1):123-130

标题	作者	出处
读《汉语大字典》随记	魏 励	读书—1994,(1):153
《汉语大字典》引经书及注、疏辨误	戴金盈	渤海学刊—1994,(1-2):61-63
值得重视的一个消极文化现象——评王同亿主编的《语言大典》	于光远	辞书研究—1994,(2):1-6
王氏《大典》的真相	曾彦修	辞书研究—1994,(2):7-17
评《新现代汉语词典》的"新"	吴 华	辞书研究—1994,(2):18-22
"共识说"并非"续命汤"	张仲牧	辞书研究—1994,(2):23-28
好一座"语言迷宫":《语言大典》	湖上柳	中国图书评论—1994,(2):29-31
《中国文学大辞典》摭谈	祝振玉	辞书研究—1994,(2):29-36
《新华字典》和《新编新华字典》孰优孰劣	高 兴	中国图书评论—1994,(2):31-33
喜读《古代汉语貌词通释》	张文熊	西北师大学报—1994,(2):32-33
《新编汉语多功能词典》构词标注献疑	黎良军	辞书研究—1994,(2):37-44
一部多功能的文字学新著:《〈说文解字〉助读》评价	李义琳	河北师范大学学报·社科版—1994,(2):46-48
简述《戚林八音》:我国最早按字母音序拼音排列作检字法的汉语方言字典	徐 前等	福建图书馆学刊—1994,(2):49-50,45
《古汉语言语入门》浅说	赵步杰	汉中师院学报·哲社版—1994,(2):61-67,71
一部有特色的辞书:评《中国古今书名释义辞典》	朱天俊	山东图书馆季刊—1994,(2):66-68
口语与语用研究的结晶——评《口语习用语功能词典》	邵敬敏	世界汉语教学—1994,(2):71-73
《广雅疏证序》理论与实践意义刍议	姜宝琦 李茂山	云南师大学报—1994,(2):82-87
郑孟津、吴平山著《词[日]源解笺》	[日]明木茂夫撰,林章文译	温州师院学报—1994,(2):85-87
《辞海》(89年版)考辨	田忠侠	长沙水电师院社会科学学报—1994,(2):91-96
《中国文坛掌故事典》介绍	康 萍	辞书研究—1994,(2):107-111
我军第一部军事教育辞书	尹国志	辞书研究—1994,(2):112-115
读《汉语大字典》札记	周志锋	杭州大学学报·哲社版—1994,(2):122-129
读《金瓶梅词典》札记	邵则遂	语言研究—1994,(2):139-144
《中古汉语语词例释》读后	汪维辉	语言研究—1994,(2):145-149
新版《辞海》错漏举要	夏 泉	暨南学报—1994,(2):148-151
《敦煌变文集校议》述评	陈东辉	语言研究—1994,(2):150-153
我国第一部断代语言大词典:评《先秦语言词典》		中国教育报—1994年3月27日第2版
略论《汉语大词典》的特点和学术价值	徐文堪	辞书研究—1994,(3):36-44
《标点符号词典》序	张涤华	编辑之友—1994,(3):47-50

汉语中古典文学语词的宝库	钱　玉　林	辞书研究—1994,(3):50-58
喜读 A.Л.谢米纳斯的《现代汉语词汇学》	张　庆　云	世界汉语教学—1994,(3):74-76
《汉语大词典》	傅　玉　芳	辞书研究—1994,(3):80-81
《新现代汉语词典》释义的严重错误	陆　福　庆	辞书研究—1994,(3):82-90
评《新编新华字典》	高　　　兴	辞书研究—1994,(3):91-99,102
《语言大典》"一"字头目的抄袭行为	斯　　　人	辞书研究—1994,(3):100-102
关于汉语量词的界线问题——兼评《汉语量词词典》	张　可　任	辞书研究—1994,(3):103-107
《汉书》颜注引证《说文》述评	班　吉　庆	扬州师范学报—1994,(3):112-116,120
内行和同行不能进行批评吗？	伍　铁　平	辞书研究—1994,(3):132-133
《南昌方言词典》引论	熊　正　辉	方言—1994,(3):170-183
《苏州方言词典》编后记	缪　咏　禾	方言—1994,(3):198-200
苏州、崇明、厦门、长沙、娄底五部方言词典读后	缪　咏　禾	中国语文—1994,(3):236-238
我国文化建设的历史性里程碑：评《汉语大词典》	谢　芳　庆	安徽师大学报·哲社版—1994,(3):316-324
刹刹著书出书中的粗制滥造风——兼评王同亿主编的《语言大典》	巢　　　峰	辞书研究—1994,(4):1-4
论辞书的借鉴和抄袭——兼驳"抄袭有理"论	徐　成　志	辞书研究—1994,(4):5-15,27
双语词典的性质、释义与例证——兼评《语言大典》	吴　建　平	辞书研究—1994,(4):16-27
《汉语大字典》辨读六则	戴　金　盈	逻辑与语言学习—1994,(4):45-46
评《新文化古代汉语》的理论更新	霜　　　青	汉字文化—1994,(4):49-52
《陕北方言词典》读后	曹　　　晖	语文研究—1994,(4):60-63
大型字词工具使用札记——《汉语大字典》、《汉语大词典》若干条目商榷	张　　　标	河北师范大学学报·社科版—1994,(4):66-74
辞书不容玷辱——评《新编新华字典》	陆　福　庆	辞书研究—1994,(4):66-75
从法律名词的解释看《语言大典》的西化	晏　　　雁	辞书研究—1994,(4):76-78
评《新华句典》	刘　永　发 朱　家　亮	辞书研究—1994,(4):79-85
《金瓶梅词典》的成就与不足漫议	蒋　宗　福	辞书研究—1994,(4):86-96
评《18世纪俄语词典》	李　蕴　真	辞书研究—1994,(4):97-104
1990年重排本《新华字典》简评	颜　景　孝	辞书研究—1994,(4):104-108
中学教师的得力助手——略评两部数学辞典	陆　嘉　玉	辞书研究—1994,(4):109-112

评《中文工具书使用指南》	施晓文	辞书研究—1994,(4):123-128
《吕氏春秋词典》评介	隋千存	辞书研究—1994,(4):129-135
《古代文化词义集类辨考》自序	黄金贵	杭州大学学报·社科版—1994,(4):168-170
《乌鲁木齐方言词典》引论	周磊	方言—1994,(4):241-251
《金华方言词典》引论	曹志耘	方言—1994,(4):252-267
介绍《口语习用语功能词典》	金钟	学汉语—1994,(5):31-32
对《海军大辞典》质量的一次检验	王维申	辞书研究—1994,(5):66-69
试论《汉语大词典》释义的特点	赵应铎	学术界—1994,(5):68-71
《海军大辞典》的学术鉴定工作	郑万泉	辞书研究—1994,(5):70-73
从"低"字头条目看《语言大典》	万艺玲	辞书研究—1994,(5):74-82
白璧微瑕——《辞源》求源中的一个失误	刘运好	辞书研究—1994,(5):83-86
创新——辞典的生命——《中学文言文索引词典》评介	黎庶	辞书研究—1994,(5):95-100
《反义成语词典》略评	李开	辞书研究—1994,(5):101-106
《语海·秘密语分册》评介	李欣	辞书研究—1994,(5):107-111
名实不符的《语言大典》	辛为	辞书研究—1994,(5):112-113
中华文华建设的一项基本工程	林穗芳	辞书研究—1994,(5):154-157,153
《现代汉语词典》与词汇规范	李建国	辞书研究—1994,(6):1-10
评《古汉语常用词类释》	韩章训	辞书研究—1994,(6):16-109
评《袖珍字海》	池贵法	深圳特区报—1994年6月25日第10版
《说文解字》订补	孙雍长	湖北大学学报·哲社版—1994,(6):71-76
《现代汉语大词典》质疑	戴建华	辞书研究—1994,(6):87-91
《语法学词典》评介	潘晓东	辞书研究—1994,(6):92-97
浅议《辞源》六失	刘世宜	辞书研究—1994,(6):98-105
简评岑麒祥著《汉语外来语词典》	伍铁平	解放军外语学院学报—1994,(6):103-106
剖析"王同亿现象"	罗竹风	辞书研究—1994,(6):110-111
"抄"已不是,何堪再"炒"	江曾培	辞书研究—1994,(6):112-114
评《中国象征词典》	马昌仪	中国出版—1994,(8):40-41
《历代典故辞典》读后	王锳	语文建设—1994,(11):36-37
《汉语大字典》部首排检得失谈	张标	语文建设—1994,(12):11-12,14
评《近代汉语研究概况》	杨荣祥	语文研究—1995,(3):53-57
《字诂》、《义府》笺识	殷寄明	古汉语研究—1995,(3):65-68,15
言简意赅的传统训诂小结:评《四库全书总目·经部总叙》	刘世俊	宁夏大学学报—1995,(4):55-60
少数民族谚语汉译三题:《中国谚语集成》译编手记	李耀宗	中央民族大学学报—1995,(5):79-81

汉 语 语 法

标题	作者	出处
第一届生成语法历史句法学会议	李行德	国外语言学(北京)—1990,(4):45-47,30
从汉语特有词类问题看语法的宏观研究	刘丹青	江苏社会科学(南京)—1991,(2):79-84
语法研究应当重视语法体系的总格局——从通行的"词缀说"谈起	白兆麟	安徽师大学报·哲社版—1991,(3):35-40
神摄人治:汉语语法的真谛所在	杨启光	暨南学报·哲社版—1994,(1):130-138,74
施事的位置及影响施事位置的相关性因素	张云秋 孙维克	齐齐哈尔师院学报—1995,(3):79-84

古 代 语 法

标题	作者	出处
试论汉魏六朝佛典里的特殊疑问词	朱庆之	语言研究(武昌)—1990,(1):75-82,117
语法研究与其他学科的结合:论《马氏文通》与我国古代语言学	谭世勋	海南师范学院学报·社科版—1990,(3):98-102
《史记》的使动用法和"使""令"兼语式	张建中	广西师范大学学报·哲社版(桂林)—1990,(4):33-41
论"者"的被饰特性	滕画昌 贾齐华	信阳师范学院学报·哲社版—1990,(4):98-103
试论《世说新语》中与否定词连用的单音副词	韩慧言	兰州大学学报·社科版—1990,(4):120-125
《朝野佥载》"被"字句研究	曹小云	安徽师大学报·哲社版(芜湖)—1990,(4):431-435
谈《左传》的双宾语句	姜汉椿	华东师范大学学报·哲社版(上海)—1990,(6):51-56
"但"字别义	侯兰生	西北师大学报·社科版(兰州)—1990,(6):59-60,81
词义和词的语法特点的相关性	高守纲	天津师大学报·社科版—1990,(6):75-78,20
古汉语词类活用规律探津	傅继宗 刘文君	北方论丛(哈尔滨)—1990,(6):87-91
"雨雪霏霏"辨	夏麟勋	北京师范大学学报·社科版—1990,(6):112
说"博览书传历史,藉采奇异"	域弓	中国语文(北京)—1990,(6):409
意合法对假设义类词形成的作用	王克仲	中国语文(北京)—1990,(6):439-447
"的地得"源流概说	赵载华	中学语文教学(北京)—1990,(10):46-48
使动用法二题	程瑞君	语文知识(郑州)—1990,(11):26-28
古汉语否定句中代词宾语后置的完成时代	毛远明	语文月刊(广州)—1990,(11-12):24-25

标题	作者	出处
亦说"为之……"结构:兼与陈瑞衡同志商榷	茅家梁	中学语文教学(北京)—1990,(11):44-46
《左传》的"然"	何乐士	语文月刊(广州)—1990,(11-12):27-28
谈古汉语中的"是"	黄仁荣 张纯静	语文知识(郑州)—1990,(12):24-26
试论古汉语词尾的作用	周玉成	语文知识(郑州)—1990,(12):29-31
浅说"连及"	吴兴	语文知识(郑州)—1990,(12):41-42
古汉语"介动式双宾语"浅说	姚英	蒲峪学刊—1991,(1):16-18
从《史记》一书看方位词在古汉语中的用法	魏丽君	蒲峪学刊—1991,(1):19-21
如何辨认"以"是动词还是介词	崔连生	中文自修—1991,(1):21-22
前置宾语后的"是"和"之"的词性	蒋士杰	菏泽师专学报—1991,(1):22-26
帮助宾语提前的词举例	孙民立	中文自修—1991,(1):23
词尾"复"浅论	蒋宗许	菏泽师专学报—1991,(1):27-31
旧调新弹——也谈"何……为"式	邓仁元	惠阳师专学报·社科版—1991,(1):28-33
浅谈古代汉语补语的确认	周雅凤	天津教育学院学报·社科版—1991,(1):29-32
无指代词"莫"及有关句式	余微言	菏泽师专学报·社科版—1991,(1):32-35
文言介宾词组结构形式初探	杨烈雄	惠阳师专学报·社科版—1991,(1):34-36
古汉语三种特殊兼语刍议	王述峰	营口师专学报·哲社版—1991,(1):34-40
兼指代词的原始句法功能研究	洪波	古汉语研究—1991,(1):35-43
古汉语句子成分存略的修辞作用	张学贤	菏泽师专学报—1991,(1):36-39
"可三《二京》,四《三都》"释疑	洪成玉	汉字文化(北京)—1991,(1):40-41
用"焉"字指代施动者的被动式	谢质彬	古汉语研究—1991,(1):44-46
古汉语中的近义复合词	吕云生	对外经济贸易大学学报—1991,(1):44-48
文言文物量表示的又一种方式	刘乃叔 敖桂华	学语文(芜湖)—1991,(1):45-46
《朱子语类》中的偏正复句	祝敏彻	湖北大学学报·哲社版(武汉)—1991,(1):45-49
副词转化为连词浅说	段德森	古汉语研究—1991,(1):47-49,51
"此其……"句试析	赵旭东	学语文(芜湖)—1991,(1):47-49
《水浒全传》中的虚词"便"与"就"	李思明	安庆师范学院学报·社科版—1991,(1):47-53
浅谈文言虚词的语法和修辞功用	吴家璧	黄石教育学院学报—1991,(1):49-51
《论衡》中"是则"的用法	王开扬	古汉语研究—1991,(1):50-51
从汉代注释书看宾语取消归入补语的合理性——兼述马建忠、黎锦熙、吕叔湘的句子成份分析及其发展	孙良明	山东师大学报·社科版—1991,(1):53-59
古代汉语的量词作状语问题	王宇	语言文字学(北京)—1991,(1):58-62
方位词的方位意义在语言发展中的引申和变化	谭赤子	古汉语研究—1991,(1):59-60,58
《论语》中的"D××曰××"结构	胡力文	武陵学刊—1991,(1):63-68

标题	作者	出处
古汉语情态副词"信、诚、实、果"的词义差别	马景仑	镇江师专学报·社科版—1991,(1):64-67
试论先秦汉语使动用法和使令兼语式的发展顺序	冯 英	云南师范大学学报·哲社版—1991,(1):69-74
文言判断句界说	张迪修	牡丹江师范学院学报·哲社版—1991,(1):72-76
"何以……为?"别解	袁 嘉	山东师大学报·社科版—1991,(1):74-78
"疑问词及指示代词+其"释例	杨 琳	烟台大学学报·哲社版—1991,(1):82-89
《诗经》名词性偏正结构语序	冯 英	云南教育学院学报·社科版(昆明)—1991,(1):86-91
"倒装"、"宾语提前"辨正	王泗原	江西师范大学学报·哲社版—1991,(1):92-93
反映在上古汉语多音字中的原始汉语前缀	杨福绵	语言研究—1991,(1):133-144
《楚辞》语间"其"字考释	胡朝勋	古汉语研究—1991,(2):9-15
简论古汉语的插入语	刘真準	营口师专学报—1991,(2):12-16
"图"字用法一探	孙 兵	语文知识(普通话)—1991,(2):17-18
古代汉语语法重点分析(一)	史舒薇	中文自学指导—1991,(2):19-20
《孟子》句式变换例札	张 觉	营口师专学报—1991,(2):19-24
关于古汉语中"名词(词组)+者"	陈霞村	山西大学学报·哲社版(太原)—1991,(2):19-24
"地"的分辨义再说:兼答谢质彬同志	祝注先	西南民族学院学报·哲社版(成都)—1991,(2):24-27,43
关于为动用法的商榷	赵深琛	菏泽师专学报—1991,(2):24-27
关于疑问语气助词"那"来源的考察	朱庆之	古汉语研究—1991,(2):24-28
论"所"释"何"——兼评周法高的"唯所"说	汪贞干	菏泽师专学报—1991,(2):28-33
古汉语的"皆"类词	汤建军	古汉语研究—1991,(2):29-33
先秦兼语句式的结构形式	李靖之	语文研究(太原)—1991,(2):34-37,33
"何以女为见"辨释	汪泰荣	古汉语研究—1991,(2):35-36
汉语复音词实际义与字面义的关系	韩慧言	古汉语研究—1991,(2):48-51
上古汉语使动词的屈折形式	潘悟云	温州师院学报·哲社版—1991,(2):48-57
《孟子》中的句群初探	王丽英	许昌师专学报·社科版—1991,(2):56-61
上古判断词"是"探索	陈炳昭	漳州师院学报·社科版—1991,(2):56-64
《马氏文通》的句读论	孙建元	古汉语研究—1991,(2):58-63
略论屈原赋第一人称代词的语法特点	梁光华	贵州师范大学学报·社科版—1991,(2):64-68
古汉语"宾语前置"质疑	李奇瑞	九江师专学报·哲社版—1991,(2):70-73
"以"的"率领"、"执拿"意义及其动词性质	胡安顺	陕西大学学报·哲社版(西安)—1991,(2):71-74
"何以"的结构与类型	于树泉	承德师专学报·社科版—1991,(2):74-75
古汉语多义虚词音义关系举隅	张继平	淮阴师专学报·哲社版—1991,(2):75-78
文言文实词活用的范围	康锦屏 张盛如	四川师范学院学报·哲社版(南充)—1991,(2):77-84

标题	作者	出处
格律诗的"行"与"句"——古代诗词语法研究之一	程希岚 侯友兰	松辽学刊·社科版—1991,(2):79-85,96
《史记》中"孰与"的用法	方文一	浙江大学报·社科版—1991,(2):87-90,96
谈谈古汉语中的使动用法	张在云	云南教育学院学报—1991,(2):94-96
古汉语"宾语前置"浅探	张德福	北方论丛(哈尔滨)—1991,(2):101-103
《经传释词》在汉语语法学上的地位	周静贤 吴礼权	复旦学报(上海)—1991,(2):102-106
《水浒传》中一组同义介词	刘镜芙	暨南学报·哲社版(广州)—1991,(2):113-118
论上古汉语动词多对象语的表示法	陈初生	中国语文(北京)—1991,(2):133-138
衬音助词再论	白兆麟	中国语文(北京)—1991,(2):139-142
"A而B之"格式探析	许洪君	语文知识(郑州)—1991,(3):24-27
《诗经》"载…载"式初步考察	李云贵	辽宁大学学报·哲社版(沈阳)—1991,(3):25-27
语法研究应当重视语法体系的总格局:从通行的"词缀说"谈起	白兆麟	安徽大学学报·哲社版(合肥)—1991,(3):35-40
谈句首助词"故"与句首连词"故"的区分	何耀东	中学语文教学(北京)—1991,(3):47
"以……为……"式辨析	薛儒章	天津教育学院学报·社科版—1991,(3):53-55
宋之句读例述评——兼评《马氏文通》"句读论"对传统句读例之继承	任远	浙江师大学报·社科版—1991,(3):66-68
论"可"并非但表被动更非表被动的助动词	赵丕杰	天津师大学报·社科版—1991,(3):70-74
古语摘要说	李赤	延边大学学报·社科版—1991,(3):76-83
古汉语时间副词"忽、卒、遽、亟、骤"的词义差别	马景仑	南京师大学报·社科版—1991,(3):102-107
《荀子》判断句句型研究	严志君	西南师范大学学报·哲社版(重庆)—1991,(3):103-108
《助语辞》研究	顾旻	淮北煤师院学报·社科版—1991,(3):114-118
读《助语辞》偶记	阚绪良	淮北煤师院学报·社科版—1991,(3):119-120,80
"恣君之所使之"中"所"字之我见	张觉	淮北煤师院学报·社科版—1991,(3):121-122,86
《庄子》中第一、二人称代词的比较研究	赵小刚	兰州大学学报·社科版—1991,(3):145-151
《马氏文通》及其语言哲学	许国璋	中国语文(北京)—1991,(3):161-166
《诗经》"维"字解	张联荣	语文研究(太原)—1991,(4):24-31
数词"一"的文言语法功能	张建华	语文教学与研究(武汉)—1991,(4):32
省文考略	张其昀	盐城师专学报·社科版—1991,(4):35-37
古代的汉语语法研究	林玉山	中文自修—1991,(4):37
作"距离"讲的"去"是介词吗	黄德焘	中学语文教学(北京)—1991,(4):46-47
《左传》八十例"或"字词性归属及用法分析	马耕云	佳木斯师专学报—1991,(4):51-56

文言文中"于"的介宾短语的基本用法	黄赞水	九江师专学报·哲社版—1991,(4):52-54
"为"字的一种特殊用法	许进	济宁师专学报·社科版—1991,(4):52-55
古代汉语中最长的"者"字结构	曹建明	济宁师专学报·社科版—1991,(4):55-56
古汉语"介动用法"研究	史震巳	内蒙古大学学报·哲社版(呼和浩特)—1991,(4):68-73
《马氏文通》状字今解	秦嘉英	语言文字学(北京)—1991,(4):71-74
从早期佛经材料看古代汉语中的两种疑问词"为"	俞理明	四川大学学报·哲社版—1991,(4):75-81
汉语中"沿着"义的动词与介词	马贝加	温州师院学报·哲社版—1991,(4):78-82
古汉语量词源流概说	张帜	锦州师院学报·哲社版—1991,(4):86-90
"不战而屈人之兵"异解	徐德邻 赵礼	北方论丛—1991,(4):93-94
《马氏文通》的"同次"与现代汉语	刘公望	青海民族学院学报·社科版—1991,(4):105-106,95
定量方法与古文字资料的词汇语法研究	唐钰明	海南师范学院学报(海口)—1991,(4):106-109
略论音节助词"相"	李润	四川师范学院学报·哲社版(南充)—1991,(4):116-120
"民可使由之,不可使知之"的误读及其由来	刘章泽	孔子研究—1991,(4):120-122
"焉"字兼词说质疑	王立军 王永安	河南师范大学学报·哲社版(新乡)—1991,(4):122-126
《世说新语》中的述补结构	李索	河北院学报·社科版(石家庄)—1991,(4):123-126
名词语的意合法	倪素波	西南师范大学学报·哲社版(重庆)—1991,(4):127-128
汉魏六朝佛经"被"字句的随机统计	唐钰明	中国语文(北京)—1991,(4):282
"不成"词性和转移	钟兆华	中国语文(北京)—1991,(4):291-295
"乃"字第三人称用法考源	唐钰明	语文月刊(广州)—1991,(5):8-9
《老乞大》《朴通事》里的动态助词	王森	古汉语研究—1991,(5):16-20
《论语》《孟子》与《世说新语》的主系表结构的比较	徐如根	古汉语研究—1991,(5):21-23,20
文言文句末语气助词连用浅析	钱明华	语文学习(上海)—1991,(5):23-24
表被动的"为"字句例说	葛全德	中文自修—1991,(5):37-38
"为寿"、"为某人寿"试解	刘勇	中文自修—1991,(5):39-40
古代汉语语法重点分析(二)	史舒薇	中文自学指导—1991,(5):40-41,39
谈古汉语的"同义词"复用	康甦	中学语文教学(北京)—1991,(5):46-48
说"所于"	宋玉珂	北京师范学院学报·社科版—1991,(5):49-57
词尾"复"浅论	蒋宗许	语言文字学(北京)—1991,(5):66-70
六朝以后汉语叠架现象举例	王海棻	中国语文(北京)—1991,(5):366-373
上古判断句的变换考察	唐钰明	中国语文(北京)—1991,(5):388-389

关于"为+之+×"结构的探讨	杨辉映	荆州师专学报·社科版—1991,(6):42-46
《赤壁之战》中的文言句式	黄维栋	语文知识(郑州)—1991,(6):46-47
"故曰"小议	王三峡	荆州师专学报—1991,(6):47-48
从"求人可使报秦者"说起	王春发	语文知识(郑州)—1991,(6):51-53
耻、羞、愧、惭等词词性辨	吉仕梅 刘蓉	语言文字学(北京)—1991,(6):60-65
关于使动、意动用法的几个提法	子朗	山东师大学报·社科版—1991,(6):93
论古汉语方位词用如动词	张军 王述峰	辽宁大学学报·哲社版(沈阳)—1991,(6):100-103
浅谈古汉语的"为动"宾语与"为·之·名"双宾词组	王卫东	语文教学与研究(武汉)—1991,(7):38,25
从《论语》看宾语前置及其影响	汪玉春	中文自修—1991,(7-8):51-52
古代汉语动词的为动用法及其连带成份性质的鉴别方法	吴培根	中学语文(武汉)—1991,(8):11-15
霜发·银发·鹤发·白发:浅析名词活用为形容词的语言现象	宋子伟	语文教学之友(廊坊)—1991,(8):39-40
"乃"字用法小考	杜支万	语文教学与研究(武汉)—1991,(8):40
还是以"使动"、"意动"、"为动"的提法为好	黄元	中学语文—1991,(8):47-48
兼指代词的原始句法功能研究	洪波	语言文字学(北京)—1991,(8):62-70
带宾语的被动式出现时期早于唐代	李润	语言文字学(北京)—1991,(8):129
文言文中"有"的几种用法	王维和	语文知识(郑州)—1991,(9):36-37
谈"主"之"谓"结构	周继奎	中学语文教学(北京)—1991,(9):45-47
古汉语"意会"概说	辛果	语言文字学(北京)—1991,(9):53-57
先果后因的倒装	唐嗣德	中学语文(武汉)—1991,(9):封三-封四
"之"字插在主谓结构中的作用	吴笑的	中学语文教学参考(西安)—1991,(10):48
"相"字可作前置宾语	徐永森	语文教学之友—1991,(11):29-30
亡羊补牢犹未晚　从"盖"字说起	赵广成	中学语文教学参考—1991,(11):40-42
谈"沛公则置车骑……"的语法结构与"卒廷见相如……"	戎椿年	中学语文教学(西安)—1991,(11):47-48
《朱子语类》的"比"字句及其汉语史价值	章新传	语言文字学(北京)—1991,(11):84-90
古代汉语疑问比较句	刘瑞明	固原师专学报—1991,(12):13-16
比较法在古汉语"名词活用"方面的应用	赵华成	语文教学之友(廊坊)—1991,(12):35-36
古代汉语的语气和语气词	沈锡伦	中文自学指导—1991,(12):40-41
也谈古汉语的同义词复用	成遗德	中学语文教学(北京)—1991,(12):41
古代汉语的双宾语结构	刘恒志	中文自学指导—1991,(12):42-43
"若"字用法补遗及整理	杜道德	语言文字学(北京)—1991,(12):56-58

标题	作者	出处
上古汉语语句的形象流块式建构	万献初	咸宁师专学报—1991,(12):120-126
《论语》中某些句子的特殊语序考查	韩晓光	营口师专学报·哲社版—1992,(1):1-7
介词"照"的产生	马贝加	温州师院学报·哲社版—1992,(1):13-14
《孟子》中的起承组合句	赵旭东	郑州大学学报·哲社版—1992,(1):27-32
《马氏文通》转词探微	董晓敏	九江师专学报·哲社版—1992,(1):31-35
上古汉语比较句的三种类型	李靖之	山西大学学报·哲社版(太原)—1992,(1):43-46
简谈古代汉语中的双宾语结构	萧泰芳	山西大学学报·哲社版(太原)—1992,(1):47-49
论"打、作、为"的泛义动词性质及作用特点	刘瑞明	湖北大学学报·哲社版(武汉)—1992,(1):62-70
《论语》宾语前置之分析	屈云柱	山东师大学报·社科版—1992,(1):64
古代语双宾语的结构与辨析	潘国钦	牡丹江师范学院学报·哲社版—1992,(1):65-67
《四书》中"吾""我"的语用考察	傅运碧 白健	思茅师专学报·综合版—1992,(1):77-82
论古代汉语的处所方位名词	唐启运	华南师范大学学报·社科版(广州)—1992,(1):80-88
"所"字结构中"所"后动词可省吗?——兼谈《春秋左传注》对几个"……无所"的解释	汪贞干 董德志	许昌师专学报·社科版—1992,(1):101
先秦散文中的主谓倒装句	魏梦鸾	辽宁教育学院学报—1992,(1):102-106
郭本《古代汉语》语法部分举例疑误析	高辉	河北师范大学学报·社科版(石家庄)—1992,(2):27-30
《古书虚字集释》求疵	刘耀华	语文研究(太原)—1992,(2):29-38
连词"与"的次类和"A之与B"结构	张国光	贵州师范大学学报·社科版(贵阳)—1992,(2):38-44
"A见V"宾语显现现象溯源	王卯根	语文研究(太原)—1992,(2):39
谈古汉语中的"省略"	吴祖兴	中学语文教学(北京)—1992,(2):46-48,20
禅宗著作里的两种疑问句:兼论同行语法	袁宾	语言研究(武汉)—1992,(2):58-64
《孟子》中"其"字的研究	陈明泽	沈阳师范学院学报·社科版—1992,(2):64-67
方式介词"凭、据、隋、论"的产生	马贝加	温州师院学报·哲社版—1992,(2):67-70
古代语反复问句源流探查	王海棻 邹晓丽	语言文字学(北京)—1992,(2):68-81
试论何·何有·何P之有	张闻玉	贵州大学学报·社科版(贵阳)—1992,(2):69-72
论古汉语介词的语法特点	王玉鼎	延安大学学报·社科版—1992,(2):86-89
《左传》的"实"	高树	新疆大学学报·哲社版(乌鲁木齐)—1992,(2):94-100
古汉语词类虚实两分形成的轨迹	李会民	文史知识(北京)—1992,(2):101-104
《荀子》构词法初探	严志君	青海师范大学学报·社科版(西宁)—1992,(2):101-107
试论古汉语的"于动"用法	蒋士杰	辽宁教育学院学报(沈阳)—1992,(2):103-106
对古汉语定语后置说中以"者"字煞尾例句的辨析	白玉林	陕西师大学报·哲社版(西安)—1992,(2):118-122

《管子》虚字异文考	章　也	语文学刊(呼和浩特)—1992,(3):8-11
名词定语的探索	张信和	四川外语学院学报—1992,(3):58-64
《中国古汉语》序	徐　复	徐州师院学报·哲社版—1992,(3):59-60
《孟子》中一种特殊的句式杂糅现象	夏筱轩	徐州师范学院学报·哲社版—1992,(3):60
《祖堂集》动词补语管窥	刘　利	徐州师院学报·哲社版—1992,(3):61-65
《搜神记》的介词"以"	郗凤歧	北京师范学院学报·社科版—1992,(3):67-73
以《孔雀东南飞》为例谈"相"字的指代作用	韩英魁	齐齐哈尔师范学院学报·哲社版—1992,(3):69-70
古汉语"为"字被动句结构考辨	方有国	重庆师院学报·哲社版—1992,(3):87-封三,86
古汉语虚词通论	张九林	淮北煤师院学报·社科版—1992,(3):118-127,69
"古人语急"献疑	陈焕良	中山大学学报·社科版—1992,(3):131-134
古代诗文中"就"的介词用法	王　镁	中国语文(北京)—1992,(3):235-236
文言文语法停顿辨析	石锡奎	读写月报—1992,(4):2-3
说"孰与"与"孰若"	王阜彤	语文研究(太原)—1992,(4):30-31,28
古汉语被动句"为……见"式补说	吴金华	南京师大学报·社科版—1992,(4):38
中学文言文中的"所"	唐张新	逻辑与语言学习(石家庄)—1992,(4):38-39
量词"间"的文言语法功能	陈家毅	语文教学与研究—1992,(4):45
古汉语语法二题	许　进	济宁师专学报—1992,(4):43-46
文言文为动用法例析	樊永源	语文学刊(呼和浩特)—1992,(4):52-55
先秦形容词后缀"如、若、尔、然、焉"考察	张　博	宁夏大学学报·社科版(银川)—1992,(4):58-66,73
转词试说	班吉庆	扬州师院学报·社科版—1992,(4):70-75
《诗经》名物训诂史述略	余家骥	内蒙古师大学报·哲社版(呼和浩特)—1992,(4):79-84
汉语处置式探源	章　也	内蒙古大学学报·哲社版(呼和浩特)—1992,(4):85-91
古汉语语法札记(三则)	方文一	浙江师大学报·社科版—1992,(4):94-97
古代汉语中名词作状语的用法	吴恒泰	西北师大学报·社科版(兰州)—1992,(4):96-98
略论用于专名的语间助词"之":兼释"魁父之丘"	汪泰荣	江西师范大学学报·哲社版(南昌)—1992,(4):118-122
唐五代宋元集体量词的发展	赵中方	南京大学学报·哲社版—1992,(4):153-157
1991年古汉语语法研究简述	郭锡良	语文建设(北京)—1992,(5):22-24
对《马氏文通》关于被动句式论述的评析	黄晓惠	学语文(芜湖)—1992,(5):32-34,21
古汉语名词动用解词三法	冯　韬	学语文(芜湖)—1992,(5):34
并列分句也有序	王聿恩	语文教学之友—1992,(5):38-39
从先秦到西汉程度副词的发展	吕雅贤	北京大学学报·哲社版—1992,(5):61-68,39
《论语》"是"字简论	牛宝彤	北京师范学院学报·社科版—1992,(5):86-92
中古"是"字判断句述要	唐钰明	中国语文(北京)—1992,(5):394-399

标题	作者	出处
《文选李注义疏》标点斠议	伏俊连	古籍整理研究学刊—1992,(6):7-9
翻译文言文可能出现哪些失误	胡永生	学语文—1992,(6):35-36
从《诗经》看古汉语判断词"是"的产生	王霁云	齐齐哈尔师范学院学报—1992,(6):64-70
论原始汉语有形态变化说	冯英	云南师大学报·哲社版—1992,(6):76-83
"患得之"解	王大年	湖南师范大学社会科学学报(长沙)—1992,(6):114-115
两周金文里的被动式和使动式	周清海	中国语文(北京)—1992,(6):418-422
古汉语中词的引申和活用的关系	黄晓峰	语文教学与研究(武汉)—1992,(7):35-36
语法的社会性与训诂	曹文安	语文教学与研究(武汉)—1992,(8):31-32
现代古汉语语法研究的新视角	李奇瑞	语言文字学(北京)—1992,(8):78-82
古代汉语"词类活用"说质疑	任福禄	语言文字学(北京)—1992,(8):98-107
《马氏文通》与传统语文学:兼评文化断层说	陈蒲清	语言文字学(北京)—1992,(8):148-152
古汉语"A而B之"句式浅析	许洪君	语文知识(郑州)—1992,(9):15-19
关于"…者…也"句式的两个问题	康苏	语文知识(郑州)—1992,(9):19-21
是状语,还是补语?——浅谈文言文中"于"的介宾短语的基本用法	黄赞水	谈写月报—1992,(10):4-5
一种特殊的双宾句式	周建成 何松山	语文知识(郑州)—1992,(10):25-26
由"使"构成的复音假设连词	季月康 邓成凯	语文知识(郑州)—1992,(11):16-17
关于上古汉语中"有"字的无定代词用法	张其昀	语言文字学(北京)—1992,(11):88-93
《荀子》"为"字句研究	严志君	西南师范大学学报·哲社版(重庆)—1992,(专刊):90-93
《墨子》里的主谓式、补充式复合词	钱光	西南师范大学学报·哲社版(重庆)—1992,(专刊):94-98
古诗词中形容词活用作一般动词例谈	袁自衡	学语文(芜湖)—1993,(1):37-39
试释《左传》中的"何B之有""何B之为"	王彪	大庆师专学报—1993,(1):39-43
从古汉语看"N所V之处,P"句式	王克仲	中国语文(北京)—1993,(1):44-47
"以为"用法辨析	谢孟宗	中学语文教学(北京)—1993,(1):46-48
看似寻常却繁复:琐谈"……者,……也"句式	邓启华	思茅师专学报·综合版—1993,(1):46-49
"人而徐趋"辨析	冯兆兴	青海教育学院学报·综合版—1993,(1):56-58
古代汉语词类活用质疑	屠鸿生	湖州师专学报·哲社版—1993,(1):62-69,72
《天问》的疑问词和疑问句	廖序东	徐州师范学院学报·哲社版—1993,(1):66-73
试论古代汉语中的被动式	杨美宇 杨耀谱	黑龙江教育学院学报(哈尔滨)—1993,(1):67-69
谈杜诗中的复杂倒装句式	刘子敏	东疆学刊·哲社版(延吉)—1993,(1):76-77
谈古代汉语的判断句	杨美宇	佳木斯教育学院学报—1993,(1):77-80

旧体诗词中词的形态的变异现象	周　　娟	衡阳师专学报·社科版—1993,(1):83-86
上古汉语"以A为B"的变换结构	方　有　国	西南师范大学学报—1993,(1):88-91
白居易诗中与"口"有关的动词	蒋　绍　愚	语言研究—1993,(1):91-99
《左传》非正常语序成因初探	张　　波	求是学刊(哈尔滨)—1993,(1):94
古汉语"名词活用作动词"辨析	张　文　国	广西大学学报·哲社版—1993,(1):98-102
《诗经》"于"字辨释	沈　怀　兴	语言研究—1993,(1):100-107
浅谈"此其……"句式	李　　妮	陕西师大学报·哲社版—1993,(1):103
古汉语句式汇释	吴　雨　华	信阳师范学院学报·哲社版—1993,(1):107-111
《马氏文通》状字质疑	吴　松　泉	四川师范大学学报·社科版(成都)—1993,(1):111-117
简述古汉语副词兼表判断的一些现象	张　　远	台州师专学报·社科版—1993,(1-2):58-61,84
古汉语上下关系词考略	石　云　孙	安庆师范学院学报·社科版—1993,(2):1-7,13
先秦判断句中的"是"	张　　炎	曲靖师专学报·社科版—1993,(2):6-8
中学文言文中拟声词的语法功能	徐　　光 陆　春　风	语文知识(郑州)—1993,(2):18-19
汉文古籍中的藏缅语借词"吉量"	黄　树　先	民族语文—1993,(2):23
浑言、析言浅谈	吴　勇　前	语文知识(郑州)—1993,(2):26-27
古汉语语法札记	薛　恭　穆	宁波师院学报·社科版—1993,(2):34-36
论古代汉语复句的紧缩	陈　　榴	辽宁师范大学学报·社科版(大连)—1993,(2):44-48
从《世说新语》看六朝口语疑问句和疑问词的特点	钟　明　立 杨　旸　斌	九江师专学报·哲社版—1993,(2):53-55
《朱子语类》中单独作谓语的能可性"得"	李　思　明	安庆师范学院学报·社科版—1993,(2):8-13
试论中国古代的语法研究特点	陈　昌　来	语言文字学(北京)—1993,(2):70-78
"食上,必在视寒暖之节"之"在"何义	王　明　仓	陕西师大学报·哲社版—1993,(2):75
《四书集注》中的"四声别义"类析——兼论所谓的"词类活用"	关　会　民	唐都学刊—1993,(2):87-90,95
《天问》的疑问词和疑问句(续)	廖　序　东	徐州师范学院学报·哲社版—1993,(2):88-94
从汉代注释书谈古汉语名词句法功能的变化——兼评"词类活用"说	孙　良　明	信阳师范学院学报·哲社版—1993,(2):90-101
古代汉语中的"意动用法"不能成立的理由	王　锡　祥	楚雄师专学报·社科版—1993,(2):91-95
从王梵志诗和寒山诗看助词"了"、"着"、"得"的虚化	钱　学　烈	深圳大学学报·人文社科版—1993,(2):93-98
殷墟甲骨卜辞中主语的位置及相关问题	沈　　培	语言文字学(北京)—1993,(2):93-101
古汉语双宾语句式再探	张　　弛	宝鸡师院学报·哲社版—1993,(2):116-120
介词"同"的产生	马　贝　加	中国语文(北京)—1993,(2):151-152
"然而"表顺接质疑	谢　质　彬	中国语文(北京)—1993,(2):159-160

标题	作者	出处
《孝经直解》的语法特点	吕雅贤	语文研究—1993,(3):1-6,42
名词使动用法中的语义变异	王安龙	学语文—1993,(3):37-39
文言代词"某"	刘恭懋	贵州师范大学学报·社科版—1993,(3):39-41
浅谈古汉语中的"为动用法"	朱晓波	语文知识(郑州)—1993,(3):43-44
文言文句末语气助词连用浅析	钱明华	语文知识(郑州)—1993,(3):46-48
《庄子》的第一、二人称代词	杨载武	贵州教育学院学报·社科版—1993,(3):48-51
试论古代汉语同义句式繁化的规律性倾向——汉语羡余现象综合研究之十四	韩陈其	徐州师范学院学报·哲社版—1993,(3):60-67
"A不如B"与"AB不如":论古典诗歌两种比较句式的异同	谭汝为	天津师大学报·社科版—1993,(3):73-76
对文言"定语后置"说的质疑与检讨	徐光烈	重庆师院学报·哲社版—1993,(3):82-88
论《马氏文通》的句读	刘子瑜	苏州大学学报·哲社版—1993,(3):85-88,84
避复用法与先秦人称代词的繁复现象	夏先培	长沙水电师院社会科学学报—1993,(3):102-104
古汉语语法和修辞的倒装问题	王昱昕	语言文字学(北京)—1993,(3):122-126
上古汉语的程度词	徐朝华	河北师院学报·社科版—1993,(3):122-131
古文中使动与意动用法特点浅探	尤庆环	锦州师院学报·哲社版—1993,(3):124-127
古汉语语法札记一则:"动·之·名"与"动·其·名"	何九盈	中国语文(北京)—1993,(3):223-224
"所以+主谓"式已见于《黄帝内经》	王鍈	中国语文(北京)—1993,(3):232
关于古汉语V-N语义关系问题——兼谈近年来的"特殊动宾意义关系"研究	孙良明	语文研究—1993,(4):8-15
从"以·宾"构成的几种句式的演变看汉语表达的严密化	王昆发	语文月刊(广州)—1993,(4):10
《孟子》的指示代词	崔立斌	语文研究—1993,(4):16-23,15
谈古汉语中使动用法和意动用法的定义问题	张在云	逻辑与语言学习—1993,(4):36-39
浅谈文言文的比较表示法	褚树荣	中学语文教学(北京)—1993,(4):42-43
古代汉语名词作状语异议	李家祥	贵州民族学院学报·社科版—1993,(4):53-56
"何+其"及其句式的训释	姜宝琦	云南师范大学学报·哲社版—1993,(4):71-74
《左传》"动M于N"结构试析	高元石	松辽学刊·社科版—1993,(4):79-81
古汉语主谓结构中间加"之"之后	谢静民	齐齐哈尔师范学院学报·哲社版—1993,(4):80-85
论古代汉语的关涉词组	许仰民	信阳师范学院学报·哲社版—1993,(4):104-107
古汉语词类活用浅议	张忠达	学术交流—1993,(4):118-120
不用"所"字的所字结构	罗英风	中国语文—1993,(4):301-311
"其"作宾语早于晋代	李功成	中国语文—1993,(4):307

《醒世姻缘传》里的"打哩（打仔）"	徐复岭	中国语文—1993,(4):308-309
古双音节数词及其理解	罗治武	学语文—1993,(5):33
谈句尾"焉"的几个问题	朱惠仙	中学语文教学—1993,(5):34-36
文言文中的"也"字例析	吴格明	语文教学之友—1993,(5):39-40
敬辞"乃"——你的,我的,他的?	俞理明	语文建设—1993,(5):45-46
施受同辞说补释	孙德宣	中国语文—1993,(5):386-388
古汉语中的形式宾语"之"	傅贤功	语文知识—1993,(6):25-26
文言虚词"而"、"其"用法浅谈	周明栋	中文自修—1993,(6):41-42
古汉语中"者"的主要用法	张以民	中文自修—1993,(6):43-44
古汉语状语琐杂	孟庆魁	辽宁师范大学学报·社科版—1993,(6):61-65
古汉语助词"所"的省略与"有以……""无以……"句式	吴国忠	求是学刊—1993,(6):87-91
《"所以+主谓"式已见于〈黄帝内经〉》补疑	王魁伟	中国语文—1993,(6):476
古汉语代词复用的变换考察	唐钰明	语文月刊—1993,(8):9-10
古汉语中名词作状语规律初探	孙冠洲	语文知识—1993,(8):17-19
文言文中数量词用法一瞥	王九如 陈艳萍	语文知识—1993,(8):20-22
特殊的己称代词——"自"	王聚元	语文知识—1993,(8):24-26
名词活用为动词的规律	林成颂	语文教学之友—1993,(8):39-40
古汉语词类活用条件	彭晓东	读写月报—1993,(9):7
含者字句的语法停顿	张士熙	读写月报—1993,(9):9
《史记》中同义词运用的特点	方文一	文史知识—1993,(9):113-117
介宾短语在古汉语中的运用	王其林	语文教学之友—1993,(11):36-37
1992年的古汉语语法研究	郭锡良	语文建设—1993,(12):16-17
《尚书》中的宾语前置句式	王大年	古汉语研究—1994,(1):1-6
从简帛文献看使成式的形成	张显成	古汉语研究—1994,(1):7-10
《朱子语类》的处置式	李思明	安庆师院学报·社科版—1994,(1):10-15,72
《尚书》中的"之"字研究	张其昀	盐城教育学院学报—1994,(1):14-18
论《诗经》句中的"其"	毛毓松	广西师范大学学报·哲社版—1994,(1):24-32
古代汉语的紧缩句	张敏民	语文学刊—1994,(1):39-42
浅谈古汉语中的三种双宾语句	李元成	语文学刊—1994,(1):43-45
对"之""其"第一、第二人称说的否定	刘瑞明	成都师专学报·文科版—1994,(1):64-67,94
谈《史记》中"所以"的用法	陈子骄	大庆高等专科学校学报—1994,(1):67-70
古代汉语凝固结构的语法功能	侯晓菊	阴山学刊—1994,(1):71-76
《马氏文通》"同次"疏证	陈昌来	南京师大学报·社科版—1994,(1):73-76
古代传注书中的名词、动词施受关系解释——兼谈中国古代语法学材料的整理与研究	孙良明	山东师大学报·社科版—1994,(1):79-83

论上古汉语的重音转移与宾语后置	[美]冯 利	语言研究—1994,(1):79-93
古汉语"自"字用法浅谈	方心棣	安徽教育学院学报·社科版—1994,(1):83-85
先秦连词"而"语法语义考察	陈宝勤	古汉语研究—1994,(1):89-93,96
古汉语"兼类""活用"辨	段家旺	长沙水电师院社会科学学报—1994,(1):105-109
汉语句法在周代的若干发展	周 锡	中山大学学报·哲社版—1994,(1):106-113
谈古汉语述宾结构的语义关系	冷国俭	佳木斯师专学报—1994,(2):17-19
汉语"尤最"副词的对立来源	陈伟武	语文研究—1994,(2):18-22
浅谈古汉语中的"对动"用法	周明强	语文知识—1994,(2):19-20
否定词"弗"的句法	高思曼	语言文字学—1994,(2):35-63
"之"、"其"自指浅析	易 敏	古汉语研究—1994,(2):40-41
魏晋南北朝汉译佛经语法笺识	蒋冀骋	语言文字学—1994,(2):43-48
使动用法例释	李赛恒	语文学刊—1994,(2):45
试论铭文中"主语+之+谓语+器名"的句式	赵平安	古汉语研究—1994,(2):46-48,88
"之"字新探	张锦笙	镇江师专学报·社科版—1994,(2):46-49
浅谈《读书杂志》中的语法分析	姚晓丹	盐城师专学报—1994,(2):46-49
隋以闪译佛虚词笺识	蒋冀骋	古汉语研究—1994,(2):49-51
《论语》的第一人称代词"吾"与"我"的区别	[日]杉田泰史	语言文字学—1994,(2):49-54
《史记》饮食动词分析	李 炜	古汉语研究—1994,(2):52-54
文言句首"盖"字说略	张家英	海南大学学报·社科版—1994,(2):54-58,86
"何……之有"	张 儒	语文研究—1994,(2):60-61
古汉语动宾歧义结构的语义辨析	刘桂华	安徽教育学院学报·社科版—1994,(2):62-66
"钩以写龙……"句别解	王光华	古汉语研究—1994,(2):74,73
古汉语名词动用的词义特征初探	郭焰坤	黄冈师专学报·社科版—1994,(2):74-76
谈《论语》中的"是"字	王 刚	固原师专学报—1994,(2):77-78,94
古汉语虚词研究史述略	陈志明	山西师大学报·社科版—1994,(2):86-88
释"兮"及《九歌》句结构的分析	廖序东	徐州师院学报—1994,(2):105-110
释"分"及《九歌》句结构的分析	廖序东	徐州师范学院学报·哲社版—1994,(2):105-110
"所……者"结构的再认识	陈力和	语文月刊—1994,(3):4
论"是""之"复指的宾语前置句	张世超	古汉语研究—1994,(3):16-19
"句读之不知"句法辨惑	孙雍长	语文研究—1994,(3):39-40
文言"而"的用法	张春莲	语文教学与研究—1994,(3):43-44
古籍整理不可轻视句读:新版《国语》等三例"焉"字句读质疑	锐 声	学语文—1994,(3):47-48
楚辞《招魂》的结构特征与语言特征	郭 杰	苏州大学学报·哲学版—1994,(3):56-60
古典诗歌"问答体"句法研究	谭汝为	天津师大学报·社科版—1994,(3):69-73
"虽有槁暴"句辨	王治诚	古汉语研究—1994,(3):71,80

标题	作者	出处
判断词"是"和指示代词"是"的再探讨	毛玉玲	云南师范大学学报·哲社版—1994,(3):82-87
论连语的源变:说"的"及与其相关的字、词	韩陈其	南京师大学报·社科版—1994,(3):97-100
"名词意动用法"之再探讨	史震已	内蒙古大学学报·哲社版—1994,(3):111-115
释"兮"及《九歌》句法结构的分析	廖序东	徐州师院学报—1994,(3):113-119
文言复音虚词刍议	吴鸿逵	徐州师范学院学报·哲社版—1994,(3):120-123
文言文名词作状语现象浅析	唐华生	川东学刊·社科版—1994,(3):148-151
古汉语"动+之+名"结构的变换分析	唐钰明	中国语文—1994,(3):216-220
文言文数词虚指表义例说	吴泓	读写朋报—1994,(4):4-5
"具"与"俱"	蒋超	语文知识—1994,(4):16-17
"X下"式称谓种种	张仁干	语文知识—1994,(4):17-18
应区别"何……为"与"何……之为"	曾平东	语文知识—1994,(4):26-28
说助词"个"	曹广顺	古汉语研究—1994,(4):28-32
试论"而后""而已""而况""而且""既而""俄而""然而"	陈宝勤	古汉语研究—1994,(4):28-33
《左传》杜注对句法现象的揭示	董莲池	语言文字学—1994,(4):32-35
王念孙的句式类比分析法	孙良明	古汉语研究—1994,(4):41-48
文言偏义复词刍议	娄继凡 康文恒	语文教学与研究—1994,(4):42-43
介词源流考	王应凯	唐都学刊—1994,(4):48-52
论古汉语"若是其×"结构	蒋宗许	古汉语研究—1994,(4):49-52
中古《世说新语》"A(R)见 V"句式析	张锦笙	古汉语研究—1994,(4):59-60
《尚书》自称代词及其特点	钱宗武	古汉语研究—1994,(4):61-65
谈《水浒传》中的"并列复句"现象	崔应贤 王永安	河南师范大学学报·哲社版—1994,(4):65-73
《抱朴子》复音词的构词方式初探	董玉芝	古汉语研究—1994,(4):82-85
"人而无信"式语法、语义初探	陈宝勤	辽宁教育学院学报—1994,(4):89-90
"所"的特殊语法功能	赵伯义	河北师院学报·哲社版—1994,(4):126-130
先秦的不及物动词和及物动词	李佐丰	中国语文—1994,(4):287-295
试论古代汉语句型转换	董治国	中国语文—1994,(4):297-304
关于假设义类词的一些问题	赵京战	中国语文—1994,(4):305-308
人称代词活用例释	季月康 施尘埃	语文知识—1994,(5):21-23
不作"也"讲的"亦"	唐维铎	语文知识—1994,(5):24-25
古汉语中"相"的特殊用法	孙冠洲 吴汉杰	语文知识—1994,(5):25-26
古诗文语法停顿六种	陈见闻	语文教学与研究—1994,(5):45
浅谈古汉语人称代词单数与复数的区别	邵从光	新语文—1994,(5):48,47
"嫁娶句"与古代妇女的物化人格	傅力	汉语学习—1994,(5):39-42

标题	作者	出处
古典诗词名形动用的艺术魅力	刘桂华	学语文—1994,(5):46-47
古汉语表年龄的语词及其文化背景	王海棻 吴可颖	中国语文—1994,(5):368-374
从《国语》的用例看先秦汉语的"可以"	刘利	中国语文—1994,(5):382-387
"何以……为"结构的分析	徐红梅	语文月刊—1994,(6):2-3
古人分析倒句一例	子朗	语文月刊—1994,(6):3
一种特殊的使动句略说	何德胜	语文知识—1994,(6):31
名词意动法另一种被忽视的形式	邹高艾	语文知识—1994,(6):32-34
怎样区分多义词与词类活用	伍朝荣	语文知识—1994,(6):34-35
《诗小学》语法分析探微	张华文	云南师范大学学报·哲社版—1994,(6):61-65
"与"有"带领"义	杨明甲	云南师范大学学报·哲社版—1994,(6):72-75
上古汉语中的同义词连用	李小梅	学术论坛—1994,(6):80-85
关于"自"的再讨论	刘瑞明	中国语文—1994,(6):458-459,473
再说词尾"自"和"复"	蒋宗许	中国语文—1994,(6):460-465
论"为……所……"句式中"所"字结构的地位	张瀛 张本立	语文知识—1994,(7):19-22
古代汉语的双宾语句及其变式	杨佐	语文教学之友—1994,(7):35-37
"见"字指代作用管窥	黄家龙 毕孝刚	语文教学与研究—1994,(7):37
文言文中的"分数"	董仲明	语文教学之友—1994,(7):38-39
我国古代的时段划分与时间词	邓岩欣	中学语文教学—1994,(7):封三
古汉语数字连用现象浅说	朱少建	阅读与写作—1994,(8):21
名词作状语分类辨识例谈	辛安治	语文教学与研究—1994,(8):44-45
浅谈中学语文文言词语的同义连用	陈家西	语文教学之友—1994,(9):39
"请"的词性辨认	瀚墨	语文知识—1994,(9):36-37
古文中"故"字的用法	朱家建	语文知识—1994,(9):38-39
《劝学》一注商榷——兼谈古汉语中"焉"的用法	伍本高	语文教学之友—1994,(9):40
"厥""其"在上古的历史演变	钱宗武 陈宁	语言文字学—1994,(9):115-119
古文中"时"、"日"、"月"、"岁"作状语时的特殊意义例谈	丁毛	语文知识—1994,(10):22-23
"以"字用法探究	梁德臣 吴锡山	语文教学与研究—1994,(10):41-42
《左传》谓语"请"字句的结构转换	李运富	语言文字学—1994,(10):94-99
兮兮复兮兮	陈天忧	语文学习—1994,(12):37-38
略谈古汉语中名词用作补语的问题	陈本源	语文知识—1995,(1):19-21,封三
上古汉语"人称代词+之+名词"结构	李锦望	古汉语研究—1995,(1):24-25
说说虚词"欲"	刘有志	古汉语研究—1995,(1):26-28
"孰与"句的结构和作用	方文一	古汉语研究—1995,(1):34-38

汉藏语是非问句语法形式的历史演变	宋金兰	民族语文—1995,(1):34-39
文言文中的"吾"和"我"	刘乃叔	语文学习—1995,(1):41-42
"乃"作代词的用法	卢传福	语文学习—1995,(1):42-43
从《论语》、《孟子》谈古代汉语词类活用的几个问题	张永胜	内蒙古师大学报·哲社版—1995,(1):47-51
先秦汉语语气词连用现象的历时演变	赵长才	中国语文—1995,(1):51-57
文言的判断性主谓短语做宾语	苏瑞卿	辽宁师范大学学报·社科版—1995,(1):54-55
"A之于B"结构的分布和探源	张国光	贵州大学学报·社科版—1995,(1):69-74,80
同实异代及其"我"的例释	张霞	沈阳师范学院学报·社科版—1995,(1):72-74
古汉语形容词在使动、意动时活用的程度及原因	杨尚贵	山西师大学报·社科版—1995,(1):88-89
《游仙窟》与唐代口语语法	赵金铭	语言研究—1995,(1):89-100
汉代章句之学与语法研究	任远	语言研究—1995,(1):101-106
古汉语定语后置再讨论	冷国俭	佳木斯师专学报—1995,(2):54-56
试论古汉语借代造词法	李禄兴	佳木斯师专学报—1995,(2):56-60
《世说新语》复音词构词法初探	赵百成	佳木斯师专学报—1995,(2):61-66
从"诸郡县苦秦吏者"说起	迎新 桂枝	齐齐哈尔师院学报—1995,(2):66-67
《马氏文通》问世前的汉语语法研究	徐启庭	福建师范大学学报·哲社版—1995,(2):76-80
汉语选择问、正反问的历史发展	祝敏彻	语言研究—1995,(2):117-122
《史记》和《汉书》中的数词	[日]牛岛德次	语言教学与研究—1995,(2):133-144
否定副词"没"始见于南宋	吴福祥	中国语文—1995,(2):152
中古汉语的连词"被"	蔡镜浩	中国语文—1995,(2):154
王若虚《滹南遗老集》中的语法分析(二):兼谈中国古代语法学在宋金时代的重大发展	孙良明	古汉语研究—1995,(3):1-5,59
论殷墟卜辞命辞的语气问题	张玉金	古汉语研究—1995,(3):6-12
"欲"、"能"的使动用法格式	方文一	古汉语研究—1995,(3):13-15
《诗经》中的宾语位置考察	韩晓光	古汉语研究—1995,(3):16-20
"A为N所I"也是判断句式	严慈	古汉语研究—1995,(3):21-25,75
现代汉语的"N的V"与上古汉语的"N之V"	姚振武	语文研究—1995,(3):26-29
《朱子语类》中几种特殊的"被"字句	刁晏斌	古汉语研究—1995,(3):29-32
"何(以):……为"与"何……之为"	何永松	语文知识—1995,(3):35-36
古汉语主谓易位句及其相关问题	张琪宏	徐州师范学院学报·哲社版—1995,(3):69-73
古汉语数词语法功能辨疑	吕惠君	天津师大学报·社科版—1995,(3):73-76
先秦目的复句初探	刘永耕	新疆大学学报·哲社版—1995,(3):78-83
《杂宝藏经》里的"V+於+N"	张长桂 何平	中国语文—1995,(3):149

文章标题	作者	出处
古汉语语法研究中的"变换"问题	唐钰明	中国语文—1995,(3):211-220
祭祀卜辞"遘"字句的句法分析	张玉金	辽宁师范大学学报·社科版—1995,(4):32-35
《黄帝内经》复合词同义聚合关系	黄哲	语言文字学—1995,(4):38-41
关于"所字结构"源流的思考	白平	山西大学学报·哲社版—1995,(4):54-58
关于古汉语教学语法系统中词类活用的处理意见	邓明	山西大学学报·哲社版—1995,(4):59-61
"着"为"之于"合音说	宋子然	四川师范大学学报·哲社版—1995,(4):89-93
王力主编《古代汉语》第一册文选注释之若干疑难问题	王彦坤	暨南学报·哲社版—1995,(4):106-111
《古汉语虚词通释》引例释义商榷	孙承波	浙江大学学报·社科版—1995,(4):132-135
古汉语词义的动静引申	武惠华	中国人民大学学报—1995,(4):113-118
古汉语中的"三"和"九"	许嘉璐	语文世界—1995,(5):10-12
略谈"为"表被动的几种变式	李明孝	语文教学与研究—1995,(6):33-34
"归之""来之"无使动意义	吴从松	语文知识—1995,(6):38-40
动词后"之"字用法辨析	林建明	语文知识—1995,(6):42-43
古代汉语兼语句型新探	董治国	南开学报·哲社版—1995,(6):64-67
《孟子》的"而"	俞正贻	语言文字学—1995,(6):80-89
"名"与"字"琐议	王书瑶	语文建设—1995,(7):27-28
"家""令""舍"及其他	吴小如	语文建设—1995,(7):36-37
古汉语中的对动用法	杨孝坤	语文知识—1995,(8):15-16
古诗词中色彩词的变化运用	刘学明	语文知识—1995,(9):13-14
古汉语被动句类型例解	赵泽福	语文知识—1995,(9):36-37
孔颖达的语辞说:兼谈汉语虚词研究的奠基人	孙良明	语言文字学—1995,(9):63-69
谈《马氏文通》对《经传释词》的批评	郝维平	语言文字学—1995,(11):69-74
隐性义素	苏瑞	语言文字学—1995,(12):62-67
论今文《尚书》的语法特点及语料价值	钱宗武	湖南师范大学社会科学学报—1995,(24):56-62
现代汉语名词的潜形态:关于名词后添加方位词情况的考察	储泽祥	古汉语研究—1995,(增刊):48-53,64
副词"只"的用法新探	李胜普	古汉语研究—1995,(增刊):67-68

近代和现代语法

文章标题	作者	出处
选择问记号"还是"的来历	李崇兴	语言研究(武昌)—1990,(2):76-81
《水浒》、《金瓶梅》、《红楼梦》副词"便"、"就"的考察	李思明	语言研究(武昌)—1990,(2):82-85
90年代汉语语法研究的发展趋势	陆俭明	语文研究(太原)—1990,(4):4-11

标题	作者	出处
以认识为基础的汉语功能语法刍议（上）	James H-Y. Tai(戴浩一)著；叶蜚声译	国外语言学(北京)—1990,(4):21-27
《六祖坛经》中所见的语法成分	高增良	语文研究(太原)—1990,(4):33-38
汉语新词结构方式试析	王海棻	语言教学与研究(北京)—1990,(4):83-94
试谈修辞与语法的关系：兼谈海外的汉语语法、修辞教学的改革	林去病	厦门大学学报·哲社版—1990,(4):119-125
用语义功能建构汉语语法体系的尝试	陈功焕	赣南师范学院学报(赣州)—1990,(5):53-60
"们"的妙用	王希杰	逻辑与语言学习(石家庄)—1990,(6):35-36
汉语形容词没有"级"的范畴：从"better"和"较好"谈起	玉柱	逻辑与语言学习(石家庄)—1990,(6):37-38
"包括"的误用	碣黎	语文建设(北京)—1990,(6):44
说"当"	王磊	北方论丛(哈尔滨)—1990,(6):92-95
指示代词的二分法和三分法：纪念陈望道先生百年诞辰	吕叔湘	中国语文(北京)—1990,(6):401-405
程度与情状	[加]王邱丕君 施建基	中国语文(北京)—1990,(6):416-421
现代汉语语法研究的两个"三角"	邢福义	语言文字学(北京)—1990,(9):83-89
试论中国语法学迟缓产生的原因	陈昌来	语言文字学(北京)—1990,(10):109-114
略谈"位"的用法	潘晓东	语言文字学(北京)—1990,(10):33
说说主谓式合成词	胡绍良	语文知识(郑州)—1990,(11):25-26
辨准"和、同、与、跟"是连词还是介词	丁桂江	语文知识(郑州)—1990,(12):35-36
谈谈"象"和"像"的使用	隆林	中学语文教学(北京)—1990,(12):40-42
汉语语素的语言特征	周一农	丽水师专学报·社科版—1991,(1):1-5
语义特征分析在汉语语法的研究中的运用	陆俭明	汉语学习(延吉)—1991,(1):1-10
探索九十年代汉语语法研究的新路子——第二届现代语言学现代汉语语法研讨会综述	邱明	中文自学指导—1991,(1):37-38
试论"形态"在汉语语法分析中的作用	刘景丽	逻辑与语言学习(石家庄)—1991,(1):38-40,46
《金瓶梅》中的语气助词"着"	周建民	武汉教育学院学报·哲社版—1991,(1):49-53
介词"向"与"嚮"在近代汉语中的发展	刘丽川	深圳大学学报·人文社科—1991,(1):49-55
试论近代汉语语法的特点	刁晏斌	辽宁师范大学学报·社科版(大连)—1991,(1):52-58
如何认识汉语语法学症结所在：与杨启光同志商榷	陈炯	北方论丛(哈尔滨)—1991,(1):72-78
我对"玉在""钗于"联句的初步理解：读《红楼梦》札记	李子虔	齐鲁学刊—1991,(1):105
现代汉语词缀研究鸟瞰	胡习之	阜阳师范学院学报—1991,(1):106-111

标题	作者	出处
物类名词后用"们"的语法现象:兼论修辞现象和构词现象的差异	陶振民	华中师范大学学报·哲社版(武汉)—1991,(1):115-118
汉语词缀研究管见	祝鸿杰	语言研究—1991,(2):11-16
十年来的近代汉语语法研究管窥	徐正考	佳木斯师专学报—1991,(2):44-47
《金瓶梅》里的句尾"着"	高福生	江西教育学院学报·综合版(南昌)—1991,(2):44-49
对北方五省区师专教材《现代汉语》语法部分中的几个问题的讨论	王志良	绥化师专学报—1991,(2):64-66,42
现代汉语语法研究的回顾和展望	胡明扬	世界汉语教学(北京)—1991,(2):65-69
《西游记》中的"得"字句	力量	淮阴师专学报·哲社版—1991,(2):68-74
80年代现代汉语语法研究的回顾与评价	龚千炎	世界汉语教学(北京)—1991,(2):70-74
"给"的发展	海柳文	广西民族学院学报·哲社版—1991,(2):75-80
汉语语法特点研究的回顾与思考	崔应贤 张爱琴	河南师范大学学报·哲社版(新乡)—1991,(2):82-88
同义表达形式小议	吴新华	南京师大学报·社科版—1991,(2):89-92
儿化和语言结构的变化	余志鸿	江苏社会科学(南京)—1991,(2):90-92
"儿"非语素——兼议"儿化"的作用	黑玉红	西北民族学院学报—1991,(2):117-121
《西游记》叙述语法:从事件到表层叙述结构	傅修延	北京社会科学—1991,(2):133-144
未晚斋语文漫谈	吕叔湘	中国语文—1991,(2):146-148
从动词后缀"子"的运用推测《金瓶梅》的作者	白水	古籍整理研究学刊—1991,(3):1-2
探索语法研究的新路子	刘丹青	汉语学习(延吉)—1991,(3):1-3
现代汉语语法问题的两个"三角"的研究——1980年以来中国大陆现代汉语语法研究的发展	华萍	语言教学与研究—1991,(3):21-37
评汉语语法特点的最新探索	齐沪扬	中文自学指导—1991,(3):23-24
略谈词素	杨育林	语文学刊—1991,(3):28-31
试论汉语"虚范畴"的分类	唐曙霞	镇江师专学报·社科版—1991,(3):37-41
现代汉语咨询	楠棠	中文自修—1991,(3):38-39,43
语法研究座谈会纪要	《世界汉语教学》、《语言教学与研究》杂志编辑部等,陈亚川执笔	语言教学与研究—1991,(3):4-20
从"词"到"语"是80年代语法学发展的趋向	黄伯荣	汉语学习(延吉)—1991,(3):7-10
试论现代汉语复音词中语素的确定问题	韩赤军	宁夏大学学报·社科版—1991,(3):54-56,67

标题	作者	出处
《〈水浒传〉的动词情貌》献疑	徐正考	四川大学学报·哲社版—1991,(3):73
论《金瓶梅词话》的因果句	许仰民	信阳师范学院学报·哲社版—1991,(3):74-80
《金瓶梅》"把"字句研究	孙占林	广西师院学报·哲社版—1991,(3):74-82
从80年代到90年代:中国的语法学和修辞学	李晋荃 岳方遂等	苏州大学学报·哲社版—1991,(3):78-85,39
语法研究回顾	李临定	世界汉语教学—1991,(3):144-152
80年代汉语语法研究的回顾与今后的任务	邵敬敏	世界汉语教学—1991,(3):153-160
论潜语法现象	王希杰	汉语学习(延吉)—1991,(4):12-17
义句和音句	王艾录	汉语学习(延吉)—1991,(4):18-22
回顾与展望:试谈80和90年代的现代汉语语法研究	徐枢	语言教学与研究(北京)—1991,(4):4-15
谈80年代与90年代的句型研究	赵淑华	语言教学与研究—1991,(4):45-49
论汉语语法的特点	范晓	济宁师专学报·社科版—1991,(4):57-63
关于语法体系的构想	李富林	语言文字学(北京)—1991,(4):75-79
论《金瓶梅词话》的"吃"字句	许仰民	许昌师专学报·社科版—1991,(4):90-94
汉语语法研究展望:漫谈语法分析结合语义分析和语用分析	吴启主	语言文字学(北京)—1991,(4):94-100
关于语法研究的三个平面学说	何伟渔	上海师范大学学报·哲社版—1991,(4):104-108
80年代现代汉语语法研究理论上的建树	陆俭明	世界汉语教学(北京)—1991,(4):193-203
多元·柔性·主体:80-90年代语法研究大势之我见	史有为	世界汉语教学(北京)—1991,(4):204-210
对外汉语教学对语法研究的需求与推动	郑懿德	世界汉语教学—1991,(4):217-222
谈现代汉语的时制表示和时态表达系统	龚千炎	中国语文(北京)—1991,(4):251-261
近、现代的汉语语法研究	林玉山	中文自修—1991,(5):36
学点语法实践——从两处语法错误谈起	李运龙	逻辑与语言学习(石家庄)—1991,(5):41-42
"老方→方老"与"杜老→杜老弟"——词缀"老"色彩谈	胡习之	逻辑与语言学习—1991,(5):42-43
运用唯物辨证法指导语法研究初探	徐吉润 魏雅萍	东北师大学报·哲社版—1991,(5):76-79
《西游记》注释订误	卢甲文	中州学刊—1991,(5):92-94
"V-neg-Vo"与"Vo-neg-V"两种反复问句在汉语方言里的分布:为纪念季羡林先生八十寿辰作	朱德熙	中国语文(北京)—1991,(5):321-332
动词作主宾语是汉语的语法特点吗?——汉语语法特点散论之一	杨成凯	汉语学习—1991,(6):9-12

标题	作者	出处
关于短语和句子的构造原则的反思——汉语语法特点散论之二	杨成凯	汉语学习(延吉)—1993,(2):10-16
关于汉语语法单位的反思——汉语语法特点散论之三	杨成凯	汉语学习—1994,(6):1-7
也议带后缀"化"的词	周刚	汉语学习—1991,(6):12-15
有关三个平面问题的一次讨论:黄山现代汉语语法修辞研讨会侧记	岳方遂	汉语学习(延吉)—1991,(6):28-29
语序的语用功能	常俭	逻辑与语言学习—1991,(6):34-35
吕叔湘先生谈语法训练	江明	中学语文教学(北京)—1991,(7):40
简评"语法修辞结合论"	王邦安	语言文字学(北京)—1991,(9):128-129
现代汉语语法研究的三个"充分"	邢福义	湖北大学学报·社科版(武汉)—1991,(6):61-69
关于语法研究的三个平面	施关淦	中国语文—1991,(6):411-416
近代汉语以"时"煞尾的从句	艾皓德	中国语文—1991,(6):451-459
未晚斋语文漫谈	吕叔湘	中国语文—1991,(6):472-473
语法定义优劣谈	宋玉柱	语文月刊(广州)—1991,(7):6-7
为什么说汉语缺乏严格意义的形态变化	何伟渔	中文自修—1991,(7-8):20-21
语言的最小单位——语素	王志士	中文自修—1991,(9):22-23
浅说字、语素、词	萧汉斌	中文自修—1991,(9):24-25
语境和歧解	黄德玉	语文建设(北京)—1991,(11):12-15
语法规范琐议	邹韶华	语文建设—1991,(11):23-27
语法规范要树立层次意识	崔应贤	语文建设—1991,(11):27-31
语法研究的三个平面:从"淡化语法教学"说起	胡裕树	语文学习(上海)—1992,(11):36-38
关于语素、词、短语的分界	沈锡伦	中文自修—1991,(11):37-39
语素、音节、汉字的关系——谈《最小的语言单位——语素》的教学难点	刘继超	语文教学之友—1991,(12):31-32
合成词中指人的语素	符淮青	语文建设—1991,(12):40
三个平面:语法研究的多维视野:黄山语法修辞座谈会发言摘要	徐枢 饶长溶等	语言教学与研究(北京)—1992,(1):4-27
释元杂剧中的"的"	徐正考	营口师专学报·哲社版—1992,(1):7-10
论辛弃疾的诙谐词	孙兰廷	语文学刊—1992,(1):31-34
语用分析四例	王德春	语文学习—1992,(1):39-40
语法三题	巴麦贞	山西大学学报·哲社版(太原)—1992,(1):51-55
《基础汉语》中一些语法观点之管见	陈刚岭	伊犁师范学院学报·社科版—1992,(1):53-55
超常搭配的语用价值	冯广艺	北京师范学院学报·社科版—1992,(1):66-70
能够或基本上能够起到预期交际作用的语法病句	窦融久	新疆师大学报·哲社版—1992,(1):67-73

汉 语 语 法

标题	作者	出处
略论语法研究中形式和意义相结合的原则	邓文彬	西南民族学院学报·哲社版—1992,(1):71-75
语感的概念和语感形成的规律	胡学云	外语教学—1992,(2):7-14
句子·段落·篇章——与余绍秋老师商榷	佚名	语文学习—1992,(2):14-16,25
汉语的语用意义	常敬宇	逻辑与语言学习(石家庄)—1992,(2):42-44
语境及其对理解话语的作用	刘兰萍	宁波师院学报·社科版—1992,(2):49-54
禅宗著作里的两种疑问句——兼论同行语法	袁宾	语言研究—1992,(2):58-64
句子结构的语用安排	李晋荃	扬州师院学报·社科版—1992,(2):60-64
汉语的语用表现形式及其它	刘志强	新疆师范大学学报·哲社版(乌鲁木齐)—1992,(2):82-87
"回声问"的形式特点和语用特征分析	邵敬敏	华东师范大学学报·哲社版(上海)—1992,(2):89-94
三大语法流派对双宾语的分析	梁国勤	辽宁教育学院学报(沈阳)—1992,(2):107-112
第三届现代汉语语法研讨会致词	吕叔湘	汉语学习(延吉)—1992,(3):1-2
论语义与语法的关系	史锡尧	汉语学习(延吉)—1992,(3):3-8
变换分析和语义约束	方经民	汉语学习(延吉)—1992,(3):8-12
新时期汉语语法研究述评	林玉山	语文建设(北京)—1992,(3):9-13
领属关系的约束性	刘大为	语文研究(太原)—1992,(3):13-20
"汉语交际语法"的构想	卞觉非	汉语学习(延吉)—1992,(3):35-39
中国语法学的古典形态及其文化阐述	申小龙	辽宁师范大学学报—1992,(3):47-51,58
"条件"范畴和表达条件范畴的句子格局	姚汉铭	广西师院学报·哲社版—1992,(3):56-62
汉语叙述文中的小句前部省略现象初析	宋柔	中文信息学报—1992,(3):62-68
现代汉语表层序列线性结构形成的内部机制初探	刘鑫民	宁夏大学学报·社科版—1992,(3):64-70
也谈疑问句的逻辑问题	王忠良	延边大学学报·社科版(延吉)—1992,(3):96-99
对《语法等级大纲》(试行)的几点意见	吕文华	语言教学与研究—1992,(3):108-118
现代汉语差比格式的来源及演变	黄晓惠	中国语文(北京)—1992,(3):213-224
佛教典籍与近代汉语口语	梁晓虹	中国语文(北京)—1992,(3):225-230,234
一种生成复杂特征集句法树的汉语句法分析方法与系统实现	赵铁军 李生	中文信息学报—1992,(4):11-23
第二届全国语用学会研讨会述要	王鹏	社科信息—1992,(4):15-17
具有文法分析功能的智能中文教学系统	陈晓钢 陈增武	中文信息学报—1992,(4):24-32
语法问答四则	毛惜珍	中文自修—1992,(4):33-35
汉语句法分析的义互激活竞争模型	李栗 陈永明	中文信息学报—1992,(4):33-40

标题	作者	出处
语义信息处理及神经网模型	詹 剑 徐秉铮	中文信息学报—1992,(4):41-51
反问句的构成及其语用功能	郭志良	逻辑与语言学习(石家庄)—1992,(4):45-47
试论赵元任对汉语语法研究的贡献	朱林清 刘松汉	南京师大学报·社科版—1992,(4):59-64
关于语法研究中三个平面的理论思考——兼评有关的几种理解模式	邵敬敏	南京师大学报—1992,(4):65-71
不能或不一定能起到预期交际作用的语法病句	窦融久	新疆师范大学学报·哲社版—1992,(4):76
论"恰当"的原则	林璋	福建师范大学学报—1992,(4):77-81,102
单一否定词移位问题探讨	张爱民	徐州师范学院学报·哲社版—1992,(4):80-83,88
试论"三品说"及其对汉语语法研究的影响	杨华	求是学刊(哈尔滨)—1992,(4):85-90
语法的三个平面研究献疑	常理 王跃滨	北方论丛(哈尔滨)—1992,(4):97-102
试论含有同一〔-N〕两次出现前后呼应的句子的语义类型	吕叔湘	中国语文(北京)—1992,(4):241-243
句子的理解策略	文炼	中国语文(北京)—1992,(4):260-264
有关语法研究三个平面的几个问题	范晓 胡裕树	中国语文(北京)—1992,(4):272-278
《训世评话》中所见明代前期汉语的一些特点	刘坚	中国语文(北京)—1992,(4):287-293
汉民族文化心态对汉语语法特点的影响	常敬宇	世界汉语教学—1992,(4):317-320
句法研究中的一个基础理论问题	金立鑫	汉语学习—1992,(5):8-11
试析反问句的语用含义	常玉钟	汉语学习(延吉)—1992,(5):12-16
从"恰如其分"说起	李蹈泽	语文学习—1992,(5):40
语言运用中的替换原则——语用原则论之二	冯广艺	湖北师院学报·哲社版—1992,(5):67-82
汉语语法模糊性刍议	周猷裁	复旦学报·社科版(上海)—1992,(5):84-89,95
教学语法问题刍议	吴启主	湖南师范大学社会科学学报—1992,(5):104-110
被遗忘的语言角落——为动	陈德全 袁谷娴	阅读与写作—1992,(6):19
1991年的现代汉语语法研究	龚千炎	语文建设(北京)—1992,(6):24-25
话语分析与语境	赵小沛	外语学刊—1992,(6):24-26
语言的预设	田永明	阅读与写作—1992,(6):26
说说"彼此彼此"	范庆华	汉语学习—1992,(6):39-40
论现代汉语的"体"范畴	石毓智	中国社会科学(北京)—1992,(6):183-201
汉语句法分析方法的嬗变	陆俭明	中国语文—1992,(6):430-438

标题	作者	出处
从基本流向综观现代汉语语法研究四十年	邢福义	中国语文(北京)—1992,(6):439-444
八十年代现代汉语语法研究概说	施关淦	中国语文—1992,(6):462-467
中国语文四十年	张伯江	中国语文(北京)—1992,(6):468-475
略说句组	金锡谟	新闻与写作—1992,(7):36
漫谈汉语语序	李蓉	秘书之友—1992,(10):8
词语的配合和呼应	俞敦雨	语文教学与研究—1992,(10):40-41
辨析和改正病句的失误	张文虎 袁国雄 沈郁菁 王积庆	语文教学通讯—1992,(11):13-16
谈"谐音迷信"	张金兴	语文学习—1992,(11):14
汉语的空范畴	黄衍	中国语文(北京)—1992,(15):383-393
也谈汉语语法存在的一些缺点	吕观雄	语文建设通讯(香港)—1992,(35):57-64
谈张志公先生的汉语语法研究	徐枢	河北师院学报·社科版(石家庄)—1993,(1):1-5
朱星教授与汉语语法研究	柴世森	河北师院学报·社科版(石家庄)—1993,(1):26-29
关于语文教学的科学化	张巨龄	语文学刊(呼和浩特)—1993,(1):34-36,41
关于建立古汉语教学语法系统的几点意见	孙良明	山西大学学报·哲社版(太原)—1993,(1):44-50
"V着"前修饰成分的考察	杨晓黎	安徽大学学报·哲社版(合肥)—1993,(1):80-85
语体和语法	胡明扬	汉语学习(延吉)—1993,(2):1-4
再论语法研究的三个平面	施关淦	汉语学习(延吉)—1993,(2):4-9
试论语法研究的三个平面	胡裕树 范晓	语言教学与研究—1993,(2):32
朱德熙在汉语语法研究上的贡献	陆俭明	汉语学习—1993,(3):4-9
唐代语法研究刍议	任远	浙江师大学报·社科版—1993,(3):13-17
1992年的现代汉语语法研究	龚千炎	语文建设—1993,(5):4-6
谈谈语法研究方法	宋玉柱	语文月刊—1993,(6):12
《朱子语类》的处置式	李思明	安庆师院社会科学学报—1994,(1):10-15
《语法论稿》自序	宋玉柱	天津教育学院学报·社科版—1994,(1):33-34
论语段表达的系统训练	吴晓露	世界汉语教学—1994,(1):52-57
析《敦煌变文集》中的"与"字	宋春阳	绥化师专学报—1994,(1):52-57
汉语句型研究概说	张爱民	徐州师范学院学报·哲社版—1994,(1):62-65
近代汉语被字句结构略探	史国东	渤海学刊—1994,(1-2):64-67
现代汉语不对称现象二题	袁嘉	山东师大学报·社科版—1994,(1):70-74
《马氏文通》"同次"疏论	陈昌来	南京师大学报·社科版—1994,(1):73-76,100
汉语中的歧义及维译问题	张金福	喀什师院学报·哲社版—1994,(1):102-104,76
神摄人治:汉语语法的真谛所在	杨启光	暨南学报·哲社版—1994,(1):130-138
《儿女英雄传》的"V+得+……"结构	杨勇	四川师范大学学报—1994,(1):133-138

标题	作者	出处
现代汉语语法研究的几个问题	胡明扬	语文研究—1994,(2):1-6
近十年现代汉语动词研究特点概述	吴为章	汉语学习—1994,(2):7-17
现代汉语语法元理论研究述要	杨成凯	语言研究—1994,(2):13-24
现代汉语语法停顿初探	毛世桢	华东师范大学学报·哲社版—1994,(2):91-96
现代汉语语法研究的"小三角"和"三平面"	邢福义	华中师范大学学报·哲社版—1994,(2):97-103
现代汉语语法研究的语料对象及语料提取	萧国政	华中师范大学学报·哲社版—1994,(2):104-109,123
《红楼梦》把字句研究	张洪超 李庆新	徐州师院学报—1994,(2):111-114
《金瓶梅词话》里动词的态	王森	古汉语研究—1994,(3):20-27
《元曲选》断句之误举隅	邓兴锋	古籍整理研究学刊—1994,(3):33-36
试论元曲赘音 ABC 式形容词	杨永龙	河南大学学报·社科版—1994,(3):47-51
敦煌变文中的三种动补式	刘子瑜	湖北大学学报·哲社版—1994,(3):58-68,78
名词使动用法的两种类型及成因	杨尚贵	山西大学学报·哲社版—1994,(3):57-60
《元曲释词》第二册失误评述	刘瑞明	古汉语研究—1994,(3):60-63
明代白话中某些新兴或特殊副词研究	杨淑敏	东岳论丛—1994,(3):68-72
科学革命:汉语语法学出路所在	杨启光	广东社会科学—1994,(3):93-98
《西厢记》句末语气词的共时描写及其它	刘冬冰	青海师大学报·社科版—1994,(3):98-102,41
语法的静态分析和动态分析	何伟渔	上海师范大学学报·哲社版—1994,(3):100-106
语法研究中的"两个三角"和"三个平面"	眸子	世界汉语教学—1994,(4):1-9
汉语走向世界的展望	李光华	语文世界—1994,(4):18-19
汉语语法中的语用研究综述	熊文	语文建设—1994,(4):19-22
《金瓶梅词话》中的"是的"	曹广顺	语文研究—1994,(4):20-24
敦煌变文的人称代词"自己""自家"	吴福祥	古汉语研究—1994,(4):33-37
敦煌变文中的选择疑问句式	刘子瑜	古汉语研究—1994,(4):53-58
英语形合传统观照下的汉语意合传统	刘英凯	深圳大学学报·人文社科版—1994,(4):61-70
汉语配价语法论略	周国光	南京师大学报·社科版—1994,(4):103-106
略论汉语预设	黄华新	杭州大学学报·哲社版—1994,(4):192-197
论汉语语法特点的研究	王明华	杭州大学学报·哲社版—1994,(4):198-202
吕叔湘与新时期的汉语语法研究:庆祝吕叔湘先生九十华诞	龚千炎	汉语学习—1994,(5):2-6
间接问句及其相关句类比较	邵敬敏	华东师范大学学报·哲社版—1994,(5):50-57
汉语语法研究的回顾与展望	胡裕树	复旦学报·哲社版—1994,(5):57-65
句群的呼应	王聿恩	修辞学习—1994,(6):15-16
新时期以来的汉语句法语义研究	朱晓亚	语文建设—1994,(6):15-18
读现代汉语语法教学的内容安排	孔令达	语文建设—1994,(6):27-29

标题	作者	出处
"语法分析的三个平面"研究述评	高万云 郑心灵	汉语学习—1994,(6):37-42
影响汉语句子自足的语言形式	孔令达	中国语文—1994,(6):434-440
《金瓶梅词话》中的选择问句	刘镜芙	中国语文—1994,(6):454-457
两篇语法文章的失误	朱文献	语文教学之友—1994,(8):41-42
如何分析句群	周振岳 司君方	语文教学与研究—1994,(11):27-28
《红楼梦》病句例析——语词重复之部	黄岳洲	语文学习—1994,(11):43-45
修改病句八法	唐兆玉	语文教学之友—1994,(12):35-37
《老乞大》《朴通事》的副合式"把"字句	王森	古汉语研究—1995,(1):32-33,73
论内蒙古晋语的语法特点	邢向东	内蒙古师大学报·哲社版—1995,(1):52-58
特定语境与三段论的省略式	同立英	齐齐哈尔师院学报—1995,(1):72-75
《世说新语》复音词构词法初探	赵百成	佳木斯师专学报—1995,(2):61-66
清代学者关于句子合法合理合用的分析	孙良明	山西大学学报·哲社版—1995,(2):74-79
唐五代时期的处置式	刘子瑜	语言研究—1995,(2):133-140
《五灯会元》里的"是"字选择问句	阚绪良	语言研究—1995,(2):167-169
《马氏文通》语法观与整体性原则	乔永	新疆大学学报·哲社版—1995,(3):88-92,101
现代汉语呼语之管见	向明友	西南师范大学学报·哲社版—1995,(3):116-120
内部构拟法在近代汉语语法研究中的运用	蒋绍愚	中国语文—1995,(3):191-194,220
北宋句尾语气词"也"研究	罗骥	古汉语研究—1995,(3):29-32
王念孙的句式类比分析法	孙良明	语言文字学—1995,(3):39-46
"句本位""词组本位"和"小句中枢"——汉语语法表述体系更迭的内在动力和发展趋向	萧国政	世界汉语教学—1995,(4):5-13
论汉语语法分析的基本依据	林归思	汉字文化—1995,(4):10-12
反问句和询问句句法结构间的关系	刘钦荣	沈阳师范学院学报·社科版—1995,(4):85-88
把语境理论引入汉语精读教学	庄淑萍	新疆大学学报·哲社版—1995,(4):85-88
春江水暖鸭先知:从《汉语学习》看90年代汉语语法研究的新趋势	邵敬敏	汉语学习—1995,(5):10-14
试论汉语语义句型的划分	张黎	汉语学习—1995,(5):22-25
试论句子类型的研究	胡裕树	汉语学习—1995,(5):55-57
"有界"与"无界"	沈家煊	中国语文—1995,(5):367-380
语法分析中的形式和意义问题	李伯超	湘潭大学学报·社版—1995,(6):30-35
胡裕树教授和现代汉语语法研究	高顺全	复旦学报·哲社版—1995,(6):106-110,113
汉语语法特点与汉语语言学现代化	吴启主	湖南师范大学社会科学学报—1995,(6):117-121
同形词概说	周世烈	语言文字学—1995,(9):98-103
实词和虚词的使用	苏培成	语文建设—1995,(10):30-32

语境别义论	吴 峤	语言文字学—1995,(10):105-109
从"打"字的语义分析看语义结构的层次关系	张 慧 晶	语言文字学—1995,(11):78-81
几种新拟设立的汉语复合结构类型	彭 迎 喜	语言文字学—1995,(11):90-92

词和构词

汉语语素组合的灵活性及其构词的能产性	王 晓 平	江西大学学报·社科版(南昌)—1990,(4):95-101
形体全同的古汉语双音短语与现代汉语双音合成词的辨析	张 汉 兴	黄石教育学院学报—1991,(1):9-18
谈"风"说"热"	徐 丽 华	浙江师大学报·社科版—1991,(1):70-72
汉语词缀研究管见	祝 鸿 杰	语言研究(武汉)—1991,(2):11-16
关于词的结构和词的理据	赵 敏	语文月刊(广州)—1991,(2):15-16
谈"型"与"式"构成的派生词的词性	徐 丽 华	昭乌达蒙古族师专学报·汉文哲社版—1991,(2):49-55
说"-热"	朱 亚 军	赣南师范学院学报·社科版—1991,(2):79-84
"以及"的构词方式	陈 若 愚	语文知识(郑州)—1991,(3):27-28
略谈词素	杨 育 林	语文学刊(呼和浩特)—1991,(3):28-31
简论汉语同族词的类别及特征	张 博	宁夏大学学报·哲社版—1991,(3):33-39
试论现代汉语复音词中语素的确定问题	韩 赤 军	宁夏大学学报·社科版(银川)—1991,(3):54-56,67
谈多用于否定式词语	安 汝 磐	北京师范学院学报·社科版—1991,(4):48-52,105
说"高"	陈 妹 金	语文月刊(广州)—1991,(5):11-12
意义关系决定结构关系——合成词构成方式及短语结构关系的判断	于 振 斌	语文教学之友—1991,(5):35-36
也议带后缀"化"的词	周 刚	汉语学习(延吉)—1991,(6):12-15
如何辨识"联绵字"	庄 泽	读写月报—1991,(6):17
论复合词的内部形式特征	王 艾 录	学语文(芜湖)—1991,(6):23-24
词义的概括性与规定性	赵 声 磊	学语文(芜湖)—1991,(6):25-26
附加式合成词质疑	王 弘 光	语文教学之友(廊坊)—1991,(6):29-30
汉语联合式复合词的辩证观	苏 新 春	中文自学指导—1991,(6):32-33
涵义丰富、用法繁多的"一"字	陈 志 达	语文知识(郑州)—1991,(6):49-51
"冬至""夏至"的理据及结构	刘 乃 叔	吉林大学社会科学学报—1991,(6):92-93
语义模糊的语素	符 淮 青	语文建设(北京)—1991,(7):43-44
论语素和汉字的关系	张 胜 广	语文知识(郑州)—1991,(8):22-23
小议同族词	马 林 芳	语文月刊—1991,(9):7
有关语素的一些理论问题	卢 元 孝	语言文字学(北京)—1991,(9):86-93
说"我"	王 希 杰	语文月刊(广州)—1991,(10):4-5

词的构成方式与词性	李敦凯	语文教学通讯—1991,(11):32-33
关于同位结构	黄 河	汉语学习(延吉)—1992,(1):7-13
单纯叠音词与合成叠音词	兰善清	中文自修—1992,(1):30,27
汉语的词和词语	戚桂宴	山西大学学报·哲社版(太原)—1992,(1):34-38
"似的""似地"辨	李苏鸣	语文建设(北京)—1992,(1):41
说"坐"	刘开琨	语文教学与研究—1992,(1):42
"绝"应作何解	周 正	语文教学通讯—1992,(1):63
"化"缀分析	周立英 王香灵	齐齐哈尔师范学院学报·哲社版—1992,(1):85-86,107
谈语素意义的多变性	徐洪涛	语文学刊(呼和浩特)—1992,(2):21-23
词类转化与转成副词的形成	张秀华	外语与外语教学—1992,(2):33-37
单音词双音节化的考查	王安节	松辽学刊·社科版—1992,(2):43-47
论素组	周殿龙	松辽学刊·社科版—1992,(2):53-56
"不"的否定意义	李瑛	语言教学与研究(北京)—1992,(2):61-70
论《金瓶梅词话》的助词"着"与"来"	许仰民	信阳师范学院学报·哲社版—1992,(2):93-99,105
三语素合成词说略	李赓钧	中国语文(北京)—1992,(2):102-108
几种特殊结构类型的复合词	周荐	世界汉语教学(北京)—1992,(2):108-110
月亮别称词的构成方式和表达作用	王聚元	逻辑与语言学习(石家庄)—1992,(3):36-39
语素识别中的问题	白俊耀	河北师范大学学报·社科版(石家庄)—1992,(3):106-110
合成动词的结构及其功能	张登岐	上海师范大学学报·哲社版—1992,(3):128-131
"老"字的称谓化作用	阎得早	语言教学与研究—1992,(3):133-148
也谈词素和语素——与刘叔新先生商榷	宋玉柱	世界汉语教学—1992,(3):194-195
试说"自己""本人"及"自身"——兼议"本人""本身""自身"的词性	许和平	世界汉语教学—1992,(3):200-204
联绵词"是由一个语素构成"的前提不可忽略	徐 洁	学语文—1992,(4):26
谈语素的互为颠倒现象	黎德锐	阅读与写作—1992,(4):31
从"东西"与"馍馍"语素大小的不同看双音节里边单、双语素的规律	张松林	逻辑与语言学习(石家庄)—1992,(4):32-34
"很激情""很青春"等	胡明扬	语文建设—1992,(4):35
语素的分合与理解:漫话标题	袁 晖	汉语学习(延吉)—1992,(4):61
名形语素构词格分析——复合词构词格式研究之一	王政红	南京师大学报—1992,(4):72-77
名(形容)词活用作动词规律补苴	萧世民	贵州大学学报—1992,(4):80-82
"儿化""儿尾"的分类和分区初探	[俄]莫景西	中山大学学报·社科版—1992,(4):131-138
论AABB式重叠构词法	王明华	杭州大学学报·哲社版—1992,(4):139-142
词切分的韵律学线索	杨玉芳	心理学报—1992,(4):393-399

标题	作者	出处
现代诗歌中的词类活用	谢逢江	阅读与写作—1992,(5):30-31
字词频统计与汉语分词规范	刘 源	语文建设(北京)—1992,(5):35-38
《元刊杂剧三十种》《老乞大》《朴通事》中的助词"的"	黄 涛	北方论丛(哈尔滨)—1992,(5):43-48
从北京流行的新语汇说到"肌肉运动感觉+心理感觉"构词法	高健平	中国人民大学学报(北京)—1992,(5):75-78
明代官话基础方言新论	邓兴锋	南京社会科学—1992,(5):112-115
"知道"的构词方式是什么——现代汉语语法的动态研究之一例	徐复岭	汉语学习(延吉)—1992,(6):20-21
词气词"呢""哩"考源补述	孙锡信	湖北大学学报·哲社版(武汉)—1992,(6):69-74
《搜神记》复音词研究:重叠式和附加式	李新建	郑州大学学报·哲社版—1992,(6):101-103
怎样区分多音节单纯词和合成词	李德纬 陈 楼	语文教学与研究(武汉)—1992,(7):38
对偏义复词的再认识	俞 扬	语言文字学(北京)—1992,(7):58-60
汉语单字的构形和构词	蔡勇飞	语言文字学(北京)—1992,(7):118-124
从古气象来看"夏至"的构词方式	雷长怡	中学语文教学(北京)—1992,(8):39
"们"字用法探微	杜支万	语文教学与研究—1992,(10):42
词尾"复"、"自"例补	李明孝	语文教学与研究—1992,(10):45
现代文中的词性活用	谢逢江	阅读与写作—1992,(11):16,10
从"嫦"不是语素谈起	张松林	语文学习—1992,(12):40-41
音与义是决无必然的关系吗?	徐世荣	语文建设通讯(香港)—1992,(35):65-66
浅谈现代汉语中的同素反序词	茹家伟	语文教学通讯—1992,(56):99
论语素的结合能力与一用语素	石安石	语文研究(太原)—1993,(1):2-6
从模糊理论看汉语词的同义关系与词性	梅立崇	汉语学习(延吉)—1993,(1):19-22
对立词的构成及其它	戴惠本	逻辑与语言学习(石家庄)—1993,(1):33-36
从"生词熟字说"看词义和构词语素义的关系	范可育	语言文字应用(北京)—1993,(1):49-55
研究现代汉语也需要有历史观点:从"蝴蝶"、"凤凰"二词的结构说起	沈怀兴	河南师范大学学报·哲社版(新乡)—1993,(1):100-103
词的结构问题	刘叔新	语文学习(上海)—1993,(2):33-35
谈谈重叠式合成词和叠音式单纯词的区别——兼谈新版初中语文第一册汉语知识短文的一个错误	赵怀印	逻辑与语言学习—1993,(2):48
辨认语素究竟哪种方法好	曹德和	江苏教育学院学报·社科版—1993,(2):48-52
形动组合的选择性与形容词的下位类	陈 一	求是学刊(哈尔滨)—1993,(2):86-89
论语素的同一	彭利贞	淮北煤师院学报·社科版—1993,(2):96-101

论同素词的词类与结构、词义、功能的关系	段益民	徐州师范学院学报·哲社版—1993,(2):106-109
"度"与"渡"的用法初探	谢泽荣 彭寄予	重庆师院学报·哲社版—1993,(2):107-封三
动物与量词	关英伟	语文月刊(广州)—1993,(3):5-7
精炼 均衡 别致:谈现代汉语中的使动用法	黄端端	语文月刊(广州)—1993,(3):9-10
汉语书面语应该以汉字作为最小的语法单位	微明	汉字文化—1993,(3):23-25,3
动词的"向"札记	吴为章	中国语文(北京)—1993,(3):171-180
略说显示状态功能的动词	王安龙	中国语文(北京)—1993,(3):202-206
超词词	王希杰	学语文—1993,(4):18-19
论语素的分类、辨别及组合	狄化夷	云南师范大学学报·哲社版—1993,(4):66-70
关于"新兴词缀"	陶小东	上海师范大学学报·哲社版—1993,(4):131-133
比喻词语和词语的比喻义	周荐	语言教学与研究—1993,(4):145-155
"词素"赋以新义的主要功效:词的结构层次分析——答宋玉柱先生	刘叔新	世界汉语教学—1993,(4):285-289
从句法结构看复合词中的一种新的构词方式——连动式构词	饶勤	汉语学习—1993,(6):15-16
"家""手""员""性"不宜看作词缀	周建成 何松山	阅读与写作—1993,(6):22-23
这些词都是叠音词吗:兼谈叠音单纯词和重叠式合成词的辨认	李沅和	语文知识—1993,(7):19-21
侃"侃"	马达远	语文建设—1993,(7):40-41
汉字构词的得和失	吕观雄	语文建设通讯—1993,(40):31-33,7
浅谈数词的特殊作用	陆忠发	语文建设通讯—1993,(40):45-48
以音译词为基础的造词与修辞现象	周建民	语文建设—1993,(40):49-52
谈词汇的仿造及其制约:从"法盲"、"科盲"一类词的产生说起	孟守介	语文建设通讯—1993,(40):62-67
字形与单纯词合成词的分类	王从	阅读与写作—1994,(1):19
再议带后缀"化"的词	云汉 峻峡	汉语学习—1994,(1):26-27
"语素替换确定法"献疑	董为光	语言研究—1994,(1):30-35
修辞现象的词汇化:新词语产生的重要途径	周洪波	语言文字应用—1994,(1):39-42
汉语常用的两种语音构词法:从平定儿化和太原嵌 l 词谈起	王洪君	语言研究—1994,(1):65-78
三音节"化"缀动词浅析	刘经建	宁夏大学学报—1994,(2):13-16
《论语》、《孟子》构词法比较	欧阳国泰	厦门大学学报·哲社版—1994,(2):41-44
汉语词义的显性理据和潜性理据	曹炜	沈阳师院学报·社科版—1994,(2):68-71

论离合词	段业辉	南京师大学报·社科版—1994,(2):112-115
谈语言教学中的叠音词现象	龚惠林 吕永顺	语文教学与研究—1994,(3):42
关于"们"字类属的逻辑思辨	郑立仁	上海工会管理干部学院学报—1994,(3):42-44
汉语语素的造词性质	徐天云	牡丹江师范学院学报·哲社版—1994,(3):60-63
也谈汉语前缀"阿"的来源:兼与杨天戈先生商榷	竟成	华东师范大学学报·哲社版—1994,(3):88-94
深化汉语的词法研究	胡裕树	语言教学与研究—1994,(3):131-134
《金瓶梅词话》中的"是的"	曹广顺	语文研究—1994,(4):20-24
试析"这"(者、遮)字早期用例和作用	陈卫兰	语文研究—1994,(4):25-27
中缀说略	祝克懿	贵州师范大学学报·社科版—1994,(4):26-28
说"分子"	厉兵	语言文字应用—1994,(4):57-62
联绵词的构成与音转试探	周玉秀	西北师大学报—1994,(4):68-72
"常常"和"通常"	周小兵	语言教学与研究—1994,(4):69-75
试析"什么"的语源与结构	方环海	徐州师范学院学报·哲社版—1994,(4):112-114
略论汉语双面动词	白丁	中南民族学院学报·哲社版—1994,(5):115-120
关于汉语复合词	赵洛生	南京社会科学—1994,(6):66-72
再说词尾"自"和"复"	蒋宗许	中国语文—1994,(6):460-465
比喻造词刍议	李剑云	语文知识—1994,(7):10-11
说词缀"户"、"热"、"化"——新词产生的途径之一	肖新	学汉语—1994,(8):19-21
贰、两的区别	刘大春	语文知识—1994,(8):23-24
单义词含有多少个语素	[马来西亚] 罗华炎	中学语文教学—1994,(10):28-30
从新词语看造词方法	王明韶	语文教学与研究—1994,(10):45
试论新词缀化的汉民族性	沈孟璎	南京师大学报·社科版—1995,(1):35-41
敦煌歌辞"得"字研究	王平	山东师大学报·社科版—1995,(1):83-86
试谈辨别词和短语的方法	王同彩	语文知识—1995,(5):12-14
"都(dōu)"字用法知多少?	李国清	语文知识—1995,(7):20-21
"二""两""俩"	金祎	语文世界—1995,(7):47,9
"个""名""位"	金祎	语文世界—1995,(7):47

词　　类

副名结构新探	张谊生	徐州师范学院学报·哲社版—1990,(3):114-120
汉语象声词应当类属实词	龚良玉	贵州师范大学学报·社科版—1990,(4):24-27
汉语的15个数词	张清常	语言教学与研究(北京)—1990,(4):54-82
副词"又"的语义及其网络系统	史锡尧	语言教学与研究(北京)—1990,(4):101-111
动词Dd格式研究	易洪川	湖北大学学报·哲社版(武昌)—1990,(5):94-100
关于"继续"词性的再认识	徐振礼 李菊先	河南大学学报·哲社版(开封)—1990,(5):105-106

略谈汉语动词没有语态	宋玉柱	学语文(芜湖)—1990,(6):27-29
试论结构助词"底(的)"的一些问题	冯春田	中国语文(北京)—1990,(6):448-453
数词在地名中的运用	丁 琳	语文知识(郑州)—1990,(11):2-3
虚词互文例说	李宏新	语文知识(郑州)—1990,(11):46-48
动词"读"的移用	马维格	语文知识(郑州)—1990,(12):38-40
现代汉语的词类问题	沈开木	语言文字学(北京)—1990,(12):96-103
现代汉语的词类问题(续)	沈开木	语言文字学(北京)—1990,(12):103-111
实词向虚词引申初探	李志高	抚州师专学报—1991,(1):79-84
无定:汉语词类划分的层级种类及其相应个数	马 啸	语言文字学(北京)—1991,(1):83-95
现代汉语的词类问题	沈开木	语言文字学(北京)—1991,(2):77-85
谈谈区别词的使用	齐沪扬	学语文(芜湖)—1991,(3):24-25
"因为"的介词用法	汪树福	语文知识(郑州)—1991,(3):33-34
"凡""凡是"词性刍议	雷 涛	逻辑与语言学习(石家庄)—1991,(3):36-37
现代汉语的肯定性与形容词	石毓智	中国语文(北京)—1991,(3):167-174
名词前缀"阿"探源	杨天戈	中国语文(北京)—1991,(3):233-234
"之一"能不能算限制词语	徐 洁	学语文(芜湖)—1991,(4):23
唐五代个体量词的发展	赵中方	扬州师院学报·社科版—1991,(4):65-69
从汉语特有词类问题看语法的宏观研究	刘丹青	语言文字学(北京)—1991,(4):101-105
数字的泛指	李同山	语文学习(上海)—1991,(5):40-43
现代汉语多音节量词	傅 力	中学语文教学(北京)—1991,(5):42-44
词类划分的标准	莫鸿球	语文教学之友(廊坊)—1991,(6):26-27
虚词在公文中的逻辑作用	周 玲	秘书—1991,(6):43-44
虚词锤炼例析	王慈庄 毛惜珍	中文自修—1991,(10):27-28
词语的音义形关联:词语用法二谈	卢卓群	中学语文(武汉)—1991,(10-11):81-83
形容词活用的规律	白万钰	语文教学与研究(武汉)—1992,(1):35
肯定性形容词与非肯定性形容词的区别	陈月明	中国语文(北京)—1992,(1):37-38
臆说汉语虚词的实与虚	汪长林	安庆师范学院学报·社科版—1992,(1):88-93
汉语词汇双音代换管窥	董为光	语言研究(武汉)—1992,(2):19-26
义位功能与词类问题	陈功焕	江西教育学院学报(南昌)—1992,(2):23-27
"词类活用"定性分析	冯玉涛	宁夏大学学报·社科版(银川)—1992,(2):86-91
词类三分法刍议 实词虚词二分新析:兼论黎锦熙"汉语语法图解公式"对词类划分的贡献	孙良明	语言文字学(北京)—1992,(3):32-37
助动词语义指向探析	姚汉铭 孙 红	青海师范大学学报·社科版(西宁)—1992,(3):108-113

词性确定的原则和方法	张 连 生	东北师大学报·哲社版(长春)—1992,(4):73-78
谈汉语同音词	刘 芝 芬	沈阳师范学院学报·社科版—1992,(4):97-101
汉语名词功能转换的可能性及语义特点	卢 福 波	逻辑与语言学习(石家庄)—1992,(6):35-37
副词、拟声词应该归入实词	陈 淑 钦	语文知识(郑州)—1992,(10):17-22
指别词"这"、"那"分析	宋 玉 昆	语文建设通讯(香港)—1992,(35):10-16
论汉语标句词	夏 家 驷	湖北师院学报·哲社版—1993,(1):79-83
现代汉语实词兼类的发展趋势	刘 玉 杰	求是学刊(哈尔滨)—1993,(2):81-85
论使宾动词	彭 利 贞	杭州大学学报·哲社版—1993,(2):124-133
有关对外汉语教材如何处理离合词的问题	高 书 贵	世界汉语教学—1993,(2):144-149
CEMT-Ⅲ系统中汉语兼类问题的处理	赵 铁 军 毛 成 江	中文信息学报—1993,(4):52-59
汉语成语中词类的特殊作用	季 素 彩	河北大学学报·社科版—1993,(4):63-70
论联绵字的单用及孳乳	刘 乾	殷都学刊—1993,(4):95-99
进一步深入研究现代汉语格关系	林 杏 光	汉语学习—1993,(5):11-15
词性转换与读音变化	袁 庆 华	阅读与写作—1993,(5):17
怎样鉴别活用词	郭 清 津	齐齐哈尔师范学院学报·哲社版—1993,(6):74-78
关于现代汉语带有后缀"然"的复合词的划界问题	陈 泽 平	语言文字学—1993,(7):91-97
现代汉语中的词类活用	谯 德 坤	语文教学之友—1993,(8):40-封三
词类活用的界定宜宽不宜窄	周 建 成 柯 松 山	读写月报—1993,(9):23
实词虚化说	于 江	上海大学学报·社科版—1994,(1):104-107
离合词浅说	曹 乃 玲	吴中学刊—1994,(2):83-84,18
浅议离合词	聂 仁 忠 王 德 山	济宁师专学报—1994,(2):83-86
"于是"的词性研究及其认定方法	王 月	求是学刊—1994,(2):97-98
反弹式构词法	孟 宪 爱	语文月刊—1994,(3):9
词类"活用"与"兼类"的界定问题	曾 德 祥	成都大学学报·社科版—1994,(3):99-103
汉语词类研究的新突破	张 爱 民	江苏社会科学—1994,(3):113-117
一种身不由己的离合词	胡 华	语文月刊—1994,(4):7-8
主观量问题初探:兼谈副词"就"、"才"、"都"	陈 小 荷	世界汉语教学—1994,(4):18-24
汉语词类归属的理据	James D. McCaeley 文 张 伯 江 译	国外语言学—1994,(4):29-36
指示词语的归并尝试	张 权	外语研究—1994,(4):35-37
现代汉语通用词研究的若干原则和方法	通用词研究课题组(方世增执笔)	语文建设—1994,(4):36-38

也说现代汉语的词类活用	郭　　良	语文教学之友—1994,(4):40
试论词性的变化	李　志　霄	齐鲁学刊—1994,(4):45-47
试论"依句辨品"是一种辅助性的词的归类标准	亢　世　勇	西北师大学报—1994,(4):73-77
词类活用和词义引申之区别浅探	赵　成　林	湘潭大学学报—1994,(4):84-86
"使"的词类归属	王　　励	上海师范大学学报·哲社版—1994,(4):148-152
对词类活用含义和例词的异议	张　建　军	学语文—1994,(5):9
是补语,还是定语?:兼谈动量词的语法功能	吴　　迪	逻辑与语言学习—1994,(5):47
近体诗中的一种语言现象的分析——论虚字	葛　兆　光	文学评论—1994,(5):77-85
同类词连用规则刍议:从方位词"东、西、南、北"两两组合规则谈起	陆　俭　明	中国语文—1994,(5):330-338
词类活用的功能解释	张　伯　江	中国语文—1994,(5):339-346
运用统计法进行词类划界的一个尝试	马　　彪	中国语文—1994,(5):347-360
点、点儿、有点儿	史　锡　尧	语文月刊—1994,(6):10-11
名动词质疑:评朱德熙先生关于名动词的说法	裘　荣　棠	汉语学习—1994,(6):15-20
叠音词并不"都是单纯词"	哈　东　霞	语文学刊—1994,(6):22
现代汉语课词类教学改革刍议	汪　大　昌	语文建设—1994,(6):29-30
多类词的分布与辨析	孙　继　善	语文月刊—1994,(6):35-38
"为了"也表原因	黄　继　俞	语文知识—1994,(9):41-42
	张　新　彦	
学会辨别"正在"	李　增　吉	学汉语—1994,(10):16-17
试论现代汉语词的转类	蒋　雪　梅	四川教育学院学报—1994,(10):26-30
从新语词看造词方法	王　明　韶	语文教学与研究—1994,(10):45
"负增长"和"词籍"问题	雷　良　启	语文建设—1994,(12):7-8
汉语实词的多功能性散论	陈　立　中	语文建设通讯—1994,(45):41-47
性质名词及名词性质化试论	许　匡　一	语文建设通讯—1994,(45):48-53
时间的一维性对介词衍生的影响	石　毓　智	中国语文—1995,(1):1-10
汉语词类研究述评	朱　林　清	南京师大学报·社科版—1995,(1):27-34
	王　建　军	
"以"的介词词性与动词语义辨	王　琥　娥	山西师大学报·社科版—1995,(1):90-87
论汉藏语言的虚词	瞿　霭　堂	民族语文—1995,(6):1-10
汉语词类的划分	苏　培　成	语文建设—1995,(8):37-39,41

各 个 词 类

"否则"是个什么样的连词?	陈　双　全	语文知识(郑州)—1991,(1):16-18
副词"才"与"都"、"就"语义的对立和配合	史　锡　尧	世界汉语教学(北京)—1991,(1):18-22

论文题目	作者	出处
疑问代词的任指用法	胡盛仑	学语文(芜湖)—1991,(1):31-32,30
论汉语个体量词的表达功能	司徒允昌	汕头大学学报·人文科学版—1991,(1):31-36
试论连词"而"字的语意与语法功能	[美]薛凤生	语文建设(北京)—1991,(1):55-62
量词的锤炼	张向群	唐都学刊·社科版—1991,(1):84-88
试论地名词的结构	杨光浴	中国地名—1991,(2):4-6
普通话里的程度副词"很、挺、怪、老"	马真	汉语学习(延吉)—1991,(2):8-13
"介词"的定义及其它	沈开木	语文月刊(广州)—1991,(2):14-15
"介词"的定义及其它(续)	沈开木	语文月刊(广州)—1991,(3):9-10
谈《歧路灯》里的"极"、"甚"、"很"	邹德文	佳木斯师专学报—1991,(2):48-54
形容词、动词转类兼立现代汉语形动词	姚汉铭	齐齐哈尔师范学院学报·哲社版—1991,(2):61-68
汉语副词的篇章功能	[美]屈承熹	语言教学与研究(北京)—1991,(2):64-78
试论自由动词	吴锡根	杭州师范学院学报·社科版—1991,(2):71-79
"向、往、朝"及其相关的介词	范干良	语言文字学(北京)—1991,(2):86-95
关于体宾动词和谓宾动词	宋玉柱	世界汉语教学(北京)—1991,(2):90-91
从指示词到指示代词和冠词	蔡建平 聂身修	河南师范大学学报·哲社版—1991,(2):94-96
副词"都"的语义网络系统	彭砺志	淮北煤师院学报·社科版—1991,(2):114-120
副词"也"的预设功能	曹津源	语言美(昆明)—1991,(3):10③
矛盾的量词应当有个统一的约定	王希杰	黑龙江教育学院学报—1991,(3):11-12
时间副词:时间可能世界集合的命名	贝新祯	逻辑与语言学习—1991,(3):11-15
连词与介词的区分——以"跟"为例	储诚志	汉语学习—1991,(3):36-37
现代汉语量词的形象色彩	何杰	逻辑与语言学习(石家庄)—1991,(3):43-45
名词后"们"的语用分析:兼论名词复数的表示法	李忠耀	四川教育学院学报—1991,(3):63-70
汉语的颜色词(大纲)	张清常	语言教学与研究(北京)—1991,(3):63-80
谈时间短语中的介词"在"和"当"	金昌吉	许昌师专学报·社科版—1991,(3):87-93
专名义变	王希杰	淮北煤师院学报·社科版—1991,(3):98-102
有关词的兼语问题	李月华	新疆大学学报·哲社版(乌鲁木齐)—1991,(3):112-116,95
关于表可能的轻声"得"之词性的补释	力量	淮阴师专学报·哲社版—1991,(3):123-124
多词动词归类新议	毛惠琴	上海师范大学学报·哲社版—1991,(3):150
时间副词"正""正在"和"在"的分布情况	郭志良	世界汉语教学(北京)—1991,(3):167-172
谦敬副词例说	孙民立	语文学刊(呼和浩特)—1991,(3):封三
颜色与语言	曹恺	读写月报—1991,(4):3
试析文学语言以形容词作宾语的表达形式	吴战文	语文学刊—1991,(4):5-8

名词多组多项参加组合所产生的语义	沈 开 木	汉语学习(延吉)—1991,(4):5-11
试论现代汉语的"致动"动词	王 临 惠	语文研究(太原)—1991,(4):20-23
汉语介词与格的分类	王 玲 玲	中文信息(成都)—1991,(4):21-22
助词"着"的基本语法意义	金 奉 民	汉语学习(延吉)—1991,(4):23-28
拟声词蹩脚招人爱:谈拟声词的作用和功能	宋 仲 鑫	逻辑与语言学习(石家庄)—1991,(4):44-45,40
论"这本书的出版"中"出版"的词性:对汉语动词、形容词"名物化"问题的再认识	项 梦 冰	天津师大学报·社科版—1991,(4):75-80
论《金瓶梅词话》的多音节状态形容词	许 仰 民	信阳师范学院学报·哲社版—1991,(4):94-99,66
试论现代汉语复合量词	张 万 起	中国语文(北京)—1991,(4):262-268
结构助词"的"有时不表修饰限制	史 锡 尧	汉语学习(延吉)—1991,(5):7-12
副词的隐含义	玉 柱	语文月刊(广州)—1991,(5):15
连词与介词的区分:以"跟"为例	储 诚 志	汉语学习(延吉)—1991,(5):17-21
论语言中的颜色与颜色词	李 淑 芬	湖南大学学报—1991,(5):25-33
一日之内的时间词	王 作 新	中学语文(武昌)—1991,(5):29-31
一种名词	[日]相原茂	中国语文(北京)—1991,(5):351-353
句首"那么"的词性	吴 慧 颖	中国语文(北京)—1991,(5):360-362
谈谈形容词与非形容词的辨别	张 登 岐	中文自修—1991,(6):20-21
要重视对量词的锤炼	冯 韬	中学语文—1991,(6):38
同物异词 形象逼肖:量词妙用拾零	曹 津 源	语文知识(郑州)—1991,(6):43-45
数量词语的动态模糊运用	李 昌 年	逻辑与语言学习(石家庄)—1991,(6):143-145
试论粘着动词	尹 世 超	中国语文(北京)—1991,(6):401-410
论双音节动词的重叠性及其语用制约性	王 希 杰 华 玉 明	中国语文(北京)—1991,(6):425-430
"着"能否这样用	黄 涛	语文建设(北京)—1991,(7):42
读胡适、吴承仕、鲍幼文论"除非"	鲍 弘 道	语文建设(北京)—1991,(8):9-10
也谈"量词的形象美"	朱 少 红	语文月刊—1991,(8):12
咏月量词例析	高 承 杰	语文学习—1991,(8):44
试析指代运用中的错误(上)	金 锡 谟	新闻与写作—1991,(9):23-25
试析指代运用中的错误(下)	金 锡 谟	新闻与写作—1991,(10):32-34
"和"等词是连词还是介词辨	李 宝 山	语文教学之友—1991,(9):25
限定副词"只"和"就"	周 小 兵	语言文字学(北京)—1991,(9):94-98
"名作状"与"名作动"的区别	陈 继 民	中文自修—1991,(10):34,30
谈谈量词的修辞功能	陆 建 中	语文学习—1991,(10):39-40
词的构成方式与词性	李 敦 凯	语文教学通讯(临汾)—1991,(11):32-33
副词锤炼精华例析	毛 惜 珍	中文自修—1991,(11):39-40
数词用法举隅	杨 耐 思	语文建设(北京)—1991,(11):43-44

标题	作者	出处
动词的语法分类问题	玉柱	学语文(芜湖)—1992,(1):5-6
语气副词在"陈述——疑问"转换中的限制作用及其句法性质	黄国营	语言研究(武汉)—1992,(1):9-11
从"跳舞"、"必然"的词性到"忽然"、"突然"的区别	陆丙甫	语言研究(武汉)—1992,(1):12-18
动词"向"研究述评	简璜	山西大学学报·哲社版(太原)—1992,(1):19-22
漫谈汉语一些副词	王还	语言教学与研究(北京)—1992,(1):28-31
形容词活用的规律	白万钰	语文教学与研究(武汉)—1992,(1):35
敦煌变文中的助词系统	李泉	语言研究(武汉)—1992,(1):37-52
汉语量词的多信息特点	黄佩文	修辞学习(上海)—1992,(1):39
象声词,声不像	韩敬华	语文建设(北京)—1992,(1):43
说动词的"非光杆性"	刁晏斌	语文学刊(呼和浩特)—1992,(2):24-25
复合动词的构成及其内部关系	马凤鸣	外语与外语教学—1992,(2):29-32
的—的—的	孟宪爱	学语文—1992,(2):32,31
第一人称和第三人称	李仲华	阅读与写作—1992,(2):32
现代汉语的肯定性动词成分	石毓智	语言研究—1992,(2):41-50
"的"的性质和它的结构功能	田野	盐城师专学报·哲社版—1992,(2):48-50,74
说量度	李先耕	求是学刊(哈尔滨)—1992,(2):89-93
《老乞大》里的助词研究(上)	刘公望	延安大学学报·社科版—1992,(2):90-94
汉语合成动词的结构以及有关汉语拼音正词法的问题	[德]柯彼德	语言文字应用(北京)—1992,(2):93-100
"与动词"和第三格局	丁蔻年	汉语学习(延吉)—1992,(3):21-26
汉语动词有"非谓语形式"吗?	王还	汉语学习(延吉)—1992,(3):26
一些特殊的助词	黄乃喜	语文学习—1992,(3):40-41
副词"比较"的含义及其相关句式	李杰	徐州师院学报·哲社版—1992,(3):77-80
试析表示"体"的"在"	彭玉兰	上海师大学报·哲社版—1992,(3):124-127
情态动词在判断句中的意义	张海忠 李素荣	锦州师院学报·哲社版—1992,(3):125-128
合成动词的结构及其功能	张登岐	青海师大学报·哲社版—1992,(3):128-131,127
人称代词修饰名词时"的"字隐现问题	崔希亮	世界汉语教学—1992,(3):179-184
试说"自己""本人""本身"及"自身":兼议"本人""本身""自身"的词性	许和平	世界汉语教学(北京)—1992,(3):200-204
说"省得"	李小荣	汉语学习(延吉)—1992,(4):5-11
谓词框架说略	鲁川	汉语学习(延吉)—1992,(4):12-16
"死着"一例	王希杰	汉语学习(延吉)—1992,(4):16
副词"也"的深层语义分析	鲁晓琨	汉语学习(延吉)—1992,(4):17-20
现代汉语中的感叹语气	Viviane Alleton 著 王秀丽 译	国外语言学—1992,(4):17-22,42
叹词"喂"小议	段业辉	学语文(芜湖)—1992,(4):24-26

标题	作者	出处
"以后"和"以来"的时间起迄	朱文献	阅读与写作—1992,(4):31-32
助动词研究述略	熊文	汉语学习(延吉)—1992,(4):31-34
近代汉语的程度副词"十分"	唐韵	四川师范学院学报·哲社版(南充)—1992,(4):31-35
标志"的"和零位"的"	卢景文	语文研究—1992,(4):32-34
几对介词的实语范畴	姚汉铭	中文自修—1992,(4):36-37
浅析介词"对"和"对于"用法的异同	张永胜	语文学刊—1992,(4):37-40
支配式离合动词探析	卢福波	逻辑与语言学习(石家庄)—1992,(4):38-42
名词模糊性和形容词模糊性的区别	缑瑞隆	逻辑与语言学习(石家庄)—1992,(4):40-42
试谈孙犁小说中动词重叠的运用	周自厚	锦州师院学报·哲社版—1992,(4):78-81
名(形容)词活用作动词规律补苴	萧世民	贵州大学学报·社科版—1992,(4):80-82
"对(NP∧VP)"中"V"的性质	李大勤	徐州师范学院学报—1992,(4):84-88
量词的超常用法	张向群	陕西师大学报—1992,(4):123-126
"怎么"的功能和意义	贺凯林	湖南师范大学社会科学学报(长沙)—1992,(4):125-128
粘宾动词初探	杨锡彭	南京大学学报—1992,(4):147-152
汉语趋向动词及动趋短语的语义和语法特点	居红	世界汉语教学—1992,(4):276-282
量词的超常用法	张向群	陕西师大学报·哲社版(西安)—1992,(4):123-126
粘宾动词初探	扬锡彭	南京大学学报·哲社版—1992,(4):147-152
诗歌中的量词错位	范一直	写作—1992,(5):6-7
狄克丁娜和滑稽什么的——代称异名漫谈	王希杰	语文月刊—1992,(5):9-10
说代词"其"、"他"	黄智显	汉语学习(延吉)—1992,(5):21-23
复句中关联词语的功用	姚汉铭	学语文(芜湖)—1992,(5):22-23
语气词的表达色彩	桂玲	中文自修—1992,(5):25
"着、了、过"的语法作用及正确运用	毛惜珍	中文自修—1992,(5):26
连词:增强语势、分清层次、衔接文意	西臻	中文自修—1992,(5):27
"是"字固定式例释	梅德平	中文自修—1992,(5):33-34
"以为"例说	汪克谦	语文教学之友—1992,(5):39-40
"十二"探微	张德鑫	华东师范大学学报—1992,(5):61-67
VV粘结同向带宾现象之考察	储泽祥	华中师大学报·哲社版—1992,(5):84
关于拟声词问题	王明仁	北京师范学院学报·社科版—1992,(5):93-97,85
"到"的连词用法及其语义	刘丹青	汉语学习—1992,(6):13-15
谈谈特殊自称代词"儿"	刘开骅	语文月刊(广州)—1992,(6):18-19
不具量词性质的双音节名词也可重叠	傅炳民	语文教学与研究(武汉)—1992,(6):34

标题	作者	出处
语气词"呢""哩"考源补述	孙锡信	湖北大学学报—1992,(6):69-74,82
汉语里的"在"与"着"(著)	徐 丹	中国语文—1992,(6):453-461
抓住动词掘深意	王亚非	语文教学与研究—1992,(8):14
关于汉语动词的分类——介绍日本荒川清秀先生对汉语动词的研究	张麟声	高等学校文科学报文摘—1992,(9卷2):72-73
数字之谜(一)	丘振声	阅读与写作—1992,(7):15-16,26
数字之谜(二)	丘振声	阅读与写作—1992,(8):20
数字之谜(三)	丘振声	阅读与写作—1992,(9):20-21
数字之谜(四)	丘振声	阅读与写作—1992,(10):7
数字之谜(五)	丘振声	阅读与写作—1992,(11):14
数字之谜(六)	丘振声	阅读与写作—1992,(12):18-19
"很"字用法不当举例	李芳杰	语文月刊—1992,(11):11
不是连词,甚似连词	金兴甫	语文教学之友—1992,(11):24
"等……"与"……等等"小析	王光亮	语文教学与研究—1992,(11):41
说"三"道"四"	谢辉根	语文学习—1992,(11):41
是副词词尾,还是形容词词尾	许友科	语文教学与研究—1992,(11):41
方位名词的语法功能之我见	杨澎涛	电大语文—1992,(11-12):55
代词"自"和副词"自"——《马氏文通》学习笔记	杨荣祥	荆州师专学报·社科版—1993,(1):27-29
现代汉语量词情态色彩义的分析	何 杰	天津教育学院学报·社科版—1993,(1):40-43
浅论现代汉语象声词的类属	朱 慧	铁道师院学报·社科版—1993,(1):42-44
关于"无宾动词"的一点看法:与张登岐同志商榷	周建成 冯汝汉	学语文(芜湖)—1993,(1):46
论名词重叠	华玉明	邵阳师专学报·社科版—1993,(1):55-58,77
试论副词性的"有点儿"	徐 峰	曲靖师专学报·社科版—1993,(1):72-75
形容词功能范围探微	侯友兰	绍兴师专学报—1993,(1):84-88
现代汉语副词"白"、"白白"	张谊生	淮北煤师院学报·社科版—1993,(1):113-120,7
确定范围副词的原则	林 曙	上海师范大学学报·哲社版—1993,(1):125-126
试谈副词修饰否定结构	陈 群	四川师范大学学报—1993,(1):125-131
如何"跳"?	史锡尧	语文月刊(广州)—1993,(2):8
说"三":数词漫谈	孟守介	铁道师院学报·社科版—1993,(2):31-33
选择句及其关联词语	任 力	语文学刊(呼和浩特)—1993,(2):35-37
范围副词的分类及语义指向	李运熹	宁波师院学报·社科版—1993,(2):37-43,31
正确使用数量词	姚汉铭	语文学习(上海)—1993,(2):39-40
谈谈"分"与"份"的使用	薛万霖	学语文(芜湖)—1993,(2):42-43
动词"搞"的含义及其用法	蒋昌平	河池师专学报·文科版—1993,(2):57-58,63
也谈近代汉语中副词"自"的一种词义及用法	侯友兰	绍兴师专学报—1993,(2):70-71

试说句末语气词"著"在北宋的使用及其来源问题	罗骥	云南教育学院学报—1993,(2):75-77,82
程度副词"很"与"最"	王宗联	四川师范大学学报·社科版(成都)—1993,(2):75-78
从方言和历史看状态形容词的名词化	朱德熙	方言—1993,(2):81-100
区别词的语法性质	齐沪扬	华东师范大学学报·哲社版(上海)—1993,(2):91-95
动词重叠在使用中的制约因素	赵新	语言研究—1993,(2):92-97
论《金瓶梅词话》的副词"自"	许仰民	河北师院学报·社科版—1993,(2):112-115,119
表示概数的"多"和"来"的全方位考察	杨德峰	汉语学习—1993,(3):10-16
双音动词重叠式ABAB功能初探	李珊	语文研究—1993,(3):22-31
"几"的后面怎么没有量词	[日]相原茂著;阎红生译	汉语学习—1993,(3):24-26
程度副词"怪"用法的一点补充	刘颂浩	汉语学习—1993,(3):26-28
处所词方位说略	杨红华	阅读与写作—1993,(3):27
汉语心理动词及其句型	周有斌 邵敬敏	语文研究—1993,(3):32-36,48
时间副词"就""再""才"的语义、语法分析	史金生	逻辑与语言学习—1993,(3):43-46
关于"名词活用为动词"	朱和平	读写月报—1993,(3):44-45
"形容词后置"问题刍议	李树德	镇江师专学报·社科版—1993,(3):55-59
说"就"	张永华	淄博师专学报—1993,(3):57-60
同实异代中的"你"	张霞	沈阳师范学院学报·社科版—1993,(3):57-60
名词活用为动词援例辨析	李文祥	固原师专学报—1993,(3):72-75
论副词重叠	华玉明	邵阳师专学报·社科版—1993,(3):76-80
处所名词中的两个问题	[日]高桥弥守彦	海南师院学报—1993,(3):99-104
副词"再"、"又"的语用意义分析	蒲喜明	陕西师大学报·哲社版—1993,(3):111-114
从鸠摩罗什的佛经重译本与原译本的对比看系词"是"的发展	胡湘荣	湖南师范大学社会科学学报—1993,(3):118-121
"连……都(也)……"式中的"连"字是什么词性？	崔应贤	许昌师专学报·社科版—1993,(3):118-121
副词"可"的语义及用法	杨惠芬	世界汉语教学—1993,(3):173-178
现代汉语中"是"的词性及用法浅探	郑献芹	殷都学刊—1993,(3):
特殊量词浅谈	黄元	语文月刊(广州)—1993,(4):26-27
汉语人称代词"您"的变异研究	谢俊英	语文研究—1993,(4):27-34
现代汉语数量词系统中的"半"和"双"	邢福义	语言教学与研究—1993,(4):36-56
运动义动词"上"、"下"及其宾语	张其昀	松辽学刊·社科版—1993,(4):68-71
《国语》的称数法	刘利	徐州师范学院学报·哲社版—1993,(4):69-76
试说近代汉语副词"才"的特殊	张谊生	徐州师范学院学报·哲社版—1993,(4):77-81

标题	作者	出处
形容词研究概述	吴锡根	杭州师范学院学报—1993,(4):86-92
试论具有指代意义的"所"	吴仁甫	华东师范大学学报·哲社版—1993,(4):90-95,71
元代复数形尾"每"的读音——兼论汉语复数形尾的来源及其他	邓兴锋	南京大学学报·哲社版—1993,(4):93-98
介词"有"字三探	林泰安	殷都学刊—1993,(4):100-104
"功能划界说"质疑——虚词究竟能否充当句子成分	李文辉 韦连文	学术交流—1993,(4):114-117
比喻性词语的类型及释义	应雨田	中国语文—1993,(4):295-300
复合量词的规范和偏离	王希杰 关英伟	汉语学习—1993,(5):6-10
赵元任剖析"跟跟"	肖武	语文建设—1993,(5):15
人称代词意义在语境中的变化	沈志刚	汉语学习—1993,(5):25-27
"都"表总括与表强调之间的内部联系	周利芳	语文学刊—1993,(5):38-41
论组合性并列连词	张健 陶寰	汉语学习—1993,(5):50-52,封三
说"那个"	仇玉烛	齐齐哈尔师范学院学报·哲社版—1993,(5):63
形容词的AABB反义叠结	邢福义 李向农等	中国语文—1993,(5):343-351
也谈"不成"词性的转移	徐时仪	中国语文—1993,(5):391-392
"是"的用法种种	唐嗣德	读写月报—1993,(6):17-18
挥洒自如 点石成金——浅谈毛泽东诗词中数量词的妙用	黄思源	语文学刊—1993,(6):20-22
副词与完句的关系	郭伏良	逻辑与语言学习—1993,(6):41-43
"相"、"见"副词性诸种含义之辨析	何坦野	中文自修—1993,(6):42-43
几个交通运输量词的辨析——班、次、路、趟、列、辆	王金柱	天津师大学报·社科版—1993,(6):75-78
"而且"和"再说"	白荃	北京师范大学学报·社科版—1993,(6):104-109
汉语形容词的有标记和无标记现象	黄国营 石敏智	中国语文—1993,(6):401-409
名词并列的常式、变式和偏离	王希杰	语文月刊—1993,(7):2-4
动词做定语的几个问题	王光全	语言文字学—1993,(7):98-100
"然"尾形容词分类集释	朱大南	语文知识—1993,(8):30-32
介绍几种区别词性的方法	王建和 苏贺芝	中学语文教学—1993,(8):32,44
试谈语文教材目录中"二""两"的运用	陈俊风	读写月报—1993,(9):10
也谈名词活用为动词	清津	读写月报—1993,(9):22-23
关联词语的另一种搭配方式	戚晓杰	语文月刊—1993,(11):5
误用的"必须"	金兴甫	语文月刊—1993,(11):9
量词的运用	韩敬体	语文建设—1993,(12):39-40
句末语气词的层次地位	黄国营	语言研究—1994,(1):1-9

标题	作者	出处
汉语主从式礼貌词初探	邓岩欣	语文建设—1994,(1):6-7
也说"来着"	史有为	汉语学习—1994,(1):15-16
《敦煌变文集》和《祖堂集》的形容词、副词词尾	冯淑仪	语文研究—1994,(1):17-26
试论重叠式动词的语法功能	张先亮	语言研究—1994,(1):21-29
"的""地"用法例析	刘志珍	语文知识—1994,(1):22-24
关于"反而"的语法意义	马 真	世界汉语教学—1994,(1):25
再议带后缀"化"的词	云汉峻峡	汉语学习—1994,(1):26-27
关于词的兼类问题	陆俭明	中国语文—1994,(1):28-34
汉语序数表示法初探	杨 石	语文教学之友—1994,(1):32-33
说说连词"并"的使用	适 达	逻辑与语言学习—1994,(1):40
词类活用的修辞意义	李 索	逻辑与语言学习—1994,(1):42-48,39
量词及其分类刍议	王 月	黑龙江教育学院学报—1994,(1):47-48
论时态副词"一"	汪化云	上海师范大学学报·哲社版—1994,(1):58-61
"则"表示并列关系质疑	周建成	赣南师范学院学报·社科版—1994,(1):54-58
北京话的语气词"哈"字	贺 阳	方言—1994,(1):60-63
"即""既"作副词和作连词辨	施克诚	漳州师院学报—1994,(1):67-74
"九"的奥秘	易 之	民族艺林—1994,(1):69-71
论"使"字的介词词性	赵冰波	河南教育学院学报·哲社版—1994,(1):82-89
介词"有"字三探	林泰安	语言文字学—1994,(1):91-95
"的"字的句法、语义和语用分析	张国宪	淮北煤师院学报·社科版—1994,(1):100-107
论说"起来"一词	陈晓苹	新疆大学学报—1994,(1):115-116
试论指示词语的先用现象	张 权	现代外语—1994,(2):6-12
"怎么样"例解	关会民	学汉语—1994,(2):13-14
交际中他称的使用	骆 峰	语文建设—1994,(2):14-17
"谁""哪个""什么人"辨	王晓澎	汉语学习—1994,(2):20-21
动词"有"的性质及用法初探	[马来西亚]罗华炎	语文学习—1994,(2):38-39
"生动形容词"浅论	胡 莹	学语文—1994,(2):39-40
动后趋向动词性质研究述评	陈昌来	汉语学习—1994,(2):41-43
一词使用不当所引起的纠纷:兼谈"合同"的条款性	石斧村	逻辑与语言学习—1994,(2):42,31
不该用"她"和"妳"	[美]张质相	汉字文化—1994,(2):53-54
量词的具象	张向群 刘 君	齐齐哈尔师院学报—1994,(2):73-75
谈量词的修辞作用	刘 章	固原师专学报—1994,(2):73-76
动词形容词的"名物化"和"名词化"	胡裕树 范 晓	中国语文—1994,(2):81-85
汉语副词的虚实归属	宋卫华	青海师大学报·哲社版—1994,(2):96-99

标题	作者	出处
"于是"的词性研究及其认定方法	王　月	求是学刊—1994,(2):97-98
从字和字组看词和短语:也谈汉语中词的划分标准	王洪君	中国语文—1994,(2):102-112
《朴通事》的动词	谢晓安	兰州大学学报·社科版—1994,(2):103-109
汉语象声词研究述评	史艳岚	西北民族学院学报—1994,(2):106-111
量词的模糊美	张向群	陕西师大学报·哲社版—1994,(2):108-111
状态形容词的语法特征及相关问题	方　琴	徐州师范学院学报·哲社版—1994,(2):119-123
谈名词的一种新用法	刁晏斌	语言与翻译—1994,(2):127-129
北京话句中语气词的功能研究	方　梅	中国语文—1994,(2):129-138
《元曲选》宾白中的介词"和""与""替"	李崇兴	中国语文—1994,(2):149-154
关于"了"使用情况的考察	卢英顺	安徽师大学报·社科版—1994,(2):194-200
汉语"自己"一词的代词性	程　工	现代外语—1994,(3):7-11
"唯补词"初探	刘丹青	汉语学习—1994,(3):23-27
"二"话	张德鑫	世界汉语教学—1994,(3):24-30
说"再"	周　刚	汉语学习—1994,(3):28-32
量词的模糊性	郭先珍 王玲玲	汉语学习—1994,(3):37-39
静态动词研究	塔广珍	逻辑与语言学习—1994,(3):38-41
试论元曲赘音 ABC 式形容词	杨永龙	河南大学学报·哲社版—1994,(3):47-51
论连词的源变——论"的"及其相关的字词	韩陈其	南京师大学报·社科版—1994,(3):97-100
"所"字用法通考	张其昀	青海师大学报·社科版—1994,(3):103-108
汉语动词的"向"研究述说	于广元	扬州师院学报·哲社版—1994,(3):117-120
"白"类副词的表义特点及其潜在内涵	张谊生	徐州师范学院学报·哲社版—1994,(3):128-132
与象声词有关的符号问题:兼与文炼先生商榷	耿二岭	中国语文—1994,(3):186-189,240
趋向动词构句浅议	杨国文	中国语文—1994,(3):190-193
"动词+X+地点词"句型中介词"的"探源	江蓝生	古汉语研究—1994,(4):21-27
语气词语气意义的分析问题:以"啊"为例	储诚志	语言教学与研究—1994,(4):39-51
略谈量词的超常搭配	李绘新	中学语文教学—1994,(3):40-41
表示单数的人称代词"我们"	宗守云	学语文—1994,(4):4
鸟的鸣叫与别称	王福良	语文知识—1994,(4):14-15
主观量问题初探——兼谈副词"就"、"才"、"都"	陈小荷	世界汉语教学—1994,(4):18-24
从遭受类动词所带宾语的情况看遭受类动词的特点	王一平	语文研究—1994,(4):28-34
涉外经济合同中一些旧体词	李斯平	中国翻译—1994,(4):31-34

"这"在句中的作用	高春泉	语文教学之友—1994,(4):35,24
语气词语气意义的分析问题——以"啊"为例	储诚志	语言教学与研究—1994,(4):39-51
也谈助动词	苏凤英	语文学刊—1994,(4):40-41,25
A里AB新论	黎良军	广西师范大学学报·哲社版—1994,(4):42-47
人体器官名词普通性的意义变化及相关问题	龚群虎	语文研究—1994,(4):42-48
汉语"您"、"您们"的用法诠释	袁旭东	自贡师专学报·综合版—1994,(4):48-49
论"A里AB"式形容词	祝克懿	贵州民族学院学报·社科版—1994,(4):52-53
数词有限制的数量结构	[泰]吴雅慧	语言教学与研究—1994,(4):52-68
"常常"和"通常"	周小兵	语言教学与研究—1994,(4):69-75
汉语词汇教学的两个难点——兼类词、介词	付炜	新疆大学学报—1994,(4):109-110
试谈汉语多位数的特点及其双语教学	吴蓉祥	语言与翻译—1994,(4):122-124
"所"的特殊语法功能	赵伯义	河北师院学报·社科版—1994,(4):126-130
副词"总"和"老"的区别	祝韶春	语言与翻译—1994,(4):138-140
"紧俏"别义	崔山佳	辞书研究—1994,(4):145-146
一价名词的认知研究	袁毓林	中国语文—1994,(4):241-253
敦煌变文中量词使用的几个特例	王新华	中国语文—1994,(4):317-318
形容动词态化的趋向态模式	邢福义	湖北大学学报·哲社版—1994,(5):7-15
异形词三议	潘竟翰	语文建设—1994,(5):12-15
祈使语气词"吧"和"啊"	王明华	学汉语—1994,(5):23-24
关联词语的预示功能	张邱林	语文教学与研究—1994,(5):42-43
广义量词理论述评	张维真	中州学刊—1994,(6):52-55,84
浅谈双音节形容词的重叠形式	姜晓红	宁夏教育学院、银川师专学报—1994,(6):57-60
"大"的区别词用法	宋玉柱	中国语文—1994,(6):447
关于非是非问句里的"呢"	叶蓉	中国语文—1994,(6):448-451
从意义和功能看似声词的归类	杨树森	中学语文教学—1994,(7):43-44
古今方位表述法拾零	马继红	语文知识—1994,(8):7-8
滥用"的"与漏用"的"	张辛耘	语文学习—1994,(8):48
区别词名词化例说	孙余兵	语文月刊—1994,(9):9
叙述句法中的连接词	刘海涛	阅读与写作—1994,(9):24
副词"也"的表意功能说略	黄天喜	语文教学通讯—1994,(10):23
量词琐议	任海勤	阅读与写作—1994,(11):27
量词的修辞功能	程忠学	语文教学之友—1994,(11):33-34
名词重叠形式探	王小方	语言文字学—1994,(11):59-64
"只要"和"只有"表示什么条件——《现代汉语八百词》两处释义析疑	杨树森	语文建设—1994,(12):9-10
关于副词"才"与助词"了"	董明	语文建设—1994,(12):34

标题	作者	出处
说"无上"	朱旗	语文学习—1994,(12):40-41
关于"有"的思考	文炼	语文建设通讯—1994,(42):81-83
"半"的词性判别和词形规范	邢福义	语文建设通讯—1994,(42):84-87
说"半"	程观林	语文建设通讯—1994,(44):63-64
名动词质疑:评朱德熙关于名动词的说法	裘荣棠	语文建设通讯—1994,(44):67-71
词不该有问题:中文本位文法刍论之一	胡百华	语文建设通讯—1994,(44):72-74
祈使语气词"吧"和"啊"	王明华	语文建设通讯—1994,(45):60-61
从方言看普通话"了"的功能和意义	洪波	安庆师院学报·社科版—1995,(1):10-14,22
《金瓶梅》人称代词的特点	张惠英	语言研究—1995,(1):12-14
北京话疑问语气词的分布、功能及成因	陈妹金	中国语文—1995,(1):17-22
关联词语纵横谈	罗日新	语文研究—1995,(1):28-32
关于象声词的一点思考	文炼	中国语文—1995,(1):29,74
运动义动词"上"、"下"用法考释	张其昀	语言研究—1995,(1):37-43
论"的3"与"的4"	孙余兵	江苏教育学院学报·社科版—1995,(1):43-45
论单价形容词	张国宪	语言研究—1995,(1):52-65
浅谈动词的分类问题	陈祖荣	四川师范学院学报·哲社版—1995,(1):56-58
关联词语分布态势及奥秘所在	罗日新	辽宁师范大学学报·社科版—1995,(1):56-61
也论拟声词的规范	祝克懿	贵州大学学报·社科版—1995,(1):81-83
近代汉语完成态动词的历史沿革	钟兆华	语言研究—1995,(1):81-88
"得(děi)"的归类问题	铁昌根吉	汉语学习—1995,(2):22-24
从"在"和"从"的发展演变看词的兼类现象	吴承玉	贵州教育学院学报·社科版—1995,(2):29-33
"顺逆动词"探析	孙宝成	海南大学学报·社科版—1995,(2):71-77
动名兼类的计量考察	胡明扬	语言研究—1995,(2):91-99
方位标的性质、意义及标的替换	孙汉萍 储泽祥	湖南师范大学社会科学学报—1995,(2):92-95
论现代汉语的程度副词	周小兵	中国语文—1995,(2):100-104
尝试态助词"看"的历史考察	吴福祥	语言研究—1995,(2):161-166
《汉语形容词的有标记和无标记现象》商榷	王晓澎	汉语学习—1995,(3):13-18
动·主双系的形容词状语	郑贵友	汉语学习—1995,(3):19-25
话说"高"和"低"	史锡尧	语文学习—1995,(3):41
量词的形象美	曾荣	语文知识—1995,(3):43
"你"是不定指的人称代词	周静 董忠	信阳师范学院学报—1995,(3):69-72

论动后趋向动词的性质:兼谈趋向动词研究的方法	陈昌来	语言文字学—1995,(3):71－77
谈汉语时间词	周小兵	语言教学与研究—1995,(3):85－93
现代汉语的动态形容词	张国宪	中国语文—1995,(3):221－229
可重叠为 AABB 式的形容词的范围	崔建新	世界汉语教学—1995,(4):14－22
谈谈现代汉语中形容词作动词的用法	潘双宣	语文知识—1995,(4):18－19
词类三问	李臻怡	汉字文化—1995,(4):19－21,44
复合量词家族的新成员:和式复合量词	关英伟	赣南师范学院学报—1995,(4):29－32
数量词妙用举隅	张向阳	语文教学与研究—1995,(4):46
中介语与汉语虚词教学	李晓琪	世界汉语教学—1995,(4):63－69
一九四九年以前量词研究综述	吴非	新疆师大学报·哲社版—1995,(4):66－69
借名法:一种造成具体名词的方法	宗世海	暨南学报·哲社版—1995,(4):93－100
武汉话的程度副词"几"	吴风华	华中师范大学学报·哲社版—1995,(5):82－84
现代汉语词类问题考察	胡明扬	中国语文—1995,(5):381－389
现代汉语后缀语助词的数排式	储泽祥	湖北大学学报·哲社版—1995,(6):17－23
形容词重叠后的语法意义刍议	谢云秋 蔡春英	语文知识—1995,(7):18－19,64
比喻性量词的艺术美	唐雪凝	语言文字学—1995,(7):96－97
"助词"的出处及原指	子朗	语言文字学—1995,(8):101
"隔阂"、"隔膜"辨析	傅炳民	语文知识—1995,(9):20－21
快速识别"词类活用"的一种方法	任俊英	语文知识—1995,(9):33－35
写作人称与指代人称	李谦恒	语文知识—1995,(10):10－11
汉语数学的妙用	林清和	语文世界—1995,(12):30

句　　法

"V 得"、"V 不得"结构中"得"的语义和词性之考察	力量	徐州师范学院学报·哲社版—1990,(3):111－113
词语搭配是相应义素的协同	李裕德	语文建设(北京)—1990,(4):36－38
试论主观语义及其表达方式、语用效果	严承钧	语文建设(北京)—1990,(4):39－41
2－5 岁儿童运用"把"字句情况的初步考察	李向农 周国光等	语文研究(太原)—1990,(4):43－50
句子面面观	孟雨风	扬州师院学报·社科版—1990,(4):74－80
现代汉语语病的定性问题	严戎庚	新疆大学学报·哲社版(乌鲁木齐)—1990,(4):90－95
论主谓述补同形结构	贺孟嘉	新疆大学学报·哲社版(乌鲁木齐)—1990,(4):100－106
"V 单"短语与"V 双"短语探异	张国宪	淮北煤师院学报·社科版—1990,(4):117－123
"无论是 A 还是 B,都 C"句型	尤俊成	语文学刊(呼和浩特)—1990,(5):20－23

标题	作者	出处
12年来汉语析句法的发展变化	黄伯荣	语文建设(北京)—1990,(6):2-7
"P_1就P_2"和"P_1再P_2"格式语用功能的比较	匡吉	学语文(芜湖)—1990,(6):31-33
复杂短语的结构分析	张连生	东北师大学报·哲社版(长春)—1990,(6):81-85
"比"字句替换规律刍议	邵敬敏	中国语文(北京)—1990,(6):410-415
含双联分句的复句	谭达人	中国语文(北京)—1990,(6):422-426
现代汉语的歧义结构及其分化手段	李汉威	语言文字学(北京)—1990,(9):96-100
也说"不但……而且"的语法功能	仲鑫	语文学习(上海)—1990,(10):48,15
试谈句群的检修	赵汝鼎	中学语文教学参考(西安)—1990,(12):26-27
含关联词语的单句正误谈	李漓	语文教学通讯(临汾)—1990,(12):28-31
试论同位短语与其它几类短语的区别	张万明	语文知识(郑州)—1990,(12):31-35
"的"字短语的形成与功能	韦园晨	语文教学通讯(临汾)—1990,(12):32-33
解说句群的结构、层次、关系	邢发	语文教学通讯(临汾)—1990,(12):33-34
现代汉语基本句型	北京语言学院句型研究小组	世界汉语教学(北京)—1991,(1):23-29
副体结构概说	潘攀	武汉教育学院学报·哲社版—1991,(1):42-48
"叫她祥林嫂"之类句式结构研究评论	马东震	银川师专学报·社科版—1991,(1):43-49
句子的理解与信息分析	文炼	语言研究(武汉)—1991,(1):50-54
"动·将·补"句式的历史演变	武振玉	吉林大学社会科学学报—1991,(1):86-90
略论句子结构分析的更新:《提要》与《暂拟》比较	杨敦贵	福建师范大学学报·哲社版(福州)—1991,(1):95-101
句子分析浅谈	刘文莉	华侨大学学报—1991,(1):103-109
汉语句法结构和词汇的简约性	沈锡伦	汉语学习(延吉)—1991,(2):30-34
汉语的歧义现象	颜迈	贵州教育学院学报·社科版—1991,(2):36-44
关于正反问句和"可"问句分合的一些理论方法问题	吴振国	语言研究(武昌)—1991,(2):58-67
近代汉语的"述+宾+补"结构	唐韵	四川师范学院学报·哲社版(南充)—1991,(2):71-76
"都"字前后相关成分的语义特性	谭敬训	世界汉语教学(北京)—1991,(2):92-95
现代汉语表示持续体的"着"的语义分析	戴耀晶	语言教学与研究(北京)—1991,(2):92-106
现代汉语语法问题的两个"三角"的研究:1980年以来中国大陆现代汉语语法研究的发展	华萍	语言教学与研究(北京)—1991,(3):21-27
略论全句附加语	姚晓波	锦州师院学报·哲社版—1991,(3):95-100
无宾动词及其构成的句型	吴锡根	语言文字学(北京)—1991,(3):101-106
句群的构成与辨析	梁文斑	锦州师院学报·哲社版—1991,(3):106-111
谈谈SV_1V_2类句子的句型归属	马啸	扬州师院学报·社科版—1991,(3):107-109,120

语法研究的回顾	李　临　定	世界汉语教学(北京)—1991,(3):144-152
关于"大树底下走着一个人"等等	宋　玉　柱	学语文(芜湖)—1991,(4):19-20
句型·句类·句式	谢　逢　江	学语文(芜湖)—1991,(4):21-22
谈80年代与90年代的句型研究	赵　淑　华	语言教学与研究(北京)—1991,(4):45-49
试论句子的精密分析	洪　　　睿	牡丹江师范学院学报·哲社版—1991,(4):66-68
关于语法研究的三个平面学说	何　伟　渔	上海师范大学学报·哲社版—1991,(4):104-108
儿化和语言结构的变化	余　志　鸿	语言文字学(北京)—1991,(4):112-114
"动·宾·补"结构中三者相互依存的关系	李　运　龙	湖北大学学报·哲社版—1991,(5):36-42
"动·将·补"句式的历史演变	武　振　玉	语言文字学(北京)—1991,(5):71-76
从句法组织看现代汉语的丰富、优美与精炼	邢　福　义	语文建设(北京)—1991,(6):10-13
类比的作用	玉　　　柱	语文月刊—1991,(6):12-13
多项定语还是复杂定语？	张　瑞　宣	语文月刊(广州)—1991,(6):14-15
言语行为与言说动词句	刘　大　为	汉语学习(延吉)—1991,(6):16-23
语序的语用功能	常　　　俭	逻辑与语言学习(石家庄)—1991,(6):34-35
提取句子"公因子"	宋　玉　柱	中文自学指导—1991,(6):39-40,41
句子的结构与句子的"主干"	史　锡　尧	中学语文教学(北京)—1991,(7):43-44
再谈"老张办事很认真"之类的结构分析	宋　玉　柱	语文月刊—1991,(8):7-8
关于歧义语的类型	杨　吉　元 汪　志　宏	语文教学之友(廊坊)—1991,(10):36-37
冒号后面的语言单位的结构分析	董　金　明	中学语文教学参考(西安)—1991,(10):41-42
语法规范琐议	邹　韶　华	语文建设(北京)—1991,(11):23-27
语法规范要树立层次意识	崔　应　贤	语文建设(北京)—1991,(11):27-31
汉语动+形的结构及其语义关系辨析	谭　其　学	语言文字学(北京)—1991,(11):103-109
钱钟书论层次分析	王　希　杰	语文月刊(广州)—1991,(12):4-5
称代类句型的区分与"结构中心"标准	晓　　　喻	语文教学与研究—1991,(12):39-40,38
动态助词"了""着""过"的语义特征及其用法比较	房　玉　清	汉语学习(延吉)—1992,(1):14-20
词组和句子	王　艾　录	山西大学学报·哲社版(太原)—1992,(1):23-28
多义结构·同型结构和句法分析问题	李　开　湘	逻辑与语言学习(石家庄)—1992,(1):33-36
说说"可是"从语气副词向转折连词转化的过程	郭　良　志	逻辑与语言学习(石家庄)—1992,(1):41-42
汉语语法单位组合论	张　云　徽	云南民族学院学报(昆明)—1992,(1):91-94
《金瓶梅》的语言多元系统及其形成的原因	孙　维　张	社会科学战线—1992,(1):278-284
关于陈述和指称	彭　可　君	汉语学习(延吉)—1992,(2):14-18
区分"句型"与"句式"试议	邵　霭　吉	盐城教育学院学报—1992,(2):31-36

标题	作者	出处
"是"作程度状语例谈	吴从松	语文知识(郑州)—1992,(2):36-37
现代汉语的"于"和"于"字句	虞荟文	四川师范大学学报·社科版(成都)—1992,(2):68-74
有"难道"出现的问句都是反问句吗?	刘钦荣 金昌吉	河南学学报·社科版(开封)—1992,(2):107-109
试论完成貌助词"去"	陈泽平	中国语文(北京)—1992,(2):143-146
补语标志"得"与动词语素"得"的区分方法	苅文楼	语文知识(郑州)—1992,(3):23-25
谈谈存在句系列	宋玉柱	逻辑与语言学习(石家庄)—1992,(3):39-41
有关"得"字句的几个问题	聂志平	辽宁师范大学学报·社科版(大连)—1992,(3):52-58
现代汉语表层序列线性结构形式的内部机制初探	刘鑫民	宁夏大学学报·社科版(银川)—1992,(3):64-70
变换和句型	方经民	淮北煤师院学报·社科版—1992,(3):129-135
句式变换的表达作用	汪志远	盐城教育学院学报—1992,(4):30-33
句子同义转换的作用	王洪江	逻辑与语言学习(石家庄)—1992,(4):44-46
汉语假性疑问句研究	陈姝金	南京师大学报—1992,(4):78-83
单一否定词移位问题探讨	张爱民	徐州师范学院学报·哲社版—1992,(4):80-83,88
否定句研究概观	朱晓亚	汉语学习(延吉)—1992,(5):24-27
谈谈汉语语法分析方法:从《汉语句法的灵活性》一文说起	李临定	中国语文(北京)—1992,(5):376-382
是非问句末的"吧"也可表祈使	杜永道	汉语学习—1992,(6):8
汉语句法分析方法的嬗变	陆俭明	中国语文(北京)—1992,(6):430-438
汉语语法研究中的几个问题	怀宁	语言文字学(北京)—1992,(8):108-113
歧义结构类型及其产生原因	侯咏梅	语言文字学(北京)—1992,(8):143-147
汉语句子的特点	陆俭明	汉语学习(延吉)—1993,(1):1-5
语法逻辑习惯	胡双宝	逻辑与语言学习(石家庄)—1993,(1):40-42
中介现象与汉语语法分类的指导思想	于全有	锦州师院.学报哲社版—1993,(1):95-99,105
《中学教学语法系统提要》(试用)探疑	李冠华	学语文—1993,(2):35-37
从三个平面看"小孩儿多吃点水果好"	吴静	学语文(芜湖)—1993,(2):41-42
句末标点也是句子成分	郝光顺	松辽学刊·社科版—1993,(2):96-97
正反问句及相关的类型学参项	袁毓林	中国语言信(北京)—1993,(2):103-111
动词谓语句探析(上)	张其昀	盐城师专学报·哲社版—1993,(3):28-33
动词谓语句探析(下)	张其昀	盐城师专学报—1994,(1):
新旧语法系统析句比较谈	戴永俊	语文知识(郑州)—1993,(3):40-43
试谈语用成分的句法分析	邢欣	新疆师范大学学报·哲社版—1993,(4):50-55
对语法病句的研究要有新进展——关于语法病句的若干考察与思考之三	窦融久	新疆师范大学学报·哲社版—1993,(4):56-59
谈谈动词后面数量词的归属	吕永顺	语文教学与研究—1994,(1):21

简论语法结构	金立鑫	新疆师大学报—1994,(1):24-28
关于句子的功能分类	吴为章	语言教学与研究—1994,(1):25-48
体词谓语句的分类	周日安	赣南师范学院学报·社科版—1994,(1):49-53
体词谓语句的范围	周日安	河池师专学报·社科版—1994,(1):50-55
从对外汉语教学角度看汉语的结构模式	胡炳忠	语言教学与研究—1994,(1):65-78
《答李翊书》语法分析	任瑞麟	阴山学刊—1994,(1):77-84
NVN造名结构及其NV/VN简省形式	邢福义	语言研究—1994,(2):1-12
"N受+V"句说略	范晓	语文研究—1994,(2):7-12
超句单位的言语变异	冯广艺	绥化师专学报—1994,(2):24-27
句法结构中隐含NP的语义所指关系	沈阳	语言研究—1994,(2):25-44
汉语句子信息结构分析	方经民	语文研究—1994,(2):39-44
现代汉语选择问研究	邵敬敏	语言教学与研究—1994,(2):49-67
语言与言语的中介物:句子形式	罗日新	辽宁师范大学学报·社科版—1994,(2):50-52,42
现代汉语感叹句初探	朱晓亚	徐州师院学报—1994,(2):124-127,114
公文标题的常见语法形式	毛成友	应用写作—1994,(3):8
编插句式论析	彭占清	世界汉语教学—1994,(3):15-18
汉语句法的功能透视	张伯江	汉语学习—1994,(3):15-20
关于句子的研究问题	郑远汉	语言文字应用—1994,(3):16-21
汉语词语表达的两个趋向	徐实曾	语文学刊—1994,(3):41
汉语受事主语句的理论透视	张云秋	齐齐哈尔师范学院学报·哲社版—1994,(3):68-72
论重复	韩荔华	语言教学与研究—1994,(3):71-80
从单项NP句看句子的主语和主题	高顺全	河南大学学报·哲社版—1994,(3):76-81
"差一点"句的逻辑关系和语义结构	[日]渡边丽玲	语言教学与研究—1994,(3):81-89
也谈"幸亏你来了"与"你幸亏来了"	陈荣华	汉语学习—1994,(4):9
话题—述题切分与语言结构	邱述德 臧国芝	外国语—1994,(4):15-16
汉语完句成分试探	贺阳	语言教学与研究—1994,(4):26-38
谈X与X句的类型	景士俊	语文学刊—1994,(4):35-39
辩证法在句子分析中的运用	邱传林	语文教学通讯—1994,(4):40-41
用比较法巧断句子的主语	李振芳	语文教学之友—1994,(4):41
$N_{受1}+V+N_{受2}$句型分析	周宝宽	辽宁教育学院学报—1994,(4):84-88
"动词后附成分"的语法分析	宋卫华	青海师范大学学报·哲社版—1994,(4):93-96
汉语"是……的"句式教学	王育华	语言与翻译—1994,(4):105-107
谈"呼应式单句"	李富林	语文月刊—1994,(5):5
间接问句及其相关句类比较	邵敬敏	华东师范大学学报·哲社版—1994,(5):50-57

标题	作者	出处
层次分析的几个问题	石斧村 梁素青	逻辑与语言学习—1994,(6):43-44,18
"天然饮料是奥林"不是病句	杨大为	语文学习—1994,(8):45
"谁的就是谁的"	林杏光	语文建设—1994,(9):46-47
话说"再见"——语义面面观	周照明	阅读与写作—1994,(10):19
诗词句法结构浅探	史锡尧	语文月刊—1994,(11):4-6
漫谈比较句	林文金	语文月刊—1994,(11):6-7
关于单句教学的一点尝试	郝永萍	语文教学与研究—1994,(11):30
"这其中"之类说法评析	龚国基	语文学习—1994,(11):46-47
"等""等等"及标点	钟桂华	语文知识—1995,(1):42-43
动态句研究	仝国斌	南京师大学报·社科版—1995,(1):42-47
论汉语祈使句的特征问题	马清华	语言研究—1995,(1):44-51
汉语句类划分标准新论	张家泰	沈阳师范学院学报·社科版—1995,(1):68-71
论"是"字句	陈天福	河南大学学报·哲社版—1995,(1):70-73
焦点、焦点的分布和焦点化	刘鑫民	宁夏大学学报—1995,(1):79-84
主题突出与汉语存在句的习得	[美]温晓虹	世界汉语教学—1995,(2):52-59
"X比Y还W"的两种功能	殷志平	中国语文—1995,(2):105-106
"为、所"的格式辨	赵正	语文建设—1995,(3):31-32
敦煌变文中的选择疑问句式	刘子瑜	语言文字学—1995,(3):33-38
单句宾语复杂化之初探	何相成	语文教学与研究—1995,(3):38
《醒世姻缘传》中已有"X什么X"句式	崔山佳	汉语学习—1995,(3):48
议论文中的长句分析	赵梦雄	齐齐哈尔师院学报—1995,(3):85-86
"取类"双宾句不成立的语义补说	兰善清	语文知识—1995,(4):20-22
含"少"的命令句	周继圣	语文学习—1995,(4):44-45
动词单独作谓语的主谓句考察	张登岐	语言文字学—1995,(4):68-75
句子的衔接及其制约因素	晓东	上海师范大学学报·哲社版—1995,(4):90-93
试析"SVP"句	王宗联	四川师范大学学报·哲社版—1995,(4):94-97
"词组本位"语法观的具体阐释:《汉语句法规则》读后	王葆华	世界汉语教学—1995,(4):101-103
"有失"与"失之"	张谊生	语文学习—1995,(5):43-45
"之所以"可以起头	吴定远	语文学习—1995,(5):45-46
谈句子的深层含义	孙宗良	语文教学与研究—1995,(6):35
小句中枢说	邢福义	中国语文—1995,(6):420-428
语序重要	吴为章	中国语文—1995,(6):429-436
词义对句型的制约作用	罗日新	语文建设—1995,(7):22-23
关于汉语句法组合的制约因素	张世年	语言文字学—1995,(8):106-109
浅谈"像"字句的类型	孟铁	语文知识—1995,(11):30-31
句子和句子分析	苏培成	语文建设—1995,(12):20-22
从1984年到1993年《人民日报》头版标题看:汉语语句含义的变化	周雷	北京大学学报·哲社版—1995,(179-180):182

衡阳话中的疑问句	彭兰玉	古汉语研究—1995,(增刊):73-76

词组（短语）

汉语句法结构和词汇的简约性	沈锡伦	汉语学习(延吉)—1990,(2):30-34
"V得C"和"V不C"使用频率差别的解释	石毓智	语言研究(武昌)—1990,(2):68-74
复式词组造句功能新探	邵霭吉	盐城教育学院学刊—1990,(4):36-40
语言结构的超常组合	张楚藩	贵州民族学院学报·社科版—1990,(4):68-74
语义在词语搭配中的作用：兼谈词语搭配中的语义关系	常敬宇	汉语学习(延吉)—1990,(6):4-8
"V上"及其构成的句式	范晓	营口师专学报·哲社版—1991,(1):1-11
含"没有"语词的判断形式简析	张一莉	逻辑与语言学习(石家庄)—1991,(1):11-13
主谓之间相合的数量关系	隆林	阅读与写作—1991,(1):12
副＋名	于根元	语文建设(北京)—1991,(1):19-22
试析形宾结构	岳立静	山东大学学报·哲社版—1991,(1):21-25
"的"字结构里头的述补结构"了"	[日]三宅登之	汉语学习(延吉)—1991,(1):22-26
也谈多项定语的排列顺序	王鹤良	语言美(昆明)—1991,(1):25②
主谓短语和谓主短语	陆秉庸	语言与翻译(乌鲁木齐)—1991,(1):29-31
动宾结构的语义基础	高慎贵	逻辑与语言学习(石家庄)—1991,(1):35-37
关于"关于"和"关于……"	盛济民	中文自学指导—1991,(1):44-45
也说"有意见"和"不是地方"	张登岐	逻辑与语言学习—1991,(1):47
"名词＋们"前能加数量词吗？	马宁可 吴清玉	毕节师专学报·社科版—1991,(1):50-53
关联短语及其在单句中的分布	宋仲鑫	武陵学刊—1991,(1):69-74
关于短语分类的几个问题	陈天权	云南教育学院学报·社科版(昆明)—1991,(1):81-85,80
"X的X,Y的Y"格式试探	徐国玉	延边大学学报·哲社版—1991,(1):85-89
物类名词后用"们"的语法现象：兼论修辞现象和构词现象的差异	陶振民	华中师范大学学报·哲社版(武汉)—1991,(1):115-118
关于词语搭配的正确性和真实性	宋玉柱	汉语学习(延吉)—1991,(2):5-8
"VN^1N^2"的多义性	王希杰	语文月刊(广州)—1991,(2):12-13
关于"-儿"的语法性质	宋玉柱	语文月刊(广州)—1991,(2):17-18
从英语译文看汉语主语的省略现象	王菊泉	语言研究—1991,(2):17-26
关于带"了"的动趋结构	张健	汉语学习(延吉)—1991,(2):20-23
"大环迷"漫语	王希杰	学语文—1991,(2):27-28
谈"X与Y"类词的结构	徐洪涛	语文学刊(呼和浩特)—1991,(2):29-31
说"连……也/都……"格式中的"连"	刘顺	绥化师专学报·社科版—1991,(2):59-63
试析汉语短语的多义与歧义	姜树	齐齐哈尔师范学院学报·哲社版—1991,(2):69-71

标题	作者	出处
说"很+不A"	谢一枝	衡阳师专学报—1991,(2):74-76
汉族人的时间观念及其表达	金昌吉	河南大学学报·社科版—1991,(2):103-106
"N的V"研究综述	陈庆汉	河南大学学报·社科版(开封)—1991,(2):111-116
"跟……一样"用法浅谈	李成才	语言教学与研究(北京)—1991,(2):112-122
"一+动量词"的重叠式	王继同	中国语文(北京)—1991,(2):113-117
"V去了"说略	李冠华	汉语学习(延吉)—1991,(3):10-14
论对称结构	周荐	语文研究(太原)—1991,(3):22-29
"V上"和"V着"	陈昌来	学语文(芜湖)—1991,(3):26-28
浅谈VV、V-V与V了V互换的条件	邹哲承	语文学刊(呼和浩特)—1991,(3):32-33
介宾短语句法功能研究述评	王素梅	沈阳师范学院学报·社科版—1991,(3):48-53
也谈"从……到……"结构	王元祥	贵州师范大学学报—1991,(3):69-71
也谈"差(一)点儿"	陈贤纯	世界汉语教学—1991,(3):173-174,160
关于动趋式带宾语的几种语序	张伯江	中国语文(北京)—1991,(3):183-191
"去世"后面不能带"了$_1$"	马文忠	中国语文—1991,(3):215
论定心结构的修辞组合	沈建华	北京师范学院学报·社科版—1991,(4):43-47,74
时量数量词句法功能二重性论析	徐伦臣	齐齐哈尔师范学院学报·哲社版—1991,(4):72-74
词组研究必须坚持同一性原则	聂焱	语言文字学(北京)—1991,(4):115-122
结构助词"的"有时不表修饰限制	史锡尧	汉语学习—1991,(5):7-12
名词性偏正短语可作中心语	史锡尧	中学语文教学(北京)—1991,(5):44-45
谈动宾短语的超常搭配	尚今	逻辑与语言学习—1991,(5):45-46
"从+NP"的"从"的隐现	陈信春	河南大学学报·社科版—1991,(5):75-80
合成词和短语的区别	刘作林	语文月刊(广州)—1991,(6):13-14
要注意介宾短语的运用	刘继超	语文教学之友(廊坊)—1991,(6):30-32
带小句宾语的动词研究综述	宋世平	荆州师专学报·社科版—1991,(6):51-55
"和(与)"字的位置	吕云九	中国语文—1991,(6):416
也说"…里""方…"和"方…里"——兼与李昌前老师商榷	章平	读写月报—1991,(9):3-4
"状·动·宾"式短语的首次切分	周正	语文月刊—1991,(9):5-6
略论"第二-""第三-"	亓艳萍	语文建设—1991,(10):16-18
"VN^1"的"N^2"多义的条件	斯语	中文自修—1991,(10):24
物量短语后置的条件	吴锡根	语文学习—1991,(11):40-41
介宾短语的识别和运用	王洪江	中文自学指导—1991,(11):44-45
主谓结构的语义基础	高慎贵	逻辑与语言学习(石家庄)—1992,(1):36-38
"动+来+名"和"动+名+来"	肖秀妹	语言教学与研究(北京)—1992,(1):59-62
"V+去/来"结构辨析	杨月蓉	贵州教育学院学报·社科版(贵阳)—1992,(1):65-69

《肯定式"好不"产生的时代》质疑	曹澂明	中国语文(北京)—1992,(1):75
对"主谓短语和谓主短语"一文的异议	裔妍	语言与翻译(乌鲁木齐)—1992,(1):81-82,66
"NP₁所到之处,VP"及其相关结构	程邦雄	语言研究(武汉)—1992,(1):99-103
"名₁+的+名₂"结构中心名词省略的语义规则	孔令达	安徽师大学报·哲社版(芜湖)—1992,(1):103-107
五论"名·名"结构的内部修饰义	韩陈其	徐州师范学院学报·哲社版—1992,(1):136-141,144
从"短语本位"看"词"的地位和判别:谈必须给"词"在句法分析中留有一席之地	陆丙甫	汉语学习(延吉)—1992,(2):1-7
数词重叠	华玉明	学语文(芜湖)—1992,(2):28-30
"非X不Y"及其相关句式	张谊生	徐州师范学院学报·哲社版—1992,(2):36-40
现代汉语的肯定性动词成分	石毓智	(武汉)—1992,(2):41-50
主谓词组研究史述略	邱震强	桂林市教育学院学报·综合版—1992,(2):42-45,47
现代汉语中指人名词的同位复指	张发明	松辽学刊·社科版—1992,(2):48-52
《蒙古秘史》的特殊语法:OV型和POS结构	余志鸿	语言研究(武汉)—1992,(2):51-57
论"V给"	姚英	蒲峪学刊(齐齐哈尔)—1992,(2):56-58
汉语"前""后"的时间指向及其不对称的成因	刘哲	解放军外语学院学报(洛阳)—1992,(2):62-67
篇章中的"在+处所"结构	张汉民 徐赳赳	浙江师大学报·社科版—1992,(2):67-71
双向和多指形容词及相关的句法关系	谭景春	中国语文(北京)—1992,(2):93-101
《水浒全传》《金瓶梅》《红楼梦》中动词重叠式的比较	李思明	安庆师范学院学报·社科版—1992,(2):99-104
"名+形"结构偏正式形容词之特点	佟慧君	世界汉语教学(北京)—1992,(2):104-107
试论介词和介宾短语的语法地位	阎仲笙	河北师院学报·社科版(石家庄)—1992,(2):118-124
"副词+名词"的排列不等于副词修饰名词	徐洁	陕西师大学报·哲社版(西安)—1992,(2):123-127
元代汉语的后置词系统	余志鸿	民族语文(北京)—1992,(3):1-10
谈无宾动词短语带宾语	张登岐	学语文(芜湖)—1992,(3):19-20
分析几种复杂词组的简便方法及层次分析结果的检验	邢向东	语文学刊(呼和浩特)—1992,(3):50-封三
说几种粘着结构做标题	尹世超	语言文字应用(北京)—1992,(3):93-100
"N-L,N-L"结构	徐国玉	延边大学学报·社科版(延吉)—1992,(3):100-102
主谓短语是谓词性短语吗:对黄伯荣、廖序东先生主编的《现代汉语》(增订版)的质疑	曾远鸿	华南师范大学学报·社科版(广州)—1992,(3):105-108,113

标题	作者	出处
现代汉语并列名词性成分的顺序	廖秋忠	中国语文(北京)—1992,(3):161-173
现代汉语"疑问代词+也/都……"结构的语义分析	[日]杉村博文	世界汉语教学(北京)—1992,(3):166-172
人称代词修饰名词时"的"字隐现问题	崔希亮	世界汉语教学(北京)—1992,(3):179-184
谈"动+的"短语的几个问题	裘荣棠	中国语文(北京)—1992,(3):182-190
"不太A"析	周小兵	世界汉语教学(北京)—1992,(3):196-199
现代汉语名词的配价研究	袁毓林	中国社会科学(北京)—1992,(3):205-223
非领属性Rd结构	茆建生	贵州师范大学学报·社科版(贵阳)—1992,(4):9-19
"偏正句"句型初探	邵霭吉	盐城教育学院学报—1992,(4):20-24
要多a有多a	王春东	汉语学习(延吉)—1992,(4):21-22
说说"不一定"和"不见得"	郭志良	汉语学习(延吉)—1992,(4):29-30
联合词组的句法功能	杨育林	语文学刊(呼和浩特)—1992,(4):30-32,29
"介宾短语作宾语"琐议	汪化云	中文自修—1992,(4):31-32
标志"的"和零位"的"	卢景文	语文研究(太原)—1992,(4):32-34
名词化短语的特点与翻译	冯树鉴	外语与外语教学—1992,(4):35-40
浅析介词"对"和"对于"用法的异同	张永胜	语文学刊(呼和浩特)—1992,(4):37-40
表判断"是"字句的语义类型	周洪波	安徽教育学院学报·社科版(合肥)—1992,(4):51-55
"从……到……"是联合短语?	鲁荣昌	荆州师专学报·社科版—1992,(4):67
试论NdeV和NdeVP短语	邓英树	四川师范大学学报·社科版(成都)—1992,(4):69-75
"吃了吗"语义功能漫谈	李仁善	天津师大学报·社科版—1992,(4):77-78
"对(NPA的VP)"中"V"的性质	李大勤	徐州师范学院学报·哲社版—1992,(4):84-88
汉语趋向动词及动趋短语的语义和语法特点	居红	世界汉语教学(北京)—1992,(4):276-282
"隆重"与"推出"搭配浅议	徐洁	学语文(芜湖)—1992,(5):20-21
疑问句和疑问代词、含疑问的短语	周永惠	四川师范大学学报·社科版(成都)—1992,(5):59-63,30
现代汉语选择问句的删除规则	吴振国	华中师大学报·哲社版—1992,(5):79
VV粘结同向带宾现象之考察	储泽祥	华中师范大学学报·哲社版(武汉)—1992,(5):84-87
析"NP出身"	李宇明	汉语学习(延吉)—1992,(6):9-12
动词前表示程度修饰的"一"	华玉明	语文月刊(广州)—1992,(6):17-18
"是"字句研究述评	周有斌	汉语学习(延吉)—1992,(6):29-32
复指短语的类型及其用途	米天福	语文教学与研究(武汉)—1992,(6):32
比N还N	王霞	逻辑与语言学习(石家庄)—1992,(6):42-44

"在+处所"的位置与动词的分类	侯　敏	求是学刊(哈尔滨)—1992,(6):87-92
现代汉语中的"A_1 啦+A_2 啦+A_n 啦"格式	马　啸	语言文字学(北京)—1992,(6):97-100
汉语里的"在"与"着(著)"	徐　丹	中国语文(北京)—1992,(6):453-461
"不是……而是"	王桂安	语文月刊(广州)—1992,(7):17
动名短语的歧义消除	陈少志	语文教学与研究(武汉)—1992,(7):37
"X 以……"格式初探	隆　林	中学语文教学(北京)—1992,(7):42-44
几组同音 ABB 型词使用的随意性和规定性	俞　明	语文建设(北京)—1992,(9):21-23
我看"之所以"	王　建	语文建设(北京)—1992,(9):24
"状、动、宾"式短语的首次切分	周　正	语文知识(郑州)—1992,(10):22-25
主谓词组研究史述略	邱震强	语言文字学(北京)—1992,(10):96-99
歧义短语例析	周北辰 李真微	语文教学与研究—1992,(11):38-39
从"似×的似"看"像×似的"	邢福义	语言研究—1993,(1):1-6
"零形的字短语"初探	于思湘	汉语学习(延吉)—1993,(1):12-15
"……最……之一"结构探讨	何一凡	宜春师专学报·社科版—1993,(1):21-24,17
双音合成词"-不-"式及其词汇音节缩略形式	胡　华	河北师范大学学报·社科版(石家庄)—1993,(1):27-30
说"没有了"	宋世平	荆州师专学报—1993,(1):30
与"X 就 X"结构相关的句法格式	丁蔻年	逻辑与语言学习(石家庄)—1993,(1):43-45
也谈短语分类	钱乃荣	语文学习(上海)—1993,(1):45-46
近代汉语"把"字句与"将"字句的区别	刁晏斌	辽宁师范大学学报·社科版(大连)—1993,(1):50-52
说"X 得慌"	聂志平	齐齐哈尔师范学院学报·哲社版—1993,(1):58-60,66
"对(于)……"和"对(于)……来说"	严　慈	徐州师范学院学报·哲社版—1993,(1):74-78
唐诗中的自然映象和修饰语	威廉·泰文 陈剑晖译	衡阳师专学报·社科版—1993,(1):76-82
"很+VP"式句法语义之我见	段永华	汉中师院学报·哲社版—1993,(1):77-80
话语链·蕴含·歧指:再论"最"字句和相关问题	刘宁生	南京师大学报·社科版—1993,(1):97-102
动词"给"的配价功能及其相关句式发展状况的考察	周国光	南京师大学报·社科版—1993,(1):103-107
说"怎么"	彭可君	语言教学与研究(北京)—1993,(1):114-125
谈并列结构的对应	王聿恩	语文学习(上海)—1993,(2):35-36
谈语气助词"呗"	张筱平	逻辑与语言学习(石家庄)—1993,(2):40-44
析凝固短语与松散短语	李连元	大庆师专学报—1993,(2):43-46
从《马氏文通》的"短语研究"谈起:兼与庄文中先生商榷	孙化龙	丹东师专学报·哲社版—1993,(2):46-48

语义、结构、语境影响和制约着动词的重叠	李运龙	湖北大学学报·哲社版—1993,(2):46-51
一种特殊结构的词组	杨思奎	西部学坛—1993,(2):56-61
《金瓶梅》中的"V与"式双宾结构	何洪峰	武汉教育学院学报·哲社版—1993,(2):60-66
谈金元时期的"名量词+儿"	张颖	贵州师范大学学报·社科版—1993,(2):63-64
谈《儿女英雄传》中的形容词重叠	齐沪扬	淮北煤师院学报·社科版—1993,(2):80-95,101
试谈兼语词组的结构类型	李文辉	求是学刊(哈尔滨)—1993,(2):90-91
从语用学角度看"A是A"结构	龙梦晖	山西师大学报·社科版(临汾)—1993,(2):99-101
略说"越来越×"的构成条件	裘荣棠	淮北煤师院学报·社科版—1993,(2):102-107
关于汉语结果复合动词中参项结构的问题	沈力	语文研究—1993,(3):12-21
"单音动词+了"充当句法成分辨	翰承	兰州学刊—1993,(3):29-32
"所·介·宾"结构的省略与扩展形式	孙钢玉	文教资料—1993,(3):30-39
略论现代汉语的语序	席德之	江西教育学院学报·社科版—1993,(3):35-40
非修饰性"副+形"结构	宋玉柱	天津教育学院学报·社科版—1993,(3):42-43
动宾结构和偏正结构的辨析问题	杨洪升	绥化师专学报—1993,(3):53-54
论聚合短语的性质及汉语短语的分类	季永兴 熊文华	湖北大学学报·哲社版—1993,(3):85-90
"七A八B"式短语初探	蔡德荣	河北大学学报·社科版—1993,(3):94-99
对应结构:一类富有特点的汉语语法结构形式	徐国玉	延边大学学报·社科版—1993,(3):97-100
口语句式"X就X"研究	汪志远	武汉大学学报·社科版—1993,(3):109-114
量词的语义分析及其与名词的双向选择	邵敬敏	中国语文(北京)—1993,(3):181-183
动词后"上"、"下"的语义和语用	史锡尧	汉语学习—1993,(4):5-8
对"差点儿"类羡余否定句式的分化	石毓智	汉语学习—1993,(4):12-16
试论"这本书我看了三天了"的延续性问题	卢英顺	汉语学习—1993,(4):22-24
《红楼梦》里的"因Y,因G"	邢福义	湖北大学学报·哲社版—1993,(4):39-42
动宾式动词与所带宾语之间的语义关系	刘玉杰	汉语学习—1993,(4):48-52
有关现代汉语粘着短语的若干问题	陈一	学术交流—1993,(4):105-108
"N的V"结构的构成	张伯江	中国语文—1993,(4):252-259
关于"的"字研究的一点感想:在中国语言学会第六届学术年会上的书面发言	朱德熙	中国语文—1993,(4):270
对介宾短语研究中的几个问题的认识	张瑞宜	语言文字学—1993,(5):84-91
句首"之所以"是与非辨	张学勤	语言文字学—1993,(5):92-94

《围城》中有"人名+俩"的说法	崔山佳	中国语文—1993,(5):390
"O的V"偏正短语的语法修辞作用	李铁根	汉语学习—1993,(6):20-23
现代汉语词组分类研究的回顾及分类方法论上所存在的问题	张云秋	齐齐哈尔师范学院学报·哲社版—1993,(6):79-82
"很+名词"结构刍议	崔建新	语文月刊—1993,(8):5-6
支配式合成词与动宾短语的鉴别	王庆江	语文教学与研究—1993,(8):45
《红楼梦》中的"就是了"	魏永秀	语文月刊—1993,(9):7-8
物量词"十性"例说	高承杰	中学语文教学—1993,(9):36-37
"的"字误用两例	李振芳	语文教学之友—1993,(9):39-40
怎样区别词和词组	康天宇	语文教学之友—1993,(11):37-38
词序的作用	宋玉柱	语文月刊—1993,(12):7-8
"自+动词"中的"自"	赵京战	语文教学之友—1993,(12):34-35
谈谈前置的"的"和"之"	张谊生	语文建设通讯—1993,(40):53-54,67
现代汉语的时间系统	龚千炎	世界汉语教学—1994,(1):1-6
《死海不死》语病分析两例	阎伟臣	学语文—1994,(1):9
试论"N+V"式定心结构	车竞	汉语学习—1994,(1):17-20
动量词组句法功能新议	黄德玉	语文知识—1994,(1):20-22
试论重叠式动词的语法功能	张朱亮	语言研究—1994,(1):21-29
关于"A₁呀A₂的"格式	刘颂浩	汉语学习—1994,(1):23-25
试谈《背影》中动词的语法结构及其作用	夏齐富	学语文—1994,(1):29-30
定语和状语的妙用	邓志刚	修辞学习—1994,(1):39-40
谈谈短语的词类属性	张博	逻辑与语言学习—1994,(1):44,43
动词小句的基本短语结构形式	王维贤	中国语文—1994,(1):57-64
句首时、地词的功能	王建设	贵州教育学院学报·社科版—1994,(1):60-62
"除了…以外"用法研究	郑懿德 陈亚川	中国语文—1994,(1):65-69
关于"饿死"等的语法结构:与李智泽同志的商榷	韩培丽	山西大学学报·哲社版—1994,(1):72-73
"太A了"	云兴华	山东师大学报·社科版—1994,(1):75-78
小议"动宾搭配"问题	张艳丽	佳木斯教育学院学报·社科版—1994,(1):81-82
粘宾动词及其构成的句型	吴锡根	杭州师范学院学报—1994,(1):82-86
汉语否定结构说略	蒋国辉	求是学刊—1994,(1):88-93
"的"字的句法、语义和语用分析	张国宪	淮北煤师院学报—1994,(1):100-107
"被"字句中的谓语动词	唐健雄	河北师院学报·社科版—1994,(1):101-106
汉语基本词组的语义结构模式	李芳杰	武汉大学学报·社科版—1994,(1):108-115
"字"和汉语的句法结构	徐通锵	世界汉语教学—1994,(2):1-9
NVN造名结构及其NV/VN简省形式	邢福义	语言研究—1994,(2):1-12

主谓短语功能类别述论	国　非 聂　焱	宁夏大学学报—1994,(2):7-12
"看来"和"看起来"一样吗?	王　燕燕	学汉语—1994,(2):15-16
"来往(Lái·wang)与"往来"在词义和用法上的比较	梅　影	学汉语—1994,(2):17-18
"一会儿"在句子里的位置	高艾军	世界汉语教学—1994,(2):21-25
"程度副词+有+名"试析	贺　阳	汉语学习—1994,(2):22-24
副词的连用问题	赖先刚	汉语学习—1994,(2):25-31
从"黑开两朵忧郁的灿烂"想到的：谈谈非正常搭配的良莠鉴别	任崇芬	修辞学习—1994,(2):27-29
连用的结构类	周日安	镇江师专学报·社科版—1994,(2):38-41
介词能否用"X不X"格式提问	陈昌来	学语文—1994,(2):40-41
近代汉语中的"在"	吴延枚	语文研究—1994,(2):56-59
现代汉语中的副体结构	李润桃	殷都学刊—1994,(2):84-87
动词形态标志的句法效应	高尔锵	新疆大学学报—1994,(2):105-111
现代汉语里形形组合的非并列式结构	贺凯林	华中师范大学学报·哲社版—1994,(2):110-114,120
状态形容词的语法特征及相关问题	方　琴	徐州师院学报—1994,(2):119-123
主谓短语、介宾短语的功能归类	周志远	镇江师专学报·社科版—1994,(2):125-126
在句子中研究词的组合功能：语法研究方法论之一	史锡尧	汉语学习—1994,(3):11-14
"两夫妇"之类	崔山佳	汉语学习—1994,(3):27
试论心理状态动词及其宾语的类型	杨　华	汉语学习—1994,(3):33-36
科技汉语中的数名结构	褚福章	汉语学习—1994,(3):40-41
"关于V……的函"和"关于……的V函"	王灿龙	语文建设—1994,(3):44
复指动词的语义类别与句法组合关系	卢福波	汉语学习—1994,(3):44-48
介词短语"跟+名"的用法及其与动词的搭配关系试探	王一平	山西大学学报·哲社版—1994,(3):44-50
能带程度补语的动词	孙建强	固原师专学报—1994,(3):55-59
敦煌变文中的三种动补式	刘子瑜	湖北大学学报·哲社版—1994,(3):58-68,78
动词重叠在使用中的制约因素	赵　新	语言教学与研究—1994,(3):60-70
对举格式"A是A,B是B"所反映的规律	郑丽雅	华南师范大学学报·社科版—1994,(3):79-83
时间副词状语与述补短语语义关系略论	徐国玉	延边大学学报—1994,(3):95-99
趋向动词构句浅议	杨国文	中国语文—1994,(3):190-193
汉语数量词的语义分辨及进行式动词组中数量词的使用	刘小梅	世界汉语教学—1994,(4):10-17

对"有+表时间的词语+动₂"句浅析	刘社会	学汉语—1994,(4):17-18
论词语搭配及其研究	林杏光	语言教学与研究—1994,(4):18-25
谈汉语动词的相关性及其对句法结构的制约作用	卢福波	世界汉语教学—1994,(4):25-28
从遭受动词所带宾语的情况看遭受动词的特点	王一平	语文研究—1994,(4):28-34
试析"见+动词"用法	周亚东	语文教学与研究—1994,(4):29
试析"随S"句式	宗守云	赣南师院学报·社科版—1994,(4):33-36
"V去O"和"VO去"的语义语用分析	岳中奇	汉语学习—1994,(4):35-37
汉语短语的分类问题	张秋云	语文研究—1994,(4):35-41
动词短语教学新探	杨宝生	语文教学与研究—1994,(4):37
名动和名状的区别	朱沛地 张殿芳	语文教学之友—1994,(4):38-39
/A里AB/新论	黎良军	广西师范大学学报·哲社版—1994,(4):42-47
儿童语言中的述补结构	孔令达	世界汉语教学—1994,(4):42-48
论"A里AB"式形容词	祝克懿	贵州民族学院学报·社科版—1994,(4):52-53
数词有限制的数量结构	[泰]吴雅慧	语言教学与研究—1994,(4):52-68
对带非名词性宾语的动词研究的一点看法	高运莲 傅维贵	松辽学刊·社科版—1994,(4):71-74
试论主宾同形结构	薄刚	松辽学刊·社科版—1994,(4):75-77
论比况短语	王宗联	四川师范大学学报·哲社版—1994,(4):78-81
现代汉语"形+宾"现象考察	李泉	中国人民大学学报—1994,(4):78-86
比况助词短语略论	胡华	河北师范大学学报·社科版—1994,(4):79-82
"动词后附成分"的语法分析	宋卫华	青海师范大学报·社科版—1994,(4):93-96
"好不"不对称用法的语义和语用解释	沈家煊	中国语文—1994,(4):262-265
形容词动态化的趋向态模式	邢福义	湖北大学学报·哲社版—1994,(5):7-15
"明日"才是过去式	李惠兴	秘书—1994,(5):41
同类词连用规则刍议——从方位词"东、南、西、北"两两组合规则变起	陆俭明	中国语文—1994,(5):330-338
"V得(不得)"与"V得了(不了)"	李宗江	中国语文—1994,(5):375-381
"多"与"少"做状语时的不对称性	宗守云	语文月刊—1994,(6):9
"除了"句式中应注意的两种情况	刘颂浩	学汉语—1994,(6):14-15
也谈"听说"与"据说"	肖新	学汉语—1994,(6):17-18
"好极了"、"好得很"之谜	史有为	汉语学习—1994,(6):29-31
复指短语的辨识	朱英贵	汉语学习—1994,(6):32-36
试论短语自主成句所应具备的若干语法范畴	黄南松	中国语文—1994,(6):441-447
是"V/A儿"还是"N儿"	项梦冰	语文建设—1994,(8):2-4
汉语中的固定格式	李大农	学汉语—1994,(8):15-16

标题	作者	出处
"很"字的超常规用法	高天友	语文知识—1994,(8):21-22
谈"一个比一个好"这类格式	范文修 韩秀玲	中学语文教学—1994,(8):40-41
从汉语句子的强势看"幽了一默"的合法性	邹哲承 黎明	语文建设—1994,(9):20
否定词与动补短语	肖前	语文知识—1994,(9):33-34
量词或形容词"多""余"在数词后面的位序	陈金豹	语文知识—1994,(9):40
"明日"决非"过去式"	胡二广	秘书—1994,(10):44
"两小无猜"辨	鲍思陶	文史知识—1994,(10):104-105
"只有……才……"句式的两种逻辑表达功能	杨树森	语文月刊—1994,(11):8-9
"名词+数量词"形式探讨	孙向是	语文月刊—1994,(12):5-6
定语对句型的制约	石毓智	学汉语—1994,(12):16-17
谈一"面"多"点"式复指短语	王聿恩	语文学习—1994,(12):33-35
汉语宾语内的量词使用	刘小梅	语文建设通讯—1994,(42):51-58
数量词在名词短语移位结构中的作用与特点	沈阳	世界汉语教学—1995,(1):14-20
再说"之所以"	王合书	语文学习—1995,(1):40-41
介词"给"可以引进受事成分	朱景松	中国语文—1995,(1):48
爱"V不V"句式谈	迟永长	辽宁师范大学学报·社科版—1995,(1):62-63
"对+NP"的"对"的隐现	陈信春	河南大学学报·哲社版—1995,(1):64-69
论词语搭配的规则和偏离	王希杰	山东师大学报·社科版—1995,(1):100-104
动词"给"的词汇意义和语法意义的发展	周国光	安徽师大学报·哲社版—1995,(1):107-113
定心结构与动宾结构的变换方式和意义	曾采今	暨南学报·哲社版—1995,(1):111-115,138
现代汉语形容词配价研究述评	周国光	汉语学习—1995,(2):13-21
数量因素对"不是A,就是B"格式意义的制约作用	王弘宇	世界汉语教学—1995,(2):23-27
现代汉语时间表达中的"特指时段"	李向农	语言教学与研究—1995,(2):27-47
说指代程度的"这么/那么+A"格式	[韩]文贞惠	汉语学习—1995,(2):32-36
浅议动量短语的前置现象	李晓蓉	汉语学习—1995,(2):37-40
带宾形容词的统计分析	王启龙	语言教学与研究—1995,(2):48-52
"压根儿"能修饰"是"	崔山佳	汉语学习—1995,(2):56
近代汉语中已有"姓+了"的说法	崔山佳	中国语文—1995,(2):89
论专有名词前的数量词附加语	王宛磬	许昌师专学报·社科版—1995,(2):90-93
论聚合短语的分类	熊文华	语言文字学—1995,(2):98-105
"V的N"的语义和句法分析	张世年	南京师大学报·社科版—1995,(2):108-111

标题	作者	出处
"所·动"结构的省略与扩展形式	孙钢玉	山东师大学报·社科版—1995,(2):109-112
论汉语词序安排的基本原则	郑振贤	语文研究—1995,(3):12-15
《教育法》中动宾搭配不当的语病分析	程瑞君	汉语学习—1995,(3):18
普通话 ABB 式形容词的定量分析	曹瑞芳	语文研究—1995,(3):22-25
"机构名词+里/上"结构刍议	陈满华	汉语学习—1995,(3):26-29
《关于汉语结果复合动词中参项结构的问题》一文的补正	梅立崇	语文研究—1995,(3):30
两类复杂的名词性偏正短语的差异与辨识	蒋雪梅	汉语学习—1995,(3):32
表钱和物的"数量+数量"结构	陈月明	世界汉语教学—1995,(3):35-37
"没完"和"不停"	史有为	语言教学与研究—1995,(3):77-81
数动量词组语法功能补说	倪春元 徐乃为	南京师大学报·社科版—1995,(3):124-125
从《金瓶梅词话》的一种动宾结构式看北方话人称代词宾语语序发展	刘继超	陕西师大学报·哲社版—1995,(3):129-132
"谢谢"的原因宾语凝结式及其南北差异	储泽祥	世界汉语教学—1995,(4):23-28
"V+上/下"中"上/下"的意义和 V 的类	张燕春	赣南师范学院学报—1995,(4):25-28
数量词妙用举隅	张向阳	语文教学与研究—1995,(4):46
现代汉语中词组和句子的区别	黄南松	中国人民大学学报—1995,(4):92-98
谓词隐含及其句法后果:"的"字结构的称代规则和"的"的语法、语义功能	袁毓林	中国语文—1995,(4):241-255
"×什么×"句式溯源补说	徐复岭	汉语学习—1995,(5):34
"在×下"格式的结构特点与语义分析	[韩]权正容	汉语学习—1995,(5):62-64
领属范畴及领属性名词短语的句法作用	沈阳	北京大学学报·哲社版—1995,(5):85-92
析介词短语"以 X"结构	兰玉英	四川师范学院学报·哲社版—1995,(5):97-100
多重定名结构中形容词的类别和次序	马庆株	中国语文—1995,(5):357-366
词语搭配问题拾零	刘桂芳	辽宁师范大学学报·社科版—1995,(6):44-46
"介宾短语"的教学与思考	袁淑琴	唐都学刊—1995,(6):54-57
"们"在数量名组合中的脱落	王灿龙	语文建设—1995,(7):9-10
短语及其分类	苏培成	语文建设—1995,(11):29-31
也谈多项定语的顺序问题:兼述多项定语之间的关系	钟志平	语言文字学—1995,(11):112-115
一种特殊的主谓短语	谷定珍	语言文字学—1995,(11):116-120

各个句子成分

标题	作者	出处
"得"后的补语	王 还	世界汉语教学(北京)—1991,(1):1-2
找状语	何相成	语文教学与研究—1991,(1):48
超常状语及其表达作用	谢 瑛	南平师专学报·社科版—1991,(1):72-74
形容词状语的语义指向	董金环	吉林大学社会科学学报—1991,(1):91-97
谓词状语语义指向浅说	张国宪	汉语学习(延吉)—1991,(2):13-16
汉语九级语言单位试说	邵霭吉	盐城教育学院学报—1991,(2):43-48
谈主语内涵再充实的问题	郑景荣	漳州师院学报·社科版—1991,(2):65-68
复杂定语浅探	缪金兴	吴中学刊·社科版—1991,(2):74-75
复合趋向补语的趋向意义	周永惠	四川师范大学学报·社科版(成都)—1991,(2):76-82
作家对句子谓语的修改	倪宝元	中国语文(北京)—1991,(2):121-126
语法研究的精密化和主语内涵的嬗变	金立鑫	汉语学习(延吉)—1991,(3):3-7
"主谓搭配不当"与句子语义分析	周一民	汉语学习(延吉)—1991,(3):15-16
也谈"从…到…"结构	王元祥	贵州师范大学学报·社科版—1991,(3):69-71
浅谈汉语词序的篇章功能	胡明亮	语言教学与研究(北京)—1991,(3):81-87
对现代汉语主语的再认识	金立鑫	烟台大学学报·哲社版—1991,(3):88-91
谈谈 SV_1V_2 类句子的句型归属	马 啸	扬州学院学报·社科版—1991,(3):107-109,120
也谈"差(一)点儿"	陈贤纯	世界汉语教学(北京)—1991,(3):173-174,160
关于"是…的"结构句的宾语位置问题	牛秀兰	世界汉语教学(北京)—1991,(3):175-178
关于名词和名词性短语作谓语	张晓平	中文自修—1991,(4):32-36
句子成分及其构成	李 连	中学语文(武昌)—1991,(4):40-45
双宾语句中的动词意义及其他	马乃田	济宁师专学报·社科版—1991,(4):71-73
扩展·排他·强调——说补语	[加]王邱丕君 施建基	语言教学与研究—1991,(4):72-83
"是"字句主宾语语义关系简析	徐建华	锦州师院学报·哲社版—1991,(4):91-95
语言中的"歧义"与言语中的"歧解":三论"歧义"研究中应该划界的几个问题	黄德玉	安庆师范学院学报·社科版—1991,(4):94-100
谈"中心语":兼论句法成分术语系统的调整	陈 旻	语言文字学(北京)—1991,(4):123-129
谈谈"了$_1$"和"了$_2$"的区别方法	卢英顺	中国语文(北京)—1991,(4):275-278
定语状语赘余病例浅析	张在云	读写月报—1991,(5):1-2
"动·补·宾"结构中三者相互依存的关系	李运龙	湖北大学学报·哲社版(武汉)—1991,(5):36-42
前项隐含的"又"字句	吴振国	逻辑与语言学习(石家庄)—1991,(5):37-40
谈动宾短语的超常搭配	尚 今	逻辑与语言学习(石家庄)—1991,(5):45-46

标题	作者	出处
"有"的宾语琐谈	云峻 汉峡	逻辑与语言学习—1991,(5):47,34
"从+NP"的"从"的隐现	陈信春	河南大学学报·社科版(开封)—1991,(5):75-80
补语在句中的语义联系	余志鸿	汉语学习(延吉)—1991,(6):1-4
动趋式里宾语位置的制约因素	张伯江	汉语学习(延吉)—1991,(6):4-8
再论表根据的名词状语	叶泽炎	中学语文—1991,(6):31-34
汉语会话结构与会话原则初探	易洪川	湖北大学学报·哲社版(武汉)—1991,(6):70-76
谈一种状语的修辞处理	马彪	求是学刊—1991,(6):75-77
关于语法研究的三个平面	施关淦	中国语文(北京)—1991,(6):411-416
定语划分的原则	宋舜理	中学语文教学—1991,(8):46-47
宾语与句子的主干	寿永明	语文教学与研究(武汉)—1991,(9):30,17
对现代汉语主语的再认识	金立鑫	语言文字学(北京)—1991,(9):98-101
介宾短语句法功能研究述评	王素梅	语言文字学(北京)—1991,(9):116-121
"是字句"之我见及其补充	王文中	中学语文教学参考(西安)—1991,(10):47
说说状语	郑四明	中文自修—1991,(11):35-37
修改句中冗长的定语	张在云	中文自修—1991,(12):21-22
试谈语感的本质	杨炳辉	中学语文教学(北京)—1991,(12):32-34
表示时间量的数量短语作宾语与作补语的区别方法	茆文楼	语文知识(郑州)—1992,(1):16-18
论作主语的介词结构"从…到…"	白荃	汉语学习(延吉)—1992,(1):24-27
广义谓词性宾语的类型研究	杨成凯	中国语文(北京)—1992,(1):26-36
"动₁+得+名+动₂"与"把+名+动₁+得+动₂"	聂志平	齐齐哈尔师范学院学报·哲版—1992,(1):81-84
谈状语的一种修辞处理	马彪	语言文字学—1992,(1):116-118
"想"类动词的句法多义性	王希杰	汉语学习(延吉)—1992,(2):7-13
与汉语语序研究有关的三个问题	怀宁	汉语学习(延吉)—1992,(2):19-24
说"述宾"不说"动宾"有无必要:汉语语法札记	杨成凯	学语文(芜湖)—1992,(2):27-28
"没(有)…呢"句的语义分析	李绍林	逻辑与语言学习(石家庄)—1992,(2):32-35
"之一"是什么成分?	马武元	语文知识(郑州)—1992,(2):38-39
宾语句型探究	雷怀宇	云南师范大学哲学社会科学学报(昆明)—1992,(2):84-86
论副词的语义制约	段业辉	南京师大学报·社科版—1992,(2):87-93
副体结构概说	潘攀	语言文字学(北京)—1992,(2):94-100
《祖堂集》动词补语管窥	刘利	徐州师范学院学报·哲社版—1992,(3):61-65
自由副词初探	关文新	吉林大学社会科学学报(长春)—1992,(3):81-85,52
结构和构件	吴启主 李胜昔	湖南师范大学社会科学学报(长沙)—1992,(3):89-93
带小句宾语的动词研究综述	宋世平	语言文字学(北京)—1992,(3):93-97

从简单到复杂的分析方法:结果补语句构造分析	李临定	世界汉语教学(北京)—1992,(3):161-165
主谓补语句	李芳杰	世界汉语教学(北京)—1992,(3):188-193
有关时间副词"刚刚"的几个问题:兼与邢福义等同志商榷	朱长瑶	盐城教育学院学报—1992,(4):13-19
"宾语前置"说的一个佐证	玉柱	语文月刊(广州)—1992,(4):21-22
关于插说	沈大宇	语文教学之友—1992,(4):39-40
补语语义上的多指问	朱子良	衡阳师专学报·社科版—1992,(4):53-56
补语与状语的比较——从《实用汉语课本》说起	[加]王邱丕君 施建基	语文教学与研究—1992,(4):70-84
主谓宾语句	李芳杰	武汉大学学报·社科版—1992,(4):83-90
关于句子成分概念的内涵界定	仝国斌	语言文字学(北京)—1992,(4):98-104
祈使句式"V+着!"分析	袁毓林	世界汉语教学(北京)—1992,(4):269-275
汉语主语的三重性及相关问题	常理	语言文字学(北京)—1992,(5):111-121
V得句的"得"后成分	范晓	汉语学习(延吉)—1992,(6):5-8
也要承认这一种类型的双宾语句	陈家西	学语文(芜湖)—1992,(6):封三
动宾谓语句和动补谓语句的分析方法	吴锋	语文教学与研究(武汉)—1992,(10):39
一个值得商榷的误例:兼谈语法和语言习惯的关系	汤玫英	语文知识(郑州)—1992,(11):13-14
充当状语的"刚"和"刚才"	周晓冰	汉语学习(延吉)—1993,(1):16-19
同义句式说略	赵金铭	世界汉语教学(北京)—1993,(1):26-32
关于动态助词"了"的语法意义问题	竟成	语文研究(太原)—1993,(1):52-57
宾语与动量词语的次序问题	方梅	中国语文(北京)—1993,(1):54-64
动词直接做定语时的位置	王光全	中国语文(北京)—1993,(1):70-72
试论小句宾语句	聂莉娜	喀什师院学报·哲社版—1993,(1):75-80
论对举格式的句法、语义和语用功能	张国宪	淮北煤师院学报·社科版—1993,(1):96-100
多视角认主语和宾语	陈方平	湘潭大学学报·社科版—1993,(1):102-104,101
存在句研究纵横谈	雷涛	汉语学习(延吉)—1993,(2):22-26
现代汉语短时体的语义分析	戴耀晶	语文研究(太原)—1993,(2):51-56,50
行为类可能式V—R谓语句的逻辑结构与表层句法现象	黄锦章	语文研究(太原)—1993,(2):57-62
关于话题与主语的几个问题	蔺璜	山西大学学报·哲社版(太原)—1993,(2):70-73
补语的分类及其教学	竟成	世界汉语教学—1993,(2):110-115
变异性含"得"述补结构及其语值考察	冯广艺	修辞学习(上海)—1993,(3):12-14
指名性状语的句法、语义、语用分析	高万云	汉语学习—1993,(3):16-21
动词短语作宾语的限制	臧魁环	中学语文教学(北京)—1993,(3):32-34
主语宾语问题研究概观	崔应贤 朱少红	河南师范大学学报·哲社版—1993,(3):60-64
主宾语问题研究述评	朱少红	河池师专学报·社科版—1994,(1):56-62

现代汉语处所状语的语义特征	俞咏梅	东北师大学报·哲社版(长春)—1993,(3):63-67
宾语源流	徐吉润	山西师大学报·社科版—1993,(3):91-93
宾语源流	郑安雨	武汉大学学报·社科版—1993,(3):104-108
也谈程度补语与结果补语	兰宾汉	陕西师大学报·哲社版—1993,(3):115-118
试论能愿动词的句法结构形式及其语用功能	郭志良	中国语文(北京)—1993,(3):189-196
谓语及其部分的蒙后省略	高更生	中国语文(北京)—1993,(3):197-201
谓语的语义分类和语义组合模式	鲁川 庄奇等	民族语文—1993,(4):9-12
谓词充当结果补语的语义限制	王红旗	汉语学习—1993,(4):17-21
整句的"句"	唐韵	四川师范学院学报·哲社版—1993,(4):61-65,72
论主谓短语作主语和谓语	王宗联	四川师范学院学报·哲社版—1993,(4):67-72
关于定、状、补语的语义指向问题	段宝和	齐齐哈尔师范学院学报·哲社版—1993,(4):76-79,91
要注意辨别义项的语法分布条件	戚晓杰	语文月刊—1993,(6):13
宾语、补语的分辨	欧阳文	读写月报—1993,(7):10-11
谈谓语多余	张在云	逻辑与语言学习—1994,(1):41-42
论状语后置	荆贵生	河南师范大学学报·哲社版—1994,(1):61-64
不能以篇概全——关联词与主语的位置	周照明	学语文—1994,(2):18-19
补足语和修饰语	Andrew Radford 文 金立鑫 译	语文研究—1994,(2):53-55
也谈补语的表述对象问题	梅立崇	语言教学与研究—1994,(2):79-89
多层定语的次序及其逻辑特性	田惠刚	世界汉语教学—1994,(3):19-21
四类状语辨	许汝民	外国语—1994,(3):35-41
试论汉语中三种句子成分与语义成分的配位原则	陈平	中国语文—1994,(3):161-168
王梵志诗语法成分初探	曹小云	安徽师大学报·哲社版—1994,(3):325-332
主语和信息	陈脑冲	外语研究—1994,(4):26-30
指代性专名宾语的多维阐释	田卫平	汉语学习—1994,(4):29-31
从单项NP句看句子的主语和主题	高顺全	河南大学学报·社科版—1994,(4):76-81
略谈句式选择不当而造成主语残缺	张在云	逻辑与语言学习—1994,(5):43-44,38
名词作状语举隅	潘文新	语文教学与研究—1994,(7):37-38
谈宾语的多样性	李德宽	语文教学与研究—1994,(10):37
带宾形容词的统计分析	王启龙	语言教学与研究—1995,(2):48-52
方式宾语初探	陈小明	天津师大学报·社科版—1995,(2):76-80
双音节形容词作状语情况考察	[日]山田留里子	世界汉语教学—1995,(3):27-34
论双价形容词对句法结构的选择	张国宪	淮北煤师院学报—1995,(3):110-117,131

关于主语问题的几点思考	卢英顺	新疆师大学报·哲社版—1995,(4):60-65
现代汉语名词做状语的考察	孙德金	语言教学与研究—1995,(4):88-98
汉语造句方式	李临定	中国语文—1995,(4):260-266
汉语对比焦点的句法表现手段	方梅	中国语文—1995,(4):279-288
方位名词作状语分类初探	王恩林	语文教学与研究—1995,(5):35-36
单句宾语复杂化之初探	何相成	语文教学与研究—1995,(6):38

复句

论汉语的"连锁复句":对《官话类编》一书连锁复句的分析	邢公畹	世界汉语教学(北京)—1990,(4):224-236
"复句形式"引起的一些问题	沈开木	汉语学习(延吉)—1990,(6):1-3
汉语复句格式对复句语义关系的反制约	邢福义	中国语文(北京)—1991,(1):1-9
多重复句的分析与检验	陈志祥	中文自修—1991,(2):22-23
承接与词组、句子、句群	景士俊	语文学刊(呼和浩特)—1991,(2):24-28
叫做分句好还是叫做子句好?	李志霄	齐鲁学刊—1991,(2):35-39
现代汉语复句中关联词的位置	李晓琪	语言教学与研究(北京)—1991,(2):79-91
谈谈多重复句的分析	何伟渔	中文自修—1991,(3):36-37
与句群分析有关的几个问题	文炼	中文自学指导—1991,(3):38-39
复句与关联词语	李运龙	中学语文(咸宁)—1991,(3):41-43
说并列句群	马汀	中学语文教学(北京)—1991,(3):45
论《金瓶梅词话》的因果句	许仰民	信阳师范学院学报·哲社版—1991,(3):74-80
浅谈汉语词序的篇章功能	胡明亮	语言教学与研究—1991,(3):81-87
试论取舍复句的逻辑意义	王忠良	延边大学学报·哲社版—1991,(3):88-90
"主语承前省"发微	李景泉	喀什师院学报·哲社版—1991,(3):90-96
一种表因果的"是……的"句	裘荣棠	淮北煤师院学报·社科版—1991,(3):110-113, 118
试谈"只要……就"和"只有……才"在复句中的用法	邓树林	语文知识(郑州)—1991,(4):20-22
汉语复句分化瓦解说	邵霭吉	盐城教育学院学报—1991,(4):39-44
释《红楼梦》前八十回的"连"字结构	龙青然	逻辑与语言学习(石家庄)—1991,(4):46-48
试论现代汉语一些句式的选择原则	易匠翘	东疆学刊·哲社版—1991,(4):65-70
递进句再探讨	景士俊	内蒙古师大学报·哲社版(呼和浩特)—1991,(4):69-75
"不……不……"格式的结构分析	汪静	学语文—1991,(5):13-14
谈谈紧缩句	玉柱	逻辑与语言学习(石家庄)—1991,(5):44-45
关于一个复句的结构层次分析	刘钦荣	中文自修—1991,(6):22-23
近代汉语以"时"煞尾的从句	艾皓德	中国语文(北京)—1991,(6):451-459
相释·相叠·相继——谈句群中心意思的表达方式	王聿恩	阅读与写作—1991,(7):32-33

关于"如果……就"	李春华	语文教学之友(廊坊)—1991,(8):封三
复句分析杂谈	田清山	语文教学之友(廊坊)—1991,(9):23-24
一种被忽略的语言现象:连环因果句	李敦凯	语文教学之友(廊坊)—1991,(10):38-39
从章法看句群划界例说	燕生贤	语文教学通讯—1991,(10):43-45
紧缩句与单句的鉴别	凌常荣	阅读与写作—1991,(11):28-29
	周本良	
关于复句的构成问题的一点思考	赵怀印	学语文(芜湖)—1992,(1):7-9
谈谈"复句"的定义	严加胜	学语文(芜湖)—1992,(1):9
转折句问题三则	景士俊	语文学刊—1992,(1):13-17
简述三段论的几种类型	且大有	语文学刊—1992,(1):20-22
假设从句后置的条件(上)	张炼强	逻辑与语言学习(石家庄)—1992,(1):39-41
假设从句后置的条件(下)	张炼强	逻辑与语言学习(石家庄)—1992,(2):35-38
条件句浅谈	刘桂芳	松辽学刊·社科版—1992,(1):77-79
复句的辨识	杨育林	语文学刊(呼和浩特)—1992,(2):17-20
单复句划分的"结构标准"述评	李敏	烟台师范学院学报·哲社版—1992,(2):31-34
"由于"与复句结构	范锦荣	中学语文教学(北京)—1992,(2):42-43
现代汉语转折句式	邢福义	世界汉语教学(北京)—1992,(2):81-90
"因果"与表达	景士俊	语文学刊(呼和浩特)—1992,(3):1-7
也析"否则句"	景士俊	内蒙古师大学报·哲社版(呼和浩特)—1992,(3):45-51
说"话头"	李芳杰	语言教学与研究(北京)—1992,(3):88-107
单复句划界例谈	张瑞宣	语文月刊(广州)—1992,(4):23
关于《复句分析杂谈》的一点浅见	褚久春	语文教学之友—1992,(4):41
单复句的划界(上)	田野	盐城师专学报·哲社版—1992,(4):50-53
	田国华	
单复句的划界(下)	田野	盐城师专学报·哲社版—1993,(1):50-54,115
汉语假性疑问句研究	陈妹金	南京师大学报·社科版—1992,(4):78-83
论复句语义的三种关系	张学成	杭州师范学院学报—1992,(4):83-90
谈单句和复句的相互变换	王聿恩	语言文字学(北京)—1992,(4):105-112
言语链中偏正复句变位论	易匠翘	社会科学战线—1992,(4):310-315
谈"复指短语"与"不相连的复指"	张义谦	学语文(芜湖)—1992,(5):24
一道复句分析题之我见	龚新权	语文教学与研究—1992,(5):35
现代汉语选择问句的删除规则	吴振国	华中师范大学学报·哲社版(武汉)—1992,(5):79-83
称代复指句还是处理成单句好	黄素琴	语文教学通讯—1992,(5-6):100
"到"的连词用法及其语义	刘丹青	汉语学习(延吉)—1992,(6):13-15
复句分析与冒号	李玉清	语文教学与研究(武汉)—1992,(6):33
从相邻分句间关系入手分析多重复句层次	邓润身	中文自修—1992,(6):36-37
浅谈句群和多重句的区别	马蹄声	逻辑与语言学习—1992,(6):40-42

标题	作者	出处
浅谈句群和多重复句的区别	马蹄声	逻辑与语言学习(石家庄)—1992,(6):40-42
省略·脱落·隐含	宋玉柱	语文月刊(广州)—1992,(7):16
论句群的插入语	高书仁	语言文字学(北京)—1992,(7):125-129
现代汉语倒装复句的特点和作用	李怀忠	语文教学与研究(武汉)—1992,(8):37-38
说"展开句"	李富林	中学语文教学(北京)—1992,(8):37-38
分解多重复句新途径	王启多	语文教学与研究(武汉)—1992,(8):39-40
说"结束句"	李富林	中学语文教学(北京)—1992,(9):44-45
单复句划分的"结构标准"述评	李敏	语言文字学(北京)—1992,(9):102-105
如何确定多重复句的第一层次	蒋森和	读写月报—1992,(10):5-6
关联词语不一定是复句的标志	吕廷生	读写月报—1992,(10):6-7
《祝福》中的两个多重复句	陈寿定	语文教学与研究—1992,(11):44
论复句语义的三种关系	张学成	语言文字学(北京)—1992,(11):107-114
关于复句、语段及篇章结构的整体化教学之初探	王玉玺	中学语文教学—1993,(1):11-19
汉语复句与单句的对立和纠结	邢福义	世界汉语教学(北京)—1993,(1):11-19
条件句琐议二则	景士俊	语文学刊(呼和浩特)—1993,(1):26-29,33
不构成充分条件假言判断的假设复句表示什么	丁华	孝感师专学报·哲社版—1993,(1):48-50
这个复句应如何理解	王峰	语文教学通讯—1993,(1):57-58
略论关于分句与主句的语义关系	陈桂英 韩菊芬	徐州师范学院学报—1993,(1):90-91
从一个不是多重复句的句子说起	金慧萍	宁波师院学报·社科版—1993,(2):44-45,49
谈因果复句的变换	王聿恩	逻辑与语言学习(石家庄)—1993,(2):46-47
试论修饰代词的定语从句	郭伟器	汕头大学学报·人文版—1993,(2):47-51
定语从句的界定问题刍议	丰玉芒 陈新仁	扬州师院学报·社科版—1993,(2):64-67
"即使……但是"复句逻辑初探	王忠良	延边大学学报·社科版—1993,(2):85-90
论并列主句、并列从句、复杂主句和复杂从句	黄国文	解放军外语学院学报—1993,(3):1-7
假设复句的变换和选择	王聿恩	修辞学习(上海)—1993,(3):14-15
复句中的"即使"与"既然"	唐万军	语文知识(郑州)—1993,(3):45-46
正反问的省略与"X不"句式	卢屋	语言文字学(北京)—1993,(3):114-121
试谈"如果……,那么……"句式的属性	刘桂芳 沈庶英	语言文字学—1993,(4):114-117
这是一个多重复句吗?——兼与张文郁老师商榷	于学滨	学语文—1993,(4):19-20
试论多重复句的多义现象	肖伟良	广西师范大学学报·哲社版—1993,(4):35-42
是并列,还是转折?	陈合意	语文教学通讯—1993,(4):48-49
"要是S就V了"句式语义语用分析	李泉	中国人民大学学报—1993,(4):83-87

标题	作者	出处
谈单句与复句的区分	房殿堂	学术交流—1993,(4):109-113
复句的总分与层次	杨育林	语文学刊—1993,(5):35-37
邢福义的复句研究的研究	吴启主 李胜昔	湖南师范大学学报·社科版—1993,(5):75-78
选择问的句群形式	邢福义	汉语学习—1993,(6):1-7
单句和关联词语	宋玉柱	语文月刊—1993,(7):6
"只要……就"、"只有……才"辨	肖前明	语文教学与研究—1993,(7):38
分号与复句结构	张文荣	中学语文教学—1993,(7):39-40
从一个复句的分析说起	田连胜	语文教学之友—1993,(7):39-40
也说"没有……之前"	粟季雄	语文知识—1993,(7):61-62
判别单复句的有效方法	解安良	语文教学与研究—1993,(8):24-25
单句、复句的中间句型	宋玉柱	语文月刊—1993,(11):6
一种复句的类型及分析法	孙可人	中学语文教学—1993,(11):38-40
从"没有……以前"说起	李思明	语文建设通讯—1993,(40):55
单句和复句的辨别方法	吴峰	语文教学与研究—1994,(1):31
关于区分单句复句的问题	陈慧娜	龙岩师专学报·社科版—1994,(1-2):43-45
"既然"句的前提及推论形式	汪国胜	荆州师专学报·社科版—1994,(1):44-46
分句的概念必须明确	吴戈	逻辑与语言学习—1994,(1):45-46
现代汉语复句问题之研究	邢福义	黄冈师专学报·社科版—1994,(2):3-11
丰硕信息量的载体——复句	贾一周	辽宁师范大学学报·社科版—1994,(2):43-45,18
试论现代汉语复句分类的逻辑原则	李大勤 伊布新	阴山学刊—1994,(2):65-69
"只要 A, 就 B"的句法、语义、语用的制约关系	张学成	杭州师范学院学报—1994,(2):89-95
也谈逻辑事理上的承接关系	张文荣	中学语文教学—1994,(3):42
多重复句与关联词语	王祥	牡丹江师范学院学报·哲社版—1994,(3):64-66
汉语选择关系复句的语用意义	王秀丽	汉语学习—1994,(4):32-34
这类复句的层次该如何划分	徐挥道	语文教学与研究—1994,(4):35
汉语复句的结构分析	张仕仁	中文信息学报—1994,(4):43-54
汉语单复句划界研究问题论说	邓文彬	西南民族学院学报—1994,(4):73-78
单复句易混淆的几种情况	侯以坤	语文教学与研究—1994,(6):37
前正后偏复句小议	适达	逻辑与语言学习—1994,(6):45-46
"如果……那么"与过渡	聂正福	语文教学与研究—1994,(6):46
怎样区分"只要……就……"和"只有……才……"	王福岳	学汉语—1994,(10):14-15
紧缩句和连动句的区分	郭子训	语文知识—1994,(10):24-25
如何分析句群	周振岳 司君云	语文教学与研究—1994,(11):27-28
屈赋复句句式探索及异文辨正	王志瑛	广西师范大学学报·哲社版—1995,(1):18-25

这种句子是单句还是复句?	孔令达	学语文—1995,(1):20-21
现代汉语的"即使"假言句	梅立崇	世界汉语教学—1995,(1):25-31
"不但…而且…"的语用分析	周换琴	语言教学与研究—1995,(1):39-52
复句的话题	吴中伟	世界汉语教学—1995,(2):18-22
关联副词在周遍性主语之前	吴中伟	汉语学习—1995,(3):30-31
略论汉语单句复句的界线	刘淑荣 韩根东	天津师大学报·社科版—1995,(3):77-80
多重复句分析漫议	李汉威	语言文字学—1995,(4):41-47
对无条件句的再认识	卢传福	语文学习—1995,(5):39
再谈区别单句和复句	刘春修 王举祥	语文教学与研究—1995,(8):35
意念性主语省略现象初探	龚殿元	语文教学与研究—1995,(8):36
复句划分的几个误区	王明魁	语文知识—1995,(9):26-28
"无论"句隐含的选择意义	杜支万	语文建设—1995,(9):28-29
"无论"偏句中的连词	宋玉柱	语文建设—1995,(11):34
无固定格式的紧缩句	李运嘉	语言文字学—1995,(11):147-152
选择复句与选言命题	朱子良	古汉语研究—1995,(增刊):77-78

特殊句法问题

"VP+NP_1+de+NP_2"结构的分化	邹韶华	语言研究(武昌)—1990,(2):52-57
关于插入语与句子成分的划介问题	张永来	语言研究(武昌)—1990,(2):75,81
"X不X"附加问研究	邵敬敏	徐州师范学院学报·哲社版—1990,(4):86-90
论《金瓶梅词话》的"把"(将)字句	许仰民	信阳师范学院学报·哲社版—1990,(4):91-97
判断句歧义分析	曹永金	辽宁师范大学学报·社科版(大连)—1990,(6):60-62
怎样认定双重否定句:兼与王培明同志商榷	吴慧颖	语言美(昆明)—1991,(1):10②
祈使句式和动词的类	袁毓林	中国语文(北京)—1991,(1):10-20
再谈"为动双宾式"	木犁	中学语文教学参考(西安)—1991,(1-2):12-13
试谈双重否定句的表达作用	殷时春	语文知识(郑州)—1991,(1):14-15
祈使句式和状态补语的类	袁毓林	汉语学习(延吉)—1991,(1):16-21
"被"字句使用不当的几个问题	张在云	中文自修—1991,(1):17
说说述补(结果)宾谓语句的语义结构系列	崔承一	汉语学习(延吉)—1991,(1):27-31
现代汉语经历体"过"的语义分析	戴耀晶	吉安师专学报·哲社版—1991,(1):32-37,60
现代汉语句法里的事物化指代现象	陆俭明	语言研究(武汉)—1991,(1):34-39
歧义分化方法探讨	邵敬敏	语言教学与研究(北京)—1991,(1):38-50,37
现代汉语的特殊格式"V地V"	邢福义	语言研究(武汉)—1991,(1):40-49,127
隐现句的分析与句型归类问题	崔建新	渤海学刊—1991,(1):48-53
试论"使"字句和"把"字句(续)	李人鉴	扬州师院学报·社科版—1991,(1):49-53

说专有名词前面的"一个"	崔应贤	语言教学与研究(北京)—1991,(1):51-57
"把+N受+VP"的语义再分析	史金声	解放军外语学院学报—1991,(1):65-74
词尾"着"和动词的类	李子云	安徽教育学院学报(合肥)—1991,(1):66-73,106
歧义现象的语义分析	姜光辉	吉林师范学院学报·哲社版—1991,(1):7-11
关于"使"字句的结构分析	郑殿仁	丹东师专学报·哲社版—1991,(1):78-81
"Ns+V+Nat+的+No"句式	卞文强	山东大学学报·社科版—1991,(1):82-86
试论"把"字句中的兼义现象	孙茜云	烟台大学学报·哲社版—1991,(1):91-95
谓词状语语义指向浅说	张国宪	汉语学习(延吉)—1991,(2):13-16
整体——数量宾语把字句	李裕德	汉语学习(延吉)—1991,(2):17-20
连动句辨识二题	沈正元	中文自修—1991,(2):24
浅析几个多重句群的语法语义关系	朱英贵	都江教育学院学报—1991,(2):25-30
"不"字浅说	吴恒泰	西北大学学报·社科版(兰州)—1991,(2):43
言语交际中的歧解现象	张黎	绥化师专学报·社科版—1991,(2):55-59
汉语里宾语代入现象之观察	邢福义	世界汉语教学(北京)—1991,(2):76-84
关于"双宾式"的几点探讨	符达维 王培硕	语言文字学(北京)—1991,(2):96-102
词义在句子中的衍射作用	黄振英	语言教学与研究(北京)—1991,(2):123-128
论遭受类动词及遭受句	范中华	社会科学战线(长春)—1991,(2):311-317,339
语义句法刍议——语言的结构基础和语法研究的方法论初探	徐通锵	语言教学与研究—1991,(3):38-62
词语之间语义同现的基本原则	张静平	中文自学指导—1991,(3):40-42
连谓式及其分类	玉柱	逻辑与语言学习(石家庄)—1991,(3):40-42
从语义的角度谈歧义结构	盛爱平	宁波师院学报·社科版—1991,(3):42-44
"除了……都"句式	范先纲	广西师范大学学报·哲社版(桂林)—1991,(3):60-66
试谈"潜兼语"	王世华	万县师专学报·社科版—1991,(3):67-70
《〈水浒传〉的动词情貌》献疑	徐正考	四川大学学报·哲社版(成都)—1991,(3):73
"把字结构"的语义及其语用分析	张旺熹	语言教学与研究(北京)—1991,(3):88-103
主谓结构后"的"字结构的句法性质及其确定	郑新民	语言文字学(北京)—1991,(3):96-100
兼语又一式	舒启明	语言美(昆明)—1991,(4):25③
也谈汉语的"供动句"	项开喜	逻辑与语言学习(石家庄)—1991,(4):38-40
存现句的变换和选择	王聿恩	逻辑与语言学习(石家庄)—1991,(4):41-42
汉语中的向心结构与离心结构	李宗江	解放军外语学院学报—1991,(4):46-52
扩展·排他·强调:说补语	[加拿大]王邱丕君 施建基	语言教学与研究(北京)—1991,(4):72-83
"副·名"组合及其语义分析	聂仁忠	济宁师专学报·社科版—1991,(4):74-76,73

论《金瓶梅词话》的"吃"字句	许仰民	许昌师专学报·社科版—1991,(4):90-94
副词状语语义上的多向联系	朱子良	衡阳师专学报·社科版991,(4):90-94
"是"字句主宾语语义关系简析	徐建华	锦州师院学报·哲社版—1991,(4):91-95
语言中的"歧义"与语言中的"歧解"	黄德玉	安庆师范学院学报·社科版—1991,(4):94-100
关于"以……称"句式	谢质彬	中国语文(北京)—1991,(4):301-303
经历体存在句	宋玉柱	汉语学习(延吉)—1991,(5):1-6
"把"字句	夏齐富	学语文—1991,(5):10-12
从施、动、受的表层形式看汉语的特点:比较汉语和俄语的三种语义成分在语法形式上的差别	李宗江	汉语学习(延吉)—1991,(5):29-32
语句歧义种种	曾福生	中文自修—1991,(5):33-34
前项隐含的"又"字句	吴振国	逻辑与语言学习—1991,(5):37-40
与语法相关的语义和语用	丁棠明 荣晶	思想战线—1991,(5):39-42,31
"有"的宾语琐谈	云峻 汉峡	逻辑与语言学习(石家庄)—1991,(5):47,34
具有提示作用的"是"字句	方梅	中国语文(北京)—1991,(5):342-346
言语行为与言说动词句	刘大为	汉语学习—1991,(6):16-23
误用与当用不用兼语式的句子	张在云	中文自修—1991,(6):23-24
"q,这+V"格式分析	黄定时	学语文(芜湖)—1991,(6):27-29
形容词结果补语的语义指向	张国宪	学语文(芜湖)—1991,(6):29-31
表示估量的"有"字句	徐建华	逻辑与语言学习(石家庄)—1991,(6):32-39
双宾句质疑	黄梦荣 李漓	语文教学之友(廊坊)—1991,(6):33
双宾语三题	茆文楼	逻辑与语言学习(石家庄)—1991,(6):42-43
儿童反复问句和"吗""吧"问句发展的相互影响	李宇明 唐志东	中国语文(北京)—1991,(6):417-424
"省略句"与"非主谓句"新说	邵敬敏	语文学习(上海)—1991,(7):26-28
连数排比句	彭庆达	语文学习(上海)—1991,(7):28
疑问句句型和疑问句教学(三)	刘振铎	语文教学之友—1991,(9):26-28
疑问句句型和疑问句教学(四)	刘振铎	语文教学之友—1991,(11):34-35
祈使句的结构类型	徐建国	中文自学指导—1991,(9):40,32
"女同志不准穿裤子"——歧义拾零	庐桐	中文自修—1991,(10):25-26
关于歧义语的类型	杨吉元 汪志宏	语文教学之友—1991,(10):36-37
语句歧义的产生及消除	尤志心	语文教学与研究—1991,(10):39-40
冒号后面的语言单位的结构分析	董金明	中学语文教学—1991,(10):41-42
一种新的特殊句式——连动兼语句	黄公台	语文教学通讯(临汾)—1991,(10):48
语境和歧解	黄德玉	语文建设—1991,(11):12-15

标题	作者	出处
关于动态存在句	玉柱	中文自学指导—1991,(11):37-38
钱钟书论层次分析	王希杰	语文月刊—1991,(12):4-5
"他把问题没有弄清楚"为什么是错句?	毛惜珍	中文自修—1991,(12):22-23
称代类句型的区分与"结构中心"标准	晓喻	语文教学与研究(武汉)—1991,(12):39-40,33
《金瓶梅》"把"字句研究	孙占林	语言文字学(北京)—1991,(12):94-102
《西游记》中的"得"字句	力量	语言文字学(北京)—1991,(12):103-109
"我唱给你听"及相关句式	赵金铭	中国语文(北京)—1992,(1):1-11
"连锁疑问句"刍议	李树德	营口师专学报·哲社版—1992,(1):13-15
说"未(没、没有)……前(以前、之前)"	唐光辉	语文知识(郑州)—1992,(1):18-20
"连"字歧义句补议	肖奚强	汉语学习(延吉)—1992,(1):21-23
难以区别的兼语句与连动句	吴峰	语文教学与研究(武汉)—1992,(1):30
儿童语言中的被动句	周国光 孔令达等	语言文字应用(北京)—1992,(1):38-48
《红楼梦》主语省略艺术简析	唐友忠 刘锡嘉	娄底师专学报·哲社版—1992,(1):40-45
中学语法教学要切实贯彻《提要》——兼谈双部句、单部句与主谓句、非主谓句的划分	杨桂梅	绥化师专学报·社科版—1992,(1):49-50,68
阅读中课文语境对汉语单词识别的影响	朱晓平	心理学报—1992,(1):50-57
谈一种新的把字句兼及把字句的定义	兰宾汉	陕西师大学报·哲社版(西安)—1992,(1):69-72
V_1NV_2 式连动结构	侯友兰	绍兴师专学报—1992,(1):90-94
论汉语被动句在历史发展过程中的变化规律	顾穹	东岳论丛(济南)—1992,(1):102-107
无条件句的语义特征	吕映	杭州师范学院学报—1992,(1):142-147
试析91年高考关于改变句子结构的一道题	邱巨	语文月刊—1992,(2):13
"歧义"的消极作用和积极作用	王培焰	阅读与写作—1992,(2):18-19
句义蕴涵与句义等同	周小兵	语言研究—1992,(2):20-30
交谈中的提醒句	王志	语言研究(武汉)—1992,(2):31-40
谈主谓主语句	李子云	安徽教育学院学报·社科版(合肥)—1992,(2):35-39
试论"被""把"互见句	王兴国	盐城教育学院学报—1992,(2):37-41
《荡寇志》的"吃"字结构	吉仕梅	四川师范学院学报·哲社版(南充)—1992,(2):45-50
是用"上"还是用"里"	[日]高桥弥守彦	语言教学与研究(北京)—1992,(2):47-60
《蒙古秘史》的特殊语法——OV型和POS结构	余志鸿	语言研究—1992,(2):51-57

标题	作者	出处
试论"V 出"结构及其句式	杨桦	天津师大学报·社科版—1992,(2):72-75
语义与语法结构	寿永明	绍兴师专学报—1992,(2):73-76
存在句	夏齐富	安庆师范学院学报·社科版—1992,(2):93-98
时间副词"正""正在"和"在"的分布情况	郭志良	世界汉语教学(北京)—1992,(2):94-103
慎用形容词和副词	芮必峰 林勇	新闻与写作—1992,(3):12
语义对"比"字句中助动词位置的制约	邵敬敏	汉语学习(延吉)—1992,(3):13-16
介词"沿"的产生	马贝加	语文研究(太原)—1992,(3):37-38
浅谈句群的中心句	朱秀金	语文学习—1992,(3):38-39
语境制约语义若干方式探析	李昌平	益阳师专学报—1992,(3):54-56
关于汉语祈使句系统的研究	李胜昔	益阳师专学报—1992,(3):57-60
"把"字句教学刍议	丁文楼	语言与翻译(乌鲁木齐)—1992,(3):64-66
汉语比较句的两种否定形式:"不比"型和"没有"型	[日]相原茂	语言教学与研究(北京)—1992,(3):73-87
也谈疑问句的逻辑问题	王忠良	延边大学学报·哲社版—1992,(3):96-99
助动词语义指向探析	姚汉铭 孙红	青海师大学报—1992,(3):108-113
现代汉语"疑问代词+也/都……"结构的语义分析	[日]杉村博文	世界汉语教学—1992,(3):166-172
主谓补语句	李芳杰	世界汉语教学—1992,(3):188-193
与工具成分有关的几种句法格式:兼谈加工制作义动词"价"的分析	朱景松	安徽大学学报·哲社版(芜湖)—1992,(3):346-356
汉语分析的语义网络表示法	刘东立 唐泓英	中文信息学报—1992,(4):1-10
是主谓倒装还是主述位倒置	桂林	宁波师院学报·社科版—1992,(4):8-9,18
2-3岁儿童兼语句发展的实验研究	缑瑞隆 阿秋和等	汉语学习(延吉)—1992,(4):22-28
"不是A的A"的语义	戚盛伟	修辞学习—1992,(4):43-44
试谈"把"字句中其他状语的位置问题	李增吉	逻辑与语言学习(石家庄)—1992,(4):43-44
表判断"是"字句的语义类型	周洪波	安徽教育学院学报·社科版—1992,(4):51-55
几种多义词组的语言形式特点及其辨析方法	范文修	济宁师专学报—1992,(4):53-54
从语气词"哪"看语义解释的一种模式	胡范铸	扬州师院学报·社科版—1992,(4):76-77
汉语"把"字句和"被"字句新探	易绵竹	求是学刊(哈尔滨)—1992,(4):78-84
试析兼语式动词"使"的特点	邢欣	新疆师范大学学报·哲社版(乌鲁木齐)—1992,(4):81-85
汉语处置式探源	章也	内蒙古大学学报·哲社版—1992,(4):85-91
虚词的表达作用	毛惜珍	西北师大学报·社科版(兰州)—1992,(4):92-95
连动句和兼语句中的语义关系——兼论连动式与兼语式的区别	杨月蓉	西南师范大学学报·哲社版(重庆)—1992,(4):96-100

标题	作者	出处
量词肯定句和否定句的理解	缪小春	心理学报—1992,(4):232-239
祈使句式"V+着"分析	袁毓林	世界汉语教学—1992,(4):269-275
"把"字句的课堂教学	程湘文 周翠琳	世界汉语教学—1992,(4):307-308
试析反问句的语用含义	常玉钟	汉语学习—1992,(5):12-16
巧用疑问句和感叹句	芮必峰 林勇	新闻与写作—1992,(5):14
小议"比"字句内比较项的不对称结构	刘慧英	汉语学习(延吉)—1992,(5):17-20
否定句研究概观	朱晓亚	汉语学习—1992,(5):24-27
并列式合成词的语义构词原则与中国传统文化	张国宪	汉语学习—1992,(5):28-31
倒置与前置	戴云云	中文自修—1992,(5):32-33
虚假陈述与真实陈述的糅合:谎言的语义结构研究之二	胡范铸	华东师范大学学报·哲社版(上海)—1992,(5):52-60,67
起兴、连贯结构与欺骗:谎言研究之二	胡范铸	修辞学习(上海)—1991,(2):9-11
疑问句和疑问代词、含疑问的短语	周永惠	四川师范大学报·社科版—1992,(5):59
关项隐含式反逼"都"字句的关项推导	丁力	华中师范大学学报·哲社版(武汉)—1992,(5):70-73
前加特定形式词"一X,就Y"句式后项否定式	李向农	华中师范大学学报·哲社版(武汉)—1992,(5):74-78,93
辩证命题的语形、语义和语用分析	杨学渊	浙江学刊—1992,(5):82-83,122
V得句的"得"后成分	范晓	汉语学习—1992,(6):5-8
是非问句末的"吧"也可表祈使	杜永道	汉语学习(延吉)—1992,(6):8
析"NP出身"	李宁明	汉语学习—1992,(6):9-12
汉语"应对句"说略	吕明臣	汉语学习(延吉)—1992,(6):16-19
存在句研究的新进展	宋玉柱	语文月刊(广州)—1992,(6):19-20
句组语病杂谈(一)——中心思想模糊不清	金锡谟	新闻与写作—1992,(6):28-30
句组语病杂谈(二)——答非所问	金锡谟	新闻与写作—1992,(8):21-22
句组语病杂谈(三)——任意转换话题	金锡谟	新闻与写作—1992,(9):33-34
句组语病杂谈(四)——谈结构的断层	金锡谟	新闻与写作—1992,(10):30-32
"是"字句研究述评	周有斌	汉语学习—1992,(6):29-32
汉语名词功能转换的可能性及语义特点	卢福波	逻辑与语言学习—1992,(6):35-37
多义现象和理解的误区	王希杰	逻辑与语言学习—1992,(6):38-39
"V趋+N+了"句与"N+V趋+了"句	张雪涛	北京大学学报·哲社版—1992,(6):101-108
助词"似的"的语法意义及其来源	江蓝生	中国语文(北京)—1992,(6):445-452
关于"当"字句中的"两件事情"	黄明明	语文建设—1992,(7):21

句类并非一定就是句子	戚晓杰	语文月刊—1992,(8):20
谈一种多义句式的区分方法	文 质	语文知识(郑州)—1992,(9):23-24
当心句式杂糅	宋擎柱	语言教学与研究—1992,(9):29
歧义句原因例析	任 泽	语文月刊—1992,(9):41-42
关于"V起来+动VP"结构	宋玉柱	语文月刊—1992,(10):8
动宾谓语句和动补谓语句的分析方法	吴 峰	语文教学与研究—1992,(10):39
对一个复杂单句的分析	陈同友	语文教学与研究—1992,(10):41
根据语境辨析词语的音、义的失误	张文虎 袁国雄 沈郁菁 王积庆	语文教学通讯—1992,(11):8-11
存在句的确认	宋玉柱	语文月刊(广州)—1992,(11):9
理解结构复杂的长句,并把握语意中的失误	张文虎 袁国雄 沈郁菁 王积庆	语文教学通讯—1992,(11):11-13
句群——微型的文章	刘东元	语文教学之友—1992,(11):22-24
语义、语音对句子结构的影响	沈锡伦	中文自修—1992,(11):37-38
歧义短语例析	周北辰 李真微	语文教学与研究(武汉)—1992,(11):38-39
副词充当"句中状语"和"全句修饰语"的语义区别	林 曙	中文自修—1992,(11):38-39
"给予"和"索取"的差异——双宾句的判定	张兰芝	中文自修—1992,(11):39-40
存现句功能浅谈	王智杰	中学语文教学(北京)—1992,(11):42
句群中的常见毛病	朱文献	阅读与写作—1992,(12):19-20
形似疑问句却非疑问句	张文甫	语文教学与研究—1992,(12):44
关于汉语句型	唐泓英 姚天川 王宝库	中文信息学报—1993,(1):1-6
科技语体中表被动意义的形动词语义辨异	赵葆云	外语研究—1993,(1):17-19
省略句研究述评	张桂宾	汉语学习(延吉)—1993,(1):25-29
"比"字句删除法的商榷	[德]包华莉	语文研究(太原)—1993,(1):29-36
"被"字格的失义倾向	唐健雄	河北师院学报·社科版(石家庄)—1993,(1):30-32
基于意象知识的消歧体系	杨 莹 李应潭	中文信息学报—1993,(1):40-47
辨析病句不能顾此失彼	杨开勇	语文学习—1993,(1):47
"把"字句中的"了/着/过"	王 惠	汉语学习(延吉)—1993,(1):6-12
关于建立深一层的汉语句型系统的刍议	陆丙甫	语言研究—1993,(1):7-20

例外和错误	吕叔湘	中国语文(双)—1993,(1):78
"虚动词+事件宾语"结构刍议	史厚敏	黄淮学刊·社科版—1993,(1):79-86
反复问句A不A的特点及演变	宋金兰	青海师大学报·社科版—1993,(1):91-93,87
话题浅说:[句子分析]	曹德和	镇江师专学报·社科版—1993,(1):98-101
"把"字句的语用结构分析	王一敏	上海师范大学学报·哲社版—1993,(1):122-124
"师造化"语义还原及内涵	陈晓春	四川师范大学学报—1993,(1):132-139
"他笑得一脸皱纹"及相关句式	孟艳丽	营口师专学报·哲社版—1993,(2):5-9
"不A不B"四字格的逻辑表达	赵淑端	逻辑与语言学习—1993,(2):17-18
歧义、系统歧义和语境	钱树人	中文信息学报—1993,(2):18-26
议论文句型研究	邵霭吉	盐城教育学院学报—1993,(2):19-24
"车上太多人"不合语法——关于语感和语法的对话	晏懋思	逻辑与语言学习—1993,(2):32-34
关于"他谁都不相信"及相关句子歧义问题	卢英顺	学语文(芜湖)—1993,(2):37-38
从一个病句看一种组句规律	杜支万 易行锦	中学语文教学—1993,(2):38-39,42
被字句的语义结构	程琪龙	汕头大学学报·人文版—1993,(2):38-46
一身二任:一种容易被忽略的介词残缺的语病	李栋臣	学语文(芜湖)—1993,(2):39-40
"一M比一MA"格式试探	项开喜	语言教学与研究—1993,(2):42-45
浅谈汉语连兼融合式及其在维语中的一般表达方式	周振明	喀什师范学院学报·哲社版—1993,(2):43-49
反问句的交际作用	刘松江	语言教学与研究—1993,(2):46-49
汉语口语中的"SV的N"句式	刘英军	河北师范大学学报·社科版(石家庄)—1993,(2):51-55
"把"的宾语为非受事的把字句	孟莉颖	蒲峪学刊—1993,(2):57-59
双宾句的再认识	汪化云	黄冈师专学报·文科版—1993,(2):71-76
NS+[给+N_1+N_2+VP]句式浅析	叶南	西南民族学院学报·哲社版—1993,(2):74-78
汉语"连"字句的语用分析	崔希亮	中国语文(北京)—1993,(2):117-125
汉语句子理解中语义分析与句法分析的关系	彭聃龄	心理学报—1993,(2):132-139
意动用法的普遍运用之我见	潘继宗	辽宁大学学报·哲社版—1993,(3):19-20
关于循环语句的两点说明	曲桂东	济宁师专学报—1993,(3):25-26
现代汉语被动句研究说略	王灿龙	学语文—1993,(3):35-36
及物动词谓语句语义的逻辑分析	徐颂列	语文研究—1993,(3):37-42
怎样辨别特殊句式	王洪江	逻辑与语言学习—1993,(3):41-43
三个不同平面上的歧义现象	蔺璜	语文研究—1993,(3):43-46
词序语序与语义	王政伟	语文研究—1993,(3):47-48
关于联合短语作主语、主语中心的分析问题	曹石珠	邵阳师专学报·社科版—1993,(3):81-83

状语的语义指向	李子云	安徽教育学院学报·哲社版—1993,(3):83-88
歧义句与修辞	郑文贞	厦门大学学报·哲社版—1993,(3):86-92
论多义与歧义和双关及误解和曲解	王希杰	延安大学学报·社科版—1993,(3):88-93
"只"的句法功能和语义指向考察	陈伟琳 贾齐华	信阳师范学院学报·哲社版—1993,(3):95-100
析"何以……为"句式	徐启庭	福建师范大学学报·哲社版—1993,(3):100-103,123
试析主语补语和状语之间的逆差	史厚敏	黄淮学刊·社科版—1993,(3):103-106,102
一种新的特殊句式——携宾为主类结构核构造的主谓句	叶家旺	安庆师范学院学报·社科版—1993,(3):107-109
主谓谓语结构的语义模式	张旺熹	世界汉语教学—1993,(3):161-167
汉语里的一种功用句	周晓康	世界汉语教学—1993,(3):168-172
双重否定辨伪	汤生	读写月报—1993,(4):2-3
歧义现象之管见	张向阳	语文教学与研究(武汉)—1993,(4):2-3
消除语句歧义方法例说	吴定辉	读写月报—1993,(4):3-4
限制汉语语法分析中野义性的启发式方法	邰晓英 童颓	中文信息学报—1993,(4):10-17
语序趣谈	孙自珩	学语文—1993,(4):14
"有/无条件(地)+V"琐议	李芳杰	语文教学与研究(武汉)—1993,(4):23-25
中文0(1(1.1│1.2│2)型名词词组术语潜在歧义结构的实例化	冯志伟	语言文字应用—1993,(4):26-34
略谈兼语式和主谓结构作宾语	丁水根	语文教学与研究(武汉)—1993,(4):30-31
"一鼓作气,再而衰,三而竭"结构简析	刘炜	西北大学报·社科版—1993,(4):42
复动"V得"句	范晓	语言教学与研究—1993,(4):57-74
表总括的"都"的语义分析	徐颂列	语言教学与研究—1993,(4):75-86
句子的音节组合及其文化内涵	金天相	中国人民大学学报—1993,(4):77-82
略论S-P作谓语的主谓句	史继林	云南教育学院学报—1993,(4):78-83,46
近代汉语中含粘合式结果补语的"把"字句	谭枝宏	安庆师范学院学报·社科版—1993,(4):84-89
小句谓语句的逻辑分析——汉语句型的逻辑演算之三	王继同	浙江大学学报—1993,(4):87-95
句子的语义结构	马清华	南京师大学报·社科版—1993,(4):99-108
"更"字歧义句及其相关句式	肖奚强	南京师大学报·社科版—1993,(4):109-113
探索汉语析句方法的新思路:谈成分分析法与层次分析法及其结合	李汉威 冯峥	语言文字学—1993,(4):109-113
关于施事格、受益格歧义句的考察	曹炜	南京师大学报·社科版—1993,(4):114-118
主宾互易的同义句	张潜	南京师大学报·社科版—1993,(4):119-124
存在句的范围、构成的和分类	雷涛	中国语文—1993,(4):244-251,294
说标题动词及相关的标题格式	尹世超	中国语文—1993,(4):260-269

谈语义制约和格式实现的条件	徐　枢	世界汉语教学—1993,(4):279-284
试论语法结构的模糊性	陈新仁	解放军外语学院学报—1993,(5):7-13
兼语广例	刁晏斌	逻辑与语言学习—1993,(5):38-40
"自己、人家、大家"跟指人名词组合及其结构关系	李锦望	逻辑与语言学习—1993,(5):40-42
"把OV在L"的语义、句法、语用分析	金立鑫	中国语文—1993,(5):361-366
《〈祖堂集〉被字句研究》商补	曹小云	中国语文—1993,(5):389-390
谈谈状语和定语的转换	张　虹	汉语学习—1993,(6):16-18
汉语里一种特殊的否定形式	吴继章	汉语学习—1993,(6):18-20
浅谈语句的显性信息与隐性信息	李　锉	中学语文教学—1993,(6):32-34,42
论"为"字的泛义语法结构及相关误解	刘瑞明	湖北大学学报·哲社版—1993,(6):54-60
对被动句的再认识	赵清永	北京师范大学学报·社科版—1993,(6):98-103
"是"字句、独语句魅力的逻辑解析	韦世林	云南师范大学学报·哲社版—1993,(6):146-151
汉语动词的过程结构	郭　锐	中国语文—1993,(6):410-419
毛泽东著作设问句研究	李宇明	中国语文—1993,(6):423-429
毛泽东著作中是非性反问句的反意形式	萧国政	中国语文—1993,(6):430-434,429
比字句溯源	史佩信	中国语文—1993,(6):456-461
"把"字句的一种特殊形式	吴春仙	语文月刊—1993,(7):4-5
"得"后边的成分不都是补语	何备礼	读写月报—1993,(7):11
谈谈标题中"及其"的运用	董菊初	语文建设—1993,(7):15-17
从"有疑而问"到"无疑而问":疑问句语法手段浅探	陈昌来	语言文字学—1993,(7):116-124
"潜主语"的省略	王世华	读写月报—1993,(8):4
反问句的特点和性质	萧国政	语文教学与研究—1993,(8):26-27
"一A一A"式状语的语义指向	钱　红	语文知识—1993,(8):28-29
句型分析与冒号	李玉清	语文教学与研究—1993,(8):47-48
从状语位置的变化看《提要》析句法的某些不足	李　蓬	语文教学之友—1993,(9):40
义句形象义	牟志勇	语言文字学—1993,(9):109-112
存在句与兼语句相结合的句式	宋玉柱	语文月刊—1993,(10):8
从语文课本中的一个病句谈起	王俊山	语文教学之友—1993,(10):37-38
"爱你没商量"是什么语法结构	张树铮	语文学习—1993,(12):37-38
文学中的把字句	张春荣	中国语文(台北)—1993,(427):49-55
"把字句"和它的活用	王明仁　黄丽贞	中国语文(台北)—1993,(432):22-27
鲁迅和歧义	王希杰	汉语学习—1994,(1):5-10
对称类关系与语义分析	王传经	外语研究—1994,(1):12-18
"是……的"句的歧义现象分析	张宝林	世界汉语教学—1994,(1):15-21

标题	作者	出处
祈使句主语省略的不同类型	沈 阳	汉语学习—1994,(1):21-22
难句分析三例	赵淑华 刘社会	世界汉语教学—1994,(1):22-23
是双主语句,还是主谓主主语句?	戚晓杰	青岛教育学院学报·综合版—1994,(1-2):24-26
复合句的语义	吴贻翼	外语研究—1994,(1):25-29
法律语言中的歧义现象漫谈	邢 欣	语言文字应用—1994,(1):30-31
试析汉语被动句的习得机制	周国光	世界汉语教学—1994,(1):30-36
关于"动词+名词+形容词"的同形异构现象	马继光	上海大学学报·社科版—1994,(1):40-43
"四婶"到底跟谁有关系:分析《祝福》中一个句子	戴 通	逻辑与语言学习—1994,(1):41
"得"字句札记	聂志平	齐齐哈尔师范学院学报·哲社版—1994,(1):42-49
指人名词充当主语的名词性谓语句	丁雪欢	汕头大学学报·人文科学版—1994,(1):47-52
试论状语后置	荆贵生	河南师范大学学报·哲社版—1994,(1):61-64
语句内的语义关系和语法意义	刘叔新	南开学报·哲社版—1994,(1):61-68
近代汉语中含粘合式结果补语的"把"字句	谭枝宏	语言文字学—1994,(1):66-71
《世说新语》中的判断句研究	董德志	许昌师专学报·社科版—1994,(1):67-72
语用标准:句子正误的终极标准	王艾录	山西大学学报·哲社版—1994,(1):68-71
"被"字句中的谓语动词	唐健雄	河北师院学报·哲社版—1994,(1):101-106
公文语言中OSV句式的语义分析	徐 挺	应用写作—1994,(2):9-11
一种特殊的句式:双宾兼语句	朱大南	语文知识—1994,(2):20-21
倒装句例说	童友斌	语文教学与研究—1994,(2):33
再论按结构层次关系分析,取消单句复句划分	孙良明	语言教学与研究—1994,(2):33-48
双向动词联系名词时的歧义现象	陈祖和	语文教学与研究—1994,(2):37-38
"错句正解"句辨析	侯维东	河北师范大学学报·社科版—1994,(2):43-45
现代汉语选择句研究	邵敬敏	语言教学与研究—1994,(2):49-67
谈谈"我喜欢他老实"之句式归类	段永华	汉中师院学报·哲社版—1994,(2):54-60
汉语口语的主位结构	张伯江 方 梅	北京大学学报·哲社版—1994,(2):66-75,57
领属结构的语义构成	张伯江	语言教学与研究—1994,(2):68-78
试论汉语主题的陈述性:从一种副名组合谈起	史金生	解放军外语学院学报—1994,(2):77-81,87
论歧义的制约	李 峰	新疆社科论坛—1994,(2-3):80-87
《红楼梦》把字句研究	张洪超 李庆新	徐州师范学院学报·哲社版—1994,(2):111-114
对《"功能划界说"质疑》的质疑——与李文辉韦连文同志商榷	柳士发	学术交流—1994,(2):119-121

现代汉语感叹句初探	朱晓亚	徐州师范学院学报·哲社版—1994,(2):124-127,114
关于"省略"和"隐含"	施关淦	中国语文—1994,(2):125-128,154
动词的句位和句位变体结构中的空语类	沈阳	中国语文—1994,(2):139-148
"连"字句的逆反性考察	丁雪欢	语文研究—1994,(3):23-29
含介词"把"的连动式	吴继章	逻辑与语言学习—1994,(3):42-43
主谓关系一致的三种特殊情况	夏岚	蒲峪学刊—1994,(3):49-51
动词重叠在使用中的制约因素	赵新	语言教学与研究—1994,(3):60-70
汉语受事主语句的理论透视	张云秋	齐齐哈尔师院学报—1994,(3):68-72
关于句子内容的几个问题	黄德玉	安庆师院学报·社科版—1994,(3):71-76
"有"字句研究	易正中	天津大学学报·社科版—1994,(3):74-77
主谓语句结构的哲学分析	荒冰	社会科学研究—1994,(3):80-84
"差一点"句的逻辑关系和语义结构	[日]渡边丽玲	语言教学与研究—1994,(3):81-89
关于汉语里"动词+X+地点词"的句型	徐丹	中国语文—1994,(3):180-185
现代汉语"把"字句语义分析	李子云	安徽教育学院学报·社科版—1994,(4):1-7
歧义句的辨析和分化	冯明	读写月报—1994,(4):2-4
"把"字句的语义类型	吕文华	汉语学习—1994,(4):26-28
语序不当例说	吴国臣	语文知识—1994,(4):30-31
"爱你没商量"的语法结构要商量	胡明扬等	语文学习—1994,(4):40-41
反问句的逻辑结构	辛菊	语文教学通讯—1994,(4):42-43
含"VA"结构的句子的语义分析	邢红兵	浙江师大学报·社科版—1994,(4):52-57
对"得"字句传统分析的质疑	聂志平	松辽学刊·社科版—1994,(4):65-70
和否定判断句有关的歧义现象	李大忠	中国人民大学学报—1994,(4):73-77
"把"字句的情状类型及其语法特征	王政红	南京师大学报·社科版—1994,(4):107-111
从泛义动词讨论"见"字本不表示被动——兼及被动句有关问题	刘瑞明	湖北大学学报·哲社版—1994,(5):16-23
古代汉语的使动式在现代汉语中延用	张长江 李鸿彬	语文知识—1994,(5):27
对述结式带宾语功能的探察	李小荣	汉语学习—1994,(5):32-38
疑问句的真假和预设	杨树森	学语文—1994,(5):48-49,47
范围谓语存在句	宋玉柱	语文月刊—1994,(6):8
"N+在+处所+V"句式语义特征分析	齐沪扬	汉语学习—1994,(6):21-28
动宾式动词"放手"等带宾语举例	崔山佳	汉语学习—1994,(6):63
歧义类型研究	柳广民	广西社会科学—1994,(6):92-98
汉语双宾语句的语用限制	宋玉柱	学汉语—1994,(9):18-19
歧义的类型及消除	丁毛	阅读与写作—1994,(9):23

标题	作者	出处
说说"把"字句中其状语的顺序问题	李增吉	学汉语—1994,(11):17-19
《红楼梦》病句例析:语词重复之部	黄岳洲	语文学习—1994,(11):43-45
述宾谓语句与双宾谓语句的分辨	徐洁	学语文—1995,(1):19-20
"小主语是动词性的主谓谓语句"再分析	李敏	世界汉语教学—1995,(1):21-24
主谓谓语句的范围	邢欣	新疆师大学报·哲社版—1995,(1):76-80,91
南味"好"字句	邢福义	华中师范大学学报·哲社版—1995,(1):78-85
重叠的特殊句法作用	华玉明	湖南师范大学学报·社科版—1995,(1):104-107
说使宾动词句的相关句式	彭利贞	杭州大学学报·哲社版—1995,(1):112-118
谈述宾短语带宾语的几个问题	陈垂民	暨南学报·哲社版—1995,(1):116-122
歧义产生原因与消除方法	李树德	佳木斯师专学报—1995,(2):67-71
存现句的时段语义	胡文泽	语言研究—1995,(2):100-112
"都"的语义功能与"都"字歧义句	任海波	浙江大学学报·社科版—1995,(2):101-106
现代汉语中两种主要的比较句的分析	又宁	语文研究—1995,(3):5-11
一个能分析出四种意思的歧义句	孔令达	汉语学习—1995,(3):8
"把"字句的若干句法语义问题	崔希亮	世界汉语教学—1995,(3):12-21
关于汉语里"动词+X+地点词"的句型	徐丹	语文研究—1995,(3):16-21
句中人物姓名须由人称代词替换的四种常见类型	杜永道	汉语学习—1995,(3):25
从歧义分析看句子分析法	张觉	贵阳师专学报·社科版—1995,(3):65-70
体词谓语句的范围	温锁林 郝蕾	山西大学学报·哲社版—1995,(3):66-71
"非……不……"句式初探	黄永健	深圳大学学报·人文社科版—1995,(3):70-74
试论"主+谓(单个形容词)"形容词谓语句	周有斌	淮北煤师院学报—1995,(3):118-122
V1/N2 的 N2 中的 N1 的 N2:从"请他的客"谈起	范干良	海南师院学报—1995,(3):122-124
"不能(之)鸣",还是"不能鸣(之)"试辨"否定句中代词宾语前置"规律	孙俊	汉字文化—1995,(4):25
有关介词"给"的支配成分省略的问题	齐沪扬	上海师范大学学报·哲社版—1995,(4):83-89
"V+N1+N2"的语义关系	胡华	齐齐哈尔师院学报—1995,(4):90-92
试论"A还不如B"中的"还"	唐曙霞	南京大学学报·人文哲社版—1995,(4):132-136
"紧缩"新解——简论紧缩句的性质及范围	宋仲鑫	天津师大学报·社科版—1995,(6):76-78,43
现代汉语受事主语句研究(上)	周宝宽	辽宁大学学报·哲社版—1995,(6):89-93
论歧义的制约	李峰	语言文字学—1995,(6):90-96
语言特殊现象归类例说	郑国钦	语文知识—1995,(9):29-33
主谓谓语句研究综述	汪洪澜	语言文字学—1995,(9):121-124

标题	作者	出处
"V 他(个)R"与"V 得(个)R"结构的深层比较	力 量 庄义友	语言文字学—1995,(12):96-101

书 评

标题	作者	出处
序孟柱亿《现代中国语文法》	张志公	汉语学习(延吉)—1990,(6):35-37
评介《介词问题及汉语的解决方法》	徐 丹	中国语文(北京)—1990,(6):465-473
《中国语法学史稿》日译本序	龚千炎	汉语学习(延吉)—1991,(1):14-15
深刻、新颖、实用:《汉语语法专题研究》评介	葛本仪	语文建设(北京)—1991,(1):45-46
一种既简明又严谨的汉语语法体系:《语法讲义》和《语法答问》读后	张爱民	徐州师范学院学报·哲社版—1991,(1):112-118
《语言文字理论新探》代序	朱 星	汉字文化(北京)—1991,(2):56
汉语语法变换研究的一次突破:评李临定著《汉语比较变换语法》	朱林清	南京师大学报·社科版—1991,(2):103-107
评申小龙的文化语言学理论——《汉语句型研究》读后	戴昭铭	汉语学习—1991,(3):16-21
不同系统结构的指示代词在功能上没有可比性:《指示代词的二分法和三分法》读后	洪 波	中国语文(北京)—1991,(3):192-194
《汉语语法研究史》评介	张拱贵 叶 红	南京师大学报·社科版—1991,(4):101-103,105
注意语义讲求实用的语法新著:《实用汉语参考语法》读后	郑懿德 陈亚川	中国语文(北京)—1991,(4):315-319
有所改革 有所创新——评介《提要》的析句方法	何家骥	齐齐哈尔师范学院学报·哲社版—1991,(5):77-81
新颖·系统·实用:评《新编古代汉语》	肖 楠	语言文字学(北京)—1991,(5):108-111
胡裕树教授评《汉语语法学史稿》	张 弛	《博览群书》—1991,(10):22
《现代汉语特殊句式》后记	宋玉柱	天津日报—1991,(10):30,5
《马氏文通》研究的新收获:读王海棻《〈马氏文通〉与中国语法学》	周之朗	语文建设(北京)—1991,(11):38-40
读邵敬敏《汉语语法学史稿》	戴耀晶	语文研究—1992,(1):24-25
《多功能解形说义字典》评介	江 河	绥化师专学报·社科版—1992,(1):46-48
语言的共性研究和对《马氏文通》的重新评价	戚雨村	河南师范大学学报·哲社版(新乡)—1992,(1):80-85
简明·实用·幽默——评孙也平的《趣味语法》	仲 笙	绥化师专学报·社科版—1992,(2):47-48
建设汉语自己的语法体系:读申小龙《汉语人文精神论》	孙宝镛	社会科学辑刊(沈阳)—1992,(2):153-154

标题	作者	出处
中南五省(区)协编本《古代汉语》简评	江瑞娟	佛山大学学报—1992,(3):91-98
《现代汉语特殊句式》读后	雷涛	逻辑与语言学习(石家庄)—1992,(5):32-33
汉语语法学史研究的几个问题——评邵敬敏《汉语语法学史稿》	吴继光	汉语学习—1992,(5):45-49
评邵敬敏著《汉语语法学史稿》	方经民	语文建设(北京)—1992,(7):45-48
继往开来 不断探索 继续前进——《80年代与90年代中国现代汉语语法研究》读后	赵永新	世界汉语教学—1993,(1):73-75
评邢福义《语法问题发掘集》	邵敬敏 周有斌	语言研究—1993,(1):190-193
语流语法分析的结晶:《现代汉语语法探索》读后	李铁根	东疆学刊·哲社版(延吉)—1993,(2):53-57
《汉语动词和动词性结构》读后	雷涛	天津教育学院学报·社科版—1993,(3):44-46
《中国语法学史稿》韩国语本序	龚千炎	汉语学习—1993,(3):45-47
一部独树一帜的双语教材——评马树钧主编《新汉语文教程》	邢欣	汉字文化—1993,(3):59-60
试评朱德熙先生的汉语语法研究	朱林清	南京师大学报·社科版—1993,(3):92-98
汉语断代语法史的一部力作——评《魏晋南北朝历史语法》	笪远毅	南京大学学报·哲社人文版—1993,(3):196-198
对《概数词"来"的历史考察》一文的两点补充	刘利	中国语文(北京)—1993,(3):233-234
在研究工作中找到自己:邢福义教授谈治学的"四个关系"(上)	李力祥	学语文—1993,(4):3-5
一个新视角,一片新天地——喜读《语言变异艺术》	史锡尧	修辞学习—1993,(4):42
《汉语动词和动词性结构》自序	马庆株	汉语学习—1993,(5):22-24
一部有特色的语法著作:《现代汉语特殊句式》读后	高更生	语文建设—1993,(5):41-42
精要而适用的教学语法论述——评张先亮《教学语法的特点与应用》	凌德祥	汉语学习—1993,(6):32
十年磨一剑——读《汉语集稿》有感	邵敬敏	汉语学习—1993,(6):49-50
评《现代汉语句法结构与分析》	石安石	中国语文—1993,(6):469-472
求实与创新——读黄坤尧《经典释文动词异读新探》	孙雍长	语文建设通讯(香港)—1993,(40):78-79
"动词中心"说及其深远影响:《中国文法要略》学习札记	吴为章	语言研究—1994,(1):10-20
精微深入的探索,卓然可喜的突破:评高更生《汉语语法专题研究》	文赋	青岛师专学报—1994,(1):37-40
《语法新论》序	胡裕树	复旦学报·哲社版—1994,(1):60-63

评《现代汉语特殊句式》	朱晓亚	语文研究—1994,(1):64
参禅和顿悟——读《呼唤柔性》	杨成凯	世界汉语教学—1994,(1):68-73
功在于"备",力存于"悉":读何乐士《左传范围副词》	王宁	古汉语研究—1994,(2):2-3,41
现代汉语语法研究的立场和方法透视——《语言教学与研究》15年语法研究论文评述	崔希亮	语言教学与研究—1994,(2):21-32
关于卢以纬和《助语辞》的两个问题	王克仲	古汉语研究—1994,(2):28-30
关于卢以纬和他的《助语辞》的一点说明	周定一	古汉语研究—1994,(2):31
评《超常搭配》	张钟和	修辞学习—1994,(2):48
评林洋楣《现代汉语》语法部分	孟维智 李开敏	山西大学学报·哲社版—1994,(2):82-85
《马氏文通》对汉语语法研究的贡献	葛玮	徐州师范学院学报·哲社版—1994,(2):115-118
语法研究大有可为——《汉语动词和动词性结构》读后	项开喜	语文建设—1994,(3):37-38
《诗经句法研究》评价	王作新	宜昌师专学报—1994,(4):52-53
运用变换理论的先驱:《中国文法要略》学习札记之二	吴为章	汉语学习—1994,(5):7-14
《汉语助词论》序	黄伯荣	汉语学习—1994,(5):55
植根于泥土生发于事实:《邢福义自选集》读后	郑贵友	汉语学习—1994,(5):59-61
《汉语文法学》理论体系简介	李富林	学语文—1994,(6):36-37
对《语法提要》的一些改进意见	常枫	齐齐哈尔师院学报—1994,(6):71-73,57
读邢福义主编《现代汉语》	史有为	中国语文—1994,(6):466-469
《汉语动词和动词性结构》读后	邵敬敏 朱晓亚	中国语文—1994,(6):470-473
读马庆株《汉语动词和动词性结构》	尹世超	语文研究—1995,(1):35-39
古代汉语虚词研究的重大突破:评何金松《虚词历时词典》	陈克炯	中南民族学院学报·哲社版—1995,(1):90-95
动词研究方法上的突破:评《汉语动词和动词性结构》	邢欣	语言教学与研究—1995,(2):68-73
和谐与严谨:评《肯定和否定的对称与不对称》	吴明华	语言研究—1995,(2):113-116
读《语法讲义》献疑	宋玉柱	汉语学习—1995,(3):9-12
论黄、廖《现代汉语》(修订本)的语法体系	孙建强	兰州大学学报·社科版—1995,(3):132-137
现代汉语语法深入研究的重要探索:评《现代汉语语法问题研究》	陈瑶	华中师范大学学报·哲社版—1995,(5):125-127

修辞、写作、翻译

论比喻的情感内涵	江　　南	徐州师范学院学报·哲社版——1990,(3):121-124
关于数量词中间插入形容词的作用	宋　维　镒	语言与翻译(乌鲁木齐)——1990,(4):31-33
侯宝林相声幽默语段的构成特点	杜　永　道	语文建设(北京)——1990,(4):52-53
修辞就是语言材料的综合选配	许　钦　承	河南大学学报·哲社版(开封)——1990,(5):99-104
比喻论证的再探索	乐　　鸣	逻辑与语言学习(石家庄)——1990,(6):9-13
也谈"反复"辞格	周　自　厚	逻辑与语言学习(石家庄)——1990,(6):38-40
中学语文教材中拟声词的修辞功能	曹　津　源	北京师范大学学报·社科版——1990,(6):109-111
弦外之音细品味	骆　道　书	语文教学与研究(武汉)——1990,(11):33-34
说"避复"	张　　鹄	中学语文教学(北京)——1990,(11):39-41
文言文中的借代探索	郑　鸿　乔	语文知识(郑州)——1990,(11):42-44
修辞现象和它的左邻右舍	谭　永　祥	语文月刊(广州)——1990,(11-12):19-20
你乘过"四路"电车吗："避讳"拉杂谈	宗　廷　虎	语文月刊(广州)——1990,(11-12):21-22
代词修辞术举隅	曾　毅　平	语文月刊(广州)——1990,(11-12):22-24
略谈对联的语言艺术	周　义　芳	语文月刊(广州)——1990,(11-12):78-79
字形修辞说略	黄　　元	语文教学与研究(武汉)——1990,(12):5
首尾照应中的辞格运用例说	曹　津　源	语文知识(郑州)——1990,(12):37-38
"跳板"与"咽喉"：谈词的比喻用法与比喻义	黄　书　洪	语文知识(郑州)——1990,(12):42-44

汉语修辞、风格

古文中的语句省略	李　运　富	语言研究(武昌)——1990,(2):86-91
言外意和言内意的语义关联性	李　昌　年	江西教育学院学报·综合版(南昌)——1990,(4):33-40
试论张天翼小说的语言艺术	杨　晓　黎	安徽大学学报·哲社版(合肥)——1990,(4):67-72,80
对偶与汉文化	李　海　侠	汉语学习(延吉)——1990,(6):33-35
"异"味深长的谐音仿词	黄　知　常	语文学习(上海)——1990,(12):36
六种隐语趣谈	张　思　重	语文学习(上海)——1990,(12):37-38
望文也可生义："直释"修辞浅探	萧　　晔	语文学习(上海)——1990,(12):38-39
关于修辞原则的一些问题	宗　世　海	语言文字学(北京)——1990,(12):119-123
"慎辞哉"！	刘　　金	修辞学习(上海)——1991,(1):1-2
修辞的准确性	彭　泽　润	修辞学习(上海)——1991,(1):2-3
变异修辞的神韵美	骆　小　所	修辞学习(上海)——1991,(1):4-5
略谈《文心雕龙》修辞基本理论	林　其　琰	修辞学习(上海)——1991,(1):5-6

标题	作者	出处
也谈语法修辞结合问题	张先亮	修辞学习(上海)—1991,(1):8
艺术化语言标志着语法、修辞的结合	邹光椿	修辞学习(上海)—1991,(1):11
小议"病例"修辞	易蒲	修辞学习(上海)—1991,(1):11-12
构造言外之意的逻辑方法和语言技巧	杨哲昆	逻辑与语言学习(石家庄)—1991,(1):14-15
比喻构词略说	袁志宏	中文自修—1991,(1):15-16
为喻而引　引中含喻——引用和比喻兼用现象例说	程春明	中文自修—1991,(1):16
广告修辞新格三例	何新祥	应用写作—1991,(1):22-23
关于辞格研究	阮显忠	修辞学习(上海)—1991,(1):23-24,30
单字格的妙用	陈思义	文秘—1991,(1):24
万绿纷呈　美不胜收:形容词状绿艺术类说	曹津源	语文知识(郑州)—1991,(1):24-27
空设手法初探	吴艳	修辞学习(上海)—1991,(1):25
略说喻体的褒贬异用	侯家序	语言美(昆明)—1991,(1):25②
"设难"修辞例话	丁如泉 袁连顺	语言美(昆明)—1991,(1):25②
讽刺效果从何来	尚庆学	语言美(昆明)—1991,(1):25③
雅称妙喻说花卉	鹤翔	语言美(昆明)—1991,(1):25④
广告写作的修辞艺术	许占方	文秘—1991,(1):25-27
分合双关说略:上海《文汇报》运用双关的新发展	周文定	修辞学习(上海)—1991,(1):26-27
"巧错"浅谈	史荣光	修辞学习(上海)—1991,(1):28
"雪""花"互喻例举	孙正龙	语文知识(郑州)—1991,(1):29
鲁迅演讲的幽默艺术	傅惠钧	修辞学习(上海)—1991,(1):29-30
刻意创新　又翻妙喻:也谈标点符号设喻	张剑	语文知识(郑州)—1991,(1):30-31
匀称回环之美:谈《独白》的语言特色	袁本良	修辞学习(上海)—1991,(1):31-32
《红楼梦》中谐音双关的人名地名	谢书鹏	修辞学习(上海)—1991,(1):32-33,22
博喻的修辞作用	唐嗣德	语文知识(郑州)—1991,(1):32-34
浅谈现代汉语的借喻用法	李秀	语文学刊(呼和浩特)—1991,(1):33-34
《岳阳楼记》语言艺术	刘效武	修辞学习(上海)—1991,(1):34
"本体和喻体必须不同类属"异议	刘少强	语文教学与研究—1991,(1):38
修辞和"漏洞"	王希杰	修辞学习(上海)—1991,(1):40-41,39
情趣与语境	祝敏青	修辞学习(上海)—1991,(1):42-43
审美注意与设问反问	吕华信	修辞学习(上海)—1991,(1):44
"谎言"美:闲话功能假信息	谭永祥	逻辑与语言学习(石家庄)—1991,(1):44-46
语体转换	杜永道	修辞学习(上海)—1991,(1):46
联合比喻的结构形式初探	范文斌	松辽学刊·社科版—1991,(1):47-49
论"偶"	夏荷	湖北教育学院学报·哲社版—1991,(1):58-67

标题	作者	出处
略论变异修辞语言产生的心理基础及其美学意义	骆小所	北京师范学院学报·社科版—1991,(1):59-64
"合说"辞格释例	梁临川	苏州大学学报·哲社版—1991,(1):60
辞格群刍议	庄关通	镇江师专学报·社科版—1991,(1):60-63
比喻的情感色彩	丁秀菊	文科教学—1991,(1):67-72
修辞分析与期刊分类	张嘉星	青海民族学院学报·社科版—1991,(1):69-71
外来句式修辞功能述略	董广枫	喀什师范学院学报—1991,(1):72-75
辞规中的"数量对应":对量	周世烈	营口师专学报·哲社版—1991,(1):78-81
辞规中的"类比"和"省言"	陆文耀	营口师专学报·哲社版—1991,(1):82-87
一种常见的一般性修辞方式:比照	车竞	营口师专学报·哲社版—1991,(1):88-93
顺序铺陈:修辞辞规之一	姚汉铭	营口师专学报·哲社版—1991,(1):93-96
互文说略	徐远水	江西大学学报·社科版(南昌)—1991,(1):94-97
总提分述:暂拟"辞规"之一	缪树晟	营口师专学报·哲社版—1991,(1):96-99
姑妄格	王希杰	营口师专学报·哲社版—1991,(1):99-102
"消极修辞"研究大有可为	潘庆云	淮北煤师院学报·社科版—1991,(1):100-105
有韵的对联	陈家铨	龙门阵—1991,(1):108-110
说"撒盐空中差可拟"	沈玉成	文史知识—1991,(1):112-113
虚实相生,传神逼真:夸张修辞格探微	黎平	广西教育学院学报·综合版—1991,(1):114-117
修辞学:年代之交的审视与选择	骆小所 童山东等	语言文字学(北京)—1991,(1):118-128
"比喻"定义质疑	王政伟	语言文字学(北京)—1991,(1):129-130
类比格初探	李郁章	语言教学与研究(北京)—1991,(1):147-154
谈"以人代物"	孙汉洲	学语文(芜湖)—1991,(1):封三
论修辞学的新旧两种本体假设	刘大为	修辞学习(上海)—1991,(2):2-4
辞格研究之我见	邵敬敏	修辞学习(上海)—1991,(2):5-7
"比喻""比拟"同格说	崔绍范	内蒙古民族师院学报·哲社版—1991,(2):7-11
改变词序与语言表达	刘明明	语文知识(郑州)—1991,(2):10-11
英国法学家丹宁的法律文书修辞评析	潘庆云	修辞学习—1991,(2):12-14
谈听觉语言文字稿的修辞	唐书林	修辞学习(上海)—1991,(2):14-15
推销语言艺术谈片	莫守敏	修辞学习(上海)—1991,(2):15-17
比喻四法:也谈比喻的定义和分类	聂焱	固原师专学报—1991,(2):16-21
博喻广譬 妙用无穷:试论"比"在先秦的嬗变与演进	贾东城	河北师范大学学报·社科版(石家庄)—1991,(2):17-21
话语潜在信息浅说	孙青艾	修辞学习(上海)—1991,(2):18-19
愿您笑口常开——辞格与相声语言艺术	周义芳 周丽伽	阅读与写作—1991,(2):18-19
语言的魔术:颠倒词序的修辞效果	朱卫文	中学语文(武昌)—1991,(2):18-20
句群修辞三题	刘子智	修辞学习(上海)—1991,(2):20-21
眼句:《孟子》篇章修辞的特色	李丹青	修辞学习(上海)—1991,(2):22-23

试拟"藏义"修辞格	卫东涛	河北师范大学学报·社科版(石家庄)—1991,(2):22-24
意思组合原理初探	张恩普	蒲峪学刊—1991,(2):23-27
象棋术语妙用拾零	张位东	语言美(昆明)—1991,(2):25④
慎用古典	陈仁发	语言美(昆明)—1991,(2):25④
"互文"与"互体"	刘桥国	语文知识(郑州)—1991,(2):26-27
后置状语的修辞作用	杨振义	语文知识(郑州)—1991,(2):27-28
新典	谭永祥	修辞学习(上海)—1991,(2):29-31
色彩描写的表情达意功能	郑昌时	语文知识(郑州)—1991,(2):30-32
顶喻	张剑	修辞学习(上海)—1991,(2):31-32
仿拟新篇	张大友	修辞学习(上海)—1991,(2):32-34
谈"舛互"新格的名称和定义:兼与谭永祥同志商榷	孙孟明	语文知识(郑州)—1991,(2):32-34
对偶与对联	日行	中文自修—1991,(2):35
巧用反复 幽默形象	邓志刚	语文月刊(广州)—1991,(2):35-36
借对与双关	潘怀骥	修辞学习(上海)—1991,(2):35-36
修辞评改例话	蔚群	修辞学习—1991,(2):39
构成幽默言语的修辞方法	吴土艮	修辞学习(上海)—1991,(2):40-41
试论比喻的构成基础	赵家新	昭乌达蒙古族师专学报·汉文哲社版—1991,(2):40-48,31
浅谈朱自清笔下的博喻	洪志超	贵州民族学院学报·社科版—1991,(2):41-42
汉语新词语中的修辞方法	马林芳	逻辑与语言学习(石家庄)—1991,(2):43-44
钱钟书对修辞现象的阐释	张炼强	中学语文教学(北京)—1991,(2):44-45
一则让人放心的广告	孔令达	汉语学习(延吉)—1991,(2):45-46
"错综"新语	胡铁军	中学语文教学(北京)—1991,(2):45-48
论《红楼梦》后四十回的语言艺术美	王基	红楼梦学刊(北京)—1991,(2):55-77
论幽默与幽默语修辞	姚仲明	中南民族学院学报·哲社版(武汉)—1991,(2):68-71
"仿拟"种种	周廉溪	青岛师专学报—1991,(2):71-74
修辞例话二则	张劲秋	安徽教育学院学报(合肥)—1991,(2):78-81
借喻与借代的判定规则	王小心 周宁	营口师专学报—1991,(2):78-81
试论说理文中的比喻艺术	唐静玲	西藏民族学院学报·社科版—1991,(2):84-90
广告辞格略论	阎杰	黑龙江财专学报—1991,(2):94-97
略论口语修辞的几个特点	陈晨	扬州师院学报·社科版—1991,(2):96-100
修辞贵"相宜"	吴新华	扬州师院学报·社科版—1991,(2):101-104
郭沫若楹联的修辞技巧	王中安	河南大学学报·社科版(开封)—1991,(2):107-110
汉译佛经中的"比喻造词"	梁晓虹	暨南学报·哲社版(广州)—1991,(2):119-122,136
修辞学的现实和理想	王希杰	修辞学习(上海)—1991,(3):2-5

标题	作者	出处
现状方法及其它	李嘉耀	修辞学习(上海)—1991,(3):6-8
比喻与说教	[新加坡] 刘延陵	修辞学习(上海)—1991,(3):8-9
用借代修辞格美化新闻标题	郭向星	新闻与成才—1991,(3):9-10
停顿与口语修辞	傅远碧	修辞学习(上海)—1991,(3):10-11
想象性喻体简说	梅德平	语言美(昆明)—1991,(3):10③
幽默审美中的定向注意	林华东	修辞学习(上海)—1991,(3):12-13
从语义和信息的演变看修辞同语境的关系	王殿珍	修辞学习(上海)—1991,(3):14-15
高校现代汉语修辞教学向何处去	张德明	修辞学习(上海)—1991,(3):16-17
文言文教学要多一点修辞眼光	本良	修辞学习(上海)—1991,(3):18-19
有趣的缩略语	宗廷虎	学语文(芜湖)—1991,(3):18-19
超常修辞新探	冯德骥	中学语文(咸宁)—1991,(3):23-24
"无标点文字"不否定标点符号存在的价值:关于《标点符号的客观基础及其修辞作用》的质疑	曹石珠	修辞学习(上海)—1991,(3):24-25
移就修辞格的另一种形式——对《移就修辞格的理解与翻译》的一点补充	李树德	中国翻译—1991,(3):25
象征手法的"明征"与"暗征"	尚庆学	语言美(昆明)—1991,(3):25②
标题中的修辞美	赵升奎	语言美(昆明)—1991,(3):25②
这种探索很有意义:读《汉语风格探索》	倪宝元	修辞学习(上海)—1991,(3):27
修辞学史园地里的一朵鲜艳的新葩:喜读《汉语修辞学史》	徐炳昌	修辞学习(上海)—1991,(3):28-29
"长短扩开句"的修辞方式与作用	王志喜	修辞学习(上海)—1991,(3):32-33
从比喻到隐喻	糜国梁	修辞学习(上海)—1991,(3):34-35
比喻的形式描写	张国梁	修辞学习(上海)—1991,(3):36-37
"借代"格"对代"方式研究	孙彦章	天津教育学院学报·社科版—1991,(3):36-38
几种特殊形式的比喻	王政伟	语文研究(太原)—1991,(3):39,21
奇巧的比喻 诙谐的格调:《围城》语言特色点滴	叶君伊	修辞学习(上海)—1991,(3):39-40
仿词浅谈	周玉才	阅读与写作—1991,(3):40
八十年代修辞与题旨情境关系研究综述	周虹	修辞学习(上海)—1991,(3):41-42
排比与层次、标点、语气的关系	金钟 韩明	中学语文教学(北京)—1991,(3):41-43
多次连续反复的修辞功能	曹津源	语文知识(郑州)—1991,(3):41-43
汉语爱情比喻的伦理特色	田荔枝	修辞学习(上海)—1991,(3):43-44

设问——在公文写作谋篇上的修辞作用	张保忠	秘书—1991,(3):45
谈仿拟修辞	郑光玖	中学语文(咸宁)—1991,(3):45-46
划拳行酒交际言语的修辞效应	孟建安	修辞学习(上海)—1991,(3):45-47
点化说略	郑超	语文知识(郑州)—1991,(3):46-48
"同词异序"修辞法	俞敦雨	逻辑与语言学习(石家庄)—1991,(3):47-48
"同异"格的修辞效果	张学彬	语文知识(郑州)—1991,(3):49
修辞与语言关系二题	窦融久	东北师大学报·哲社版(长春)—1991,(3):74-78
名、实与修辞	张炼强	北京师范学院学报·社科版—1991,(3):93-99
衬托种种	徐炳昌	扬州师院学报·社科版—1991,(3):102-106
革新:修辞学完成科学化的必由之路	齐沪扬	淮北煤师院学报·社科版—1991,(3):103-109
题词的语言美	刘学明	语文知识(郑州)—1991,(4):2-3
谈文字狱对文字的曲解	王君敏	语文知识(普通话)—1991,(4):7-8
绰号与修辞	宗廷虎	语文月刊(广州)—1991,(4):9-10
一种特殊的修辞方式——切脚	刘廷武	语言美(昆明)—1991,(4):10②
"异呼"修辞功能例说	曹津源	语言美(昆明)—1991,(4):10③
"喻"之外的"二柄"现象	谭永祥	语文月刊(广州)—1991,(4):11,13
喻体的延伸	刘正国	修辞学习(上海)—1991,(4):11-13
对待式并列复句的修辞偏义现象	张炼强	语文月刊(广州)—1991,(4):12-14
先秦比喻名称溯源	刘成刚	修辞学习(上海)—1991,(4):13-15
量词的形象美:略谈"月亮"量词	刘永绥	语文月刊(广州)—1991,(4):14
刍议公文写作中的修辞特点	胡淑莉	应用写作—1991,(4):14-15
富有个性的广告语言	甘于恩	语文月刊(广州)—1991,(4):15
引语的奥妙	熊蕾	中国记者—1991,(4):15-16
比喻审美的层次	韩玉民	修辞学习(上海)—1991,(4):15-16
漫谈新闻中的模糊修辞	赵建莉	阅读与写作—1991,(4):15-17
分疏式谎言析论	胡范铸	修辞学习—1991,(4):17-18
妙喻生辉	徐小江	语文学习(上海)—1991,(4):18-19
充分条件假言推理不正确形式在理论中的开导作用	何大中	修辞学习—1991,(4):19-20
演讲修辞漫谈	[美]艾伦R·R·等著 林大榕译	修辞学习(上海)—1991,(4):20-22
从句群方面看语修结合论	吴为章	修辞学习(上海)—1991,(4):22-23
欲得周郎顾 时时误拂弦:试谈修辞中的故错现象	孙汉洲	学语文(芜湖)—1991,(4):24-26
人物命名修辞例略	徐昌才	语言美(昆明)—1991,(4):25③
"哭"字巧用谐趣多	仇高汝	语言美(昆明)—1991,(4):25④
浅论夸张	周延云	青岛师专学报—1991,(4):25-26

标题	作者	出处
妙境只在一转换间:谈较喻	张国瑞	语文知识(郑州)—1991,(4):25-28
特异称谓与修辞	盛林	学语文(芜湖)—1991,(4):26-28
变序复句的修辞作用	于树泉	修辞学习(上海)—1991,(4):29-30
广告与修辞	陈晴	语文知识(郑州)—1991,(4):30-32
"曲解"说趣	胡星林	语文知识(郑州)—1991,(4):33-35
层递种种	唐嗣德	语文知识(郑州)—1991,(4):35-37
移情	陈仁发	语文知识(郑州)—1991,(4):38-39
常用辞格辨析法	濮侃	中文自学指导—1991,(4):39-41
时空的表达和修辞	张炼强	修辞学习(上海)—1991,(4):41-43
以图形表示意义:从"田田的叶子"说起	阮显忠	语文建设(北京)—1991,(4):43-44
诗的隐喻	张闳	文艺理论研究—1991,(4):44-47
深奥的比喻	许烨	语文学习(上海)—1991,(4):45-46
比喻分类新说	陈兆奎	盐城教育学院学报—1991,(4):45-47
反比的运用	唐嗣德	中学语文(武昌)—1991,(4):46
试论"盟誓"修辞法	杜桂林	宁夏大学学报·社科版—1991,(4):49-54
说"同素连用"	冯广艺	济宁师专学报·社科版—1991,(4):67-70
比喻的民族特色	黄得莲	青海民族学院学报·社科版—1991,(4):76-79,75
"集句"修辞格初探	邹光椿	济宁师专学报·社科版—1991,(4):77-78,51
词义的比喻引申	黄荣发	安庆师范学院学报·社科版—1991,(4):88-93
《呐喊》《彷徨》中运用句式的艺术	立芬	锦州师院学报·哲社版—1991,(4):103-107,79
近代修辞学史略说	戴婉莹	海南师范学院学报(海口)—1991,(4):110-115
从《中国修辞学的变迁》到《中国修辞学史稿》:评郑子瑜教授的修辞学史研究	张雪涛	北京大学学报·哲社版—1991,(4):112-117
论"排偶"辞格的构成基础	张先亮	浙江师大学报·社科版—1991,(4):115-118
浅谈数词的修辞作用	文镜容	语言文字学(北京)—1991,(4):136-142
借喻与交义——试解一组最古的歌词	陶丹	社会科学战线—1991,(4):304-306
修辞不当的三种常见类型	汤亚琴	读写月报—1991,(5):3
质离格	王希杰	学语文—1991,(5):3-4
"歪打正着"——辞格逻辑二则	俞秋心	逻辑与语言学习—1991,(5):5-7
市容语言修辞初探	王国娟	学语文—1991,(5):5-7
关于辞格	邢福义	中文自学指导—1991,(5):29-30
谈谈"借代"的方式	章握瑜	中文自修—1991,(5):32-33
《围城》的隐喻及主题	赵一凡	读书(北京)—1991,(5):33-41
语言中常见的笑话	杨学良	语文月刊(广州)—1991,(5):42
喜笑怒骂皆文章:"粗话"别用	邓建烈 查德贵	语文学习(上海)—1991,(5):42-43

标题	作者	出处
"老方→方老"与"杜老→杜老弟":词缀"老"色彩谈	胡习之	逻辑与语言学习(石家庄)—1991,(5):42-43
中西诗学中的镜子隐喻	乐黛云	文艺研究—1991,(5):42-47
修辞学园地的又一朵新葩:简评《中国现代修辞学史》	王建华	语文建设(北京)—1991,(5):43-45
拆字趣谈	易志仲	语文月刊(广州)—1991,(5):44-45
摹绘小议	学武	语文知识(郑州)—1991,(5):50-51
古汉语句子成分存略的修辞作用	张学贤	语言文字学(北京)—1991,(5):104-108
重读《语法修辞讲话》	胡双宝	语文建设(北京)—1991,(6):4-5
陈望道和中国修辞事业的发展与繁荣:纪念陈望道诞辰100周年	吴士文	北京师范大学学报·社科版—1991,(6):6-10
仿句	唐辰	语文月刊(广州)—1991,(6):9-10
先秦散文中的比喻——兼述诗情领悟式的思维方式	戴培庆	文史知识—1991,(6):11-15
从"冤家结痴情"说到"顿顿吃冬瓜"——谈反话	宗廷虎	学语文(芜湖)—1991,(6):21-22
试谈司法文书的修辞	张泽	应用写作—1991,(6):30-31
并及式谎言初探	胡范铸	中文自学指导—1991,(6):35-37
"错话"的修辞作用	尤佩玉 谢仁富	中学语文—1991,(6):39-40
浅谈定名结构比喻的语法特点及修辞功能	傅雪元	逻辑与语言学习(石家庄)—1991,(6):46-48
新闻标题中人名的借用	冯根良	语文知识(郑州)—1991,(6):53-54
褒义、贬义词在搭配中的方向性	郭先珍 王玲玲	中国人民大学学报(北京)—1991,(6):96-100
汉译《静静的顿河》的物有修辞手法	刘驾超	湖南师范大学社会科学学报(长沙)—1991,(6):100-103
"修辞"源流浅说	王培基	语言文字学(北京)—1991,(6):121-127
划分比喻类型的新尝试	魏成春	学术交流—1991,(6):133-136
"兄弟"为何是"友于"?——谈古汉语"藏语"修辞格	喻炳新	读写月报—1991,(7-8):7-9
"博喻"例说	夏俊山	语文知识(郑州)—1991,(7):26-27
"象征""比喻"说同析异	周章轼	中学语文教学参考(西安)—1991,(7):27-28
"补正"的修辞功能	曹津源	语文知识(郑州)—1991,(7):28-29
比喻的艺术欣赏	郑昌时	语文知识(郑州)—1991,(7):30-32
"世界杯"足球赛新闻标题中的修辞	冯汝汉	语文知识(郑州)—1991,(7):32-35
比喻中本、喻体的相似性	卢映群	语文教学与研究(武汉)—1991,(7):34-35
谜语与修辞	徐敬德	语文知识(郑州)—1991,(7):35-37
比喻词群:汉语词汇中的一簇奇花	陈瑞衡	中学语文教学(北京)—1991,(7):40-43
对联中回环辞格的妙用	王福利	阅读与写作—1991,(7):封三

"断取"载体的"陌生化"	谭永祥	语文月刊(广州)—1991,(8):5-6
非区别性定语的修辞作用	汪树福	语文月刊(广州)—1991,(8):6-7
人体器官的借指和比喻	汪传华	中学语文—1991,(8):15-16
移嫁新格浅说	冯德骥	中学语文(武汉)—1991,(8):32-33
奇巧妥帖　生动形象——浅谈对联中的比喻	马雪松	读写月报—1991,(9):1-2
描写书法的比喻	彭正公	语文月刊—1991,(9):8
含蓄漫笔	刘雅俊 马若痴	中学语文教学参考—1991,(9):13-14,16
迷人·感人·启人——散文诗的博喻	徐绍仲	中学语文—1991,(9):24-25
辞格的综合运用——连用·兼用·套用的辨析	张东辉	中文自修—1991,(9):25-27
"异呼"修辞功能例说	曹津源	语文教学之友(廊坊)—1991,(9):26
叹词非主谓句的艺术效果	刘丹	语文教学与研究(武汉)—1991,(9):32
量词修辞例话	郑昌时	语文知识(郑州)—1991,(9):42-45
谈"新拟"的修辞作用	高军	语文知识(郑州)—1991,(9):47-49
诗歌中的隐喻结构及其功能	何锐	诗刊—1991,(9):51-56
从细微的静态分析到多角度的动态研究:濮侃的修辞研究	王永德	语言文字学(北京)—1991,(9):130-134
"用歧"修辞格	谭永祥	阅读与写作—1991,(9):封三
反对"乱形容"	宗廷虎	语文月刊(广州)—1991,(10):6-7
仿拟得失小议	徐国珍	语文月刊(广州)—1991,(10):8
唐诗中的博喻	彭正公	语文月刊(广州)—1991,(10):8-9
词的修辞义和构词的修辞方法	白荃	语文月刊(广州)—1991,(10):9-10
汉字双关	王希杰	中文自修—1991,(10):26
广告修辞及其他(下)	陈良锡	语文月刊(广州)—1991,(10):38-39
试谈量词的修辞功能:兼答金兴甫先生	陆建中	语文学习(上海)—1991,(10):39-40
比喻中的水	王铁年	语文学习(上海)—1991,(10):40-41
谈谈诗歌的倒装	李玉清	中学语文教学—1991,(10):43-45
词语的音义形关联——词语用法二谈	卢卓群	中学语文—1991,(10-11):81-83
互文掇英	刘锡山	中学语文—1991,(10-11):93-94
言此意彼　委婉含蓄——对联中的"语义双关"	马雪松	读写月报—1991,(11):1-3
数词连用的语言艺术	周义芳	语文知识(郑州)—1991,(11):2-6
设喻贵在"精""美""妙"	孙士英	读写月报—1991,(11):3-5
含糊语义在小说中的妙用	王鸿杰	语文月刊(广州)—1991,(11):9
化用和修辞———一种新辞格初探	高斌	阅读与写作—1991,(11):21-22
ABB式叠字的妙用	吴斧平	写作(武汉)—1991,(11):25

浅谈同语修辞格	王 明 瑞	语文教学之友(廊坊)—1991,(11):30-32
拟物修辞的特点及作用	胡 钟 业	语文教学通讯(临汾)—1991,(11):34-35
摹形说略	高 承 杰	中文自修—1991,(11):41-42
现代修辞学:由潜科学到显科学的跃升	曾 毅 平	语言文字学(北京)—1991,(11):132-137
叠音的修辞妙用	杨 鼎 夫	语文月刊(广州)—1991,(12):7-8
"类比"重在"类""喻证"重在"喻"	马 茂 书	读写月报—1991,(12):7-8
说说"藏词"	金 仁 奎	语文知识(郑州)—1991,(12):32-33
关于骈句、联句、对偶、对仗	房 树 钧	语文教学之友—1991,(12):32-34
比喻和寓言之异同	李 兆 平	语文教学与研究(武汉)—1991,(12):38
套用与翻新	韩 敬 体	语文建设(北京)—1991,(12):41
革新:修辞学科学化的必由之路	濮 侃 齐 沪 扬	修辞学习(上海)—1992,(1):4-6
修饰、偏正结构与欺骗	凡 之	修辞学习(上海)—1992,(1):15-16
言语行为与修辞学的体系构想	刘 大 为	修辞学习(上海)—1992,(1):7-10,43
《围城》的比喻艺术	石 在 中	语文教学与研究(武汉)—1992,(1):16-17
韩愈《与孟东野书》修辞偶疏	郑 子 瑜	修辞学习(上海)—1992,(1):17-18
借喻略说	姚 永 铭	语文知识(郑州)—1992,(1):20-23
不同角度的比喻方式	孙 孟 明	语文知识(郑州)—1992,(1):26-27
钱钟书《宋诗选注》中的比喻	潘 怀 骥	修辞学习—1992,(1):26-27
人名结构与社会历史文化的关系	郑 宝 倩	语文研究—1992,(1):26-31
谈通感及其分类	王 明 瑞	修辞学习—1992,(1):28
象征手法巧拙谈	徐 福 汀	修辞学习—1992,(1):30
趣谈双蝉式顶真	梅 德 平	语文知识(郑州)—1992,(1):31-32
惯用语的修辞性能	陈 光 磊	修辞学习(上海)—1992,(1):37-38
修辞与思维训练	李 廷 扬	中学语文教学(北京)—1992,(1):38-40
修辞与鉴赏中的语境参与律	李 苏 鸣	修辞学习(上海)—1992,(1):40-41
漫谈幽默	徐 左 臣	语文学习—1992,(1):41-42
比喻,还是类比	孙 彦 青	语文学习—1992,(1):42-43
当代中国汉语人文研究的兴起及其历史原因和发展趋势	张 国 扬 苏 新 春	汉字文化—1992,(1):42-49
修辞现象分类综述	李 运 富	修辞学习(上海)—1992,(1):44-45
语言习得研究概述	温 晓 虹 张 九 武	世界汉语教学(北京)—1992,(1):45-48
"双饰"修辞格	谭 永 祥	逻辑与语言学习(石家庄)—1992,(1):45-48
口语修辞领域的可贵探索	李 金 苓 小 渝	修辞学习(上海)—1992,(1):46
"借音析字"、"谐音双关"及其他	姜 剑 云	绥化师专学报·社科版—1992,(1):51-54
略论黎锦熙的修辞理论和实践	秦 旭 卿	湖南师范大学社会科学学报(长沙)—1992,(1):53-56

标题	作者	出处
语言文化研究的四个层面	陈月明	宁波大学学报·人文科学版—1992,(1):53-58
以问作答的答话量及其表达作用	张炼强	营口师专学报·哲社版—1992,(1):56-61
拈连的结构和范围:兼谈拈连的辨识	周永惠	四川师范学院学报·哲社版(南充)—1992,(1):57-62
思维功能与文章建构	马怀忠	齐鲁学刊—1992,(1):58-63
并列承代与并列省代	周世烈	营口师专学报·哲社版—1992,(1):62-68,55
从两个修辞用例的归属看双关和仿词	金慧萍	宁波师院学报·社科版—1992,(1):64-65
ABAC结构的修辞功能	潘攀	江汉大学学报·社科版—1992,(1):68-71
条件辞规表示法探索	姚汉铭 戴绚	营口师专学报·哲社版—1992,(1):69-75
辞规"录别"简介	陆文耀	营口师专学报·哲社版—1992,(1):76-78
浅论"无标情绪语"的艺术修辞美	曾毅平	延安大学学报·社科版—1992,(1):82-86
文艺修辞学与诗歌修辞	罗淑芳	河北大学学报·哲社版—1992,(1):82-89
汉语的文化特征与汉民族修辞学传统	申小龙	云南民族学院学报(昆明)—1992,(1):84-90
关于口语修辞学建构的设想	夏中华	锦州师院学报·哲社版—1992,(1):115-120
连续借代法	马蹄声	语文月刊(广州)—1992,(2):7
五官感觉的互相沟通:说"通感"	宗廷虎	语文月刊(广州)—1992,(2):9-10
"会意"修辞格	谭永祥	语文月刊(广州)—1992,(2):10-11
商品命名的艺术	甘于恩	语文月刊(广州)—1992,(2):12
"博喻"例说	王友军	学语文(芜湖)—1992,(2):13-14
双关和歧义 曲解与误解	王希杰	阅读与写作—1992,(2):17-18
人体词语的引申用法	戴耀晶	修辞学习(上海)—1992,(2):19-20
"不是"不是"不是":"先抑后扬句"说略	王志喜	修辞学习(上海)—1992,(2):21
谜一样的"藏词"	曹金兴	修辞学习(上海)—1992,(2):22-23
"内视点"及其修辞作用:修辞科学基本概念新探索之一	王中和	盐城教育学院学报—1992,(2):22-26
汉民族若干文化心理素质在汉语语词中的表现	徐静茜	湖州师专学报·哲社版—1992,(2):22-28
"宝玉,宝玉,你好——":略说"省略"与"跳脱"	邹光椿	修辞学习(上海)—1992,(2):24-25
夸张的艺术	宗廷虎	学语文(芜湖)—1992,(2):25-26
谐谑语言的功力	罗英超	语文月刊(广州)—1992,(2):26
"舛互"的"是"与"非"——兼答孙孟明同志	谭永祥	修辞学习—1992,(2):26-27
试谈新格"舛互"的定名	孙孟明	修辞学习—1992,(2):27
与王希杰先生商兑	范之	修辞学习—1992,(2):28
人物通讯中比喻的运用	颜达庆	新闻与写作—1992,(2):29
浅谈量词的修辞功能	梁关	汉语学习(延吉)—1992,(2):29-31

谈方言修辞	王永鑫	汕头大学学报·人文科学版—1992,(2):35-38
事物异名与民俗文化、修辞学关系浅谈	史宝金	修辞学习(上海)—1992,(2):38-39
超常搭配的分布和功能	冯广艺	绥化师专学报·社科版—1992,(2):38-41
口语中的追加修辞	冯广艺	语文学习(上海)—1992,(2):40-41
修辞立诚与无病呻吟	石云孙	修辞学习(上海)—1992,(2):40-41
幽默与辞格	纪玉香	修辞学习(上海)—1992,(2):42-43
是设问呢还是反问	秦玉鹏	逻辑与语言学习(石家庄)—1992,(2):45
略说"假设用喻"	高霭亭	语文知识(郑州)—1992,(2):46-47
略论夸饰等辞格的美学特征:兼及美与修辞的关系	谭玉良	四川师范学院学报·哲社版(南充)—1992,(2):51-59
关于修辞学研究对象的争论	王培基	青海社会科学—1992,(2):65-68
对偶的曲折演变	于广元	扬州师院学报·社科版—1992,(2):65-70
论《聊斋志异》的语言艺术	岳东升	济宁师专学报—1992,(2):71-75
从言语变异的角度看修辞格	冯广艺	湖北师院学报·哲社版—1992,(2):78-82,70
汉语现代风格学的建筑群:读四部有关的新著	于根元	语言文字应用(北京)—1992,(2):80-88
幽默的语用功能及行为特征	李源	四川外院学报—1992,(2):84-90
论《马克·吐温——美国的一面镜子》的修辞艺术	曾庆茂	江西师大学报·哲社版—1992,(2):87-91,102
文体风格定义问题述评	许力生	四川外院学报—1992,(2):91-95
排比的类型及其修辞效果	朱显壁	九江师专学报·哲社版—1992,(2-3):93
一部具有创新意义的修辞学力作	冯凭	锦州师院学报·哲社版—1992,(2):103-108
数量词的艺术表现力	张国瑞	语文知识(郑州)—1992,(3):6-9
还是独立出来好	濮侃	修辞学习—1992,(3):12-13
不明比喻而错析——谈"鼎铛玉石"的语法分析	杨世俊	修辞学习—1992,(3):13
言语交际中的主体表达与客体反应:关于修辞效果评价问题的思考	旺盛	修辞学习(上海)—1992,(3):14-15
行业术语为标题添彩增色	周有恒	语文知识(郑州)—1992,(3):16-18
一种极富表现力的比喻——博喻	陈志亚	贵州民族学院学报·社科版—1992,(3):17-20,15
刊名拾趣	林星煌	语文知识(郑州)—1992,(3):18
误用文字的艺术	张敏 徐国忠	语文知识(郑州)—1992,(3):19
关于同体比喻与比较的区别	江结宝	学语文(芜湖)—1992,(3):21-22
双关语的妙用	王世祯	语文知识(郑州)—1992,(3):23-24
物化与造境	韩玉民	修辞学习—1992,(3):26
删削和句群中心意思的明晰	王聿恩	修辞学习(上海)—1992,(3):29-30

题目	作者	出处
漫谈各类主谓句的选用	吴为章	修辞学习(上海)—1992,(3):30-31
新称说语中的表情色彩	姚汉铭	语文研究(太原)—1992,(3):30-36
"三字回环"浅谈	许家仲	修辞学习—1992,(3):33-34
是比喻？还是借代？	吴木胜	修辞学习—1992,(3):34
仿拟辨似	潘天华	修辞学习—1992,(3):35
条件夸张发隐	张剑	修辞学习—1992,(3):36
"喻苑"漫步	周建成 何松山	语文知识(郑州)—1992,(3):37-39
略论变异修辞的弹性美	骆小所	云南师范大学哲学社会科学学报(昆明)—1992,(3):38-43
试谈"假婉"格	刘增寿	语文知识(郑州)—1992,(3):40-41
也谈"修辞和漏洞"	郑荣馨	修辞学习(上海)—1992,(3):41-42
借代琐识	汪伯嗣	中学语文教学(北京)—1992,(3):42-43
形象·新鲜·贴切——浅析《荷塘月色》中的比喻的运用	陈宝林	语文教学论坛—1992,(3):42-43
类比论证与比喻论证的辨别	赵勇华	语文学习—1992,(3):44-45,40
对三段论辞规的质疑与修订	韦世林	云南大学报·哲社版—1992,(3):44-47
论词类活用的修辞效果	李文祥	逻辑与语言学习(石家庄)—1992,(3):45-48
一种未被名家认可的辞格——倒文	韦秉文	盐城师专学报·哲社版—1992,(3):48-49
1978-1990修辞学再度繁荣综述	李运富	益阳师专学报—1992,(3):61-63,60
隐喻的相互作用论	唐国全 何小玲	四川外语学院学报—1992,(3):67-70
从"第三代世界文化"的小说修辞看新时期写作	汪民安	江汉论坛—1992,(3):68
中国传统修辞学美学旨趣二题议	申小龙	学术交流—1992,(3):68-71
逆向相宜说	吴新华	徐州师范学院学报·哲社版—1992,(3):73-76
漫谈歇后语的修辞特色	周少青	福建师范大学学报·哲社版(福州)—1992,(3):82-84,98
语词类活用的修辞价值	王宇	东北师大学报·哲社版(长春)—1992,(3):82-85
原始性史诗里的隐喻的象征	刘来湖	中南民族学院学报·哲社版—1992,(3):88-93
辞格与篇章	郑文贞	厦门大学学报·哲社版—1992,(3):102-107
中学语文教材中数字的修辞功能	曹津源	北京师大学报·社科版—1992,(3):109-112
喻拟融合说的分析	张潜	南京师大学报·社科版—1992,(3):132-136
本义推求方法刍议	殷寄明	杭州大学学报·哲社版—1992,(3):136-141
中国修辞学的现状与任务	姚亚平	修辞学习(上海)—1992,(4):2-5
80年代关于修辞学研究对象和范围的讨论综述	周虹	修辞学习—1992,(4):6-7
说话的场合	易蒲	学语文(芜湖)—1992,(4):16-17,15
辩论"取胜"的逻辑依据	齐沪扬	修辞学习—1992,(4):18-19
双声叠韵的修辞功能	李琇明	学语文(芜湖)—1992,(4):19-21

意合的修辞作用	刘祥农	学语文(芜湖)—1992,(4):21-23
一"语"多解	徐国珍	学语文(芜湖)—1992,(4):23
电视节目主持人的语言特色	姜明	修辞学习(上海)—1992,(4):24-25
正常序列中的某些同义形式及其选择	于映香 柳熙熙	喀什师院学报·哲社版—1992,(4):25-30
对偶句的修辞类别	徐远水	江西教育学院学报·综合版(南昌)—1992,(4):33-38
《诗经》的"风雨"比兴类释	翟相君	许昌师专学报·社科版—1992,(4):39-43
再论"精细"修辞方法	谭达人	修辞学习(上海)—1992,(4):41-42
语言形象与世界万物的多边两柄——钱钟书比喻哲学论析	胡范铸	贵州大学学报—1992,(4):41-47
释喻例说	周明强	中学语文教学(北京)—1992,(4):43-44
"代语"说源	刘成刚	修辞学习(上海)—1992,(4):44-45
紧缩式拈连	张剑	语文学习—1992,(4):44-45
递说	曾定东	语文学习—1992,(4):45
"比喻"与"象征"有区别吗?	孙学明	逻辑与语言学习(石家庄)—1992,(4):46-47
词语语体色彩的锤炼	黎千驹	逻辑与语言学习(石家庄)—1992,(4):47-48
论保持公文语体的风格	周建华	语言与翻译(乌鲁木齐)—1992,(4):53-54
论元曲中的"顶针格"修辞法	王学奇 王洪	河北学刊(石家庄)—1992,(4):55-59
委婉辞格的形成与发展	马连湘	东疆学刊—1992,(4):64-69
语言风格的研究平面	丁金国	烟台大学学报·哲社版—1992,(4):65-73
中国修辞学的理论建设与刘焕辉的理论意识	姚亚平	江西社会科学(南昌)—1992,(4):67-72
通感与比喻	谢文权	贵州教育学院学报·社科版(贵阳)—1992,(4):71-73
无标点文字的形式与作用	姚晓波	锦州师院学报·哲社版—1992,(4):73-77
古代言语艺术简论	刘纶鑫	江西大学学报·社科版(南昌)—1992,(4):86-90
修辞学和哲学	王希哲	海南师院学报—1992,(4):91-95
论中国语文传统的修辞解读	申小龙	延边大学学报·社科版(延吉)—1992,(4):92-100
浅析"答非所问"与"巧妙问答"	朱作俊	徐州师范学院学报·哲社版—1992,(4):94-98
汉语象征词语的文化含义	常敬宇	语言教学与研究—1992,(4):115-127
言语链中偏正复句变位论	易匠翘	社会科学战线(长春)—1992,(4):310-315
修辞面临的矛盾和我们的任务	郑远汉	修辞学习(上海)—1992,(5):2-3
修辞与题旨情境	孙孟明	语文知识(郑州)—1992,(5):2-4
也谈修辞学对象和方法	周守晋	修辞学习(上海)—1992,(5):3-5
"隐语"的妙用	王艾荷	读写月报—1992,(5):5-6
继承《发凡》理论繁荣修辞科学:纪念《发凡》问世60周年有感	张德明	修辞学习(上海)—1992,(5):5-7

标题	作者	出处
也谈陈望道修辞思想体系的核心：与姚亚平先生商榷	王文松	修辞学习(上海)—1992,(5):7-9
姑娘并非都像花一样——谈比喻的民族色彩	冀中伟	阅读与写作—1992,(5):9,12
从"比喻"看口语修辞对言语环境的依赖性	王培元	修辞学习(上海)—1992,(5):10-11
打招呼	李正纲	修辞学习(上海)—1992,(5):11,19
谈名词的变性使用	高万云	修辞学习(上海)—1992,(5):12-13
巧用"但是"	徐颂列	逻辑与语言学习(石家庄)—1992,(5):13-14
列锦·非列锦·非辞格	丛杨	语文月刊—1992,(5):13-14
数字的修辞艺术	瞿泽仁	修辞学习(上海)—1992,(5):15-16
试说假设复句的表达功能	胡习之	修辞学习(上海)—1992,(5):17-18
漫议名称的理据性及其文化涵义	贺水彬	语文月刊—1992,(5):17-18
谐音双关和谐音析字的区别	陈光磊	修辞学习(上海)—1992,(5):19
谐音八种及其区分	陆云武 俞雪平	修辞学习(上海)—1992,(5):20-21,23
论《围城》的主题隐喻	李泽民 蔡新乐	河南大学学报·社科版(开封)—1992,(5):21-25
喻拟融合管见	张潜	修辞学习(上海)—1992,(5):22-23
释喻例说	周明强	修辞学习(上海)—1992,(5):24-25
动宾超常搭配中的辞格运用	曹津源	学语文(芜湖)—1992,(5):25
贺铸《青玉案》修辞偶疏	陈晓林	修辞学习—1992,(5):25-27
并列式合成词的语义构词原则与中国传统文化	张国宪	汉语学习(延吉)—1992,(5):28-31
比喻的相似点及其显隐性	辛冠东	中文自修—1992,(5):29
情真意绵绵,绮思响"雨巷"——谈戴望舒《雨巷》一诗的修辞特色	吴礼权	修辞学习—1992,(5):29-30
王梵志白话诗的民俗修辞色彩	彭嘉强 张春山	修辞学习—1992,(5):31-32
浅谈比喻的民族特征	葛丙辰	郑州大学学报·哲社版—1992,(5):32-33,46
汉字形体的修辞运用	康家珑	修辞学习(上海)—1992,(5):33-34
从"雅言"到"华语"：寻根探源话名号	张德鑫	汉语学习(延吉)—1992,(5):33-38
三拳比喻 新颖别致	黄发彩 张之伟	修辞学习—1992,(5):37
论古诗词的"句中顶真"	谭汝为	修辞学习(上海)—1992,(5):39-40
是夸张,不是比喻	张剑	语文教学之友—1992,(5):40-41
打破语言和言语均衡：言语幽默致笑机制之一	谭达人	语文建设(北京)—1992,(5):40-42
多"情景"的巧合：言语幽默致笑机制之二	谭达人	语文建设(北京)—1992,(7):38-40

语形的极致:言语幽默的致笑机制之三	谭达人	语文建设(北京)—1992,(9):41-44
言语的"假面"和言语的荒谬:言语幽默致笑机制之四、之五	谭达人	语文建设—1992,(11):39-42
"互换"辞格的资格审查	曹金兴	修辞学习(上海)—1992,(5):41-42,46
文言文中的"并提"辞格	左致都	中学语文教学参考—1992,(5):44,17
王安石的语言文字观	徐时仪	江西社会科学—1992,(5):67
试说"比喻是言之成理"的错误	张炼强	北京师范学院学报·社科版—1992,(5):71-78
也谈词语的形象色彩问题	周荐	南开学报·哲社版(天津)—1992,(5):76-80,48
语言与宗教关系初步探讨	高长江	云南师大学报·哲社版—1992,(5):86-91
深层修辞理论研究	陈广德 孙汝建	云南师范大学学报·哲社版—1992,(5):92-96
替换——修辞学的手段和方法	冯广艺	修辞学习—1992,(6):5-6
课文中的几种特殊修辞格	黄祖泗	语文教学之友—1992,(6):13-14
写说要看准对象	宗廷虎	语文月刊(广州)—1992,(6):13-14
对话中的"三角效应"	苏金智	修辞学习(上海)—1992,(6):17-19
化用与引用、用典的比较——关于《化用和修辞》一文的补充	高斌	阅读与写作—1992,(6):18-19
辞格研究中的"三枝花儿开"现象	谭永祥	修辞学习(上海)—1992,(6):20-22
试谈比喻在诗词曲联中的组合形式	万震球	学语文(芜湖)—1992,(6):22-24
悬念修辞法试论	董达武	修辞学习(上海)—1992,(6):23-25
念白字和"飞白"	一介 张寿眉	修辞学习(上海)—1992,(6):25-26
关于"辞规"建设进程的报告	吴士文	修辞学习(上海)—1992,(6):27-28
言语交际中的"歪解"	黄祖泗	语文月刊(广州)—1992,(6):28-29
我国茶叶的命名及其语言特点	赵永新	逻辑与语言学习—1992,(6):30-32
近体诗语词超常嵌合及其审美功能	韩晓光	社会科学家—1992,(6):30-35
浅谈矛盾修辞格	王明瑞	语文教学之友(廊坊)—1992,(6):31-32
姓名称说漫议	梅立崇	逻辑与语言学习—1992,(6):33-35
多义现象和理解的误区	王希杰	逻辑与语言学习(石家庄)—1992,(6):38-39
关于比喻的论争	廖衍勋	语文学习(上海)—1992,(6):38-40
中学《语文》中互文的理解与翻译	胡卓学	修辞学习—1992,(6):39-40
类比是比喻的一种	吴祖兴	语文学习(上海)—1992,(6):40-42
《红楼梦》中凤姐语言变体二题	杜永道	学语文(芜湖)—1992,(6):41-42
关于比喻和类比	许烨	语文学习(上海)—1992,(6):42
比N还N	王霞	逻辑与语言学习—1992,(6):42-44
"表象"与情感符号	赖先刚	修辞学习(上海)—1992,(6):43-44
"似乎""大约"的活用	张焕欣	语文学习(上海)—1992,(6):44

标题	作者	出处
结合语境　善于比较——《孔乙己》词语教学例谈	郑锐锄	语文学习—1992,(6):45-46
浅析"移觉"修辞格	李文杰　许兰云	齐齐哈尔师院学报—1992,(6):71,70
中国修辞学的辛勤耕耘者——宗廷虎	王文松　周虹	复旦学报·社科版(上海)—1992,(6):109-封三
量词式藏喻	朱少红	语文月刊(广州)—1992,(7):14-15
语码转换用于委婉	卞成林	阅读与写作—1992,(7):16-17
文学语言的反常组合	王金祥	语文学习—1992,(7):46
谈谈比喻的开放性	高选勤	语文月刊(广州)—1992,(8):17-18
《别了,司徒雷登》中的示现修辞格	吴燕山	语文教学与研究—1992,(8):26
要建立中学修辞教学的科学序列	王建军	语文教学与研究—1992,(8):33-34
比喻原理三性	刘宜群	语文教学与研究(武汉)—1992,(8):35-36
这是比喻句吗	华元林	语文教学与研究—1992,(8):36
浅谈比喻在新闻作品中的运用	陆学进	新闻与写作—1992,(8):39
谈半截话的询问功能	易洪川	语文建设(北京)—1992,(8):45-47
特定情境下的特定语言	李兆汝	语文月刊(广州)—1992,(9):5
谈谈分剖修辞	彭庆达	语文月刊(广州)—1992,(9):8-9
淡化辞格鉴别　承认包容交叉——从"移用"谈修辞的教学与考查	魏名湖	中学语文教学参考—1992,(9):19,21
别具一格的"诡谐"	梅德平	阅读与写作—1992,(9):21-22
思辩性语言,可使演讲更有回味	李敦凯	演讲与口才—1992,(9):26-27
仿拟谈趣	贡树铭	语文知识(郑州)—1992,(9):27-28
"同字"杂谈	夏俊山	语文知识(郑州)—1992,(9):28-31
也谈"舛互"新格的名称和定义:兼答孙孟明同志	谭永祥	语文知识(郑州)—1992,(9):62-封三
两岸修辞学习研究的不同特点	柴春华	高等学校文科学报文摘—1992,(9卷1):65
毛泽东同志讲话中的"故错"手法	黄祖泗	阅读与写作—1992,(10):6
颇具特色的修辞格——拈连	于壬	阅读与写作—1992,(10):8-9
博喻:海阔天空的联想	吴崇厚	阅读与写作—1992,(10):9-10
同类属事物设喻的理论基础及运用	刘少强	语文教学与研究—1992,(10):18-19
比喻新一类——疑喻	唐嗣德	语文知识(郑州)—1992,(10):32-33
"就境设喻"的表意功能	曹津源	语文知识(郑州)—1992,(10):32-34
浅说换算法	程海林	语文知识(郑州)—1992,(10):36-37
语言表述上的"对顶"法	梅德平	语文知识(郑州)—1992,(10):38-39
浅谈联用辞格	王毓椿	语文教学之友(廊坊)—1992,(10):39-封三
新奇,比喻的生命	唐善理	语文知识(郑州)—1992,(10):40-41
言此意彼话"移意"	谭永祥	语文月刊—1992,(11):4-5
妙用动词　动态各异	曹津源	写作—1992,(11):9

语言的类推的心理	杨鼎夫	语文月刊(广州)—1992,(11):10
浅谈比喻在新闻作品中的运用	陆学进	写作(武汉)—1992,(11):12
辨析修辞方式和使用修辞方式的失误	张文虎	语文教学通讯—1992,(11):16-18
	袁国雄	
	沈郁菁	
	王积庆	
从《孔乙己》看对话艺术	郜文斌	写作(武汉)—1992,(11):17-18
互文片谈	姜淮超	阅读与写作—1992,(11):18
排比、反复、还是其它	戈繁兰	语文教学之友—1992,(11):25
排比的三种类型	宋怀斌	语文知识(郑州)—1992,(11):24-26
排比的新类型	易平	语文知识(郑州)—1992,(11):27-30
段落修辞撷谈	李富林	语文知识(郑州)—1992,(11):30-32
移就、比拟界说	徐杲	语文知识(郑州)—1992,(11):34-36
广告词中的修辞	余斌	语文知识(郑州)—1992,(11):37-38
	潘关生	
"隐语"拾趣	王爱和	语文知识(郑州)—1992,(11):39-40
	周玉才	
说互文	夏淮忠	语文教学与研究(武汉)—1992,(11):40
修辞和心理	王希杰	语文月刊(广州)—1992,(12):2-3
别解指误	丛杨	语文月刊(广州)—1992,(12):4-5
设悖情笃 双璧生辉——谈暗合假言推理的两首爱情诗	濮辉海	阅读与写作—1992,(12):13-14
联珠与回环的异同	王振明	阅读与写作—1992,(12):21,17
观察说略	裘本培	语文月刊(广州)—1992,(12):33,32
试论比喻句中相似点的语义指向	李忠文	语文知识(郑州)—1992,(12):36-38
代词在商品命名中的妙用	李超	(语文知识)—1992,(12):38-40
简单使令的语言表达方法	陈兆奎	语文月刊(广州)—1992,(12):41-42
怎样进行比喻论证	晏政凤	语文教学与研究—1992,(12):43,41
语境与词的感情色彩	邓君华	语文月刊(广州)—1992,(12):44
玄思若水 妙喻如珠:试论《围城》用喻	左汉林	河北师范大学学报·社科版(石家庄)—1993,(1):5-8
试论"成语翻新"及其修辞效果	朱跃	外语教学—1993,(1):6-10
快牛·中牛·慢牛·懒牛	一林	语言文字应用(北京)—1993,(1):8
叙述、描写、议论、对话与语言幽默	施一居	修辞学习(上海)—1993,(1):8-10
关于中国修辞学史的研究	郑子瑜	首都师范大学学报·社科版(北京)—1993,(1):9-16,8
谈谈涉外场合下的委婉表达	胡庚申	外语教学—1993,(1):15-22,28
数字的修辞作用	吴卸耀	修辞学习(上海)—1993,(1):16-17
略论双关语所表达的判断	黄宏广	社会科学辑刊—1993,(1):19-20
"不要太潇洒"小议	强永华	修辞学习—1993,(1):19

析字化形的分类	郝静仪	修辞学习(上海)—1993,(1):20-22
试论比喻的主观意识	岳梅珍	修辞学习(上海)—1993,(1):22-23
整散相间　摇曳生姿——浅析整句、散句的修辞作用	倪培森	阅读与写作—1993,(1):25-26
简论情书语言特点	周有斌	修辞学习(上海)—1993,(1):26-27
浅析钱钟书《围城》的幽默语言艺术	赵丽	伊犁师范学院学报·社科版—1993,(1):26-32
同音词语的修辞作用	孙继善	语文学刊(呼和浩特)—1993,(1):30-33
辞格的"大观园"——《天山景物记》辞格分析	宋昌富	语文教学论坛—1993,(1):32-33
"善辩"来自"善询":孟子论辩艺术的一个特点	徐生林	修辞学习(上海)—1993,(1):32-33
佛典之譬喻	梁晓虹	修辞学习(上海)—1993,(1):35-38
浅议元曲中的"鼎足对"	石尚彬	贵州教育学院学报·社科版(贵阳)—1993,(1):35-39
比喻与龙文化	周延云	修辞学习(上海)—1993,(1):38-39
读《咬文嚼字》	杨音	修辞学习(上海)—1993,(1):40-41
郑玄《毛诗》笺中的古典修辞理论探	吕珺荧	唐山师专唐山教育学院学报—1993,(1):41-43
古汉语修辞知识与读解古典文学作品	李惠明	修辞学习—1993,(1):44-45
古今"仿篇"趣话	徐国珍	学语文(芜湖)—1993,(1):44-45
"芦柴棒"不是"驼背":也谈借喻、借代的区别	黄振宇	学语文(芜湖)—1993,(1):45
比喻造词的形象色彩	龙青然	逻辑与语言学习(石家庄)—1993,(1):46-48
唐宋诗中的借喻例说	陶蔚南	中学语文教学(北京)—1993,(1):48
寓庄于谐　寓理于趣——浅谈《大众电影》"影语人语"栏目的幽默艺术		思茅师专学报—1993,(1):50-52
语言的辞格和言语的辞格	郑荣馨	武汉教育学院学报·哲社版—1993,(1):59-62
中西古典修辞学异同比较:以春秋战国和古希腊罗马为例	王文松	曲靖师专学报·社科版—1993,(1):66-71
论口语表达的重音	王为东	黄冈师专学报·文科版—1993,(1):80-84
试论比喻推理	王金华	延安大学学报·社科版—1993,(1):87-91
议"推敲"	左文华	辽宁教育学院学报(沈阳)—1993,(1):92-97
论修辞手法和艺术手法的关系	张德明	锦州师院学报·哲社版—1993,(1):106-110
字句锻炼法(续)	黄永武	名作欣赏—1993,(1):118-119,125
谈"语言风格学"的重要地位和实用价值	张德明	营口师专学报·哲社版—1993,(2):1-4
释名的定义特征和修辞效用	张炼强	首都师范大学学报·社科版—1993,(2):1-8,24
语言的雕饰美	唐嗣德	语文知识(郑州)—1993,(2):4-6
"打岔"例谈	王晓娜	语文月刊(广州)—1993,(2):6
战国策士对不利语言情境的改造	郭炳坤	修辞学习(上海)—1993,(2):8-10

言语的幽默美	沈卢旭	语文知识(郑州)—1993,(2):8-13
"听话听声,锣鼓听音":谈暗示	宋玉柱	语文月刊(广州)—1993,(2):9
幽默与逻辑	李春勇	佳木斯师专学报—1993,(2):9-15
曹阿瞒开了一个不好的头	叶元臣	语文月刊(广州)—1993,(2):10
辞格的层级性和立体性	雷斌	语文月刊(广州)—1993,(2):11
浅议审讯用语中的模糊修辞	高平平	修辞学习(上海)—1993,(2):14-16
二难困境与妙语解颐	周一农	逻辑与语言学习—1993,(2):15-17
修辞到底是什么:读书偶记	士羽	修辞学习(上海)—1993,(2):20-22
是省略还是拟人?	万震球	修辞学习—1993,(2):24-25
"先因后果"和"先果后因"	王聿恩	阅读与写作—1993,(2):24-26
委婉语言现象的立体透视	孔庆成	外国语—1993,(2):26-30
近体诗对偶表达角度的变化例析	韩晓光	营口师专学报·哲社版—1993,(2):27-28
试论"转义"修辞方式	安龙	修辞学习(上海)—1993,(2):28-29
"化用"与"仿拟"的比较——兼与《修辞通鉴》编者商榷	高斌	新闻与写作—1993,(2):29,28
拟误法种种	袁本良	修辞学习(上海)—1993,(2):30,29
意指错位 妙合自然	盛新华	逻辑与语言学习(石家庄)—1993,(2):30-32
浅谈古汉语同义词的修辞作用	刘桂华	安徽教育学院学报·哲社版—1993,(2):30-33
没有潜喻式比喻,只有潜拟式比拟:兼与刘正国先生商榷	刘良文	修辞学习(上海)—1993,(2):31-32
名词转品初探	李海珉 徐无忌	修辞学习(上海)—1993,(2):34-35
"超假设"修辞	周明强	中学语文教学(北京)—1993,(2):35-35
色彩词运用刍议	李彦章	天津教育学院学报·社科版—1993,(2):37-40
漫话"繁语"修辞	曾金祥 张剑鸣	语文知识(郑州)—1993,(2):38-39
比喻园地里的奇葩:宋词中的双喻、互喻和蝉联喻	马国强	语文知识(郑州)—1993,(2):39-40
漫谈词眼与炼字	岳东生	修辞学习(上海)—1993,(2):39-41
试论古人名的修辞价值	享邑	河北大学学报·社科版—1993,(2):43-50
取名的艺术	华培芳	修辞学习(上海)—1993,(2):44-45
恐怕还得复杂一些:谈"不要太……"句型的语用方式	十禾	修辞学习(上海)—1993,(2):46
《围城》比喻的情感特征	王艳平	宁波师院学报·社科版—1993,(2):50-52
发话隐含——一种新的话语形式	祝克懿	贵州师范大学学报·社科版—1993,(2):57-62
修辞教学与修辞教学体系	陈晨	扬州师院学报·社科版—1993,(2):60-63
"通感"辨说——兼论修辞格的判定	宣景文	营口师专学报·哲社版—1993,(2):62-65
比喻——一种思维模式	陈汝东	营口师专学报·哲社版—1993,(2):65-68,75
试论言外之意及其分类描写	周延云	青岛师专学报—1993,(2):66-71

情感新称说语句描写	姚汉铭	营口师专学报·哲社版—1993,(2):69-73
修辞随札:0+0＞7+(-3)吗:试谈借用	复俊山	沈阳师范学院学报·社科版—1993,(2):70-74
教学辞格系统刍议	沈孟璎	南京师大学报—1993,(2):75-79
从《围城》看新潮小说语言超常现象	王英	语言文字应用—1993,(2):84-90
试论语义场理论对修辞的解释能力	刘英凯	深圳大学学报·人文社科版—1993,(2):84-91
试论元散曲的对偶艺术	宋晓蓉	喀什师范学院学报·哲社版—1993,(2):93-97
论夸张的构成、性质和内在机制	江南	徐州师范学院学报·哲社版—1993,(2):100-103
被遗忘的古老辞格——数谐	许廷桂	重庆师院学报·哲社版—1993,(2):103-106
调动语言的激情	夏景	飞天—1993,(2):110-112
幽默探幽:琐议幽默语言艺术的形成机制	徐吉润	社会科学辑刊(沈阳)—1993,(2):116-119
隐喻片论	梁工	名作欣赏—1993,(2):120-122
谈隐含	张国宪	中国语文(北京)—1993,(2):126-133
汉语辞格的文化观照	陈光磊文 常艳彩摘	修辞学习—1993,(2):封三
曲问句式分析	程稀	语文教学通讯—1993,(3):2-3
修辞学研究中的新篇章:简评倪宝元先生的《汉语修辞新篇章——从名家改笔中学习修辞》	吴士文 乐秀拔	学语文—1993,(3):3-4
幽默含蓄 凸显个性:《围城》人物语言艺术特色例谈	陈家生	写作(武汉)—1993,(3):6-7
《庄周家贫》随想录	胡安良	修辞学习—1993,(3):8-9
浅议分解结构的某些修辞功能	裴玉芳	中国俄语教学—1993,(3):10-13
禁忌与修辞	黄佩文	修辞学习(上海)—1993,(3):21
字迷引论	周文定	宜春师专学报·社科版—1993,(3):21-25
论《孟子》的比喻	谭思健	江西教育学院学报·社科版—1993,(3):25-31
"廖"处中有"妙"趣	黄知常	阅读与写作—1993,(3):28-29
修辞现象 五彩纷呈	倪宝元	语文学习(上海)—1993,(3):29-31
"一字千字"面面观	程海林	语文知识(郑州)—1993,(3):30-31
语言的模糊性与表达的笼统和含糊	潘攀	逻辑与语言学习—1993,(3):30-32
广告词的语境衬托	邵敬敏	语文学习(上海)—1993,(3):31
超常搭配与错误选择	邵文	语文学习(上海)—1993,(3):31-32
数量词对李白诗歌的美学意义	刘泽本	语文教学论坛—1993,(3):31-32,26
对偶分类商兑	孟昭泉	修辞学习—1993,(3):32-33
让广告"长胳膊长腿"	胡范铸	语文学习(上海)—1993,(3):32-34
数量引典夸张法	赵守辉	修辞学习(上海)—1993,(3):33,32
本体和喻体的连接方式	李胜梅	学语文—1993,(3):33-34
名不正 言更顺	曹金兴	语文学习(上海)—1993,(3):34-35

示现格的历史沿革	于广元	修辞学习(上海)—1993,(3):34-35
《最后一次讲演》辞格衔接艺术浅探	淦家凰	中学语文教学—1993,(3):34-36
歇后藏词补说	津化	修辞学习(上海)—1993,(3):36
谈谈"复说"	张在云	修辞学习(上海)—1993,(3):37-38
改类变性奏奇效:现代汉语词类活用举隅	赵树林 张晓华	语文知识(郑州)—1993,(3):37-38
用标点设喻	张剑	修辞学习(上海)—1993,(3):38-39
浅谈古诗的隐含修辞	黎达	语文学刊—1993,(3):38-41
类比手法的修辞功能	王其林	修辞学习(上海)—1993,(3):40
互文·互训	徐晓洪	中学语文教学(北京)—1993,(3):40
变称	孔凡成	修辞学习(上海)—1993,(3):41
一物多喻话"丝"字	孙民立	修辞学习(上海)—1993,(3):41
关于反常表现手法	陈家生	修辞学习(上海)—1993,(3):42
谈文学语言的矛盾美	于国清	绥化师专学报—1993,(3):45-46
借代辞格的两步运用	俞敦雨	语文知识(郑州)—1993,(3):51-52
飞白谐音 拈连及其它	梁仲锋	语文知识(郑州)—1993,(3):53-54
辛词叠字的婉约研究	沈荣森	上饶师专学报—1993,(3):53-56
灵活自如 炉火纯青——毛泽东的语言艺术特色	李合敏	赣南师院学报·社科版—1993,(3):53-57
超常搭配的通感效应	冯广艺	绥化师专学报—1993,(3):54-57
试谈《故乡》的修辞艺术	李朝阳	辽宁师范大学学报·社科版—1993,(3):62-64
现代汉语表达方式中的称代	周世烈	贵州民族学院学报·社科版—1993,(3):66-70
论回环	费枝美	徐州师范学院学报·哲社版—1993,(3):68-73
论归纳的辞格和演绎的辞格	王希杰	广西师院学报·哲社版—1993,(3):78-85,114
曹禺戏剧语言的动作性	陆惠解	宁夏大学学报·社科版—1993,(3):86-89
钱钟书的修辞理论与实践	秦旭卿 谭南冬	湖南师范大学学报·社科版—1993,(3):113-115,117
汉英比喻修辞格的异同	姚锡远	世界汉语教学—1993,(3):196-198
奇妙的"堆砌":谈王蒙作品中的繁复现象	吴辛丑	语文月刊(广州)—1993,(4):6-7
无技巧的技巧:王力《谈谈写信》语言幽默美赏析	沈卢旭	语文月刊(广州)—1993,(4):8-9
王朔小说《我是你爸爸》特色——父子对话用喻	鲁珉	修辞学习—1993,(4):12-14
妙语解颐 舌上生花:小议积极修辞在相声中的作用	倪培森	修辞学习—1993,(4):14
"一"微妙的心理世界	朱晓亚	修辞学习—1993,(4):15-17
诗歌中的标点符号零形式	曹石珠	修辞学习—1993,(4):17-19
从"标点符号作喻体"看比喻的基础	黎明	修辞学习—1993,(4):19

比喻的结构系统	李胜梅	修辞学习—1993,(4):20-22
"圆规"只是借代吗?	沈荣森	学语文—1993,(4):21-22
"互喻"初探	邹润榕	修辞学习—1993,(4):22-23
连珠合璧 相映成趣:论"同异"格在古典诗歌中的运用	谭汝为	修辞学习—1993,(4):24-26
论刘勰的夸张与佛教	周延云	修辞学习—1993,(4):26-27
巧用"旧瓶"装"新酒"	黄知常	阅读与写作—1993,(4):27
从《左传》引《诗》看引用的修辞作用	范进军	修辞学习—1993,(4):27-28
浅议成语的仿用	胡兴华	修辞学习—1993,(4):29
"超假设"修辞	周明强	修辞学习—1993,(4):30-31
妙用标点符号 增强表达效果	张少华	语文学刊—1993,(4):32-35
悬念:广告成功的秘诀	覃凤余	修辞学习—1993,(4):34
省略和"有意误省"	赵洪勋	中学语文教学—1993,(4):34-35
新出现的标号	郭安	中学语文教学—1993,(4):36
优质广告语修辞标准刍议	潘庆云	修辞学习—1993,(4):37-38
幽默的七大特性	帅士象	演讲与口才—1993,(4):41-43
谈谈态势语中的"类辞格"	罗国莹 李晶漪	修辞学习—1993,(4):43-44
割裂与人名	王丽华	修辞学习—1993,(4):46
比喻的历史探索	于广元	扬州师院学报·社科版—1993,(4):46-51
关于比喻外部组合形式变化的探讨	李延瑞	福建师范大学学报·哲社版—1993,(4):64-68
抗、杭的有趣替代	俞兴	唐都学刊—1993,(4):66-67
中国修辞学传统之语境思维	申小龙	学术月刊(上海)—1993,(4):66-71
诗歌语言的明晰性和模糊性	陈国屏	求是学刊—1993,(4):73-77
"设问"乎?"诘喻"乎?	吴开有	云南师范大学学报·哲社版—1993,(4):75-76,34
隐喻三题	凌晨光	文史哲—1993,(4):94-98
论篇章粘合的重要手段:词汇复现	童树荣 夏小慧	浙江大学学报·社科版—1993,(4):96-103
论"抽象式比喻"	温锁林	山西大学学报·哲社版—1993,(4):99-102
鲁迅使用成语的艺术	陈根生	北京师范大学学报·社科版—1993,(4):101-105
略论文学语言中模糊语句的超常修辞效应	刘宝霞	社会科学辑刊—1993,(4):139-142
"给你一棍"和"给你一根棍":量词修辞艺术谈	易蒲	中国语文(台北)—1993,(427):19-24
语词的跨度运用	程春雷	语文知识(郑州)—1993,(5):2-3
人马互喻	王希杰	语文月刊—1993,(5):2-4
藏语中常见的动物比喻	西绕拉姆	语文月刊—1993,(5):4
鲁迅作品语言的含蓄美	蔡克永	读写月报—1993,(5):4

从借代修辞和借代造词来看修辞现象和词汇现象的区别	谭永祥	语文月刊—1993,(5):5-6
消极修辞与积极修辞的辩证统一——谈阐释性通俗科技语体的语言特点	邹洪民	修辞学习—1993,(5):7-8
毛泽东著作中比喻的结构类型	汪国胜	华中师范大学学报·哲社版—1993,(5):8-14
浅谈文言文中的插说	刘云卿 梁俊生	读写月报—1993,(5):14
夸张的心理基础	李英霞	修辞学习—1993,(5):15-16,12
三句不离本行——精妙多趣的设喻艺术	吴崇厚	阅读与写作—1993,(5):20-21
休将"委婉"混"讳饰"	万震球	修辞学习—1993,(5):23-24
拟人别称漫话	牛钟林	语文月刊—1993,(5):23-24
现代汉语表达中的"合叙"	周世烈	修辞学习—1993,(5):24-26
简说辞格"因声附义"	万里 郑心灵	修辞学习—1993,(5):26-28
略谈"定-中"式比拟和比喻	方武	修辞学习—1993,(5):28-30
曲解种类例说	袁本良	修辞学习—1993,(5):30-32
五彩缤纷话修辞	方立平	学语文—1993,(5):35
张欣小说语言中的移用艺术	王英	修辞学习—1993,(5):39-41
清澄、柔和、流动的水	史锡尧	修辞学习—1993,(5):43
语言中幽默的两大类型	杜永道	修辞学习—1993,(5):45-46
标点的修辞功能	尤志心	语文教学与研究(武汉)—1993,(5):46-47
动宾反常搭配与修辞	王肇昇 刘良文	逻辑与语言学习—1993,(5):47-48
"补救"新辞格初探	王中安	河南大学学报·社科版—1993,(5):64-67
妙语与巧妙的创作风格	胡平	文艺理论研究—1993,(5):65-70
物化、人化、神化——谈言语中的虚化手法	吕安国	河南大学学报·社科版—1993,(5):68-71
论《诗经》的叠字运用	刘竹	云南师范大学学报·哲社版—1993,(5):73-76
说"转语"	刘世俊 张博	宁夏社会科学—1993,(5):82-89
论词语修辞的标准与方法	胡性初	语言文字学—1993,(5):115-122
绝妙的叠字	宗廷虎	语文月刊—1993,(6):7-8
含义的生成和推导	陆稼祥 雷陈鸣	修辞学习—1993,(6):7-9
语言信息的引发和补续	周国光	修辞学习—1993,(6):10-11
反语比喻两例	孟宪爱	语文月刊—1993,(6):11
浅谈古诗今译的真善美	顾汉松	修辞学习—1993,(6):16-17,2
列举分承新探	程海林	阅读与写作—1993,(6):19-20
李清照《声声慢》叠词艺术探胜	黄岳洲	语文月刊—1993,(6):20-21

标题	作者	出处
内蕴句的效应	李敦凯	阅读与写作—1993,(6):21-22
桥梁式比喻与比喻的桥梁	郝维平	修辞学习—1993,(6):21-22
唐诗宋词里的倒喻	马国强	修辞学习—1993,(6):23
"示姓(性)"补例	崔山佳	修辞学习—1993,(6):24
比喻过渡技法例谈	张剑	写作—1993,(6):29-30
消极修辞不是客观存在,而是"皇帝的新衣"	谭永祥	修辞学习—1993,(6):30-32
"神形统一于声"——通过表情朗读进行修辞教学	王中和	修辞学习—1993,(6):34-35
谈借代修辞与词的借代义	刘树中	语文教学通讯—1993,(6):35-36
鲁迅《忆刘半农君》中的一段比喻	孔昭琪	修辞学习—1993,(6):37
暗喻分类说略	茅一辉	语文教学通讯—1993,(6):37-36
辞格例证辨析三则	孙继善	语文学刊—1993,(6):41-44
如何辨析并提与互文	戴云云	中文自修—1993,(6):45
比喻似同点的隐现与比喻的理解	黎明	荆州师专学报—1993,(6):50-51
应该继承和完善"两大分野"的修辞学说	吴士文	华东师范大学学报·哲社版—1993,(6):92-95,34
毛泽东著作语言的通俗性	张炼强	首都师范大学学报·社科版—1993,(6):94-98,49
毛泽东同志的语言艺术	姚律人	云南师范大学学报·哲社版—1993,(6):112-123
几多辞格弄幽默——《围城》杂拾	孙士英	读写月报—1993,(7):8-9
变一变耐人寻味:专有名词的变通使用及修辞效果	戚晓杰	语文建设—1993,(7):26-27
栩栩如生的字形描摹	傅望华	语文月刊—1993,(7):27
标识特征 巧扬美名:商标修辞赏析	黄知常	语文知识—1993,(7):28-30
也说夸张的逻辑	高万云	语文知识—1993,(7):32-34
暗示浅说	张德俊	语文知识—1993,(7):34-35
中学文言文借代例说	阮光英 段晓明	语文教学之友—1993,(7):37-39
"合叙"与"互文"浅析	方健彬	语文教学之友—1993,(7):40-41
修辞学造词法初探	刘树中	中学语文教学—1993,(7):42-44
表达方式之考察	丛怀光	应用写作—1993,(8):7-8
潜喻:诗语的审美化形态	邓嗣明	写作—1993,(8):16-17
浅谈量词使用的修辞色彩	刘秀文	语文知识—1993,(8):16-17
"故问"辞格略说	王从	阅读与写作—1993,(8):20
1992年修辞研究掠影	倪宝元	语文建设—1993,(8):20-21
人体名称妙用举隅	解光文	语文知识—1993,(8):29-30
借代修辞和借代造词	谭永祥	语文知识—1993,(8):43-45
标点的妙用	张莹	语文知识—1993,(8):49-50

郭沫若的演讲妙窍	黄泽佩	阅读与写作—1993,(9):3-4
《"友邦惊诧"论》修辞组合艺术摭谈	淦家凰	中学语文教学—1993,(9):34-36
浅谈新闻写作中的"符号"辞格	杨天庆	阅读与写作—1993,(10):2
意趣横生的博喻	周懋昌	阅读与写作—1993,(10):3
对偶、对仗、对举、对比的异同	谢宗銮	读写月报—1993,(10):8-9
《回延安》中的"列锦"修辞格	曹津源	读写月报—1993,(10):11
中学文言文借代40例	王益祯	读写月报—1993,(10):17-18
中学古诗文借代修辞类解	杨崇理	读写月报—1993,(10):18-19
用动物来比人	史锡尧 李元太	语文学习—1993,(10):38-39
换义和易色	傅望华	阅读与写作—1993,(11):19
略说转品	高承杰	阅读与写作—1993,(11):20
惯常用语巧借妙改	雷喜银	语文学习—1993,(11):37-39
浅谈象征修辞格	王明瑞	语文教学之友—1993,(11):38-39
毛泽东巧用古语例析	于秋洋	语文建设—1993,(12):7-9
毛泽东著作中的形貌修辞	曹石珠	语文建设—1993,(12):10-11
谲辞格	梅德平	阅读与写作—1993,(12):14
排列、排比、涌列	王嘉民	阅读与写作—1993,(12):16
评论家笔下一个长句的修辞照应	沈卢旭	阅读与写作—1993,(12):17,16
言语交际中的"答非所问"	黄祖泗	语文知识—1994,(1):2-3
以鸡喻人以鸡代人	王晓娜	语文月刊—1994,(1):4-5
一种独特的语言现象——展言子	史柳坡	语文建设—1994,(1):8-10
略论比喻论证的特点和作用	沈荣兴 钱骏泽	逻辑与语言学习—1994,(1):10,13
"复别"修辞格简说	袁其结	语文知识—1994,(1):14-15
妙语谈片(一)	赵伯陶	阅读与写作—1994,(1):15-16
妙语谈片(二)	赵伯陶	阅读与写作—1994,(2):18
妙语谈片(三)	赵伯陶	阅读与写作—1994,(3):19
妙语谈片(四)	赵伯陶	阅读与写作—1994,(4):18
妙语谈片(五)	赵伯陶	阅读与写作—1994,(5):17
妙语谈片(六)	赵伯陶	阅读与写作—1994,(6):24
公关人员的口头表达能力与逻辑	郝建国	逻辑与语言学习—1994,(1):18-19
论广告的修辞艺术	陈炯	江苏大学学报·社科版—1994,(1):23-28
以"水"取譬的多边功能	王先耀	修辞学习—1994,(1):25
浅谈古诗中典化对隅	孙孟明	修辞学习—1994,(1):27-28
比兴式排比发微	王铁民	修辞学习—1994,(1):28-29
浅谈《愈堃堂诗集》的修辞方式	王展采	龙岩师专学报·社科版—1994,(1-2):30-35
对科学术语词作喻体材料的考察	张炼强	首都师范大学学报·社科版—1994,(1):32-39
名量词的修辞功能	葛天成	修辞学习—1994,(1):37-38

从"牛马感情不和"说省略	诸 培 璋	语文学习—1994,(1):42
使形容词变得具体生动的若干方式	其 兰 凡 之	修辞学习—1994,(1):42-43
"就熟"、"求异,妙设圈套——评"伊洁康"的一则广告词	徐 国 珍	学语文—1994,(1):44
"寻常词语艺术化"之我见	郭 伏 良	河北大学学报·哲社版—1994,(1):44-48
宁夏民歌语言研究评述	刘 鑫 民	宁夏大学学报—1994,(1):46-49
试论诗歌中标点符号零形式的修辞特征	曹 石 珠	佳木斯教育学院学报·社科版—1994,(1):48-52
比喻在普及科学、解释抽象概念方面的应用	徐 建 国	黔东南民族师专学报·哲社版—1994,(1):53-56
论对称	周 殿 龙	松辽学刊·社科版—1994,(1):58-64
仿拟分类面面观	徐 为 珍	河池师专学报·社科版—1994,(1):63-72
论汉语委婉修辞手法的范围	吴 礼 权	西安外院学报—1994,(1):65-68
比喻的逻辑分析	聂 堆 仓	固原师专学报—1994,(1):68-72
心理学、美学、信息论与高校修辞教学	江 南	徐州师范学院学报·哲社版—1994,(1):71-73
复合修辞格的表现形式	张 丽 媛	辽宁教育学院学报—1994,(1):73-75
广告也可以使用反语	赵 宁 子	语文知识—1994,(2):8-9
论汉语修辞的文化价值取向	于 逢 春 韩 青	长春大学学报·哲社版—1994,(2):17-21
刍议语义对立和矛盾修辞格的关系	王 大 正	阅读与写作—1994,(2):20-21
也谈孔子的修辞观	陈 汝 东	修辞学习—1994,(2):23-25
试论当代民谚的修辞情趣	王 苹	修辞学习—1994,(2):31-32
试谈友谊卡赠言选句的情感性	侯 复 生	修辞学习—1994,(2):33-34
惊人的"断取"格误认现象	谭 永 祥	修辞学习—1994,(2):35-37
古代表年龄词语修辞分析例举	宋 昌 富	语文知识—1994,(2):38-39
试谈"说而不说,不说而说"	张 炼 强	逻辑与语言学习—1994,(2):38-40
性灵之美:自然、冲谈,率野——禅宗语录美学札记	高 长 江	修辞学习—1994,(2):39
民族心理与文化的闪烁:招牌语言及其修辞心理浅析	杜 文 侠	修辞学习—1994,(2):40-41
说"补释"	张 剑	语文知识—1994,(2):40-42
《济南的冬天》的图画美	胥 传 文	修辞学习—1994,(2):43-44
清代福建修辞学之发端	邹 光 椿	修辞学习—1994,(2):44-45
《口技》语言的参差美	魏 治 明	语文知识—1994,(2):47
翻译课教学刍议	任 怀 平 孙 翠 兰	山东外语教学—1994,(2):59-62
论词语的选用	武 新 春	河北财经学院学报—1994,(2):73-76
比喻与中国现代新诗的修辞阐释	李 怡	山东师大学报·社科版—1994,(2):80-83

粲于金石珠玉,美于黼黻文章:论荀子对排比、顶针、反义词的运用	何　忠　东	古汉语研究—1994,(2):92-96
关于"省略"和"隐含"	施　关　淦	中国语文—1994,(2):125-128
省略与紧承	兰　善　清	语文月刊—1994,(3):8-9
关于自指和转指	姚　振　武	古汉语研究—1994,(3):10-15
简说饰喻	罗　治　武	阅读与写作—1994,(3):12-14
韵文中的添衬成分	李　嘉　耀	修辞学习—1994,(3):17-18
谈拆音的修辞作用	梁　宗　奎	修辞学习—1994,(3):19-20
浅谈"增饰"	曾　护　荣	修辞学习—1994,(3):20
并列对应协调美	黄　爱　平 王　聿　恩	阅读与写作—1994,(3):20-21
学会运用各种句子表达同一个思想	金　天　相	语文世界—1994,(3):22
谐音表意法	徐　传　武	语文月刊—1994,(3):23
横辟纵掘:主题新与深析概	倪　　　敏	固原师专学报—1994,(3):27-29,94
譬解现象与修辞学视野	唐　松　波	修辞学习—1994,(3):36-37
广告与修辞	王　彩　虹	语文知识—1994,(3):49-50
比喻的组合美	陈　一　平	语文知识—1994,(3):52-53
论名词修饰动词	文　　　炼	上海师范大学学报·哲社版—1994,(3):96-99
试论学报编辑的形象语言	林　　　蔚 夏　　　阳	河南师范大学学报·哲社版—1994,(3):109-112
北京地名谐音改字试析	张　清　常	中国语文—1994,(3):197-200
"双关"的微观和宏观	丛　　　杨	语文月刊—1994,(4):4-6
汉代"兴喻"说	萧　华　荣	齐鲁学刊—1994,(4):9-16
陈衡哲散文:合喻的富矿	王　文　强	修辞学习—1994,(4):11-12
浅谈古典诗歌的语言美	熊　有　为 孙　慎　鸣	贵州教育学院学报·社科版—1994,(4):15-22,9
弹无虚发 字字玑珠:司马光《谏院题名记》的修辞技巧	郑　　　超	修辞学习—1994,(4):18
一种特殊的设问句	李　文　栓	修辞学习—1994,(4):19
定中超常搭配与修辞效果	袁　　　秀	阅读与写作—1994,(4):19-20
特定时期的心曲:《国门内外殷殷情》推荐歌词赏析	文　　　达	修辞学习—1994,(4):19-21
漫谈我国古代劝说的入题艺术	卢　隆　光	修辞学习—1994,(4):23-34,22
翻造出新别具一格——华罗庚诗词中的"仿语"修辞术	孔　章　圣	写用—1994,(4):24-25
汉语中的否定艺术	彭　增　安	修辞学习—1994,(4):27-28
俗语中的对偶	陆　美　善	修辞学习—1994,(4):31-33
广告中的仿拟和模仿	徐　国　珍	学语文—1994,(4):32-34
虚数与数字夸张	刘　晓　峰 崔　忠　民	语文知识—1994,(4):33-35

带有比喻词的成语及其组合方式	孙孟明	修辞学习—1994,(4):35-36
一字之易妙语解颐:别具情趣的成语换字	傅望华	语文知识—1994,(4):36-37
妙语双关 广告增色	刘同江 李芝新	语文知识—1994,(4):39
"负、背、买、卖"及其他	顾越	逻辑与语言学习—1994,(4):40
中成药名修辞扫描	刘增寿	修辞学习—1994,(4):42-43
"超前夸张"例辞甄别	谭永祥	逻辑与语言学习—1994,(4):43-44
从"酒谣"看修辞在新民谣中的应用	倪培森	修辞学习—1994,(4):45
词义引申和修辞借代	罗正坚	南京大学学报·人文哲社版—1994,(4):47-53
古诗总分结构修辞初探	谭汝为	修辞学习—1994,(4):48-封底
撷用、扩用与化用:古典诗歌修辞札记	吴宗渊	宁夏大学学报—1994,(4):58-63,72
巧用"意思"妙趣横生	邓君华	语文知识—1994,(4):62-63
汉语同源词刍议	孟蓬生	河北学刊—1994,(4):70-75
《左传》外交辞令探析	武惠华	中国人民大学学报—1994,(4):87-93
比喻推理、比喻论证浅论	朱作俊 黄庆云	徐州师院学报—1994,(4):100-103,118
谈谈四字语的修辞作用	王化鹏	语言教学与研究—1994,(4):156-160
略论《诗经》的语言修辞	张光磊 王俊衡	修辞学习—1994,(5):19-20,18
"语滞"例说	卢盛萱	修辞学习—1994,(5):24-25
物的音喻和意喻趣谈	王志成 张高明	语文月刊—1994,(5):26
漫谈通感	岳东生	修辞学习—1994,(5):26-27
从正反同义聚合中看汉语的超逸灵活	任崇芬	修辞学习—1994,(5):29-30
词语的幽默式表达二题	郭三科	修辞学习—1994,(5):35
关于广告的夸张	慕明春	修辞学习—1994,(5):36-37
修辞园地一奇葩——"仿拟摭谈"	何志刚	语文教学之友—1994,(5):37-38
空调器广告长短说	郑荣馨	修辞学习—1994,(5):38-39
漫画式的"幽默示现"	孙孟明	修辞学习—1994,(5):39-40
"炼语言"四招	陈平	语文学习—1994,(5):41-42
鲜活上口的用语;近年来标题修辞艺术浅探之一	唐韵	四川师范学院学报·哲社版—1994,(5):42-49
漫话回环	宋仲鑫	语文学习—1994,(5):43-44
语气词的妙用	魏鉴文	修辞学习—1994,(5):45
"不露山水"修辞手法举隅	冯树鉴	修辞学习—1994,(5):47-48
小议"警策"	闵庚尧	逻辑与语言学习—1994,(5):48
关于衔接的几个问题	龚晓斌	外语学刊—1994,(5):49-53
归纳和演绎的结合:《永明体到近体》	王希杰	语文月刊—1994,(6):4-6
断取现象与辞格的确定	唐松波	修辞学习—1994,(6):13-14

句群的呼应	王聿恩	修辞学习—1994,(6):15-16
隐括	顾汉松	修辞学习—1994,(6):17-18
诗的倒语与修辞	张炼强	修辞学习—1994,(6):21-22
"红楼"指瑕	黄岳洲	修辞学习—1994,(6):24-26
妙语佳句与诗人外号	谢明	修辞学习—1994,(6):25
"红楼"动态比喻	孔昭琪	修辞学习—1994,(6):27,22
"藏词"论略	鲍善淳	修辞学习—1994,(6):28-29,31
谈谈跳脱及其美学功能	骆小所	修辞学习—1994,(6):32-33
古代拟物辨正	石画	修辞学习—1994,(6):34-35
中补超常搭配的修辞效果	刘良文	逻辑与语言学习—1994,(6):36-38
纪年号的修辞功能	于思湘	修辞学习—1994,(6):37
浅变借代性省略	朱文献	语文教学之友—1994,(6):38
词类活用与修辞	郭夫良	逻辑与语言学习—1994,(6):39-40
中补超常搭配的修辞效果	刘良文	逻辑与语言学习—1994,(6):36-38
"谢绝搭车"与"朝三暮四"	王化鹏	语文学习—1994,(6):41
远距离的比喻	王明文	语文学习—1994,(6):42
精致的"废话"	葛胜华	语文学习—1994,(6):44-46
从格式上看成语活用的几种方法	刘铁钧	逻辑与语言学习—1994,(6):47-48
从单字词的灵活性谈到旧体诗的修辞问题	启功	北京师范大学学报·社科版—1994,(6):53-62
幻化怪异喻世讽时:二论《聊斋志异》中的动物描写	陈炳熙	南开学报·哲社版—1994,(6):60-67
春秋发微言 战国饶辩士:先秦公关外交语言艺术综论	刘竹	云南师范大学学报·哲社版—1994,(6):66-71
期刊编辑语言加工风格论	陆军 贾红棉	辽宁师范大学学报·社科版—1994,(6):69-71
生活中语言因素的运用	陈叔钦	语文知识—1994,(7):25-29
汉字形体的修辞作用例析	倪培森	语文知识—1994,(7):32-33
毛泽东诗词中的"卷"	曹津源	语文知识—1994,(7):35-36
容易破读句子	汪克谦	语文知识—1994,(7):49-50
文言虚数的修辞效果	李生信	语文知识—1994,(8):25-26
一种特殊的暗喻	倪林生	语文知识—1994,(8):27
"设喻"三议	王孔文	语文知识—1994,(8):29-30
说拟喻	张剑	语文知识—1994,(8):32-33
简洁明快生动形象——古汉语"名词转类"的修辞色彩	贾德望	语文教学之友—1994,(8):38-39
谈广告语言的修辞技巧	钟瑛	语文教学与研究—1994,(8):42-43
"断章"与"笔舌妙品"	谭永祥	语文月刊—1994,(9):5-6
因名设喻举隅	吴崇厚	语文教学之友—1994,(9):38

标题	作者	出处
"花衰郎意"与"水流侬愁"——浅说倒喻	文 峰 丁肖荫	阅读与写作—1994,(9):40
博喻的妙用	许 谦	语文知识—1994,(9):43
从诗的角度看借代的表现力	马立鞭	阅读与写作—1994,(10):18
曲喻浅探	贺道德	阅读与写作—1994,(10):18
广告的数字魔方	陈姝金	语文建设—1994,(10):26-29
古典诗词的互喻、倒喻与顶喻	谭汝为	语文知识—1994,(10):28-30
复指短语的修辞效果	康家珑	语文知识—1994,(10):32-34,封三
反义词的奇说妙用	徐秀君	语文知识—1994,(10):35-36
"共用"例说	曹津源	语文知识—1994,(10):37-38
"A而不B"例说	张吉干	语文知识—1994,(10):38-39
烘托与反衬	萧乾新	语文教学之友—1994,(11):31-32
凝缩的比喻	李学明	语文学习—1994,(11):44-46
定中超常搭配的修辞效果	雨 齐	阅读与写作—1994,(12):15-16
"互文"例谈	谭 荣	阅读与写作—1994,(12):16-17
陪衬句的特点及作用	李敦凯	阅读与写作—1994,(12):17-18
古典诗词中问句的修辞功能	陈宏硕	写作—1994,(12):24-25
比喻与类比的异同	钱乃荣	语文学习—1994,(12):35-36,9
如何使数量表述形象化	娄国忠	语文教学之友—1994,(12):37
蝴蝶在诗词曲中的比兴语义	曾 良	文史知识—1994,(12):86-91
现阶段词语用法的变化	李振杰	语文建设通讯—1994,(44):46-52
《孙子兵法》比喻句特色	潘天华	修辞学习—1995,(1):14-15
谈虚词的超常表达艺术	戚晓生	修辞学习—1995,(1):20-21
广告解读	刘一玲	语言文字应用—1995,(1):28-30
略谈广告的"情感诉求"	万忠群	语言文字应用—1995,(1):31-34
古代禅诗的修辞	杨俊萱	修辞学习—1995,(1):33-34
广告语言的信息传递方式	盛 林	语言文字应用—1995,(1):35-38
广告标题语法特点初探	曹德和	语言文字应用—1995,(1):39-42
论广告语中的夸张	丁柏铨	语言文字应用—1995,(1):43-47
法律语体的修辞特征	兰 霞 吕尚彬	四川师范学院学报·哲社版—1995,(1):50-55
同素反序词及其语音修辞	吴占海	内蒙古师大学报·哲社版—1995,(1):59-62
《诗经》的复合技巧美初探	侯攀峰	内蒙古师大学报·哲社版—1995,(1):63-69
公文的语言也要讲究生动活泼	周永竞	沈阳师院学院学报·社科版—1995,(1):88-89
谈象征与修辞在《旧约·路得记》中的运用	齐撰一	齐齐哈尔师院学报—1995,(1):88-91,98
"辞达而已矣":《论语》语言特色之一	张冠湘	古汉语研究—1995,(1):89-93
《硕鼠》篇究竟运用了何种修辞方法?	崔锡臣	沈阳师院学院学报·社科版—1995,(2):11-13
广告语言的艺术特征	沈国清	湘潭大学学报·社科版—1995,(2):21-24

论《管子》散文的语言艺术	章沧授	安庆师院学报·社科版—1995,(2):34-39
宋词呼应技巧略论	张延杰	宁夏大学学报—1995,(2):65-68
试论广告词的创意	黄德玉	安庆师院学报·社科版—1995,(2):81-86
河湟花儿中"比"的特殊用法	靳玉兰	兰州大学学报·社科版—1995,(2):106-109
说"食"类用语汉语修辞与汉文化	陆庆和	语言文字应用—1995,(2):102-106
高晓声的语调:读《陈奂生上城出国记》	朱青	解放军外语学院学报—1995,(2):106-111
唐宋诗词中的共喻、双喻、蝉联喻	马国强	修辞学习—1995,(3):38
比喻在不同文体里的作用举隅	林建明	语文知识—1995,(3):40-42
《金瓶梅》谐音技巧析	蒋同林	修辞学习—1995,(3):42-43
巧用一字境界全出——白居易《暮江吟》简析	唐嗣德	修辞学习—1995,(3):44
于细微处见工夫:修辞释义一例	立文	语文研究—1995,(3):52
例谈借用量词的比喻作用	徐开泰	语文知识—1995,(3):57-58
关于修辞学研究范围的探讨	王培基	内蒙古师大学报·哲社版—1995,(3):64-70
新闻报导翻译的特点	史振天	语言与翻译—1995,(3):72-77
《论语》语言风格浅识	郭广敬	信阳师范学院学报—1995,(3):73-75
动物词语的褒贬色彩、褒贬对立和偏离	关英伟	广西师范大学学报·哲社版—1995,(3):94-98
苏芮歌曲的语言文化特色	方珍平	修辞学习—1995,(4):5-7
公关语言的特点	李济中	修辞学习—1995,(4):22-24
"动词1+X动词2+X"口语句式分析	夏齐富	修辞学习—1995,(4):34-36
慷慨激越荡人心魄:抗战时期巧联妙对赏析	张炎苏 百龄	修辞学习—1995,(4):42-43
古汉语中词类活用的修辞审美效果	张振弼	语言文字学—1995,(4):57-59
叠字在古典诗歌中的状况与修辞功能	吴宗渊	宁夏大学学报—1995,(4):61-66
语文教学语言风格浅说	毛天鸿	沈阳师范学院学报·社科版—1995,(4):80-84
论双关、反语、讳饰三辞格的双重含义	刘志萍 朱林清	南京师大学报·社科版—1995,(4):82-87
语气助词"了"字的修辞意义	张其昀	齐齐哈尔师院学报—1995,(4):84-89
打工仔和打工妹:词语的泛化现象刍议	覃凤余	修辞学习—1995,(5):10-11
专用词的异解现象	潘勃	修辞学习—1995,(5):16
情味无尽,意蕴无穷——论《红楼梦》的含蓄修辞手法	岳东生	修辞学习—1995,(5):26-27
逆转之妙	徐开泰	语文知识—1995,(5):27-28
谈《金瓶梅》中的比喻	李少开	语文知识—1995,(5):30-31
文言课文中借代手法一瞥	黎琳	语文知识—1995,(5):39-40

穗港的女性称呼语	陈慧英	修辞学习—1995,(6):7-9
望文生义:一种新的辞格类型:兼判"别解""断取"诸格之聚讼案	吴礼权	修辞学习—1995,(6):10-12
顺水推舟 即物取喻:谈诗歌中的"垫喻"	范一直	修辞学习—1995,(6):12-13
实虚结合 形神兼备:歌词语言传统手法在当代之运用	魏德泮	修辞学习—1995,(6):17-18
言语风格分析在侦破案件中的作用	阎贵臣	修辞学习—1995,(6):18-20
正反同义现象的修辞效果例析	郭攀	修辞学习—1995,(6):21-22
关于整句与联想的问题:兼与张炼强先生商榷	赖先刚	修辞学习—1995,(6):23-25
议论中要巧用比喻	王寿沂	语文建设—1995,(6):24-26
电影片名研究	方珍平	修辞学习—1995,(6):25-26
词的音节与同义词选择	旺盛	修辞学习—1995,(6):27-28
修辞方式比拟与表现方法比拟	曹德和	修辞学习—1995,(6):28-29
曹禺剧作句式的魅力	张虹	修辞学习—1995,(6):30-31
一次五洲华人参与的修辞实践:全球"绝对求偶"活动评述	程祥徽	修辞学习—1995,(6):31-33
问话的艺术	骆峰	语文建设—1995,(6):41-43
一种易被误认为病句的"借代":隶属性借代	吴余珍	语文知识—1995,(6):44
谈"语言博弈"中否定的使用	董明	北京师范大学学报·社科版—1995,(6):87-91
关于"效尤"一词用法之管见	申传祥	语言文字学—1995,(7):59-61
摄魂夺魄的报刊广告艺术	裴光亚	语文知识—1995,(8):4-6
拆姓成趣	闻罢	语文知识—1995,(8):13-14
"频词"摭谈	魏兆云	语文知识—1995,(8):28-30
修饰性暗喻举隅	冯汝汉 周建成	语文知识—1995,(8):31-32
"七斤"是借代吗?与王梅艳同志商榷	化长河	语文知识—1995,(8):32-33
"死"的婉称与修辞	王聚元	语文知识—1995,(9):38-40
词锋语利 意显理豁:谈复旦大学辩手妙用"仿拟"	黄祖泗	语文知识—1995,(10):20-23
略论修辞学的基本概念	王希杰	语言文字学—1995,(10):110-116
试谈双重称谓的修辞效果	王洪钟	语文知识—1995,(11):27-28
修辞与想象	王建军	语文知识—1995,(11):35
《晏子春秋》的非语言手段初探	陈思坤	古汉语研究—1995,(增刊):25-28
"言之无文,行而不远":《论语》语言特色之三	张冠湘	古汉语研究—1995,(增刊):29-32
关于比喻的两个问题	李忠初	古汉语研究—1995,(增刊):58-61

仿拟词的类型和特点	龙青然	古汉语研究—1995,(增刊):69-72

作家语言研究

鲁迅作品中借代性的"习惯省略"	孙孟明	语文知识(郑州)—1990,(12):44-45
形式就是价值——谈鲁迅运用语言的艺术	郑志刚	阅读与写作—1991,(1):15
高晓声小说"重唱"现象解析	王文强 王国娟	修辞学习—1991,(1):21-22
浅谈朱自清散文的修辞美	宋连生	河北师范大学学报·社科版—1991,(1):25-31
李清照词迭字研究	沈荣森	成都大学学报—1991,(1):38-41
鲁迅杂文的重复手法及其特点	李效钦	语文学刊(呼和浩特)—1991,(1):44,43
争奇斗艳的艺术之花:谈《围城》对修辞格的运用	夏齐富	安庆师院学报·社科版—1991,(1):54-61,26
郭沫若咏物诗的语言特色	林立	郭沫若学刊—1991,(1):57-60
论艾青诗歌的语言艺术	吕家乡	青海师范大学学报·社科版—1991,(1):59-65
吕叔湘论文中的插注	董菊初	语言文字学(北京)—1991,(1):79-81
论个人的言语风格和言语修养	张德明	锦州师院学报·哲社版—1991,(1):83-88
歧解的消除——郭沫若改笔研究之一	倪宝元 张宗正	杭州大学学报·哲社版—1991,(1):88-92,132
毛泽东著作语言特色初探	李子洪 刘耀业	祁连学刊—1991,(1):88-92
张炜小说语言概述	刘一玲	徐州师范学院学报·哲社版—1991,(1):107-111
比较视角下李准、张一弓语言景观	杜田材	莽原—1991,(1):235-240
朱自清雅俗一元化的语言艺术初探	宋连生	河北大学学报·哲社版—1991,(2):34,30
基调贯穿 语肖其人——曹禺戏剧语言学习札记之二	刘普林	学语文—1991,(2):43-45
从《骆驼祥子》看老舍的言语风格	张秀华	四川教育学院学报—1991,(2):43-50
侯宝林相声中的意外型幽默	杜永道	逻辑与语言学习(石家庄)—1991,(2):45-46
汪曾祺作品语言风格简评	邰宇	江苏教育学院学报·社科版—1991,(2):47-49
浅谈莎士比亚的戏剧语言	高静芳	齐齐哈尔师范学院学报—1991,(2):48-53
试论毛泽东文章的语言特色	张剑华	承德师专学报·社科版—1991,(2):70-73
吕叔湘近著语言特点探微	徐振礼 朱敏	南京师大学报·社科版—1991,(2):84-88
论白先勇小说的语言艺术	刘俊	南京大学学报·哲学·人文·社会科学—1991,(2):108-114
李劼人语言艺术初探	艾芦	当代文坛—1991,(3):30-34
试论鲁迅运用比喻推理的艺术	谢根成	河南师范大学学报·哲社版—1991,(3):34-36
琼瑶小说人名艺术赏析	周一农 黄雪琴	修辞学习(上海)—1991,(3):38-39
鲁迅杂文的重复手法及其特点	李效钦	语文知识(郑州)—1991,(3):39-41

标题	作者	出处
山西味很醇的普通话——从赵树理的语言谈起	孙桂森	内蒙古民族师院学报·哲社汉文版—1991,(3):40-42
试论鲁迅表达联言判断的语言艺术	楚明坤	河南大学学报·社科版—1991,(3):81-84,46
试论张天翼讽刺小说的语言艺术	潘子彦	上海师范大学学报·哲社版—1991,(3):115-119
曲意的模糊 难得的模糊——谈鲁迅杂文中的模糊语言	杨永明	学语文—1991,(4):8-9
《回延安》中的"列锦"修辞格	曹津源	语文知识(郑州)—1991,(4):28-30
老舍戏剧的语言艺术	徐忠明	浙江大学学报·社科版—1991,(4):35-38
论莫言小说语言的超常使用	江南	徐州师范学院学报·哲社版—1991,(4):134-138
视角·结构·语调——论巴金小说的文体美	谭洛非 谭兴国	当代文坛—1991,(5):10-15
朱自清散文的语言美	林运来	中学语文教学—1991,(5):25-27
古香古色传薪火 新词新句开风气——梁启超学术修辞赏议	林文錡	文史知识—1991,(5):33-37
李煜词的动态比喻	方德珠	语文月刊(广州)—1991,(6):17-18
鲁迅作品中的"特置重复"	孙孟明	语文知识(郑州)—1991,(6):54-56
话说老舍的出着声写	孙火林	语文月刊—1991,(8):32-33
倾听那心灵深处的颤音——谈徐志摩诗歌叠字运用的抒情特点	赵宁子	语文月刊—1991,(12):12-14
鲁迅作品零形语言作用说略	苏盛葵	语文教学之友—1991,(12):13-14
华罗庚科普著作的语言风格	吴崇厚	修辞学习—1992,(1):25
文学语言的功能分类与作家作品语言风格、特色的研究	曹炜	九江师专学报·哲社版—1992,(1):25-30
个人言语风格的构成因素	戴珍元	暨南大学研究生学报—1992,(1):39-42
论《围城》的语言艺术	杨芝明	东疆学刊·哲社版(延吉)—1992,(2):9-15
茅盾用语漫谈	潘晓东	修辞学习(上海)—1992,(2):18-19
《记得当年来水城》的语言特色	刘愫贞	修辞学习—1992,(2):34
鲁迅小说中单音动词的运用技巧	姜德梧	逻辑与语言学习(石家庄)—1992,(2):38-42
再谈即景取喻:以琼瑶小说为例	张德明	修辞学习(上海)—1992,(2):41-42
《醒世恒言》中的冯梦龙创作——来自语言特征的研究	[日]佐藤晴彦著 王欣译	河北师院学报—1992,(2):66-73,102
《木木》的语言风格浅析	蓝泰凯	贵州大学学报·社科版—1992,(3):48-51
试论莎士比亚戏剧语言中隐喻的修辞艺术	李秀莲	河北师院学报·社科版(石家庄)—1992,(3):67-71,103
阿成小说言语风格辨析	万志祥	九江师专学报·哲社版—1992,(4):24-28
北京话化入普通话的轨迹:老舍作品语言研究的新途径之一	张清常	语言教学与研究(北京)—1992,(4):26-32

毛泽东文章语言句式特点浅论	崔应贤	河南师范大学学报·哲社版(新乡)—1992,(4):27-33
《画里真真看故乡》的语言艺术	陈振	修辞学习—1992,(4):36
《枫叶如丹》语言赏析	文达	修辞学习—1992,(4):37-38
试谈孙犁小说中动词重叠的运用	周自厚	锦州师院学报·哲社版—1992,(4):78-81
高鹗的语言比曹雪芹更像北京话	俞敏	中国语文(北京)—1992,(4):265-267
文学创作中如何对待方言俗语——茅盾的理论和实践	亚僮伦	修辞学习—1992,(5):13-14
王照与官话合声字母的创行	夏俊霞	天津社会科学—1992,(5):93-95
感觉符号与情感符号——论(台湾)郭枫散文的艺术语言	吴周文	齐鲁学刊—1992,(5):114-121,73
林肯《葛底斯堡演说》的语言艺术	许明	吉林大学社会科学学报—1992,(6):17-19,41
《红楼梦》词语艺术	邹光椿 陈慧娜	修辞学习(上海)—1992,(6):31-32
表现化 感觉化 陌生化——何立伟小说语言漫论	张献青	修辞学习—1992,(6):32-34
鲁迅作品中的问句使用艺术	王新村	语文教学之友—1992,(6):34-35
鲁迅杂文的反连手法	李效钦	语文学习(上海)—1992,(6):43-44
纯朴的语言 深情的歌唱——杂谈苏金伞诗歌的语言风格	朱强	郑州大学学报·哲社版—1992,(6):104
殊异的语言艺术境界——论朱自清"谈话风"的艺术语言的创造	张玉飞	江海学刊—1992,(6):172
《蜕变》语言偶记	王希杰	语文月刊—1992,(8):14-15
《阿Q正传》的模糊修辞艺术	杨芳	语文月刊(广州)—1992,(9):6-7
刘绍棠"运河文学"的语言根基	致远	写作—1992,(9):16-17
萧红与冰心、庐隐、丁玲语言风格比较谈	陈宏	江汉论坛—1992,(9):70
鲁迅作品中语言的演变	郭国英	语文学习(上海)—1992,(10):46-47
王朔:语言的消费与游戏	陈旭光	北京大学研究生学刊·社科版—1993,(1):10-12
侯宝林相声中"悖谬法"构成的幽默	杜永道	修辞学习(上海)—1993,(1):11-12
试说鲁迅的非议论体杂文:兼说杂文的定义问题	陈瑞衡	写作(武汉)—1993,(1):13-14
毛泽东的语言幽默	谭达人	语文建设(北京)—1993,(2):24-26
彼此系连 交互映发:钱钟书修辞理论和修辞实践管见	张炼强	贵州大学学报·社科版(贵阳)—1993,(2):27-33
《围城》言语修改艺术	祝敏青	修辞学习(上海)—1993,(2):37-39
浅谈欧阳修散文语言的艺术特色	宋丹	学语文(芜湖)—1993,(2):44-45
简论毛泽东公文的写作特点	王喜辰	河北大学学报·社科版—1993,(2):58-64
鲁迅语言例谈	王希杰	语文月刊(广州)—1993,(3):2-3

篇名	作者	出处
李清照《声声慢》叠词艺术探胜	黄岳洲	修辞学习(上海)—1993,(3):26-27
浅谈朱自清散文的叠字艺术	刘伯毅	语文月刊(广州)—1993,(3):30-31
《诗》兴与正义管见	谭兴戎	河南师范大学学报·哲社版—1993,(3):51-54
纤语寄幽情:论郁达夫的小说语言	葛邦祥	南京师大学报·社科版—1993,(3):81-87
立心代言,刚声柔响,语求宛肖——试论司马迁《史记》中人物的语言艺术	杨松岐	殷都学刊—1993,(3):
谈鲁迅作品中的词类活用现象	戴昭慰	学语文—1993,(4):10-11
谈《围城》塑造人物形象的比喻艺术	沈正赋 谢海峰	学语文—1993,(4):29-30
一首精妙隽永的抒情散文诗:谈巴金《春天里的秋天》中的比喻	王金柱	逻辑与语言学习—1993,(4):40-43
岳飞《小重山》的语言艺术	徐安达	修辞学习—1993,(5):41-42
强烈鲜明的动感——余光中散文的语言艺术浅谈	李军	修辞学习—1993,(6):24-25,22
从王朔的"消解语言"说起	覃凤余	阅读与写作—1993,(8):8-9
鲁迅作品动态性比喻的表达功能	曹津源	语文知识—1994,(1):24-25
喻苑巨擘:浅论钱钟书在比喻理论上的杰出贡献	李忠初	湘潭大学学报·社科版—1994,(1):42-47
鲁迅诗歌修辞探微	张大友	徐州师范学院学报·哲社版—1994,(1):66-70
从不同语体看钱钟书的语言风格	黄鹤	暨南学报·哲社版—1994,(1):123-129
浅论毛泽东语言的美学风格	肖远骑	KU—1994,(2):7-9,22
说略得体 锦缎巧裁;毛泽东公文的剪裁艺术	张庆儒	辽宁师范大学学报·社科版—1994,(2):53-56
试谈毛主席诗词的拟人化手法	陆义彬	KU—1994,(2):55-57
曲高和众:老舍语言观评析	王惠云	河北师院学报·哲社版—1994,(2):73-80
限定现代汉语词汇范围的理论框架:评刘叔新的描写主义词汇观	邓国栋 张焱	新疆师大学报·哲社版—1994,(2):81-85
比兴之外的奇观:谈王勃直赋其事的笔法	史实	蒲峪学刊—1994,(3):5-7
鲁迅语言例谈	高蓬洲	修辞学习—1994,(3):16
喻海明珠:《围城》比喻研究	温锁林	山西大学学报·哲社版—1994,(3):51-56
孔子语言观简论	朱茂汉	修辞学习—1994,(4):5-6
陈衡哲散文:合喻的富矿	王文强	修辞学习—1994,(4):11-12
王蒙仿成语手法初探	胡小宁	修辞学习—1994,(4):12-13
谈周邦彦词的隐括	孙虹	修辞学习—1994,(4):28-30
读《琐忆》,学习鲁迅的谈话技巧	张宏星	修辞学习—1994,(4):30-31
侯宝林语言二三事	许嘉璐	语文建设—1994,(4):43-46
论何立伟小说语言定居状位修辞效果	常月华 崔应贤	郑州大学学报·哲社版—1994,(4):56-58

论沈从文小说的叙事语言及其功能	李亚林	新疆师大学报·哲社版—1994,(4):63-68
用人民的语言为人民而写	胡絜青	语文建设—1994,(5):25-26
简练、深刻而又大众化	叶子	语文建设—1994,(5):27
永远值得学习的语言大师	夏淳	语文建设—1994,(5):27-28
老舍先生的北京话	郑榕	语文建设—1994,(5):29
让人民群众好懂	黎频	语文建设—1994,(5):29-30
艺术化而又规范化	胡宗温	语文建设—1994,(5):30
老舍先生的幽默语言	张瞳	语文建设—1994,(5):31
从群众口语中提炼出的艺术语言	李翔	语文建设—1994,(5):31
淳朴、亲切的话剧语言	李大千	语文建设—1994,(5):32
老舍先生的京味儿	李滨	语文建设—1994,(5):33
老舍文学语言发展的六个阶段	舒乙	语文建设—1994,(5):33-38
谈毛泽东的新闻文章修改艺术	杨文忠	河南大学学报·哲社版—1994,(5):122-126
鲁迅笔下的称谓	孙向阳	语文月刊—1994,(6):11
曹雪芹擅构语境绘人物	邹光椿 陈慧娜	修辞学习—1994,(6):30-31
许达然散文的语言美	史灿方	修辞学习—1994,(6):40-41
《阴阳交接》集的长句类型及修辞作用:蒋子龙小说语言探索之一	丁安仪 原新梅	河南师范大学学报·哲社版—1994,(6):53-57
三境写人:再论孙犁塑造妇女形象的技巧	洪珉	河南师范大学学报·哲社版—1994,(6):79-82
浅议毛泽东文稿语言的美	卢维邦 赵永译	应用写作—1994,(10):3-4
鲁迅巧用"革命"词	周纯智 李玲玲	中学语文教学—1994,(10):43-44
再论钱钟书比喻的特点	田建民	河北大学学报·哲社版—1995,(1):65-70
表情达意的利器:老舍作品对"词语"辞格的运用	夏齐富	安庆师院学报·社科版—1995,(2):77-80
浅谈毛泽东的文章本原观	贾占清	河南大学学报·哲社版—1995,(3):82-86
刘耀辉人物通讯写作特色探索	杨志顺	四川师范学院学报·哲社版—1995,(5):117-120
《围城》语言比喻有三妙	罗建中	语文知识—1995,(7):24-26
数词在毛泽东诗词中的修辞意义	王文戈	语文教学与研究—1995,(8):32-33
鲁迅杂文中的仿词	徐永和	语文教学与研究—1995,(9):43-44
鲁迅书信中的谐词戏语拾趣	彤珊	语文知识—1995,(10):7-8
积极修辞 妙趣横生:毛泽东语言幽默评说	倪培森	语文知识—1995,(10):16-18

写　　作

标点符号的简短回顾	胡士云	语文建设(北京)—1990,(3):55-58

标题	作者	出处
标点符号的规范化问题	苏培成	语文建设(北京)—1990,(4):14-17
浅析报纸标题中冒号的用法	易良生	语文建设(北京)—1990,(4):51-52
我国先秦时期的写作观	潘新和	淮北煤师院学报·社科版—1990,(4):92-99
论人称的多重性质	王大悟	河南大学学报·哲社版(开封)—1990,(5):107-109
谈诗歌语言的形式美	黄敬华	逻辑与语言学习(石家庄)—1990,(6):41-42
从引号错用说起	何伍	语文建设(北京)—1990,(6):45-46
文章笔法论:文章丛谈之三	牛宝彤	北京师范学院学报·社科版—1990,(6):70-77,85
创造性思维与作文立意	陈世明	语文月刊(广州)—1990,(11-12):59-60
关于文体分类及其宏观蓝图的构想	刘世剑	写作(武昌)—1990,(12):1-3
角度分析与义点确立	孙毓琪	语文知识(郑州)—1990,(12):8-10
谈谈散文意境创造的艺术手法	龙蕙樵	写作(武昌)—1990,(12):18-19
思维莽原上的多色花	汤国铣	写作(武昌)—1990,(12):20
公共关系与写作	彭建明	写作(武昌)—1990,(12):26-28
案件消息写作初探	徐敏	写作(武昌)—1990,(12):30-31
"京味新闻"浅谈	杨少萱	写作(武昌)—1990,(12):31-33
公文写作范文必须规范	叶黔达	写作(武昌)—1990,(12):40-41
辩护词语言初探	马承科	修辞学习—1991,(1):7
雅词的崛起	陈忻	电大文科园地—1991,(1):27-29
妙在入微	常青	语文学习(上海)—1991,(1):29-31
"具体"的表现方法摭谈	朱华贤	语文学习(上海)—1991,(1):32,31
新时期语体研究评述	纪永祥	青海师专学报—1991,(1):33-37
词组的紧缩	刘志珍	语文知识(郑州)—1991,(1):34-36
《标点符号用法》问题解答(一)	《标点符号用法》修订组	语文建设(北京)—1991,(1):36-37
《标点标号用法》问题解答(二)	《标点标号用法》修订组	语文建设(北京)—1991,(4):31-33
《标点符号用法》问题解答(三)	《标点符号用法》修订组	语文建设(北京)—1991,(5):32-34
《标点符号用法》问题解答(四)	《标点符号用法》修订组	语文建设(北京)—1991,(6):35-36,19
《标点符号用法》问题解答(五)	《标点符号用法》修订组	语文建设(北京)—1991,(7):31-32
《标点符号用法》问题解答(六)	《标点符号用法》修订组	语文建设(北京)—1991,(9):32-33

标题	作者	出处
《标点符号用法》问题解答(七)	《标点符号用法》修订组	语文建设—1991,(10):31-33
象征写法与文题照应	黄佩文	修辞学习(上海)—1991,(1):45
试谈公文事务语体	王家齐	四川外语学院学报—1991,(1):68-72,111
关于间隔号的应用范围	王德中	徽州师专学报·哲社版—1991,(1):71-72
如何处理引文末尾的标点	辜健斗	抚州师专学报—1991,(1):76-78
《词话丛编》标点异议	刘石	山西师大学报·社科版(临汾)—1991,(1):76-81,73
略谈议论文的构思	肖志刚	中学语文(武昌)—1991,(2):21-23
从"鲁迅多用分号"想到的	陈继民	中文自修—1991,(2):23-24
也谈比喻论证和类比论证	罗树钦	语言美(昆明)—1991,(2):25②
浅谈方志的语言表述	沈在秀	方志研究—1991,(2):35-36
破折号的新兴用法	李文明	修辞学习(上海)—1991,(2):42-43
引号:优化语言的新手段	吕立易	语文知识(郑州)—1991,(2):49-53
国际科技商务谈判的语言特点	胡庚申	高等学校文科学报文摘—1991,(2):59
文体分类趋向论——兼为"师范文体"正名	叶素青	福建师范大学学报·哲社版—1991,(2):65-72
汉语现代诗格律	夏志权 李明江	上海师范大学学报·哲社版—1991,(2):140-145
破折号在复句中的运用	蔡成伯	语文月刊(广州)—1991,(3):10-11
从标点符号的性质看"无标点文字"	岳方遂	修辞学习(上海)—1991,(3):25-26
文字接续漫谈	周仁良	语言美(昆明)—1991,(3):25④
插入语在公文写作中的运用	陈思义	文秘—1991,(3):28-29
军用公文语体语言的特点	孙连仲	应用写作—1991,(3):34
引号的"双、单、双"法	陈继民	中文自修—1991,(3):38
不能忘却"辞达"、"远鄙倍"的民族重文传统	九同	逻辑与语言学习(石家庄)—1991,(3):38-39
论标点符号的相对零形式	曹石珠	佳木斯教育学院学报—1991,(3):43-46
趣谈《红楼梦》中的"叹气"描写	杜永道	学语文(芜湖)—1991,(3):48
分号的用法刍议	徐德邻	黑龙江教育学院学报—1991,(3):54-55
探讨标点符号在科技文章中的作用	朱德培	编辑学报—1991,(3):147-150
科技语言中的省略	许淳熙	编辑学报—1991,(3):152-154
鲁迅标点举隅	何相成	语文教学论坛—1991,(4):3
志书著作中的语言环境	苑广才	方志研究—1991,(4):12-15
志书语言的根本特征	傅之祥	方志研究—1991,(4):16-17
实·准·简·活:谈应用文写作的基本要求	陈显耀	语文月刊(广州)—1991,(4):27-29
寓言式微型小说的写作	刘海涛	语文月刊(广州)—1991,(4):30-32
标点符号的一种特殊用法	冯广艺	语文建设(北京)—1991,(4):34

论说文的话题句浅探	王 晓 平	江西大学学报·社科版(南昌)—1991,(4):88－91,97
浅谈税务写作的语言特点	王 树 溥 刘 婉 妍	应用写作—1991,(5):17－18
《孔乙己》数量短语使用的匠心	李 玉 臣	中学语文(武昌)—1991,(5):28－29
公文标题中三种标号的使用	岳 海 翔	写作—1991,(5):33－34
隐讳号、虚缺号、斜线号和星号	胡 士 云	语文建设(北京)—1991,(5):34－36
杂谈书信用语和格式	锐 声	语文建设(北京)—1991,(5):41－43
标点符号拾趣	葛 德 均 苏 华	写作(武昌)—1991,(5):46－47
从正面烘托说到美丑相衬	宗 廷 虎	语文月刊(广州)—1991,(6):8－9
一个新标点——省年号	章 志 洁	语文月刊—1991,(6):15
语言张力与情态传达	邓 嗣 明	语文月刊(广州)—1991,(6):24－26
谈谈文章风格创造的独特性	苏 兆 富	语文月刊(广州)—1991,(6):26－27
将欲避之 必先犯之:"犯中见避"写作技法漫说	费 世 雄 霍 世 泓	语文月刊(广州)—1991,(6):27－29
杂谈书信用语和格式(三)	锐 声	语文建设(北京)—1991,(6):39－40
寓意性作文类型和立意例示	高 明 忠	语文月刊(广州)—1991,(6):40－41
句群分析与议论文的论点和结构	何 立 庆	中学语文教学(北京)—1991,(6):43－44
标点符号病用例说	胡 永 生	中学语文教学参考(西安)—1991,(6):44－45
数词表示历史事件名称时标点的用法	韦 俊 谋	语文建设(北京)—1991,(7):33
报纸标题中冒号用法例谈	易 良 生	语文知识(郑州)—1991,(7):43－44
引用的作用	孙 火 林	语文知识(郑州)—1991,(7):46－47
标点符号与修辞格	钱 扬 学	语文知识(郑州)—1991,(8):8－11
示殁号用法举例	周 明 强	语文月刊—1991,(8):10
示殁号用法举隅	周 明 强	修辞学习—1992,(2):44
公文常见的语病	原 玉 祥	秘书—1991,(8):28－29
关于《周易》标点的若干原则问题	詹 鄞 鑫	语言文字学(北京)—1991,(8):125－129
标点符号的超常用法	吴 直 雄	语文建设(北京)—1991,(9):34－35
"斜线号"用法补	严 长 松	语文建设(北京)—1991,(9):36
法律文书中的语言歧义例析	杨 忍 君	秘书之友—1991,(9):44－45
标点符号的修辞效果	朱 富 康	中文自修—1991,(7－8):70
写作与语言	金 健 人	写作(武汉)—1991,(10):14－15
试论破折号的用法	翟 华	语文建设—1991,(10):34－37
再议公文语言的性质	袁 晖	秘书之友—1991,(10):36－37
历史事件名称的引号使用问题	潘 继 成	语文建设—1991,(10):37
传情达意的破折号	兹 水	语文教学之友(廊坊)—1991,(10):40,17
标点符号的缺漏——漫谈标点符号使用中的错误(一)	金 锡 谟	新闻与写作—1991,(11):28－30

标题	作者	出处
标点符号的错位与混杂——漫谈标点符号使用中的错误(三)	金锡谟	新闻与写作—1992,(1):24-26
标点符号的错用(上₁)——漫谈标点符号使用中的错误(四)	金锡谟	新闻与写作—1992,(2):34-36
标点符号的错用(上₂)——漫谈标点符号使用中的错误(五)	金锡谟	新闻与写作—1992,(3):35-36
标点符号的错用(中)——漫谈标点符号使用中的错误(六)	金锡谟	新闻与写作—1992,(4):35-37
标点符号的错用(下)——漫谈标点符号使用中的错误(七)	金锡谟	新闻与写作—1992,(5):39-41
《标点符号用法》答问	苏培成	语文建设—1991,(12):26-27
补叙与插叙的区别	向元荣	语文教学与研究(武汉)—1991,(12):26-27
引文末尾的标点何时放在引号之内	牛钟林	语文建设—1991,(12):27-28
辩论稿写作说略	欧阳湘才	语文月刊(广州)—1991,(12):29-30
"论争性"材料作文写作技巧谈	徐德亮	语文月刊(广州)—1991,(12):30-31
浅谈魏巍散文作品中详略呼应句的运用	黄祖泗	语文知识(郑州)—1992,(1):23-26
谈文章标题上的引号	郑昌时	修辞学习—1992,(1):29
应用写作中的常用修辞作用	原绍锋	黑龙江财专学报—1992,(1):70-74
略论一篇演讲的必有要素	陈少松	青岛师专学报—1992,(1):86-89
关于文章结构的原则问题	陈玉奇	语文月刊(广州)—1992,(2):29-30
谈文章点题艺术美	茚文楼	语文学刊(呼和浩特)—1992,(2):37-38,16
写作中怎样展开想象	谢启贵	学语文(芜湖)—1992,(2):44-45
语用写作学范畴及其方法论意义:兼谈高校写作学科的建设	皇甫修文	延边大学学报·社科版(延吉)—1992,(2):67-73
创造性思维与写作	张 民	延边大学学报·社科版(延吉)—1992,(2):74-75
标题中标点符号的用法	尹世超	语文研究(太原)—1992,(3):21-29
关于分号的用法和分号的定义	赵怀印	语文建设(北京)—1992,(3):32-35
谈谈破折号的用法	欧源坤	四川师院学报·哲版—1992,(3):115-119
《红楼梦》标点琐议	汪维辉	红楼梦学刊(北京)—1992,(3):289-302
公文辞格举隅	张友宁	应用写作—1992,(4):14-16
运用标点符号的新探索:谈《纳西人的后裔》中的标点符号	曹石珠	佳木斯教育学院学报—1992,(4):37-39
请君慎用书名号	徐国珍	汉语学习(延吉)—1992,(4):62
写作感受论	容本镇 南 村	信阳师范学院学报·哲社版—1992,(4):70-76
无标点文字的形式与作用	姚晓波	锦州师院学报·哲社版—1992,(4):73-77
浅谈常用写作思维方法特点	王锡渭	信阳师范学院学报·哲社版—1992,(4):77-83
人物记叙文纵横结构式及其训练法	胡铁城	淮北煤师院学报·社科版—1992,(4):123-126

浅谈"标点符号"的定义	胡中文	学语文(芜湖)—1992,(5):30-32
广告的妙引巧连	姚晓波	汉语学习—1992,(5):43
书名号的用法及规范	易良生	语文建设(北京)—1992,(5):43-44
广告中的标点	朱少红	学语文(芜湖)—1992,(5):47
标点符号的模糊性及其教学	汪炳悦 张云凌	语文教学通讯—1992,(5-6):98-99
分号只表示并列关系吗	钟亚林	语文教学通讯—1992,(5-6):102
议论文开头方式举例	赖旺炉	语文知识(郑州)—1992,(6):7-9
线索浅辨	刘国安	语文知识(郑州)—1992,(6):13-15
鲁迅作品中几种标点的习惯用法	韦秉文	阅读与写作—1992,(6):17,16
辨性·定式·施法:谈议论文的写作	熊开国	语文教学之友(廊坊)—1992,(6):17
记叙文选材如何出新	张德熙	语文教学之友(廊坊)—1992,(6):18-19
引文标点符号的规范化用法浅探	李忠东	汉语学习(延吉)—1992,(6):24-28
饱含泥土芬芳的经验:赵树理指导写作	陈根生	语文月刊(广州)—1992,(6):32-33
因情投景	张至真	语文月刊(广州)—1992,(6):34
修辞在广告写作中的运用	段梦玉	写作—1992,(6):39
为什么用 No. 等形式表示"号码"	孙逊	语文建设—1992,(6):45
联想与想象是作文构思的双翼	宋秋雁	语文教学与研究(武汉)—1992,(7):10-11
"魔棍"的妙用:破折号运用艺术谈	宗廷虎	语文月刊(广州)—1992,(7):12-13
鲁迅作品心理描写刍议	张仲英	写作(武汉)—1992,(8):5-6
小议"严格定量写作法"	张希玉	写作(武汉)—1992,(8):11-12
圆:文章结构的完美图式	王剑	写作(武汉)—1992,(8):14-15
"分号用法"浅论	仲伟芸	语文月刊(广州)—1992,(8):21-22
警策与文眼	冯树鉴	语文月刊(广州)—1992,(8):30-31
标点名称的表达作用例说	王荣生	写作(武汉)—1992,(8):33
科技写作标准化的探讨	陈书香 陈龙桂	写作(武汉)—1992,(8):34-35
浅谈文章的标题	王晓东	语文知识(郑州)—1992,(9):2-5
冒号叠用应该避免	雷斌	语文月刊—1992,(9):4
斜线号用法补	严长松	语文知识(郑州)—1992,(9):52-54
千姿百态话点题	茆文楼	语文知识(郑州)—1992,(9):58-62
标点换文字　方能达其意:浅议标点在广播稿、演讲稿中的运用	钱扬学	语文知识(郑州)—1992,(10):10-12
说说"不用引号"的现象	宋玉柱	语文建设—1992,(10):25
使用标点符号中的失误	张文虎 袁国雄 沈郁菁 王积庆	语文教学通讯—1992,(11):3-6
引用指要	李志浓	语文月刊(广州)—1992,(11):8

标题	作者	出处
"人民日报海外版"应该怎样标点？	金祎 刘一玲	语文建设—1992,(11):11
标点符号纵横谈	贺锡翔	语文月刊—1992,(11):27-28
也谈分号的用法和定义	胡双宝	语文建设(北京)—1992,(11):28-29
广告文案写作断想	于成鲲	写作(武汉)—1992,(11):33-34
如何掌握句读方法	李德安	语文教学与研究—1992,(11):36-37
提高写作简议	曹秋珍	写作(武汉)—1992,(11):39-40
反问句的标点符号特用例说	郑健	语文知识(郑州)—1992,(11):52-53
神奇的标点	宗廷虎	语文月刊(广州)—1992,(12):6-7
公文写作常用辞格撷拾	陈献珩	秘书之友—1992,(12):33
谈谈引文末了标点的若干用法	丛林	修辞学习(上海)—1993,(1):18-19
司法文书的语体风格	刘高礼	应用写作—1993,(1):27-29
一篇珍贵的演讲辞——鲁迅《流氓与文学》演讲辞赏析	刘继兴	演讲与口才—1993,(1):41-42
《词话丛编》标点异议拾遗	房日晰	山西师大学报·社科版(临汾)—1993,(1):46-47
谈引用警语名句的错讹	龚国基	写作(武汉)—1993,(1):46-47
模糊词语在审讯对话中的特殊功用	高平平	中国人民警官大学学报·哲社版—1993,(1):49-50
婉而有致,词强不激:《左传》外交辞令语体风格分析	刘亚林	外交学院学报—1993,(1):59-66
写作材料新解	全国权	东疆学刊·哲社版(延吉)—1993,(1):74-75
浅论写作的观察方法	沈辉	安徽教育学院学报·哲社版(合肥)—1993,(1):97-100
写作规律系统研究略论	孟建伟	信阳师范学院学报·哲社版—1993,(1):101-106
分号用法新论	仲伟芸	学术交流—1993,(1):106-108
广告写作中的"化用"手法	曹志耘	语文建设(北京)—1993,(2):28-29
咏物格言式议论文的写法	程海林	语文月刊(广州)—1993,(2):29-30
台湾应用文与大陆应用文差异略说	李道海	写作—1993,(2):30-31
"议论文论证结构"浅谈	王学胜 王清华	语文月刊(广州)—1993,(2):32-33
"不必说"的是啥	李洁斐	语文学习—1993,(2):36-37
作为文体家的毛泽东	魏家骏	文艺理论与批评—1993,(2):39-44
写作心理学三题	张谷平	语文学刊(呼和浩特)—1993,(2):40-41
顿号与"和""或"	张文甫	语文知识(郑州)—1993,(2):51-52
描写文结构体系初探	柳培桤	西北第二民族学院学报·哲社版—1993,(2):71-77
中学历史教科书使用模糊语言问题	史真	江西教育学院学报·社科版—1993,(2):73-76
符号学阐释:周作人散文小品的语言艺术	张光芝	山东师大学报·社科版—1993,(2):92-95
报纸版式语言扼要	刘建民	延边大学学报·社科版—1993,(2):106-110

标题	作者	出处
中学语文教材"详略呼应句"的表达功能	曹津源	西南师范大学学报—1993,(2):138-140
大小标题的和谐美	雷源轼	语文知识(郑州)—1993,(3):16
议论文写作五弊	刘国安	语文知识(郑州)—1993,(3):17-20
表达与立足点	王明仁	修辞学习(上海)—1993,(3):18
写作上的"空白"技巧	赵振汉	语文月刊(广州)—1993,(3):28-29
意蕴深邃的"闲话"	熊军	语文月刊(广州)—1993,(3):29-30
谈预测性新闻的写作	周荣寿	写作(武汉)—1993,(3):29-30
以问结尾的表达功能	曹津源	语文月刊(广州)—1993,(3):31
征婚启事的写作要点及语言表达	刘济民	写作(武汉)—1993,(3):34-35
谈谈日记的写作	吴宝清	写作(武汉)—1993,(3):36-37
略述便条与领条的写作特点	何坦野	写作(武汉)—1993,(3):37
志书的语言特点	许宏蕴	写作(武汉)—1993,(3):38-39
议论文写作中的广义灵感	舒咏平	学语文—1993,(3):40-42
动作描写的个性化技巧	项锦华	学语文—1993,(3):42-43
重视演讲,敢于演讲,善于演讲	晓闻	海关研究—1993,(3):47-50,46
修志须树立全面的质量观:重视标点符号的正确使用	黄树雄	广西地方志—1993,(3):48-50
定义的表达法	杜厚文	语言教学与研究—1993,(3):69-80
关于诗歌中标点符号超常用法的统计与分析	曹石珠	赣南师院学报·社科版—1993,(3):91-94
试论外经贸应用文书的语体特征	张业松	国际经贸探索—1993,(3):92-98
论庄重语言风格	郑荣馨	扬州师院学报·社科版—1993,(3):95-98
意境高远,韵味隽永——王维诗的音韵美	舒志武	中南民族学院学报·哲社版—1993,(3):118-121
浅议广告语言的"中国式"特色	周玉珍	应用写作—1993,(4):24
谈谈比喻在议论文写作中的功用	罗贵昌	语文月刊(广州)—1993,(4):30
妙用破折号,承前释语明:标点古籍之破折号释例	胡渐逵	古籍整理研究学刊—1993,(4):32-33
瞿秋白杂文:多语体转换	王文强	修辞学习—1993,(4):35-37
结构转化与文体演变	陶东风	河北学刊—1993,(4):64-69
论文艺语体人物对话信息差	祝敏青	福建师范大学学报·哲社版—1993,(4):69-75,142
破折号超常规使用——谈狄金森的一首诗	黄遥	福建师范大学学报·哲社版—1993,(4):76-77
《红楼梦》人物语体的对照性与变换性	杜永道	信阳师范学院学报·哲社版—1993,(4):108-111
朱自清散文言语风格特点及成因	寸镇东 曾素元	修辞学习—1993,(5):2-6
试析告启类文体错用的原因及对策	王素芝	应用写作—1993,(5):6-7

量词的"病态"搭配	朱少红	语文月刊—1993,(5):9
心理描写的方法	林国爽	语文教学与研究—1993,(6):18-19
眼前之象到笔下之象的变形	方遒	语文月刊—1993,(5):26-27
写"手"以传神	陈明生	语文月刊—1993,(5):28
抓特征和特征抓住以后	邱万福 罗碧琼	语文月刊—1993,(5):29-30
语言的表层信息与潜在信息	孙营	写作(武汉)—1993,(5):36-37
也谈"是否是"之类的规范问题	廖衍勋	写作(武汉)—1993,(5):37-38
谈串联词的写作	吴德太	写作(武汉)—1993,(5):39-40
由聪明说到通感	东行	修辞学习—1993,(5):44-45
"分号用法"浅论	仲伟芸	语文知识(郑州)—1993,(5):53-55
应用文体语言与文学艺术语言之本质	赵维森	应用写作—1993,(6):5-6
从文体与语体的关系谈语体的分类问题	李熙宗	修辞学习—1993,(6):5-7
应用文中的修辞效果	周素意	读写月报—1993,(6):8
略说议论文中的材料	裘本培	语文月刊—1993,(6):30-31
对"文不加点"现象的几点浅见	王荣生	语文教学之友—1993,(6):封底
何秀煌谈记号符号	徐兰	哲学动态—1993,(7):9-10
漫话公文语段	岳海翔	秘书之友—1993,(7):24-25
文笔生动与巧用动词	盖绍普	写作—1993,(7):26-27
科技文体语言特点之管见	于立源	应用写作—1993,(7):26-28
引文末了的点号使用问题	晏跃雄	语文教学之友—1993,(7):封底
闲话句读与标点	袁志宏	读写月报—1993,(8):6-7
古代论说文的起源和发展	伊北风	文史知识—1993,(9):10-17
从听众的兴趣谈演讲的选材	朱丹	演讲与口才—1993,(9):19-20
"引典代"略说	王聚元	阅读与写作—1993,(9):22
毛泽东的口语修辞特色	刘子智	语文建设—1993,(9):30-32
对"标点符号题"制作的看法	陶光晓	中学语文教学—1993,(9):33-34
隋代公文述略	李维江	应用写作—1993,(9):37-39
应用写作语体特色探微	张文忠	应用写作—1993,(10):7-9
"说"字后面该用什么标点	王世华	读写月报—1993,(10):10-11
分号的定义用不着修改	苏培成	语文建设—1993,(10):11-13
鲁迅作品中几种标点的习惯用法	韦秉文	读写月报—1993,(10):15-16
《药》中破折号用法简析	李大熔	读写月报—1993,(10):16
叠用符刍议	史有为	语文建设—1993,(10):18-20
广告写作中的夸张手法	胡宏峻	应用写作—1993,(10):21-23
试论科技文的语体特点	魏小涓	应用写作—1993,(10):26-28
学习毛泽东同志的公文修辞艺术	张保忠	写作—1993,(10):29-30
文本的语言构成与语境	林宋瑜	上海文学—1993,(10):78-80,73

标题	作者	出处
建议创造一个祈使号——兼谈问号和叹号	王集门	语文月刊—1993,(11):10
演讲辞标题25式	郭永兴	演讲与口才—1993,(11):22
分号并非仅仅表示分句音的并列关系	张清良	语文教学之友—1993,(11):35-36
语言之间的恩怨	王佐良	读书—1993,(11):40-45
切莫误用了问号	汪克谦	读写月报—1993,(12):10
从"句读"话标点	孙剑	读写月报—1993,(12):25
副标题前的破折号不能少	王国彬	语文教学之友—1993,(12):封底
论说文写作与同一律	刘如正	逻辑与语言学习—1994,(1):20-21
毛泽东军事应用文写作中运用模糊语言的艺术	苗秀娟	应用写作—1994,(1):30-32
智性:写作主体论的重要范畴	邱安昌	松辽学刊·社科版—1994,(1):42-45
形名错位	冯广艺	修辞学习—1994,(1):43-44
建议把起止号和连接号加以区别	秦秉让	编辑学报—1994,(1):44-45
说说起止号和连接号的分合	厉兵	编辑学报—1994,(1):45-47
谈《红楼梦》的标点问题	曲沐	贵州大学学报·社科版—1994,(1):58-62
科学符号学初探	王德胜	北京师范大学学报·社科版—1994,(1):72-74
不同文体被动语态的数理统计	陈治业	上海科技翻译—1994,(2):29-30
试说几种特殊的标号	岳方遂	汉语学习—1994,(2):37-40
谈仿写	芮平	辽宁师范大学学报·社科版—1994,(2):41-42
《史记·晋世家》标点举误	张家英	山西师大学报·社科版—1994,(2):89,34
《历代名画记》于安澜标点校正	袁有根	山西师大学报·社科版—1994,(2):90-91
应该创造一个祈使号:兼谈问号和叹号	王集门	海南师院学报·人文版—1994,(2):100
新式标点符号史论(上)	岳方遂	兰州大学学报·社科版—1994,(2):114-119
浅谈《雷雨》中破折号的妙用	陶建群	学语文—1994,(3):7-9
解说分句间不宜使用分号	张文荣	新语文—1994,(3):15
标点的妙用与误用	胡风岚 王世民	蒲峪学刊—1994,(3):47-48
模糊语言在应用写作中的作用	李作俊	海南大学学报·社科版—1994,(3):74-77,81
科技论文的语言特征	张君晓	海南大学学报·社科版—1994,(3):78-81
连字符在科技英语表述中的用法	刘永新等	编辑学报—1994,(3):162-164
符号学·语言·语言文化的肖像性	王铭玉	外语研究—1994,(4):1-8
无标点文字运用的条件、范围和量度	曹德和	赣南师院学报·社科版—1994,(4):29-32
《聊斋》中的词语代称	方文一	修辞学习—1994,(4):33-35
现代汉语中的自由间接引语	顾志刚	修辞学习—1994,(4):37
反语加引号	张德全	语文教学通讯—1994,(4):43
也说"形名错位"——与冯广艺先生商榷	王嘉民	修辞学习—1994,(4):43-44

标题	作者	出处
谈《食物从何处来》的句群修改	王聿恩	修辞学习—1994,(4):47-48
论书面语和口语	李绍林	齐齐哈尔师院学报—1994,(4):72-78
论写作的社会化与大众化	朱淳良	华东师范大学学报·哲社版—1994,(4):81-84
论写作的文体感	凌焕新	南京师大学报·社科版—1994,(4):85-88
标点符号问答(一)	苏培成	中国出版—1994,(5):62-63
标点符号问答(二)	苏培成	中国出版—1994,(6):62-63
《后汉书》标点献疑三则	顾义生	中国语文—1994,(5):398
符号学与广告语言	王少林	外国语—1994,(6):19-23
谈散文的语言特点	李贵如	逻辑与语言学习—1994,(6):41-42
谈谈标点符号的正确使用	卢绪元	秘书—1994,(6):41-42
现代写作学的学科理论观	杜福磊	河南师范大学学报·哲社版—1994,(6):61-64
应用文的语言也要讲究生动活泼	周启竞 耿雅文	阅读与写作—1994,(7):39
省年号——标点家族新成员	赵洪智	语文教学之友—1994,(7):41
标点符号拾趣	黄凌 张海霞	秘书—1994,(8):39
书名号用法辨正	吴崇厚	阅读与写作—1994,(9):26-27
标点符号的活用	张一	语文教学与研究—1994,(9):36
广播稿中标点符号的变通处理	李载本 刘铁钢	语文建设—1994,(9):47-48
引文末尾标点的使用	王俊山	语文月刊—1994,(10):9-10
讲述开头直接切题的技巧	李军华	语文建设—1994,(10):30-32
分隔号·标示号·缩写号	苏培成	语文建设—1995,(1):11
连接号的用法	高东升	语文建设—1995,(1):12-13
书写符号之演进	关静芬	辽宁大学学报·哲社版—1995,(1):42-44
《搜神记全译》指瑕	刘钊	吉林大学社会科学学报—1995,(1):79-86
论写作中混沌阶段契合效应	洪威雷	湖北大学学报·哲社版—1995,(1):114-118
简论商品广告的写作艺术	王玉华	牡丹江师范学院学报·哲社版—1995,(2):55-57
试论古代汉语借代造词法	李禄兴	佳木斯师专学报—1995,(2):57-60
收听心理与广播新闻导语写作	沈爱国	杭州大学学报·哲社版—1995,(2):102-109
标点符号的重要性	王春发	语文知识—1995,(3):46-47
关于实验小说语言及其研究	邓小琴	语文研究—1995,(3):47-52
《师说》的一处标点商榷	于开华	语文知识—1995,(3):48
试论电视广告词的非独立性特征及其对写作的制约	韩爱平	河南大学学报·哲社版—1995,(3):87-90
言语必须适切于目的	姜剑云	江西师范大学学报·哲社版—1995,(3):87-91
通讯体裁及其"异化"的思考	何国璋	暨南学报·哲社版—1995,(3):122-129
单名以及有关写信的用语	吕叔湘	语文世界—1995,(4):17
读《琐忆》,学习鲁迅的谈话技巧	张宏星	语文世界—1995,(4):29
论应用文的产生与发展	王作昌	辽宁大学学报·哲社版—1995,(4):43-45

汉语语言变革与中国先锋小说的话语方式	陈 忠 志	贵州师范大学学报·社科版—1995,(4):48-51
评胡适标点论	岳 方 遂	语言文字学—1995,(4):76-82
写作训练中的对比法	张 国 军 张 振 民	齐齐哈尔师院学报—1995,(4):93-95,98
谈省略号"……"	金 昌 吉	语文知识—1995,(5):48-49
《谏太宗十思疏》冒号质疑	裴 洪 印	语文知识—1995,(5):49-50
部分标点符号使用浅议	贺 留 堂	语文知识—1995,(6):45-48
《史记·封禅·河渠·平准书》标点举隅	张 家 英	语言文字学—1995,(6):54-57
符号·色彩·形象:试析毛泽东诗词中塑造色彩形象的词类运用	王 文 戈	湖北大学学报·哲社版—1995,(6):112-116
怎样弄清文章的结构?	王 晓 平	语文世界—1995,(7):45
标点位置超常用法与修辞	张 世 才	语文教学与研究—1995,(9):34-35
试论标点的两大分野	孙 光 贵	语言文字学—1995,(9):125-129
鲁迅作品中的破折号	郑 炳 泉	语文知识—1995,(10):48-封三
也说省年号	于 思 湘	语言文字学—1995,(10):97-98
不要误用问号	鞠 党 生	语文知识—1995,(11):42-43

语言修养(文风、文病)

强化美	明 慧	中文自修—1991,(1):18,14
浅论语言的幽默美	姚 华 堤	祁连学刊—1991,(1):105-108
语用幽默与说写者的素质	康 家 珑	吉安师专学报·哲社版—1991,(2):17-21
动态美	天 敏	中文自修—1991,(2):25,34
明朝人的幽默	陈 宝 良	社会科学研究—1991,(2):86-92
欧化美	玲 丽	中文自修—1991,(3):40
论孔子的语言思想	姚 亚 平	江西社会科学(南昌)—1991,(3):72-77
谈谈文章语言的生动性	欣 雨 刘 国 相	牡丹江师范学院学报·哲社版—1991,(4):69-71
楚辞的语言(二)	娄 博 生	中文自修—1991,(6):17-19
试谈孔子的语言特色	孙 汉 洲	语文知识(郑州)—1991,(7):22-25
含蓄的魅力——幽默语言的美学原理	杨 信 川	阅读与写作—1991,(8):17-18
叹词非主谓句的艺术效果	刘 丹	语文教学与研究—1991,(9):32
浅谈毛泽东语言的通俗美	江 建 高	写作—1991,(10):22-23
轻松从何而来——幽默语言的心理机制	杨 信 川	阅读与写作—1991,(10):26
语境:美文的情感表达式	邓 嗣 明	语文月刊(广州)—1991,(10):27-29
议论文写作中的灵感现象	舒 咏 平	语文月刊(广州)—1991,(10):29-31
使语言形象化的技巧	秦 葆	阅读与写作—1991,(11):17-18
感觉形象句的生命	林 涛	阅读与写作—1991,(11):24-25

幽默术点滴	杨红华	阅读与写作—1991,(11):27
说明文中描写的技巧	秦葆	语文知识(郑州)—1991,(11):53-55
暗示的艺术:催眠指导语分析	李臻怡	修辞学习—1992,(1):23-24
写作中的"痴呆"与严肃	李卫东	语文月刊(广州)—1992,(1):31
论女性语言	徐萍	浙江学刊—1992,(1):82-87
"开解谎话"不妨说	李正纲	修辞学习—1992,(2):16-17
错位与对位:艺术话语系统中的语词与语法——由一个画展引发的思考	毛时安	艺术广角—1992,(3):78-82
关于说话艺术	王崇志	扬州师院学报·社科版—1992,(3):114-118,122
近年来部分规划教材评介(续一)	宋永波	世界汉语教学—1992,(3):237-240
近年来部分规划教材评介(续完)	宋永波	世界汉语教学—1993,(3):231-237
论公文语言的要求	张岳良	应用写作—1992,(4):9-11
模糊语言在公文中的应用	郭起栋	秘书之友—1992,(4):40
讲究语言艺术 沟通读者心灵	张念慈	河北大学学报·社科版(保定)—1992,(4):68-72,157
关于"老师的丈夫"称谓问题的讨论	逸典	语文建设—1992,(5):38-39
从杨朔文稿学写作	王新平	语文知识(郑州)—1992,(6):9-10
答话的规则和偏离	王希杰	语文月刊—1992,(6):10-12
远取譬:审美描写的语言选择	邓嗣明	语文月刊(广州)—1992,(6):30-31
柜台用语	虹素	汉语学习—1992,(6):50-51
延缓式导语的特点及应用	郭映普	新闻与写作—1992,(7):21
警惕不完全归纳推理在语言研究中的危险	林涛	阅读与写作—1992,(8):23
"自由式"导语初探	李维桢	新闻与写作—1992,(9):27
评析公文语言表述中的几个病例	唐玉龙	秘书之友—1992,(12):32
简单使令语言的表达方法	陈兆奎	语文月刊—1992,(12):41-42
分词用法面面观	刘传厚	吉安师专学报·哲社版—1993,(1):80-83
就高中语文课本"说明"的语言与编者商榷	黄岳洲	修辞学习—1993,(2):18-20
不可误用"效尤"一词——报刊语句拾误	于海洲	语文月刊—1993,(3):11
气乃文之帅也——学习王希杰先生论著一得	刘良文	邵阳师专学报·社科版—1993,(3):84-85
试论毛泽东语言运作的美学风貌	刘业超	湘潭大学学报·社科版—1993,(4):63-67
从语言学家的语言谈起	胡佑章	修辞学习—1993,(4):封三,封四
咬文嚼字:编辑的基本功	陈谋勇	语文建设—1993,(5):18-20
承接不当例谈	陈国魁	语文月刊—1993,(12):9

教师教学语言艺术谈	钱良应	安徽教育学院学报·社科版—1994,(1):23-24
语言音响的审美功能	朱堂锦	文艺理论研究—1994,(1):39-44
谈会议讲话的语言艺术	宋洪海	泰安师专学报—1994,(1):102-104
谈谈矛盾表达法	王叔新	语文学习—1994,(2):39-40
致全国师范院校"教师口语"培训班	张志松	语文建设—1994,(3):6-7
语言美漫谈		语文世界—1994,(4):20
因人设辞 有的放矢:从陈毅的一次谈话说起	陆龙兴	修辞学习—1994,(4):21-22
漫谈我国古代劝说的入题艺术	卢隆光	修辞学习—1994,(4):23-24,22
谈导游语言的节奏	崔进	宜昌师专学报—1994,(4):59-60,67
词语的幽默式表达二题	郭三科	修辞学习—1994,(5):35
幽默语言的潜信息生成	祝敏青	修辞学习—1994,(6):19,3
"红楼"指瑕	黄岳洲	修辞学习—1994,(6):24-26
演讲写作语言的特点及运用	高振远	演讲与口才—1994,(6):30
谈判语言:一字抵万金	汪学玮	演讲与口才—1994,(6):41-42
商标的取名艺术	赵顺国	语文世界—1994,(8):24
司法语体中说明的语言技巧	陈炯	应用写作—1994,(9):28-29
语体:检验语言规范的一把尺子——浅谈不同语体对省略的要求	杨建国	写作—1994,(11):44
谈谈"即席演说"的技巧	苏冰	语文建设—1994,(12):23-24
构成语文教学风格流派的教师素质和修养	滕英超	沈阳师范学院学报·社科版—1995,(1):80-84
俞敏语言学论著的语言风格	陈满华	修辞学习—1995,(4):18-19

翻 译

论文言今译的科学原则和基本方法及其现状	韩陈其	徐州师范学院学报·哲社版—1990,(3):99-103
近年我国口译研究综述	胡庚申	外语教学与研究(北京)—1990,(4):1-6
《红楼梦》翻译探索	李绍年	语言与翻译(乌鲁木齐)—1990,(4):33-44
维吾尔谚语汉译琐谈	刘文性	语言与翻译(乌鲁木齐)—1990,(4):44-47
浅谈维译汉中的正反表达	郭志刚	语言与翻译(乌鲁木齐)—1990,(4):47-49
从双语学看翻译:读哈桑诺夫《哈俄双语学》	陈学迅	语言与翻译(乌鲁木齐)—1990,(4):57-61
试论科技翻译中逻辑判断的重要性	胡兴德	淮北煤师范学院学报·社科版—1990,(4):100-108
思维模式与线性序列:汉式英语语序特色	贾德霖	外国语(上海)—1990,(5):12-16
"殊途同归":试论严复奈达和纽马克翻译理论的一致性	劳陇	外国语(上海)—1990,(5):50-52,62

难道英译就能忽视汉语?	赖 余	外国语(上海)—1990,(5):59-62
从英译风格谈起	周维新 周 燕	外国语(上海)—1990,(5):63-67
钱钟书的译艺谈	罗新璋	中国翻译(北京)—1990,(6):3-11
文化断层与翻译传统:兼评"逻辑翻译"	顾祥凌	中国翻译(北京)—1990,(6):11-15
语言差别与翻译陷阱	米绪军	中国翻译(北京)—1990,(6):15-18
翻译要考证词语的"历史沿革"	韦建桦	中国翻译(北京)—1990,(6):18-22
浅析科技翻译中的"形合"与意合	冯树鉴	中国翻译(北京)—1990,(6):22-27
有关翻译的比喻	曾炳衡	中国翻译(北京)—1990,(6):28
翻译的取舍	吴 相	中国翻译(北京)—1990,(6):28
怎样进行文章题目的汉英翻译	许天良	中国翻译(北京)—1990,(6):32-35
no-no并非"无人问津":小议翻译过程中的"推敲"	陈理中	中国翻译(北京)—1990,(6):35
翻译教学的出路:理论与实践相结合	劳 陇	中国翻译(北京)—1990,(6):36-39
译书译家译风:与《交际英语语法》译者张婉琼、葛安燕二同志商榷	季拜华	中国翻译(北京)—1990,(6):39-43
逻辑判断在翻译中的运用	阎德胜	外语学刊(哈尔滨)—1990,(6):66-74
语言学批评导论	[英]罗杰·福勒著 杨扬译 忆松校	语言文字学(北京)—1990,(11):10-14
"悉""尽"的语义指向及其翻译	俞敦雨	语言美(昆明)—1991,(1):10③
谈谈翻译	贺 麟	中国翻译(北京)—1991,(1):19-20
土耳其挂毯的另一面:论翻译的对等原则及其在实践中的应用	唐正秋	中国翻译(北京)—1991,(1):22-23,27
增加和增益:谈变通和补偿手段	柯 平	中国翻译(北京)—1991,(1):23-26
翻译理论研究基本取向概述	金文俊	外语教学与研究(北京)—1991,(1):23-27
偏正结构的逻辑关系及翻译探讨	古绪满	中国翻译(北京)—1991,(1):27-31
文化交流与翻译	许崇信	外国语(上海)—1991,(1):29-34
蒙、汉语句子构造的异同及对译转换形式浅探	杨才铭	民族语文(北京)—1991,(1):29-35
小议汉语几类句子的英译	杨自俭	中国翻译(北京)—1991,(1):32-35
论翻译标准	范仲英	外语与外语教学—1991,(1):33-37
科技英译的基本方法谈略	刘先刚	中国翻译(北京)—1991,(1):36-39
重视汉译外此其时矣	贺崇寅	中国翻译(北京)—1991,(1):39-40,43
浅谈我国专有事物名称的英译	张震久	中国翻译(北京)—1991,(1):41-42
词对词的翻译与意译	翟马洪著 绿草译	语言与翻译(乌鲁木齐)—1991,(1):41-49
"科学"一词的由来	陈章国	中国翻译—1991,(1):42-43

标题	作者	出处
《红楼梦》翻译探索	李绍年	语言与翻译(乌鲁木齐)—1991,(1):43-55
刘重德教授翻译观	顾延龄	外国语—1991,(1):46-48
谈译音词的类别及其语素鉴别	周一农	逻辑与语言学习(石家庄)—1991,(1):48
对赵译惠特曼 Sons of Myself 的几点商榷	韩桂良	中国翻译—1991,(1):48-53
语篇照应和翻译	吴嘉水	北京第二外国语学院学报—1991,(1):52-59
邹韬奋的译学见解	陈福康	中国翻译—1991,(1):55-56,58
信息 语言 翻译	周玉忠	语言与翻译(乌鲁木齐)—1991,(1):56-59
翻译科学是应用逻辑	阎德胜	外语教学—1991,(1):56-64,71
现代汉语"看"的特殊用法及其维译	李泰和 阿合卖提江	语言与翻译(乌鲁木齐)—1991,(1):60-61
试从信息论的观点看语际翻译的信息转换过程	周玉忠	固原师专学报—1991,(1):64-69
论翻译中的模糊性	钟书能	福建外语—1991,(1-2):67-70
论翻译的交际功能	平洪	广州师院学报·哲社版—1991,(1):68-73
翻译与文化的多样性	[法]乔治·穆南著 许钧译	语言与翻译(乌鲁木齐)—1991,(1):73-77
古庄的译文能算是一种新的翻译文体吗?	鲍明道	福州大学学报·社科版—1991,(1):75-77
语言的民族文化特点与文学翻译	杨杰	福建外语—1991,(1-2):75-78
谈古汉语名词活用现象的翻译	德华	宁夏大学学报·社科版—1991,(1):78-80
英语汉译中的几类常见错误试析	李燕玲	张家口师专学报·社科版—1991,(1):78-83
术语翻译在文化交流中的重要意义	郑声滔	福建外语—1991,(1-2):79-81
理解之于译诗——也评《春怨》英译	汪敬钦	福建外语—1991,(1-2):82-86
论英语介词汉译动词化的几个问题	黄淑祥	海南大学学报·社科版(海口)—1991,(1):87-94,104
文学翻译中的审美意识	崔斌	新疆师范大学学报·哲社版—1991,(1):92-95
翻译是模仿:兼论吴宓的翻译观	陈建中	四川外语学院学报—1991,(1):99-107
翻译中的引申、具体化与抽象化	冯树鉴	四川外语学院学报—1991,(1):108-111
也谈翻译标准	江荣春	湖南师范大学社会科学学报(长沙)—1991,(1):122-125
中国文学的英文翻译	沙博里	中国翻译—1991,(2):3-4
试论藏语地名汉字译写规范化的正确管理	温生云	地名知识—1991,(2):6-7
编辑谈译诗兼谈杜甫诗英译及其他	吴钧陶	中国翻译—1991,(2):6-10
社会语言学与翻译	陈忠华	中国翻译(北京)—1991,(2):11-14
论西方翻译	叶子南	中国翻译(北京)—1991,(2):15-18
翻译——语际间表达方式的转换	张复星	中国翻译(北京)—1991,(2):19-23
汉英同声传译的技巧	庄明亮	中国翻译(北京)—1991,(2):24-27

种属关系的概念不能并列	陈桂清	中国翻译—1991,(2):28-29
瑕不掩瑜　瑕瑜互见——读傅雷先生译文札记	端木华	中国翻译—1991,(2):30-32
"就"之义释及维译	陆宗毓	语言与翻译(乌鲁木齐)—1991,(2):30-32
对Han Suyin's China译文的商榷	张天光	中国翻译—1991,(2):33-35
现代翻译学与跨学科移植	李运兴	天津师大学报—1991,(2):38-41
汉语常用词译例："使"字在兼语句中的各种译法	鉴奇	德语学习—1991,(2):39-41
关于严复的"信、达、雅"三难说兼及"宁信而不顺"问题	黄雨石	语言与翻译(乌鲁木齐)—1991,(2):40-43
关于严复的"信、达、雅"三难说兼及"宁信而不顺"问题(续)	黄雨石	语言与翻译(乌鲁木齐)—1991,(3):47-52
评格里菲思的《孙子兵法》英译本	潘嘉玢　刘瑞祥	中国翻译—1991,(2):40-44
语义相等与语貌相合:翻译标准刍议	但汉源	语言与翻译(乌鲁木齐)—1991,(2):44-46
谈《孙子兵法》的翻译	黄加林	中国翻译—1991,(2):45
试论文学翻译中汉语四字格的运用	裘因	上海大学学报·社科版—1991,(2):47-51
句子的翻译	托乎提·巴克著;雷春芳译	语言与翻译(乌鲁木齐)—1991,(2):47-53
谈谈翻译中的词语处理问题	扎宜提·热依木	语言与翻译(乌鲁木齐)—1991,(2):53-56
浅谈翻译中词语的搭配	海友尔　谢新卫	语言与翻译(乌鲁木齐)—1991,(2):56-59
双语和超越:哈桑诺夫《双语学》译记	陈学迅	语言与翻译(乌鲁木齐)—1991,(2):60-62
谈文学翻译	程麻	江西师范大学学报·哲社版—1991,(2):61-68
浅议双语现象与翻译工作的关系	陈毓贵　王贵燕	语言与翻译—1991,(2):71-73
对《维吾尔成语词典》中部分成语汉译之我见	阿不都热衣木·热合曼著;李建军译	语言与翻译(乌鲁木齐)—1991,(2):74-75
试论书名与标题的翻译	徐育才	语言与翻译(乌鲁木齐)—1991,(2):76-79
动量词"番"的哈语译法	杨凌	语言与翻译(乌鲁木齐)—1991,(2):80
《在地铁车站》译文漫议	孙爱华	淮阴师专学报·哲社版—1991,(2):84-87
英语一词多义及其翻译琐谈	赵海宽	淮阴师专学报·哲社版—1991,(2):88-94
译文是理解水平的外观句译是具体操作的原则——翻译杂谈	章朝东	江西大学学报·哲社版—1991,(2):102-106
试谈英汉翻译中的篇章连贯性问题	张治中	延边大学学报·哲社版(延吉)—1991,(2):103-109
藏文赞颂词汉译技巧管窥	贺文宣	西北民族学院学报—1991,(2):103-110

标题	作者	出处
一孔之见——就某些例句的翻译与《俄译汉教程》(1)的编者商榷	江荣春	湘潭大学学报·社科版—1991,(2):116-119,129
译海撷珠:谈瞿秋白的翻译观	晏斌	江汉大学学报·综合版—1991,(2):123-128
音译杂论	项啸虎	杭州师范学院学报·社科版—1991,(2):127-130
"随"的例解与翻译	程纪兰	语言与翻译—1991,(2):封底
汉英翻译问题	程镇球	中国翻译(北京)—1991,(3):2-6
试论翻译的心理学基础	徐育才	上海科技翻译—1991,(3):6-10
外事汉英翻译中的几点体会	王弄笙	中国翻译(北京)—1991,(3):6-12
文言文翻译五字诀	孙金龙	学语文(芜湖)—1991,(3):9-10
论鲁迅的"直译"与"硬译"	陈福康	鲁迅研究月刊—1991,(3):10-17
另一面镜子:英美人怎样译外国诗	王佐良	中国翻译(北京)—1991,(3):12-18
翻译学与语义	谭载喜	深圳大学学报·人文社会科学版—1991,(3):14-25
英汉典故比较与翻译	周方珠	中国翻译(北京)—1991,(3):17-20
色彩的困惑:翻译札记	万昌盛	中国翻译(北京)—1991,(3):20-24
翻译和语境	燕静君	逻辑与语言学习(石家庄)—1991,(3):22-23,15
"随手"(随手儿)的翻译	程纪兰	语言与翻译—1991,(3):25
","里面有文章	郁静超	语言美(昆明)—1991,(3):25③
一语言功能与翻译	王东风	中国翻译(北京)—1991,(3):26-29
谈法律文献汉译英的理解与表达问题	王春晖	中国翻译(北京)—1991,(3):29-32
《三国志》标点琐记	郭在贻	语文研究(太原)—1991,(3):30-31
旅游翻译初探	冈大勇 詹允昭 等	中国翻译(北京)—1991,(3):32-35
汉语若干代词的翻译方法	马俊民	语言与翻译(乌鲁木齐)—1991,(3):41-46
汉英介词对译中的不对应现象举隅	夏瑞华	镇江师专学报·社科版—1991,(3):42-43
试论翻译中的三大搭配问题	季健	外语学刊(哈尔滨)—1991,(3):44-49
翻译中的等值效应管窥	吴朝华	毕节师专学报—1991,(3):45-49
《红楼梦》警句译例评析	周复	中国翻译(北京)—1991,(3):47-50
论翻译等值	韩乾元	外国语—1991,(3):47-52,60
王韬和他的翻译事业	李景元	中国翻译(北京)—1991,(3):51-54
关于外名汉译中混乱现象产生及解决方法	康晋	对外经济贸易大学学报—1991,(3):51-55
词源、阐释与翻译:兼析王佐良先生译"西风颂"	傅勇林	语言与翻译(乌鲁木齐)—1991,(3):52-56
翻译中的拆义法	屈华荣	中国翻译(北京)—1991,(3):56-57
词对词的翻译与意译	翟马洪著 绿草译	语言与翻译(乌鲁木齐)—1991,(3):56-62
文艺美学对文学翻译的制约作用	喻云根 李学经	高等学校文科学报文摘—1991,(3):59
翻译与对外宣传	劳陇	中国翻译(北京)—1991,(3):60-61

浅谈翻译的准确性	崔 斌	语言与翻译(乌鲁木齐)—1991,(3):62-64
对"民族"和"millət"一词的理解和翻译	周建华	语言与翻译—1991,(3):64-66
翻译与"世界映象"理论	[法]乔治·穆南著 许钧译	语言与翻译(乌鲁木齐)—1991,(3):71-75
试谈英汉翻译中的词义等值	崔学新	湖州师专学报—1991,(3):75-79
"起来"一词的用法及其维译	米海拉衣·阿克木	语言与翻译—1991,(3):76
对"霹雳舞"一词维译的一点看法	希尔扎提	语言与翻译—1991,(3):77
柯尔克孜语中三类"da"的区别	尤丽杜丝·阿曼吐尔	语言与翻译—1991,(3):78
简析"以"字的维译法	李月曼	语言与翻译—1991,(3):79
对井上靖《孔子》的引文与译文的商榷	高振铎	东北师大学报·哲社版(长春)—1991,(3):79-83
"一……就"的俄译法	连真然	解放军外语学院学报—1991,(3):93-99,110
成语翻译与文化特征	朱风云	淮阴师专学报·哲社版—1991,(3):99-102
翻译:语言墙壁的凿通与人类文化的互文——钱钟书学术与艺术思想研究之五	胡范铸	暨南学报·哲社版(广州)—1991,(3):99-107
汉语泛指名词的英译	许承军	松辽学刊·社科版—1991,(3):114-117
翻译的"奥秘"	余亦农	河北大学学报·哲社版(保定)—1991,(3):179-181
高健谈译诗	《外语教学与研究》编辑部	外语教学与研究—1991,(4):1-2
语言研究中的认知观	Langacker, R.W.著 沈家煊译	国外语言学(北京)—1991,(4):1-6
第一人称与翻译的不确定说	方万全	自然辩证法通讯—1991,(4):1-10
新版《列宁全集》译文有哪些改进?	胡尧之	中国翻译—1991,(4):2-6
毛泽东诗词的翻译———一段回忆	叶君健	中国翻译—1991,(4):7-9
对外广播与翻译	张庆年	中国翻译(北京)—1991,(4):10-13
翻译中的形变与传实:兼议等值翻译的相对性	张亚非	中国翻译(北京)—1991,(4):13-17
谈谈一孔之见:从三小段译文看对外宣传翻译中的问题	马育珍	中国翻译(北京)—1991,(4):17-21
文学翻译与世界文学——歌德对翻译的思考及论述	许钧	中国翻译—1991,(4):22-25
从译文的失误看上下文在理解中的作用	屈华荣	中国翻译(北京)—1991,(4):25-31
"似"也是一种"忠实"——兼论"忠实"作为翻译标准	黄天源	语言与翻译(乌鲁木齐)—1991,(4):26-29

标题	作者	出处
汉语中的时间和意象(上)	Hsin-I Hsieh（谢信一）著；叶蜚声译	国外语言学(北京)—1991,(4):27-32
汉语中的时间和意象(中)	Hsin-I Hsien（谢信一）著；叶蜚声译	国外语言学(北京)—1992,(1):20-28,41
汉语中的时间和意象(下)	Hsieh-I Hsin（谢信一）著；叶蜚声译	国外语言学(北京)—1992,(3):17-24
翻译与文化映象	雷春芳	语言与翻译(乌鲁木齐)—1991,(4):29-31
科技英汉翻译中的内涵挖掘	杨在安	中国翻译(北京)—1991,(4):31-35
翻译标准多元化:从中外翻译发展中谈起	仲伟合	语言与翻译(乌鲁木齐)—1991,(4):32-37
述评认知——层次语言学理论及其模式	程琪龙	国外语言学(北京)—1991,(4):33-42
从文化背景知识看名词术语的翻译	王晓元	中国翻译(北京)—1991,(4):38-39
《文心雕龙·神思》英译三种之比较	杨国斌	中国翻译—1991,(4):43-48
英语隐晦语句的翻译	钟平	赣南师范学院学报·社科版—1991,(4):46-50
俄语 phrazeologizm 的译名及其他	张家骅	外语教学与研究—1991,(4):48-53
冯桂芬的《采西学议》	陈福康	《中国翻译》—1991,(4):49-50
国外学者论汉语汉字	朱曼华译	汉字文化(北京)—1991,(4):50
康有为的翻译思想	陈福康	中国翻译(北京)—1991,(4):51-53
"外位语"结构在翻译中的运用	冯伟军	外语教学—1991,(4):52-56
译事难——读韩桂良同志文后的一些思考	赵萝蕤	中国翻译—1991,(4):53-58
与成梅同志商榷教材翻译中的问题	王家湘	外语教学与研究—1991,(4):54-55
汉诗词模糊词语中潜意识的翻译	刘克璋	外语教学—1991,(4):57-61
关于苗、汉语文的翻译问题	田逢春	云南民族语文(昆明)—1991,(4):61-64
翻译与"世界映象"理论	[法]乔治·穆南著 许钧译	语言与翻译(乌鲁木齐)—1991,(4):64-68
"随便"一词的翻译	程纪兰	语言与翻译—1991,(4):68-69
浅谈翻译	阿布地勒·阿克希台	语言与翻译(乌鲁木齐)—1991,(4):73
试谈语言和翻译中的辩证法	李儒	牡丹江师范学院学报·哲社版—1991,(4):73-76
《金瓶梅》书名英译刍议	张森林 王小铁	徐州师范学院学报·哲社版—1991,(4):76-77
从语言特点看中国译论发展的正确方向	邹东旗	衡阳师专学报·社科版—1991,(4):95-100

标题	作者	出处
谈谈形容词译法	邓炳杰	沈阳师范学院学报·社科版—1991,(4):105-107,100
《红楼梦》人名英译问题	邹光椿	福建师范大学学报·哲社版—1991,(4):135-138,143
《水浒传》中敬词"请"的英译法	郑声滔 黄远振	福建师范大学学报·哲社版—1991,(4):139-143
论翻译的多种标准:从中外翻译发展史谈起	仲伟合	徐州师范学院学报·哲社版—1991,(4):144-146
苗语状词在汉译苗中的运用	刘锋	贵州民族研究—1991,(4):162-164
译诗六论	许渊冲	中国翻译—1991,(5):2-10
Irony 的词义及其历史文化演进——兼论 Irony 的汉语译名	弓冲	中国翻译—1991,(5):10-13
知其然,亦应知其所以然——论英语关系分句(定语从句)及其汉译	金微	中国翻译—1991,(5):14-16
词义层次与翻译	毛华奋	中国翻译—1991,(5):17-19,23
继承·融合·创立·发展——我国现代翻译理论建设刍议	沈苏儒	外国语—1991,(5):18-21
比喻中的相似点及其翻译	蒋跃	中国翻译—1991,(5):20-23
谈中诗英译与翻译批评	孔慧怡	外国语—1991,(5):22-26
谈谈展览会英文广告中存在的问题	吴永麟	中国翻译—1991,(5):24-26
翻译的第三层次——文体表达	陆楼法	外国语—1991,(5):27-34
复译之难	罗新璋	中国翻译—1991,(5):29-31
《威尼斯商人》两种译本的比较研究	刘军平	中国翻译—1991,(5):32-37,42
阐释学与翻译	袁洪庚	外国语—1991,(5):35-38
"新式标点符号产生于'五四'运动时期"说质疑	谢泽荣	语文建设(北京)—1991,(5):37-38
对徐继曾先生译马塞尔·普鲁斯特《追忆似水年华》第二卷《斯万之恋》的商榷	金恒杰	中国翻译—1991,(5):38-42
也谈翻译的信实问题——读马修·阿德诺《评荷马史诗的译本》	王晓英 张建民	社科信息—1991,(5):40-42
胡怀琛论译诗	陈福康	中国翻译—1991,(5):47-48
从英语"象形诗"的翻译谈格律诗的图形美问题	黄杲炘	外国语—1991,(6):37-40
我国科技翻译研究的回顾与述评	方梦之	外国语(上海)—1991,(6):41-45
儿童文学翻译中形象再现的艺术手法	徐家荣	外语学刊—1991,(6):49-53
略谈双关语与"等效翻译"	王秉钦	外语学刊—1991,(6):54-57
关于中医名词术语的汉译俄问题	胡艾民	外语学刊(黑龙江大学学报)—1991,(6):58-61
汉语量词的俄译	杨开三	外国语—1991,(6):71-73
翻译:语言形式的转换	张瑾	外国语(上海)—1991,(6):74-75,67

翻译中实用意义的传达	叶　　红	外国语—1991,(6):76-78,80
跨语言心理语言学	安妮·卡特勒著；宫琪译	齐齐哈尔师范学院学报·哲社版—1991,(6):84-86
翻译和汉语的表达的规范化	王宗昱	群言—1991,(8):21-23
怎样翻译文言文中的"而"字	朱大南	语文知识(郑州)—1991,(9):37-40
"有意歧义"及其他	赵洪勋	中学语文教学(北京)—1992,(11):36-40
从"信达雅"到"等效论"——中外翻译标准简评及比较	陈　　然	外语与外语教学—1991,(增刊):46-51
温故而知今：鲁迅翻译思想的教益	刘超先	中国翻译(北京)—1992,(1):2-6
宏扬鲁迅严谨译风：学习鲁迅对日译本《阿Q正传》校释有感	苏林岗	中国翻译(北京)—1992,(1):7-9
翻译评论浅议	李全安	中国翻译(北京)—1992,(1):11-14
同一句与同一行为	Танb Аощуан 著 卫志强 译	国外语言学(北京)—1992,(1):11-19,10
语言变体与文学翻译	萧立明	中国翻译(北京)—1992,(1):14-19
唐诗叠字英译五法	郑延国	现代外语—1992,(1):15-19
翻译文学——争取承认的文学	谢天振	中国翻译(北京)—1992,(1):19-22
视点转换、具体化和概略化：再谈变通和补偿手段	柯　　平	中国翻译—1992,(1):24-26
语言国情与翻译	吕　　俊	中国翻译(北京)—1992,(1):27-30
我国译学研究现状评述	桂乾元	语言与翻译(乌鲁木齐)—1992,(1):27-32
英语"曲线翻译"探索	张庆路	中国翻译—1992,(1):30-33
论文学翻译的创造性叛逆	谢天振	外国语—1992,(1):30-37
论翻译中的动与静	王秉钦	外语与外语教学—1992,(1):31-34
日语口译技巧摭议	丛　　文	中国翻译—1992,(1):33-34
文化局限词语翻译途径初探：从汉维语对外来语词的引进说起	马维汉	语言与翻译(乌鲁木齐)—1992,(1):33-36
科技论文的英语写作与翻译问题	刘　　永	中国翻译—1992,(1):35-39
翻译活动理论基础初探	阎德胜 刘玉芝	外语与外语教学—1992,(1):35-40,34
谈谈语义重复描写性修饰成分的翻译	马劭力	语言与翻译(乌鲁木齐)—1992,(1):37-40
语言教学法	张　　舒	语文建设(北京)—1992,(1):39-40
霍克斯英译《楚辞》浅析	李贻荫	中国翻译—1992,(1):40-42
浅谈译文中的汉语无连词复句	冯树鉴	四川外院学报—1992,(1):48-51
系统论与风格翻译	吕　　俊	外语学刊—1992,(1):52-56
提高翻译效率的一种新途径：用计算机辅助翻译	桂　　文	中国翻译(北京)—1992,(1):53-54
我所理解的翻译学	苏天虎	新疆师大学报·哲社版—1992,(1):87-89

"除了……之外"译法初探	姜海清	盐城师专学报·哲社版—1992,(1):97-100
让科学通人性:消除语言学中理论与应用相分离的现象	Wolfgang kuhlwein 著 李 竹 译	语言文字应用(北京)—1992,(1):98-104
论汉英民族的句子观与汉语句子的生成	杨启先	暨南学报·哲社版—1992,(1):112-120
0是汉字吗?	[日]今泉润太郎著 曲翰章译	语言教学与研究(北京)—1992,(1):137-144
钱钟书论翻译	陆文虎	语言教学与研究(北京)—1992,(1):145-156
哲学社会科学翻译的回顾与现状	陈应年 徐式谷	中国翻译(北京)—1992,(2):2-6
哲学社会科学翻译的回顾与现状(续)	陈应年 徐式谷	中国翻译(北京)—1992,(3):3-5
科技翻译理论的研究:十年述评与展望	方梦之	中国翻译(北京)—1992,(2):7-10
也谈文学翻译批评	李文俊	中国翻译—1992,(2):11-12,20
文学翻译是选择的艺术——翻译莎剧《麦克贝斯》有感	方平	中国翻译—1992,(2):13-17
Zeugma与拈连的比较与翻译	周方珠	中国翻译—1992,(2):18-20
谈谈现代英语俚语及其汉译	郑之炎	中国翻译—1992,(2):24-27
细品慢咀 译出涵趣	毛荣贵	中国翻译—1992,(2):27-29
谈广告翻译的变通	黎凡	中国翻译(北京)—1992,(2):29-31
时代呼唤具有独特风格的翻译家	黄源深	中国翻译—1992,(2):31-33
企业翻译学的研究对象和基本内容	刘先刚	外语与外语教学—1992,(2):38-41
正确翻译"宾语+之+谓语"句	龙溪森	语文知识(郑州)—1992,(2):39-40
洋务派的翻译主张	陈福康	中国翻译—1992,(2):47-48
纽马克的翻译批评理论简析	刘树森	中国翻译(北京)—1992,(2):49-53
若干汉字译名的衍生及其研究——日本翻译研究述评之二	王克非	外语教学与研究—1992,(2):54-61
文化局限词语翻译途径初探:从汉维语对外来语词的引进说起	马维汉	语言与翻译(乌鲁木齐)—1992,(2):57-61
谈谈语义重复描写性修饰成分的翻译	马劭力	语言与翻译(乌鲁木齐)—1992,(2):61-63
动词的翻译	格拉吉丁· 欧斯满著 雷春芳译	语言与翻译(乌鲁木齐)—1992,(2):64-68,74
试论翻译中的增词和减词现象	谭关林	喀什师范学院学报·哲社版—1992,(2):65-68
"是"的特殊用法及其维译法	王玉祥	语言与翻译(乌鲁木齐)—1992,(2):71-74
翻译对话录	许渊冲	北京大学学报·英语语言文学专刊—1992,(2):107-113

标题	作者	出处
语言与大脑	Zurif Edgar 著;桂诗春译	国外语言学(北京)—1992,(3):1-9
让翻译工作再上一个新台阶——庆祝中国译协成立十周年	《中国翻译》编辑部	中国翻译—1992,(3):2,32
关于成立修辞学教研室的报告	[瑞士]索绪尔著,张学曾译 伍铁平校	修辞学习(上海)—1992,(3):2-3
一次关于中国古诗词英译的讨论	德庆	外语学刊—1992,(3):10-11
论翻译活动的哲学实质	阎德胜	中国翻译(北京)—1992,(3):11-15
从李清照《如梦令》英译文谈起——在哈尔滨《王守义·诺弗尔〈唐宋诗词英译讨论会〉》上的发言	李锡胤	外语学刊—1992,(3):12-15
关于英文散文汉译的几点随想	高凤江	中国翻译—1992,(3):15-19
思维、语境与翻译	耿龙明	外国语(上海)—1992,(3):17-23
不像译文的译文——略谈《根》中译本的语言	蒋明	修辞学习—1992,(3):18-20
倍数的英译汉问题	陈起	中国翻译—1992,(3):19-24
谈谈文学作品风格的翻译	仲伟合	中国翻译—1992,(3):24-27
学术论文标题英译探讨	王英格	中国翻译—1992,(3):27-32
翻译千古事,得失共探知——应当重视文学翻译评论	刘新民	中国翻译—1992,(3):33-34
科技英语中的内涵等立及汉译处理	杨在安	中国翻译—1992,(3):35-38
文学作品翻译的忠实问题——谈《喧嚣与骚动》的李译本中的明晰倾向	肖明翰	中国翻译—1992,(3):38-42
《英汉翻译教程》中一些译例的选词问题	杨小洪	中国翻译—1992,(3):42-45
翻译与文化	E.Л.费因贝尔格著 李静译 张后尘校	外语与外语教学—1992,(3):43-48
论译者是创造者	王守仁	中国翻译—1992,(3):45-48
漫谈维吾尔语熟语的汉译	王启	语言与翻译(乌鲁木齐)—1992,(3):49-53
章士钊《论翻译名义》等	陈福康	中国翻译—1992,(3):51-54
专业翻译初探	邱晓伦	语言与翻译(乌鲁木齐)—1992,(3):53-55
文化传播和术语翻译	周有光	外语教学—1992,(3):62-71
浅谈"定语后置"句的译释	郝彦彧	语文教学通讯—1992,(3):63
谈汉彝姓氏翻译书写形式的规范	张余蓉	民族语文(北京)—1992,(3):68-69
英语专用名词的汉译技巧探讨	袁斌业	广西师范大学学报·哲社版—1992,(3):71-76
对James Legge评《论语》中若干译文的看法	谭文介	湘潭大学学报·社科版—1992,(3):73-75

翻译:理解与表达的辩证统一	柏敬泽	广西师范大学学报·哲社版(桂林)—1992,(3):77-80
也谈《红与黑》的汉译——与王子野先生商榷	孙迁	四川外语学院学报—1992,(3):80-84
浅谈电视剧翻译	黄新成	四川外语学院学报—1992,(3):85-89
跨文化的社会符号学	Kühlwein.W.著;陈敏译	语言文字应用(北京)—1992,(3):86-92
英语介词的汉语动词化翻译	黄行春	海南师院学报—1992,(3):117-122
英语介词的汉语动词化翻译	黄行春	海南师院学报(海口)—1992,(3):117-122
话语的结构(上)	Blakemore Diane 著 林书武译	国外语言学(北京)—1992,(4):1-3
话语的结构(中)	Blakemore,Diane 著 林书武译	国外语言学(北京)—1993,(1):34-38
话语的结构(下)	Diane Blakemore 著 林书武译	国外语言学—1993,(2):39-44
再接再厉,为进一步繁荣我国翻译事业而奋斗——在中国译协第二次全国代表会议上的报告(1992年6月11日)	叶水夫	中国翻译—1992,(4):5-9,12
我给领袖们当翻译	师哲	中国翻译—1992,(4):12-13,16
文学翻译问题	叶君健	中国翻译—1992,(4):14-16
概念困惑、不可译性及弥补手段	区鉷	中国翻译—1992,(4):17-20
现代汉语中的感叹语气	Alleton Viviane 著 王秀丽译	国外语言学(北京)—1992,(4):17-22,44
漫谈"神""形"统一	郑海凌	中国翻译—1992,(4):21-24
中医翻译标准化的概念、原则与方法	李照国	中国翻译—1992,(4):25-29
关于文学翻译批评的思考	许钧	中国翻译—1992,(4):30-33,39
论翻译的转换单位	罗选民	外语教学与研究(北京)—1992,(4):32-37
从一堂翻译课看汉译英中的问题	陈伯文	中国翻译—1992,(4):34-39
翻译与语言文字应用	张德鑫	语言文字应用(北京)—1992,(4):44-50
漫谈维吾尔语熟语的汉译	王启	语言与翻译(乌鲁木齐)—1992,(4):47-49
文化·语言·翻译	刘重德	外国语(上海)—1992,(4):49-53
汉语形象性语言的翻译问题	吴可勤	语言与翻译(乌鲁木齐)—1992,(4):50-52
语言学术语译名中的新问题	赵世开	语言文字应用—1992,(4):51-53
外国译者追求什么样的译文?	庄绎传	中国翻译—1992,(4):51-55
谈"要"及维译	石魁义	语言与翻译(乌鲁木齐)—1992,(4):54-56
中英诗歌格律的比较与翻译	黄新梁	外国语—1992,(4):54-59

标题	作者	出处
关于我国译名的若干问题	周祖达 陈兆福	中国翻译—1992,(4):56-58
浅论中国古典诗歌英译问题	楚至大	外国语—1992,(4):60-64,72
文学翻译中的理解与表达	隋岩	齐齐哈尔师范学院学报·哲社版—1992,(4):65-68
论功能语言学理论集大成者米歇·A.K.韩礼德的语言观	[美]Arkin. P.C.著 郑伟波译	语言与翻译(乌鲁木齐)—1992,(4):66-73
译事一得	茹娴古丽·木沙	语言与翻译(乌鲁木齐)—1992,(4):78-79
"对于"的几种译法	尚正杰	语言与翻译(乌鲁木齐)—1992,(4):79
语言的文化内涵和翻译的选词	赵湘	衡阳师专学报·社科版—1992,(4):105-108
从"玉箸"谈到"牛皮纸"——中国诗歌英译给我的几点启发	[美]罗郁正	社会科学战线—1992,(4):293-300
试论佛典翻译对中古汉语词汇发展的若干影响	朱庆之	中国语文(北京)—1992,(4):297-305
继承·融合·创立·发展——我国现代翻译理论建设刍议	沈苏儒	中国翻译—1992,(5):2-5
一种可行的译诗要注——也谈英语格律诗的汉译	黄杲炘	中国翻译—1992,(5):6-12,33
浅谈学术文章汉译英中的难点	吴洁	中国翻译(北京)—1992,(5):13-14,43
树-根逻辑关系的"弦"——谈一种语法现象的翻译	李建华	中国翻译—1992,(5):15-17
我们在英译汉中常有哪些失误	赵振才 王桂芝等	中国翻译(北京)—1992,(5):18-21
"多枝共干"结构:英译汉中的一个误区	邵启祥	中国翻译(北京)—1992,(5):22-26
"今"字误译例辨析	傅庭林	辽宁大学学报·哲社版(沈阳)—1992,(5):23-24
王国维论哲学著作翻译	陈福康	中国翻译—1992,(5):31-33
社会科学翻译在中国近代翻译史上的地位及其现实意义	许崇信	外国语—1992,(5):33-36
略谈外国文学翻译评论	刘重德	中国翻译—1992,(5):34-36
东西文化价值观差异与翻译	王秉钦	外语与外语教学—1992,(5):36-42
我看英诗翻译中的"以顿代步"问题	劳陇	中国翻译—1992,(5):37-38
英、汉习用性比喻中的喻体比较与翻译	李国南	外国语—1992,(5):37-42
我译《谢甫琴科诗集》	戈宝权	中国翻译—1992,(5):39-40
翻译家的声音:马·彼·霍尔特采访记	[美]洛伊丝·博伊德 乔治·博伊德著	中国翻译—1992,(5):40-43
修辞格的翻译与风格的传达——对比 David Copperfield 两个译本所得启示	张霞	外国语—1992,(5):43-47

标题	作者	出处
夏济安先生翻译赏析	张龙宽	中国翻译—1992,(5):44-46
《诗经》译注指瑕	吴培德	云南师范大学哲学社会科学学报(昆明)—1992,(5):45-53
关于"突厥"、"土耳其"、"突厥斯坦"的翻译问题	文有仁	中国翻译—1992,(5):51-52
这些职务职称怎么译	屈建鸣	中国翻译—1992,(5):52-54
英语中的"债"与"国库券"	王寅 周洪	中国翻译—1992,(5):54-55
试论中国文化术语的英译原则	郭尚南	河南大学学报—1992,(5):96-99
奈达与纽马克翻译理论比较	林克难	中国翻译(北京)—1992,(6):2-5
翻译过程中的语用分析	陈忠华	中国翻译(北京)—1992,(6):5-9
翻译学的辩证逻辑学派	田菱	外国语(上海)—1992,(6):5-10
谈译者的形象思维	李运兴	中国翻译(北京)—1992,(6):10-12
从审美规律看"同等效果"理论	成梅	外国语(上海)—1992,(6):11-15
虚实化意	冯建文	中国翻译—1992,(6):13-16
我对翻译评论的几点看法	颜治强	中国翻译—1992,(6):17-18,50
数量、数据的翻译	陈桂清	中国翻译(北京)—1992,(6):19-22
从翻译角度谈对外报道中的一些问题	梁良兴	中国翻译—1992,(6):26-28,55
谁对？谁错？——读Finnegan's Wake一书的译名	丁振祺	中国翻译—1992,(6):29-31
小议Qxymoron及其翻译	陶咏	中国翻译—1992,(6):32-34
对《美式英语会话》译文的批评	黄秀君	中国翻译—1992,(6):34-36,40
汉语主题省略与英汉互译	金旭东	外国语(上海)—1992,(6):34-39
翻译文言文可能出现哪些失误？	胡永生	学语文(芜湖)—1992,(6):35-36
对歌德译《梅妃》一诗的赏析	张威廉	中国翻译—1992,(6):41-42
"大陆"此处不能译成"Continent"	蒋坚霞	中国翻译—1992,(6):45
"曲线翻译"不宜提倡	许建平	中国翻译—1992,(6):46-47
第四届"韩素音青年翻译奖"评审委员会工作报告	柯平执笔	中国翻译—1992,(6):51-55
涵义·语气·风格——也谈翻译的艺术	黄宜思	外语学刊—1992,(6):52-55
企业翻译学在中国的现实意义和任务	刘先刚	上海科技翻译—1993,(1):3-7
句子与翻译——评《追忆似水年华》汉译长句的处理	许钧	外语研究—1993,(1):9-16,31
归化与保存异域情译文趣	冯建文	外语教学—1993,(1):11-14
思维方式、表现法和翻译问题	刘宓庆	现代外语—1993,(1):12-15
心理语言学的发展史	[英]凯斯,J.F.著 宫琪译	语言文字学(北京)—1993,(1):14-19
鲁迅作品中若干修辞手法的可译性限度——鲁迅著作杨戴英译本学习札记	侯广旭	现代外语—1993,(1):16-22

标题	作者	出处
口译的超语言因素	韦美玉	上海科技翻译—1993,(1):17-19
口译的技术处理与接团准备	郑伦金	上海科技翻译—1993,(1):19-22
词汇·民族文化特点·翻译	蔡毅	中国翻译(北京)—1993,(1):20-22
现代社会语言学史	[加]凯尔纳,K.著 宫琪译	语言文字学(北京)—1993,(1):20-23
汉译英中的意外难处——谈谈说明书翻译中名词的选用	顾荣而	上海科技翻译—1993,(1):22-23
浅议 glossary 一类术语辞书的译名——术语译名卡之一	赵家进	上海科技翻译—1993,(1):23
浅议 conference 一类会议词的译名——术语译名卡之二	赵家进	上海科技翻译—1993,(2):33-35
释义、归化和回译:三谈变通和补偿手段	何平	中国翻译(北京)—1993,(1):23-27
论汉、英语词义的民族色彩与翻译	王化鹏	外语学刊(哈尔滨)—1993,(1):24-30
句群——翻译的一个单位	葛校琴	中国翻译(北京)—1993,(1):28-30
中介语和中医汉英翻译	施蕴中	中国翻译(北京)—1993,(1):30-32
《红楼梦》翻译学刍议	李绍年	语言与翻译(乌鲁木齐)—1993,(1):30-36
试论"合作原则"在翻译理解中的作用	陈小慰	外国语(上海)—1993,(1):34-36
"把"字句与日语格助词"た"	张正立	解放军外语学院学报—1993,(1):34-38,87
翻译理论探秘、反思及应用:纽马克译论精选	成梅	上海科技翻译—1993,(1):36-38
康奈尔句法理论与第一语言获得研讨会	Wong Colleen(吴杏连)著 林书武译	国外语言学(北京)—1993,(1):39-43,25
新疆当代翻译理论研究说略	陈世明	语言与翻译(乌鲁木齐)—1993,(1):43-45
论翻译单位:内容和形式	赛衣提哈孜·赛力克拜著;李贺宾译	语言与翻译(乌鲁木齐)—1993,(1):46-48
阿拉伯语状语的汉译问题:阿拉伯语翻译课课题之一	高彦德	世界汉语教学(北京)—1993,(1):46-52
从翻译谈英汉两种思维方法的差异	程新智	齐齐哈尔师范学院学报·哲社版—1993,(1):51-53,57
成语翻译也应懂点科技知识	孟伟根	中国翻译(北京)—1993,(1):54-55
"There be…"句的修辞功能与汉译	张运琦 路仙伟	四川外语学院学报—1993,(1):62-67
翻译是一种对应(correspondence):关于翻译学的一个设想	蔡新乐	黄淮学刊·社科版—1993,(1):68-72
词语的文化内涵与翻译(上)	冯玉律	外国语(上海)—1993,(1):69-74
词语的文化内涵与翻译(下)	冯玉律	外国语—1993,(2):71-76,37

文化交流的使者:译坛撷英	[德]尤辛·特侣伯著 马 文译	语言与翻译(乌鲁木齐)—1993,(1):71-74
关于"宣传"一词的英译辨析	陈纬光	广州师院学报·社科版—1993,(1):75-77,82
美国翻译理论研究展望	成 梅	语言与翻译(乌鲁木齐)—1993,(1):75-77
翻译标准漫话	张 琦	湖州师专学报·哲学社会学—1993,(1):80-83
俄汉句群翻译初探	陈 洁 陈 倩	解放军外语学院学报(洛阳)—1993,(1):88-94
语言的可译性与不可译性再探	徐 丹	深圳大学学报·人文社科版—1993,(1):92-99
论翻译直觉	邹东旗	衡阳师专学报·社科版—1993,(1):97-100
试论翻译中处理文化差异的"求同存异"原则	陈东成	深圳大学学报·人文社科版—1993,(1):101-106
浅析四字结构在英译汉中的运用	刘天亮	湘潭大学学报·社科版—1993,(1):105-107
论汉译朝中的增减译法	太平武	延边大学学报·社科版—1993,(1):105-111
文学翻译中的社会语言学问题	史震天	新疆大学学报·哲社版(乌鲁木齐)—1993,(1):117-120
外语翻译中的理解三层次	彭开明	赣南师范学院学报·社科版—1993,(1):118-122
新疆古代翻译说略	陈世明	新疆大学学报·哲社版(乌鲁木齐)—1993,(1):121-128
翻译须辨真伪	钟 平	赣南师范学院学报·社科版—1993,(1):122-124
汉语量词在英语中的表达	郝雁南	宁德师专学报·哲社版—1993,(1):137-140
谈谈英汉习语对译过程中的适度性	汪 宏	语言教学与研究(北京)—1993,(1):152-155
文学翻译中的语言问题	王佐良	中国翻译(北京)—1993,(2):2-3
尴尬与自如 傲慢与自卑——文学翻译家心理人格漫说	杨武能	中国翻译—1993,(2):3-7
二次大战后西方翻译理论发展的几个方向	胡功泽	中国翻译(北京)—1993,(2):8-11
汉译英中对等用语及形式技巧的运用	周国春	上海科技翻译—1993,(2):12-15
再论中国翻译理论基本模式问题	刘宓庆	中国翻译(北京)—1993,(2):14-20
玄奘译言考辩	袁锦翔	中国翻译(北京)—1993,(2):24-26
《红楼梦》诗词中一些隐语的英译	郑恩岳	中国翻译—1993,(2):26-29
"过度语"三题	邓 刚	现代外语—1993,(2):27-30
涉外公证文书的汉英翻译	王春晖	中国翻译(北京)—1993,(2):30-34
句法-语义接口	Merve Enü 著 陈养铃 译	国外语言学—1993,(2):30-38,29
翻译的本质、标准及其基本问题	李树辉	语言与翻译—1993,(2):31-36
新疆地名的汉字译写	牛汝辰	语言与翻译—1993,(2):37-39
科技翻译要向全方位多功能转化	马胜平	上海科技翻译—1993,(2):42-43
浅谈法律文献的汉译维问题	陈毅光	语言与翻译—1993,(2):43-45
意译与直译笔谈	冯树鉴	外语学刊(哈尔滨)—1993,(2):43-47

标题	作者	出处
跳出翻译的怪圈,进入国际大循环	何文安	上海科技翻译—1993,(2):44-45
行政公文汉译维的替代译法	李英勋	语言与翻译—1993,(2):45-47
选词与翻译的关系	阿不都克里木	语言与翻译—1993,(2):47-49
逻辑同一律在俄汉翻译中的运用	阎德胜	外语学刊(哈尔滨)—1993,(2):48-57
部分汉语能愿动词的连用及其维译	张明德	语言与翻译—1993,(2):49-51
交互式汉-英机器翻译的理论基础	周明	情报科学—1993,(2):49-53
谈文学作品汉译时四字词组的使用	李玉英	江西教育学院学报·社科版—1993,(2):52-56
卡特福德与《翻译的语言学理论》	穆雷	语言与翻译—1993,(2):54-56
汉维语多位数的对比和翻译	阿合买提·牙合亚	语言与翻译—1993,(2):59-60
口译记忆中语类的归纳	鲍刚	北京第二外国语学院学报—1993,(2):73-77
汉语叠音词在文学英译汉中的运用与表现	夏冰	四川外语学院学报—1993,(2):74-78
翻译艺术中的语言自然性	冯树鉴	四川外语学院学报—1993,(2):79-81
新疆民国时期翻译说略	陈世明	新疆大学学报·哲社版—1993,(2):85-99,104
汉语成语英译探索	顾雪梁	杭州师范学院学报—1993,(2):86-90
从几则英语谚语的汉译谈反语式结构译法	陈开俊	福建师范大学学报·哲社版(福州)—1993,(2):92-94
翻译中的末尾焦点	郑诗鼎	海南师院学报—1993,(2):97-101
广告翻译的标准及心理变量处理	韩东吾	延边大学学报·社科版—1993,(2):101-105
试谈汉藏翻译中联合式合成词的对应规律	范公保	西藏研究—1993,(2):125-128
初谈藏文数学名词术语的翻译	才旦	西藏研究—1993,(2):129-133
试论汉译藏基本科技术语中存在的问题	普日科	西藏研究—1993,(2):133-138
漫谈翻译的定义和标准	应云天	上海科技翻译—1993,(3):1-5,14
风格与翻译——评《追忆似水年华》汉译风格的传达	许钧	中国翻译—1993,(3):3-9
翻译、认识上的误区及对等中的取舍	邱懋如	中国翻译—1993,(3):10-12
翻译与语言深层结构的切分	刘振江	中国翻译—1993,(3):12-14
翻译必须吃透汉语——对《我们在英译汉中常有哪些失误》一文的几点异议	范万军	浙江师大学报·社科版—1993,(3):24-27,39
对外宣传广告、翻译及其它	刘先刚	上海科技翻译—1993,(3):28-30
常用词误译探源	邵启祥	中国翻译—1993,(3):28-32
翻译原则再议——在海峡两岸外国文学翻译研讨会上的发言学问题	刘重德	外国语—1993,(3):29-33
钻进去、跳出来——翻译门径之一	李嘉熙	湘潭大学学报·社科版—1993,(3):31-33
谐音双关翻译法漫谈	徐振忠	外国语—1993,(3):34-36

日汉翻译琐谈	吴运泉	湘潭大学学报·社科版—1993,(3):34-37
翻译学与翻译教学	穆雷	中国翻译—1993,(3):37-38
论翻译标准的客观基点	王高生	语言与翻译—1993,(3):44-47
"说"字短语略析及其翻译	郭志刚	语言与翻译—1993,(3):48-52
翻译的基本准则	刘克璋	语言与翻译—1993,(3):53-55
"国家"一词的维译	华锦木 梁云	语言与翻译—1993,(3):56-57
小议汉语动词的双向性及其在维语中的翻译	毛宏愿	喀什师院学报·哲社版—1993,(3):60-61
从中外名著的维译本看汉语形象语言的翻译方法问题	吴可勤	喀什师院学报·哲社版—1993,(3):62-65
翻译与背景知识	屈华荣	东北师大学报·哲社版(长春)—1993,(3):68-72
说"ki、ki"	张声	语言与翻译—1993,(3):69-70
Ki 与格	马维和	语言与翻译—1993,(3):70-73,36
从形合语言和意合语言的不同特点探讨译文和原文的对等性和可读性	伍桂红	北京第二外国语学院学报—1993,(3):94-102,110
试论利用母语的原则	张定京	新疆大学学报·哲社版—1993,(3):119-123
法诗汉译的诗韵设计	程曾厚	南京大学学报·哲社、人文版—1993,(3):119-124
专名翻译规范化的两大课题——统一与保真度	刘丹青 石汝杰	语言文字应用—1993,(4):9-17
谈口译中的怯场	朱鹤鸣	上海科技翻译—1993,(4):20-21
口译理论概谈	仲伟合	语言与翻译—1993,(4):20-23,32
首先要自圆其说	张兆奎	上海科技翻译—1993,(4):26-27
汉语的尾焦点及维译汉表达	蔡崇尧	语言与翻译—1993,(4):30-32
词的表层导向和汉语译名的形式规范	卞成林	语言与翻译—1993,(4):33-37
翻译工作在科技情报和技术引进中的作用	吴肇晨	上海科技翻译—1993,(4):34-38
英汉语序的比较与翻译	王东风 章于炎	外语教学与研究—1993,(4):36-44
文学翻译:语言与艺术的结合	吕俊	语言与翻译—1993,(4):38-41
兼语句汉维翻译浅谈	李军	语言与翻译—1993,(4):42-44,59
音译的缘起	刘超先	外语教学与研究—1993,(4):45-48
漫谈翻译中的"断桥"现象	李云楼	郑州大学学报·哲社版—1993,(4):66-72
谈修辞手段的翻译	曹海英	宜昌师专学报·社科版—1993,(4):67-69
语境——英译汉中词义引申的基础	罗善翠	宜昌师专学报·社科版—1993,(4):70-71
"东"、"西"与"east"、"west"	陈满华	中国人民大学学报—1993,(4):88-91
汉语谚语、歇后语英译探索	顾雪梁	杭州师院学报—1993,(4):102-107
语境与翻译	王东风 张凤春	中国翻译—1993,(5):2-5

标题	作者	出处
汉、英语简单句信息结构	周心红	解放军外语学院学报—1993,(5):21-26,43
中国武术术语汉译英浅谈	李长林	中国翻译—1993,(5):23-26
关于 Illocutionary Act/Force 的汉译问题	宋德富	外国语—1993,(5):24-29
音译杂谈	徐雁平	中国翻译—1993,(5):29-30
江南制造总局翻译馆的译书方法	陈双燕	中国翻译—1993,(5):51-52
论民族文化特点与外语篇章的语义理解	李向东	解放军外语学院学报—1993,(5):80-83,72
汉译与文言	蒋明	修辞学习—1993,(6):18-20
汉译英中的视点转换	陈小慰	中国翻译—1993,(6):20-22
对外经贸翻译的特点与现状	王恩冕	中国翻译—1993,(6):22-25
技术谈判中口译的特点	吕世生	中国翻译—1993,(6):25-27
中医名词术语的结构及英译	李照国	中国翻译—1993,(6):28-30
"不到位"、"错位"和"越位"——词语在上下文中的文化内涵与翻译	冯玉律	外语学刊—1993,(6):30-36
论翻译中的等值:一种社会符号学的方法	李广荣	中国科技翻译—1994,(1):1-7
对翻译等值问题的思考	吴义城	中国翻译—1994,(1):2-4
某些英语否定句的理解与翻译	唐国佺	中国翻译—1994,(1):5-7
语篇·功能·翻译	张韧	上海科技翻译—1994,(1):6-7
谐音双关翻译法漫谈	徐振忠	中国科技翻译—1994,(1):7-9
论科技文体中形容词的翻译	李淑芳 张正举	中国翻译—1994,(1):11-13,7
如何在作外语的法语学习中运用翻译	[法]Danielle Beult 著,徐景陵译	国外外语教学—1994,(1):12-14,11
科技翻译中的准确性刍议	苏吉儒 陈敏	中国科技翻译—1994,(1):16-18
社会主义市场经济与企业翻译	刘先刚	上海科技翻译—1994,(1):16-18,24
经贸俄语翻译刍议	哈余灿	中国翻译—1994,(1):19-21
接受理论与翻译探讨	侯向群	山东外语教学—1994,(1):19-22
关于汉语姓、名、字、号的英译	刘士聪	中国翻译—1994,(1):27-28
常见商业明语 CABLE 与 TELEX 的汉译	姜秀云 于斌生	中国科技翻译—1994,(1):28-30,41
Syllepsis 与异叙	陶咏	中国翻译—1994,(1):29
浅谈 But 句的翻译	李全申	中国翻译—1994,(1):30-31
英汉翻译中名词被动意义的表达	但汉源	外国语—1994,(1):30-33
加强汉译俄教学的几点做法	张永全	中国翻译—1994,(1):34-35
谈谈杨德豫先生的译诗《致杜鹃》	蒋坚霞	外国语—1994,(1):34-39

标题	作者	出处
发展科技翻译事业:中国科学院院士、南开大学校长母国光教授谈翻译	李亚舒	中国科技翻译—1994,(1):35-37
文学翻译中的语义问题	杨衍松	外语教学—1994,(1):36-42
加强和提高科技翻译工作积极适应社会主义市场经济的需要	刘昭东 尹国英	中国科技翻译—1994,(1):38-41
法国翻译理论研究现状浅析	许钧	中国翻译—1994,(1):39-44
漫谈文化差异与文学翻译——名著译文失当点滴	何楚熙	外语研究—1994,(1):39-45
重视和加强"汉译外"的教学与研究	林宝煊	中国俄语教学—1994,(1):43-46
中国古典诗词翻译原则与翻译批评	田惠刚	外语教学—1994,(1):43-51
我国译员在对外经济和技术贸易中的地位及作用	何长庆	中国科技翻译—1994,(1):45-46,63
词语意义与翻译	高宁	外语研究—1994,(1):46-50
科技翻译公司的根本任务	王松园	中国科技翻译—1994,(1):47-49
浅论科技翻译与交流	刘雪云	中国科技翻译—1994,(1):50-52
具体化原则与文学翻译	吕俊	外语研究—1994,(1):51-55
关于英汉典故翻译中的宗教文化问题	张蓓	现代外语—1994,(1):52-56,33
从翻译技巧看汉语标语翻译	陆祖本	外语教学—1994,(1):52-56,51
汉译人名地名的种种问题	天衣	中国翻译—1994,(1):54
从世汉翻译作品看巴金的翻译艺术	李士俊	外国语—1994,(1):55-59
对外汉语教材中词语翻译的一些问题及其对策	晏懋思	现代外语—1994,(1):57-60
英汉翻译中的语域问题	曹海英	宜昌师专学报—1994,(1):66-68
信息焦点在英汉互译中的处理	俞洪亮 贾爱武	河南师范大学学报·哲社版—1994,(1):69-73
英谚中一种特殊句型的反译——从朱生豪的一句误译谈起	刘云波	郑州大学学报·哲社版—1994,(1):82-85
话说"缠头""黑塔依"	杨来复 张振华	语言与翻译—1994,(1):84-85
谈翻译中的反说法	徐立红	漳州师院学报—1994,(1):84-87
"雕虫小技"与"一仆二主"——谈谈翻译之难	桂乾元	语言与翻译—1994,(1):86-94
试论英语的暗否定	马涌聚	河南大学学报·哲社版—1994,(1):100-104,94
转移否定的理解与翻译	唐国全	四川外语学院学报—1994,(1):101-105
忠实于何?百年来翻译理论论战若干问题的再思考	冯世刚	国际社会科学杂志·中文版—1994,(1):103-116
英语教学中的语用学问题	穆雷	海南大学学报·社科版—1994,(1):105-108
谈英语中的隐喻	段翠兰	海南大学学报·社科版—1994,(1):109-114
浅谈汉译维几种情况的处理方法	唐培建	语言与翻译—1994,(1):109-114

关于 in that 引导的状语从句的译法	吴祥芝	安徽大学学报·哲社版—1994,(1):112,96
英语形容词的后置及其翻译	陈光吾	零陵师专学报—1994,(1-2):125-128
冗余信息与增译、省略及译文评定	田 艳	上海科技翻译—1994,(2):1-4
论翻译中的一些因素的相对性	高 健	外国语—1994,(2):1-7
翻译与照应	彭开明	中国翻译—1994,(2):3-6
主体表达、客体反应与翻译之难	文 军	上海科技翻译—1994,(2):5-6
《红楼梦》中一些联额的英译	郑恩岳	中国翻译—1994,(2):7-9
译事繁荣需评论——论翻译评论	桂乾元	外国语—1994,(2):8-13
浅谈唐宋词中词牌名的英译	陈俊群	中国翻译—1994,(2):10-12
长定语的英译	马育珍	上海科技翻译—1994,(2):10-13
英译《诗经》(国风)十八首(二)	汪榕培	解放军外语学院学报—1994,(2):10-17
财经英语文体的特点和实用性探讨	徐涵初	中国翻译—1994,(2):12-17
翻译的多样化	童其兰	上海科技翻译—1994,(2):14-15
浅析"名词 A + of + 名词 B"的翻译	张以文	上海科技翻译—1994,(2):16-17
涉外经贸法律文件的起草与翻译	王春晖 叶炳勋	中国翻译—1994,(2):18-24,51
试论外贸电传的特点及译法	李乐中	上海科技翻译—1994,(2):20-23
汉英"正反译"现象例说(八)	张德鑫	学汉语—1994,(2):24-25,27
汉英"正反译"现象例说(九)	张德鑫	学汉语—1994,(3):25-27
汉英"正反译"现象例说(十)	张德鑫	学汉语—1994,(4):21-22
汉英"正反译"现象例说(十一)	张德鑫	学汉语—1994,(5):27-28
漫谈文学翻译批评	王晓元	外国语—1994,(2):22-26
信息意义与英汉翻译	周之鉴	现代外语—1994,(2):21-27
外国商标汉译简论	娄承肇	上海科技翻译—1994,(2):24-26
论翻译中风俗习惯问题的处理	郑宗杜 郑声滔	现代外语—1994,(2):28-33,41
从 ship 的概念变化谈科技词语翻译	丁树德	上海科技翻译—1994,(2):30-32
怎样翻译外文技术标准名称	苏烈红	中国翻译—1994,(2):31-32,35
关于教学翻译的思考	李善成	外语与外语教学—1994,(2):31-33
漫谈科技口译	颜 苏	中国科技翻译—1994,(2):32-34
德语并列连词 UND 的用法和译法	陈少康	中国翻译—1994,(2):34-36
译喻鉴析	曹建新	外语与外语教学—1994,(2):34-39
科技术语翻译及其审定	吴凤鸣	中国翻译—1994,(2):35-40
谈翻译评论	舟晓航	上海科技翻译—1994,(2):37-38
论文体学对于翻译研究的意义	程爱民	外语研究—1994,(2):39-43
俄语长句翻译浅说	林学诚	外语与外语教学—1994,(2):40-42
论我国科技翻译理论之发轫	黎难秋	上海科技翻译—1994,(2):42-46
谈维吾尔语"dəp"在汉语中的表达形式	田有林	语言与翻译—1994,(2):42-47

明清科技翻译大家的译德	黎难秋	中国科技翻译—1994,(2):45-47
迷离幻境"真事隐"——金陵十二钗判词译文初析	李绍年	语言与翻译—1994,(2):48-63
层次翻译法	阎德胜	外语研究—1994,(2):50-54
希腊神话中的神名翻译应统一	潘秀琴	中国翻译—1994,(2):52-53
社会文化因素及其翻译方法	陈洁 陈倩	外语研究—1994,(2):55-57
浅谈进行体的特点及其语义	杨今 徐文枫	佳木斯师专学报—1994,(2):58-61
谈国俗词语的汉译英	毛华奋	台州师专学报·社科版—1994,(2):58-62
由表及里,由里及表——论翻译过程中译者的作用	刘宗和	外语研究—1994,(2):62-65
英语的委婉表达法初探	刘凤兰	佳木斯师专学报—1994,(2):62-65
关于英语口语测试	董晓红	解放军外语学院学报—1994,(2):63-68
《红楼梦》比喻翻译面面观	成梅	语言与翻译—1994,(2):64-72
态度变体在翻译中的再现	曹海英	宜昌师专学报—1994,(2):67-69
法汉翻译五原初论	陈涟	湘潭大学学报—1994,(2):68-70
《红楼梦》维译本熟语翻译抉微	廖泽余	语言与翻译—1994,(2):72-85
语篇翻译的理解和表达	郑诗鼎 潘维新	海南师院学报·人文版—1994,(2):74-78,22
动态转换翻译技巧	阎德胜	外语教学—1994,(2):83-90
论满语特有词语的翻译	赵阿平	语言与翻译—1994,(2):85-95
朝译汉定语翻译技巧	胡继琴	延边大学学报—1994,(2):87-94
试论科技翻译的特点及规律	顾时光	中国翻译—1994,(2):29-30
句式:英语的强调手段之四	刘庆荣	内蒙古师大学报·哲社版—1994,(2):94-100
从空间的角度试谈当今的民族语大翻译事业	狄丽达·吐斯甫汗	语言与翻译—1994,(2):95-103
英汉否定句的翻译比较	梁爽	青海师大学报·哲社版—1994,(2):100-102
几组德语常用同义名词的分析比较和运用	杨素兰	内蒙古师大学报·哲社版—1994,(2):101-105
再谈翻译历史书籍资料的一点浅见	陈毓贵	语言与翻译—1994,(2):104-111
曲从方言趣不乘本——谈《妙法莲华经》的灵活译笔	葛维钧	东南文化—1994,(2):132-134
汉译取字用词漫品	张德鑫	语言教学与研究—1994,(2):139-151
新词术语(汉—哈)(5)		语言与翻译—1994,(2):150-152
重复·超越——名著复译现象剖析	许钧	中国翻译—1994,(3):2-5
语言翻译中的若干困难因素浅析	君卿	上海科技翻译—1994,(3):4-5
纽马克新词翻译观评介	曹建新	中国翻译—1994,(3):6-9
科技英语分译种种	章运椿	中国科技翻译—1994,(3):7-9

标题	作者	出处
复义的构成及其翻译	高凤江 成庚祥	中国翻译—1994,(3):10-12
科技英语翻译也讲究"雅"	刘文俊	中国科技翻译—1994,(3):10-15
汉语形象用语在德国报刊中的使用和翻译	朱小安	中国翻译—1994,(3):13-17
英汉互译中的灵活处理	郑诗鼎	中国翻译—1994,(3):17-19
外国厂商与商标名称的翻译	娄承肇	中国翻译—1994,(3):20-21
关系分句与其它名词修饰语之间的关系	李法荣 马丙玉	上海科技翻译—1994,(3):21-23
科技辞典条目的英译	胡光正	中国翻译—1994,(3):22-23
中医新药药齐名称的翻译问题	张乃愚	中国翻译—1994,(3):24
关于中医中药俄译之我见	王忠亮	现代外语—1994,(3):24-26
小议词性的串变：翻译实践中的问题之一	李全安	中国翻译—1994,(3):25-26
科技汉译英管见	蔡颢	中国科技翻译—1994,(3):26-29
略谈英语中的双关语	江友芳	上海科技翻译—1994,(3):27-28
浅议英语叠词的汉译	陈亚敏	中国翻译—1994,(3):27,49
病历汉译英的主要技巧	周铁成	中国科技翻译—1994,(3):33-36
关于翻译批评的思考——兼谈《文学翻译批评研究》	王克非	外语教学与研究—1994,(3):33-36
"注解"的翻译不可忽视——《中国通》中译本丢掉了什么？	李嘉熙	中国翻译—1994,(3):33-37
浅议英法被动态之异同	刘爱萍	上海科技翻译—1994,(3):36-37,31
解释与翻译	张旭	南开学报·哲社版—1994,(3):36-39
关于Love's Labour's Lost中文译名的商榷	张松林	中国翻译—1994,(3):37-39
英语颜色词的特征	阿布力米提·巴克	喀什师院学报·哲社版—1994,(3):39-46
制订翻译法规，尊重译员权利：关于发展中国科技翻译事业的一点思考	闻殊等	中国科技翻译—1994,(3):43-46
浅议英译汉中的引申	李涛	喀什师院学报·哲社版—1994,(3):47-48
浅论英语科技文体的若干语言特征	陈恪清	上海科技翻译—1994,(3):47-49
翻译方法与翻译艺术	于岚	北京第二外国语学院学报—1994,(3):48-57
浅议我院英语专业教学	孙瑞霞	喀什师院学报·哲社版—1994,(3):49-50
涉外经济合同英译的质量标准	王春晖	中国科技翻译—1994,(3):50-53
补憾——魏尔伦一首小诗的汉译评析	袁莉	外语研究—1994,(3):51-53
也谈《英汉大词典》英谚的汉译	鲍志坤	中国翻译—1994,(3):53-54
翻译专业词语要懂得点专业知识——对《当代汉语词典》等三词典中的两个条目的质疑	范万军	外语研究—1994,(3):54

标题	作者	出处
浅论翻译批评	曹建新	外语教学—1994,(3):54-58
批评应当实事求是——析议"《英汉大词典》英谚收译漫评"	裘正	中国翻译—1994,(3):55-56
"玄奘译言考辨"辨	李雪涛	中国翻译—1994,(3):56
试论汉语"快"字的英语表达法	孟宪钦	河南大学学报·哲社版—1994,(3):56-60
浅谈"Come do sth"句型及其翻译	张定兴	中国翻译—1994,(3):57,59
科技翻译中几个词的理解与表达	张梦井	中国科技翻译—1994,(3):58-59
增译:标题的一种译法	刘罗颐	中国科技翻译—1994,(3):61,64
英汉被动形式的互译方法	李广义 李鹤	固原师专学报—1994,(3):63-67,54
英语语法术语及定义汉译斟酌	孙少豪	现代外语—1994,(3):68-69,11
俄罗斯女性姓氏汉译之我见	钟锡华	现代外语—1994,(3):70-71
文学作品英汉复译中一些非语言范畴的难点——林语堂《风声鹤唳》译后体会	梁绿平	外国语—1994,(3):71-74
论俄语近音词及其教学	归定康·贝科娃,N.A.	河北师范大学学报·社科版—1994,(3):75-78
英语副词的意义和句法作用	王新奇 沈丽华	河北师范大学学报·社科版—1994,(3):79-81
英语同义词的非完全同义现象及导因	蒋萍	南昌大学学报·社科版—1994,(3):81-86,90
浅谈 as 的用法	史卫兰	宁夏大学学报—1994,(3):90-96
思维·语言·翻译	许钧	语言与翻译—1994,(3):80-87
汉语外来词音译的特点及其文化心态探究	吴礼权	复旦学报·哲社版—1994,(3):82-88,107
殷宝书的翻译技巧——读殷宝书译弥顿 L'Allegro	胡管舫	荆州师专学报·社科版—1994,(3):86-88
翻译必须与研究相结合:翻译研究创作的"三栖人"陈孝英的翻译观	穆雷	语言与翻译—1994,(3):88-93,79
含地名的英语习语的汉译问题	蔡家珍	福建师范大学学报·哲社版—1994,(3):88-94
英语基础阶段教学:传统与交际	朱小美 张思武	安庆师院学报·社科版—1994,(3):88-93
试析一名多译	李金陵	语言文字应用—1994,(3):92-98
浅谈英汉文学互译的语言变异	金城 金长胜	青海师大学报·社科版—1994,(3):93-97
论文化语言差异与英汉翻译	葛志宏	语言与翻译—1994,(3):94-106
汉译佛经发生论	陈士强	复旦学报—1994,(3):95-101
论汉语特殊词汇的英译	任明崇	川东学刊(社科版)—1994,(3):97-101
试论清朝政府关于新疆的翻译活动	陈世明	语言与翻译—1994,(3):107-112
模糊学与文学翻译的神似	王乃霞	山西大学学报·哲社版—1994,(3):108-111
行政公文汉译维中的定语翻译方法	李英勋	语言与翻译—1994,(3):113-118

标题	作者	出处
跨文化交际与英语教学	李美伦	中山大学学报·哲社版—1994,(3):116-125
论语义的国俗性与国俗词语的可译性	毛华奋	杭州大学学报·哲社版—1994,(3):119-126
汉维语对比说略	刘珉	语言与翻译—1994,(3):119-130
文化在翻译中的地位	胡兴德	淮北煤师院学报—1994,(3):138-145
论英汉翻译对语言文化障碍的超越	葛志宏	徐州师范学院学报·哲社版—1994,(3):139-141
英语教学中准确与流利矛盾的处理	窦亚萍	淮北煤师院学报—1994,(3):146-150
关联翻译理论简介	林克难	中国翻译—1994,(4):6-9
互文性与翻译	杨衍松	中国翻译—1994,(4):10-13
从文化共核看翻译等值论	钱冠连	中国翻译—1994,(4):14-15,34
逻辑与翻译管窥	任怀平 孙翠兰	中国翻译—1994,(4):16-17
明喻的英译问题	杨光慈	中国翻译—1994,(4):18-22
一词两义的翻译	陈文伯	中国翻译—1994,(4):23-24
关于高年级俄语精读课的思考	孙传政	辽宁师范大学学报·社科版—1994,(4):23-25
中文标语俄译典型错误分析	赵为	中国翻译—1994,(4):25-26
翻译中的意念惯性抑制问题	隋然	外语与外语教学—1994,(4):34-37
谈谈文学翻译问题	许渊冲	外国语—1994,(4):36-41
科技英语翻译常见错误误析	让春燕	赣南师院学报·社科版—1994,(4):37-41
最早的汉译景教文献与翻译	刘阳	中国翻译—1994,(4):51-53
论翻译文化史研究	王克非	外语教学与研究—1994,(4):57-61
忠实译说与求忠心态析	刘恩光	语言与翻译—1994,(4):72-76
搞好同声传译,为社会主义建设服务	杨春富	语言与翻译—1994,(4):77-83
浅论翻译与技巧	李炬	语言与翻译—1994,(4):84-87
尤金 A·奈达和彼得·纽马克的翻译理论之比较	陈琳	湘潭大学学报—1994,(4):87-91
芸香、蕙香、晦气与亚香茅、高山钟花、柠檬酸:谈汉语仿词的英译	张积模	解放军外语学院学报—1994,(4):87-94,86
翻译是对表示同一内容的不同信息进行相互转换的过程	阿不都热苏里	语言与翻译—1994,(4):88-89
外国文学名著题名汉译鉴赏刍议	王明元	河南大学学报·哲社版—1994,(4):89-93
大学英语教学中翻译教学法的运用	关凤莲	河北师范大学学报·社科版—1994,(4):91-92,74
英汉翻译中语段的提述问题	但汉源	解放军外语学院学报—1994,(4):95-97,117
英汉翻译中抽象和具体的相互转化	袁浩	殷都学刊—1994,(4):96-97
翻译中词义的拆分与合成	毛拱星	贵州大学学报·社科版—1994,(4):99-102
英文便笺翻译有感	曹山柯	长沙水电师院社会科学学报—1994,(4):102-106
浅谈英汉翻译中语言形式的转换	黄湘	长沙水电师院社会科学学报—1994,(4):111-113
试谈汉译哈地名的现状及改进意见	米尔卡马力·加列力汗	语言与翻译—1994,(4):111-114

标题	作者	出处
英语非形容词词类比较功能的语义分析	梁晓鹏	兰州大学学报·社科版—1994,(4):124-127
汉语的自我次殖民地化	董乐山	读书—1994,(4):130-132
英语写作的教法与教学:评《新英语教程》的写作部分	马铁川 刘晓霞	河北大学学报·哲社版—1994,(4):139-143,129
浅谈哈萨克人名的汉译	韩玉文	语言与翻译—1994,(4):140-12
正确理解汉语原文,提高汉英翻译质量	王嘉褆	上海师大学报·哲社版—1994,(4):145-147
试析英语短语动词中动词与小品词的关系	王绍灵	淮北煤师院学报—1994,(4):159-164
"雅"义小论——重读《天演论·译例言》	徐守平 徐守勤	中国翻译—1994,(5):4-5
翻译与系统科学	阎德胜	中国翻译—1994,(5):9-11
英谚中一种比喻的结构的译法	张煤	中国翻译—1994,(5):12-13
我们在翻译上分歧何在?	高健	外国语—1994,(5):12-17
法律文字恪守译名同一律	仲人 吴娟	中国翻译—1994,(5):13-15
自由体诗可以自由地译吗?	袁可嘉	中国翻译—1994,(5):16-18,20
英语形容词比较结构的特征之管见	唐彦屏	解放军外语学院学报—1994,(5):17-22
中国翻译理论的发展线索研究(续)	刘超先	中国翻译—1994,(5):19-20
词语的翻译	宋献春	北京第二外国语学院学报—1994,(5):18-21
30年代翻译标准论战分析	赵军峰	外国语—1994,(5):18-22
科技英语中因果动词的作用与译法	张梅岗 李光曦	中国翻译—1994,(5):21-23,41
浅论 Screll 等效翻译	侯国金	湖北大学学报·哲社版—1994,(5):24-26
论中西人名文化比较与翻译	王秉钦	外语与外语研究—1994,(5):31-35
谈商业广告的翻译	蒋磊	中国翻译—1994,(5):38-41
论模式意义	梁锦祥	外国语—1994,(5):38-42
应重视社会因素对翻译的影响	孟筱敏	中国翻译—1994,(5):43-45
谈谈《温州企业通览》的翻译	李虹虹	中国翻译—1994,(5):49-51
文化差异与成语在翻译中的应用	何学文	解放军外语学院学报—1994,(5):78-85,107
形象·联想·意:习语翻译新探	辛献云	解放军外语学院学报—1994,(5):86-92,73
英语句子的一致关系之我见	周桂英	河南师范大学学报·哲社版—1994,(5):91-94
大学英语阅读课教学的回顾和探讨	杨大亮 周平等	河南师范大学学报·哲社版—1994,(5):95-98
英语词序变动中的均衡作用	苗普敬 陈保蓉	河南大学学报·哲社版—1994,(5):107-112
俄语数量数词词义的模糊性	任思明	河南大学学报·哲社版—1994,(5):113-114
汉译壮中的语序调换法	韦达	中南民族学院学报·哲社版—1994,(5):126-129
略谈篇章翻译与英汉篇章结构对比	袁锦翔	中国翻译—1994,(6):2-6

题目	作者	出处
一种翻译标准:大致相同的感受	范仲英	中国翻译—1994,(6):7-10
动物比喻的语用含义及翻译	潘红	中国翻译—1994,(6):11-12
浅论法律英语的语言特点及翻译	李文阳	中国翻译—1994,(6):13-16
英语语调的表意功能	朱成鹏	解放军外语学院学报—1994,(6):16-22
试论经济翻译中多位数的中英对译法	崔晓霞	中国翻译—1994,(6):17-19
技能化口译教学法原则——兼论高校口译教学的问题	刘和平 鲍刚	中国翻译—1994,(6):20-22
汉语主语翻译与"は","か"	陈岩	外语与外语教学—1994,(6):20-26
漫议外国文学名著题名的汉译	王明元	中国翻译—1994,(6):23-27
模糊理据在英语类比构词法中的运用:从80年代英语新词谈起	邵志洪	解放军外语学院学报—1994,(6):23-27
关于日语持续体、存续体教学之管窥	徐玉琳	解放军外语学院学报—1994,(6):31-34,106
对俄语三位动词式的语义角色分析	易锦竹	解放军外语学院学报—1994,(6):35-40
词义的理据性与双语词典	仁真	解放军外语学院学报—1994,(6):41-44
粘合与翻译	程永生	外语学刊—1994,(6):41-44
中国留美学生的英语能力及文化适应	刘金玉	辽宁师范大学学报·社科版—1994,(6):57-59
略谈翻译理论研究中的几个问题	胡志挥	北京师范大学学报·社科版—1994,(6):63-66
赛珍珠与中译者的关系	张禹九	河南师范大学学报·哲社版—1994,(6):68-70
英语谚语的错译现象剖析	陈郊卫	解放军外语学院学报—1994,(6):71-76
大学英语泛读教学初探	刘黎明	河南师范大学学报·哲社版—1994,(6):111-113
从某些外语专名的汉译看海峡两岸语言使用的同与	黄长著	中国语文—1994,(6):401-408
文化背景与翻译	余慕鸿	陕西外语师专学报—1994,(7):76-78
漫谈翻译的标准	王立洪	陕西外语师专学报—1994,(7):79-80
文学翻译琐议	萧乾	读书—1994,(7):87-89
关于大学英语口译之我见	王宝童	上海科技翻译—1994,(30):58-60
《哈姆雷特》剧中一词的误译和"无标记"词的翻译	林玉鹏	中国翻译—1995,(1):12-13
"视点转换"法在汉英翻译中的应用	陈小慰	中国翻译—1995,(1):14-16
英语分数词表示法与译法	项志强	中国翻译—1995,(1):18-22
最早的汉译基督教文献与翻译中的误解误译	刘阳	暨南学报·哲社版—1995,(1):66-71
加拿大的翻译传统	[加]让·德利尔	语言与翻译—1995,(1):76-89
英语动态动词的词汇意义	李文芝	河南大学学报·哲社版—1995,(1):82-84
论文题目的英译	周领顺	河南大学学报·哲社版—1995,(1):85-88
浅谈多义词的翻译	刘亚飞	语言与翻译—1995,(1):90-91,75
英语后"-ist"的由来与演变	王麦苡 崔德民	河北师范大学学报·社科版—1995,(1):104-107

标题	作者	出处
SADPC教学法研究	李兰臬	河北师范大学学报·社科版—1995,(1):110-111,29
加强教学管理,提高大学英语教学质量	武修宝	淮北煤师院学报—1995,(1):129-132
论模拟教学在语言学习中的应用	朱先明	淮北煤师院学报—1995,(1):133-135
试谈文化对比在翻译教学中的意义	学叙伦	语言教学与研究—1995,(1):140-152
俄语中含成素пол-与полу-的主从复合词的构成及使用	肖姝	辽宁师范大学学报·社科版—1995,(2):1-2
在异同与得失之间	许崇信	中国翻译—1995,(2):2-6
浅析英文小说的及物性	朱世昌	解放军外语学院学报—1995,(2):5-11
英语使役行为句的语用学研究	蔡永良	解放军外语学院学报—1995,(2):12-17
浅谈汉译英中标点符号运用效果	周邦友	中国翻译—1995,(2):23-25
浅析more/-er than表达否定含义	罗永合	解放军外语学院学报—1995,(2):25-28,84
浅议高年级俄语实践课教学中的变换手段	孙传政	辽宁师范大学学报·社科版—1995,(2):26-27
论科技英语翻译中名词修饰语结构	朱跃	中国翻译—1995,(2):26-28,33
日语语言文化特点初探	祝大鸣	解放军外语学院学报—1995,(2):29-33
俄语口语反应词初探	刘戈 崔卫	解放军外语学院学报—1995,(2):34-39,11
谈谈有关俄语感叹词的几个问题	孙汉军	解放军外语学院学报—1995,(2):40-46
Разве和Неужели	文干	解放军外语学院学报—1995,(2):47-48
红楼梦翻译学概说	李绍年	语言与翻译—1995,(2):62-71
英语常用词的词义变化及其影响	张凌云	内蒙古师大学报·哲社版—1995,(2):69-72
外语听力教学中的各种反馈手段及其作用	张莉文	解放军外语学院学报—1995,(2):69-73
我国翻译标准研讨概评	王高生	语言与翻译—1995,(2):72-78
RP的变迁和音标的修订:兼谈我国英语界对此的反映	张凤鸣	内蒙古师大学报·哲社版—1995,(2):73-77
猜译应可取	万昌盛	解放军外语学院学报—1995,(2):74-80
德语中的新词汇	韩丽华	内蒙古师大学报·哲社版—1995,(2):78-82
汉语文学作品维译用词浅析	陈景利	语言与翻译—1995,(2):79-83
日语格助词"は、が"的语言心理:日汉互译中的等值翻译问题	王玉林	解放军外语学院学报—1995,(2):81-84
英语词汇量与听力理解关系的研究	刘思	海南大学学报·社科版—1995,(2):84-89
说"什么"及其维译	郭志刚	语言与翻译—1995,(2):84-90
汉语被动句的哈译	胡爱华	语言与翻译—1995,(2):91-96
我的英语动词观	易仲良	湖南师范大学社会科学学报—1995,(2):96-100
浅谈副语言特征对话语深层含义生成与理解的影响	陈海澎	浙江大学学报·社科版—1995,(2):96-100

标题	作者	出处
浅谈汉语代词重叠后的哈译	陈兆远	语言与翻译—1995,(2):97-101
谈英语名词加-s构成副词	耿静先	河南大学学报·哲社版—1995,(2):101-102
现代英语词汇的简化及其特征	白解红	湖南师范大学社会科学学报—1995,(2):101-104
关于英语同形异义词的思考	朱宏国 康明强	扬州师院学报·哲社版—1995,(2):105-108,121
影响正确猜测生词词义的几个因素	李兴华	湖南师范大学社会科学学报—1995,(2):111-113
英语的同形异义词与歧义	卫岭	南京师大学报·社科版—1995,(2):112-114
科技英语中被动语态句的翻译	胡珍英	湖南师范大学社会科学学报—1995,(2):114-116
误译的肇因	郭晓燕	南昌大学学报·社科版—1995,(2):116-118,34
浅谈英语中的一词多义	黄行春	海南师院学报—1995,(2):117-119
试探英语俚语的情感意义的表现形式	钟守满	南昌大学学报·社科版—1995,(2):119-122
提高英语课堂教学效果的点滴体会	石海辉	海南师院学报—1995,(2):120-122
翻译、翻译模式与对等译论	林汝昌 李曼钰	中国翻译—1995,(3):2-5,30
谈文言文翻译	孙继军	语文知识—1995,(3):6-7
略变英语数词动词化及其翻译	张定兴	中国翻译—1995,(3):17-18
探讨科技翻译中词义的确定	王家楣	中国翻译—1995,(3):19-22
阿拉伯语的两大文化特征及其汉译原则	朱立才	中国翻译—1995,(3):49-53
对科右中旗夜巡牌阿拉伯字母文字读释的意见	蔡美彪 阿西木·图尔迪等	民族语文—1995,(3):51-55
关于民俗名称的英译	丁树德	中国翻译—1995,(3):55-56
钱钟书的翻译思想	张德劭	语言与翻译—1995,(3):57-67
翻译中制约理解与表达的若干因素	韩新雷	语言与翻译—1995,(3):78-81
谈"老"及其在维语中的表达	王素梅	语言与翻译—1995,(3):82-89
奈达理论与跨文化翻译	曹青	浙江大学学报·社科版—1995,(3):98-104
从信息论角度研究文学翻译过程	孟国华	河北师范大学学报·社科版—1995,(3):106-111
英语专业低年级基础课改革初探	陈振福	海南师院学报—1995,(3):115-118
管辖in-ing的动词及其语义特征	黄和斌	南京师大学报·社科版—1995,(3):115-119
《汉维词典》翻检札记	何开发	语言与翻译—1995,(3):116-128
英语中的语气和俄语中式	杨汝钧	南京师大学报·社科版—1995,(3):120-123
东西方文化的不同及其翻译	刘又生	淮北煤师院学报—1995,(3):123-125,90
大学英语写作与Chinglish	高玉兰	淮北煤师院学报—1995,(3):130-131
略论英文作文评估中主观因素的消除	胡穗鄂	暨南学报·哲社版—1995,(3):130-134,140
不用比较级和最高级的形容词	潘明霞	淮北煤师院学报—1995,(3):132-133
试论否定偏离引起的歧义现象	董谊亭	淮北煤师院学报—1995,(3):134-139
大学英语听力教学探讨	陆玉君	淮北煤师院学报—1995,(3):140-142

试论俄语视听说课的教学原则	张 广 礼	淮北煤师院学报—1995,(3):143
论翻译研究的范畴划分	汪 友 华	中国翻译—1995,(4):9-11
走出死胡同　建立翻译学	张 南 峰	中国翻译—1995,(4):15-17,22
澳大利亚英语的变异	王 牧 群	辽宁师范大学学报·社科版—1995,(4):45-47
为翻译正名:兼论翻译的本质	桂 乾 元	语言与翻译—1995,(4):59-68
浅谈英语教学中的快速阅读训练	卢 葭	牡丹江师范学院学报·哲社版—1995,(4):63-65
英语语音中的两个重要问题	张 凤 鸣	内蒙古大学学报·哲社版—1995,(4):64-69
情感与英语教学	朱 凤 霞	牡丹江师范学院学报·哲社版—1995,(4):65-66
关于孔子有关学习的言论的英文译文	娄 琦	牡丹江师范学院学报·哲社版—1995,(4):66-68
论英语肯定形式表示否定意义的句式	隗 仁 莲	宁夏大学学报—1995,(4):67-72,78
小议"rather"——词的用法	郑 洪 伟	牡丹江师范学院学报·哲社版—1995,(4):68-69
貌合神离　似是而非:汉英对应喻词中的"陷阱"	张 德 鑫	语言文字应用—1995,(4):73-78
英语歧义生成探析	叶 红	宁夏大学学报—1995,(4):73-78
英语同义词辨析	冯 慧 山 王 琰	牡丹江师范学院学报·哲社版—1995,(4):75
从一实例看翻译中"信"的辩证	吴 迪	语言与翻译—1995,(4):75-76
汉译维中增减词语的调整语序问题浅谈	扎宜提·热依木	语言与翻译—1995,(4):77-84
翻译的奥秘	托乎提·巴克著;韩良平译	语言与翻译—1995,(4):85-88
翻译中的国俗语义信息的处理	朱 凤 云	徐州师范学院学报·哲社版—1995,(4):86-88
英语谚语的来源与特点	郭 忠 才 周 芸	河北师范大学学报·社科版—1995,(4):86-91
身势行为与英语听力中的言语解码	于 善 志	河南大学学报·哲社版—1995,(4):97
浅谈汉语中个别介词在维语中的表达形式	努尔巴,帕尔哈提·托乎提	语言与翻译—1995,(4):98-100
语言的整体性与翻译中的思维跳跃	申 光	河南大学学报·哲社版—1995,(4):99-100
英汉口译中的拆句问题	张 继 革	暨南学报·哲社版—1995,(4):101-105,120
英语词汇教学中例句的多功能性	杨 洪 光	中南民族学院学报·哲社版—1995,(4):106-107
表示将来的 If 从句:一般现在时与 Will 结构	马 博 森	杭州大学学报·哲社版—1995,(4):128-131
社交指示、语用等同与称谓的翻译	文 军	中国翻译—1994,(5):6-8
意·义·译:议等值翻译的层次性和相对性	杨 忠 李 清 和	中国翻译—1995,(5):10-13
广告英语"促购"动词新探	左 岩	解放军外语学院学报—1995,(5):13-18
翻译中词义的拆分与合成	毛 拱 星	中国翻译—1995,(5):14-16
意向性与长句翻译	林 克 难	中国翻译—1995,(5):17-19

标题	作者	出处
关于翻译理论的一点思考	李云楼	中国翻译—1995,(5):19-22
－ie 后缀初探	姚剑鹏	解放军外语学院学报—1995,(5):19-23
科技英语中的 and so on 及其翻译	项志强	中国翻译—1995,(5):23-25
科技英语口译技巧初探	杨泽清	中国翻译—1995,(5):26-27
翻译中的多种表达形式	彭开明	中国翻译—1995,(5):28-30,33
法国报刊语言的文体色彩	张秀荣	解放军外语学院学报—1995,(5):30-36
汉语量词的英译	曾自立	中国翻译—1995,(5):31-33
谈英语引喻的汉译	刘振江 陈淑媛	中国翻译—1995,(5):34-35,39
英语谚语的理解与翻译	梁茂成	中国翻译—1995,(5):36-39
关于"は、たら、なら、と"教学之探求	徐玉琳	解放军外语学院学报—1995,(5):37-44
英语不完整句的翻译	黄粉保	中国翻译—1995,(5):40-41
产品广告的英译应简洁	丁树德	中国翻译—1995,(5):42-43
俄语成语的聚合特征	丁昕 李桂芬	解放军外语学院学报—1995,(5):45-51
也谈疑问句"乎""哉"的对译:与宋海英同志商榷	李大军	语文知识—1995,(5):46-47
关于翻译理论研究的思考:兼评张泽乾著《翻译经纬》	许钧	中国翻译—1995,(5):50-53
现代俄语中的外部借入	王辛夷	解放军外语学院学报—1995,(5):52-54
也谈中国人字、号的英译	曹明伦	中国翻译—1995,(5):54-55
浅谈英语电影片名的翻译	吴敏	中国翻译—1995,(5):55-56
韩文专用与韩汉混用	单体瑞	解放军外语学院学报—1995,(5):55-57,29
"搞"字英译补遗	杨全红	中国翻译—1995,(5):57-59
经贸俄语教材的编写与课堂教学	康泽民	解放军外语学院学报—1995,(5):69-72
英语感叹词定义及其表意功能	叶家泉	赣南师范学院学报—1995,(5):87-90
语言功能与翻译	黄家修	中国翻译—1995,(6):4-6
关于国外翻译理论的三大核心概念:翻译的实质、可译性和等值	蔡毅	中国翻译—1995,(6):7-10
论"预设"和"移情"对翻译的影响	彭秋荣	中国翻译—1995,(6):19-21,39
论无实义动词与翻译	张梅岗	中国翻译—1995,(6):22-25
汉语古典诗词法译的标准	王南方	湘潭大学学报·社科版—1995,(6):36-38
也谈邮政编码的英译	姜亚军	中国翻译—1995,(6):37
浅议英语汉译中句子成份与句子重点的转换	丘任初	中国翻译—1995,(6):38-39
荷兰专家谈饭店的菜单的译名	葛正明	中国翻译—1995,(6):40-44
初学翻译的学生汉译英时常犯的错误	江伟萍	中国翻译—1995,(6):45-46
反意疑问句与准反意疑问句辨异	刘平理	语言文字学—1995,(6):77-79
试论文化与翻译的三种关系	李华田	华中师范大学学报·哲社版—1995,(6):120-124

英语否定的理解和翻译误区	曾 克 明	湖南师范大学社会科学学报—1995,(6):122 - 124
白俄罗斯的语言政策和"国语"之争	王 群 生	语文建设—1995,(9):42 - 44

书 评

周靖著《现代汉语语法修辞》序	伍 铁 平	汉语学习(延吉)—1990,(6):37 - 39
汉语修辞学史研究的新篇章——简评易蒲、李金苓《汉语修辞学史纲》	秦 旭 卿 唐 朝 阔 张 晓 勤	古汉语研究—1991,(1):7 - 10
《德语动词句法和语义配价词典》评介	袁 杰	国外语言学(北京)—1991,(1):11 - 14
《修辞学探新》序	胡 裕 树	修辞学习(上海)—1991,(1):48
《名家翻译研究与赏析》评介	武 昂	外语教学与研究—1991,(1):67 - 70
言语风格学发展史上的一座里程碑：《言语风格学》述评	李 玉 琯	营口师专学报·哲社版—1991,(1):103 - 106
一部新意较多的修辞著作:简评《汉语修辞学新编》	张 德 明	营口师专学报·哲社版—1991,(1):107 - 108
科研和教学的融合——简评《汉语消极修辞》	戴 婉 莹	修辞学习—1991,(1):封三
汉译英的先驱辜鸿铭	刘 超 先	中国翻译(北京)—1991,(2):36 - 40
语体修辞学的新开拓——读《现代汉语语体修辞学》	郑 颐 寿	修辞学习—1991,(2):45 - 46
评《标点符号的多种实用价值》	纪 玉 香	修辞学习—1991,(2):47
《中国译学理论史稿》序	胡 孟 浩	外国语—1991,(2):47 - 48
《中国译学理论史稿》绪言	陈 福 康	外国语—1991,(2):49 - 51
大胆的尝试 可贵的创举——《西方翻译简史》读后	南 木	中日翻译—1991,(2):50 - 52
谈《奈达论翻译》的编译	古 今 明	外国语—1991,(2):58 - 61,7
谈谈汉语修辞学史中"魏晋南北朝时期"的分合问题:兼评《中国修辞学史稿》与《中国修辞学的变迁》的分期	张 雪 涛	九江师专学报·哲社版—1991,(2):67 - 69
第一部科学的《中国现代修辞学史》	周 远 富 陆 文 蔚	营口师专学报—1991,(2):86 - 87,63
《世说新语译注》评述	李 静	青海师范大学学报·社科版(西宁)—1991,(2):92 - 95
读《翻译:思考与试笔》	杨 国 斌	外语教学与研究—1991,(3):64 - 66
《变异修辞学》序言	张 寿 康	湖北师范学院学报—1991,(3):115 - 116
神秘的色彩世界——评刘云泉《语言的色彩美》	王 希 杰	修辞学习—1991,(4):36 - 38

标题	作者	出处
《中学语文修辞知识精编》评介	李声海明	青海民族学院学报·社科版—1991,(4):113-115
《现代翻译理论》试评	陈 直	中国翻译(北京)—1991,(6):37-41
构建新的修辞学学科体系——《修辞学纲要》评介	朱静仪	语文建设—1991,(9):44
也说"姑妄言之"——秦旭卿先生《一种修辞手法》读后	郑庆君	语文月刊—1991,(12):26
《安子介现代千字文·书写篇》序	安子介	汉字文化—1992,(1):2-3
王佐良翻译观之我见:《翻译:思考与试笔》读后	袁锦翔	外国语(上海)—1992,(2):25-29,64
评《汉语修辞学史纲》	周振甫	复旦学报·社科版—1992,(2):102-106
论严复《天演论》的翻译	王克非	中国翻译(北京)—1992,(3):6-10
《标点符号用法谈话》读后	吴振国 肖国政	中国语文(北京)—1992,(3):231-234
《汉语修辞美学》自序	谭永祥	学语文(芜湖)—1992,(4):18
罗振玉的《译书条议》	陈福康	中国翻译—1992,(4):49-51
《标点符号词典》序	张涤华	安徽师大学报—1992,(4):415-418,427
台湾修辞学家又一力作:评沈谦《文心雕龙与现代修辞学》	宗廷虎	修辞学习(上海)—1992,(5):43
思辨·探索·创新:读童山东《修辞学的理论和方法》	冯广艺	修辞学习(上海)—1992,(5):44
魏晋士大夫的言谈艺术:读《世说新语》笔记	顾汉松	修辞学习(上海)—1992,(6):29-31
人间要妙译——序江枫译《雪莱抒情诗选》汉英对照本	袁可嘉	中国翻译—1992,(6):37-40
为开拓修辞学新境界而努力——评张炼强的《修辞艺术探新》	胡裕树	修辞学习—1992,(6):41-42
《奇妙的修辞艺术》序言	林文金	修辞学习—1992,(6):42-43
阿约撰《论翻译的分析单位》简介	李晓棣	高等学校文科学报文摘—1992,(9卷6):68
信达两全,形神兼顾:评《文学翻译十讲》	楚至大 林玲帼	外国语(上海)—1993,(1):22-28
修辞研究的新篇章——读倪宝元《汉语修辞新篇章》	李嘉耀	修辞学习—1993,(1):46,47
法律修辞的创新之作——评潘庆云《法律语体探索》	濮侃	修辞学习—1993,(1):47
《大学修辞》后记	倪宝元	修辞学习—1993,(1):48
《翻译中的不可译因素》评介	陈洁	中国翻译(北京)—1993,(1):48-50
试谈王德春教授的《翻译学》一文	狄丽达· 吐斯甫汗	语言与翻译(乌鲁木齐)—1993,(1):52-55

标题	作者	出处
传统辞章学的新开拓——评《散文艺术表现新探》	吴国群	绍兴师范学报—1993,(1):57-59,77
唐兰《释中》补	蓝 野	山东师大学报·社科版—1993,(1):89-92
中国现代翻译理论的任务:为杨自俭著之《翻译新论》而作	刘家庆	外国语—1993,(2):2-6
对辩论体语言特色的探讨:《辩论艺术》读后	思 鸣	修辞学习(上海)—1993,(2):42
简评《模糊修辞浅说》	李翠芸	修辞学习(上海)—1993,(2):43
简评《历代应用文概说及选读》	姜维亮	江汉大学学报·综合版、社科版—1993,(2):61-63
评《汉语修辞学史纲》	周振甫 周虹摘	修辞学习—1993,(2):封三
"同义修辞"的转机之作:评李维琦等著《古汉语同义修辞》	郭焰坤	修辞学习(上海)—1993,(3):48
怀念、继承、前进:为张弓《现代汉语修辞学》出版30周年而作	濮 侃	修辞学习—1993,(4):1-3
《现代汉语修辞学》研究方法论析	林华东 郭焰坤	修辞学习—1993,(4):3-5
《现代汉语修辞学》:中国现代修辞学的第二座里程碑——纪念张弓先生逝世十周年座谈会发言摘要	高万云整理	修辞学习—1993,(4):7-9
二十世纪的汉语修辞学与汉语修辞学的二十世纪——读《二十世纪汉语修辞学综观》	周守晋	汉字文化—1993,(4):28-29,24
开"寻常词语艺术化"之先河——纪念张弓《现代汉语修辞学》发表三十年	柴春华	海南师院学报—1993,(4):29-32
多角度探视修辞的奥秘:张炼强《修辞艺术新探》读后	吴家珍	逻辑与语言学习—1993,(4):35-36
李义山《杂纂》的修辞观	王希杰	逻辑与语言学习—1993,(4):44-48
深刻的开掘,深沉的呼唤:许叶康新著《应用文美论》	潘亚农	应用写作—1993,(4):45
语言学家与"下海"——兼评《广告实用写作》	周一农	修辞学习—1993,(4):47-48
对文体形式规则的成功探索:评钱仓水著《文体分类学》	魏家骏	写作—1993,(5):9-10
浅评郑子瑜《唐宋八大家古文修辞偶疏举要》	吴东南	修辞学习—1993,(5):46-47
一部独具特色的现代修辞学史——评《二十世纪汉语修辞学综观》	郭焰坤	修辞学习—1993,(5):47-48

汉朝翻译理论的新成果——《汉朝翻译理论研究》评介	宣德五	民族语文—1993,(5):72-73
王希杰《修辞学新论·序》	胡裕树	修辞学习—1993,(6):38
评《计算机辅助术语工作译文集》	冯志伟	语文建设—1993,(7):33-34
观点、方法、语科——《修辞学新论》序言	胡裕树	语文月刊—1993,(12):8-9
不求"哗众",却能"取宠"——评谭永祥《汉语修辞美学》	黎运汉 李翠云	修辞学习—1994,(1):47
评介张德明的《语言风格学》	邸巨	修辞学习—1994,(1):48
一部全新的修辞学著作——简评吴家珍《当代汉语修辞艺术》	禹雨 王丽云	修辞学习—1994,(1):48-49
《唐宋八大家古文修辞偶疏举要》问世	龚言	吉林大学社会科学学报—1994,(1):53
一部重要的汉语修辞学史料——介绍张梅安的《修辞讲话》	周远富	修辞学习—1994,(2):46
口语修辞研究的开拓之作——简评夏中华《口语修辞学》	胡佑章	修辞学习—1994,(2):47
翻译不应突出个人主观意志:评《高级科技英语教程》译文	王涯	上海科技翻译—1994,(2):47-48,46
旧学商量加邃密 新知培养转深沉——评王希杰新著《修辞学新论》	吴礼权	修辞学习—1994,(3):48
中国修辞学的出路所在:评王希杰《修辞学新论》	禹雨	赣南师范学院学报·社科版—1994,(3):48-52
一本精要切用的古代写作理论史:评介张会恩著《文章学史论》	程福宁	河南师范大学学报·哲社版—1994,(3):51-52
《古典诗歌的修辞和语言问题》序	刘叔新	天津师大学报·社科版—1994,(3):67-68
修辞式推论探析——从逻辑的观点看《修辞学》	武志宏 刘春杰	青海师大学报·社科版—1994,(3):87-91
"修辞结构理论"评介(上)	王伟	国外语言学—1994,(4):8-13
试论现代翻译理论研究的探索途径——兼评《中国现代翻译理论的任务》一文	劳陇	外国语—1994,(4):29-35
一部性情洒脱、神采飞扬的语言著作——评瓜田《幽默语言操作》	范铸	修辞学习—1994,(4):39
声律修辞理论研究的重要突破——读何伟棠《永明体到近体》	宗廷虎	修辞学习—1994,(4):40
比喻研究的新成果——《钱钟书作品妙喻百例》评介	郭伏良	修辞学习—1994,(4):44
评《怎样欣赏排句》的翻译	郑料	外语研究—1994,(4):56-58

悬而未决的问题　简明辩证的结论——读何伟棠专著《永明体到近体》	易　蒲	古汉语研究—1994,(4):90,75
《古文标点例析》读后	锐　声	中国语文—1994,(4):314-316
整理发掘见真功——喜读《汉语修辞美学》	董树人	博览群书—1994,(4):
一部全新的修辞学著作——简评王希杰《修辞学新论》	侯友兰	学语文1994,(4):封三
一个新的美学修辞体系——关于谭永祥《汉语修辞美学》的对话	李胜昔	语文月刊—1994,(5):7-8
《永明体到近体》序	曹础基	语文月刊—1994,(5):9
第一部系统探讨逻辑理据的专著——评张炼强《修辞理据探索》	宗廷虎	修辞学习—1994,(5):41
评《汉语词性修辞》	褚庶民	修辞学习—1994,(5):43
《华夷译语》研究	张双福	内蒙古社会科学—1994,(5):87-92
表达为纲　实用为本——读《实用语法修辞》	施春宏	修辞学习—1994,(6):39
评《标点符号实用手册》	顾　越	语文建设—1994,(9):40-41
《办法》修订稿语言评析	郑明珍	应用写作—1994,(11):9-11
试评《翻译的语言学理论》汉译本	李运兴	中国翻译—1995,(3):26-30
多姿耐读有用——读彭嘉强《文学语言艺术谈》	袁本良	修辞学习—1995,(3):46
修辞园里的一朵新花——简评《新闻修辞研究》	冰　清	修辞学习—1995,(3):47
辨异指误有胆有识——评谭永祥《修辞精品六十格》	胡汉祥	修辞学习—1995,(3):48

汉　语　文　字

汉　字　研　究

关于0的一点意见	曹先擢	语文研究(太原)—1990,(4):1-3
现代汉字的性质和特点	费锦昌	语文建设(北京)—1990,(4):30-35,50
正词法和分词规范	揭春雨	语文建设(北京)—1990,(4):54-57
论异体词内部形音义的复杂关系	刘永耕	新疆大学学报·哲社版(乌鲁木齐)—1990,(4):84-89
汉字部首亟应统一	程养之	语文建设(北京)—1990,(6):23-25
笔画定序法的几个问题	高更生	语文建设(北京)—1990,(6):26-29

标题	作者	出处
从联绵词的构成音节的词素化倾向看汉字的作用	袁庆述	社会科学(兰州)—1990,(6):89-92
简论汉字文化学	何九盈 胡双宝 等	北京大学学报·哲社版—1990,(6):91-98
几组容易混淆的形似字	殷时春	语文知识(郑州)—1990,(12):11-12
字词辨误三例	姜惠平	写作(武昌)—1990,(12):17
和别字告别	张怀功	写作(武昌)—1990,(12):33
论汉字的优越性:为苏联《桥》杂志而作	袁晓园	汉字文化(北京)—1991,(1):7-9
试论文字高于语言:与客观看待汉字有关的一个命题	李旭	汉字文化(北京)—1991,(1):13-17
囍与0	曹先擢	语文建设(北京)—1991,(1):42-43
汉字问题断想	贺水彬	辽宁师范大学学报·社科版—1991,(1):52-55
王凤阳的《汉字学》及其汉字学思想	张克	东北师大学报·哲社版(长春)—1991,(1):78-80
汉字的分类思维与认知规律	宁那	衡阳师专学报—1991,(1):95
"廿"与"二十"	林根	新疆大学学报·哲社版(乌鲁木齐)—1991,(1):120,91
汉字,走向21世纪	谭军	人民画报—1991,(2):14-17
为汉字辩诬	仇伟军 李楠 薛建海 李文勇	天津日报—1991年2月24日第5版
文音解字:略说同音字音兼意讲	祝振起 祝广业	汉字文化(北京)—1991,(2):32-33
昜、易和偏旁	范锡禄	语文知识(郑州)—1991,(2):38-39
分类过程中汉字的语义提取(Ⅱ)	张积家 彭聘龄	心理学报—1991,(2):139-144
汉字是"科学、易学、智能型、国际性的优秀文字学术座谈会"专栏	安子介	汉字文化—1991,(3):9-11
汉字是"科学、易学、智能型、国际性的优秀文字学术座谈会"专栏	钱伟长	汉字文化—1991,(3):12-16
汉字是"科学、易学、智能型、国际性的优秀文字学术座谈会"专栏	周祖谟	汉字文化—1991,(3):17-19
汉字是"科学、易学、智能型、国际性的优秀文字学术座谈会"专栏	爱泼斯坦	汉字文化—1991,(3):27
汉字是"科学、易学、智能型、国际性的优秀文字学术座谈会"专栏	山东省代表	汉字文化—1991,(3):30
汉字与汉文化:从汉字的形体结构管窥中国文化	葛中华	汉语学习(延吉)—1991,(3):22-26
谈汉字与文化及其他	张寿康	汉字文化(北京)—1991,(3):26-27
中国文字的厄运	公今度	中国青年报—1991,(3):27,2

方块汉字与方形文化	张玉金	汉语学习(延吉)—1991,(3):31-33
汉字的特点、使用现状及前景	张志公	语文建设(北京)—1991,(3):36-38
汉字文化是所有中国人的共识共契的基础爱国统一进步是所有中国人的光明前途——"海峡两岸汉字学术交流会"开幕词	袁晓园	汉字文化—1991,(4):2-3
"海峡两岸汉字学术交流会"讲话	钱伟长	汉字文化—1991,(4):4-7
"海峡两岸汉字学术交流会"讲话	陈昊苏	汉字文化—1991,4.8-9
"海峡两岸汉字学术交流会"讲话	周志文	汉字文化—1991,(4):10-11
"海峡两岸汉字学术交流会"致词	胡秋原	汉字文化—1991,(4):12-13
开辟语言文字研究与教学的新天地——学习安子介语文学术思想的体会	徐德江	汉字文化(北京)—1991,(4):14-27
中国人汉字观的发展变化——向昭雪汉字冤案的中国人致敬	李涛	汉字文化—1991,(4):28-32
试论安子介先生的"声旁有义说"	温端政	汉字文化(北京)—1991,(4):33-44
汉字是维系国家统一的纽带	洪成玉	汉字文化(北京)—1991,(4):45,11
国外学者论汉语汉字	朱曼华译	汉字文化—1991,(4):50
广义汉字学	周有光	新华文摘(北京)—1991,(4):170-172
袁晓园和汉字研究	夏莲	中华英才—1991,(5):31
汉字译音漫话	杨耐思	语文建设(北京)—1991,(5):46-48
中国汉字知多少	刘荣喜	知识窗—1991,(6):14
汉字与文化	王宁	北京师范大学学报·社科版—1991,(6):78-82
在汉字的十字路口:浅议中日汉字的发展趋势	曲翰章	中国社会科学(北京)—1991,(6):195-205
奇妙的汉字世界——汉字系统中的分类思维及汉字认知		百科知识—1991,(7):21-23
汉字的气功价值	马啸	语言文字学(北京)—1991,(7):128-130
从化学字的兴衰看汉字的表意功能	刘泽先	语文建设—1991,(10):28-29
汉字的技术性和艺术性	周有光	语文建设—1991,(11):17-18,22
现代汉字的定量研究	尹斌庸	语文建设—1991,(11):19-21
表音文字与表意文字的若干比较:兼谈比较文字学	王怀玉	语言文字学(北京)—1991,(11):147-152
古文字学与汉字现代化	陈初生	语文建设(北京)—1991,(12):7-9
古今字纵横谈	王景华	中文自学指导—1991,(12):44-45
用什么样的汉字测定及估计小学生的识字量	华东师大教育系识字量测试小组	华东师范大学学报·教科版—1992,(1):1-6

标题	作者	出处
"科学、爱国、奉献"精神的具体表现——北京国际汉字研究会会长袁晓园在首映式上致词		汉字文化—1992,(1):5
帮助全世界了解中华文化——中宣部常务副部长徐惟诚在首映式上的讲话		汉字文化—1992,(1):5
汉字是中化民族优秀文化的结晶——江西省委副书记刘方仁在首映式上的讲话		汉字文化—1992,(1):6
热爱汉字 热爱中华——著名语言文字学家胡厚宣讲话		汉字文化—1992,(1):7-10
汉字,不愧为华夏文化之根!——江西师范大学校长张传贤在首映式上的讲话		汉字文化—1992,(1):11
电视系列艺术片《神奇的汉字》	北京国际汉字研究会、江西师范大学、江西电视台	汉字文化—1992,(1):12-16,6
长民族之志,颂文明之根——观电视系列艺术片《神奇的汉字》	立 龙	汉字文化—1992,(1):17-18
汉城举行汉字文化圈内的汉字生活问题国际学术讨论会	《汉字文化》通讯员	汉字文化—1992,(1):19
纠正被歪曲的汉字观势在必行——韩中友好协会会长郑秉学博士在"汉字文化圈内汉字生活问题国际讨论会"上的讲话		汉字—1992,(1):20-22,41
民族文字与汉字	清格尔泰	汉字文化—1992,(1):23-26,18
"汉字落后论"评议	汤云航	承德师专学报·社科版—1992,(1):30-36
试谈汉字对汉语的适应性	王 珏	绥化师专学报·社科版—1992,(1):43-45,68
汉字到底是什么样的文字体系	郑林曦	语文建设(北京)—1992,(1):46-48
答郑林曦先生	刘庆俄	汉字文化—1992,(1):51-56
汉字问题断想	贺水彬	辽宁师范大学学报·社科版(大连)—1992,(1):52-55
保密字与签名	孙春秋 吴士华	中文信息—1992,(1):70-71
形声字声义关系探寻	刘 林	思茅师专学报·综合版—1992,(1):71-76,65
现代汉语形声字研究	李 燕 康加深等	语言文字应用(北京)—1992,(1):74-83
继承文化遗产必须进行汉字教育	洪仁构	中文信息—1992,(1):75
必要的补充	于 岳	汉字文化—1992,(2):6

标题	作者	出处
"联想"是认识汉字的途径和方法	洪成玉	汉字文化(北京)—1992,(2):26-29
科学的汉字教育是开发人类智慧潜能的一把金钥匙	徐德江	汉字文化(北京)—1992,(2):42-44,33
胡愈之与文字改革	巴铁	民主—1992,(2):43-45
论汉字的说解	云孙	安庆师范学院学报·社科版—1992,(2):85-92
通假字拾诂(续一)	王继如	语言研究(武汉)—1992,(2):166-169
汉字没有"特异功能"——读电视系列片《神奇的汉字》解说词	邢公畹	语文建设(北京)—1992,(3):2-3
略论汉字字序的规范	胡双宝	语文研究(太原)—1992,(3):7-9
有双重身份的汉字	魏励	语文研究(太原)—1992,(3):10-12
重新评估汉字	方文惠	浙江师大学报·社科版—1992,(3):10-12
胡愈之与标准汉字研究	张学涛	中文信息(成都)—1992,(3):21
读《纪要》断想	辰生	汉字文化—1992,(3):33,12
这是怎样的批评——致邢公畹教授的公开信	安焕章 安春华	汉字文化—1992,(3):34-36
奇文共欣赏——旁观者清,不平则鸣	李远明	汉字文化—1992,(3):37-38
《纪要》初评	易和文	汉字文化—1992,(3):41-42
这样的批评意味着什么	关东	汉字文化—1992,(3):43,58
古今字概述	洪成玉	北京师范学院学报·社科版—1992,(3):60-66
关于汉字起源的拟测	李恩江	郑州大学学报·哲社版—1992,(3):98-105
在纪念朱星教授八十诞辰学术会上的讲话	袁晓园	汉字文化—1992,(4):1
汉字优越诸说献疑——与《汉字文化》商榷之一	王开扬	语文建设(北京)—1992,(4):8-13
是科学的批评,还是主观武断的指责——评《〈神奇的汉字〉专家座谈会纪要》	文广人	汉字文化—1992,(4):47-54
纰缪百出,自相矛盾——读《〈神奇的汉字〉专家座谈会纪要》有感	穆鲁	汉字文化—1992,(4):55-56
汉字有特异功能	柯忠业	汉字文化—1992,(4):59-60
现代形声字形符表义功能分析	施正宇	语言文字应用(北京)—1992,(4):76-83
关于汉字识别加工单位的研究	张武田 冯玲	心理学报—1992,(4):379-385
部分全国人大代表、全国政协委员座谈语言文字工作	《语文建设》记者	语文建设—1992,(5):2
汉字研究的文化学方法	张玉金	辽宁师范大学学报·社科版—1992,(5):43-48
论声寓语源义的文字之假借	殷寄明	辽宁师范大学学报·社科版—1992,(5):49-54
汉字字形的混误与讹变	王梦华	东华师大学报·哲社版(长春)—1992,(5):78-83
汉字谈趣	徐永森	语文知识(郑州)—1992,(6):17-18

标题	作者	出处
汉字发展的趋势	许威汉	湖北大学学报·哲社版(武汉)—1992,(6):63-68
关于"指事"、"会意"的再认识	楚永安	中国人民大学学报—1992,(6):76-83
《金瓶梅》与近代汉字研究	张鸿魁	东岳论丛(济南)—1992,(6):79-84
同台湾学者谈两岸文字的统合与规范——在台北举行的海峡两岸文化学术交流会上的报告	李金铠	语文建设(北京)—1992,(7):2-3
文字问题三议	胡双宝	语文建设(北京)—1992,(7):4-5
现代汉字研究简述	苏培成	语文建设(北京)—1992,(7):6-11
略论汉语对汉字的影响	李恩江	语文建设(北京)—1992,(7):11-14
论研究汉字的立场、方法与学风(一)	王开扬	语文建设(北京)—1992,(8):4-7
论研究汉字的立场、方法与学风(二)	王开扬	语文建设(北京)—1992,(9):9-12
论研究汉字的立场、方法与学风(三)	王开扬	语文建设(北京)—1992,(10):2-4
必须科学地论证汉字的科学性	彭树楷	语文建设(北京)—1992,(8):13-14
汉字在发展中形符起着主导作用	洪成玉	语文建设(北京)—1992,(8):18-21
谈与金有关的字	[加]许进雄	高等学校文科学报文摘—1992,(9卷4):72
关于加强语言文字工作的笔谈	常宝儒 陈建民 龚千炎 胡明扬 李大魁 林焘 刘涌泉 苏培	语文建设—1992,(11):2,45
多音字杂说	韩敬体	语文建设—1992,(12):40
切音字运动始末	戴昭铭	语文建设(北京)—1992,(12):12-14
中国现代语言学的发端:清末切音运动的历史地位	高天如	语文建设(北京)—1992,(12):15-17
没有汉语汉字的"科学性",只有科学地研究汉字	郑林曦	语文建设通讯(香港)—1992,(35):41-47
古文字结构的形成与发展	林序达	西南师范大学学报·哲社版(重庆)—1992,(专刊):13-20
说字素	李玲璞	语文研究(太原)—1993,(1):12-15
汉字"一字数义"辩	钟维克	喻州大学学报·哲社版—1993,(1):20-26
汉字与中国古代文化	管春明	阴山学刊·社科版—1993,(1):21-28
汉字是中华民族凝聚力与向心力的重要因素	何成轩	汉字文化—1993,(1):24-25
"无端又起天涯感,淡墨生绡数点山"——浅议汉字文化谈	齐傲	汉字文化—1993,(1):28-29
说"国"——从"国"字看五千年中国文明之投影	胡礼兴	孝感师专学报·哲社版—1993,(1):44-47

标题	作者	出处
汉字统一的历史进程	单殿元	扬州师院学报·社科版—1993,(1):68-73
汉字嬗变溯源	雨霁	中国教育报—1993,(2):10,3
汉字的社会学研究	毕可生	汉字文化(北京)—1993,(2):16-21
文字学掇英——兼论文字的动态考释方法	苏宝荣	河北师范大学学报·社科版(石家庄)—1993,(2):45-48
六十年来关于汉字性质问题的探讨	王蕴智	河南大学学报·社科版—1993,(2):91-96
论汉字与汉语之间的适应性:兼评"脚与靴子说"与"西瓜皮与西瓜瓤说"	苏新春	延安大学学报·社科版—1993,(2):96-101,105
从文字的分类模式看汉字的历史地位	刘又辛	西南师范大学学报—1993,(2):101-104
古老汉字的女性文化印迹	陈伟琳 姚锡远	信阳师范学院学报·哲社版—1993,(2):102-107
苍颉·书契·笔聿——汉字发生学与中国书法原始	臧克和	书法研究—1993,(3):9-19
大写数字的由来	庄巨川	文史杂志—1993,(3):36
数字崇拜何时休	杜永道	语文建设—1993,(3):42
汉字文化形态论	申小龙	争鸣—1993,(3):94-101
试论汉字发展演变的社会政治因素	王志方	上海师范大学学报·哲社版—1993,(4):134-138
从文字的发展史看汉字的现状与前途	聂鸿音	语文建设—1993,(5):12-15
奇妙的汉文字	毕加	读写月报—1993,(5):15
汉字为什么没有演变成拼音文字	辜正坤	汉语学习—1993,(5):16-21
从女偏旁字看古代妇女的尊卑嬗变	殷寄明	杭州师范学院学报—1993,(5):107-111
大洪水的历史传说与汉字"昔"、"灾"	廖森	文史知识—1993,(6):113-116
大趋势——汉字文化圈在萎缩	刘泽光	语文建设—1993,(7):42-43
"汉"字漫议	陈炜湛	语文建设—1993,(10):20-22
汉字的语言基础与语言特征	苏新春	语言文字学—1993,(10):41-49
汉语"正"字同义词族的文化因子	苏新春	语文月刊—1993,(12):4-5
中国文字的特性	吴璿	语文建设通讯—1993,(40):3-7
重新认识会意字	石云孙	安庆师院社会科学学报—1994,(1):2-9
汉字——神奇的文字,文化的功臣	罗荣渠	汉字文化—1994,(1):9-12
安子介论"二十一世纪应是汉字发挥威力的时代"——兼答伍铁平先生	李敏生	北方论丛—1994,(1):17-24
汉字阐释与图腾遗风	黄德宽 常森	东南文化—1994,(1):14-19
汉字演变举例	李乐毅	语文世界—1994,(1):18
汉字演变举例	李乐毅	语文世界—1994,(3):19
"〇"字小议	李书辰	汉字文化—1994,(1):20
释"姐"	庄初升	汉字文化—1994,(1):32-34
汉字偏旁形音义的历史演变	周利璋	浙江师大学报·社科版—1994,(1):33-36
汉字文化与"犹太"译名	熊金丰	龙岩师专学报—1994,(1-2):39-42

标题	作者	出处
《说文》心部训为"忧也"之字辨	姚炳祺	广东民族学院学报·社科版—1994,(1):47-50
汉字的文化功能	詹绪佐 朱良志	天津师大学报·社科版—1994,(1):74-80,24
略论"双""品"形汉字与民族传统意识	王正洪	昭通师专学报·社版版—1994,(1):82-86
现代汉字中的非形声字	李海霞	三峡学刊—1994,(1):85-87,91
文字起源二源说质疑	喻遂生	达县师专学报·社科版—1994,(1):89-91
"说"字浅析	杨翠菊 曹明菊	济宁师专学报—1994,(1):96
论汉字构形的辩证思维	申小龙	江苏社会科学—1994,(1):102-106
唐诗异文假借释例	黄灵庚	语言研究—1994,(1):176-179
语言文字与民间传统节日	莫缨	学汉语—1994,(2):9-10
说"○"	唐建	汉语学习—1994,(2):44-49
汉隶表音向形体结构的冲击	黄绮	河北大学学报·哲社版—1994,(2):68-75
从"里"字的写法谈汉字笔顺的几条规则	华灿	济宁师专学报—1994,(2):78-79
《说文解字》叠体形析	赵伯义	殷都学刊—1994,(2):80-83
汉字构形的心智特征(上)	孙雍长	古汉语研究—1994,(2):80-85,59
汉字构形的心智特征(下)	孙雍长	古汉语研究—1994,(3):5-9
现代汉字左声右形结构析得	吕永进	语言文字应用—1994,(2):83-88
"女书"研究十年综述	晋风	西南民族学院学报—1994,(2):96-102
论汉字探源与字素分析	王小方	安徽师大学报·哲社版—1994,(2):201-205
汉字是什么时候产生的?	李先登	语文世界—1994,(3):20
学汉字为什么能提高智商	李鹏秀	汉字文化—1994,(3):36-42
张志公先生汉字研究述评	谢双成	语文学习—1994,(3):39-41
民间的吉祥字符	孙韵珩	民俗研究—1994,(3):44-46
汉字形体的演变及其对字源的否定	萧甫春	大庆高等专科学校学报—1994,(3):53-57
汉字构形方式——一个历时态演进的系统	黄德宽	安徽大学学报·哲社版—1994,(3):63-71
汉字结构与汉字拼写	张恩普	东北师大学报·哲社版—1994,(3):79-81
说"○"	周正举	成都大学学报·社科版—1994,(3):95-98
十五年来《说文解字》研究述评	董莲池	松辽学刊·社科版—1994,(3):100-104
充分发挥汉字国际性的功能	徐德江	汉字文化—1994,(4):1-3
谈谈"合体字"	徐传武	阅读与写作—1994,(4):17
论汉字的审美功能	潘先军 马叔骏	汉字文化—1994,(4):22-25
论"惟妙惟肖"之本字即"微妙微肖"——"惟""微"互通说	刘喜军	贵州教育学院学报·社科版—1994,(4):23-26
《汉字学纲要》前言	刘庆俄	汉字文化—1994,(4):31-32
汉字及其研究传统的人本精神	张玉金	辽宁师范大学学报·社科版—1994,(4):35-39

汉字的发生与汉字的蕴含	李玲璞	语文学习—1994,(4):37-38
汉字贮存文化信息的特殊功能	张元奸	兰州学刊—1994,(4):47-51
浅谈把握汉字结构的重要性——几组错别字的剖析	李育智	汉字文化—1994,(4):56-57
醉心于汉字者大有人在	柳同	汉字文化—1994,(4):61
"〇"是个汉字吗?	文修	汉字文化—1994,(4):62
论表意方式、造字方式和结构方式:兼评"六书"	曹国安	湖南师范大学社会科学学报—1994,(4):66-68
汉语汉字的深层文化意蕴	胡培俊	江汉文化—1994,(4):76-81
现代形声字形符意义的分析	施正宇	语言教学与研究—1994,(4):83-104
《说文》所反映的古代葬俗	赵小刚	古汉语研究—1994,(4):87-89
原始宗教的结构化呈现——汉字构形的文化解读	申小龙	学术交流—1994,(4):89-93
近代汉字研究的几个问题	张鸿魁	东岳论丛—1994,(4):97-102
汉字形义考源	何金松	华中师范大学学报·哲社版—1994,(4):115-119
隶书阶段形声字义符通用例析	任平	杭州大学学报·哲社版—1994,(4):171-180
与"犬、狗"有关的一些字	甘祺庭	阅读与写作—1994,(5):15-16
1992至1993年的现代汉字研究	苏培成	语文建设—1994,(5):19-22
俗字的产生与字词书	锐声	辞书研究—1994,(5):47-50
《说文》所反映的古代商贸进程	赵小刚	西北师大学报—1994,(5):66-70
说凵	艾荫范	辽宁大学学报—1994,(5):99-100
这些都能吃吗?	李乐毅	语文世界—1994,(6):24
《说文解字》与儒学传统——文化背景与汉字简释论例	黄德宽 常森	江淮论坛—1994,(6):77-82
汉字、汉文化与日本文化	张宽信	湖南师范大学社会科学学报—1994,(6):127-129
"国"字新证	贾子炯	语言文字学—1994,(6):129-133
中华民族的摇篮不仅是黄河		语文世界—1994,(7):19-20
识别形声字的方法	樊佃亮	语文教学之友—1994,(7):32
它们原是动物……	李乐毅	语文世界—1994,(7):33
"沁阳"错成"泌阳",胜仗变成败仗——汉字的部件	费锦昌	语文世界—1994,(8):21-22
它们也是动物	李乐毅	语文世界—1994,(8):23
现代汉字独体与合体的再认识	晓东	语文建设—1994,(8):28-31
这些字都源自树木	李乐毅	语文世界—1994,(9):14
试论汉字的"望文生义"——以书写称谓词的汉字为例	蒋仲仁	语文建设—1994,(9):21-24
民俗字:汉语民俗字学略论	曲彦斌	百科知识—1994,(9):22-23
汉字字形描述	刘连元	语文建设—1994,(9):37-39

标题	作者	出处
"橘""桔"辨	何保华	语文学习—1994,(9):38-39
皇帝改字和文字的流传	邵峰	语文建设—1994,(9):45-46
它们原是植物	李乐毅	语文世界—1994,(10):16
东西南北	李乐毅	语文世界—1994,(11):20
说"东"道"西"——"汉字构成"复习课设计	刘江田	语文教学与研究—1994,(11):25-26
汉字构形的主体思维及其人文精神	申小龙	学术月刊—1994,(11):74-80,10
汉字形义关系的疏离与弥合	黄德宽 常森	语文建设—1994,(12):17-20
现代汉字构字的理据性	苏培成	语文建设通讯—1994,(43):76-80
汉字适合汉语书面语	胡明亮	语文建设通讯—1994,(44):20-23
汉字能扶持汉语	孙雍长	语文建设通讯—1994,(44):24-27
称谓字形与字义的矛盾	王玉鼎	语文建设通讯—1994,(44):57-58
商业用字现象浅析	苏瑞	语文建设通讯—1994,(45):32-34
中国文化与"表意汉字"一元化刍议	黄墨谷	中国文化研究—1994,(秋之卷):33-36
汉字趣谈三则	高文元	语文世界—1995,(1):15-17
形声字浅析	傅永和	语文建设—1995,(1):25-26
常用字字形结构(一)	李青梅	语文建设—1995,(1):26-27
常用字字形结构(二)	章琼	语文建设—1995,(2):22
常用字字形结构(三)	李青梅	语文建设—1995,(3):25
常用字字形结构(五)	山石	语文建设—1995,(5):18-19
常用字字形结构(六)	李青梅	语文建设—1995,(6):22-23
常用字字形结构(七)	李青梅	语文建设—1995,(7):20-21
常用字字形结构(八)	常青 章琼	语文建设—1995,(8):26-27
常用字字形结构(九)	章琼	语文建设—1995,(9):16-17
常用字字形结构(十)	章琼	语文建设—1995,(10):17
常用字字形结构(十一)	李青梅 章琼	语文建设—1995,(11):19
常用字字形结构(十二)	安宁	语文建设—1995,(12):16
简繁正异字辨析(一)	张书岩	语文建设—1995,(1):28
简繁正异字辨析(二)	张书岩	语文建设—1995,(2):23-24
简繁正异字辨析(三)	张书岩	语文建设—1995,(3):26
简繁正异字辨析(四)	张书岩	语文建设—1995,(4):22-23
简繁正异字辨析(五)	张书岩	语文建设—1995,(5):19-20
简繁正异字辨析(六)	张书岩	语文建设—1995,(6):22-23
简繁正异字辨析(七)	张书岩	语文建设—1995,(7):20-21
简繁正异字辨析(八)	张书岩	语文建设—1995,(8):26-27
简繁正异字辨析(九)	张书岩	语文建设—1995,(9):16-17
简繁正异字辨析(十)	张书岩	语文建设—1995,(10):18

简繁正异字辨析(十一)	张书岩	语文建设—1995,(11):20
简繁正异字辨析(十二)	张书岩	语文建设—1995,(12):17
独体与合体	赵宗鸿	语文建设—1995,(1):35-36
汉字向何处去?	赵启智	汉字文化—1995,(1):58-60
为"文字游戏"正名 批判地继承汉字文化	孙也平	齐齐哈尔师院学报—1995,(1):76-80,113
谈谈汉字研究中的统计方法	费荣昌	语言文字应用—1995,(1):86-88
分化字的类型研究	张希峰	语言教学与研究—1995,(1):96-107
现代汉字的部件切分	苏培成	语言文字应用—1995,(2):52-55
音节字的思考	王立廷	语文建设—1995,(3):2-4
古籍字音规范刍议	陈若愚	语文建设—1995,(3):11-13
也说"橘""桔"	乔秋渡	语文学习—1995,(3):39-40
汉字的委屈与报复	何鸣声	语文世界—1995,(3):47
现代汉字部件分析的规范化	晓东	语言文字应用—1995,(3):56-59
汉字构成的字元分析法	张天光 黄伯荣等	语言文字应用—1995,(3):60-64
小学创始人杜林的学术贡献	陈黎明	古汉语研究—1995,(3):84-88,12
说"麽"与"们"同源	江蓝生	中国语文—1995,(3):180-190
"汉字文化"是建设人类现代化文明的宝贵源泉——"首届汉字文化国际学术研讨会"开幕词	袁晓园	汉字文化—1995,(4):2-4
不要把"刻画"错写成"刻划"	唐嗣德	语文知识—1995,(4):16
万能的手	李乐毅	语文世界—1995,(4):21
汉字与汉语语法的关系	林华东	汉字文化—1995,(4):22-24
让汉字再度辉煌	陆锡兴	汉字文化—1995,(4):38-40
汉字形体的审美特质	吴本清	赣南师范学院学报—1995,(5):33-35
对汉字表音现象的再认识	孟广道	语言文字学—1995,(6):22-27
经学发展与汉字隶变	史鉴	语文建设—1995,(6):44-45
汉字形态认知复杂性分析	徐火辉	语文建设—1995,(8):8-11
谈"象""像"和"相"	于虹	语文世界—1995,(9):13
汉字之最	杨虹	语文知识—1995,(9):40
成功与挑战——中国人怎样对待自己的语言文字	黄光成	语言文字学—1995,(9):42-46
汉字是审美型文字	管然荣	语言文字学—1995,(9):143-144
楷体和宋体的笔画差异	徐光烈	语文建设—1995,(10):5-7
"三昧"与"三味"	曹小云	语文建设—1995,(11):27
略谈生殖崇拜在汉字中的沉淀	罗映辉	古汉语研究—1995,(增刊):37-38

古　文　字

古代重文符号略论	任　　远	语言研究(武昌)—1990,(1):87-91,125
甲骨文词义浅说	王　　建	贵州教育学院学报·社科版—1990,(4):47-50
中国文字史的奇迹——女字		中文信息(成都)—1990,(4):59
汉碑中的通假字	晚　　晴	淮北煤师院学报·社科版—1990,(4):114-116
论依谐声偏旁辨识通假	张玉惠	古籍整理研究学刊(长春)—1990,(5):41-43,封三
崖画与古文字的关系	和品正	云南社会科学(昆明)—1990,(5):62-68
通假字分析中的几个问题	张桂珍	北京师范学院学报·社科版—1990,(6):78-85
利用谐声偏旁系联同源词探讨	侯占虎	语言文字学(北京)—1990,(11):80-85
甲骨学的开拓与应用	姚孝遂	语言文字学(北京)—1990,(11):124-128
甲骨卜辞只是祭祀备忘录	黄奇逸	《人民日报》—1991年1月7日第3版
详细占有甲骨文资料的大好时机	胡厚宣	汉字文化(北京)—1991,(1):9-12
谈统一汉字形体的工作	邢公畹	语文建设—1991,(1):16
春秋战国青铜器铭文书论析(上)	丛文俊	中国书法—1991,(1):20-24
关于汉字特征的观点述评	李万福	银川师专学报·社科版—1991,(1):30-37
说甲骨金文中表祈求义的䢼字——兼谈䢼字在金文车饰名称中的用法	冀小军	湖北大学学报·哲社版(武汉)—1991,(1):35-44
试说齐国陶文中的"钟"和"溢"	吴振武	考古与文物—1991,(1):37-39
"转注"说略	戴建华	银川师专学报·社科版—1991,(1):37-41
"辐至而辐凑"的"辐"是通假字吗?	周建成	语文知识—1991,(1):47-48
对汉字字形规律的再认识	王力德	中文信息学报—1991,(1):52-58
武周新字"圀"制定的时间——兼谈新字通行时的例外	施安昌	故宫博物院刊(北京)—1991,(1):60-64
厥众考辨	黄锡全	江汉考古—1991,(1):63-69
书写材料对汉字形体、结构的影响	李恩江	古汉语研究—1991,(1):71-77
楷书中的改形字	李中生	中山大学学报·社科版—1991,(1):132-134
论王国维"古文说"之研究方法	姚淦铭	南京大学学报·哲社版—1991,(1):142-148
关于"予"通"誉"	陆锡兴	辞书研究—1991,(1):149-151
程桥三号春秋墓出土盘匜簠铭文释证	徐伯鸿	东南文化—1991,(1):153-159
再谈古文字中的"去"字	裘锡圭	汉字文化(北京)—1991,(2):8
从"罪"的冤案说起——特殊通假例谈	许匡一	语文知识(郑州)—1991,(2):19-21
同形字来源例析	金国泰	吉林师范学院学报·哲社版—1991,(2):22-26
试论郭沫若的甲骨学研究	王宇信	郭沫若学刊—1991,(2):24-36
"做"字与"作"字词组不能滥用	田惠刚	写作—1991,(2):39
"嫠"字今读考——兼论当代工具书"嫠"字注音之误	杨　　义	汉字文化(北京)—1991,(2):42-49
商代的玉石文字	陈志达	华夏考古—1991,(2):65-69

标题	作者	出处
"改装"造字法述论	覃盛发	广西民族学院学报·哲社版—1991,(2):70-74
汉字的特点	胡培俊	湖北教育学院学报·哲社版—1991,(2):74-80
汉字构造分析在语文教学中的功用	韩世龄	承德师专学报·社科版—1991,(2):76-78
论汉字发展的阶段性	丁晓红	浙江师大学报·社科版—1991,(2):79-82,101
"形声"不是最能产的造字法	孙雍长	古汉语研究—1991,(2):79-87
论古文字的兼并与消亡	夏渌	武汉大学学报·社科版—1991,(2):85-91
"通假"概念的理论误区及教学处理	王颖	贵州教育学院学报·社科版(贵阳)—1991,(2):86-94
形声字声符新论	殷寄明	古汉语研究—1991,(2):88-92,87
信阳出土商周青铜器铭文介绍	花原	中原文物—1991,(2):94-104
象形文字的产生与图腾	何星亮	黑龙江民族丛刊—1991,(2):98-101
"叶"字考	吴正中	甘肃社会科学(兰州)—1991,(2):110-115
古文字中记数使用"又"字的演变及其断代作用考	王晖	陕西师大学报·哲社版(西安)—1991,(2):112-119
安徽屯溪发现的先秦刻划文字或符号刍议	王业友	东南文化—1991,(2):128-130
淮夷文化研究的重要发现——驹父盨盖铭文及其史实	黄德宽	东南文化—1991,(2):145-147
徐器铭文考释商兑	陈秉新	东南文化—1991,(2):148-151
从甲骨文看汉字的特点	胡厚宣	汉字文化(北京)—1991,(3):20-23
汉字构形的心理探索	孟传书	天津教育学院学报·社科版—1991,(3):23-27
谈汉字与文化及其他	张寿康	汉字文化—1991,(3):26-27
古今字与通假字的辨析	周懋森	语文月刊—1991,(3):29
关于吉林大学藏汉墓文字砖的"垩"字	梁冰夫	北方文物—1991,(3):32
《太平广记》通假字零拾	周志锋	宁波师院学报·社科版—1991,(3):38-41
汉字与年节文化	左一智	学语文(芜湖)—1991,(3):40-42
对近百年来汉字学研究的历史反思	张玉金	辽宁师范大学学报·社科版—1991,(3):46-2,45
对近百年来汉字学研究的历史反思	张玉金	高等学校文科学报文摘—1992,(9卷1):65
假借、形声、转注新探	赵小刚	宁夏大学学报·社科版(银川)—1991,(3):49-54
假借与形声孰先	李泰章	黑龙江教育学院学报—1991,(3):51-53
小议楷书中的变笔表意字	李中生	广西师范大学学报·哲社版—1991,(3):57-59
释易与匜——兼释史丧尊	赵平安	考古与文物—1991,(3):71-73
汉字的起源及早期发展	卢丁	四川大学学报·哲社版(成都)—1991,(3):74-80
八卦、卦爻与中国古文字	苏方回	甘肃社会科学—1991,(3):83-90
"女书"之源不在楷书——"女书"源流考之一	谢志民	中南民族学院学报·哲社版(武汉)—1991,(3):98-106
古文字形体讹变对《说文解字》的影响	董琨	中国语文(北京)—1991,(3):222-225
谈中国的文字起源问题	李乔	社会科学战线—1991,(3):314-315,320
甲骨学研究的发展与胡厚宣教授的贡献——为胡厚宣师八十寿辰而作	王宇信	郑州大学学报·哲社版—1991,(4):1-11

标题	作者	出处
秦汉简帛通假字的文字学研究	赵平安	河北大学学报·哲社版(保定)—1991,(4):25-30
试论安子介先生的"声旁有义说"	温端政	汉字文化—1991,(4):33-44
历组胛骨记事刻辞试释	齐文心	中国史研究—1991,(4):39-46
识记汉字规律初探：从汉字的构造规律谈识字	王殿璋	教学与管理—1991,(4):43-45
汉字的文化表征	赵虹 石鹏飞	思想战线—1991,(4):50-55
汉字的特殊功能	王文松	云南师范大学学报·哲社版—1991,(4):65-70
隶楷阶段形声字的发展和能动作用	李恩江	郑州大学学报·哲社版—1991,(4):103-112
汉字的优越性与现代化	雷石榆	河北师院学报·社科版—1991,(4):127-128,131
"音变通假"及通假字释例献疑	于志荣	语文知识(郑州)—1991,(5):11-13
评形声主声说	杨择令	郑州大学学报·哲社版—1991,(5):55-58
言语表达中的汉字造型变异	冯广艺	解放军外语学报—1991,(5):75-78
甲金文"毓""后"二字的用法及其关系	王蕴智	郑州大学学报·哲社版—1991,(5):91-94,85
汉字形体在汉语语源研究中的地位	陈建初	湖南师范大学社会科学学报(长沙)—1991,(5):120-123
秦东陵出土的部分陶文	林泊	考古—1991,(5):409-412
贾湖骨笛、文字及其它	毛杰英	历史大观园—1991,(6):18-19
现代常用字义旁表义率为何不高？	王魏峰	中文自学指导—1991,(6):38-39
释中	田树生	语言文字学(北京)—1991,(6):44-48
说"殷"	刘秉忠	荆州师专学报·社科版—1991,(6):49-50
"女书"是一种与甲骨文有密切关系的商代古文字的孑遗和演变	谢志民	中央民族学院学报(北京)—1991,(6):59-66
论小篆字中的形位	宋金兰	北京师范大学学报·社科版—1991,(6):62-68
周秦器铭考释(五篇)	王辉	考古与文物—1991,(6):75-81
汉字与文化	王宁	北京师范大学学报·社科版—1991,(6):78-82
秦汉字释丛	刘乐贤	考古与文物—1991,(6):82-84
关于研究殷墟甲骨文发现的述评	马如森	语言文字学(北京)—1991,(6):137-141
在汉字的十字路口——浅谈中日汉字的发展趋势	曲翰章	中国社会科学—1991,(6):195-205
原"耻"——历史态势学与古文字研究	游顺钊	中国语文(北京)—1991,(6):469-471
试论殷墟甲骨书辞	刘一曼	考古—1991,(6):546-554,572
汉字是偏重"目治"的文字——再谈汉字的特点	理真	阅读与写作—1991,(7):20-21
"六书"的性质和作用质疑	杨信川	语言文字学(北京)—1991,(7):131-135
商代甲骨文中的"丙"和"两"	汤余惠	语言文字学(北京)—1991,(7):136-137
新见保鼎殷铭试释	张先裕	考古—1991,(7):649-652
汉字文化 中华民族的骄傲——访汉字现代化研究会会长袁晓园	郝中实	宣传手册—1991,(8):11-14

篇名	作者	出处
众多的同音字家族——三谈汉字的特点	理　　真	阅读与写作—1991,(8):18-19
汉字的结构	傅　永　和	语文建设—1991,(9):10-11
简析"閒、間、閑"复杂对应关系	王　魁　伟	语文建设—1991,(9):12-13
女书——文化深山里的野玫瑰	周　有　光	群言—1991,(9):31-33
八卦·卦爻与中国古文字	苏　方　回	语言文字学(北京)—1991,(9):135-142
克罍、克盉铭文及其有关问题	陈　　平	考古—1991,(9):843-854
郑臧公之孙鼎铭文考释	黄　锡　全 李　祖　才	考古—1991,(9):855-858
形声字"声源"探索举要(上)	徐　世　荣	语文月刊(广州)—1991,(10):2-4
形声字"声源"探索举要(中)	徐　世　荣	语文月刊(广州)—1991,(11):1-4
形声字"声源"探索举要(下)	徐　世　荣	语文月刊(广州)—1991,(12):2-4
古今货币上的文字		青海日报—1991,(10):25-3
"干"字辨	李　乐　毅	语文建设—1991,(10):30
汉字义音形的美	邓　小　明	百科知识—1991,(11):23
茶与荼的纠葛	李　行　杰	语文建设—1991,(11):33-34
汉字的部件	傅　永　和	语文建设—1991,(12):3-6
从民族学发现的新材料看大汶口文化陶尊的"文字"	王　恒　杰	考古—1991,(12):1119-1120
汉字的词根音谐声：兼释甲骨文枈、帝、丙、商字	贺　德　扬	语言研究(武汉)—1991,(增刊):35-41
关于《小屯南地甲骨》的讨论——答萧楠同志	裘　锡　圭	汉字文化—1992,(1):32-41
六书辨释	王　继　舜	大庆师专学报—1992,(1):47-51
唐代书法家李邕墓志跋	郭　建　邦	中原文物—1992,(1):49-50
再次证明半坡陶文是古彝文始祖	李　　乔	贵州民族学院学报—1992,(1):60-65
《六书故》"因声以求义"论	党　怀　兴	陕西师大学报·哲社版(西安)—1992,(1):61-68
女书兴衰的社会原因	宫　哲　兵	求索—1992,(1):69-73
"救秦戎"钟铭文新解	黄　锡　全 刘　森　木	江汉考古—1992,(1):73-77
居延汉简所见"竞走"形考略	唐　晓　军	西北史地—1992,(1):75-78
说"卤""皇"二字来源并谈楚帛书"萬""兒"二字的读法	刘　　钊	江汉考古—1992,(1):78-79
"江陵汉简"研究中的若干问题	杨　剑　虹	江汉考古—1992,(1):80-88
谈古今字与通假字	朱　金　美	语言与翻译(乌鲁木齐)—1992,(1):83
金文五则	刘　　恒	语言研究—1992,(1):84-95
说甲骨文"帚"	黄　树　先	语言研究(武汉)—1992,(1):96-98
濮阳胡干城村李氏墓志	田　聚　常 侯　建　华	中原文物—1992,(1):108
关于《瓠庐谢氏殷墟遗文》的藏家	胡　厚　宣	华夏考古—1992,(1):109-110

有感于开封犹太四碑之变迁	刘铭恕	中原文物—1992,(1):109-110
吐鲁番出土汉文佛典述略	方广锠	西域研究—1992,(1):115-127
河南碑刻叙录(续)		中原文物—1992,(1):121
诅楚文辨疑	赵平安	河北大学学报·社科版(保定)—1992,(2):23-29
释"家"	苏宝荣	河北师范大学学报·社科版(石家庄)—1992,(2):24-26
黑城出土的元代婚书	李兔友	文物天地—1992,(2):30-31
成都文殊院碑刻考述	古元忠	四川文物—1992,(2):48-50
释囲	汤余惠	吉林大学社会科学学报(长春)—1992,(2):48-52
汉字取象:义理·考据·词章会通举隅	臧克和	天津师大学报·社科版—1992,(2):65-71
香港中文大学文物馆藏"兮甲盘"及相关问题研究	王人聪 杜迺松	故宫博物院院刊—1992,(2):66-81
论形声字的一种重要构成方式	殷寄明	南京师大学报·社科版—1992,(2):77-81
安塞出土唐代谢寿墓志铭	姬乃军	文博—1992,(2):81-82
通假探微	郭振生	河南大学学报·社科版(开封)—1992,(2):100-103
殷虚文字形成假说	姜可瑜	文史哲(济南)—1992,(2):102-封三
六书说申许	陈振寰	语言文字学(北京)—1992,(2):130-139
青川秦牍《为田律》再研究	罗开玉	四川文物—1992,(3):21-25
齐国文字中的"遂"	李家浩	湖北大学学报·哲社版(武汉)—1992,(3):30-37
龙多山石刻文字小记	董其祥	四川文物—1992,(3):37-40
故宫藏石两种	叶其峰	故宫博物院院刊—1992,(3):55-59
金文所见西周初期的政治思想	连劭名	文物—1992,(3):55-60
武周新字"圀"在云南的流传考释	张楠	故宫博物院院刊—1992,(3):60-61
唐太宗《温泉铭》校碑纪事	施安昌	文物—1992,(3):76-81
贾湖遗址新石器时代甲骨契刻符号的重大考古理论意义	唐建	复旦学报—1992,(3):94-107
汉字的演进与规范	王凤阳	语文建设(北京)—1992,(4):14-21
简·简读·简册	林木	历史教学—1992,(4):48
"六书"理论新探	王功龙	辽宁师范大学学报·社科版(大连)—1992,(4):54-56,72
从通借关系看"朱提"与"窦地"	刘顺良	云南师范大学哲学社会科学学报(昆明)—1992,(4):58
武则天造字之讹变——兼谈含"新字"文物的鉴别	施安昌	故宫博物院院刊—1992,(4):58-62
东巴形声字的类别和性质	喻遂生	中央民族学院学报(北京)—1992,4.62-66
古文字分化问题探讨	程荣	语言文字应用(北京)—1992,(4):64-75
甲骨刻辞有韵文——兼释尹家城陶方鼎铭文	孟祥鲁	文史哲—1992,(4):70-75

体现在甲骨文构形上的一种狩猎手段——释圂、甾、萑诸字	孙雍长	湖北大学学报·哲社版(武汉)—1992,(4):80-87
略论形声字与汉字表意性	万业馨	徐州师范学院学报·哲社版—1992,(4):89-93
金文子孙称谓重文的释读与启发	黄光武	中山大学学报·社科版(广州)—1992,(4):124-126
切音字运动百年祭	周有光	语文建设(北京)—1992,(5):34-35
秦代文字与书艺略论	潘良桢	复旦学报—1992,(5):34-40
女书时代考	宫哲兵	华中师范大学学报·哲社版—1992,(5):59-63
汉字的又一个分支——女字	陈其光	中央民族学院学报(北京)—1992,(5):77-82,76
古汉字书写纵向成因——六书以外的一个探讨	游顺钊	中国语文(北京)—1992,(5):371-375
《甲骨文字字释总览》概要	[日]松丸道雄 高嶋谦一	中国史研究动态—1992,(6):20
宋人在金文文献整理上的创获	董莲池	古籍整理研究学刊—1992,(6):28-30
大保罍、盉铭文考释	方述鑫	东岳论丛—1992,(6):51-54
何尊铭考释补订	陈福林 任桂芝	东岳论丛—1992,(6):72-76
甲骨文字释丛	黄锡全	考古与文物—1992,(6):77-86
关于古籍整理中异体字的研究	杨应芹	江淮论坛(合肥)—1992,(6):103-109
谈甲骨文"凿"字的一种用法	刘钊	史学集刊—1992,(7):62-63,76
女书起源新说	陈其光	高等学校文科学报文摘—1992,(9卷6):66-67
"旮旯儿"字形的来历	徐世荣	语文建设通讯(香港)—1992,(35):66-67
"全汉字"甲骨文字族浅论	喻遂生	西南师范大学学报·哲社版(重庆)—1992,(专刊):82-85
反切表意文字的初步研究	杨风之 胡华	贵州民族学院学报(贵阳)—1993,(1):50-56
释甲骨文字"寤"、"痦"及相关问题	施谢捷	考古文物—1993,(1):60-63
巴蜀古文字的两系及其起源	段渝	考古文物—1993,(1):64-74
古文字中的"子"和闽方言中的"囝"	王蕴智	吉林大学社会科学学报(长春)—1993,(1):65-70
文字的起源与原始思维	张浩 刘锐	晋阳学刊(太原)—1993,(1):79-85
金文研究与古代典籍	彭裕商	四川大学学报·哲社版(成都)—1993,(1):96-103
古文字形体的动态分析	陈初生	暨南学报·哲社版(广州)—1993,(1):125-129
古今字四题	张劲秋	安徽教育学院学报·哲社版—1993,(2):25-29
也原"耻"——兼与游顺钊同志商榷	胡广文	河北师范大学学报·社科版(石家庄)—1993,(2):49-50
千支字在中国古代社会中的应用	双木	新疆师范大学学报·哲社版—1993,(2):62-66
汉民族古文字的文化历史解读	申小龙	云南民族学院学报·哲社版—1993,(2):83-89,94

释"公"——兼论人类学对上古汉语文字本义辨识所发挥之宏观效应	李　瑾	重庆师院学报·哲社版—1993,(2):84-91
邹乎丁公布现龙山文化文字	山东大学考古实习队	语言文字学(北京)—1993,(2):133-134
甲骨文至战国金文"用"的演化	赵　诚	语言研究—1993,(2):144-154
梵文对汉字的影响	陆锡兴	语文建设(北京)—1993,(3):22-23
汉字异读问题纵横谈	厉　兵	语言文字应用—1993,(3):27-28
许慎的六书"转注"说	戚桂宴	山西大学学报·哲社版—1993,(3):38-44
"女书"与江永妇女的群聚性	陈仁龙	湖南教育学院学报—1993,(3):39-44
摩尼文简介	李经纬	语言与翻译—1993,(3):42-43
郭老与古文字学——深切怀念郭沫若同志	胡厚宣	文献—1993,(3):72-78
公、容、颂考辨	王占奎	考古与文物—1993,(3):86-92
古汉字中的对立统一现象	陈冠玉	长沙水电师院社会科学报—1993,(3):104-108
从"女书"刀币字看其在先秦的流传地域	谢志民	中南民族学院学报·哲社版—1993,(3):108-144,128
从古生育字看古人的生育思维	郑　桦	宁夏教育学院、银川师专学报·社科版—1993,(4):11-13
汉字中的一幅古代战争图	苏新春	语文月刊(广州)—1993,(4):21-22
为猫头鹰洗冤——兼谈"枭"字的简化与通假	徐世荣	语文建设—1993,(5):46-47
形声字与汉字的表音趋向	陈舒眉	语文建设—1993,(8):21-24,13
关于"右文"和"声旁有义"	谷震需	中学语文教学—1993,(8):30-31
谈通假字	何志刚	语文教学之友—1993,(9):37-39
汉文建设与汉字建设——兼作"综合文字"的回应	史有为	语文建设通讯(香港)—1993,(39):26-31
"弓"字探源	张涌泉	古籍整理研究学刊—1994,(1):17-18,21
晋侯断簋铭文初识	张　颔	文物—1994,(1):33-34
山东丁公龙山时代文字解读	冯　时	考古—1994,(1):37-54
小议汉字形体的可释性	丁晓虹	汉字文化—1994,(1):39-40
汉字是世界上独一无二的会意文字——安子介先生的汉字声旁观	李　涛	汉字文化—1994,(1):52-59
小篆对籀文的省改与秦人的思维趋向	古敬恒　孙建波	徐州师范学院学报·哲社版—1994,(1):54-56
《说文解字》方位析形	赵伯义	宁夏大学学报—1994,(1):55-60
东巴教及象形文字的产生年代问题	杨启昌	云南社会科学—1994,(1):70-73
越国金文综述	董楚平	语言文字学—1994,(1):104-109
金文考释四篇	赵平安	语言研究—1994,(1):180-184
中国原始文化的结构化呈现——古汉字构形的文化解读	申小龙	汉字文化—1994,(2):25-33

睡虎地秦简文字形体的特点	黄文杰	中山大学学报·社科版—1994,(2):123-131
女字的造字法和用字法	陈其光	语言研究—1994,(2):154-167
陕西汉镜铭文研究	杨平	文博—1994,(3):22-31,12
汉字形体演变辨正	孙金龙	语文知识—1994,(3):33-35
汉字形体的演变及其对字源的否定	萧甫春	大庆高等专科学校学报—1994,(3):53-57
甲骨"❀"字补释	王正书	考古与文物—1994,(3):81-90
燕兵器铭文格式、内容及其相关问题	沈融	考古与文物—1994,(3):91-99
假借字与通假字	景兴	语文知识—1994,(4):12-14
㸚𤫊戟小考	于中航	文物—1994,(4):52
《说文》"△"字说解申评	王永强	古汉语研究—1994,(4):66-67,40
论表意方式、造字方式和结构方式——兼评"六书"	曹国安	湖南师范大学社会科学报—1994,(4):66-68
宋体仿宋体字形比较	张书岩 李燕	语言文字应用—1994,(4):76-82
纳西东巴字、汉古文字中的"转意字"和殷商古音研究	喻遂生	中央民族大学学报—1994,(4):81-86
山东邹平县苑城村出土陶文考释	马良民 言家信	文物—1994,(4):86-88
释"盨"	施谢捷	南京师大学报·社科版—1994,(4):112-117,124
隶书阶段形声字义符通用例析	任平	杭州大学学报·哲社版—1994,(4):171-180
甲骨缀合新补	常玉芝	语言文字学—1994,(5):134-138
山东邹平县苑城村出土陶文考释	马良民 言家信	语言文字学—1994,(6):50-52
简论"通假"与"假借"的关系——兼论音近通假的原因	马晓琴	唐都学刊—1994,(6):51-54
《说文解字》订补	孙雍长	湖北大学学报·哲社版—1994,(6):71-76
汉字阐释与图腾遗风	黄德宽 常森	语言文字学—1994,(6):123-128
世界仅见的女性文字——江永女书	王爱平	语文世界—1994,(7):20-21
洛阳北窑西周墓墨书文字略论	蔡运章	文物—1994,(7):64-69,79
论古文字同 𣂏 ✢ ✪ ✣ 的形和义	杨鸿勋	考古—1994,(7):635-641
西藏发现三千年前古文字		语文世界—1994,(10):37
原始宗教的结构化呈现——汉字构形的文化解读	申小龙	语言文字学—1994,(10):125-129
许慎"形声说"献疑——兼论形声字同源孳乳	孟君	语言文字学—1994,(11):105-109
介绍流行悠久的闽南白话字	许长安	语文建设通讯—1994,(45):72-79

"兔"字源流综议	杨子仪	古汉语研究—1995,(1):70-73
圣书字和汉字的"六书"比较——"六书有普遍适用性"例证之一	周有光	语言文字应用—1995,(1):82-85
《古陶文字证》订补	陈伟武	中山大学学报·哲社版—1995,(1):118-130
古文字材料校勘刍议	陈初生	暨南学报·哲社版—1995,(1):123-127
释参及相关诸字	赵平安	语言研究—1995,(1):168-173
"鸟""佳"同源试证	孙玉文	语言研究—1995,(1):174-175
《金文大字典》自序	戴家祥	华东师范大学学报·哲社版—1995,(2):2-8,39
"女书"起源与流传的文化特质	陈东有	南昌大学学报·社科版—1995,(2):99-102
"六书"新解	彭志雄	贵州教育学院学报·社科版—1995,(3):56-58,55
"六书"中前"四书"之比较研究	韩伟	信阳师范学院学报—1995,(3):61-64
《说文解字》研究的现代意义	李国英	古汉语研究—1995,(4):18-22
释《说文解字》中的干支字	双木	新疆师大学报·哲社版—1995,(4):70-74
《说文解字注》拾遗	王克让	四川大学学报·哲社版—1995,(4):74-75
"六书三耦"说与汉字的形体分析	古敬恒	徐州师范学院学报·哲社版—1995,(4):75-79
甲骨文字考释三篇	施谢捷	南京师大学报·社科版—1995,(4):92-95,121
论《说文解字》的文化意义	庞子朝	华中师范大学学报·哲社版—1995,(5):105-111
形声字声符兼义规律之探微	曾世竹	辽宁师大学学报·社科版—1995,(6):38-43
假借字是汉字发展阶段的产物	李玉洁	吉林大学社会科学学报—1995,(6):71-76
94'中国安阳甲骨文发现95周年国际学术纪念会概述	本刊记者	语言文字学—1995,(7):18-19
文化的传承与文字的断裂	汪堂家	语言文字学—1995,(10):31-32
"河图洛书"与汉字起源	李立新	语言文字学—1995,(11):133-141
古文"夏"字考——夏朝存在的文字见证	曹定云	语言文字学—1995,(12):75-85

汉字整理和简化

《第一批异体字整理表》的调整	魏励	语文建设(北京)—1990,(6):30-32
评"识繁写简"	孙剑艺	语文建设(北京)—1992,(2):30-31
海峡两岸统一用字的思考	颜逸明	语文建设(北京)—1991,(2):30-32
唐代的汉字规范和楷体正字的形成	陆锡兴	语文建设(北京)—1992,(6):14-16
繁体风、"识繁写简"和语文立法问题	戴昭铭	语文建设通讯(香港)—1992,(35):21-23
内地"两字"人才濒临断代	庄泽义	语文建设通讯(香港)—1992,(35):29-30
简化字与繁体字的转换	苏培成	语文研究(太原)—1993,(1):16-21
汉字研究和祖国统一	弓力	汉字文化—1993,(1):30-32
评对"识繁写简"的新解释	陈一 詹人凤	语文建设(北京)—1993,(1):34-37

如何判定汉字的结构	迟　虹	大庆师专学报—1993,(1):44-46
在"沈默汉字立体书法国际研讨会"上的讲话	赵宝煦	汉字文化—1993,(2):1
规范字,还是异体字?	屠林明	语文学习(上海)—1993,(2):38-39
略谈汉字部件系统的演革	李恩江	郑州大学学报·哲社版—1993,(2):50-58,102
从易错字看汉字的简化与整理	曹兆兰	学术研究—1993,(3):24-29
从印刷技术看繁简汉字	林　川	语文建设(北京)—1993,(3):26-28
论汉字系统的耗散结构特征	谢春玲	广东社会科学—1993,(3):94-97
形意文字略说(人类文字略说之一)	周有光	语文建设通讯(香港)—1993,(41):24-30
异形词规范的范围	孟庆章	语文建设—1993,(6):12-14
试论汉字的繁化	邵霭吉	盐城教育学院学报—1994,(1):9-13
汉字的困惑	廖　拾	汉字文化—1994,(1):64,14
常用字和一级字的比较	张鹤泉	语文建设—1994,(2):26-27
就汉字形体演变答李丙彦同志	肖　武	语文建设—1994,(2):31
现代汉字的"四定"	苏培成	逻辑与语言学习—1994,(2):33-35
繁体汉字文本转换初探	陈亚川	语言教学与研究—1994,(3):4-20
一门新兴学科的奠基作——评介《现代汉字学》	何毓玲	语文建设—1994,(3):39-40
姓氏用字猎奇——记一个罕见的"剪梅子"	徐世荣	语文建设—1994,(3):42-44
有关制定《汉字规范字表》的几个问题	费锦昌 魏　励	语言文字应用—1994,(3):66-70
两用偏旁初析	林　涛	语文建设—1994,(10):23-25

汉　字　整　理

形声字之声兼义类型分析	张其昀	盐城教育学院学刊—1990,(4):41-43
汉字的简化是有功有过,汉字的整理宜有进有退	李遂孙	上海教育学院学报—1991,(1):24-27
《康熙字典》的异体字及其整理	陈宜民	四川师范学院学报·哲社版(南充)—1991,(1):147-155
"慕"字中的"小"与"暴"字中的"水"辨	群　一	语言美(昆明)—1991,(2):14
论汉字的改进	[新加坡]卢绍昌	语文建设(北京)—1991,(2):15-17
汉字的整体性与汉民族语言运用中注重整体的思维特点	王晓平	汉字文化(北京)—1991,(2):20-21
循着汉字构字规迹建立识字教学体系	苏静白	汉字文化(北京)—1991,(2):22-24
谈汉字文化	杨纪珂	语文建设(北京)—1991,(2):32-35
汉字的合理性	贺志辉	中学语文教学(北京)—1991,(2):42-43
唐兰释"中"补苴	胡念耕	安徽大学学报·哲社版(芜湖)—1991,(2):205-207

标题	作者	出处
祭字头和登字头辨	群 一	语言美(昆明)—1991,(3):10②
小议楷书中的变笔表意字	李 中 生	广西师范大学学报·哲社版(桂林)—1991,(3):57-59
古老而有趣的汉字	郭 锡 良	新华文摘(北京)—1991,(4):168-169
部分异体字的特征、性质和来源	黄 颂 康	辞书研究—1991,(5):27-36
字词典中对旧繁体、异体等字的处理问题	锐 声	辞书研究—1991,(5):36-43
"júzi"的"jú"应写作"橘"	金 祎	语文建设(北京)—1991,(6):22
论小篆字系中的形位	宋 金 兰	北京师范大学学报·社科版—1991,(6):62-68
辨别形近汉字浅说	钟 维 克	语言文字学(北京)—1991,(6):128-136
异体字应当继续整理	徐 伟 民	语文建设(北京)—1991,(7):30
语言规划(三)	柯 平	语文建设—1991,(9):39-41
语言规划(四)	柯 平	语文建设—1991,(10):39
谈异体字整理	高 更 生	语文建设—1991,(10):22-27
再谈异体词整理	高 更 生	语文建设—1993,(6):7-11
现代汉字的定量研究	尹 斌 庸	语文建设(北京)—1991,(11):19-21
汉字的部件	傅 永 和	语文建设(北京)—1991,(12):3-6
汉字的笔画	傅 永 和	语文建设(北京)—1992,(1):8-12
海峡两岸用字比较	许 长 安	语文建设(北京)—1992,(1):13-18
汉字形符的类化与识字教学	许 嘉 璐	汉字文化—1992,(1):27-31
现代汉字形声字研究	李 燕 康 加 深 魏 励 张 书 岩	语言文字应用—1992,(1):74-83
应该继续坚持使用和推广简化汉字——评一种取消简化汉字的理论	熊 金 丰	龙岩师专学报·社科版—1992,(1):94-96
楷书中的改形字	李 中 生	中山大学学报·社科版(广州)—1992,(1):132-134
论形声字的结构、功能及相关问题	陈 玉 云	上海师大学报·哲社版—1992,(1):137-140
汉字字形规范的理论和实践	苏 培 成	语言文字应用(北京)—1992,(2):22-26
重新评价汉字思潮的出现是件大好事	马 树 钧	汉字文化(北京)—1992,(2):24-25
中学生"识繁写简"教学探讨	陈 玉 凤 林 新 民	汉字文化—1992,(2):54-60
汉字一形表多词和一形不同字之探讨	张 玉 惠	松辽学刊·社科版—1992,(2):57-63
汉字识别中的笔画数效应新探——兼论字频效应	喻 柏 林 曹 河 圻	心理学报—1992,(2):120-125
《形声字"声源"探索举要》例补	徐 世 荣	语文月刊—1992,(3):6
"刊"字误写何其多	金 祎	语言文字应用(北京)—1992,(3):19
汉语、汉字和汉语现行记录系统运用中的一些问题及其对策	郭 熙	语言文字应用(北京)—1992,(3):29-36

形声字文化	张玉金	青海师范大学学报·哲社版—1992,(3):103-107
汉语常用字词的统计与分极	刘英林 宋绍周	中国语文(北京)—1992,(3):174-181
("繁体字问题座谈会"专栏)袁晓园会长致开幕词		汉字文化—1992,(4):2
("繁体字问题座谈会"专栏)孔子基金会常务副会长辛冠洁先生讲话		汉字文化—1992,(4):3-5
("繁体字问题座谈会"专栏)原中顾委委员赵健民先生讲话		汉字文化—1992,(4):5-6
("繁体字问题座谈会"专栏)北京图书馆馆长任继愈先生讲话		汉字文化—1992,(4):7-8
("繁体字问题座谈会"专栏)北京市教育学会会长韩作黎先生讲话		汉字文化—1992,(4):9-10
("繁体字问题座谈会"专栏)北京国际汉字研究会名誉会长胡厚宣教授讲话		汉字文化—1992,(4):10-11,8
汉字平反与中国文化	刘长林	汉字文化—1992,(4):15-16,56
强行清除招牌中的繁体字值得商榷	刘庆俄	汉字文化—1992,(4):19
识繁及其他	丁辽	汉字文化—1992,(4):20-21,46
关于繁体字问题	李敏生	汉字文化—1992,(4):22-30
关于汉字部件的数量及字形	孔祥群	语文建设—1992,(4):30
"声符表义"说与索绪尔的"音响形象"理论——论声音的联想性	冯蒸	汉字文化—1992,(4):34-39
也说"罂"、"罌"二字	曹建明	济宁师专学报—1992,(4):47-49
现代形声字形符表义功能分析	施正宇	语言文字应用—1992,(4):76-83
略论形声字与汉字表意性	万业馨	徐州师范学院学报—1992,(4):89-93
论汉字形体的可释性——《汉字论》之一	丁晓红	浙江师大学报·社科版—1992,(4):90-93
明代复古风气与仿宋体汉字	吴朝暾	信阳师范学院学报—1992,(4):121
现代汉字结构教学之刍议	吕景和	齐齐哈尔师院学报·哲社版—1992,(5):80-82
从汉字的数量说起	韩敬体	语文建设(北京)—1992,(6):47
出版物汉字使用管理规定		语文建设—1992,(8):2-3
关于"羡""盗"等字的整理和规范	高景成	语文建设(北京)—1992,(8):封三
汉字笔顺应执行统一的标准	高更生	语文建设—1992,(10):14-18
人民币上汉字字体的变化	张良佐	语文建设—1992,(10):19
漫谈汉字形义联系的文化蕴涵	刘志基	语文学习—1992,(11):38-40
汉字笔划与VDT最小显示点阵尺寸的关系	沈模卫	应用心理学—1993,(1):10-15
汉语汉字精微初探	史继忠	贵州教育学院学报·社科版(贵阳)—1993,(1):19-24

海峡两岸现行汉字字形的比较分析	费锦昌	语言文字应用(北京)—1993,(1):37-48
论汉字字形的心理学研究	刘 鸣	华南师范大学学报·社科版—1993,(1):97-101
汉字与汉语之间的适应性	苏新春	延安大学学报·社科版—1993,(2):96-101,105
手写印刷体汉字的笔段抽取偏旁识别	胡家忠	中文信息学报—1993,(3):
手写体汉字的基元穴及抽取的新方法	刘庆波 洪家荣	中文信息学报—1993,(3):7-15
汉字与汉语词发展中的"背离"与"互补"特点	苏新春	汉字文化—1993,(3):20-22
汉字易学的一个例证	关秀凤	汉字文化—1993,(3):42-45
学汉字能发展思维	李鹏秀	外交学院学报—1993,(3):77-81
汉语水平考试汉字大纲所收2905个汉字分析结果	朱一之	语言教学与研究—1993,(3):98-111
对汉字功能的再认识	刘庆俄	首都师范大学学报·社科版—1993,(3):100-104
汉字分解组合的表象操作与汉字字形学习的关系	刘 鸣	心理学报—1993,(3):241-249
"穹隆"并非别字	徐兆峰	读写月报—1993,(4):4
从汉语的字形词说起	郝恩美	汉字文化—1993,(4):19,31
谈汉字的阅读优势	李海霞	宁夏教育学院、银川师专学报·社科版—1993,(4):30-33
汉字中的"兼用部首"	于春华	汉字文化—1993,(4):35-62
货币上的"圆、元、员"	李 炜	语文建设—1993,(4):45-46
合音字浅探	郝静仪	齐鲁学刊—1993,(4):46-48,85
汉字字体的名实及其演进序列的再认识	赵平安	河北大学学报·社科版—1993,(4):71-79
从商代文字看汉字的字式和性质	王蕴智	松辽学刊·社科版—1993,(4):75-78
汉文化心理与汉文字的稳定性	木镜湖	思想战线—1993,(4):80-85
会意汉字内部结构的复合程序	石定果	世界汉语教学—1993,(4):274-278
"零"与"○"	张德鑫	世界汉语教学—1993,(4):290-295
汉字阅读初探	霍陈婉媛 汤才伟	世界汉语教学—1993,(4):296-302
论汉字符号的隐喻性特征	越 洋	逻辑与语言学习—1993,(6):2-7
汉字反映说刍议	李沁蹊	云南师范大学学报·哲社版—1993,(6):88-93
"束"和"朿"辨析	刘金勋	语文教学之友—1993,(7):41
壹贰叁肆伍……	叶诗芳	读写月报—1993,(8):5
汉字形体的表意特征	王发平	阅读与写作—1993,(8):23
略谈汉字在母家——回应本刊1992年第9期《汉字文化圈与汉字一文》	黎广祯	语文月刊—1993,(9):10
析字例话	徐晓鸿	读写月报—1993,(9):11
"非汉字"入列	徐世荣	语文建设—1993,(10):17
释"冈"及相关诸字	赵平安	语文建设—1993,(11):14

"戍"与"戌"不可混淆	赖继红	语文月刊—1993,(12):27
符号·汉字与汉民族心理结构	张维佳	人文杂志—1994,(1):107-113
汉字性质的再认识	承剑芬	镇江师专学报·社科版—1994,(2):35-37
汉字形体讹变说	季素彩	汉字文化—1994,(2):37-42
汉字视知觉——侧化研究评述	蔡厚德	南京师大学报·社科版—1994,(2):57-62
利用六书原理进行识字教学的设想	赵宾	牡丹江师院学报·哲社版—1994,(3):64-67
使用繁体字是"守旧"、"复古"吗?	仁德	汉字文化—1994,(4):58-59
日语汉字读音初探	张葆华	武汉大学学报—1994,(4):104-107
现代汉语中两字互用问题	马衍森	学汉语—1994,(5):21-22
常用字归部异同的统计	丁方豪	语文建设—1994,(6):19-22
汉字特异功能探奇	周文定	宜春师专学报—1994,(6):23-26
复音字行不通	李炜	语文建设—1994,(7):8-9
"猪八戒"改名——汉字的字音和字义	费锦昌	语文世界—1994,(11):18-19
现行多音字分析	龚嘉镇	语文建设通讯(香港)—1994,(45):21-31
再说"闫"字	厉兵	语文建设—1995,(1):31-32
新中国的汉字整理	傅永和	语文建设—1995,(7):2-4,8

造 新 字 问 题

汉字构件的增加不能以羡余现象论	元鸿仁	语言文字学(北京)—1991,(8):138-141
汉字妨碍创造新词汇	吴文超	语文建设通讯—1993,(40):19-22
关于新汉字观的断想	陈重愚	西南师范大学学报·哲社版—1994,(1):83-86

汉 字 简 化

论字符的同音替代及其意义	刘宁生	南京师大学报·社科版—1990,(4):48-54,91
汉字部首概论	左民安 王尽忠	宁夏大学学报·社科版—1990,(4):89-96
把汉字规范化工作提高一步——纪念《汉字简化方案》发表35周年	张有泉	中学语文教学—1991,(1):3-5
积极推行简化字,促进社会用字规范化——纪念《汉字简化方案》公布35周年	《语文建设》编辑部	语文建设—1991,(1):9-10
坚持简化方向坚持规范化原则——纪念《汉字简化方案》公布35周年	詹伯慧	语文建设—1991,(1):10-14
让简化汉字走向世界——《汉字简化方案》发布35周年感言	胡裕树 陈光磊	语文建设—1991,(1):14-15
简化汉字的功过	胡明扬	语文建设—1991,(1):17-18
繁简汉字话短长	黄顺宾	汉字文化(北京)—1991,(1):18-21
汉字规范化35年	宋家琪	新疆日报—1991,(1):24,2
为汉字的规范化而奋斗:纪念《汉字简化方案》公布三十五周年	吴积才	语言美(昆明)—1991,(1):25①

汉字简化评析	高 家 莺	古汉语研究—1991,(1):68-70
汉字的优化与简化	王　　宁	中国社会科学(北京)—1991,(1):69-80
汉字繁简与法规	刘 如 森	光明日报—1991年2月5日第2版
小议"识繁写简"	潘 自 由	语文学习—1991,(2):9-11
从纯文字学角度看简化字	裘 锡 圭	语文建设(北京)—1991,(2):18-20
起复繁体字也不是那么轻而易举	申 筠 如	语文建设(北京)—1991,(2):20-22
为汉字规范化而继续努力——纪念《汉字简化方案》公布35周年	本刊评论员	中国语文(北京)—1991,(2):81-82
群策群力,把广东的语言文字规范工作做好——纪念《汉字简化方案》发表35周年	詹 伯 慧	暨南学报·哲社版(广州)—1991,(2):91-95
简化字有理	梁 廷 山	学术交流—1991,(2):129-131
谈汉字简化	傅　　公	语言文字学(北京)—1991,(2):138-140
从"二简"看汉字简化	王 志 方	上海师范大学学报·哲社版—1991,(2):146-148,116
巩固发扬汉字简化的成果——在纪念《汉字简化方案》公布35周年座谈会上的书面发言	胡 乔 木	语文建设(北京)—1991,(3):3
纪念《汉字简化方案》公布35周年座谈会发言	柳　　斌 王伯熙等	语文建设(北京)—1991,(3):4-16
汉字简化与语文现代化	鲍 明 炜	语文建设(北京)—1991,(3):17-18
简化汉字是少数民族的心愿	戴 庆 厦	语文建设(北京)—1991,(3):19
纪念《汉字简化方案》公布35周年发言摘编	胡　　绳 何东昌等	光明日报—1991年3月20日
简化汉字面面观——正确处理汉字简化工作中的10种关系	费 锦 昌	语文建设(北京)—1991,(3):20-24
由"亚运会"说开去——略谈汉字简化的意义	黎 树 旺	语文建设(北京)—1991,(3):25-26
汉字简化好	梁 东 汉	语文建设(北京)—1991,(3):26-29
汉字简化的价值评估	史 有 为	语文建设(北京)—1991,(3):29-31
就汉字简化问题和台湾学者商榷	苏 培 成	语文建设(北京)—1991,(3):31-34
"识文断字"小札——纪念《汉字简化方案》公布35周年	张 寿 康	语文建设(北京)—1991,(3):34-36
汉字要生存发展,就必须简化	郑 林 曦	语文建设(北京)—1991,(3):38-39
汉字简化笔谈	李　　楠 崔 重 庆	求是学刊(哈尔滨)—1991,(3):70-77
要注意繁体字的泛滥——一位语文教师的呼吁	竹　　君	汉语学习(延吉)—1991,(6):49
部首规范化需要探讨的三个问题	丁 方 豪	语文建设(北京)—1991,(8):6-8

标题	作者	出处
台湾学生认读大陆规范简化字的测查报告	尹斌庸 [美]罗圣豪	语文建设(北京)—1991,(8):34-35
乱用汉语简化闹笑话	叶 胜	广州日报—1991,(9):3-2
也谈人——社会因素对文字改革的作用——与史有为同志商榷	张育泉	语文建设—1991,(11):21-22
汉字简化仍须改进	赵光贤	群言—1991,(12):21
论汉字简化	陈章太	语言文字应用(北京)—1992,(2):1-6
再论汉字简化的优化原则	王 宁	语文建设(北京)—1992,(2):5-10
论"识繁写简"与"文字改革"——答吕叔湘等先生	袁晓园	汉字文化(北京)—1992,(2):11-24
汉字的繁化与简化	黄顺宾	汉字文化(北京)—1992,(2):34-36
繁体字大回潮:中国文字"海外化"	辛 奇	语文建设(北京)—1992,(2):40-41
简化偏旁独立成字时是否应该简化	张书岩	语文建设—1992,(2):42
论汉字的简化	胡瑞昌	蒲峪学刊(齐齐哈尔)—1992,(2):51-55
从高频错字看现代汉字部件的精简	张国宪	淮北煤师院学报·社科版—1992,(2):105-108
李行健教授谈当前社会用字问题		语文研究—1992,(3):9
苦恼的中文电脑	峦 岭	汉字文化—1992,(4):12-14
历史的经验必须注意	李 涛	汉字文化—1992,(4):17-18
大众需要简体字	[美]高之正	语文建设(北京)—1992,(6):7-8
《人民日报(海外版)》自7月1日起改用简化字	《语文建设》 记 者	语文建设—1992,(7):35
简化字推广使用不容逆转	邓明以	语文学习—1992,(7):43-45
谈谈辨释汉简文字应该注意的一些问题	裘锡圭	语言文字学(北京)—1992,(7):135-141
哈尔滨治理社会用字,多年繁体字退休,规范简化字上岗		光明日报—1992年9月15日第1版
《人民日报(海外版)》改用简化字好——来信来稿综述	《语文建设》 记 者	语文建设—1992,(10):46-47
汉字简化琐议	周世铖	语文建设—1992,(10):封三
《人民日报》海外版由繁改简意义重大	[新加坡] 汪惠迪	语文建设(北京)—1992,(11):38-39
再谈汉字读音及其简化问题	任 蒙	语文教学与研究—1992,(12):40-41
简化是汉字发展的固有规律	叶子雄	北方论丛(哈尔滨)—1993,(3):104-105
展望2056年的汉字:汉字简化之我见	姚德怀	语文建设通讯(香港)—1993,(40):1-2
汉字简化质疑	田惠刚	语文建设通讯(香港)—1993,(40):8-11
汉字的简化与拼音化	胡明亮	语文建设通讯(香港)—1993,(40):12-14
汉字的繁简如何统一	伯 龙	中国语文(台北)—1993,(432):4-5
汉字"识繁写简"随感	聂鸿英	东疆学刊·哲社版—1994,(1):42-43
坚持简化方向,加速汉字规范化进程	张桂芹 陆为群	淮阴师专学报—1994,(1):72-74

关于汉字简化的回顾与思考	张其昀	盐城师专学报—1994,(2):37-41,15
繁简汉字文本转换初探	陈亚	语言教学与研究—1994,(3):4-20
也谈"简化字"	王临惠	山西师大学报·社科版—1994,(3):91-92
这"發"不是那"发"——说说电脑中的错别字和繁体字	张鹏	语文学习—1994,(4):44-45
关于汉字简化规范化的历史回顾与思考	邓雪琴	西南民族学院学报—1994,(4):66-72
汉字简化浅谈	王兴佳	云南教育学院学报—1994,(4):89-94
如何解决错别字多的问题	张璐璐	语文建设—1994,(9):7
简化字在电视传播中的优势	王惠	语文建设—1995,(1):43-44
流毒犹在 岂可打住——再议汉字的恶性简化	江枫	汉字文化—1995,(4):28-34
汉字简化的历史到底有多长	施春宏	汉字文化—1995,(4):41
有违初衷的《辨析》	李祥鹤	汉字文化—1995,(4):42

简　化　方　案

正确使用简化汉字——纪念《汉字简化方案》公布35周年	朱景松	学语文(芜湖)—1991,(1):3-4
谈谈对"识繁写简"的看法	张育泉	汉语学习(延吉)—1991,(1):11-14
关于简化汉字的几个有争论的问题——纪念《汉字简化方案》公布35周年	苏培成	语文研究(太原)—1991,(1):19-25
实事求是地评价简化字——纪念《汉字简化方案》公布35周年	许长安	语文研究(太原)—1991,(1):26-28
应该继续用好简化汉字	唐启运	语文月刊(广州)—1991,(2):2-3
汉字简化深得人心	陈宝如	语文月刊(广州)—1991,(2):3-4
书法家与简化字——纪念《汉字简化方案》公布35周年	陈炜湛	语文建设(北京)—1991,(2):3-6
现行汉字必须规范化——纪念《汉字简化方案》公布35周年	高更生	语文建设(北京)—1991,(2):6-8
简化字与出版物	胡奇光	语文建设(北京)—1991,(2):8-9
简化字的进一步推广和汉字教学	廖序东	语文建设(北京)—1991,(2):10-13
认真总结经验 巩固简化成果	林焘	语文建设(北京)—1991,(2):14-15
谈谈"识繁写简"	文炼	语文建设(北京)—1991,(2):22-23
论汉字简化的必然趋势及其优化的原则——纪念《汉字简化方案》公布35周年	王宁	语文建设(北京)—1991,(2):24-29
简化字植根于人民群众之中	张静	语文建设(北京)—1991,(2):36-37
《简化字总表》的学习与使用	魏励	语文建设(北京)—1991,(8):30-33

《简化字总表》收多少简化字？	代长胜 魏 励	语文建设—1994,(2):32

同音代替问题

滥用同音代替不可取	余培英	汉字文化—1994,(4):59-60
怎样解决"同音替代"问题	陈晓峰	语文建设—1994,(9):5-6

检 字

关于汉字检字法研究的思考	涂建国	辞书研究(上海)—1990,(6):32-38
加强对汉字印刷字体的整顿和管理	范慕韩	语文建设(北京)—1991,(1):33
论汉字排检法研究的基点和方向	高 翔	杭州师范学院学报·社科版—1991,(1):106-110
对《近年来汉字排检法研究综述》的商榷	李良肱	杭州师范学院学报·社科版—1991,(1):111-114
通用汉字的笔画排序	曹乃木	中文信息—1991,(3):50-55
使汉字按笔画排序	方红平	中文信息—1991,(3):55-56
获取汉字笔画数的方法	黄焕如	中文信息—1991,(3):56-57
加强电子印刷用字的规范化管理：全国电子印刷用字评审会侧记	康加深	语文建设(北京)—1991,(7):13-14
说"音序""部首"检字法优缺点	徐德智	中学语文教学(北京)—1991,(7):48
笔画定序之我见	程养之	语文建设(北京)—1991,(9):4-5
偏旁与部首	沈惠森	中学语文教学(北京)—1991,(9):41
试谈利用汉字的结构规律纠正错别字	韩根东	逻辑与语言学习(石家庄)—1992,(2):46-48
汉字的笔顺	傅永和	语文建设(北京)—1992,(10):11-13
汉字笔顺应执行统一的标准	高更生	语文建设(北京)—1992,(10):14-18
部首查字法的历史演进	曹乃木	语文建设(北京)—1993,(2):29-32
再谈实施统一部首的步骤	程养之	语文建设(北京)—1993,(2):33-34
汉字排序技术	翁校忠	中文信息—1993,(2):42-43
汉字检索的重新审视——三级(柔性)检字法试议	史有为	语言文字应用—1993,(2):69-77
常用字中的难辨别的合体字	惠树森	延安大学学报·社科版—1993,(2):102-103
从汉字的演变寻找检索途径	赵 忠	锦州师院学报·哲社版—1993,(2):124-127
台湾软活字工业生产现状	黄克东	中文信息—1993,(4):3-6
汉字多元的现行部首体系	李振喜	汉语学习—1993,(4):25-26
谈谈汉字笔形"竖钩"的归类	费锦昌	语文建设(北京)—1993,(4):32-33
浅析四种印刷字体	傅永和	语文建设—1993,(5):24-26
也谈部件定义	晓 东	语文建设—1993,(6):21-22
汉字部首立部问题管见	程 荣	语文建设—1993,(6):23-25
查《新华字典》如何确定部首	鄢丽艳	语文教学之友—1993,(6):封底
DBASE Ⅲ汉字排序技术	王 坚	中文信息—1994,(1):22-23

笔画索引泛论	包楠生	辞书研究—1994,(1):79-86
钱亚新先生对汉字排检法的贡献	罗友松 方志平	辞书研究—1994,(2):127-137
读者适用的汉字排检法	苏兰珍	中文信息—1994,(5):30-31
《汉语大字典》部首排检得失谈	张标	语文建设—1994,(12):11-12,44
笔画序的细化	张粤闽	语文建设—1995,(2):9-10
部首和部件的称说	贾德博	语文建设—1995,(2):11-12
《现代汉语知识(第一册)》笔顺求正	梦笔 春轩等	语文建设—1995,(3):22-23
关于汉字笔顺的思考	许凤奇	语文建设—1995,(10):8-9

横　　排

汉文横排的科学性和优越性	林川	语文建设—1994,(1):23-24
汉字横写的行气表现	郝茂	新疆师大学报·哲社版—1994,(4):69-72
从《施愚山集》的文字处理谈用现代规范汉字排印古籍的尝试	杨应芹	语文建设—1994,(7):20-21,37

文　字　改　革

认真重视语言文字工作　努力做好语言文字的规范化	海沙尔	语言与翻译(乌鲁木齐)—1990,(4):1-3
高校语文教材需要改进——试谈汉字及其改革部分	张世杰	汉字文化(北京)—1991,(2):25-28
汉字存废的利弊　南朝鲜论辨方遒	周四川	汉字文化(北京)—1991,(2):29-31
从汉字注音到注音汉字	李业宏	语文建设通讯(香港)—1992,(35):51-54
汉字改革刍议	陈荣滨	语文建设通讯—1993,(40):23-30
文字问题二议	邢福义	语文建设—1994,(3):4-5
我国现代文化史的辉煌一页	李乐毅	语言文字应用—1995,(4):99-102
文字改革工作的科学总结:介绍《当代中国的文字改革》	许长安	语文建设—1995,(11):38-39

不同的意见及反驳

也变人——社会因素对文字改革的作用:与史有为同志商榷	张育泉	语文建设(北京)—1991,(11):21-22
海洋文化和拼音文字	吴文超	中文信息—1992,(1):3-5
吸收国外先进符号系统主张拼音文字并非洋奴	裴匡丽	中文信息—1992,(1):5-6
"以子之矛,陷子之盾"	尹斌庸	语文建设(北京)—1992,(1):42
不能舍汉字去搞拼音化	钱伟长	中文信息—1992,(1):72

标题	作者	出处
汉字拼音化是方向	侯同胜	中文信息—1992,(1):73
向汉语拼音运动开创者学习:读文字改革史札记	张育泉	语文建设(北京)—1992,(2):26-29
再论汉字形近义通的现象	刘如瑛 李德先	徐州师范学院学报·哲社版—1992,(2):55-57
废除汉字论和汉字落后论的由来及其理论基础	李敏生	汉字文化(北京)—1992,(3):2-12
一语双文 势在必行	刘涌泉	语文建设(北京)—1992,(3):4-5
马尔影响不除 汉字永无宁日	李涛	汉字文化(北京)—1992,(3):13-14
汉字——沟通大脑左右两半球的桥梁	刘景钊	汉字文化(北京)—1992,(3):17-22
汉语发展应面向世界	黄炳羽	中文信息(成都)—1992,(3):22-25
评对拼音文字"言文一致"的误解和迷信	许寿椿	汉字文化(北京)—1992,(3):23-25
汉字使用者看汉字	王宗炎	语言文字应用(北京)—1992,(3):25-28
汉字简化运动的兴起和发展	远征 余韦	安徽教育学院学报·社科版(合肥)—1992,(3):34-39
评"汉字优越论"	吴振国	语言文字应用(北京)—1992,(3):37-41
汉字优劣讨论中的情绪与理性	苏新春	汉字文化(北京)—1992,(3):39-40
客观评价文字改革成果	于岳	汉字文化(北京)—1992,(3):44-45
认真克服文字工作中的左倾影响	史繁	汉字文化(北京)—1992,(3):57-58
吴玉章的文改观	王宗伯	中文信息—1992,(4):49
文改工作必须从整体上进行反思——兼评当前关于汉字问题的争论	董见为	汉字文化—1992,(4):58
汉字改革也要百家争鸣	今心	汉字文化—1992,(4):61-62
汉字辩证四题	史有为	语文建设(北京)—1992,(8):8-12
京穗沪汉字问题座谈会综述	本刊记者	语文建设(北京)—1992,(9):3-8
汉语拼音与方声汉字:是朋友,不是敌人	唐守愚	语文建设(北京)—1992,(9):12-13
汉字能够"字母化"吗?	钱维华	文汇报—1992,(9):26,7
回忆在上海从事新文字运动	杜松寿	语文建设—1992,(9):27
江泽民总书记对语言文字工作作出三点指示 继续贯彻执行国家现行的语言文字工作方针政策 汉字简化的方向不能改变		语文建设—1993,(1):2
重话华(汉)字改革	杨正苞	成都大学学报·文科版—1993,(1):15-18
"汉字标音"实验,效果好,能行!	朱作仁	汉字文化—1993,(2):40-46
我不赞成中文拼音化	严永欣	中文信息—1993,(3):5-8
步入信息社会的汉语和汉字(一)	张普	语文建设(北京)—1993,(3):32-35

篇名	作者	出处
步入信息社会的汉语和汉字(二)	张 普	语文建设(北京)—1993,(4):37-40
步入信息社会的汉语和汉字(三)	张 普	语文建设(北京)—1993,(5):38-41
汉语特点与拼音文字	谢振斌	中文信息—1993,(3):34-35
我对汉字学习和认识的经历	晶 石	汉字文化—1993,(3):61-62,45
《北京日报》提倡牌匾写简写繁、悉听尊便	《汉字文化》评论员	汉字文化—1993,(4):2
汉语汉字科学而不完美	涂 慧	语文建设(北京)—1993,(4):8-9
"方块"不宜配"长龙"	王汝刚	汉字文化—1993,(4):32-33
关于汉语拼音化改革的一些设想	博 望	语言文字学—1993,(4):144-148
评"文字的发展趋势不是简化"	聂鸿音	语文建设—1993,(10):9-11
繁体字现象面面观	施正宇	语文建设—1993,(10):23,13
浅谈繁体字回潮	曾双全	语文教学之友—1993,(10):39-40
关于汉字现状的几个数字	K.Y.	语文学习—1993,(12):35-37
汉字应发展"调音"字	白 辛	语文建设通讯(香港)—1993,(39):21-25
"拼音汉文"诸般好	白 辛	语文建设通讯(香港)—1993,(40):80,封三
与汉字有关的两个政策问题	伍铁平	语文建设通讯(香港)—1993,(41):31-38
《第一批简体字表》读后	苏培成	语文建设通讯(香港)—1993,(41):39-42
文改中的"左"也得反	孙驭坤	汉字文化—1994,(1):61-62
汉字有必要从制度上进行改革吗?	严光文	成都师专学报·文科版—1994,(1):79-83
关于新汉字观的断想	陈重愚	西南师大学报—1994,(1):83-86
汉字科学技术属于第一生产力	李敏生	汉字文化—1994,(2):1-9
字母之路与文字姻缘	周有光	中文信息—1994,(2):4-5
汉字:统一全人类语文的最佳选择	黎 鸣	史志文汇—1994,(2):7-9
论文字系统的科学性——对文字创制改革的理论思考	徐世璇	民族语文—1994,(4):15-21
从教学看汉字难易	蒋仲仁	语文建设—1994,(4):23-26
汉字与信息时代	晨 雨	中文信息—1994,(5):15-17
汉字不要太潇洒	蓝 石	新华文摘—1994,(5):167-168
海内外中文异形字探因	李金陵	江淮论坛—1994,(6):87-90
汉字的规范和改革	李行健	百科知识—1994,(7):10-11
谈汉语拼音化的条件	韩宝育	语文建设通讯—1994,(44):31-32
汉字的优越性及其发展前途	余知真	江西师范大学学报·哲社版—1995,(1):53-55
从英汉发音比较看汉语拼音的缺憾	王仁元	江西师范大学学报·哲社版—1995,(1):56-57
谈文字的改革与规范化问题	李新华 王喜奎	语言文字学—1995,(7):20-22

文字改革和文化遗产问题

篇名	作者	出处
汉语拼音化的理论基础	朱正生	中文信息(成都)—1991,(4):3-7
羊年说"羊"	王 宁	语文建设(北京)—1991,(4):42

"祖""宗"与祖先崇拜	盛冬铃	语文建设(北京)—1991,(5):46
废除汉字 利少弊多:论国字(谚文)与汉字并用	[韩]南广祐	汉字文化(北京)—1991,(4):51-56
汉字、拼音和文字改革	吴岳添	读书(北京)—1991,(5):152-153
汉字改革的认识与文字理论的质疑:兼论汉字的共享、共识和共理	史有为	语文建设(北京)—1991,(7):15-18
汉字改革的历史根由和现实基础	仉玉烛	齐齐哈尔师院学报·哲社版—1992,(2):40-46
汉字怎样走向世界	季永兴	广西师范大学学报·哲社版(桂林)—1992,(2):50-56
"注音识字,提前读写"横向比较研究	张一清 佟乐泉	语言文字应用(北京)—1992,(3):12-19
走向拼音汉字的一条新路(要点)	史存直	华东师范大学学报·哲社版(上海)—1992,(3):29-32
论转注	陈梦麟	浙江大学学报·社科版(杭州)—1992,(3):102-109
形声字文化	张玉金	青海师范大学学报·社科版(西宁)—1992,(3):103-107
古代统治者与汉字书法	莫久愚	内蒙古大学学报·哲社版(呼和浩特)—1992,(4):41-49
加快汉字改革的必经之路	甘未来	中文信息—1992,(4):57
继续推动文字改革工作:纪念语文现代化运动一百周年	胡瑞昌	河北师院学报·社科版(石家庄)—1992,(4):83-92
汉字文化圈与汉字	陈衣森	语文月刊(广州)—1992,(9):11
人民币上汉字字体的变化	张良佐	语文建设(北京)—1992,(10):19
漫谈汉字形义联系的文化蕴涵	刘志基	语文学习(上海)—1992,(11):38-40
切音字运动始末	戴昭铭	语文建设—1992,(12):12-14
中国现代语言学的发端——清末切音字运动的历史地位	高天如	语文建设—1992,(12):15-17
卢戆章对语文现代化的贡献	许长安	语文建设(北京)—1992,(12):18-19
100年前找到一条拼音路:《中国文字改革运动史》的一章	郑林曦	语文建设(北京)—1992,(12):20-22
历史不能"废除"	聂振斌	汉字文化—1993,(1):21-22
关于汉语拼音化改革的一些设想	博望	学术界(合肥)—1993,(1):54-58
汉字"表音化"与文字发展规律	程亦玫	安庆师院社会科学学报—1993,(1):94-98
汉字的科学性易学性与两岸文字的发展	徐德江	汉字文化(北京)—1993,(2):3-10
拼音化漫谈(一)	周有光	语文建设(北京)—1993,(2):45-46
拼音化漫谈(二)	周有光	语文建设(北京)—1993,(3):43-45
拼音化漫谈(三)	周有光	语文建设—1993,(4):44-45
"汉字落后论"评议	汤云航	汉字文化—1994,(3):10-18
海峡两岸用字异同议	胡双宝	汉字文化—1993,(3):16-19

标题	作者	出处
现代汉语通用字中所含的理想声旁	雷鸣捷	语文建设(北京)—1993,(3):19-21
汉字繁简之思	周汝昌	汉字文化—1993,(4):13-15
传统文化与汉字关系	元鸿仁	语言文字学—1993,(4):140-143
汉字分词连写质疑:与仉玉烛同志商榷	林廉	语文建设—1993,(5):17
汉语拼音方案应该简化:兼谈文字改革的突破口	伦连瑞 杜寿杰	语言文字学—1994,(6):140-143
论祖国书同文的基础	孙剑艺	语文建设通讯(香港)—1994,(44):13-19

新形声字问题

标题	作者	出处
形声字声符表义问题的探索	李大遂	语文建设(北京)—1990,(6):19-22
研究象形拼音合成字	邵昌林	中文信息—1992,(1):74
论形声字的结构、功能及相关问题	陈五云	上海师范大学学报·哲社版—1992,(1):137-140
现代形声字的表音功能	李海霞	西南师范大学学报·哲社版(重庆)—1992,(2):74-76
建议国家制定拼音汉文方案	美洲中国文字改革促进会	中文信息—1993,(3):3-5
现代汉字的构字法	苏培成	语言文字应用—1994,(4):71-75
现代形声字形符意义的分析	施正宇	语言教学与研究—1994,(4):83-104
谈形声简字	张贵生	语文建设通讯(香港)—1994,(44):8-12

夹用拼音字问题

标题	作者	出处
欣慰与希望——汉语拼音在亚运会上	王均 李乐毅	语文建设(北京)—1990,(6):42
再论汉字汉拼并举	丁天铎	青岛师专学报—1992,(2):31-33,30
让汉字更好地服务于中华各民族——兼评清格尔泰教授的"汉字加拉丁字母"文案[1、2]	康言午	汉字文化—1992,(4):31-33
建议制定和执行拼音汉文方案——对《十年语言文字工作规划纲要》的建议	美洲中国文字改革促进会	语文建设通讯(香港)—1993,(39):8-12
稳妥的下一步:双文制:谈文字改革的前途	张育泉	语文建设通讯(香港)—1993,(39):20,43
夹用拼音精简汉字	魏励	语文建设通讯(香港)—1993,(40):15-18

综合文字问题

标题	作者	出处
汉字的特性简论	[日]大原信一著;华学诚译	盐城教育学院学报—1991,(2):57-64

标题	作者	出处
应该重视纠正大学生中的错别字	汤翠芳	宁夏大学学报·社科版(银川)—1991,(3):57-61
中国人汉字观的发展变化:向昭雪汉字冤案的中国人致敬	李涛	汉字文化(北京)—1991,(4):28-32,27
汉字的优越性与现代化	雷石榆	河北师院学报·社科版(石家庄)—1991,(4):127-128,131
容易错读字举例	曹济南	中学语文(武昌)—1991,(5):26
说说报刊上的错别字	刘金	语文月刊(广州)—1991,(7):7-8
应当重视理工科大学的汉字规范教育	王秉愚	语文建设(北京)—1991,(9):5-7,19
汉字的结构	傅永和	语文建设(北京)—1991,(9):10-11
饭店的标志字及其名称的美学意义	赵永新	语文建设(北京)—1991,(9):14-17
汉语汉字再认识	葛遂元	中学语文教学(北京)—1991,(9):38-40
汉字的技术性和艺术性	周有光	语文建设(北京)—1991,(11):17-18,22
"缀""辍""惙""啜""掇"辨	周日祥	语文知识(郑州)—1991,(11):29-30
汉字分词连写初探	仇玉烛	语文建设(北京)—1992,(3):5-6
汉字与术语学	王人龙	汉字文化(北京)—1992,(3):15-16
书法与文字使用	于植元	语文建设(北京)—1992,(3):22-24
析汉字俗用现象	李秀坤	辽宁教育学院学报(沈阳)—1992,(3):133-139,127
外国人对中国语言文字应用的批评与建议——语言文字座谈纪要	施正宇	汉语学习(延吉)—1992,(4):50-53
现代汉字结构教学之刍议	吕景和	齐齐哈尔师范学院学报·哲社版—1992,(5):80-82
"汉字创词说"说	孙剑艺	语文建设(北京)—1992,(6):2-6
新加坡舆论关注中国大陆的语文生活	本刊记者	语文建设(北京)—1992,(8):43-44
语言文字工作应主要防"左"	《汉字文化》编辑部	汉字文化—1993,(1):1-9
三点认识	王树人 喻柏林	汉字文化—1993,(1):18-19
希望大学中文、历史、哲学系学生和中学语文、历史教师都要"识繁写简"	廖仲安	汉字文化—1993,(1):19-21
也谈汉字之繁简	赵士林	汉字文化—1993,(1):29-30
东亚"汉字技术圈"的兴起:一项历史研究与未来预测	康荣平	汉字文化(北京)—1993,(2):11-15
东方文化圈内汉字使用的新方向	陈泰夏	汉字文化(北京)—1993,(2):25-31
建立工程汉字理论促进信息技术发展	林川 叶世融 薛国光	中文信息—1993,(2):51-55
中文字母与汉字现代化	孙怀平	中文信息—1993,(3):35-36
"识繁写简"应纳入教育法规	卯西丁	汉字文化—1993,(3):50,6
尹斌庸先生的怪圈	安奂璋 安春华	汉字文化—1993,(3):51-53

现代汉字标准化漫谈	李倩岚	云南教育学院学报—1993,(3):91-95
汉字"识繁写简"势在必行——也谈我的一点心得体会	徐禹鼎	汉字文化—1993,(4):30-31
从汪辜会谈看处理两岸语文分歧	王士谷	语文建设—1993,(6):2-3
大趋势——汉字文化圈在萎缩	刘泽先	语文建设—1993,(7):42-43
语言文字工作的方向盘——纪念周恩来《当前文字改革的任务》发表35周年	易之	语文建设—1993,(10):2-4
中文"三古"现代化的思考	盛玉麒 王新华 张树铮	语文建设—1993,(10):34,33
谈语文现代化	周有光	语文建设—1993,(10):42-43
注意新旧字形的差异——汉字规范化中不可忽视的问题	文木	阅读与写作—1993,(11):16-17
现代信息交流的重要技术标准：文字罗马化(拉丁化)转写标准	朱南	北京图书馆馆刊—1994,(1-2):44-51
关于使用规范汉字之刍议	韩振西	宁夏大学学报—1994,(1):50-54,82
知异体、察繁简、辨形似	高照夫	泰安师专学报—1994,(2):185-188
用"长"，还是用"常"？	洪成玉	语文建设—1994,(3):31
走出汉字改革的误区——汉字落后论批判	谢晖	汉字文化—1994,(3):19-23

拼音字母

汉语注音史话	杨涵秋	语文月刊(广州)—1991,(3):12-13
纪念《汉语拼音方案》公布35周年 推进"注音识字,提前读写"实验	佟乐泉 张一清	语文建设—1993,(8):35-36
走向世界的汉语拼音	朱少华	语文建设—1995,(3):38-40
为汉语拼音字母正"名"	刘孟斌	语文知识—1995,(4):39-40

注音字母

字母名称宜予英汉化	曹为公	语文建设通讯(香港)—1994,(45):18-20
关于字母 a/ɑ g/ɡ 的通信	厉兵	语文建设—1994,(8):5-6

拉丁化新文字

汉字落后论与汉字拉丁化的终结——欢呼汉字新命题的诞生	李涛	汉字文化(北京)—1991,(3):45-51
汉字能否拉丁化	董树人	汉字文化(北京)—1991,(3):52-53,62
民国时期陕西拉丁化新文字运动	史悦	陕西地方杂志—1993,(2):32-36

词素定型化的必要性——关于汉字拉丁化研究的一点思考	杜永道	语文建设通讯(香港)—1993,(39):57-58

方案问题的讨论

关于汉语拼音字母借用英文字母名称的建议	梁美灵 王则柯	高等学校文科学报文摘—1991,(1):64
汉语拼音的隔音符号可以取消	李连元	祁连学刊—1991,(1):69-73
怎样划分音节	卜兆凤	语文建设—1991,(4):24
汉语拼音研究回顾	王兴佳	云南教育学院学报—1991,(4):94-100
ian、üan 能否修改	W.J.	语文建设—1991,(7):47
用国际码表取汉字拼音	何碧英	中文信息—1992,(1):69-70
汉语拼音简体速记	陆丙甫	中文信息—1992,(1):77
《汉语拼音方案》要不要对 hm、hng、m、n、ng 等特殊音节加以说明？	高洪年	语文建设—1992,(3):35
异读词中的训读问题——《普通话异读词审音表》随笔之一	厉兵	语文建设(北京)—1992,(9):19-21
超越感情 冷静研讨	曹念明	语文建设(北京)—1993,(1):32-33
汉语拼音作文字使用不合法	李海霞	汉字文化—1993,(1):57
关于《汉语拼音方案》的双字母之更改	何坦野	浙江师大学报·社科版—1993,(1):103-105
《汉语拼音方案》的系统优化问题	王则柯 梁美灵	语文建设(北京)—1993,(2):17-19
谈汉语拼音方案的改善	(台)李美蕃	中文信息—1993,(2):55
汉语拼音和电脑输入	彭泽润	中文信息—1993,(4):29-31
也谈汉语拼音字母名称法的问题	[马来西亚] 许金荣	语文建设—1993,(11):26-27
关于字母名称的优化问题	张鹤泉	语文建设—1993,(11):28-29
小学课本中的汉语拼音与《汉语拼音方案》有何差异	尹斌庸	语文建设—1993,(12):23
展望2058年的 PINYIN	姚德怀	语文建设通讯(香港)—1993,(41):1-3
地名标志夹用英文的做法应当纠正(附资料：关于中国地名拼法的决议；关于地名标志不得采用"威妥玛式"等旧拼法和外文的通知；国外用汉语拼音拼写中国地名的地图)	骆毅	语文建设—1994,(6):8-11

汉语拼音方案

汉语拼音方案需要完善	陈文俊	延安大学学报·社科版—1991,(2):65-69
拼音简称不宜提倡使用	龙万火	汉语学习(延吉)—1991,(4):45
汉语拼音直读法教材体系和教学法	金惠淑	语言建设(北京)—1991,(9):26-29

直读法——汉语拼音教学的一种新方法	尹斌庸 金惠淑 等	语言文字应用(北京)—1992,(4):1-13
er 不是单元音韵母——兼及 er 的卷舌音值	赵和平	荆州师专学报·社科版—1993,(1):31-32,56
以 zh、ch、sh 为声母的音节该怎样缩略？	李文郑	语文建设—1995,(6):48

拼 写 问 题

中国人名汉语拼音字母拼写法应标准化	潘伯荣	上海科技翻译—1991,(1):32-33
汉语教材注音拼写法问题	陈亚川	语言教学与研究(北京)—1991,(1):64-72
拼音教学顺序和拼音改革试探	郑枫	湖北教育学院学报·哲社版—1991,(2):81-85
论书写音节和文字的构成形式	吴安其	民族语文(北京)—1992,(2):34-41
应用汉语拼音方案中的失误	张文虎 袁国雄 沈郁菁 王积庆	语文教学通讯—1992,(11):1-3
汉语拼音分类拼写举例(一)	国家语委语用所，汉语拼音研究室	语言文字应用—1993,(1):109-111
汉语拼音分类拼写举例(二)	国家语委语用所，汉语拼音研究室	语言文字应用—1993,(2):110-112
汉语拼音分类拼写举例(三)	国家语委语用所，汉语拼音研究室	语言文字应用—1993,(3):110-112
汉语拼音分类拼写举例(四)	国家语委语用所，汉语拼音研究室	语言文字应用—1993,(4):106-108
汉语拼音分类拼写举例(五)	国家语委语用所，汉语拼音研究室	语言文字应用—1994,(1):111
汉语拼音分类拼写举例(六)	国家语委语用所，汉语拼音研究室	语言文字应用—1994,(2):110-111
汉语拼音使用也要规范化	晏铭	汉字文化(北京)—1993,(2):62
浅谈黎锦熙的《汉语拼音字母"双拼制"(草案)》	黎泽渝 张文焕	汉字文化—1994,(1):1-9

汉字姓名拼音书写形式应改进	陈 建	中国翻译—1994,(1):52
我国地名拼写国际标准化问题	史 定 国	语言文字应用—1994,(4):102-108
也谈汉语拼音姓名的次序	姜 亚 军	语文建设—1995,(8):46-48

标 调 问 题

"诸将行道亡者"之"行"当读作"行路"之"行"	梁 玉 民	中国语文—1991,(1):33
汉字误读现象的多发区	吴 为	中文自修—1991,(2):26
汉字标音法杂谈	锐 声	读写月报—1992,(5):3
应当重视汉语教学中的轻声问题	海 洋	中南民族学院学报·哲社版—1993,(6):89-91

同 音 字 问 题

同音字不是同音词,赵元任从不"很反对拼音"	郑 林 曦	语文建设通讯(香港)—1992,(35):48-50

拼音字母在各方面的应用

社会单位名称汉语拼音拼写规则[征求意见稿]	国家语委语用所汉语拼音研究室	语文建设—1991,(4):22-23
店名标音小议	龙 岩	汉语学习—1991,(5):46-47
商品包装滥用拼音文字剖析	冠 明	学语文(芜湖)—1992,(3):43-44
论汉语拼音在双语教学中的中介作用	徐 安 蓉	语文建设—1993,(10):27-28
我国邮票上的国名应该怎样拼写	骆 毅	语文建设—1994,(3):29-30

速 记

论速记与语言学的关系及速记在财经工作中的应用价值	赵 奇	黑龙江财专学报—1991,(1):75-79
节奏听写速记法探索	王 明	赣南师范学院学报·社科版—1991,(1):96-98
汉语拼音与速记	舒 镇 涛	广西大学学报·哲社版—1994,(3):107-108

盲 文

汉语盲文统一的日子该到来了	黄 加 尼	中文信息—1994,(4):8-9

手语、体态语

试论辩论中的手势语	宗 廷 虎	云梦学刊·社科版—1991,(1):90-92
人体语言与音乐教学	吴 石 渊	集美师专学报—1991,(2):8-22

秘书动作语言初探	常麟瑞 李振国	秘书之友—1991,(2):36-38;3.36-38
注意你的"体语"	汪诚一	读写月报—1991,(4):3,2
谈课堂身态语言的运用	张新泽	理论学刊—1991,(6):97
领导干部的体态语言	刘惠珍	阅读与写作—1991,(9):30-32
态势语在言语交际中的辅助作用	曾毅平	语文建设—1991,(10):12-15
我国第一部规范通用的《中国手语》	毕然	博览群书—1991,(10):24
身势语探讨	王思圩	华中师范大学学报·哲社版(武汉)—1992,(3):118-121,126
教学中的非语言信号及其功能	林雪涛	沈阳师院学报·社科版—1992,(3):127-129
不是语言的"语言"	袁嘉	语文知识(郑州)—1992,(5):4-5
体态语的文化透视	耿二岭	语文建设—1992,(12):37-39
体势语在确立话语意义中的作用及其类别划分	曹合建 林汝昌	现代外语—1993,(4):8-13,43
体态语的信息传递	张发明	松辽学刊·社科版—1993,(4):65-67
体态语言与文教广告的写作设计	刘敬瑞	应用写作—1993,(8):18-20
口语中的非语言因素	徐佐臣	语文学习—1994,(1):40-41
非语言交际手段的性质特征论	马啸	淮阴师专学报—1994,(1):69-72
古老的语言,新的解读——析詹·乔伊斯短篇小说中的体语	王友贵	重庆师院学报·哲社版—1994,(1):108-112
市场营销中的非言语交流	黄勇	益阳师专学报—1994,(2):43-45,73
身势语与身势语词典	王恩圩	辞书研究—1994,(2):60-67
论"人体语言"和"标志语言"	池太宁	宁波师院学报—1994,(2):73-79
副语言初论	梁茂成	徐州师院学报—1994,(2):128-130
体语翻译简论	杨莉藜	上海科技翻译—1994,(3):1-3
教师体态语与教学	崔梅	修辞学习—1994,(3):27-28
非言语行为在跨文化交际中的意义及色彩上的差异	邱文生	外语学刊—1994,(4):19-21
通用代码语言	杨留记	中文信息—1994,(4):34-36
体态语在言语交际中的作用	刘晓明	逻辑与语言学习—1994,(5):45-46
令人瞩目的非语言交往	肖静宁	百科知识—1994,(8):20-21
无声的语言 无言的情怀	淦家凰	语文月刊—1994,(12):9

书　　评

开创汉字科学研究的新局面——《汉字学》评介	张希峰	博览群书—1991,(1):10
孙诒让《名源》简述	张觉	台州师专学报·社科版—1991,(1):83-84
《殷墟文字通论》、《殷契存稿》序言	李学勤	人文杂志—1991,(1):86-87

浅议《文言文阅读初阶》的通假章	张 岳 伦	古汉语研究—1991,(1):93-94
孙常叙先生的《古文字及古文字学论文集》	马 如 森	古籍整理研究学刊—1991,(2):18
《汉语文字学史》引言	黄 德 宽	学语文(芜湖)—1991,(2):31-32
甲骨文与商周史研究的新进展——《甲骨学通论》评介	晁 福 林	考古与文物—1991,(2):102-107
读《楚辞校释》	曹 道 衡	文学遗产—1991,(2):137-140
九省编"注音识字,提前读写"实验教材特色初探	张 开 勤	语文建设(北京)—1991,(4):25-29
汉字研究方面的一部绝妙大书——安子介《解开汉字之谜》读后	孟 祥 鲁	汉字文化(北京)—1991,(4):46-49
汉字的文化视界——序赵虹著《古汉字品格说》	申 小 龙	云南师范大学学报·哲社版—1991,(4):70-72
《徐复语言文字学丛稿》评介	王 华 宝	古籍整理研究学刊—1991,(5):43
评《甲骨文选注》	王 英 明	华东师范大学学报·哲社版(上海)—1991,(5):95
《基础汉字形义释源》读后	王 海 棻	百科知识—1991,(6):7-8
汉字学研究的总结和发展——评裘锡圭《文字学概要》	詹 鄞 鑫	语文建设—1991,(10):44-47
给文字改革事业探明方向:读《倪海曙语文论集》	张 育 良	语文建设(北京)—1991,(12):34-36
利用联想来研究学习汉字——读《解开汉字之谜》的一些感受	义 琳	阅读与写作—1992,(1):13-14
继承·创新·实用——初读安子介先生《解开汉字之谜》	梁 超 然	阅读与写作—1992,(1):14
《汉字科学的新发展》序言	安 子 介	汉字文化(北京)—1992,(3):1
关于《汉字的忧思》的忧思	周 本 淳	汉字文化—1992,(4):57,56
京穗沪汉字问题座谈会综述	雨 箭	语言文字应用(北京)—1992,(4):106-112
建立汉字学新体系的一部力作——《汉字学通论》简评	杨 羽 钟 瑛	华中师范大学学报·哲社版(武汉)—1992,(4):122-123
关于汉字构件简化的系统化问题——读《再论汉字简化的优化原则》	一 谭	语文建设(北京)—1992,(8):15-17
字体代变 趋易避难——读《一目了然初阶》有感	高 更 生	语文建设(北京)—1992,(9):25-26
令人困惑的《汉字文化》	尹 斌 庸	语文建设(北京)—1992,(10):4-6
《献疑》读后之献疑:王开扬先生雅正	陈 满 华	语文建设(北京)—1992,(10):7-10
袁仁林《虚字说》述评	刘 开 骅	江苏教育学院学报·社科版—1993,(1):84-88
汉字研究方面的一部绝妙大书——安子介《解开汉字之谜》读后	孟 祥 鲁	图书馆—1993,(2):51-52,14
评《湖北出土商周文字辑证》	张 琰	江汉考古—1993,(2):93-94

标题	作者	出处
《殷墟甲骨文引论》序	李学勤	东北师大学报·哲社版—1993,(2):95-96
王安石《字说》的文献价值述略	徐时仪	文献—1993,(2):199-213
《殷墟甲骨文引论》序	胡厚宣	汉字文化—1993,(3):4-6
汉字学理论的新突破——评《汉字说略》	刘瑞武	中国图书评论—1993,(4):77-78
论《时要字样》	张金泉	浙江社会科学—1993,(4):79-83
《解开汉字之谜》误解举例	蔡正发	云南民族学院学报·哲社版—1993,(4):80-85
简评张静贤《现代汉字教程》	陈光磊	世界汉语教学—1993,(4):316-318
议《文字问题三议》	丁丁	语文建设—1993,(5):9-11
古文字学学科体系的蓝图——读李瑾教授《殷周考古论著》	陈克炯	中南民族学院学报·哲社版—1993,(6):80-83
名涉多科 实属臆说——评谢志民《从"女书"刀币字看其在先秦的流传地区》	容嗣佑	中南民族学院学报·哲社版—1993,(6):84-88
领悟汉字文化之妙谛——简评《造字之神——仓颉》	王纯五	文史杂志—1994,(1):47
一把阅读古书的钥匙:《古书文字易解》评介	竹泉	史学月刊—1994,(1):118-119
《汉语俗字研究》序	裘锡圭	古汉语研究—1994,(2):1
汉字发展的一条独特规律——重读梁东汉先生《汉字的结构及其流变》	翟惠林	兰州大学学报·社科版—1994,(2):110-113
孙晓野著《古文字及古文字学论文集》序	胡厚宣	殷都学刊—1994,(3):15
读《古文字与殷周文明》	宋镇豪	人文杂志—1994,(3):98-99
嫩黄新绿见于今日——《现代汉字学》读后	高更生	语言文字应用—1994,(3):110-112
《〈江永"女书"之谜〉注释谬误评述》辨正	谢志民	华中师范大学学报·哲社版—1994,(3):113-119
评介《汉语语言文字启蒙》	刘社会	世界汉语教学—1994,(4):76-80
《统一汉字部首表(征求意见稿)》读后	汤宋岐	语文建设—1994,(6):23-24
科学革命的实例——读《科学地评价汉语汉字》和《昭雪汉字百年冤案》	日月	汉字文化—1995,(4):35-37

汉 语 教 学

标题	作者	出处
第三届国际汉语教学讨论会综述	严正	语言文字学(北京)—1991,(2):152
汉语-华语-中华语	侯永正	辽宁大学学报·哲社版(沈阳)—1991,(3):21

现代汉语教学的阶段和层次	袁　　晖	语文建设(北京)—1991,(5):23-25
语言教学规律新探	王　正　民 金　妙　芳	喀什师范学院学报·哲社版—1992,(2):69-73
"注音识字,提前读写"实验工作总结	苏　　林	语文建设—1992,(5):30-33
谈文化与词汇教学	梅　立　崇	语言文字应用(北京)—1993,(1):26-30
一部论述对外汉语教学学科理论的力作——读吕必松的《对外汉语教学研究》	赵　永　新	语言文字应用—1993,(4):100-105
重视当代汉语新词在双语教学中的运用	张　泳　梅	中国民族教育—1993,(5):37-39
语言平面和语言教学	季　永　兴	广西师范大学学报·哲社版—1994,(1):33-38
关于高年级口语教学的思考和构想	章　纪　孝	世界汉语教学—1994,(1):46-51
试谈陈述性文化知识和程序性文化知识	梅　立　崇	汉语学习—1994,(1):49-52
听白乐桑先生讲话后发言	欧阳克巍	汉字文化—1994,(1):60
论课堂教学中的非言语行为的基本功能	常　思　亮	湖南师范大学社会科学报—1994,(1):87-90
北京市部分中学语文教师座谈会纪要	本 刊 记 者	语言文字应用—1994,(2):2-6
语文教学与语言文字应用	李　子　云	语言文字应用—1994,(2):7-12
师范大学学生的语言文字状况及其教学问题	李　宇　明	语言文字应用—1994,(2):13-19
静态的语法教学和动态的语法教学相结合	庄　文　中	语言文字应用—1994,(2):20-26
古汉语课教学改革尝试	薛　安　勤	辽宁师范大学学报·社科版—1994,(2):23-25
幼儿可以识字	全　学　义	汉字文化—1994,(2):55-56
汉语常用词分析及词汇教学	王　又　民	世界汉语教学—1994,(2):58-62
交际法运用例析	晏　懋　思	世界汉语教学—1994,(2):63-66
"对话"的交际模式在听力教学中的作用	孙　云　英	山东外语教学—1994,(2):73-77
为建设具有中国特色的科学的婴幼儿汉字教育体系而奋斗:在"首届婴幼儿、小学科学汉字教育研讨会"闭幕式上的讲话(摘要)	徐　德　江	汉字文化—1994,(3):6-8
高中语文现代文注释术语应规范化	陈　绍　忠	贵州教育学院学报·社科版—1994,(3):22-25
非言语行为与课堂教学	刘　　健 龚　少　英	华中师范大学学报·哲社版—1994,(3):25-27,34
关于重新建构语文教学内容和模式的设想	锦州师范学院语言应用研究所	语言文字应用—1994,(3):36-41

标题	作者	出处
略论中等师范的朗读教学	庄关通 李月英	语言文字应用—1994,(3):42-48
教师教学语言的功能、语言环境和基本要求	庄文中	语言文字应用—1994,(3):54-58
关于汉语口语中同义、近义句式的辨异	杨嘉敏	东北师大学报·哲社版—1994,(3):82-84
现代汉字教学法探讨	郝恩美	语言文字应用—1994,(3):83-87
语文教学应重视学生思维能力的培养	常廷印	宁夏大学学报—1994,(3):88-89
中学古诗文误训举隅	彭捷 韦淑梅	淮北煤师院学报—1994,(3):128-132,155
从高考说到中学语文教学中的语言教学:兼论语言教学中的一个备考阶段	何伟棠 徐自强	语言文字应用—1994,(4):13-16
探讨语文教学理论的重要成果:读《语用学在语文教学中的运用》	于根元	语言文字应用—1994,(4):17-19
语音表义传情的魅力	苏立康	语言文字应用—1994,(4):20-24
电影蒙太奇和奇特联想识字	李卫民	汉字文化—1994,(4):39-40
汉语词汇和词汇教学	吕必松	语文建设通讯—1994,(43):48-43
"上流"与"下流":对教材中一处注解的辨证	王湘谭	河北师范大学学报·社科版—1994,(4):83-86
汉语词汇教学的两个难点:兼类词、介词	付炜	新疆大学学报·哲社版—1994,(4):109-110
《鸿门宴》教学拾零	杨猛	河北师院学报·哲社版—1994,(4):144-146
应该在致用上多下些气力:运用语法知识指导学生言语实践例谈	蔡澄清 汤国来	学语文—1994,(5):5-6
选择确切语词进行图示导读设计三例	陈国魁	学语文—1994,(5):7-8
借繁花丽景抒兴亡之叹:读杜牧《江南春绝句》	张斌荣	学语文—1994,(5):10
"一点儿"和"有点儿"	杨嘉敏	汉语学习—1994,(5):45
汉语口语的教学方法	崔达送	汉语学习—1994,(6):54-56
关于在高校开设阅读学课的建议	裴显生	河南师范大学学报·哲社版—1994,(6):58-60
教师的口语的特点与规律	上海市教师口语调查研究课题组	语文建设—1994,(8):11-14
在特定语境中提高学生的口语表达能力	李超	语文建设—1994,(8):15-17
浅谈兴趣在口语教学中的运用	利杰	语文建设—1994,(8):17-19
现代汉语课的内容	黄伯荣	语文建设—1994,(9):8-10
关于口语研究和口语教学的三个问题	张志公 王本华	语文建设—1994,(10):14-15

引题·示范·模仿·创造	魏南江	语文建设—1994,(10):16-17
联系实际,系统训读	彭秀英	语文建设—1994,(10):17-19
实习教师课堂语言三议	刘文元	语文建设—1994,(10):19-20
拓宽口语教学空间强化学生口语训练	李湘蓉	语文建设—1994,(10):21-22
就许编《古代汉语》谈高师古汉语教材教法	何毓玲	语文建设—1994,(11):20-22
加强对"教师口语"课程的研究工作	孟吉平	语言文字应用—1995,(1):4-6
教师口语课访谈录	本刊记者	语文建设—1995,(1):20-21
汉语字本位强化教学方法论	李树辉	汉字文化—1995,(1):21-25
口语课中的口头作文	利杰	语文建设—1995,(1):22
实验室里的口语训练	包国芳	语文建设—1995,(1):23
教学应变语二例	金树培	语文建设—1995,(1):24
"字理识字"是解决汉字初学繁难问题的有效途径	贾国均	汉字文化—1995,(1):26-33
为中学语文教学大纲改句话	杜常善	汉字文化—1995,(1):42-43
作文的本质与作文教学	陈学法 李秀丽	辽宁师范大学学报·社科版—1995,(1):50-53
关于建立语文学科序列的思考	黄岳洲 陈本源	语言文字应用—1995,(1):61-66
风格教学和语文教学	张德明	语言文字应用—1995,(1):67-70
提高语文教学效率得从启蒙识字抓起——兼谈语文教育的民族化、科学化、大众化问题	臧学鹏	齐齐哈尔师院学报—1995,(1):92-98
语境理论在汉语教学中的应用	张勇	新疆大学学报·哲社版—1995,(1):110-114
语言文字教学与美育	刘慧宇	徐州师范学院学报·哲社版—1995,(1):128-130
北京语言学院现代汉语精读教材主课文句型统计报告	赵淑华 刘社会 胡翔	语言教学与研究—1995,(2):11-26
要研究大学"现代汉语"的教学方法	何伟渔	语言文字应用—1995,(2):36-40
两种能力的课程分化:关于"现代汉语"教学改革的思考	刘大为 巢宗祺	语言文字应用—1995,(2):41-46
论我国语文教学的基本模式	余应源	江西师范大学学报·哲社版—1995,(2):42-47
成人母语教学中言语听辨能力发展	易洪川	语言文字应用—1995,(2):47-52
高中语文教学改革和制定新教学大纲	庄文中	语言文字应用—1995,(2):53-56
教学语言的语法特点	李裕德	语言文字应用—1995,(2):57-60
贯通汉语言和汉文化研究的可喜成果:读梅立崇先生的《汉语和汉语教学探究》	张旺熹	汉语学习—1995,(2):58-60
"回避"与"对立":论负中介语产生的根源	马国强	河南大学学报·哲社版—1995,(2):73-76

题目	作者	出处
中高级汉语教学语法等级大纲的研制与思考	孙瑞珍	语言教学与研究—1995,(2):96-106
对外汉语教材中课文词语汉译英的原则和方法	卢伟	厦门大学学报·哲社版—1995,(2):121-125
关于建立古汉语教学语法系统的浅见	郭锡良	中国语文—1995,(2):131-133,138
古汉语教学语法系统刍议	王克仲 黄珊	中国语文—1995,(2):134-138
关于建立古汉语教学语法体系的意见	孙良明	中国语文—1995,(2):139-142
儿童化语言的特点和训练	赵艾红	语文建设—1995,(3):19-20
朗诵是提高学生口语水平的有效手段	王明东	语文建设—1995,(3):21
中学语法教学的新思路:谈谈《中学语法教学实施意见(试用)》	庄文中	语文建设—1995,(3):27-28
对中学语法教学的一些想法	徐枢	语文建设—1995,(3):29-31
谈高级汉语课程设置与教材使用:兼评英国杜伦大学东亚系的高级汉语课程	罗青松	汉语学习—1995,(3):56-60
全国组编本《大学语文》中的一些问题	汪少华	南昌大学学报·社科版—1995,(3):64-69
习得论、HSK和新疆汉语教学	李儒忠	新疆大学学报·哲社版—1995,(3):73-77
语文教材篇章处理艺术	杨伯勤	信阳师范学院学报—1995,(3):76-79
课堂教学语言的种类和结构艺术要求	孙荻芬	语言文字应用—1995,(3):88-93
试论幼儿汉字教育	易固基	江西师范大学学报·哲社版—1995,(3):92-96
高师语文的普通话教学刍议	鹿琳	齐齐哈尔师院学报—1995,(3):115-119
体语与语文教学	蔡大继	语文教学与研究—1995,(4):36
词语移用和语文教师的责任	陈华民 陈志彬	语文学习—1995,(4):41-42
对《语法提要》的一些改进意见	常枫	语言文字学—1995,(4):54-57
学生课堂言语交往的社会学研究	刘云杉 吴康宁 等	南京师大学报·社科版—1995,(4):56-60
《文字蒙求》的实用价值及其学术贡献	马景仑	南京师大学报·社科版—1995,(4):88-91
论语感的性质、特征及类型	李泉	中国人民大学学报—1995,(4):99-102
"失"与"丢"的语义语用分析	张凤格	中国人民大学学报—1995,(4):106-108
作为外语的汉语口语教材《朴通事》和《朴通事谚解》	吴淮南	南京大学学报·人文哲社版—1995,(4):126-131
语法教学40年	文炼	语文建设—1995,(5):2-5
教师口语课的性质和任务	万里	语文建设—1995,(5):14-16
中师《教师口语》教材的几个特点	孟宪凯	语文建设—1995,(5):16-17
中学文言注释商榷	陈斌 何士英	语文建设—1995,(5):21-23
语文教材中鲁迅作品的正字问题	周明强	语文建设—1995,(5):23-24
单音节同音近义词的教学	李炜	语文建设—1995,(5):31

教师批评语言的运用	王晓平	语文建设—1995,(6):19-21
"介宾短语"的教学与思考	袁淑琴	唐都学刊—1995,(6):54-57
大学生心理素质与交际能力的培养	卫戈 孟东维	解放军外语学院学报—1995,(6):57-60
语言与逻辑的离合	苏宝荣	语文建设—1995,(7):24-25
"三个平面"的结合与汉语语法教学	谢荣	语言文字学—1995,(7):131-135
口语课的教学和训练	刘兴策	语文建设—1995,(8):16-17
高师学生的心理期待与口语课训练	单春樱	语文建设—1995,(8):18-19
《席地》词义辨析	周亚东	语文教学与研究—1995,(8):37
浅议《教师口语》	陈小燕	中国语文(台北)—1995,(9):11-12
口语教学中的思维训练	张明仙	中国语文(台北)—1995,(9):13-14
中师生口语能力的提高	利杰 韩秀英	中国语文(台北)—1995,(9):14-15
语法教学例谈	赵宗鸿	语文建设—1995,(9):26-27
有必要加强正字教学	詹龙林	语文建设—1995,(9):48
普通话音的统计分析	汤云航	语言文字学—1995,(10):20-30

成人识字教学(扫除文盲)

注音识字扫盲在福建遍地开花	李乐毅	语文建设—1992,(11):48
《安子介现代千字文》成人识字教学试点跟踪调查分析	黄浚尔 王春国	汉字文化—1993,(2):35-37
《安子介现代千字文》成人识字教学试点第二次跟踪调查分析	王春国等	汉字文化—1993,(2):38-39,58
扫盲用字表的研制	《扫盲用字表》研制课题组	语言文字应用—1993,(3):39-44
安子介《现代千字文》试验课本是一部扫盲的好教材——万载县"安子介《现代千字文》速成扫盲"汇报	万载县教育局	汉字文化—1993,(3):56-58

非汉人学习汉语

第二语言习得之输入	Saleemi Anjum P. 著,金木译	国外外语教学(上海)—1990,(4):5-10
非汉人学汉语的正音正字问题	陈其光	中央民族学院学报(北京)—1990,(6):80-83,85
对外汉语教学与中华文化的传播	朱一之	中外语言文化比较研究—1991,(1):34-38
浅论谦语与对外汉语教学	温象羽	天津师大学报·社科版—1991,(1):75-77,53
对外汉语教学漫议之五	王德春	汉语学习(延吉)—1991,(2):42-44

对外汉语教学漫议之六	王德春	汉语学习(延吉)—1991,(3):35-38
对外汉语教学漫议之七	王德春	汉语学习(延吉)—1991,(4):42-44
对外汉语教学漫议之八(三篇)	王德春	汉语学习(延吉)—1991,(5):37-41
对外汉语教学漫议之九	王德春	汉语学习(延吉)—1991,(6):36-38
对外汉语教学漫议之十	王德春	汉语学习(延吉)—1992,(1):40-43
对外汉语教学漫议之十一	王德春	汉语学习(延吉)—1992,4.54-56
对外汉语教学漫议之十二	王德春	汉语学习(延吉)—1993,(1):44-46
对外汉语教学漫议之十三(三篇)	王德春	汉语学习(延吉)—1993,(5):42-45
外国学生学习汉语时的语法错误举例	刘坚	语言教学与研究(北京)—1991,(2):107-111
外国人学习汉语的难点	[日]舆水优	中国语文(北京)—1991,(2):118-120
对外汉语教学释词的几个问题	李泉	汉语学习(延吉)—1991,(3):33-35
延边三所学校汉语水平考试情况的分析:兼谈延边的汉语教学	张凤麟	汉语学习(延吉)—1991,(4):39-42
荷兰语言学家 Teun A. van Dijk	徐赳赳	国外语言学(北京)—1991,(4):43,26
第三届北美洲汉语语言学会议	俞贤富	国外语言学(北京)—1991,(4):44-45,6
少数民族成人学习汉语的心理因素分析:兼论成人汉语教学模式的调整	王庆江	中央民族学院学报(北京)—1991,(4):70-72
试析留学生学习汉语的非对比性错误	刘乃华	南京师大学报·社科版—1991,(4):93-96
如何理解和揭示对外汉语教学中的文化因素	张占一 毕继万	语言教学与研究—1991,(4):113-123
汉语研究与汉语教学	吕必松	世界汉语教学(北京)—1991,(4):211-216
对外汉语教学对语法研究的需求与推动	郑懿德	世界汉语教学(北京)—1991,(4):217-222
汉语研究和对外汉语教学	程棠	汉语学习(延吉)—1991,(5):33-37
对外汉语教学中的汉文化教学刍议	邓浩 郑婕	汉语学习(延吉)—1991,(5):41-42
关于对外汉语教学的语法体系	吕文华	中国语文(北京)—1991,(5):354-359
1991年美国汉语语言学讲习班	石锋	国外语言学(北京)—1992,(1):47-48
对外汉语教学的理论研究问题刍议	吕必松	语言文字应用(北京)—1992,(1):61-68
偏误分析与对外汉语教学	鲁健骥	语言文字应用(北京)—1992,(1):69-73
汉语教学和中国文化传播同时并进:大阪府日中友好协会附属大阪中国语学院汉语教学情况介绍	王海燕	世界汉语教学(北京)—1992,(1):74-78
缅甸仰光外语学院的汉语教学	何慧琴	世界汉语教学(北京)—1992,(1):79
论"汉语·文化圈"跟对外汉语教学的基本策略	卞觉非	语言文字应用(北京)—1992,(2):27-40
对外汉语课堂教学特殊性之分析	王珊	汉语学习(延吉)—1992,(2):42-46
英语国家学生学习汉语语音难点分析	倪彦 王晓葵	汉语学习(延吉)—1992,(2):47-50

对外汉语教学研究的几个新趋向	何子铨	暨南学报·哲社版(广州)—1992,(2):49-51
维吾尔母语对汉语学习的负迁移作用	张　静	语言与翻译(乌鲁木齐)—1992,(2):69-71
汉语教学与民俗语义研究	徐治才	语言与翻译(乌鲁木齐)—1992,(2):76-77
对外汉语教学概论	吕必松	世界汉语教学(北京)—1992,(2):113-124
对外汉语教学概论(讲义)(续一)	吕必松	世界汉语教学(北京)—1992,(3):211-216
对外汉语教学概论(讲义)(续三)	吕必松	世界汉语教学(北京)—1993,(1):39-45
对外汉语教学概论(讲义)(续四)	吕必松	世界汉语教学(北京)—1993,(2):120-127
对外汉语教学概论(讲义)(续五)	吕必松	世界汉语教学(北京)—1993,(3):206-219
对外汉语教学概论(讲义)(续六)	吕必松	世界汉语教学(北京)—1993,(4):303-309
对外汉语教学概论(讲义)(续七)	吕必松	世界汉语教学(北京)—1994,(1):37-45
对外汉语教学概论(讲义)(续八)	吕必松	世界汉语教学(北京)—1994,(2):46-50
对外汉语教学概论(讲义)(续九)	吕必松	世界汉语教学(北京)—1994,(3):36-40
对外汉语教学概论(讲义)(续十)	吕必松	世界汉语教学(北京)—1994,(4):49-56
对外汉语教学概论(讲义)续(十二)	吕必松	世界汉语教学(北京)—1995,(2):77-83
对外汉语教学概论(讲义)(续十三)	吕必松	世界汉语教学(北京)—1995,(3):57-62
对外汉语教学概论(讲义)(续十四)	吕必松	世界汉语教学(北京)—1995,(4):70-75
对外国用汉语表达时出现的几个问题的探究	王魁京	语言教学与研究(北京)—1992,(2):127-142
日本大学生为何选修汉语?	郭洁梅	中国语文(北京)—1992,(2):158-159
语言教学中的文化导入	陈光磊	语言教学与研究(北京)—1992,(3):19-30
句型研究与对外汉语教学:兼析"才"字句	赵淑华	语言文字应用(北京)—1992,(3):20-24
关于文化导入的再思考	赵贤州	语言教学与研究(北京)—1992,(3):31-39
学生心目中的期望值与对外汉语教师的素质	戴桂英	汉语学习(延吉)—1992,(3):40-43
论对外汉语教学的文化观念	周思源	语言教学与研究(北京)—1992,(3):40-48
习得第一语言和第二语言之比较	温晓虹	语言教学与研究(北京)—1992,(3):49-65
我国对外汉语教学的珍贵遗产:试论老舍在伦敦期间的对外汉语教学	刘小湘	世界汉语教学(北京)—1992,(3):227-231
第4届北美洲汉语语言学会议	李行德	国外语言学(北京)—1992,(4):24-29
美国加州大学圣地亚哥语言研究中心	李　平	国外语言学(北京)—1992,(4):43-44
对外汉语教学与中国文化:谈听说课对中国文化因素的引入	常月华	郑州大学学报·哲社版—1992,(4):63-65,37
略谈双语教学中的语言沟通与文化沟通	张庆宏	民族语文(北京)—1992,(4):63-67
南朝鲜的汉语教学与研究	金红莲	语文建设(北京)—1992,(6):38-39
海外中文热	游　江	语文建设(北京)—1992,(10):44
中国语言和文化的传播使者:意大利CESMEO汉语教学活动侧记	吕文华	语文建设(北京)—1992,(11):44-46

国外汉语教学的原则导向	[美]林柏松	中文信息—1993,(1):3-4
计算机对外汉语教学蓬勃发展	李传槐	中文信息—1993,(1):4-6
对外汉语教学的形势和对策	程棠	语言文字应用(北京)—1993,(1):14-20
外国人学汉语的语用失误	吕文华 鲁健骥	汉语学习(延吉)—1993,(1):41-44
美国基础汉语教学评介	刘珣	语言教学与研究(北京)—1993,(1):45-63
日本中国语学会第42届年会	方经民	国外语言学(北京)—1993,(1):47,38
声像汉语句型及练习:视听说合一的新型教材	[美]马静恒	语言教学与研究(北京)—1993,(1):64-67
语用价值等级与教学效益	周思源	世界汉语教学(北京)—1993,(1):66-68
谈对外知识文化教学	韩鉴堂	天津师大学报—1993,(1):67-70
留学生汉字书写差错规律试析	杜同惠	世界汉语教学—1993,(1):69-72
莫斯科国家国际关系学院的汉语教学	余云霞	世界汉语教学—1993,(1):80
对外汉语教学中的东西方文化背景	田惠刚	外语教学—1993,(2):20-30
状态补语的句法、语义、语用分析在教学中的应用	鲁健骥	语言教学与研究—1993,(2):22-31
语言学习理论的研究与对外汉语教学	刘珣	语言文字应用(北京)—1993,(2):32-41
关于中高级对外汉语教学的社会语言实践问题	刘士勤	汉语学习—1993,(2):35-40
日本三所不同类型学校的汉语教育考察	王顺洪	汉语学习—1993,(2):41-46
从汉语"把"字句看语言分类规律在第二语言习得过程中的作用	[美]靳洪刚	语言教学与研究—1993,(2):50-61
外国学生现代汉语"了·le"的习得过程初步分析	孙德坤	语文教学与研究—1993,(2):65-75
谈语言对比在汉语教学中的作用	卢治平	语言与翻译—1993,(2):70-73
论对外汉语结构句型教学系统	韩荔华	北京第二外国语学院学报—1993,(2):87-95
从对外汉语教学看"语言""言语"划分的必要性	邢公畹	世界汉语教学—1993,(2):88-92
试谈HSK对新疆学员的适用性	赵学会	中央民族学院学报—1993,(2):89-93
从实践中确立对外汉语教学的方向	李文生	语言教学与研究—1993,(2):95-100
听力课的教学环节设计——关于备课与上课	杨惠元	语言教学与研究—1993,(2):110-119
《普通汉语教程》和《科技汉语教程》的编写原则与设计方法	杜厚文	世界汉语教学—1993,(2):128-133
有关汉语水平考试的几点意见	陈满华	语言教学与研究—1993,(2):132-142
关于"报刊语言"教学的思考	李振杰	世界汉语教学—1993,(2):134-137
关于中高级阶段汉语语法教学的构想	吕文华	世界汉语教学—1993,(2):138-143
日来汉词与对外汉语教学	石慧敏	上海师范大学学报·哲学版—1993,(2):146-148

韩国的汉字教育现状	李在田	汉字文化—1993,(3):32-37
关于高等汉语水平考试的设计	刘镰力 宋绍周 姜德梧	语言文字应用—1993,(3):45-54
从对外汉语教学看现代汉语语法研究	黄南松	语文研究—1993,(3):49-54
谈谈汉字教学	刘又辛	语言教学与研究—1993,(3):81-97
英美学生汉语学习过程中的文化负迁移	卢伟	厦门大学学报·哲社版—1993,(3):93-98,117
课堂教学的内向和外向——试论中级汉语精读课课堂教学交际化	李忆民	语言教学与研究—1993,(3):112-124
试论对外汉语教学的课程设计	李爽	世界汉语教学—1993,(3):220-225
满视野限时阅读	岳维善	世界汉语教学—1993,(3):226-228
从外国学生书写汉字的错误看汉字字形特点和汉字教学	范可育	语文建设(北京)—1993,(4):28-31
对外汉语语法教学札记	宋玉柱	汉语学习—1993,(4):37-38
论对外汉语教学的层次性	张建民	华东师范大学学报·哲社版—1993,(4):82-83,81
广东省首次汉语水平考试报告分析	周小兵	中山大学学报·社科版—1993,(4):84-90
中国文化特征对学汉语的影响	王幼敏	华东师范大学学报·哲社版—1993,(4):88-89
如何发现并解决留学生汉语学习中的难点	张德尧	中国人民大学学报—1993,(4):92-95
零起点汉语教学的难点透视及对策	赵顺国	中国人民大学学报—1993,(4):96-100
汉语报刊课教材编写的思考	赵守辉	中国人民大学学报—1993,(4):101-104
对外汉语教学中的文化因素	胡明扬	语言教学与研究—1993,(4):103-108
论对外汉语教学的学习、习得整合观	吴叔良	上海师范大学学报·哲社版—1993,(4):123-126
欧美学生阅读中国古典诗文应注意的问题	蒋绍愚	语言教学与研究—1993,(4):129-144
谈非视觉信息的培养——基础阶段汉语阅读教学探讨	王碧霞	世界汉语教学—1993,(4):309-313
我们在编写《外国人学中国语》系列教材中的几点尝试	杨天戈 周奎杰	世界汉语教学—1993,(4):314-315
汉字:在中日不同的文化框架上	赵双之 钟玉秀	解放军外语学院学报—1993,(5):67-72
试谈HSK对新疆少数民族学生汉语教学的积极作用	赵学会	民族语文—1993,(5):68-71
对外汉语词汇教学初探	常敬宇	语文建设—1993,(6):30-31
我对发展汉语教学的几点认识	吕必松	汉语学习—1993,(6):39-42
对外汉语教学中文化教学的层次	王学松	北京师范大学学报·社科版—1993,(6):81-84
日本学生汉语习得中的文化过滤	周奕	北京师范大学学报·社科版—1993,(6):94-97
一种办学形式的新探索	刘庆福	北京师范大学学报·社科版—1993,(6):110-111

标题	作者	出处
1992年对外汉语教学研究述要	张德鑫	语文建设—1993,(7):2-4
谈基础汉语词汇教学	周翠琳	语文建设—1993,(9):22-24
澳洲华人的中文教育	季永兴	语文建设—1993,(10):38
中国少数民族双语教学	岳志东	内蒙古大学学报·哲社版—1994,(1):9-17
汉语共同语及其变体与对外汉语教学	王德春	外语与外语教学—1994,(1):16-20
对外汉语教学:汉语内部规律的试金石——以"反而"为例	王还	世界汉语教学—1994,(1):24
近年来美国大学汉语音系学博士论文简介(上)	陈丽萍 姜晖	国外语言学—1994,(1):27-33
近年来美国大学汉语音系学博士论文简介(下)	陈丽萍 姜晖	国外语言学—1994,(2):32-39
外国人如何学中文——与德国朋友黎山先生谈话印象记	曹乃云	国外外语教学—1994,(1):29-31,20
汉语水平考试(HSK)的理论基础探讨	刘英林	汉语学习—1994,(1):40-48
外国人学汉语的语法偏误分析	鲁健骥	语言教学研究—1994,(1):49-64
对外汉语文化课教学刍议:关于教学导向与教学原则	赵贤州	汉语学习—1994,(1):53-56
新一代对外汉语教材的展望:再谈汉语教材的编写原则	刘珣	世界汉语教学—1994,(1):58-67
听白乐桑先生讲话后发言:〔关于汉语教学〕	欧阳克巍	汉字文化—1994,(1):60
高等汉语水平考试的总体设计与理论思考	刘英林	语言文字应用—1994,(1):72-78
试论运用功能法教"把"字句	〔澳大利亚〕张宁 刘明臣	语言教学与研究—1994,(1):79-91
关于中级汉语(第二语言)教材编写的几个问题	李忆民	语言文字应用—1994,(1):86-90
高等汉语水平考试的设计原则和试卷构成	刘镰力 李明 宋绍周	语言教学与研究—1994,(1):92-104
教外国人汉语语法的一些原则问题	赵金铭	语言教学与研究—1994,(2):4-20
"把墙刷得白"为什么不能说?	史有为	汉语学习—1994,(2):18-19
汉柬语音对比与汉语语音教学	李艾	世界汉语教学—1994,(2):33-35
对外汉语教学中语言文化研究的问题	毕继万 张德鑫	语言文字应用—1994,(2):40-46
设立面向外国学生的"中国语言文化专业(本科)"刍议	陈仁凤	汉语学习—1994,(2):50-51
知识图式、篇章构造与汉语的阅读教学	储诚志	世界汉语教学—1994,(2):51-57

拓展对外汉语教学问题的思考	皮远长	汉语学习—1994,(2):52-53
留学生汉语写作语病问题	傅艺芳	汉语学习—1994,(2):54-55
俄罗斯汉语教学的实践与思考	[俄]谭傲霜	语言文字应用—1994,(2):54-57
我是怎样教韩国学生学习汉语的副词的	[韩]韩容洙	汉语学习—1994,(2):56-59
对外汉语教学课堂测试的准备工作	吴京汨	世界汉语教学—1994,(2):66-67
突尼斯汉语教学改革简况	刘社会	世界汉语教学—1994,(2):74-76
对外汉语教学法研究的回顾与展望	任远	语言教学与研究—1994,(2):90-103
中级汉语教学的思考与探索	李绍林	语言教学与研究—1994,(2):104-114
从留学生识记汉字的心理过程探讨基础阶段汉字教学	王碧霞 李定 种国胜 徐叶菁	语言教学与研究—1994,(3):21-33
析"支"、"条"、"根"	朱庆明	世界汉语教学—1994,(3):22-23
外国留学生在快速显示条件下阅读汉语句子的实验报告	佟乐泉 张一清	世界汉语教学—1994,(3):31-35
语言教学若干问题管见	俞约法	世界汉语教学—1994,(3):41-46
初级阶段汉语词汇教学的几种方法	黄振英	世界汉语教学—1994,(3):64-66
日本汉语教学中的汉字问题	[日]杜君燕	世界汉语教学—1994,(3):67-73
HSK 的效应与对外汉语教学	吴勇毅 余子	华东师范大学学报·哲社版—1994,(3):69-76
浅谈少数民族汉语教材编写中的几个问题	付炜	新疆师大学报—1994,(3):74-77
初级汉语水平留学生的普通话声调误区	马燕华	北京师范大学学报·社科版—1994,(3):88-93
关于对外汉语报刊课的一点思考	张和生	北京师范大学学报·社科版—1994,(3):94-96
关于少数民族学生汉语口试改革的尝试	付炜	新疆大学学报—1994,(3):106-108
语言社会化过程与初级汉语作为外语教学	周明朗	语言教学与研究—1994,(3):116-130
浅议汉语听力课的设置	孙肖 邬婉荣	语言与翻译—1994,(3):131-134
《现代汉语进修教程(听力篇)》的特色	黄祖英	语言教学与研究—1994,(3):140-143
关于对外汉语教学的几个问题	张志公	汉语学习—1994,(4):2-4
关于"对外汉语教学"的思考	瓯齐	汉语学习—1994,(4):5-9
谈《初级汉语课本·(一)》第 23 课的几个问题	吴静 杜道流	学语文—1994,(4):16
说说"没有我水平低"	史有为	汉语学习—1994,(4):17-19
谈编写少数民族学生的汉语教科书的几个问题	李兰英	语文建设—1994,(4):29-31

浅谈对少数民族学生的汉语教学	王廷杰	语文建设—1994,(4):31-32
内化——偏重心理的文化导入方法	郝劼	世界汉语教学—1994,(4):36-41
汉语课堂 引进歌唱	赵守辉 罗青松	汉语学习—1994,(4):47-51
谈留学生的汉语交际能力的培养	常敬宇	汉语学习—1994,(4):52-53
对外汉语教学中如何弘扬中华传统文化	肖莉	佳木斯师专学报—1994,(4):55-57
留学生毕业论文选题的统计与分析	王晓澎 方玲	世界汉语教学—1994,(4):67-72
试论以日语为母语者在汉语语境中的发音难点	丁安仪	郑州大学学报·哲社版—1994,(4):73-76
对外汉语教学要求加强汉语语用研究	任瑚琏	西南民族学院学报—1994,(4):79-81
正音应是主攻方向的——德宏州傣族学生学习汉语情况的调查	卢开磏	语言文字应用—1994,(4):79-85
汉语教学在新疆民族教育中的作用	罗焕淮	语言与翻译—1994,(4):97-98
从学科文献角度看北京语言学院的对外汉语教学研究	齐沛	语言教学与研究—1994,(4):150-157
读吕文华《对外汉语教学语法探索》	龚千炎	中国语文—1994,(4):311-313
学汉语的人为什么多起来	陈颐	语文世界—1994,(5):21
略论报刊语言教学中的文化导入	王葆华	学语文—1994,(5):21-23
得说"不能来上课了"	史有为	汉语学习—1994,(5):28-31
论对外汉语文化教学	张英	汉语学习—1994,(5):46-50
语义在对外汉语句型、句式教学中的重要性：兼谈从语义范畴建立教学用句子类型系统的可能性	吴勇毅	汉语学习—1994,(5):51-54
对外汉语教学语法体系改革的新蓝图：评吕文华《对外汉语教学语法探索》	邵敬敏	汉语学习—1994,(5):56-58
从留学生的口语应变能力看汉语口语的表达特点	李绍林	汉语学习—1994,(6):48-51
留学生的汉语写作教学刍议	南勇	汉语学习—1994,(6):52-53
对外汉语教学与跨文化问题的多面性	王魁京	北京师范大学学报·社科版—1994,(6):91-96
从语法研究的三个平面看外国留学生的误句	赵清永	北京师范大学学报·社科版—1994,(6):97-102
对外汉语课堂教学的独特性	杨俊萱	语文建设—1994,(7):24-26
结合语境进行词汇教学和阅读教学	常敬宇	语文建设—1994,(7):27-28
谈对外汉语词汇教学	刘镰力	语文建设—1994,(8):19-21

山田在哪儿打的电话?	李　大　忠	语文建设—1994,(8):22
1993年的对外汉语教学研究	张　德　鑫	语文建设—1994,(9):28-32
汉语课堂教学的交际化	王　琴　霄	语文建设—1994,(11):25
关于对外汉语教学的若干议论和思考	施　光　亨	语言教学与研究—1994,(增刊):17-24
回顾与思考——对当前对外汉语教学的几点浅见	张　占　一	语言教学与研究—1994,(增刊):44-50
中国汉语水平考试的若干问题——汉语水平考试(HSK)是什么?	刘　英　林	语言教学与研究—1994,(增刊):51-59
对外汉语文化教学特点初探	仁　　　玉	辽宁师范大学学报·社科版—1995,(2):36-37
也谈对外汉语教学中的文化教学:兼及《说汉语谈文化》	董　树　人	世界汉语教学—1995,(2):50-52
关于对外汉语教学的若干议论和思考	施　光　亨	汉语学习—1995,(2):51-56
《汉语水平考试研究(续集)》序	标　　　焘	汉语学习—1995,(2):57
中日汉字异同及其对日本人学习汉语之影响	王　顺　洪 [日]西川和男	世界汉语教学—1995,(2):60-65
泰国学生汉语学习的语音偏误	李　红　印	世界汉语教学—1995,(2):66-71
新一代基础汉语教材编写理论与编写实践	任　　　远	语言教学与研究—1995,(2):82-95
中高级汉语教学语法等级大纲的研制与思考	孙　瑞　珍	语言教学与研究—1995,(2):96-106
对外籍生汉语语音教学的返想	郭　翠　霞	语言与翻译—1995,(2):110-114
汉字文化与对外汉语教学:兼评安子介《解开汉字之谜》	余　志　鸿	语言文字学—1995,(2):145-152
"老外"的语病	傅　艺　芳	语文世界—1995,(3):46-47
外国留学生在短时记忆中理解汉语句子的实验报告	刘　　　威	世界汉语教学—1995,(3):50-56
从外国学生的病句看方位词的用法	陈　满　华	语言教学与研究—1995,(3):61-76
语用分析在高级汉语教学中的运用	杨　　　翼	世界汉语教学—1995,(3):76-80
试论对外汉语教学语法的句型系统及其特殊性	徐　子　亮	华东师范大学学报·哲社版—1995,(3):81-83
谈高等HSK的主观性考试	陈　田　顺	世界汉语教学—1995,(3):81-86
"Posi.有N"和"Posi.是N"	金　立　鑫	语言教学与研究—1995,(3):82-84
高水平汉语阅读难点词语调查及其有关问题	李　绍　林	语言文字应用—1995,(3):82-87
预设与阅读理解	刘　颂　浩	语言教学与研究—1995,(3):94-105
谈谈外国留学生中高级口语教学	苏　　　焰	武汉大学学报·社科版—1995,(3):119-123
也谈美国人学习汉语声调	王　韫　佳	语言教学与研究—1995,(3):126-140
多元文化班教学特点探讨	吴　建　玲	世界汉语教学—1995,(4):82-85

汉语水平等级标准	国家对外汉语教学领导小组办公室汉语水平考试部	语言文字应用—1995,(4):85-91
《速成汉语初级教程·综合课本》的总体构想及编写原则	郭志良 杨惠元	世界汉语教学—1995,(4):86-94
关于"汉语水平等级标准"的几个问题	刘英林	语言文字应用—1995,(4):89
试谈语言运用能力的课程设计	高胜林	语言文字应用—1995,(4):92-93
视听说教学及其教材的编写	冯惟纲	世界汉语教学—1995,(4):95-100
语法偏误分析二题	李大忠	中国人民大学学报—1995,(4):103-105
谈如何教"一点儿"、"有一点儿"和"差一点儿"	张德光	中国人民大学学报—1995,(4):109-112
汉语(第二语言)教学理论研究的新进展:读《汉语学习》上刊载的几篇文章	疏影	汉语学习—1995,(5):41-44
日本留学生汉语学习中的疑难问题分析	刘艳 亢世勇	唐都学刊—1995,(6):50-53
汉语作为第二语言学习中的句子结构规则的理解问题	王魁京	北京师范大学学报·社科版—1995,(6):78-86
外国学生使用介词"从"的错误类型及其分析	白荃	北京师范大学学报·社科版—1995,(6):92-97
初级汉语水平日本留学生的汉语听力障碍	马燕华	北京师范大学学报·社科版—1995,(6):98-105
留学生初级汉语教学与文化内容初探	何重先	武汉大学学报·社科版—1995,(6):113-116
对外基础汉语词汇教学浅谈	温敏	武汉大学学报·社科版—1995,(6):117-118
法国的汉语教学	徐时仪	语文建设—1995,(8):40-41

书　　评

《华语教学讲习》读后	李清华	世界汉语教学—1994,(2):68-70
对外汉语语法教学理论认识的深化——《对外汉语教学语法探索》读后	张旺熹	语言教学与研究—1994,(3):135-139
培养目标和科研重点浅见——《对外汉语教学论文集》代序	程棠	语言教学与研究—1994,(4):13-17
一本富有意义和特色的新书	曹国安 马由	古汉语研究—1995,(1):93-95
郭编《古代汉语》教学札记	唐生周	古汉语研究—1995,(增刊):13-15

第三部分 少数民族语言

少数民族语言概述

标题	作者	出处
彝族(木基人)口哨语与戈梅拉土著口哨语的比较研究	杨宪明	思想战线—1991,(1):57-63
凉山彝族非语言交际习俗	马林英	贵州民族研究—1991,(4):44-49
民族语言研究与民族语文工作	王均	民族语文(北京)—1990,(5):1-3
民族语言学的某些理论问题:读《民族语文散论》札记	孙竹 秦楠	民族语文(北京)—1990,(5):10-15
道孚语语音和动词形态变化	黄布凡	民族语文(北京)—1990,(5):23-30
嘉戎语马尔康话中的藏语借词	林向荣	民族语文(北京)—1990,(5):31-36
当代中国民族语言学家简介(七)(满-通古斯语族)	郭阳	民族语文—1991,(4):76-79,56
第二步战略目标与民族语文研究	道布	民族语文(北京)—1991,(5):1-4
漫谈语言文字	王均	民族语文—1991,(5):64-66
新疆民族语言文字工作简介	杨秉一	民族语文—1991,(5):67-72
运用底层理论研究少数民族语言与汉语的关系	欧阳觉亚	民族语文(北京)—1991,(6):23-29
云南民语委概况	杨应新	民族语文—1991,(6):70-72
进一步做好民族语文工作,为民族团结进步和社会主义现代化事业服务	伍精华	民族语文(北京)—1992,(1):1-8
全国少数民族语言文字工作会议综述	本刊记者	民族语文(北京)—1992,(1):11-16
中国社会科学院民族研究所少数民族语言研究室简介	禹岩	民族语文(北京)—1992,(1):77-封三
团结奋斗,努力开创民族语文工作新局面	本刊评论员	民族语文(北京)—1992,(1):9-10
民家语言的系统	[日]牧野巽著;叶正渤译	大理师专学报·哲社版—1992,(1-2):173-176
吉尔吉斯斯坦语言文字现状简述	马克来克·玉买尔拜著;尤丽杜丝译	语言与翻译(乌鲁木齐)—1992,(3):42-44
论藏缅语语法结构类型的历史演变	孙宏开	民族语文(北京)—1992,(6):54-60
中国南方少数民族使用方言文字的语言依据和社会依据	周耀文	语言文字学—1993,(4):149-152
论当代民族语言学的跨学科研究	王远新	语言与翻译—1994,(1):17-27

论文题目	作者	出处
论中国民族语言学的地位	王远新	西南民族学院学报—1994,(1):35-40
民族文学的基础方言和标准音问题	杨应新	民族语文—1994,(2):8-10
元明戏曲中的少数民族语(续)	王学奇	河北师院学报·哲社版—1994,(2):59-65
中国民族语言学的人文主义方法论	王远新	云南民族学院学报—1994,(2):88-91
少数民族文字比较探源	史继忠	贵州民族研究—1993,(2):110-117
当代民族语言学家的若干反思	王远新	贵州民族研究—1994,(2):118-126
民族语文与市场经济	张和平	贵州民族研究—1994,(2):127-131,126
吐鲁番地区双语现象初探	海峰	新疆大学学报·哲社版—1995,(4):94-101
从核心词分布看汉语的侗台语的语源关系	陈保亚	民族语文—1995,(5):20-32
少数民族语言:一种文化遗产	马提亚斯·布伦金格尔著;黄长著译	语言文字学—1995,(6):5-21
从回族语言看回族两性文化	刘鑫民 朱琪	修辞学习—1995,(6):5-7
民族语文杂志社第四届学术交流会综述	肖月	民族语文—1995,(6):58-61

创制改进文字和发展语言的工作

论文题目	作者	出处
民族语文研究的多元化进展:1990年民族语文研究概述	徐世璇	民族研究动态—1991,(2):15-18
一个跨省区的民族语文工作协作组织:介绍中国八省区蒙古语文工作协作小组及其办公室	舍那木吉拉	民族语文(北京)—1991,(3):15-18
海西蒙古族藏族自治州蒙古族藏族语文工作条例		青海日报—1991,(3):21,2
中医双语教育类型	周庆生	民族语文(北京)—1991,(3):65-69
促进民族语言研究 建设民族语言学科:民族语文杂志社第二届学术交流会纪要	赵明鸣 郭阳	民族语文(北京)—1991,(4):1-10
新疆维吾尔自治区民族语言文字工作十年规划和"八五"计划	新疆维吾尔自治区,民族语言文字工作委员会	语言与翻译(乌鲁木齐)—1991,(4):1-5
中国新疆民族语言文字工作情况简介——在苏联哈萨克斯坦科学院的讲话	杨秉一	语言与翻译(乌鲁木齐)—1991,(4):13-16

标题	作者	出处
新中国成立以来维吾尔语研究状况——在苏联哈萨克斯坦科学院的讲话	阿米娜·阿帕尔	语言与翻译(乌鲁木齐)—1991,(4):17-21
更加紧密地团结起来,为实现第二步战略目标作出更大的贡献——在巴音郭楞蒙古自治州翻译协会成立大会上的讲话	艾力·阿比提	语言与翻译(乌鲁木齐)—1991,(4):23-25
解决民族文字问题的一个途径	清格尔泰	民族语文—1991,(4):36-40
进一步加强党对民族语文工作的领导	杨秉一	语言与翻译(乌鲁木齐)—1991,(4):6-11
少数民族教育中的语言选择	李小平	贵州民族学院学报·社科版—1991,(4):61-66
为各民族语言的正式地位而奋斗		民族译丛—1991,(5):14-17
在民族语言领域开展计算语言学研究的紧迫性	曹雨生	民族语文—1991,(5):46-50
青海汉话与少数民族语言	贾晞儒	民族语文—1991,(5):5-12
运用底层理论研究少数民族语言与汉语的关系	欧阳觉亚	民族语文—1991,(6):23-29
建立具有中国特色的民族语言学	马学良	民族语文(北京)—1991,(6):41-45
文化环境与民族语文建设	张公瑾	民族语文(北京)—1991,(6):54-58
民族语文工作纪事(1989年12月—1990年12月)	郭阳	民族语文—1991,(6):73-78
解决民族文字问题的一个途径	清格尔泰	民族语文(北京)—1991,(9):36-40
应该正确阐明西域诸民族和语言:评《维吾尔人》一书有关语言史的若干观点	伊·穆提义	西域研究—1992,(1):15-21
延边朝鲜族的双语教育	全炳善	民族语文—1992,(2):75-80
构造新词的重要手段	努尔哈毕著 努尔兰译	语言与翻译(乌鲁木齐)—1992,(3):37-38
发展中的柯尔克孜语文工作	胡振华	语言与翻译(乌鲁木齐)—1992,(3):38-42
吐火罗文《弥勒会见记剧本》译文:对新疆博物馆本(编号76YQ1.16和1.15)两叶的转写、翻译和注释	季羡林著 靳尚怡 赵辉译	语言与翻译(乌鲁木齐)—1992,(3):9-11,55
《中国突厥语研究论文集》评介	吴宏伟	突厥语研究通讯(北京)—1992,(3/4):6-12
充分发挥少数民族文字在民族地区两个文明建设中的作用	昱俣	民族语文(北京)—1992,(3):57-60,69
"双语体"刍议	李小金 李西宽	四川外语学院学报—1992,(3):71-73
汉-土家双语文教学实验情况调查	周正民	民族语文—1992,(4):73-74
从云南汉语方言阳声韵的演变看少数民族语言对汉语的影响	薛才德	语言文字学(北京)—1992,(9):134-140

标题	作者	出处
民族语言:民族审美心理外化的物质载体	梁一孺	民族文学研究—1993,(1):13-17
民族之间的语言交流	阿不都玛纳甫·艾别吾著;范道远译	语言与翻译(乌鲁木齐)—1993,(2):28-31
民族语言及其发展规律探微	曹红	新疆师范大学学报·哲社版—1993,(2):28-34
加强双语研究,促进双语教学	韩建业	青海民族研究·社科版—1993,(2):38-44
加强对我国少数民族语言的社会功能研究	胡书津	民族语文—1993,(2):43-47
广西少数民族语文工作及其工作机构	莫家裕	民族语文—1993,(2):71-73
关于新疆语言研究的思考	高树春 刘卫平	新疆大学学报·哲社版—1993,(2):81-84,80
普米族与汗归文	张磊	中央民族学院学报—1993,(2):94
关于我国民族语言研究的一些问题	孙竹	语言与翻译(乌鲁木齐)—1993,(3):1-7
新疆双语地名的类型及其成因	牛汝极	语言与翻译(乌鲁木齐)—1993,(3):37-39
双语类型及我国双语研究综析	丁石庆	西南民族学院学报·哲社版—1993,(3):55-59
语言的声望计划与双文字政策	苏金智	民族语文—1993,(3):69-75
少数民族母语在双语教育中的意义及其发展前景	刘宝俊	民族语文—1993,(3):76-78,75
"诺苏"为"黑族"义质疑:兼论从语言研究民族的方法论问题	戴庆厦 胡素华	中央民族学院学报(北京)—1993,(3):79-84,91
略谈规则与例外	胡坦	民族语文—1993,(4):1-6,42
云南少数民族文字碑刻概述	杨玠	云南师范大学学报·哲社版—1993,(4):39-42
论普米族的语言观念	戴庆厦	云南民族学院学报·哲社版—1993,(4):68-71
马学良先生访谈录	本刊记者	民族语文—1993,(4):7-9,70
个人双语现象分析及汉语教学	徐子亮	华东师范大学学报·哲社版—1993,(4):84-87
加强楚雄州民族语文工作之我见	龙德义	民族工作—1993,(5):41-42
认清形势 抓住机遇 推进少数民族语言文字工作	道布	民族语文—1993,(6):1-3
1992年的少数民族语言研究	孙宏开	语文建设—1993,(9):12-15
关于蒙古文编码(下)	确精扎布 那顺乌日图	内蒙古大学学报·哲社版—1994,(1):18-25
走民族语和汉语兼懂兼通的路 促进少数民族语言的稳步发展	喻世长	民族语文—1994,(2):1-7
贯彻《语言文字工作和条例》做好民族语言文字工作	黄祥荣	语言与翻译—1994,(2):3-8
纳西文字中的"六书":纪念语言学家傅懋勣先生	周有光	民族语文—1994,(6):12-19
关于以现代语入诗词的思考	马斗全	晋阳学刊—1994,(6):82-85

统一文字利大于弊：纵论在新疆推行胡都木蒙文举措	巴理嘉	语言与翻译(乌鲁木齐)—1995,(1):49-54
求实奋进开拓创新：民族语文杂志社第四届编委会议侧记	本刊记者	民族语文—1995,(2):12-15
民族语言与市场经济互动探略	肖丽萍 刘应捷	中南民族学院学报·哲社版—1995,(2):121-124
台湾历史语言研究所少数民族语言研究简介	禹岩	民族语文—1995,(2):76-80

各 个 语 言

拉祜语主语宾语助词的出现规律	金有景	语言研究(武昌)—1990,(2):122-131
加加乌兹民族及其语言	秦卫星	语言与翻译(乌鲁木齐)—1990,(4):21-22
从语言看文化	周兴渤	云南民族语文(昆明)—1990,(4):68-70
回鹘文文献语言的数量词	李经伟	语言与翻译(乌鲁木齐)—1990,(4):8-12
平罗回族使用汉语方言的一些特点	李树俨	宁夏大学学报·社科版—1990,(4):97-102
拉祜语的主语、宾语、状语助词	金有景	民族语文(北京)—1990,(5):16-22
大坪江勉话边音和边擦音来源	郑宗泽	民族语文(北京)—1990,(5):51-56
仡央各的系属问题	梁敏	民族语文(北京)—1990,(6):1-8
"沽茶""黑国""沙·锡尼"考释	王敬骝	民族语文(北京)—1990,(6):66-70
台语-an韵里的汉语"关系字"研究	邢公畹	语言研究(武汉)—1991,(1):152-167
吉木萨尔方言同音字汇	周磊	方言(北京)—1991,(1)40-49
台语声母 ʔb、ʔd 的变异	洪波	民族语文(北京)—1991,(1):43-48
对回族语言的探讨	刘桢	内蒙古社会科学·文史哲版(呼和浩特)—1991,(1):48-51
论察哈台语中的第二十五个辅音	阿布都若夫·普拉提	新疆大学学报·哲社版(乌鲁木齐)—1991,(1):87-91
一则笑话引起的语言学思考	王敬骝	云南民族语文(昆明)—1991,(2):32-35
米必苏语初探	李永燧	民族语文(北京)—1991,(2):35-47
摩梭话元音的松紧	杨振洪	云南民族语文(昆明)—1991,(2):47-50
利用拉祜西音节结构形式的变化帮助拉祜族学习汉语文	张蓉兰	民族语文(北京)—1991,(2):55-58
木尔吐克方言	木哈白提·哈斯木著 王启译	语言与翻译(乌鲁木齐)—1991,(2):6-11
"女书"词汇中的百越语底层	谢志民	民族语文(北京)—1991,(2):62-70
木尔吐克土语	木哈白提·哈斯木著 王启译	语言与翻译(乌鲁木齐)—1991,(3):19-24
说tur	张定京	语言与翻译(乌鲁木齐)—1991,(3):34-36
发展双语事业 增强民族团结	李祥瑞	语言与翻译(乌鲁木齐)—1991,(3):66-69

标题	作者	出处
新疆伊宁市双语场的层次分析	戴庆厦 王远新	语言文字学(北京)—1991,(4):148-152
帕合甫话简介	米尔苏里唐·乌斯曼诺夫,阿米娜·阿帕尔	民族语文(北京)—1991,(4):51-56
契丹字词拾零	高路加	内蒙古大学学报·哲社版(呼和浩特)—1991,(4):64-67,96
青海汉话与少数民族语言	贾晞儒	民族语文(北京)—1991,(5):5-12
试论回族的语言特色	马耀圻 马永真	内蒙古社会科学·文史哲—1991,(5):53-56
"摩些"与"纳木依"语源考	和即仁	民族语文(北京)—1991,(5):60-63
新疆民族语言文字工作简介	杨秉一	民族语文(北京)—1991,(5):67-72
评《中国拉祜语方言地图集》	李永燧	民族语文(北京)—1991,(5):73-75
回族话及其文化特征探析	赵相如	语言与翻译(乌鲁木齐)—1992,(1):11-14
桑孔语初探	李永燧	语言研究(武汉)—1992,(1):137-160
回族话及其文化特征探析	赵相如	语言与翻译(乌鲁木齐)—1992,(2):55-57
乌兹别克语词汇中的借词	王振忠	突厥语研究通讯(北京)—1992,(3/4):1-5
拉基语与仡佬语的关系	张济民	民族语文(北京)—1992,(3):19-27
阿尔泰图瓦人语言概况	程适良	语言与翻译(乌鲁木齐)—1992,(3):23-30
拉珈语的鼻化韵	张均如	民族语文(北京)—1992,(3):73-75,72
阿尔泰图瓦人语言概况	程适良	语言与翻译(乌鲁木齐)—1992,(4):10-13
维吾尔语动词的被动态	陆秉庸	语言与翻译(乌鲁木齐)—1992,(4):22-24
鄂温克语助词结构	朝克	中央民族学院学报(北京)—1992,(4):67-70
阿昌族亲属称谓结构及其社会文化背景	肖家成	民族语文(北京)—1992,(5):28-36
关于邢公畹教授对拙作《汉语南岛语同源论》的述评	L.沙加尔 (Sagart)	民族语文—1992,(5):37-41
西夏语的介词与介宾结构	马忠建	民族语文(北京)—1992,(5):61-67
拉祜语苦聪话的若干特点	孙剑艺	民族语文(北京)—1992,(5):68-73
台语-ok韵是汉台语比较的关键	邢公畹	民族语文(北京)—1992,(6):1-10
黠戛斯文献语言的特点	胡振华	民族语文(北京)—1992,(6):40-46
台湾卑南语	陈荣福 李杰	中央民族学院学报(北京)—1992,(6):81-88
鄂尔浑—叶尼塞碑铭语言名词的格位系统	阿不都热西提·亚库甫	新疆大学学报·哲社版(乌鲁木齐)—1993,(1):105-108,116
阿图什方言的某些语音特征	米尔哈雅提·米尔苏丹著;吾买尔·尼亚孜译	语言与翻译(乌鲁木齐)—1993,(1):61-63
评阮廷焯博士对契丹文字的研究	刘凤翥	北方文物—1993,(1):65-67

说"-sa"	张定京	语言与翻译(乌鲁木齐)—1993,(2):23-26
国外藏语语法研究述评	胡坦	国外语言学—1993,(2):24-29
云南富宁末昂话初探	武自立	民族语文—1993,(2):53-63
西夏语中的汉语借词补遗	李范文 杨占武	宁夏社会科学(银川)—1993,(2):76-82
乌鲁木齐语言生活系统要论	刘卫平	新疆大学学报·哲社版—1993,(3):102-108
邓州地名中的特殊读音	许征	新疆师范大学学报·哲社版—1993,(3):41-43
从形成学看察合台语的特点	肖月	语言与翻译(乌鲁木齐)—1993,(3):7-12
傈僳语数词的构成和用法	木玉璋	中央民族学院学报—1993,(4):87-92
匈奴语管见	韩景林	中央民族学院学报—1993,(5):87-90
越南的"喃"字	傅成劼	语文建设—1993,(6):43-45
浅谈吏读副词构词法	廉光虎	民族语文—1993,(6):47-52
纳木依语支属研究	拉玛兹偓	民族语文—1994,(1):50-60
西夏语中汉语借词的时间界限	聂鸿音	民族语文—1994,(1):61-67
遵义县田坝仡佬语的否定副词的发语词	张济民	贵州民族研究—1994,(1):95-98
台语施事成分的语序分布及其原则	洪波	民族语文—1994,(2):25-32
越语虚词浅谈	洪绍强	广西民族学院学报·哲社版—1994,(2):34-37
云南省广南县嘎苏话初探	武自立	民族语文—1994,(2):39-49
侗水语语音几何学:升降曲线、边缘和二态现象	[美]艾美瑞 杨权	民族语文—1994,(2):50-62
瓯语的"有"字句	骆锤炼	民族语文—1994,(2):63-66
西夏语动词有时间范畴吗	马忠建	中央民族大学学报—1994,(2):73-80
南岛语与百越诸语的关系	倪大白	民族语文—1994,(3):21-35
汉哈语名词复数的异同	杨凌	语言与翻译(乌鲁木齐)—1994,(3):26-29
侗族古籍《阴师言语》的发现及其主要内容	向零	贵州民族研究—1994,(3):63-71
地名与新疆多民族风俗	牛汝极	语言与翻译—1994,(3):141-145
三洞水语的音系	夏勇良 姚福祥	贵州民族研究—1994,(3):142-148
从古歌谣中的地名探溯拉祜族先民迁徙路线	张蓉兰	民族语文—1994,(4):45-47
傈僳族音节文字造字法特点简介	木玉璋	民族语文—1994,(4):64-67
三论台语的系属问题	罗美珍	民族语文—1994,(6):1-11
汉台语舌根音声母字深层对应例证	邢公畹	民族语文—1995,(1):5-17
论《布洛陀经诗》的语言价值	蒙元耀	民族语文—1995,(1):52-56
怒苏语的卷舌化声母	傅爱兰	语言研究—1995,(2):190-196
再论"诺苏"非"黑族"义	戴庆厦 胡素华	中央民族大学学报—1995,(2):71-74
再说诺苏:有感于戴等《质疑》	李永燧	中央民族大学学报—1995,(2):75-79,74

一种特殊的连动词组	王新利	语言与翻译(乌鲁木齐)—1995,(3):45-47,56

白　　语

关于白文推行工作的思考:从"百族学会"79位会员上书大理州政府谈起	张贡新	民族工作—1991,(2):29-31
白族话中的古汉语词素例考	汉兴	思想战线—1991,(4):60-61
方块白文辨析	杨应新	民族语文(北京)—1991,(5):51-59
《白语本祖祭文》释读	杨应新	民族语文(北京)—1992,(6):72-74
白族基数词与汉语、藏缅语关系初探	李绍尼	中央民族学院学报(北京)—1992,(1):81-86
论白语的"声门混合挤擦音"	李绍尼	民族语文(北京)—1992,(4):68-72
白语促声考	陈康	中央民族学院学报(北京)—1992,(5):73-76

布　依　语

罗平多依布依语语音及其特点	王伟	云南民族语文(昆明)—1991,(4):36-41
试探布依族语言的文化价值	黄伟	贵州民族研究—1992,(4):144-153
布依语的文化价值	肖沉冈	贵州社会科学—1991,(10):40-43

朝　鲜　语

朝鲜语的构词附加成分－K	金淳培	民族语文(北京)—1990,(5):63-69
关于确定朝鲜语口语词尾的几个问题	崔明植	民族语文(北京)—1991,(4):62-67
关于朝鲜语汉字词的几个问题	宣德五	民族语文(北京)—1992,(1):52-60
老乞大朴通事谚解朝鲜文注音	李德春	延边大学学报·哲社版—1992,(1):85-93
朝鲜语动词的某些附加成分	许东振	民族语文(北京)—1992,(3):76-78
朝鲜族的语言交际习俗	方珍珠	汉语学习(延吉)—1992,(5):31-32
论朝鲜语中的南岛语基本成分	吴安其	民族语文—1994,(1):1-10,40
中国朝鲜语专名国际化转写刍议	吕愚成	延边大学学报—1994,(1):79-82
中国朝鲜族教育文字体刍议	姜永德	汉字文化—1994,(4):33-38
从语言接触看朝鲜族的语言使用和朝鲜语的共时变异	张兴权	民族语文—1994,(5):59-64
关于《蒙古语词和朝鲜语词的比较》中的朝鲜语词	李得春	民族语文—1994,(6):34-36

达　斡　尔　语

莫力达瓦达斡尔自治旗达斡尔族双语情况调查	丁石庆	黑龙江民族丛刊(哈尔滨)—1991,(1):125-128

试论达斡尔语的"类指"范畴	丁 石 庆	中央民族学院学报(北京)—1991,(5):75-76,81
新疆达斡尔语小舌音浅析	丁 石 庆	民族语文(北京)—1992,(5):53-57
达斡尔语方言问题研究综析	丁 石 庆	内蒙古师大学报·哲社版(呼和浩特)—1993,(1):109-114
关于达斡尔语动名词	丁 石 庆	语言与翻译(乌鲁木齐)—1993,(2):15-18
从《满达词典》看达斡尔语的语音脱落现象	恩 和 巴 图	内蒙古大学学报·哲社版—1994,(2):40-43
谈满文字母的达斡尔文	恩 和 巴 图	民族语文—1994,(2):76-78
达斡尔语方言成因试析	丁 石 庆	齐齐哈尔师范学院学报·哲社版—1994,(3):73-76,82
新疆达斡尔族语言使用类型及相关因素分析	丁 石 庆	语言与翻译(乌鲁木齐)—1994,(3):73-79
论达斡尔族母语文化的物质层次	丁 石 庆	民族语文—1994,(3):74-77
论达斡尔语方言的亚文化特征	丁 石 庆	内蒙古社会科学—1994,(5):93-96
新疆达斡尔语简述	丁 石 庆	语言研究—1995,(1):188-195
新疆达斡尔语语音及其特点	丁 石 庆	语言与翻译(乌鲁木齐)—1995,(1):61-68

傣 语

印尼语和侗傣语的关系词	蒙 斯 牧	民族语文(北京)—1990,(6):56-60
从声调的阴阳看傣语芒市话 l、m 的历史来源	虎 月 放	中央民族学院学报(北京)—1991,(1):62-67
从傣语表"洗"的词看词义的抽象	虎 月 放	民族语文(北京)—1991,(1):79-80
《傣语谚语》简介	文 平	思想战线—1991,(1):87
云南的两个傣语方言	[泰]巴尼·古拉瓦尼著;杨光远译	云南民族语文(昆明)—1991,(2):55-59
傣语语言的早期声母系统及某些语音变化	杨 光 远	云南民族学院学报—1991,(2):74-81
傣语中的助词"了"	张 振 华	云南民族学院学报—1991,(2):82-84
深探傣语地名中的"姐"	马 向 东	地名知识—1991,(4):12-14
西双版纳傣语的新词术语	喻 翠 容	云南民族语文(昆明)—1991,(4):30-35
傣语近义联用法	郭 玉 萍	云南民族语文(昆明)—1991,(4):53-57
论西双版纳傣文元音 ǎ、ɛ 的音变问题	赵 瑛	民族语文(北京)—1992,(5):42-43
从语言角度看傣、泰民族的发展脉络及其文化上的渊源关系	罗 美 珍	民族语文(北京)—1992,(6):25-32
论方言:兼谈傣语方言的划分	罗 美 珍	民族语文—1993,(3):1-10
傣语的短元音高化现象分析	薄 文 泽	语言研究—1994,(1):197-200
景洪汉语谓词的一个后附成分与傣语的关系	薛 才 德	民族语文—1994,(3):41-44

| 傣语亲属称谓变体 | 周庆生 | 民族语文—1994,(4):22-34 |
| 傣语"神""衣"等同试释 | 朱德普 | 中南民族学院学报·哲社版—1994,(6):30-33 |

东乡语

| 从《蒙古秘诀》语言看东乡语 | 余志鸿 | 民族语文—1994,(1):17-22,67 |

侗语

古吴越地名中的侗台语成分	郑张尚芳	民族语文(北京)—1990,(6):16-18
瑶族拉珈语与壮侗语族语言的比较	张均如	民族语文(北京)—1990,(6):38-49
侗语方言土语的划分应作适当调整	石林	民族语文(北京)—1990,(6):50-55
中美学者合作的结晶——《侗台语比较研究台语支以外的语言调查》述评	杨权 郑国乔 杨通银	贵州民族研究—1991,(2):142-145
三江侗族的"款"和"款词"	邢志萍	民俗研究—1991,(2):74-77
侗台语声调的起源	倪大白	中央民族学院学报(北京)—1991,(4):58-62,69
侗水语关于汉语"官"的称呼来源于楚语"莫敖"考	龙耀宏	民族语文—1991,(4):68-70
侗语声调的共时表现和历史演变	石林	民族语文(北京)—1991,(5):26-34
侗语声调的区别性特征	石林	民族语文(北京)—1992,(3):28-32
论侗语声调的发展及其在侗歌中的特点	杨权	中央民族学院学报(北京)—1992,(3):79-85
侗台语族舌根音与唇音的对应	黄泉熙	中央民族学院学报(北京)—1992,(3):86-89
侗语和仡佬语的语音比较研究——兼谈侗族同仡佬族的历史关系	龙耀宏	贵州民族研究—1992,(4):129-144
侗语和阿眉斯语	龙耀宏	贵州民族研究(贵阳)—1993,(1):105-113
侗台语族送气清塞音声母的产生和发展	梁敏 张均如	民族语文—1993,(5):10-15
汉台语比较研究中的深层对应	邢公畹	民族语文—1993,(5):4-9,50
湖南通道侗族诗歌中的汉语平话借词	杨锡	民族语文—1993,(6):53-55
侗台语研究的新成果——《三江侗语》读后	石林	民族语文—1993,(6):56-58
侗水语语音几何学:升降曲线、边缘和二态现象	[美]艾杰瑞·杨权著 王德温译	民族语文—1994,(2):50-62
侗语中汉语新借词的读音	石林	民族语文—1994,(5):1-11,23
侗台语的判断词和判断式	薄文泽	民族语文—1995,(3):73-78
原始侗台语构拟中的一些基本观点	梁敏	民族语文—1995,(6):57-59

独 龙 语

独龙语等部分藏缅语动词人称前加成分的来源探索	刘菊黄	语言研究—1994,(2):190-193

鄂 伦 春 语

鄂伦春语的元音和谐:兼论元音和谐不属于同化范畴	李　兵	民族语文(北京)—1992,(6):47-53,74

高 山 语

论台语声母 ʔb、ʔd 的演变	陈忠敏	民族语文—1991,(4):41-43,50

哈 尼 语

哈尼语和汉语关系字初探	王尔松	民族语文(北京)—1990,(6):61-65
哈尼族文学语言特征	段贶乐	民族语文(北京)—1991,(1):62-68
哈尼文和模糊语言学	李永燧	云南民族语文(昆明)—1991,(2):51-54
哈尼语存在动词初探	白碧波	民族语文(北京)—1991,(5):39-45
哈尼语调查的新进展	李永燧	中央民族学院学报(北京)—1992,(3):90-94
哈尼语量词研究	李批然	民族语文(北京)—1992,(5):22-27
试析哈尼文推行受挫的原因与发展前景	何炳坤	民族语文—1993,(5):22-26
哈尼文字方案中浊声母的表达问题	段贶乐	民族语文—1994,(3):45-47,44
哈尼语结构助词研究	李批然	中央民族大学学报—1994,(3):86-91

哈 萨 克 语

哈萨克语句子中的补语成分	张定京	语言与翻译(乌鲁木齐)—1990,(4):18-20
哈萨克族人名试析	木哈什·阿合买堤江诺夫著;杨志刚译	语言与翻译(乌鲁木齐)—1991,(1):35-39
哈萨克语动词的体刍议	黄中祥	新疆大学学报·哲社版(乌鲁木齐)—1991,(1):92-97
哈萨克语疑问句	张定京	新疆大学学报·哲社版(乌鲁木齐)—1991,(1):98-106
努力做好哈萨克语的正音工作	托乎塔森·巴特尔汗	语言与翻译(乌鲁木齐)—1991,(2):3-5

标题	作者	出处
浅谈哈萨克语的词类	努尔哈比·苏丹夏尔甫著；李贺宾译	语言与翻译(乌鲁木齐)—1991,(2):32-37
试析哈萨克语中异体词的语音交替	王祝斌	新疆师范大学学报·哲社版(乌鲁木齐)—1991,(2):37-42
浅析哈萨克人名的变迁	杨柏	语言与翻译(乌鲁木齐)—1991,(3):36-38
哈萨克语文艺语言与正音标准	木哈什·阿合买提江著；努尔兰译	语言与翻译(乌鲁木齐)—1991,(4):57-60
哈萨克语对新疆达斡尔语语音的影响	丁石庆	语言与翻译(乌鲁木齐)—1991,(4):60-62
谈谈哈萨克语词素	巴合提别克·恰合曼	语言与翻译(乌鲁木齐)—1991,(4):74-75
哈萨克语词汇中的文化透视	成燕燕	中央民族学院学报(北京)—1991,(5):65-69
语法本质透析：兼谈哈萨克语语法研究的总体设想	张定京	新疆大学学报·哲社版(乌鲁木齐)—1992,(2):106-112
哈萨克语言与民族文化	李绍年	语言与翻译(乌鲁木齐)—1992,(4):28-34
浅议哈萨克语音位"Y"和"W"	沙河提别克·阿斯勒拜著；帕孜来提·吐尔逊译	语言与翻译(乌鲁木齐)—1992,(4):77-78
浅谈哈萨克语领属性附加成分和谓语性附加成分的语法意义	白斯木汗·浩斯别克	伊犁师范学院学报·社科版—1993,(1):57-61
哈萨克族的人名	托乎塔森·巴特尔汗文，叶尔多斯·巴孜肯译	语言与翻译(乌鲁木齐)—1993,(1):57-61
哈萨克语对偶合成词中某些成分的来源	巴扎尔汗	民族语文(北京)—1993,(1):57-62
哈萨克语一般因果逻辑关系体系	张定京	新疆大学学报·哲社版—1993,(2):94-99
哈萨克语中的减音现象	王立增	语言与翻译(乌鲁木齐)—1993,(3):34-36
哈萨克语文化语言学说略	李绍年	民族语文—1993,(3):59-63
哈萨克谚语浅析	成世勋	伊犁师院学报—1994,(1):34-36
我国哈萨克语研究概况	吐尔逊·木哈什文，曙光译	语言与翻译—1994,(1):48-57
哈萨克族古文字与天山北麓石刻	哈比毛拉	新疆大学学报—1994,(3):19-20
现代哈萨克语状语的种类及其构成方式	武金峰	语言与翻译—1994,(3):43-50

关于哈萨克语名词术语规范的几个问题	木拉提·苏丹	语言与翻译—1994,(4):28-35
是共同态吗	张定京	语言与翻译—1994,(4):40-41
哈萨克语维吾尔语音位的比较:兼谈两种语言音位系统的发展	吴宏伟	民族语文—1994,(4):48-56
试论哈萨克语与格	杨庆国	语言与翻译(乌鲁木齐)—1995,(2):35-43
额敏县哈萨克语的地方特色	黄中祥	语言与翻译(乌鲁木齐)—1995,(2):44-51
再论哈萨克语的量词	王远新	语言与翻译(乌鲁木齐)—1995,(3):15-27
哈萨克语中动物象征词语的文化含义	黄忠祥	民族语文—1995,(3):71-72
关于哈萨克语宾格词尾的显性形式和隐性形式	张定京	语言与翻译(乌鲁木齐)—1995,(4):26-33
哈萨克语语素da之用法探讨	武金峰	语言与翻译(乌鲁木齐)—1995,(4):47-50
哈萨克族有关马的谚语综说	古丽夏提	语言与翻译(乌鲁木齐)—1995,(4):51-58
哈萨克语反推导逻辑关系体系	张定京	新疆大学学报·哲社版—1995,23(2):91-97

嘉戎语

嘉戎语的方言(续):方言划分和语言识别	瞿霭堂	民族语文(北京)—1990,(5):37-44
嘉戎语梭磨话有没有声调	戴庆厦 严木初	语言研究—1991,(2):115-121
嘉戎语助词的形式及其用法	林向荣	中央民族学院学报(北京)—1992,(2):82-88
嘉绒语前缀 ta tə ka kə 的语法作用	黄良荣	民族语文—1993,(3):26-31,58

景颇语

景颇语复合名词中的特殊类	方炳翰	民族语文(北京)—1990,(5):45-50
景颇语亲属称谓的语义分析	戴庆厦	民族语文(北京)—1991,(1):49-56
国内对景颇族语音的研究概况	朵云锐	民族研究动态—1991,(2):11-15
景颇语双音节词的音节聚合	戴庆厦	语言研究—1993,(1):183-189
景颇族从物语到文字的发展	赵学先	云南民族学院学报—1994,(3):32-36
景颇语动词与藏缅语语法范畴	戴庆厦 吴和得	中央民族大学学报—1994,(3):79-85,78
景颇语两个语音特点的统计分析	戴庆厦 杨春燕	民族语文—1994,(5):24-33,43
景颇语单纯词在构词中的变态	戴庆厦	民族语文—1995,(4):23-29
允景洪方言谓词后附成分"给你"	薛才德	中国人民大学学报—1995,(5):76-78

柯尔克孜语

浅谈柯尔克孜语的"柯尔克"	艾山·司马义,朱炳耀	新疆社会科学研究(乌鲁木齐)—1990,(3):41-42
论现代中国柯尔克孜文学语言的词汇成分及其特点	斯拉依·阿赫玛特	喀什师范学院学报·哲社版—1991,(4):80-86
柯尔克孜语渊源	[苏]艾·日·Тенищев 著;阿地力·朱玛吐尔地 译	语言与翻译(乌鲁木齐)—1992,(3):45-47
论柯尔克孜语名词"格"的范畴	斯拉依·阿赫玛特	喀什师院学报·哲社版—1994,(2):63-70
"tul"一词的渊源探索	马克来克·玉买尔拜文,李绍年译	语言与翻译—1994,(3):57-63
回顾中国柯尔克孜语言文字的研究成果	图尔达利·库其肯	语言与翻译(乌鲁木齐)—1994,(3):64-72
柯尔克孜语中的助动词及其语法意义	尤丽杜丝·阿曼吐尔	民族语文—1994,(5):64-69,71

黎 语

黎语塞音韵尾的演变	苑中树	中央民族学院学报(北京)—1991,(2):87-94
黎语虚词的语法功能	文明英	中央民族学院学报(北京)—1993,(2):85-88
黎语方言形成原因摭谈	银题	中央民族学院学报—1993,(5):91-92
从黎语词汇看黎族社会的发展	黄宏	中央民族大学学报—1995,(5):85-89

满 语

满语与锡伯语关系刍议	昌盛	中央民族学院学报(北京)—1990,(1):68-70
东部裕固语动词的"体"范畴	保朝鲁	内蒙古大学学报·哲社版—1991,(4):59-63
试论达斡尔语的"类指"范畴	丁石庆	中央民族学院学报—1991,(5):75-76,81
三家子满语词汇	恩和巴图	民族语文(北京)—1992,(3):41-49
汉语的渗透和满语的连锁式音变	赵杰	语文研究—1992,(4):3-15
富裕满语和锡伯语	仲谦	语言与翻译(乌鲁木齐)—1992,(4):35-38
富裕满语和锡伯语(续)	李树兰,仲谦	语言与翻译(乌鲁木齐)—1993,(1):57-61
清代的满语研究	赵志强	北京社会科学—1993,(1):132-138
北京香山满语底层之透视	赵杰	中央民族学院学报(北京)—1993,(1):78-84

关于满语名词复数的研究	刘景宪 赵阿平 等	民族语文—1993,(4):23-26,68
论满语文在满学研究中的地位	赵志忠	中央民族学院学报—1993,(4):74-77
试论满语语义与文化	赵阿平	民族语文—1993,(5):40-45
满语支语言中的送气清擦音	马学良 乌拉熙春	民族语文—1993,(6):4-9,37
女真语与满语关系	金启孮 乌拉熙春	民族语文—1994,(1):11-16
中国当代满语文研究的内容及成果	刘景宪 赵阿平	黑龙江民族丛刊—1994,(1):123-126
日本女真语文研究50年述评	和希格	北方文物—1994,(3):58-63
女真文研究中不能回避的问题	穆鸿利	北方文物—1994,(3):64-66,41
满语教学与研究中的文化因素问题	赵阿平	中央民族大学学报—1994,(4):77-80
《新满汉大词典》简介	雪犁	民族语文—1994,(5):72-73
满语水体通名音变研究	黄锡惠	民族语文—1995,(1):62-71
满语支语言的松紧元音	乌拉熙春	民族语文—1995,(2):33-39,32
满语和蒙古语从比格词缀比较	哈斯巴特尔	语言文字学—1995,(4):119-126
新疆地区满语文使用情况考略	胡增益	民族语文—1995,(6):35-42
清代满族语言文字在东北的兴废与影响	张杰	语言文字学—1995,(6):57-62
满文的读音和转写法	清格尔泰	语言文字学—1995,(12):111-123
女真语与满语之比较研究	穆鸿利	语言文字学—1995,(12):126-138

蒙 古 语

关于《蒙古秘史》若干汉字的标音问题	哈斯巴根	内蒙古师大学报·哲社版(呼和浩特)—1990,(4):33-36,138
海西蒙古语方言词的特点	贾晞儒	民族语文(北京)—1990,(6):9-15
论蒙古语言文字的历史作用	舍那木吉拉	民族语文(北京)—1991,(1):25-28,68
蒙古语地名翻译与转写的几个问题	格日乐	黑龙江民族丛刊—1991,(1):97-99
中国东北哈姆尼堪人的语言	杨虎嫩·J文	蒙古学资料与情报—1991,(2):39-42
蒙古语科尔沁土语的语气词	查干哈达	民族语文(北京)—1991,(2):71-73
阿毗达磨六十数位名义考	包丽俊	内蒙古社会科学·文史哲—1991,(2):71-77
关于蒙古语和满语某些复数词缀	哈斯巴特尔	内蒙古大学学报·哲社版(呼和浩特)—1991,(3):95-107
说后缀-čila/-čile	道布	民族语文—1991,(6):36-40
从《民族语文》刊载的论文看中国蒙古语族语言研究	孙竹	民族语文(北京)—1991,(6):46-53,78
蒙古族察哈尔话元音松紧的声学分析	鲍怀翘 吕士楠	民族语文(北京)—1992,(1):61-68
浅谈中世纪蒙古语词中辅音h的演变	包力高	内蒙古社会科学—1992,(1):89-97

标题	作者	出处
蒙古文构词法中用前缀的问题	豪斯巴雅尔	内蒙古师大学报·哲社版—1992,(2):29-32
蒙古语句型研究述要	额尔敦琪木格	内蒙古社会科学(呼和浩特)—1992,(2):94-95
蒙文读音输入方法	齐德华	内蒙古大学学报—1992,(3):104-110
关于蒙古语形动词附加成分-ga/-ge	呼日勒巴特尔	内蒙古大学学报·哲社版(呼和浩特)—1992,(3):17-20
蒙古书面语的历史分期	哈斯额尔敦	民族语文(北京)—1992,(3):50-56
元代的诸路蒙古字学	王凤雷	内蒙古社会科学—1992,(3):57-61
施甸"本人"语言否定副词"1"	那顺乌日图	内蒙古社会科学(呼和浩特)—1992,(3):76-80
蒙古语词结构中的民俗事象	贾晞儒	青海民族学院学报·社科版—1992,(3):82-88
蒙古语科尔沁土语的人称代词	查干哈达	民族语文(北京)—1992,(5):44-47
青海汉话的"着"与青海蒙古语的:dʒ	贾敦儒	西北民族研究—1993,(1):267-273
试谈海西蒙古话[dɜɪ:]一词的特点及归属问题	贾晞儒	民族语文(北京)—1993,(1):50-56
关于"col"一词的音、义可否译为汉语的"敕勒"和"川"问题——兼谈"col"一词的族属	阿尔厄	内蒙古大学学报—1993,(1):67-72
蒙古语和维吾尔语词义比较	金·巴音巴特尔	内蒙古师大学报·哲社版(呼和浩特)—1993,(1):115-120
蒙古语族康杨回族语语音特点	李克郁	青海民族研究·社科版—1993,(2):31-37
论蒙古语名词术语的一般审定原则	吉木彦	内蒙古社会科学(呼和浩特)—1993,(2):98-100
论蒙古语比喻的折服修辞效果	包·苏雅拉图	内蒙古社会科学—1993,(3):104-106
论内蒙古西部汉语方言借用蒙古语词的几种方式	哈森 胜利	语文学刊—1993,(3):26-28,37
蒙古族牧业文化语言	杜克	中央民族学院学报—1993,(3):92-94
蒙古语词和朝鲜语词的比较(上)	哈斯巴特尔	民族语文—1993,(4):10-18
蒙古语词和朝鲜语词的比较(下)	哈斯巴特尔	民族语文—1993,(5):51-60
《华夷译语》的蒙古语词首h	黄宋鉴	民族语文—1993,(4):19-22
内蒙古清水河县方言本字考	李景泉	内蒙古师大学报·哲社版—1993,(4):74-82
河南登封少林寺出土的回鹘式蒙古文和八思巴字圣旨碑考释	道布 照那斯图	民族语文—1993,(5):1-3
河南登封少林寺出土的回鹘式蒙古文和八思巴字圣旨碑考释(续一)	道布 照那斯图	民族语文—1993,(6):59-71
关于规范蒙古文异体字之管见	贾晞儒	青海民族研究·社科版—1994,(1):2-8
从《蒙古秘史》语言看东乡语	余志鸿	民族语文—1994,(1):17-22,67
河南登村少林寺出土的回鹘式蒙古文和八思巴字圣旨碑考释(续二)	道布 照那斯图	民族语文—1994,(1):32-40
蒙古语中五种牲畜名称语义分析	斯钦朝克图	民族语文—1994,(1):23-31

大自然的恳求灵力的讴歌:《成吉思汗祭奠》祈祷词探析	赵永铣	内蒙古大学学报·哲社版—1994,(1):42-48
蒙古语"女婿""媳妇""嫂"等称谓词探源	哈斯巴特尔	内蒙古大学学报·哲社版—1994,(1):42-48
汉城发现的八思巴字文献	包祥	内蒙古大学学报·哲社版—1994,(2):36-39
论蒙古族史诗《江格尔》的比喻	哈森	内蒙古大学学报·哲社版—1994,(2):44-48
对元代蒙古口语语音的研究	昂奇	内蒙古社会科学—1994,(2):80-87
《蒙古字韵》与《平水韵》	忌浮	语言研究—1994,(2):128-132
蒙古文、托忒文、锡伯文(含满文)编码方案——我国提出的这一方案已被国际标准组织接受		内蒙古大学学报·哲社版—1994,(3):1-9
胡同借自蒙古语水井答疑	张清常	语言教学与研究—1994,(3):34-42
蒙古文的擦音 h 和零声母	包力高	民族语文—1994,(3):68-73,77
内蒙古科右中旗元代夜巡牌考释:兼论扬州等处发现的夜巡牌	照那斯图	民族语文—1994,(4):11-14
关于蒙古文编码(上)	确精扎布 那顺乌日图	内蒙古大学学报·哲社版—1994,(4):28-37
试认蒙古语数词"一"的起源	哈斯巴特尔	民族语文—1995,(2):71-75
蒙古语"母亲""妻子""女儿"等称谓词探源	哈斯巴特尔	内蒙古大学学报·哲社版—1995,(3):52-60
关于元统二年正月八思巴字圣旨抄件汉译中的若干问题	照那斯图	内蒙古大学学报·哲社版—1995,(3):61-63
关于蒙古语句子以谓语为中心问题	特图克	民族语文—1995,(4):30-37
谈谈蒙古语句子结构的几个问题	贾晞儒	民族语文—1995,(5):63-70

苗 语

古苗语声类和韵类在贵州安顺大山脚苗话的反映形式	刘援朝	语言研究(武昌)—1990,(1):149-159
湘西苗语中的隐婉语	温丽明	民族语文(北京)—1990,(5):57-62
谈苗汉语声调的学习问题	李志慧	中央民族学院学报(北京)—1990,(6):84-85
一个苗语字韵类归属的改正	王辅世	民族语文(北京)—1991,(2):59-61
苗语和汉语语音变化的相同点	曹翠云	民族语文(北京)—1991,(3):49-56
敢于突破,勇于创新的一部新著——评《现代湘西苗语语法》	乌拉熙春	中央民族学院学报—1991,(3):73-74
湘西民间方块苗文的造字哲理	李雨梅	中南民族学院学报·哲社版(武汉)—1991,(3):121-122,30
略谈苗族的语言与文化	曹翠云 姬安龙	贵州民族研究—1991,(3):159-165

贵州安顺大山脚苗话音系及方言归属问题	刘援朝	民族语文(北京)—1991,(4):44-50
黔东苗语助词述略	严素铭	贵州民族学院学报·社科版—1991,(4):54-60,66
古苗语声母*mbr在黔东方言的演变	王春德	民族语文(北京)—1992,(1):49-51
苗语川黔滇次方言的名词前加成分	李云兵	民族语文(北京)—1992,(3):61-65
苗语诗歌格律发展初探	李炳泽	民族文学研究—1992,(3):70-74,84
关于苗文规范化的几个问题	田深泥	中南民族学院学报·哲社版(武汉)—1992,(4):101-104
试谈苗族西部方言标准语的完善和发展	罗兴贵	贵州民族研究—1992,(4):160-164
苗族理词浅谈	杨维文	中央民族学院学报—1992,(6):77-80
苗瑶语前缀	陈其光	民族语文(北京)—1993,(1):1-9
浅谈苗语介词的规范问题	姬安龙	贵州民族研究(贵阳)—1993,(1):114-117,135
贵州紫云界俾苗语的语音特点和方言归属	王辅世 刘援朝	语言研究—1993,(1):165-182
苗语浊送气的声学研究	孔江平	民族语文(北京)—1993,(1):67-73
苗语方言调查述略	郭予践	贵州文史丛刊—1993,(1):94-96,32
解开城步苗文之"谜"	魏文栋	贵州文史丛刊—1993,(2):92-93
关于《苗语句法成分的可移动性》及其补证	杨再彪	民族语文—1993,(3):32-38
跨国苗语比较研究:川黔滇苗语国内与国外的比较	熊玉有	贵州民族研究—1993,(3):72-80
威宁苗语古调值构拟	刘援朝	中央民族学院学报(北京)—1993,(3):85-91
湘西苗汉双语文实验教材的特点	石学东	民族语文—1993,(4):69-70
苗汉双语文教材建设刍议	李显元	民族语文—1993,(4):71-72
黔西县铁石苗语语音研究	李云兵	民族语文—1993,(6):29-37
黔东苗语sh.gh声母产生的时间	李炳泽	民族语文—1994,(1):68-72
黔东苗语中新出现的音变现象	燕宝	民族语文—1994,(1):73-74
大方县六寨苗语音位系统	杨勤盛	贵州民族研究—1994,(1):111-118
汉、苗语言里的几类词的语法特点比较	贺又宁	贵州民族学院学报·社科版—1994,(3):63-69
苗族文字中的三个方言区的三种凸出特色	李炳泽	民族文字研究—1994,(4):83-89
苗瑶语辅音前缀的音节化和实词化及其变体研究	李炳泽	中央民族大学学报—1994,(5):89-94
吉首苗族语地名浅析	龙和铭	中南民族学院学报·哲社版—1995,(2):125-127
黔东南苗语地名与苗族历史文化研究	昊一文	贵州民族学院学报·社科版—1995,(3):48-52
古苗瑶语鼻音声母字在现代苗语方言中的演变	张琨	民族语文—1995,(4):10-13

苗语川黔滇次方言的状词	李云兵	民族语文—1995,(4):63-68
苗语台江话的语言及其发展趋势	姬安龙	民族语文—1995,(5):56-62
苗语历史语言学的最新成果:《苗语古音构拟》述评	李云兵	民族语文—1995,(6):62-65

仫佬语

仡佬语的语言转用	周国炎	贵州民族研究—1992,(4):154-159,153
贵州遵义地区仡佬语概述	张济民	贵州民族研究—1993,(3):63-71

纳西语

从纳西语的紧松元音对立看汉藏语系语音发展轨迹	杨焕典	民族语文(北京)—1991,(1):57-61
纳西语玛莎话	马忠义	云南民族语文(昆明)—1991,(4):42-46
关于纳西语的松紧元音问题:兼论彝缅语语音历史演变的研究方法	戴庆厦	民族语文(北京)—1993,(1):27-31,36
纳西文字、汉字的形声字比较	刘又辛	中央民族学院学报(北京)—1993,(1):85-94
纳西族《祭风经——迎请洛神》研究(一)	傅懋勣遗稿 徐琳整理	民族语文—1993,(2):1-12
纳西族《祭风经——迎请洛神》研究(二)	傅懋勣著 徐琳整理	民族语文—1993,(3):39-49
纳西族《祭风经——迎请洛神》研究(三)	傅懋勣著 徐琳整理	民族语文—1993,(4):32-42
纳西族《祭风经——迎请洛神》研究(四)	傅懋勣遗著 徐琳整理	民族语文—1993,(5):27-39,60
纳西语东部和西部方言语法异同概述	姜竹仪	民族语文—1993,(4):43-50
积极推行纳西文提高纳西族文化	姜竹仪	民族语文—1994,(3):48-52
纳西语月份名称的结构及其来源	和即仁	民族语文—1994,(4):41-44
纳西东巴字、汉古文字中的"转意字"和殷商古音研究		中央民族大学学报—1994,(4):81-86
纳西象形文字所反映的纳西族文化习俗	夏之乾	民族研究—1994,(5):47-56

普米语

普米族的姓名结构及其来源探讨	严汝娴	民族语文(北京)—1993,(1):37-41,62

羌　语

东汉以前的羌语和西羌语	俞　敏	民族语文(北京)—1991,(1):1-11
羌语形容词研究	黄成龙	语言研究—1994,(2):181-189
羌语音位系统分析刍议	黄成龙	民族语文—1995,(1):48-51

畲　语

畲语属苗语支补证	蒙朝吉	民族语文—1993,(2):17-22

水　语

水族文字与《水书》	陈昌槐	中央民族学院学报(北京)—1991,(3):64-69
阳安永语的语音特点	夏勇良	贵州民族研究(贵阳)—1992,(3):113-123
"水书"探源	冷天放	贵州民族研究(贵阳)—1993,(1):118-121
侗水语"斗笠"一词的来源	龙耀宏	民族语文—1995,(2):69-70

塔吉克语

塔吉克语句子结构	高尔锵	语言与翻译(乌鲁木齐)—1991,(4):37-41
塔吉克语句子结构(续)	高尔锵	语言与翻译(乌鲁木齐)—1992,(1):15-18
塔吉克语语态结构剖析:塔汉语言对比刍议	高尔锵	语言与翻译(乌鲁木齐)—1994,(2):15-25
塔吉克语语态结构剖析:塔、汉语言对比刍议	高尔锵	语言与翻译(乌鲁木齐)—1994,(3):9-15

土　家　语

从土族语词汇看其文化的多元性	席元麟	青海民族学院学报·社科版(西宁)—1993,(1):54-60
土家语形容词的级	舒志武	语言研究—1994,(2):194-198
土家语三音格形容词的语音结构和义位特征	叶德书	民族语文—1995,(6):68-72

突　厥　语

突厥语族语言十位数基数词词源诠释:兼释数词百、千、万	王远新	语言与翻译(乌鲁木齐)—1990,(4):13-18

标题	作者	出处
突厥语蒙古语词汇与畜牧文化的联系	阿拉腾奥其尔	民族语文(北京)—1990,(5):70-75
论突厥文	李森	语言与翻译(乌鲁木齐)—1991,(1):13-15
关于突厥语族语言元音和谐性质问题的探讨	吴宏伟	语言与翻译(乌鲁木齐)—1991,(1):25-28
略谈古代突厥语中的外来词	范耀祖	语言与翻译(乌鲁木齐)—1991,(1):32-34
突厥语族语言元音和谐的类型	吴宏伟	语言研究(武汉)—1991,(2):149-160
中国突厥语名词格的比较	张亮	民族语文(北京)—1991,(2):74-80
我国突厥语研究的回顾与展望	陈宗振	突厥语研究通讯(北京)—1991,(3-4):5-11
中国突厥诸语言同位结构短语	靳畴	语言与翻译(乌鲁木齐)—1991,(3):24-27
试论突厥语诸语言后置词的形成与发展	王树辉	语言与翻译(乌鲁木齐)—1991,(3):27-32
突厥语族语言的分类	吴宏伟	语言与翻译(乌鲁木齐)—1992,(1):19-24
简述裕固族族称和突厥语地名的关系	钟进文	语言与翻译(乌鲁木齐)—1992,(1):24-27
楚瓦什突厥诸语言的一种新分类法	塔拉提·铁步著;李增祥译	语言与翻译(乌鲁木齐)—1992,(1):68-73
突厥茹尼文的起源	克劳逊,G.著;杨艳丽译	突厥语研究通讯(北京)—1992,(3/4):12-25
突厥语的动词性地名	多尼德泽,T.H.著;牛汝辰译	突厥语研究通讯(北京)—1992,(3/4):48-52
突厥文起源新探	牛汝极	新疆大学学报·哲社版(乌鲁木齐)—1992,(4):113-122,110
新疆突厥语族语言方言初探:新疆突厥语族语言1955年调查研究总结	李森	语言与翻译(乌鲁木齐)—1992,(4):4-9
关于突厥语一些语言部分词首辅音演变的几个问题	吴宏伟	民族语文(北京)—1992,(5):48-52
突厥语族语言双音节词中元音的相互适应与相互排斥	吴宏伟	语言与翻译(乌鲁木齐)—1993,(1):15-20
突厥语族语言与格类型比较研究	赵明鸣	民族语文—1993,(2):24-34,12
突厥语后置词形成问题质疑	邓浩	语言与翻译(乌鲁木齐)—1993,(3):64-68
突厥语言研究与发展语言理论的互动关系	程适良	中央民族大学学报—1994,(1):80-84
匈奴、乌醒的"落"究竟指什么?	莫任南	民族研究—1994,(1):100-101
浅谈日语与突厥语的部分结构类型	海木都拉·阿不都热合曼文,高远月译	语言与翻译—1994,(2):36-41
北京图书馆藏回鹘文《阿毗达磨舍论》残卷研究	张铁山 王梅堂	民族语文—1994,(2):63-70

布古特所出粟特文突厥可汗记功碑考	林梅村	民族研究—1994,(2):64-71
略谈汉语中的突厥语借词	喻 捷	中央民族大学学报—1994,(2):81-84
突厥语族语言历史比较语音学发展概述	吴宏伟	语言与翻译(乌鲁木齐)—1994,(3):16-25
古代突厥文《台斯碑》译释	杨富学	语言与翻译—1994,(4):22-27
再论突厥语后置词的形成问题	李树辉	语言与翻译(乌鲁木齐)—1995,(1):127-136
突厥语族乌古斯语组的语言	李增祥	语言与翻译(乌鲁木齐)—1995,(2):10-20
《突厥语词典》名词的语法范畴及其形式	邓 浩	民族语文—1995,(3):12-23
突厥语族语言序数词的历史发展	王远新	中央民族大学学报—1995,(4):76-81
突厥语族语言的词重音问题	吴宏伟	民族语文—1995,(5):71-77

佤 语

佤语和数词、量词和数量词组	黄同元	云南民族语文(昆明)—1991,(2):36-41
佤族木鼓祭辞	尼 嘎	民族文学研究—1994,(2):87-91
佤语"烟草"语源考	肖玉芬 陈 愚	民族语文—1994,(4):68-69

维 吾 尔 语

汉语介词与维吾尔语的格	白晓丽	语言与翻译(乌鲁木齐)—1990,(4):22-26
维吾尔语副词级的范畴	艾尔肯·巴拉提著;曹世隆译	语言与翻译(乌鲁木齐)—1990,(4):26-28
浅议维吾尔语的所谓"格附加成分"之类属	艾山江·穆哈买提	语言与翻译(乌鲁木齐)—1990,(4):29-31
维吾尔成语修辞初探	刘 珉	新疆师范大学学报·哲社版(乌鲁木齐)—1990,(4):59-66
对比维语中的状语与汉语中的时量补语、程度补语	王琴霄	中央民族学院学报(北京)—1990,(6):77-79
维语虚拟式形式表对别意义刍议	杨承兴	喀什师范学院学报—1991,(1):60-65
bir 的重选连用形式	伊 敏	语言与翻译(乌鲁木齐)—1991,(1):79-80
谈维吾尔语口语中"ng"的增音现象	贾殿岭	语言与翻译(乌鲁木齐)—1991,(1):80,61
现代维吾尔语简单句实际切分理论概述	任乌晶	语言与翻译(乌鲁木齐)—1991,(2):15-22
也谈维吾尔语的"格"	张 声	语言与翻译(乌鲁木齐)—1991,(2):25-29
谈谈现代维吾尔语无主句	再娜甫·尼牙孜著;罗焕淮译	语言与翻译(乌鲁木齐)—1991,(2):38-39,46

试谈"比"在汉语、维语中的表达	王守桃	新疆大学学报·哲社版(乌鲁木齐)—1991,(2):102－108
维吾尔语词汇的文化透视	廖泽余	西域研究(乌鲁木齐)—1991,(2):121－126
现代语言学与维吾尔语研究	高莉琴	语言与翻译(乌鲁木齐)—1991,(3):12－18
维吾尔语形象性词语刍议	郭卫东 孔雪芹	新疆师范大学学报·哲社版—1991,(3):24－25,39
维吾尔语语流音变现象说略	宋志孝 李美蓓	语言与翻译(乌鲁木齐)—1991,(3):32－34
现代维吾尔语双关现象初探	阿米娜·阿布力孜著; 解牛译	语言与翻译(乌鲁木齐)—1991,(3):38－41
谈谈汉语能愿动词的连用及其在维语中的对应形式	张明德	喀什师院学报·哲社版—1991,(3):72－79
试论维吾尔语形态变化的功能及其特点	霍盛	新疆大学学报·哲社版(乌鲁木齐)—1991,(3):104－111
现代语言学与维吾尔语研究(续)	高莉琴	语言与翻译(乌鲁木齐)—1991,(4):47－51
帕合甫话简介	米尔苏里 唐·乌期曼诺夫,阿米娜·阿帕尔	民族语文—1991,(4):51－56
维吾尔语与汉语的相互影响与渗透	喻捷 张庆宏	语言与翻译(乌鲁木齐)—1991,(4):52－56
维吾尔语罗布话名词的领格和宾格	米海力	民族语文(北京)—1991,(4):57－61
维吾尔语的语音美	伊敏	语言与翻译(乌鲁木齐)—1991,(4):71
现代维语中的两性词及其类别名称问题	杨承兴	喀什师范学院学报·哲社版—1991,(4):72－79
维吾尔族谚语浅谈	丁文楼	中央民族学院学报(北京)—1991,(5):86－88,94
浅谈维吾尔语的宾语	苗冬霞	中央民族学院学报(北京)—1991,(6):67－70
维语同义连词的使用	白克力·赛衣提	语言与翻译(乌鲁木齐)—1992,(1):60－63
关于维吾尔语的宾语问题	万世丰	喀什师范学院学报·哲社版—1992,(1):61－66
试论维吾尔语名词的数及其历史演变:从语言间的差异性论其历史发展	牛汝极	语言与翻译(乌鲁木齐)—1992,(1):74－81
浅析汉语的结果补语在维吾尔语中的表达方式	王琴霄	中央民族学院学报(北京)—1992,(1):87－90
维吾尔语对偶词的构成性质和表意功能	乌斯满江 王朝中	新疆师范大学·哲社版(乌鲁木齐)—1992,(1):90－96
维吾尔语-Sa/-SΣ形式演变新探	邓浩	民族语文(北京)—1992,(2):60－67
维语语法手段小议	陈瑜	语言与翻译(乌鲁木齐)—1992,(2):78
关于维吾尔语的重音、声调问题	徐思益 高莉琴	语言与翻译(乌鲁木齐)—1992,(3):12－15

现代维吾尔语词根的语音变异及同根异形词	陈宗振	语言与翻译(乌鲁木齐)—1992,(3):15-22
现代维吾尔语词语重叠初探	艾尔肯,阿尔孜,库尔班尼沙著;牛小莉译	语言与翻译(乌鲁木齐)—1992,(3):33-37
从动词与名词格的关系谈维语动词的分类	米娜瓦尔·哈米提等	突厥语研究通讯(北京)—1992,(3/4):52-55
维吾尔语中的特殊句型	艾尔肯·阿热孜,哈米提·铁木耳	突厥语研究通讯(北京)—1992,(3/4):55-58
现代维吾尔语方言的研究及有关维吾尔语方言划分的一些观点	米尔苏里唐·乌斯满诺夫	喀什师范学院学报·哲社版—1992,(3):84-89
试论维吾尔语对喀什汉语口语的影响	李棣 董广枫	喀什师范学院学报·哲社版—1992,(3):90-92
试论塔城维吾尔语	邓浩	新疆大学学报·哲社版(乌鲁木齐)—1992,(3):92-98
论现代维吾尔语单句句型	张玉萍	新疆大学学报·哲社版(乌鲁木齐)—1992,(3):99-105
论汉维语的回环修辞格	刘珉	语言与翻译(乌鲁木齐)—1992,(4):13-17
汉语的被动句与维语的被动语态	潘振宇	语言与翻译(乌鲁木齐)—1992,(4):18-21
维吾尔语句子主要成分的关系	高尔锵	民族语文(北京)—1992,(4):51-57
论察哈台语与维吾尔语口语的关系	阿布都若夫·普拉提	民族语文(北京)—1992,(4):58-62
论现代维吾尔语中的 emɛs 一词	再娜甫·尼牙孜	民族语文(北京)—1992,(5):58-60
维吾尔语词组研究述评	马德元	新疆大学学报·哲社版(乌鲁木齐)—1993,(1):100-104
浅谈维吾尔语中的"J+?"句	张伟立	新疆大学学报·哲社版(乌鲁木齐)—1993,(1):109-111
用分布法认识维语后置词	蔡崇尧	语言与翻译(乌鲁木齐)—1993,(1):20-23
维吾尔语与维吾尔族的畜牧文化	郑婕	西北民族研究—1993,(1):228-239
论维吾尔语的附加成分	阿不都热西提·沙比提著;李建军译	语言与翻译(乌鲁木齐)—1993,(1):24-27
浅议维吾尔语中的阿拉伯、波斯语借词	苗焕德	西北民族研究—1993,(1):240-247
维吾尔人名规范化迫在眉睫	努尔穆罕默德·多来提著;罗焕淮译	语言与翻译(乌鲁木齐)—1993,(1):64-67

各个语言

我国维吾尔话研究评析	高树春 阿不都热西提·亚库甫	新疆大学学报·哲社版(乌鲁木齐)—1993,(1):94-99
维吾尔语主题特点探寻	高莉琴	语言与翻译(乌鲁木齐)—1993,(2):6-11
现代维吾尔语标点符号及其用法	米尔苏里堂·阿米娜等著 张宏超译	语言与翻译(乌鲁木齐)—1993,(2):11-14
维语结构类型学特征及其语法分析问题	方晓华	语言与翻译(乌鲁木齐)—1993,(2):18-23
维吾尔语部分词语的审美透视	郎士旭 赵鲜秋	语言与翻译(乌鲁木齐)—1993,(2):27-28
维吾尔文字母变体的类型分析:兼谈哈萨克文和柯尔克孜文	阿西木·图尔迪	民族语文—1993,(2):35-38
维吾尔买卖语及其文化	黄中祥	语言与翻译(乌鲁木齐)—1993,(2):51-54
试论现代维吾尔语代词	苏来曼·沙帕尔	喀什师范学院学报·哲社版—1993,(2):66-70,76
维吾尔语形容词级位范畴新探	张玉萍 张量	新疆大学学报·哲社版—1993,(2):90-93
多郎维吾尔人与塔里木土语	米尔苏里唐	西域研究—1993,(3):9-19
现代维吾尔语标点符号及其用法(续一)	米尔苏里唐·阿米娜·势合曼文 张宏超译	语言与翻译(乌鲁木齐)—1993,(3):18-23
维吾尔语"名·名"组合语义分析	鞠贤	语言与翻译(乌鲁木齐)—1993,(3):24-27
维吾尔语中 bolmag 一词与形态	喻捷	语言与翻译(乌鲁木齐)—1993,(3):27-30
维吾尔语颜色词浅析	刘岩	语言与翻译(乌鲁木齐)—1993,(3):39-41
维吾尔族学生学汉语偏误与纠正方法	董广枫	喀什师院学报·哲社版—1993,(3):95-104
浅谈维吾尔语中"M+?"疑问句的意向	张伟立	新疆大学学报·哲社版—1993,(3):109-116
小议 *1*2*3 和 *4*5*6 的词性	高莉琴	新疆大学学报·哲社版—1993,(3):117-118,51
维吾尔姓名汉译的规范问题	刘志强 景永恒	语言与翻译(乌鲁木齐)—1993,(4):45,48
浅析汉维语互借的几个词语	张敬仪	语言与翻译(乌鲁木齐)—1993,(4):46-48
现代维吾尔语疑问语气词	张伟立	语言与翻译(乌鲁木齐)—1993,(4):49-53
现代维吾尔语标点符号及其用法(续二)	米尔苏里唐·阿米娜·势合曼文 张宏超译	语言与翻译(乌鲁木齐)—1993,(4):54-59
谈维吾尔语中的复合词	再娜甫·尼牙孜	中央民族学院学报—1993,(4):93-94
维汉语主谓句的对比研究	张玉萍	民族语文—1993,(5):61-67,71
新疆维吾尔自治区语言文字工作条例		语言与翻译—1994,(1):1-5
维吾尔族妇女名字中"花"的妙用	梁云	修辞学习—1994,(1):18

标题	作者	出处
维吾尔语里|P|副动词+定式动词形式的分类与划分	高莉琴,阿不都许库尔	语言与翻译—1994,(1):28-41
现代维吾尔语单复句划分标准	拉赫曼·汗巴巴	语言与翻译(乌鲁木齐)—1994,(1):67-77
维语同位主语、同等主语句中超常主从一致联系说略	周振明	喀什师院学报·哲社版—1994,(1):68-76
浅谈维吾尔语中比喻的民族特点	王艳玲 楼卫国	喀什师院学报·哲社版—1994,(1):77-80
汉维语祈使句的比较	丁文楼	中央民族大学学报—1994,(1):91-94
察合台语在维吾尔语词汇研究中的作用	阿不都鲁甫·包拉提	语言与翻译(乌鲁木齐)—1994,(2):26-36
维吾尔文的发展与明清时期的运用	李瑛国	语言与翻译(乌鲁木齐)—1994,(3):30-37
维吾尔语的开放性与封闭性	王玉祥	语言与翻译(乌鲁木齐)—1994,(3):38-42
维吾尔语中的双复数现象和双人称现象	马维和	语言与翻译(乌鲁木齐)—1994,(3):51-52
议维吾尔语的紧缩句	蒲泉	语言与翻译(乌鲁木齐)—1994,(3):53-56
现代维吾尔语象声词初探	再娜甫·尼牙孜	中央民族大学学报—1994,(3):92-94
维吾尔语的多功能语法单位语素	滕春华	新疆大学学报—1994,(3):109-112
林则徐《回疆竹枝词》中的维吾尔语词	赵世杰	语言与翻译—1994,(4):36-39
佛教的传播对古代维吾尔书面语的影响	刘萍	语言与翻译—1994,(4):42-49
维汉元辅音音位及其相关问题的对比研究初探	易斌	语言与翻译—1994,(4):90-96
维吾尔语句法嬗变中的词序作用	郑婕	西北民族学院学报—1994,(4):99-107
维语多词词组结构关系及其层次系列	高尔锵	中央民族大学学报—1994,(5):83-88
浅谈维语近义词的辨析方法	王枫	语言与翻译(乌鲁木齐)—1995,(1):123-126
维吾尔语下马崖方言概况	张洋	语言与翻译(乌鲁木齐)—1995,(1):40-48
现代维吾尔语名词"从格"的形式和意义	李玲	语言与翻译(乌鲁木齐)—1995,(1):55-57
维吾尔语方言研究的重要成果:米尔苏里唐·乌斯曼诺夫《现代维吾尔语方言》一书评介	陈宗振	民族语文—1995,(1):57-61
维吾尔语数词的修辞作用	古丽鲜·尼牙孜	语言与翻译(乌鲁木齐)—1995,(1):58-60
汉维短语比较	张淑芳	新疆师大学报·哲社版—1995,(1):68-75
现代维吾尔语 a、ε 变为 e、i 的音变现象及其原因	阿布都若夫·普拉提	民族语文—1995,(1):72-76
有关现代维吾尔语形容词划分范围的几个问题	沈利元	新疆大学学报·哲社版—1995,(1):101-104

试论维吾尔语摹拟词的形象色彩及其功能	庄淑萍	新疆大学学报·哲社版—1995,(1):105-109
论维吾尔语的宾语补足语	方晓华	语言与翻译(乌鲁木齐)—1995,(2):24-29
从动词与名词格的关系谈维语动词的分类	米娜瓦尔·艾比布拉	民族语文—1995,(2):40-47
维吾尔成语形象色彩中的语言民族风格	周亚玲	语言与翻译(乌鲁木齐)—1995,(2):52-56
维吾尔语无主句的构造	尼牙孜·吐尔地	语言与翻译(乌鲁木齐)—1995,(2):57-58,23
关于"形容词+否定动词"格式问题	滕春华	新疆大学学报·哲社版—1995,(2):101-102
维吾尔文字学发凡	牛汝极 程雪飞	语言与翻译(乌鲁木齐)—1995,(3):28-32
试谈维语助动词的修辞作用	张声	语言与翻译(乌鲁木齐)—1995,(3):40-44
论维吾尔语的系词	方晓华	新疆师大学报·哲社版—1995,(3):62-70
维汉语翻译学论纲	高树春	新疆大学学报·哲社版—1995,(3):96-101
试论现代维吾尔语音位非区别性特征的类型	孟大庚	语言与翻译(乌鲁木齐)—1995,(4):15-25
现代维吾尔语同音词漫说	伊明·阿布拉	语言与翻译(乌鲁木齐)—1995,(4):34-40
现代维吾尔语共时音系生成规律研究	张洋	民族语文—1995,(4):38-45
维吾尔语中的仿译词	马德元	民族语文—1995,(4):46-50
维吾尔语的关系从句	力提甫·托乎提	民族语文—1995,(6):26-34

锡 伯 语

锡伯语和锡伯文简介	郭秀昌	语言与翻译(乌鲁木齐)—1990,(4):69-70
锡伯语的藻饰词	李树兰	民族语文(北京)—1991,(1):36-42
《现代锡伯文学语言正字法》的颁布实施是锡伯语文规范化标准化的重要步骤	艾力·阿比提	语言与翻译(乌鲁木齐)—1992,(1):49-52
关于锡伯文字母	奇车山	语言与翻译(乌鲁木齐)—1992,(1):52-55
锡伯文"阿吾珠"(阿字头)属性浅议	永柏寿	语言与翻译(乌鲁木齐)—1992,(1):56-57
说"mangga"	奇车山	语言与翻译(乌鲁木齐)—1991,(1):80
锡伯语言研究概况	佟加·庆夫	语言与翻译(乌鲁木齐)—1991,(2):22-25
现代锡伯语新词术语规范问题	佟加·庆夫	语言与翻译(乌鲁木齐)—1992,(2):43-46
锡伯族古代语言文字简论	贺灵 佟克力	语言与翻译(乌鲁木齐)—1992,(4):39-42
锡伯语和维吾尔语音义相近词语	郭秀昌	语言与翻译(乌鲁木齐)—1992,(4):46
浅析现代锡伯语元音音变	安成山	新疆大学学报·哲社版—1993,(3):124-128,132

锡伯语文研究概述	佟加·庆夫	语言与翻译(乌鲁木齐)—1994,(1):58-66
锡伯语语序	安成山	语言与翻译—1994,(4):65-71
乌鲁木齐市双语场中的锡伯族双语	佟加·庆夫	语言与翻译(乌鲁木齐)—1995,(1):97-105
简论现代锡伯语口语和书面语的相异性	苏承志	语言与翻译(乌鲁木齐)—1995,(3):48-56

瑶 语

人类语言学研究的又一新成果:评《广东连南油岭八排瑶语言概要》	华言	华东师范大学学报·哲社版(上海)—1991,(1):94-95
云南瑶族"布努"语研究	盘金祥 黄贵权	云南民族语文(昆明)—1991,(2):42-46
汉字在瑶族社会中的传播及其演变	宋恩常	云南民族学院学报—1991,(3):25-28
关于瑶族文字的二则史料	潘洪刚	语言文字学(北京)—1991,(6):152
云南金平红头瑶话几组声母的历史演变初探	方炳翰	民族语文(北京)—1992,(2):18-24,50
瑶语入声字	张琨	民族语文(北京)—1992,(3):11-18
语言的裂变与文化的整合——瑶族多语文现象的时化特征		贵州民族研究—1994,(3):131-141
瑶族勉语六冲标曼话语音特点和声调实验研究	唐永亮	民族语文—1994,(5):12-23
奇特的瑶族语句团符号文字	赵丽明	语文建设—1995,(3):34-36

彝 语

凉山彝族双语教学态度的调查研究:兼论语言态度问题	黄行	民族语文(北京)—1990,(6):19-23
彝语修辞学与几种近邻学科的关系	赵洪泽	西南民族学院学报·哲社版—1991,(1):17-22
《楚辞》"女嬃"与彝语 $mo^{21}ni^{55}$	陈士林	民族语文(北京)—1991,(2):31-34
彝语义诺话的撮唇音和长重音	戴庆厦 曲木铁西	中央民族学院学报(北京)—1991,(2):80-86
彝语支调类诠释	陈康	民族语文(北京)—1991,(3):19-27
彝语合成词构成分析	李文华	西南民族学院学报·哲社版—1991,(3):23-31
凉山彝语描摹词问题初探	马兴国	民族语文(北京)—1991,(3):28-33
彝语北部方言数量结构音变分析	苏连科	西南民族学院学报·哲社版—1991,(3):32-38
缅彝语几种音类的演变	徐世璇	民族语文(北京)—1991,(3):34-41
撒尼彝语的声调变换	毕云鼎	云南民族语文(昆明)—1991,(4):47-52
树枝文字——彝文起源新探	张纯德	思想战线—1991,(4):56-59,94
试论彝语次高调产生的原因	拉玛兹偓	民族语文(北京)—1991,(5):35-38

标题	作者	出处
彝缅语鼻冠声母的来源及发展:兼论彝缅语语音演变的"整化"作用	戴庆厦	民族语文(北京)—1992,(1):42-43,51
凉山彝语亲属称谓的序数词素及其民族学意义	瓦尔巫达	中央民族学院学报(北京)—1992,(1):76-80
云南墨江彝语结构助词初探	纪嘉发	语言研究(武汉)—1992,(2):190-197
彝族诗论的"诗音"说	曾祥麟	中央民族学院学报—1992,(4):71-73
论彝文之创立与发展	李家祥	贵州民族研究—1992,(4):121-138
缅彝语言声调比较研究	李永燧	民族语文(北京)—1992,(6):11-24
凉山彝语及其文化因素	朱文旭	民族语文(北京)—1992,(6):68-71
彝缅语塞音韵尾演变轨迹	陈康	民族语文(北京)—1993,(1):22-26
彝文在凉山的普及给人们的启示	马黑木呷 姚昌道	民族语文—1993,(2):39-42
完善《彝文规范方案》之我见	潘正云	西南民族学院学报·哲社版—1993,(2):68-73
彝语王号"诏"与"庄"音义变异考	朱崇先	中央民族学院学报(北京)—1993,(2):80-84,93
彝语支语言颜色词试析	戴庆厦 胡素华	语言研究—1993,(2):171-179
彝语义诺话植物名词的语义分析	曲木铁西	语言研究—1993,(2):180-189
规范彝文理论实践价值评估	周庆生	民族语文—1993,(4):27-31
彝语固定格式初探	马鑫国 阿且	西南民族学院学报·哲社版—1993,(4):59-62
彝缅语量词的产生和发展	徐悉艰	语言研究—1994,(1):185-190
试论彝语名量词的起源层次	曲木铁西	民族语文—1994,(2):33-38,32
彝语亲属称谓词初探	徐尚聪	贵州民族学院学报·社科版—1994,(3):51-62
彝族"那史"探究	陈世鹏	贵州民族研究—1994,(3):72-79
彝语双语研究概况及发展前景	马锦卫	西南民族学院学报—1994,(4):82-85
试论阿哲彝语词头 A-	王成友	民族语文—1994,(5):54-55
彝语宾动式名词	欧木几	民族语文—1994,(6):60-63
论缅彝语调类及其在彝南的反映形式	李永燧	民族语文—1995,(1):18-27
凉山彝语骈俪词调律探讨	巫达	民族语文—1995,(2):55-60
缅彝语言塞擦音声母初探	徐世璇	民族语文—1995,(3):65-70,78
论彝族尔比系统功能	木乃热哈	中央民族大学学报—1995,(3):75-81
彝语田坝话的特点及形成原因	木乃哈热	民族语文—1995,(6):64-69

裕 固 语

标题	作者	出处
东部裕固语动词的"体"范畴	保朝鲁	内蒙古大学学报·哲社版(呼和浩特)—1991,(4):59-62
《突厥语词典》中保留在西部裕固语里的一些古老词语	陈宗振	民族语文(北京)—1992,(1):33-41
再论《突厥语词典》中保留在西部裕固语里的一些古老词语	陈宗振	民族语文(北京)—1993,(1):42-49

| 试释裕固族宗教和婚丧习俗的某些用语:裕固族习俗用语纵谈 | 陈宗振 | 甘肃民族研究—1994,(2):11-19 |
| 浅谈裕固语使用情况 | 杜曼·叶尔江 | 甘肃民族研究—1994,(2):66-67 |

载瓦语

| 载瓦语的量词 | 徐悉艰 | 民族语文—1993,(4):58-62 |

藏语

藏语中甸话的语音特点	陆绍尊	语言研究(武昌)—1990,(2):147-159
巴塘藏语动词屈折形态的分析化	巴桑卓玛	民族语文(北京)—1990,(5):76-79
试析藏语 ABB 型词的义位特点	胡书津	民族语文(北京)—1990,(6):24-29
汉语河州话与藏语的句子结构比较	仁增旺姆	民族语文(北京)—1991,(1):12-18
藏语拉萨话元音、韵母的长短及其与声调的关系	谭克让 孔江平	民族语文(北京)—1991,(2):12-21
藏缅语的情态范畴	黄布凡	民族语文(北京)—1991,(2):22-30
罗列赫及其所著《安多藏语研究》(法文版)	王青山	青海民族学院学报·社科版—1991,(2):31-37
藏族民歌修辞格分析	夏敏	西藏民族学院学报·社科版—1991,(2):42-50
嘉戎话面貌观	赞拉·阿旺	西南民族学院学报·哲社版—1991,(3):5-14
试析汉藏文主语在句式中的不同特点	许云	西南民族学院学报·哲社版—1991,(3):15-17
藏语方言敬语对比试析	白玛措	西南民族学院学报·哲社版—1991,(3):18-22
古藏语复辅音韵尾中 d 的演变:从古藏文手卷 p.t.1047 看古藏语语音演变	罗秉芬	民族语文(北京)—1991,(3):57-58
道孚藏语双擦音声母的声学分析	孔江平	民族语文(北京)—1991,(3):59-64
语言嬗变对文字规范的影响:藏语 Id-声母词例证	江荻	中央民族学院学报(北京)—1991,(3):60-63
藏语 ring-Lugs 一词演变:敦煌藏文古词研究之一	陈践践	中国藏学—1991,(3):134-140
语言关系研究中的一些理论问题——《汉语河州话与藏语的句子结构比较》读后	喜饶嘉措	民族语文—1991,(4):11-22
论《格萨尔》史诗中十三数词的象征内涵	徐国琼	西藏研究—1991,(4):41-53
汉藏语系语音声调的调型调值的理论构拟	王君	延安大学学报—1991,(4):81-86
藏文字性法与古藏语音系	格桑居冕	民族语文—1991,(6):12-22,35

藏语拉萨口语中的兼类词	王志敬	语言研究(武汉)—1992,(1):123-136
藏文异体词的整理	周秀文	民族语文(北京)—1992,(2):42-50
藏文下加字 Wa Zur 的保留与消失初探	谢明琴 加措	中央民族学院学报(北京)—1992,(2):89-93
藏缅语表限定、工具、处所、从由和比较的结构助词(上)	张军	海南师院学报(海口)—1992,(2):104-111
夏尔巴话的识别：卫藏方言又一个新土语	瞿霭堂	语言研究(武汉)—1992,(2):176-189
对我区重视使用藏语文之管见	次仁班党	西藏研究—1992,(3):101-107
试论措纳门巴话与藏语的关系	益西	西藏研究—1992,(3):108-122,150
藏缅语表限定、工具、处所、从由和比较的结构助词(下)	张军	海南师院学报—1992,(3):111-116
汉藏比喻辞格的比较与翻译	郭登元	青海民族学院学报·社科版—1992,(4):44-52
藏语动词屈折现象的统计分析	江荻	民族语文(北京)—1992,(4):47-50
论藏缅语语法结构类型的历史演变	孙宏开	民族语文(北京)—1992,(5):1-9
藏语拉萨话语音声学参数数据库	鲍怀翘 徐昂 陈嘉猷	民族语文—1992,(5):10-20,9
论藏缅语语法结构类型的历史演变(续)	孙宏开	民族语文—1992,(6):54-60,封三
古藏文 kog（gog）yul 为俱位考	王小甫	民族语文—1992,(6):61-67
藏语历史的分期与各期语音特征	益西	西藏研究—1993,(1):124-130,99
论藏族格言诗中的辩证法思想	李钟霖	青海民族学院学报·社科版—1993,(1):25-31
原始藏缅语动词的人称范畴(上)	[美]斯科特·狄兰西文 刘菊黄译	民族译丛—1993,(2):34-45
原始藏缅语动词的人称范畴(下)	[美]斯科特·狄兰西文 刘菊黄译	民族译丛—1993,(3):38-42
天峻藏语里的元音和韵母	王荣德	青海民族学院学报·社科版(西宁)—1993,(2):52-58
藏缅语亲疏关系的计量分析方法	孙宏开 郑玉玲	语言研究—1993,(2):155-163
再论怒语(怒苏)的中介语性质——兼论中介语在藏缅语研究中的地位	傅爱兰	语言研究—1993,(2):164-170
从西夏《文海》看西夏语同藏语词汇的关系(一)	陈庆英	青海民族学院学报·社科版—1993,(3):1-8
工布藏语构词法	结昂	民族语文—1993,(4):51-57
藏族姓名的社会文化背景	王青山	民族语文—1993,(5):16-21,3
试论藏缅语中的反身代词	孙宏开	民族语文—1993,(6):19-28
藏语中的数字	西绕拉姆	语文月刊—1993,(11):7

白马话和藏语(上)	张济川	民族语文—1994,(2):11-24
白马话和藏语(下)	张济川	民族语文—1994,(3):58-67
玉树藏语的语音特点和历史演变规律	黄布凡等	中国藏学—1994,(2):111-134
独龙语等部分藏缅语动词人称前加成分的来源探索	刘菊黄	语言研究—1994,(2):190-193
藏语方言声调的发生和分化条件	黄布凡	民族语文—1994,(3):1-9
藏缅语中的代词化问题	孙宏开	国外语言学—1994,(3):32-38
藏语中常用的委婉语	西绕拉姆	语文月刊—1994,(3):32-38
试论藏族谚语的"矛盾同构"	叶玉林	民间文学论坛—1994,(3):40-46
河湟花儿和藏族民歌比较研究	谈世炎	民族文学研究—1994,(3):63-69
再论藏缅语中动词的人称范畴	孙宏开	民族语文—1994,(4):1-10
格什札话复辅音研究	多尔吉	中国藏学—1994,(4):86-97
对藏语几个后缀的分析	张济川	中国藏学—1994,(4):106-115
试论藏语动词在句子中的核心作用	车谦	民族语文—1994,(5):44-48,76
藏文数字藻饰词及其文化内涵	胡书津	民族语文—1995,(2):61-62
藏文信息处理基本属性分析	江获	民族语文—1995,(2):63-68
藏语(拉萨语)声调感知研究	孔江平	民族语文—1995,(3):56-64
藏语 rgya 的本义初探	金理新	民族语文—1995,(4):61-62
藏缅语疑问方式试析——兼论汉语藏缅语特指问句的构成和来源	孙宏开	民族语文—1995,(5):1-11

壮　　语

壮族的尊称谦称和昵称	吴超强	民族语文(北京)—1990,(6):75-77
壮语造词法的初步研究	韦树关	广西民族学院学报·哲社版(南宁)—1991,(1):65-69
广西陆西村壮族私塾所读汉字音	谢建猷	民族语文(北京)—1991,(1):69-75
汉字在壮语中的一种特殊读法	班弨	民族语文(北京)—1991,(2):48-54
壮语对横县平话的影响	闭克朝	中南民族学院学报·哲社版(武汉)—1991,(4):59-66,73
壮语使用中的语法规范问题	韦达	中南民族学院学报·哲社版(武汉)—1991,(4):67-73
壮语中的古汉语特殊语法现象	覃晓航	中央民族学院学报(北京)—1991,(5):70-74
古壮字与典籍	王梅堂	民族语文—1991,(11):37
壮语德靖土语的否定方式	郑贻青	中央民族学院学报(北京)—1992,(2):79-81
壮语量词 pou 的来源	覃晓航	民族语文(北京)—1992,(4):41-46
壮语对毛南话的影响:兼谈语音影响的方式及其对历史比较的意义	邢凯	民族语文—1993,(2):48-52
桂西壮语中的古汉语积淀现象	韦尚辉	贵州民族学院学报·社科版—1993,(3):86-89
壮语与越南侬语语法比较初识	李锦芳	贵州民族研究—1993,(4):117-126

标题	作者	出处
壮汉代词数词量词名词结构形式比较分析	季永兴	民族语文—1993,(4):63-68
武鸣壮语名量词新探	张元生	中央民族学院学报—1993,(4):77-86
壮侗语数词 deu'、so:ŋ'、ha³ 考源	覃晓航	中央民族学院学报—1993,(5):80-83
横县壮语 AbA 形容词重叠式的语义构成及语法功能	李锦芳 莫轻业	中央民族学院学报—1993,(6):76-82
壮族称"撞"字的来源及演变新探	韦小航	广西民族学院学报·哲社版—1994,(1):42-46
壮语的复辅音	李敬忠	贵州民族研究—1994,(1):99-110
壮侗语趋向补语的起源和发展	曹广衢	民族语文—1994,(4):35-40
壮语陆西话和汉语平话、白话若干相似现象	谢建猷	民族语文—1994,(5):34-40
靖西壮语亲属称谓探究	郑贻青	民族语文—1994,(6):47-56
西林壮语人称代词探析	李锦芳	民族语文—1995,(2):19-25
壮语的村落差异	班弨	民族语文—1995,(4):72-75
壮语南部方言 p'、t'、k' 的来源	覃晓航	中央民族大学学报—1995,(4):82-87
壮族族称音义探考	韦达	中央民族大学学报—1995,(4):88-91
谈谈壮语文马土语 mei 的语义及用法	戴勇	民族语文—1995,(6):66-67

古 语 言 文 字

标题	作者	出处
回鹘文文献语言的数量词	李经纬	语言与翻译(乌鲁木齐)—1991,(1):20-25
契丹小字《耶律仁先墓志》考释	韩宝兴	内蒙古大学学报·哲社版—1991,(1):70-78
从词汇比较看西夏语与藏缅语族羌语支的关系	孙宏开	民族语文(北京)—1991,(2):1-11
拉基语的系属问题	林少棉	语言研究(武汉)—1991,(2):134-148
突厥语族语言元音和谐的类型	吴宏伟	语言研究—1991,(2):149-160
我国回鹘式蒙古文研究评述	双福	蒙古学资料与情报—1991,(2):35-38
巴蜀古文字的两系及其起源	段渝	成都文物—1991,(3):20-33
试析西夏语表"五色"的词	聂鸿音	民族语文(北京)—1991,(3):42-48
关于契丹小字的几点探索	[日]丰田五郎著；那顺乌日图译	内蒙古社会科学·文史哲版(呼和浩特)—1991,(3):105-114
突厥文源于我国刻划符号和古彝文	刘志一	新华文摘—1991,(3):172
契丹字词拾零	高路加	内蒙古大学学报·哲社版—1991,(4):64-67,96
侗水语关于汉语"官"的称呼来源于楚语"莫敖"考	龙耀宏	民族语文(北京)—1991,(4):68-70
"摩些"与"纳木依"语源考	和即仁	民族语文—1991,(5):60-63
回鹘西迁前后西部天山地区的突厥语诸部	华涛	民族语文—1991,(5):79-88

回鹘文社会经济文书选注(六)	袁　丁	喀什师院学报·哲社版—1992,(1):48-60
契丹大字"夯"的读音	刘凤翥	民族语文(北京)—1992,(1):69-70
浅谈中世纪蒙古语词中辅音h的演变	包力高	内蒙古社会科学(呼和浩特)—1992,(1):89-97
从语言推论壮侗语族与南岛语系的史前文化关系:谨以此文悼念恩师严学宭教授	邓晓华	语言研究(武汉)—1992,(1):110-122
彝文访古录追记	马学良	贵州民族研究(贵阳)—1992,(1):145-154
契丹小字中的动词附加成分	清格尔泰	民族语文(北京)—1992,(2):1-9
关于契丹小字研究中的基本性问题	西田龙雄	民族语文(北京)—1992,(2):10-13
《八思巴字和蒙古语文献》评介	武·呼格吉勒图	民族语文(北京)—1992,(2):25-33
契丹小字数词"影子字"探	陈乃雄	内蒙古大学学报·哲社版(呼和浩特)—1992,(3):1-8
西夏文字中的名-动派生字	杨占武	宁夏社会科学(银川)—1992,(3):9-12
"女书"语法结构中的百越语底层	谢志民	民族语文(北京)—1992,(4):16-24
说"铁"	竟成	民族语文(北京)—1992,(4):33-40
西夏语同藏语词汇之比较	陈庆英	青海民族学院学报·社科版—1992,(4):35-44
莫贺非鲜卑语辨	高升斗	北方文物—1992,(4):53-56,52
西夏语的小舌塞音	聂鸿音	宁夏社会科学(银川)—1992,(4):62-64
南语——选自《敦煌南语文本简介》	[英]陶玛士著 王文华 杨元芳译	西域研究—1992,(4):112-120
突厥文起源新探	牛汝极	新疆大学学报·哲社版—1992,(4):113-122,110
关于突厥语族一些语言部分词首辅音演变的几个问题	吴宏伟	民族语文—1992,(5):48-52
西夏语的介词与介宾结构	马忠建	民族语文—1992,(5):61-67
汉藏语的"歲、越","還(旋)、圜"及其相关问题	[美]梅祖麟	中国语文(北京)—1992,(5):325-338
《正字通》和十七世纪的赣方音	[日]古屋昭弘	中国语文(北京)—1992,(5):339-351
上古缅歌——《白狼歌》的全文解读	郑张尚芳	民族语文(北京)—1993,(1):10-21
上古缅歌——《白狼歌》的全文解读(续)	郑张尚芳	民族语文(北京)—1993,(2):64-70,47
谈谈"吐蕃"一词	吕一飞	历史研究—1993,(1):139-140
哈密汉话中的古汉语词(上)	张洋	新疆大学学报·哲社版(乌鲁木齐)—1993,(1):88-93
哈密汉语中的古汉语词(下)	张洋	新疆大学学报·哲社版—1993,(2):105-110
古代突厥文《占卜书》译释	张铁山 赵永红	喀什师范学院学报·哲社版—1993,(2):31-42
于阗语《出生无边门陀罗尼经》残片释读	段晴	西域研究—1993,(2):46-51
辽代契丹半丁零:《辽史》中的迪辇为高车丁零异译补证	周建奇	内蒙古大学学报·哲社版—1993,(3):86-94

古语言文字

标题	作者	出处
五件回鹘文摩尼教文献考释	牛汝极 杨富学	新疆大学学报·哲社版—1993,(4):109-115
内蒙古西部地区民歌中的古词	卢芸生	内蒙古大学学报·哲社版—1994,(1):75-83
汉文高昌回鹘史料述要	刘戈	喀什师院学报·哲社版—1994,(2):31-35,70
回鹘文社会经济文书研究	李经纬	喀什师院学报·哲社版—1994,(2):36-62
回鹘文社会经济文书选注(五)	李经纬	喀什师院学报·哲社版—1994,(3):69-79
北京图书馆藏回鹘文《阿毗达磨俱舍论》残卷研究	张铁山 王梅堂	民族语文—1994,(2):63-70,7
回鹘文《佛教徒忏悔文》译释	沈利元	喀什师院学报·哲社版—1994,(3):25-33
从巴尔蒂话看古藏语语音	黄布凡	中央民族大学学报—1994,(4):87-94
古匈奴人呼天为"祁连"本出汉语考	王雪樵	晋阳学刊—1994,(4):106-108
古代汉语文献中的藏缅语词拾零	黄树先	民族语文—1994,(5):41-43
《女真馆杂字》研究新探	汪玉明	民族语文—1994,(5):56-58,64
一个契丹原字的辨读	即实	民族语文—1994,(5):70-71
云南的契丹后裔和契丹字遗存	陈乃雄	民族语文—1994,(6):20-26
回鹘文文献语言的后置词	李经纬 靳尚怡	语言与翻译(乌鲁木齐)—1995,(1):16-22
回鹘文文献语言的后置词	李经纬 靳尚怡	语言与翻译(乌鲁木齐)—1995,(2):2-9
侗台语族轻唇音的产生和发展	张均如	民族语文—1995,(1):28-33
西夏文《新集慈孝传》考补	聂鸿音	民族语文—1995,(1):40-42,33
甘谷咀头话里的藏缅语底层	何天贞 王天佐	民族语文—1995,(1):43-47
藏缅语人称代词格范畴研究	孙宏开	民族语文—1995,(2):1-11
西夏文本《碎金》研究	聂鸿音 史金波	宁夏大学学报—1995,(2):8-17
珍贵的回族文献《回回馆译语》	胡振华	中央民族大学学报—1995,(2):87-91
关于回鹘文文献中名词的数范畴	米叶沙尔·拜祖拉	语言与翻译(乌鲁木齐)—1995,(3):33-39
《晋书·佛图澄传》之语探源	张昌圣	四川大学学报·哲社版—1995,(3):48-56
完者笃皇帝马年圣旨年代的重新考订	照那斯图	民族语文—1995,(3):49-50
敦煌Or·8212(170)号回鹘文文书的译文质疑	李经纬	新疆大学学报·哲社版—1995,(3):102-106
西夏语的"买""卖"和"嫁""娶"	史金波	民族语文—1995,(4):1-9
海棠山契丹小字墓志残石补释	吕振奎	民族语文—1995,(4):51-53
西夏词源学浅议	聂鸿音	民族语文—1995,(5):12-19
原始侗水语构拟中的前置辅音假说	邢凯	民族语文—1995,(5):33-39
元代纸币八思巴字官印文字考	照那斯图	民族语文—1995,(6):43-48
十二兽古藏缅数词考	吴安其	民族语文—1995,(6):70-71

作者索引

*作者国籍不明者,按其姓名写法,首字是汉字的,依音序排于前,是外文字母的,排于后面"其他"。

A

阿　波　136;225
阿不都海列力肉孜　283
阿不都克里木　452
阿不都鲁甫·包拉提　552
阿不都玛纳甫·艾别吾　530
阿不都热苏里　460
阿不都热西　551
阿不都热西提·沙比提　550
阿不都热西提·亚库甫　532
阿不都热衣木·热合曼　439
阿不都许库尔　552
阿布地勒·阿克希台　442
阿布都若夫·普拉提　531;550;552
阿布力米提·巴克　238;458
阿地力·朱玛吐尔地　540
阿尔厄　542
阿尔孜　550
阿合买提·牙合亚　452
阿合卖提江　438
阿加弗诺娃,T.M.　65
阿拉腾奥其尔　547
阿　龙　33;46
阿米娜　551
阿米娜·阿布力孜　549
阿米娜·阿帕尔　529;532;549
阿　且　555
阿秋和　374
阿西木·图尔迪　464;551
阿·伊布拉黑麦　100
埃里克·德·格罗利耶　69
艾尔肯　550

艾尔肯·阿热孜　550
艾尔肯·巴拉提　548
艾力·阿比提　141;529;553
艾龙江　22
艾　芦　419
艾山江·穆哈买提　548
艾山·司马义　540
艾　思　244
艾　维　180
艾荫范　208;479
艾皓德　320;366
爱泼斯坦　472
安成山　553;554
安春华　475;505
安纯人　46
安焕章　475;505
安　龙　405
安妮·卡特勒　444
安　宁　480
安汝磐　326
安秀奎　65
安　旭　25
安宇柱　183
安子介　29;49;468;472;511
安作相　269
昂　奇　543
敖桂华　301

B

巴合提别克·恰合曼　538
巴理嘉　531
巴力登　112
巴麦贞　320

巴桑卓玛　556
巴　铁　475
巴扎尔汗　538
白碧波　537
白　彬　41
白春仁　90
白　丁　82;160;284;330
白定泉　107
白　健　306
白解红　464
白俊耀　327
白克力·赛衣提　549
白玛措　556
白　平　136;261;316
白　荃　88;340;363;394;526
白世云　53;55
白栓虎　54
白　水　50;318
白斯木汗·浩斯别克　538
白万钰　331;336
白维国　269
白　文　294
白锡嘉　54
白　曦　282;284
白晓丽　548
白小华　106
白　辛　290;502
白　烨　31
白　英　152;178
白玉林　306
白兆麟　132;138;300;303
白振有　243
白祖偕　197

百　龄 417
佰　人 141
柏敬泽 447
柏学羲 60
班　弨 558
班吉庆 231;241;298;307
班　召 559
包　方 50
包国芳 515
包丽俊 541
包力高 541;543;560
包楠生 500
包培文 111;112
包·苏雅拉图 542
包围平 52
包　祥 543
保朝鲁 540;555
保洪峰 262
鲍　刚 452;462
鲍弘道 335
鲍　红 77;85
鲍厚星 185
鲍怀翘 221;541;557
鲍克怡 232
鲍明道 438
鲍明炜 196;496
鲍善淳 94;415
鲍思陶 360
鲍雄松 224
鲍延毅 243;268;269
鲍志坤 458
暴拯群 259
贝新祯 79;334
本　良 390
毕光明 163
毕广吉 109;114;118;119
毕继万 7;518;522
毕　加 477
毕谨畅 35
毕可生 477
毕　然 510
毕孝刚 314
毕星白 100

毕云鼎 554
闭克朝 180;188;558
边兴昌 128
边之文 136
卞成林 17;287;402;453
卞觉非 84;321;518
卞文强 371
冰　清 471
伯　龙 497
博　望 502;503
薄　刚 359
薄文泽 535;536
卜兆凤 507
不　言 286
步　云 86

C

才　旦 452
蔡勃新 5
蔡长芬 232
蔡成伯 425
蔡澄清 514
蔡崇尧 453;550
蔡春英 345
蔡大继 516
蔡德荣 356
蔡德宪 176;189
蔡德予 198
蔡国璐 181;205
蔡寒松 38;43
蔡　颢 458
蔡厚德 100;495
蔡家珍 459
蔡建平 45;334
蔡镜浩 161;234;315
蔡克永 408
蔡良骥 172
蔡美彪 464
蔡梦琪 197
蔡明汛 86
蔡　权 201
蔡士杰 117
蔡世连 165

蔡松年 225
蔡向阳 25
蔡新华 105
蔡新乐 400;450
蔡义发 50
蔡　毅 450;466
蔡永良 162;166;463
蔡勇飞 103;122;328
蔡育曙 125
蔡运章 489
蔡正发 512
蔡正时 94;281
蔡正序 94;281
蔡正学 235
曹澂明 353
曹础基 471
曹聪孙 52;70;273
曹翠云 543
曹道衡 511
曹德和 94;97;286;328;377;416;
　　418;432
曹定云 490
曹东方 247
曹　飞 5
曹广顺 74;313;324;330
曹广衢 559
曹国安 260;479;489;526
曹海英 453;455;457
曹合建 510
曹河圻 492
曹　红 530
曹　晖 185;241;298
曹济南 505
曹剑芬 51;61;64;223
曹建明 304;493
曹建新 456;457;459
曹金兴 396;401;406
曹津源 98;334;335;386;387;
　　390;391;393;394;398;400;
　　402;411;415;416;420;422;430
曹　恺 334
曹来发 107;110;113
曹明菊 478

曹明伦 466
曹乃玲 332
曹乃木 170;233;499
曹乃云 522
曹能秀 19
曹念明 100;101;507
曹培根 131
曹 青 464
曹秋珍 429
曹瑞芳 361
曹山柯 460
曹石珠 377;390;407;411;412;
　425;427;430
曹世隆 548
曹书文 165
曹树金 240
曹铁根 139
曹廷杰 285
曹为公 506
曹　炜 73;131;162;166;216;
　275;329;378;420
曹文安 132;205;308
曹先擢 222;252;295;471;472
曹祥芹 89
曹小云 213;251;300;365;379;
　481
曹秀玲 26
曹　旭 135
曹永金 370
曹右琦 54
曹　禺 148
曹予生 49
曹雨生 106;108;529
曹兆兰 491
曹正义 211
曹志耘 138;152;173;181;192;
　196;205;280;285;295;299;429
草　明 164
岑运强 8;9;53;70;139
查干哈达 541;542
柴春华 79;87;402;469
柴生秦 75;82
柴世森 78;83;323

柴天枢 69
昌　吉 344
昌　盛 540
常宝儒 40;476
常　城 6
常　枫 385;516
常　俭 77;320;347
常敬宇 18;20;69;93;156;164;
　278;281;321;322;351;399;
　521;524
常　理 322;364
常林炎 131
常麟瑞 510
常　青 424;480
常　森 477;479;480;489
常思亮 513
常廷印 514
常艳彩 406
常玉芝 489
常玉钟 322;375
常月华 422;519
晁保通 14;16
晁福林 511
晁广斌 247
晁继周 165;223;235;236;243
巢　峰 298
巢宗祺 515
朝根东 194
朝　克 27;38;532
车安宁 24
车光一 45
车　竞 357;388
车　谦 558
车如舜 271
车文明 269
辰　生 475
陈柏华 253
陈保蓉 461
陈保亚 7;11;16;17;69;528
陈宝良 434
陈宝林 398
陈宝勤 254;312;313
陈宝如 498

陈本源 314;515
陈　斌 245;516
陈秉新 483
陈炳迢 4;227
陈炳熙 162;415
陈炳新 46
陈炳昭 302
陈　波 10;154;155;156;180;
　183;280
陈伯安 23;160
陈伯文 447
陈才俊 25
陈彩霞 89
陈昌槐 546
陈昌来 85;91;113;151;309;311;
　317;323;341;345;352;358;379
陈昌仪 180;183;190;197;198
陈常新 139
陈　晨 207;219;389;405
陈重愚 100;122;495;502
陈初生 303;473;487;490
陈楚祥 11;235;237;239;240;
　241;242;283
陈垂民 200;382
陈大夫 162
陈代于 102;112
陈德全 322
陈德荣 284
陈殿玺 101
陈定方 181;201;215
陈　东 278
陈东成 451
陈东东 37
陈东辉 269;297
陈东有 490
陈恩泉 74;125;177
陈法今 184;198;200
陈方平 364
陈　孚 277
陈　绂 134
陈福康 438;440;442;443;445;
　446;448;467;468
陈福林 487

陈复华 223
陈刚岭 320
陈根生 408;428
陈功焕 126;317;331
陈冠明 137;281;289
陈冠玉 488
陈光磊 123;395;400;406;495;512;519
陈光吾 456
陈广德 89;401
陈桂良 174
陈桂清 439;449
陈桂英 368
陈国本 133
陈国魁 435;514
陈国屏 408
陈国清 135
陈国庆 286
陈海伦 240
陈海澎 463
陈汉清 108
陈昊苏 473
陈合意 368
陈和器 292
陈 宏 421
陈宏硕 416
陈宏珍 36;97;128
陈鸿迈 180;182;185
陈鸿儒 209;212;245
陈华民 516
陈焕良 247;307
陈 慧 284
陈慧杰 111
陈慧娜 165;166;185;369;421;423
陈慧英 143;144;156;418
陈吉祥 273
陈继民 335;425
陈继明 244
陈嘉猷 557
陈加亮 258
陈家铨 388
陈家生 165;406;407

陈家西 278;314;364
陈家毅 307
陈见闻 313
陈 建 509
陈建初 124;197;296;484
陈建民 13;14;21;26;33;52;140;146;154;155;179;204;280;476
陈建涛 10;22;23
陈建中 438
陈剑晖 355
陈 健 144;154;282
陈践践 556
陈江平 164
陈郊卫 462
陈 洁 73;451;457;468
陈金豹 360
陈金明 60;158
陈景利 463
陈静言 247
陈 炯 68;166;170;171;317;411;436
陈俊风 340
陈俊群 456
陈开俊 452
陈 康 534;554;555
陈 抗 241
陈克炯 72;224;233;295;385;512
陈恪清 458
陈来川 180
陈黎明 134;481
陈理中 437
陈力菲 172
陈力和 312
陈力为 109
陈力卫 31
陈立中 23;333
陈丽萍 522
陈 涟 457
陈炼强 170
陈良锡 394
陈林华 14;74;159
陈 琳 460
陈 玲 107;115

陈 榴 287;309
陈龙桂 428
陈 楼 328
陈满华 20;84;148;149;153;187;280;361;436;453;511;520;525
陈妹金 27;45;74;77;144;326;344;348;367;416
陈梦麟 503
陈 旻 362
陈 敏 50;120;447;454
陈明生 431
陈明泽 306
陈鸣树 4
陈谋勇 143;435
陈乃雄 560;561
陈脑冲 365
陈 宁 260;314
陈 平 365;414;485
陈蒲清 264;308
陈其光 21;63;182;211;220;487;489;517;544
陈琪宏 93;155;158
陈祺生 196
陈 起 446
陈前瑞 28
陈 倩 451;457
陈清波 107
陈清如 114
陈 晴 392
陈庆汉 352
陈庆祐 239;285
陈庆祥 143
陈庆延 182;188
陈庆英 557;560
陈 群 338
陈群秀 51;103;111
陈 然 444
陈仁发 389;392
陈仁凤 522
陈仁龙 488
陈日汉 244
陈荣滨 500
陈荣福 532

陈荣华 349	陈泰夏 505	陈新仁 21;22;71;368;379
陈荣岚 200	陈 弢 31;126	陈新雄 64;214;216
陈汝东 21;93;97;125;405;412	陈天恩 85	陈信春 352;360;363
陈汝法 158;241;294	陈天福 350	陈兴伟 168;184;243;244;246;
陈汝立 141;183	陈天权 351	264
陈瑞国 242	陈天忧 314	陈修才 91
陈瑞衡 393;421	陈田顺 525	陈旭光 51;168;421
陈若愚 326;481	陈同友 376	陈学德 107;115
陈 善 189	陈万成 190	陈学法 515
陈少康 456	陈维平 23;56	陈学迅 12;436;439
陈少松 427	陈维振 43;73	陈学忠 68
陈少志 355	陈 伟 65	陈 勋 106
陈绍忠 513	陈伟琳 55;378;477	陈 亚 498
陈圣信 111	陈伟武 274;312;490	陈亚川 152;296;318;357;383;
陈士林 252;554	陈纬光 451	491;508
陈士强 459	陈炜湛 477;498	陈亚敏 458
陈世澄 15	陈卫兰 261;330	陈延河 168;198
陈世桂 295	陈位祥 169	陈延嘉 251
陈世明 424;450;451;452;459	陈 慰 187	陈 岩 462
陈世鹏 555	陈文伯 460	陈艳萍 311
陈世钟 259	陈文俊 507	陈 燕 213;215
陈寿定 368	陈文芷 40	陈养铃 451
陈书香 428	陈无忧 263	陈 瑶 385
陈叔钦 415	陈五云 257;504	陈耀中 258
陈淑芳 91	陈西庚 289	陈 一 275;328;356;490
陈淑静 192;193;194;215	陈霞村 234;302	陈一凡 103;107;116
陈淑梅 188	陈贤纯 21;123;352;362	陈一平 413
陈淑钦 332	陈显耀 425	陈衣淼 503
陈淑媛 466	陈献珩 429	陈宜民 491
陈舒眉 488	陈 湘 253	陈 颐 524
陈双全 333	陈小荷 115;332;342	陈义平 38
陈双燕 454	陈小力 50	陈亦良 199
陈舜德 111	陈小明 365	陈毅光 451
陈 思 69	陈小慰 450;454;462	陈应年 445
陈思和 241	陈小燕 517	陈永明 70;118;321
陈思科 278	陈晓春 377	陈永平 104;117
陈思坤 418	陈晓峰 499	陈永舜 144
陈思清 10	陈晓钢 321	陈 勇 260
陈思泉 177	陈晓锦 185;187;200	陈由泓 165
陈思义 387;425	陈晓林 400	陈有恒 181
陈松岑 141	陈晓明 161	陈 瑜 549
陈松长 244	陈晓苹 341	陈 愚 548
陈素英 65	陈 忻 424	陈玉凤 492

陈玉奇 427
陈玉云 492
陈育林 1;18
陈毓贵 439;457
陈　豫 108
陈　原 1;14;284
陈月明 14;15;23;74;155;177;
　　331;361;396
陈月琴 156
陈岳文 254
陈云龙 216
陈泽平 200;332;348
陈增杰 229;230;245
陈增武 237;321
陈章国 437
陈章太 148;153;176;194;243;
　　497
陈章云 35
陈兆福 448
陈兆奎 278;392;403;435
陈兆远 464
陈肇雄 111
陈　振 421
陈振福 464
陈振寰 210;223;224;486
陈　直 468
陈志彬 516
陈志达 326;482
陈志明 312
陈志祥 366
陈志亚 397
陈志忠 2
陈治安 53
陈治业 432
陈　智 91
陈中绳 229;296
陈忠华 9;22;84;438;449
陈忠敏 180;184;185;187;190;
　　196;221;537
陈忠志 434
陈子骄 311
陈子明 184
陈自力 168

陈　宗 138
陈宗明 134
陈宗振 547;550;552;555;556
陈祖和 380
陈祖荣 344
晨　峦 229
晨　雨 502
成庚祥 458
成　科 280
成　梅 449;450;451;457
成世勋 538
成燕燕 538
成遗德 305
程爱民 456
程邦雄 130;249;294;353
程　灿 161
程垂成 208
程春雷 408
程春明 387
程从荣 171
程福宁 87;122;470
程　工 27;40;82;342
程观林 153;344
程海林 167;288;402;406;409;
　　429
程纪兰 440;442
程建民 221
程　凯 153
程克江 125
程良鸿 109
程良焰 89
程　麻 439
程琪龙 4;54;78;85;377;442
程千帆 208
程　荣 281;486;499
程瑞君 67;151;152;256;300;361
程适良 64;532;547
程　棠 518;520;526
程希岚 303
程　稀 406
程湘清 130
程湘文 375
程祥徽 139;175;418

程新智 450
程雪飞 553
程　浈 259
程养之 142;471;499
程业涛 54
程义铭 253
程亦玫 503
程永生 54;462
程雨民 8
程元冰 64
程　远 4
程曾厚 453
程朝晖 55
程镇球 440
程忠学 151;276;343
承剑芬 495
池昌海 22;143
池贵法 299
池太宁 255;258;510
迟　铎 241
迟　虹 491
迟　军 275
迟永长 360
种国胜 523
瘆美光 98
初　晓 8
刍　邑 226;227;237
储诚志 115;334;335;342;343;
　　522
储泰松 217
储先亮 250
储泽祥 74;316;337;344;345;
　　354;361
楚明坤 420
楚永安 476
楚之江 287
楚至大 448;468
楚　竹 228
褚福章 124;358
褚久春 367
褚树荣 276;310
褚庶民 471
褚玉芳 224

春　轩 500
淳于永琦 6;58
次仁班党 557
丛怀光 410
丛　林 429
丛　文 444
丛文俊 482
丛　杨 225;274;294;400;403;413
崔　斌 438;441
崔　灿 182
崔承日 154
崔承一 42;370
崔重庆 496
崔达送 514
崔道怡 144
崔德民 462
崔　刚 58
崔广才 114
崔吉元 224
崔建新 147;195;293;345;357;370
崔　健 20;21
崔　进 436
崔俊臣 25
崔俊清 252
崔　黎 222
崔立斌 310
崔连生 301
崔　梅 178;510
崔明植 534
崔荣昌 176;189;197;204
崔山佳 242;244;343;350;357;358;360;381;410
崔绍范 205;388
崔枢华 228;230;233;249
崔树芝 58
崔棠华 193
崔　卫 463
崔希亮 70;71;221;336;354;377;382;385
崔锡臣 416
崔晓霞 462

崔学新 441
崔延强 6;38
崔　耀 118
崔宜明 130
崔　崟 42
崔应贤 313;318;320;339;347;364;371;421;422
崔永斌 29
崔振华 184
崔治峰 70;250;273
崔忠民 413
村　夫 231
寸　冰 242
寸镇东 430

D

达·巴特尔 233;239
达　微 164
笪远毅 384
大　庆 119
代长胜 499
代　磊 154
戴桂英 519
戴惠本 328
戴家祥 490
戴建华 100;273;299;482
戴金盈 241;260;297;298
戴聚岭 115;119
戴　娟 249
戴林发 288
戴曼纯 58
戴孟彦 2
戴木金 227
戴培庆 393
戴庆厦 31;55;60;75;147;181;201;496;530;532;533;539;545;554;555
戴瑞琳 70
戴少瑶 161
戴淑艳 19
戴　通 380
戴婉莹 87;96;392;467
戴问天 25

戴晓雪 56
戴　绚 396
戴耀晶 73;190;346;364;370;383;396
戴永俊 348
戴　勇 559
戴云云 68;375;410
戴昭铭 7;57;126;134;141;148;150;156;383;476;490;503
戴昭慰 422
戴珍元 420
但汉源 54;439;454;460
党怀兴 485
党天正 166
导　夫 286
道　布 527;530;541;542
道尔吉 195
德　华 438
德　庆 446
邓炳杰 443
邓成凯 308
邓　刚 165;451
邓国栋 89;95;277;422
邓　浩 518;547;548;549;550
邓建烈 392
邓京明 113
邓　军 81
邓君华 403;414
邓丽英 21
邓　明 227;316
邓明以 497
邓牛顿 67
邓启华 308
邓仁元 301
邓润身 367
邓少君 188;201
邓生庆 254
邓树林 366
邓嗣明 122;155;410;426;434;435
邓文彬 321;369
邓文宽 268
邓希敏 108

邓小明 485
邓小琴 433
邓晓华 211;215;281;560
邓晓芒 8
邓兴锋 138;189;193;216;218;324;328;340
邓雪琴 498
邓岩欣 314;341
邓英树 151;278;354
邓玉荣 190
邓元煊 135
邓志刚 357;389
狄化夷 329
狄丽达·吐斯甫汗 457;468
邸 巨 277;373;470
底晓明 21
刁晏斌 48;245;315;317;336;342;355;379
丁安仪 167;423;524
丁柏铨 416
丁邦新 218
丁昌信 264
丁崇明 36;51;176;183;191
丁 棣 290
丁 丁 512
丁 鼎 137;235;238;239
丁方豪 213;495;496
丁广元 96
丁桂江 317
丁恒顺 131
丁宏宣 237
丁 华 368
丁 煌 92
丁金国 74;75;87;399
丁俊良 47
丁蔻年 81;336;355
丁 力 97;191;375
丁 辽 493
丁 琳 219;331
丁 毛 95;314;381
丁 全 28
丁如泉 155;387
丁石庆 530;534;535;538;540

丁世洁 21
丁淑兰 98
丁树德 456;464;466
丁水根 378
丁棠明 372
丁天铎 106;504
丁文楼 140;374;549;552
丁喜霞 217
丁相顺 262
丁晓虹 488
丁晓红 483;493
丁肖荫 416
丁 昕 29;149;466
丁信善 61
丁秀菊 388
丁雪欢 380;381
丁振芳 190
丁振祺 449
东 行 431
冬 虎 151
董楚平 488
董达武 89;155;401
董德志 306;380
董广枫 388;550;551
董见为 501
董剑桥 47
董金环 362
董金明 347;372
董菊初 379;419
董 琨 129;235;483
董乐山 461
董莉敏 118
董莲池 243;259;262;313;478;487
董 敏 104;110
董 明 129;223;343;418
董其祥 486
董 茜 105
董秋成 258
董少葵 167
董绍克 185;193;217;285
董世福 286
董树人 194;202;222;241;471;506;525
董树荣 78
董思平 150
董为光 65;130;271;273;283;291;329;331
董希谦 227;235;249;266
董小国 8
董小玉 162;165;166
董晓红 457
董晓敏 306
董秀芳 74
董 义 39
董谊亭 464
董颖红 119
董玉芝 313
董振东 50;51
董志翘 134;270
董治国 313;316
董 忠 160;344
董仲明 314
窦融久 320;322;348;391
窦亚萍 460
窦志力 257
都兴宙 63;180;191;192;217;267
杜波澄 258
杜长久 172
杜常善 140;515
杜道德 305
杜道流 523
杜道生 232
杜福磊 161;433
杜 皋 157;222
杜桂林 392
杜厚文 74;430;520
杜 江 117
杜金榜 16
杜景萍 44
杜 克 542
杜利群 105
杜曼·叶尔江 556
杜洒松 486
杜若甫 140
杜若明 75

杜寿杰 504
杜书瀛 164
杜松寿 501
杜田材 32;419
杜同惠 520
杜蔚蓝 247
杜文侠 55;412
杜文星 173
杜永道 35;85;99;125;193;348;
　　375;382;386;387;401;409;
　　419;421;425;430;477;507
杜　宇 107
杜云峰 55
杜支万 305;328;370;377
端木华 439
段宝和 365
段翠兰 53;455
段德森 250;301
段观宋 246;258;265
段家旺 225;244;312
段觊乐 537
段利华 118
段　伶 176
段梦玉 428
段　晴 131;560
段树庭 58
段文清 245
段晓明 410
段晓平 173;279
段业辉 92;330;336;363
段益民 329
段永华 355;380
段　渝 487;559
段忠林 95
多尔吉 558
多尼德泽,T.H. 547
朵云锐 539

E

额尔敦琪木格 542
恩和巴图 535;540

F

樊佃亮 479
樊建平 103
樊　林 114
樊明芳 271
樊世富 283
樊维纲 136;238;245
樊永源 307
凡　之 395;412
范柏泉 114
范伯群 195
范崇高 137
范崇俊 237
范川凤 92
范道远 218;530
范干良 334;382
范公保 452
范剑华 47
范锦荣 367
范　进 60
范进军 234;408
范俊军 28;32;46;71;124
范开泰 80;155
范可育 328;521
范　力 107
范茂成 153
范慕韩 499
范庆华 26;123;183;229;292;322
范三畏 246;263
范天成 130
范万军 452;458
范文彬 90
范文斌 387
范文修 360;374
范文咏 103
范文质 162
范锡禄 472
范先纲 371
范　晓 16;81;319;322;323;341;
　　349;351;364;375;378
范耀祖 547
范一直 168;337;418

范玉刚 163
范　之 396
范中华 371
范仲英 437;462
范　铸 470
范子叶 244
方炳翰 539;554
方步瀛 70
方称宇 50
方德珠 420
方　东 79
方　方 36
方　格 43
方广锠 486
方红平 499
方环海 226;330
方健彬 410
方　进 296
方经民 1;41;77;78;82;321;348;
　　349;384;520
方　立 37;78;80;83;84
方立平 409
方　玲 524
方　懋 290
方　梅 342;364;366;372;380
方梦之 152;443;445
方　明 236
方　平 445
方　琴 342;358
方青稚 249
方　遒 431
方世增 53;103;332
方述鑫 487
方松熹 187;196
方万全 441
方蔚林 281
方文惠 16;475
方文一 256;293;303;307;311;
　　314;315;432
方　武 87;96;153;409
方习国 117
方　夏 232;237
方向东 264

方晓华 551;553
方心棣 312
方　兴 146
方　琰 51
方　彦 151;227;236
方一新 69;136;239;243;245;247;250;264;267;268;270;283;296
方有国 254;307;309
方云钦 22
方珍平 417;418
方珍珠 534
方志平 500
方　舟 138
房殿堂 369
房日晰 429
房树钩 395
房玉清 292;347
费春元 292
费　嘉 196
费锦昌 149;471;479;491;494;495;496;499
费荣昌 481
费世雄 426
费枝美 407
丰玉芒 368
封大伟 60
鄷高印 143
冯爱珍 200;207
冯成豹 185;199
冯春灿 72
冯春田 270;331
冯德骥 390;394
冯根良 393
冯公达 4
冯广艺 17;86;89;90;164;213;218;320;322;349;364;392;397;401;407;425;432;468;484
冯桂江 213
冯国生 137
冯好杰 262
冯浩菲 246;255;258
冯慧山 465

冯　冀 168
冯　建 37
冯建文 89;449
冯锦珊 24
冯觉华 60
冯黎明 26
冯　利 173
冯　玲 221;475
冯　隆 222
冯　明 381
冯　凭 397
冯　齐 146
冯清高 238
冯　韧 128
冯荣昌 183;193
冯汝汉 137;254;338;393;418
冯胜利 16;25
冯　时 488
冯世刚 455
冯淑仪 341
冯树鉴 292;354;414;428;437;438;444;451;452
冯树林 146
冯　韬 307;335
冯天瑜 32
冯惟纲 526
冯伟军 442
冯文洁 179
冯学锋 6;22;57;66;149;150
冯耀明 10
冯　英 81;131;218;302;308
冯玉律 450;454
冯玉涛 331
冯兆兴 308
冯珍娟 30
冯　蒸 62;63;64;206;207;208;211;215;216;217;229;493
冯志白 208
冯志明 220
冯志伟 29;38;49;50;51;53;54;103;104;112;116;117;120;148;153;289;378;470
冯周卓 1

冯　峥 378
扶良文 110
伏俊连 137;138;215;246;308
伏　连 246
符达维 133;152;371
符　浩 243
符淮青 227;240;273;276;280;320;326
付凯琳 61
付莉莉 46
付　炜 343;514;523
阜　东 138
复俊山 406
傅爱兰 3;121;533;557
傅炳民 337;345
傅成劼 533
傅承德 30;33;51;248
傅道彬 159
傅　公 496
傅惠钧 146;162;387
傅继英 177
傅继宗 300
傅　杰 255
傅　洁 85
傅静原 17
傅　力 177;222;313;331
傅懋勣 545
傅　民 20
傅庭林 137;448
傅望华 410;411;414
傅维贵 359
傅贤功 311
傅晓玲 115
傅晓宇 115
傅修延 318
傅雪元 393
傅亚庶 262
傅艺芳 523;525
傅　易 245
傅永和 100;102;109;142;480;485;492;495;499;505
傅永康 221
傅　勇 111

傅勇林 77;78;440
傅玉芳 298
傅元恺 241
傅远碧 390
傅运碧 306
傅憎享 267;268;269
傅振英 102
傅之祥 425
傅卓荦 249
富金壁 66

G

嘎尔迪 26
盖绍普 431
盖兴之 63
干开华 433
甘国屏 147
甘虹祯 221
甘久生 162
甘祺庭 479
甘圣子 103
甘未来 503
甘于恩 128;171;252;391;396
甘子钦 130
淦家凰 94;407;411;510
高霭亭 225;397
高艾军 358
高爱琴 167
高　斌 394;401;405
高长江 14;92;401;412
高承杰 68;94;276;335;357;395;411
高春泉 343
高德昌 161
高东升 433
高尔锵 82;358;546;550;552
高凤江 446;458
高福生 266;318
高更生 101;148;152;277;365;384;471;492;493;498;499;511;512
高广峰 108
高海夫 204

高　航 239
高合顺 5
高洪年 144;507
高华年 201
高　辉 137;306
高集荣 109;116
高继平 97
高继先 178
高家莺 496
高　健 456;461
高健平 328
高景成 144;153;493
高静芳 419
高　军 394
高俊兰 8
高乐田 5;12;18
高莉琴 43;140;549;551;552
高　林 260
高路加 532;559
高美岱 258
高　明 59
高明忠 426
高　宁 455
高蓬洲 422
高平平 85;93;405;429
高庆狮 111
高如珍 170
高润华 141
高慎贵 351;352
高慎盈 153
高升斗 560
高胜林 526
高守纲 300
高书贵 332
高书仁 368
高　树 306
高树春 49;530;551;553
高顺全 325;349;365
高思曼 312
高天如 476;503
高天友 257;360
高万云 89;93;148;166;169;285;325;364;400;410;469

高文成 160
高文龙 151
高文祥 279
高文元 480
高文昭 178;183
高锡九 69;100
高　翔 499
高小康 169
高　兴 231;238;297;298
高选勤 162;402
高雅英 113
高　岩 171;282
高彦德 450
高一虹 13;23;33;43;125
高一勇 226;250
高永晨 21
高永仁 112
高有祥 152
高玉兰 464
高昱华 255
高元石 147;258;310
高远月 547
高云祥 240
高运莲 359
高蕴琦 69
高增良 317
高照夫 506
高振铎 137;441
高振远 436
高志怀 59
高志佩 196
郜文斌 403
戈宝权 448
戈繁兰 403
葛邦祥 422
葛宝祥 83
葛本仪 65;66;274;383
葛丙辰 89;400
葛德均 426
葛　莱 59
葛　力 40
葛全德 249;304
葛润林 79

葛胜华 95;415	龚群虎 67;343	顾荣而 450
葛遂元 45;110;149;505	龚少英 513	顾　设 171
葛天成 411	龚淑英 256	顾时光 457
葛维钧 457	龚维顺 163	顾淑彬 279
葛　玮 385	龚晓斌 414	顾祥凌 437
葛文志 290	龚新权 367	顾兴梁 24
葛校琴 450	龚　言 470	顾兴义 123;139
葛要仪 66	龚彦如 54;108	顾雪梁 452;453
葛兆光 11;333	龚重雅 122	顾延龄 438
葛正明 466	贡树铭 402	顾　阳 35;38
葛志成 140	缑瑞隆 337;374	顾义生 135;168;210;259;261;
葛志宏 459;460	苟大举 103	433
葛中华 53;472	辜健斗 425	顾永新 259
格拉吉丁·欧斯满 445	辜美高 135	顾元祥 108
格日乐 541	辜正坤 278;477	顾曰国 19;39;40
格桑居冕 210;556	古今明 467	顾　越 414;471
更　登 127	古敬恒 234;241;243;245;260;	顾振彪 147
耿二岭 19;342;510	261;267;488;490	顾　之 265
耿红岩 160	古丽巴哈尔·买托乎提 46	顾之川 130;207;230;250
耿静先 464	古丽夏提 539	顾志刚 291;432
耿龙明 446	古丽鲜·尼牙孜 552	瓜景云 289
耿雅文 433	古　辛 5	关　东 475
耿亦兵 49	古绪满 437	关凤莲 460
耿振生 62;210	古元忠 486	关铄新 42
弓　冲 443	古　月 240	关会民 309;341
弓　力 490	谷保山 118	关静芬 433
公今度 472	谷宝田 83	关胜渝 82
宫红兵 109	谷定珍 361	关　童 67;252;261;264
宫立都 17	谷　木 63;206	关文新 142;363
宫　齐 17;36	谷孝龙 82	关秀凤 494
宫日英 140	谷　因 268	关英春 50
宫哲兵 485;487	谷震需 488	关英伟 329;340;345;417
宫　琪 62;444;449;450	顾关元 234	官忠明 7
龚常木 76	顾冠华 265;266	管春明 476
龚殿元 370	顾汉松 409;415;468	管然荣 481
龚国基 350;429	顾黄初 204	管锡华 73;132;136;137;255;
龚惠林 330	顾景文 108	261;286
龚嘉镇 208;495	顾　久 248	冠　明 287;509
龚良玉 330	顾　劳 239	广　达 279
龚平如 227	顾　昱 303	广梅村 80
龚千炎 49;141;145;146;147;	顾鸣塘 282	归定康 295
156;167;318;319;322;323;	顾　黔 180;189;195	归定康·贝科娃,N.A. 459
324;357;383;384;476;524	顾　穹 373	桂　林 374

桂 玲 337
桂明超 192
桂乾元 444;455;456;465
桂诗春 2;6;19;33;37;52;53;
　152;446
桂 文 444
桂 枝 315
郭 安 408
郭炳坤 404
郭伯康 35
郭常义 45
郭 诚 175
郭承安 118
郭承铭 24
郭 翠 82
郭翠霞 525
郭存礼 208
郭登元 557
郭定泰 242
郭 飞 131;250
郭夫良 415
郭伏良 84;340;412;470
郭福义 187
郭广敬 417
郭国英 421
郭 红 118
郭 徽 102
郭继懋 85
郭建邦 485
郭 杰 288;312
郭洁梅 519
郭金鼓 45
郭金秀 3
郭锦桴 243;250;281;289
郭 进 113
郭晋稀 251
郭 丽 158
郭 力 116;215
郭 良 333
郭良夫 233;234;288
郭良志 347
郭龙生 68;143;150;288
郭明仪 37;41

郭 攀 67;74;150;418
郭平建 180
郭起栋 435
郭启明 158;177
郭芹纳 232;264;269;294
郭清津 332
郭 锐 379
郭三科 414;436
郭尚南 449
郭尚兴 45
郭沈青 73
郭书兰 231
郭水华 143
郭 穗 69
郭天祥 135
郭望泰 86
郭伟川 199
郭伟器 368
郭卫东 549
郭文国 225
郭文瑞 129;130
郭 熙 172;181;195;492
郭锡良 180;185;307;311;492;
　516
郭先珍 279;342;393
郭向星 390
郭晓燕 464
郭小武 215
郭兴良 161
郭秀昌 553
郭彦英 27
郭焰坤 93;210;255;312;469
郭 阳 527;528;529
郭英莲 84
郭映普 435
郭永华 88
郭永兴 284;432
郭友鹏 176
郭予贱 544
郭玉萍 535
郭聿楷 69
郭在贻 266;440
郭振生 486

郭振芝 203
郭征宇 252
郭志刚 232;436;453;463
郭志良 291;322;334;354;365;
　374;526
郭 忠 190
郭忠才 465
郭忠新 241
郭子训 369
郭子直 205
郭宗俊 174
国 非 223;358
国光红 285
国怀林 280

H

哈比毛拉 538
哈东霞 333
哈米提 550
哈米提·铁木耳 550
哈平安 219
哈平山 9
哈 森 193;542;543
哈斯巴根 541
哈斯巴特尔 541;542;543
哈斯朝鲁 26
哈斯额尔敦 542
哈余灿 454
海比布拉·肉孜买提 171
海 峰 528
海柳文 318
海 龙 36
海 明 468
海木都拉·阿不都热合曼 44;547
海 宁 205
海沙尔 500
海 洋 262;509
海 阳 66;74
海友尔 439
韩爱平 433
韩宝兴 559
韩宝育 11;18;100;502
韩布新 116;151

韩陈期 273
韩陈其 88；232；310；313；342；353；436
韩赤军 318；326
韩登庸 181
韩东吾 452
韩 刚 17
韩根东 184；192；370；499
韩桂良 438
韩汉雄 46
韩慧言 300；302
韩建业 530
韩健敏 161
韩鉴堂 520
韩景林 533
韩敬华 336
韩敬体 98；222；242；340；395；476；493
韩菊芬 368
韩君生 180
韩丽华 463
韩荔华 143；284；349；520
韩良平 465
韩林合 21
韩 明 390
韩培丽 357
韩 萍 112
韩乾元 440
韩 青 412
韩阙林 247
韩少华 129；180
韩士奇 171
韩世龄 483
韩世欣 112
韩铁稳 18
韩 伟 490
韩向阳 111
韩骁兵 60
韩晓光 168；283；306；315；401；405
韩孝平 78
韩新雷 464
韩秀玲 360

韩秀英 517
韩 洋 81
韩以明 55
韩英魁 307
韩玉民 391；397
韩玉文 461
韩毓海 161
韩章训 299
韩 臻 267；277
韩振西 506
韩峥嵘 252
韩正西 149
韩祝祥 63
汉 兴 534
翰 承 2；3；22；81；356
瀚 墨 314
杭 海 142
豪斯巴雅尔 542
郝宝群 262
郝恩美 494；514
郝光顺 348
郝建国 411
郝 劼 524
郝静仪 404；494
郝 蕾 382
郝 琳 288
郝 茂 500
郝宁湘 12
郝世奇 43；44
郝维平 316；410
郝彦彧 446
郝雁南 451
郝永萍 350
郝志恒 108
郝志伦 277
郝中实 484
昊一文 544
和即仁 532；545；559
和品正 482
和希格 541
何保华 480
何宝璋 2；123
何备礼 379

何本伟 161
何碧英 507
何炳坤 537
何长庆 455
何成轩 476
何楚熙 455
何大中 391
何德胜 314
何东昌 496
何尔恭 118
何二元 159
何 方 122
何干俊 175
何耿镛 131
何国祥 148；178
何国璋 433
何恒幸 22；23
何洪峰 356
何华连 231；235；242
何慧琴 518
何惠娟 63
何济生 59
何家荣 9
何家骥 383
何坚韧 125
何 杰 334；338
何金海 145
何金松 133；134；246；257；479
何九盈 223；228；310；472
何开发 464
何克抗 103；106；107；115；118
何乐士 301
何立庆 426
何玲梅 69
何鎏藻 114
何茂活 143
何 明 23；89
何鸣声 481
何 年 148
何 平 315；450
何其明 113
何 群 166
何 锐 394

何慎怡 45
何士英 516
何松山 308;329;398
何坦野 245;250;340;430;507
何天贞 561
何伟棠 59;180;201;514
何伟渔 154;158;319;320;324;347;366;515
何 卫 86
何文安 452
何 伍 424
何相成 350;362;366;425
何小玲 398
何新祥 387
何新优 276
何星亮 483
何秀全 109;111
何学文 461
何亚南 262
何耀东 303
何一凡 215;355
何一新 60
何永松 315
何 勇 1;24
何勇文 9
何宇辉 174
何毓玲 491;515
何元建 179
何兆熊 77
何 知 28;140;150;179
何志刚 414;488
何忠东 413
何钟林 115
何仲生 50
何重先 526
何子铨 519
何自然 7;12;77;83
鹤 翔 387
贺诚璋 93
贺崇寅 437
贺道德 416
贺德扬 210;485
贺光鑫 163

贺广明 18
贺吉德 246
贺建平 97
贺剑峰 239
贺凯林 293;337;358
贺 麟 437
贺 灵 553
贺留堂 434
贺孟嘉 345
贺孟升 29
贺前华 108;111;114;115;116
贺善镰 5
贺水彬 74;148;158;173;400;472;474
贺陶乐 268
贺天鹏 95
贺 巍 181;184;191;192;236
贺文宜 439
贺锡翔 429
贺兴安 143
贺 阳 83;156;194;220;341;349;358
贺永松 231
贺又宁 544
贺聿志 119
贺志辉 491
黑玉红 318
衡孝军 48
虹 素 157;435
洪本健 131
洪 波 225;301;305;344;383;531;533
洪材章 79
洪 沉 197
洪成玉 16;82;278;301;473;475;476;506
洪东流 67
洪国良 154
洪汉鼎 7
洪家荣 494
洪力翔 46
洪 梅 158
洪 珉 423

洪仁杓 474
洪 睿 347
洪绍强 533
洪 舒 171;295
洪威雷 433
洪修平 131
洪 毅 26
洪兆平 161
洪志超 389
侯尔瑞 226
侯复生 158;412
侯广旭 449
侯国金 48;461
侯汉清 106
侯红卫 291
侯家欣 196
侯家序 387
侯建华 485
侯精一 150;183;187;193;202
侯兰生 300
侯兰笙 238;253;268;293
侯利民 215
侯 敏 143;271;355
侯攀峰 416
侯同胜 501
侯维东 278;380
侯向群 454
侯晓菊 311
侯晓霞 118
侯一麟 47;74
侯以坤 369
侯义斌 102
侯咏梅 348
侯永正 124;512
侯友兰 91;303;338;373;471
侯占虎 62;482
侯志民 3
呼日勒巴特尔 542
呼玉山 168
胡艾民 443
胡爱华 463
胡爱廉 247
胡安良 94;174;406

胡安顺 210;302
胡百华 84;344
胡炳忠 349
胡长原 118
胡超群 19
胡朝勋 302
胡从曾 209;212;220
胡德润 223
胡二广 360
胡范铸 88;374;375;391;393;
　399;406;441
胡风岚 432
胡庚申 403;425;436
胡功泽 451
胡管舫 459
胡光斌 189
胡光正 458
胡广文 247;487
胡　海 175;189
胡汉祥 471
胡宏峻 145;157;431
胡厚宣 100;234;482;483;485;
　488;512
胡　华 77;83;101;276;332;355;
　359;382;487
胡继明 239;244;264
胡继琴 457
胡家忠 494
胡鉴明 21
胡渐逵 254;269;430
胡建华 35
胡絜青 423
胡锦贤 235;238
胡礼兴 476
胡力文 218;301
胡灵苏 177
胡梅娜 122;158
胡孟浩 467
胡明亮 362;366;480;497
胡明琴 271
胡明扬 9;19;27;38;47;56;57;
　59;76;77;79;90;124;125;143;
　147;152;156;160;203;204;
　219;221;224;238;288;318;
　323;324;327;344;345;381;
　476;495;521
胡念耕 246;262;491
胡培俊 100;262;479;483
胡培周 43;287
胡　平 96;127;409
胡奇光 498
胡乔木 496
胡秋原 473
胡瑞昌 25;497;503
胡绍良 317
胡　绳 296;496
胡盛仑 334
胡士云 24;293;423;426
胡淑莉 391
胡书津 530;556;558
胡书仁 258
胡曙中 88
胡树国 56
胡双宝 73;193;206;348;393;
　429;472;475;476;503
胡松柏 198
胡素华 530;533;555
胡穗鄂 464
胡　坦 530;533
胡铁城 427
胡铁军 389
胡铁生 48
胡文泽 382
胡文仲 39;56
胡锡全 112
胡习之 317;319;393;400
胡湘荣 269;339
胡　翔 515
胡晓萍 267
胡小宁 92;422
胡星林 392
胡兴德 70;436;460
胡兴华 408
胡性初 91;409
胡学云 321
胡尧之 441
胡宜课 114
胡以申 23
胡亦乐 89
胡　莹 280;341
胡永生 308;426;449
胡勇新 110
胡佑章 53;89;92;435;470
胡裕树 13;36;83;89;147;204;
　234;237;295;320;322;323;
　324;325;330;341;384;467;
　468;470;495
胡泽洪 2;5;21;25;57;122
胡增益 541
胡珍英 464
胡振华 262;529;532;561
胡振宇 100
胡志挥 462
胡志英 21
胡中文 292;428
胡钟业 395
胡壮麟 2;13;15;19;25;32;38;
　40;76;173
胡卓学 97;401
胡宗温 423
胡宗哲 93
湖上柳 297
虎月放 535
花兰科 24
花　原 483
化长河 418
华　灿 193;478
华　昶 257;288
华光耀 173
华宏仪 86
华锦木 59;453
华培芳 280;283;284;405
华　萍 318;346
华泉坤 91
华　劭 65
华绍和 103;106
华　涛 559
华星白 122;257;274
华　旭 73;260;279;280;281;294

华学诚 27;255;504
华　言 33;554
华一新 290
华玉明 30;335;338;339;353;354;382
华元林 402
怀　宁 74;348;363
荒　冰 381
皇甫修文 427
黄爱平 413
黄保真 253
黄本淑 102
黄炳羽 112;501
黄伯荣 36;318;346;385;481;514
黄布凡 527;556;558;561
黄昌宁 50;51;53;54;103;105;111;115;118;120
黄长著 288;462;528
黄成龙 546
黄　铖 248
黄大荣 230
黄丹丹 20
黄德宽 101;477;478;479;480;483;489;511
黄德玉 72;145;293;320;357;362;372;381;417
黄德焘 303
黄得莲 156;392
黄定时 372
黄端端 329
黄发彩 400
黄芬香 174
黄粉保 466
黄弗同 4;127
黄辅雄 17
黄　刚 112
黄昊炘 443;448
黄公台 372
黄谷甘 180;185;198;200
黄光成 481
黄光武 487
黄贵权 554
黄桂初 258

黄国文 20;368
黄国营 336;340
黄国勇 220
黄　海 165
黄和斌 159;464
黄　河 327
黄河清 31;241
黄　鹤 422
黄鸿森 149;230
黄　宏 540
黄宏广 403
黄华灿 61
黄华新 83;159;324
黄怀信 135;257
黄焕如 105;109;114;499
黄集伟 203
黄继林 183;204
黄继俞 333
黄家教 184;201
黄家龙 314
黄家修 466
黄加林 439
黄加尼 509
黄建华 235;237;238;239;242
黄建烁 111
黄涧秋 174
黄　颉 63
黄今许 229
黄金贵 132;255;256;259;260;263;299
黄金旺 291
黄锦章 11;364
黄敬华 424
黄浚尔 517
黄　骏 164
黄　可 117;120
黄克东 499
黄坤尧 216
黄来顺 40
黄　雷 166
黄丽芳 98;152
黄丽丽 263;270
黄丽贞 379

黄良荣 539
黄灵庚 248;258;478
黄　凌 433
黄龙保 57
黄录庚 262
黄伦生 164
黄茂忠 171
黄梦荣 372
黄明明 139;375
黄明晔 220
黄墨谷 480
黄乃喜 336
黄南方 173
黄南松 32;359;361;521
黄念慈 97
黄佩文 27;185;336;406;425
黄萍莉 240
黄其亨 171
黄奇逸 482
黄奇志 291
黄　绮 212;478
黄庆传 237
黄庆云 93;414
黄泉熙 536
黄群建 132;185;261
黄仁荣 301
黄仁寿 232
黄任轲 246
黄荣发 271;392
黄荣志 125
黄瑞云 260
黄赛勤 10
黄　珊 516
黄尚军 176;214
黄少芳 97
黄声义 197
黄书洪 386
黄淑祥 438
黄树先 27;68;131;246;264;309;485;561
黄树雄 430
黄水清 106
黄顺宾 495;497

黄思源 340
黄宋鉴 542
黄颂康 235;492
黄素琴 367
黄　涛 328;335
黄天树 257
黄天喜 343
黄天源 1;284;441
黄同元 548
黄维栋 305
黄　伟 534
黄文范 296
黄文杰 489
黄武松 265;266
黄希琛 117
黄锡惠 541
黄锡全 482;485;487
黄先德 161
黄显铭 238
黄　湘 460
黄祥荣 530
黄祥喜 1;108
黄小芸 296
黄晓东 90
黄晓峰 308
黄晓鹃 193
黄晓惠 307;321
黄晓霞 79
黄孝德 226;241
黄笑山 216;264
黄新成 447
黄新梁 447
黄　行 26;554
黄行春 447;464
黄修齐 37
黄秀君 449
黄秀莲 40
黄雪琴 419
黄雪贞 197;198;199
黄　衍 31;55;323
黄　燕 99
黄　遥 430
黄耀红 59

黄耀华 36
黄宜华 105;112
黄宜思 89;449
黄易青 70;249
黄奕伦 209
黄益庸 168
黄　英 261
黄永亨 118
黄永坚 180
黄永健 382
黄永武 404
黄　勇 217;510
黄幼莲 249
黄佑源 152
黄宇鸿 101
黄雨石 439
黄　元 305;339;386
黄源深 445
黄远振 443
黄岳洲 66;223;325;382;409;
　　　 415;422;435;436;515
黄　云 150
黄运亭 273
黄赞水 304;308
黄泽佩 167;181;411
黄章恺 53
黄　哲 316
黄振英 371;523
黄振宇 404
黄镇华 250
黄　征 215;246;251;261;266;
　　　 268;269;283;286
黄知常 279;281;283;294;386;
　　　 406;408;410
黄志福 39
黄智显 337
黄中祥 537;539;551
黄忠祥 539
黄自由 76;110
黄祖英 523
黄祖泗 156;221;401;402;411;
　　　 418;427
慧　生 149;210

惠树森 499
霍陈婉媛 494
霍存福 262
霍恒昌 136;137
霍　盛 549
霍世泓 426
霍玉厚 136;137
霍晏平 166

J

基尔黛 P·M· 29
姬安龙 543;544;545
姬乃军 486
姬少军 2;70
姬一言 35
嵇果煌 229
吉常宏 241
吉木彦 542
吉仕梅 305;373
及文平 68
即　实 561
纪国泰 255;277
纪嘉发 555
纪　信 33
纪秀生 24
纪永祥 424
纪玉香 397;467
忌　浮 64;209;212;216;543
季拜华 290;437
季桂保 18
季恒铨 30;237;274;296
季　健 440
季明珠 187
季　平 128
季素彩 86;332;495
季天祥 23
季羡林 205;207;287;529
季　星 62
季永海 287
季永兴 356;503;513;522;559
季月康 308;313
济　冬 285
寄　明 270

蓟 郛 209	姜长福 159	375;481
霁 昉 30	姜德梧 420;521	江林昌 260
冀小军 482	姜定琦 270	江 明 320
冀中伟 400	姜光辉 371	江 南 95;386;406;412;420
加 措 557	姜海清 445	江 琦 273
嘉 漠 291	姜汉椿 300	江荣春 438;440
贾爱武 455	姜淮超 403	江瑞娟 384
贾百卿 244	姜 晖 522	江 莎 7
贾采珠 192;242;273	姜惠平 472	江伟萍 466
贾崇伯 148	姜慧玲 107	江 怡 17;43
贾德博 500	姜建强 51	江荫禔 175;192
贾德霖 52;66;69;72;436	姜建新 103	江友芳 458
贾德望 415	姜剑云 84;97;149;395;433	江 玉 178
贾殿岭 548	姜津华 228	江曾培 299
贾东城 388	姜可瑜 486	江中柱 239;241;261
贾敦儒 3;27;542	姜 明 399	蒋昌俊 108
贾桂英 194	姜 树 351	蒋昌平 338
贾国栋 120	姜 涛 284	蒋 超 313
贾国均 515	姜维亮 469	蒋澄生 39
贾红棉 415	姜伟东 1	蒋国辉 45;67;357
贾 骏 136;275	姜 文 148	蒋冀骋 231;238;246;265;266;
贾 丽 223	姜晓红 343	268;269;312
贾梁豫 38	姜秀云 454	蒋坚禄 183
贾齐华 261;300;378	姜亚军 466;509	蒋坚霞 449;454
贾 儒 28	姜永德 534	蒋均涛 205
贾晞儒 529;532;541;542;543	姜聿华 44;170	蒋可心 288
贾笑孟 266	姜跃滨 248	蒋 磊 461
贾秀英 40;44	姜兆周 255	蒋礼鸿 75;240;251;265;266;
贾彦德 71;277	姜振儒 105	269;295;296
贾一周 369	姜志信 266	蒋立珠 60
贾玉新 5;8;30	姜竹仪 545	蒋禄信 228
贾玉琦 137	姜佐楹 148	蒋 明 446;454
贾 越 164	江 波 3	蒋南华 133;276
贾则复 137	江 荻 119;556;557	蒋 鹏 166
贾占清 423	江 枫 498	蒋 萍 459
贾忠匀 228	江 灏 130	蒋森和 368
贾子炯 479	江 河 295;383	蒋绍愚 296;309;325;521
简 璜 336	江 获 558	蒋士杰 301;306
简 妮 172	江检英 239	蒋述塘 133
简启贤 207;217;234	江建高 434	蒋同林 417
建 中 282	江结宝 397	蒋文海 102
鉴 奇 439	江景志 231	蒋文森 146
姜宝琦 297;310	江蓝生 194;213;265;269;342;	蒋文野 83

蒋希文 211;212;217
蒋贤春 110
蒋星煜 269
蒋雪梅 333;361
蒋贻瑞 77
蒋以璞 17;66
蒋荫楠 285
蒋有经 233
蒋　跃 8;71;443
蒋哲伦 273
蒋仲仁 479;502
蒋竹荪 232
蒋　子 94;219
蒋宗福 137;298
蒋宗许 135;230;232;243;249;
　　252;260;263;266;301;304;
　　313;314;330
蒋祖德 160
焦长华 188
焦晓芳 95
焦晓光 1
揭春雨 107;471
碣　黎 171;317
结　昂 557
介　云 79
今　心 501
金·巴音巴特尔 542
金昌吉 123;334;348;352;434
金长胜 459
金　城 67;459
金淳培 534
金道行 26
金定元 70
金奉民 335
金国泰 482
金海澜 125
金汉平 266
金恒杰 443
金红莲 519
金慧萍 166;368;396
金惠淑 99;221;507;508
金基石 12;28;61;99
金积令 42

金健人 4;155;426
金克木 208
金理新 558
金　丽 55
金立鑫 3;78;79;80;81;84;322;
　　349;362;363;365;379;525
金　力 3;108
金妙芳 513
金　木 517
金乃志 59
金　平 35
金启琮 541
金仁奎 395
金　汕 165
金升荣 197
金失根 32;221
金　石 27;239
金世和 47
金舒年 60
金树培 243;515
金顺德 75
金天相 172;378;413
金廷恩 47
金　微 443
金文俊 437
金　西 119
金锡谟 270;273;323;335;375;
　　426;427
金欣欣 241
金兴甫 338;340
金旭东 449
金薰镐 63
金雅声 61
金　祎 149;330;429;492
金银珍 179
金　寅 291
金颖若 62
金有景 531
金　玉 47
金元中 153
金志成 4
金　钟 299;390
金钟囍 234

津　化 407
晋　风 101;478
晋家泉 233;282
靳　畤 547
靳光瑾 27;182;192
靳极苍 1;131
靳尚怡 529;561
靳玉兰 417
荆贵生 263;365;380
荆武臣 218
晶　石 502
井　心 246;290
景代洪 11
景士俊 294;349;366;367;368
景　兴 489
景永恒 551
景永垣 171
竟　成 330;364;560
劲　松 220;221
敬　奇 108
敬　石 100
靖　微 251
九　同 425
居　红 337;354
居思信 215;218
鞠党生 291;434
鞠　贤 551
君　卿 457
君铁超 3
峻　峡 329;341;363;372

K

阚绪良 248;249;294;303;325
康保成 134
康加深 142;474;492;499
康家珑 50;400;416;434
康建常 8;130;254;255
康　健 100
康锦屏 302
康　晋 440
康明强 464
康乃美 100
康　萍 297

康荣平 505
康 苏 258;308
康 甡 304
康 泰 168
康天宇 357
康文恒 313
康言午 504
康泽民 466
亢世勇 41;71;80;82;83;273;333;526
柯 飞 32
柯理思 195
柯 伦 259
柯 平 12;54;437;444;449;492
柯松山 332
柯蔚南 208
柯忠业 475
克劳逊,G. 547
孔德明 171
孔凡成 407
孔慧怡 443
孔江平 209;544;556;558
孔令达 30;324;325;353;359;370;373;382;389
孔庆成 8;21;72;405
孔庆林 13
孔宪中 139
孔祥群 493
孔雪芹 549
孔 渊 293
孔章圣 9;413
孔昭琪 222;275;279;410;415
库尔班尼沙 550
匡 吉 162;346
匡 群 282
筐为光 129
邝继顺 114
隗仁莲 465

L

拉赫曼·汗巴巴 552
拉玛兹倨 533;554
拉西吉格木德 109

来定芳 20
来玉英 156
赖继红 495
赖江基 198;209
赖旺炉 428
赖先刚 358;401;418
赖 余 437
蓝 曼 89
蓝 石 502
蓝泰凯 420
蓝天照 150
蓝小玲 198
蓝延生 281
蓝 野 469
兰宾汉 365;373
兰殿君 255
兰家广 89
兰善清 327;350;413
兰 霞 416
兰雄荣 58
兰玉英 361
郎士旭 551
郎天万 7
郎 铸 140
劳里·鲍尔 4
劳 陇 436;437;440;448;470
雷 斌 7;405;428
雷长怡 328
雷陈鸣 409
雷春芳 439;442;445
雷汉卿 134;263
雷怀宇 363
雷金海 107
雷良启 143;277;279;294;333
雷鸣捷 504
雷其坤 95
雷庆翼 136
雷石榆 484;505
雷舜珠 30
雷 涛 280;331;364;378;384
雷喜银 411
雷晓军 2;70
雷永立 239

雷友梧 18;24;42;84;141
雷源轵 430
冷国俭 312;315
冷 瑾 52
冷天放 546
黎昌抱 40
黎 达 407
黎德锐 327
黎东良 47
黎 凡 445
黎广祯 494
黎汉鸿 202;251
黎辉亮 25
黎江影 180
黎锦熙 63
黎良军 297;343;359
黎 琳 417
黎 潞 251
黎 明 360;407;410
黎 鸣 502
黎难秋 237;456;457
黎 频 423
黎 平 388
黎千驹 295;399
黎荣德 179
黎曙光 133
黎树旺 496
黎 庶 299
黎湘萍 163
黎新第 153;176;190;192;209;211;213;214;215;217;227
黎 意 195
黎运汉 17;36;93;470
黎泽渝 63;508
黎玮杰 201
理 群 12;24
理 真 2;484;485
李 艾 522
李安节 6
李安莉 42
李宝山 335
李葆嘉 17;24;25;40;54;64;99;102;126;206;207;209;212;

214;216;232
李 滨 423
李 兵 537
李炳海 136
李炳泽 161;544
李伯超 65;325
李伯纯 242
李伯勤 246
李灿辉 173
李昌年 275;335;386
李昌平 374
李长林 454
李长仁 209
李长声 220
李长忠 3;44
李 超 403;514
李朝阳 407
李成才 352
李成蹊 57
李 赤 303
李崇兴 269;316;342
李传槐 520
李传全 123
李 春 27
李春华 221;367
李春莲 160
李春勇 405
李翠云 470
李翠芸 144;156;469
李大军 466
李大魁 476
李大农 286;359
李大千 423
李大勤 77;337;354;369
李大熔 431
李大遂 504
李大忠 381;525;526
李丹甫 161
李丹青 388
李蹈泽 322
李道海 429
李道明 232
李道新 80;164

李得春 534
李德安 429
李德春 534
李德宽 365
李德纬 328
李德先 501
李德祥 46
李德银 106
李 棣 550
李 定 523
李定坤 42
李定与 284
李 东 105
李冬梅 256
李栋臣 143;284;293;377
李敦才 170
李敦凯 327;335;367;402;410;416
李恩江 17;249;475;476;482;484;491
李尔钢 231;237
李法荣 458
李法信 228
李范文 213;533
李 方 122
李 芳 59
李芳杰 293;338;357;364;367;374;378
李 峰 238;380;382
李凤仪 190
李扶乾 271
李福印 74;159
李富林 79;80;84;319;349;368;385;403
李更新 15
李赓钧 327
李公宜 108
李功成 310
李冠华 348;352
李冠理 277
李光华 262;324
李光焜 86
李光麟 230

李光曦 461
李广才 58
李广荣 454
李广义 459
李贵如 433
李桂芬 29;466
李国辰 56
李国华 207;213;214
李国梁 268
李国南 89;448
李国清 330
李国全 94
李国英 490
李国正 13;256
李海飚 108
李海林 22;57
李海珉 274;287;405
李海霞 188;254;282;292;478;494;504;507
李海侠 386
李汉斌 118
李汉威 159;346;370;378
李合敏 407
李合鸣 228
李贺宾 450;538
李 鹤 459
李红印 525
李宏新 331
李虹虹 461
李泓冰 141
李鸿彬 381
李华春 104
李华田 466
李怀之 264
李怀忠 368
李会民 306
李绘新 342
李惠昌 198;199;225;263
李惠明 404
李惠兴 359
李济中 417
李继光 11;50
李家斌 179

李家浩 486
李家祥 236;239;310;555
李家昱 282
李　嘉 224;248
李嘉熙 452;458
李嘉祥 174;281
李嘉耀 88;97;143;390;413;468
李　建 180;182;196
李建国 299
李建华 448
李建军 439;550
李建玲 152
李剑云 330
李健海 70;98
李　杰 292;336;532
李洁非 161
李洁斐 429
李金宝 173
李金葆 189;195
李金铠 476
李金苓 395
李金陵 181;459;502
李锦芳 34;201;558;559
李锦望 314;379
李　瑾 488
李　劲 103
李晋荃 78;80;319;321
李经伟 71;531
李经纬 488;559;561
李经洲 93
李晶漪 80;408
李景成 242
李景泉 247;366;542
李景山 289
李景新 259
李景元 440
李竞远 109
李敬尧 271
李敬忠 201;559
李靖之 231;302;306
李　静 31;123;446;467
李菊先 330
李　炬 258;460

李　军 422;453
李军华 23;90;158;433
李峻锷 130
李浚平 163
李骏兴 105;114
李　开 11;49;215;227;299
李开敏 385
李开湘 347
李克郁 542
李兰臬 463
李兰生 50
李兰英 523
李　岚 3
李　蓝 15;175;181;188;198;269
李乐毅 102;477;479;480;481;485;500;504;517
李乐中 456
李　漓 346;372
李力祥 384
李立成 63;137
李立新 490
李丽芳 284
李　栗 321
李　连 362
李连进 122;261
李连元 10;355;507
李　廉 52
李良品 162
李良肱 499
李　亮 151
李烈忠 111
李临定 319;347;348;364;366
李　玲 552
李玲玲 423
李玲璞 476;479
李凌阁 99
李鲁祥 162
李露蕾 209
李禄兴 315;433
李　满 164
李曼珏 77
李曼钰 464
李卯圈 151

李茂康 208
李茂山 297
李美伦 460
李美蓓 549
李梦龙 255
李孟萧 247
李勉东 38;56;123
李　民 112
李　珉 158
李　敏 6;79;231;367;368;382
李敏生 100;115;477;493;501;502
李　明 65;117;154;184;217;522
李明江 425
李明孝 269;316;328
李　楠 472;496
李　妮 309
李宁明 375
李　蓬 379
李鹏秀 478;494
李丕显 161
李批然 537
李　平 519
李奇瑞 302;308
李启文 282
李谦恒 345
李倩岚 506
李　乔 483;485
李沁蹊 494
李青梅 220;480
李清和 465
李清华 526
李庆新 324;380
李　泉 172;223;336;359;368;516;518
李全安 444;458
李全申 454
李　然 282
李人鉴 252;370
李壬癸 183
李仁善 354
李仁孝 149
李韧之 289

李 蓉 323	李淑芬 265;335	李维桢 435
李 荣 60;174;175;180;182; 183;189;202;236	李恕府 250	李 炜 14;158;194;257;292; 312;494;495;516
李荣宝 39	李恕豪 27;192;276	李卫东 435
李 儒 442	李恕仁 286	李卫民 514
李儒忠 516	李树德 87;339;373;382;390	李文馥 30
李如龙 28;71;157;176;183;220	李树辉 451;515;548	李文华 554
李如尧 98	李树兰 540;553	李文辉 340;356
李瑞华 53	李树琦 6;19	李文杰 402
李瑞进 88	李树俨 181;531	李文俊 445
李瑞群 67;275	李 爽 521	李文明 94;230;241;425
李 润 65;232;253;262;304;305	李 硕 117	李文生 520
李润波 197	李思敬 221;275	李文实 289
李润桃 358	李思乐 261	李文栓 158;413
李润新 148;164;202	李思敏 210;289	李文祥 339;398
李赛恒 312	李思明 301;309;311;316;323; 353;369	李文阳 462
李 森 547	李斯平 342	李文勇 472
李 珊 339	李苏鸣 87;93;288;327;395	李文煜 208
李善成 456	李素荣 336	李文郑 508
李少开 417	李遂孙 491	李文芝 462
李少林 144	李 索 133;256;304;341	李文中 21
李绍林 72;156;158;160;363; 433;523;524;525	李泰和 438	李无忌 15
李绍尼 534	李泰章 483	李无未 64;137;214;215
李绍年 35;436;438;450;457; 463;538;540	李堂秋 111	李务云 219
李 申 265	李 锂 159;379	李西宽 529
李 生 79;240;321	李 涛 90;140;145;458;473; 488;497;501;505;506	李锡胤 32;35;81;446
李生信 260;415	李天行 85	李熙泰 182
李 声 468	李铁根 357;384	李熙宗 97;431
李胜梅 19;68;90;97;160;406; 408	李铁军 79	李侠民 104
李胜普 316	李廷扬 395	李 霞 9
李胜昔 363;369;374;471	李同福 87	李先登 478
李盛礼 178	李同山 331	李先耕 219;244;261;294;336
李诗涓 193	李 彤 133	李先国 109;110;111;116
李士俊 455	李兔友 486	李先华 226;255
李士敏 12;57	李万福 99;101;482	李先焜 9;14;32;134
李世之 101;219	李 薇 287	李娴霞 286
李世瑜 184;192	李 为 296	李显杰 27
李书辰 477	李 维 218	李显元 544
李淑德 105;114	李维光 59	李湘蓉 515
李淑芳 454	李维江 431	李祥鹤 146;149;498
	李维屏 93	李祥坤 6;57
	李维琦 130;168;255;269	李祥瑞 531
		李 翔 423

李翔德 231
李向东 454
李向方 102
李向农 25;30;340;345;360;375
李小金 29;182;529
李小梅 314
李小平 26;180;529
李小荣 336;381
李晓棣 468
李晓光 42
李晓辉 107
李晓蓉 360
李晓燕 226
李晓琪 345;366
李效钦 419;421
李 欣 174;299
李 歆 240
李新安 15
李新华 502
李新建 254;266;328
李新魁 175;201;205;209;210;214
李信潢 88;155
李兴华 29;43;464
李行德 78;300;519
李行健 34;146;147;148;150;152;239;243;502
李行杰 128;207;223;485
李行之 296
李 秀 221;387
李秀芳 146
李秀坤 505
李秀丽 515
李秀莲 151;222;420
李秀琴 14;37;56
李琇明 398
李 旭 472
李学金 289
李学经 440
李学明 416
李学平 7;65
李学勤 233;510;512
李雪涛 459

李荀华 216;217
李 逊 281
李亚宾 58
李亚林 423
李亚明 74;133;254;256;296
李亚舒 455
李 延 55
李延福 60
李延瑞 18;166;222;408
李衍华 20
李彦章 405
李 燕 101;474;489;492
李燕玲 438
李阳海 171
李耀宗 27;300
李业宏 222;500
李一新 104;115
李 漪 19
李 怡 412
李贻荫 444
李义海 261
李义琳 297
李忆民 521;522
李印堂 13;156
李英俊 103
李英霞 409
李英勋 452;459
李瑛国 552
李应潭 376
李永才 5
李永明 201
李永宁 53
李永燧 26;531;532;533;537;555
李咏玖 111
李友仁 108
李有爱 244
李宇明 29;30;45;218;354;372;379;513
李雨梅 543
李 玉 199;210;211;256
李玉宝 70
李玉臣 426
李玉洁 490

李玉奇 138
李玉清 367;379;394
李玉琯 467
李玉英 452
李郁章 388
李育智 479
李 裕 101
李裕德 345;371;515
李元成 311
李元亮 119
李元胜 168
李元授 173
李元太 411
李沅和 329
李 源 6;397
李远明 160;475
李约瑟 105;111;116
李月华 334
李月曼 441
李月英 514
李云兵 544;545
李云贵 259;303
李云楼 453;466
李 芸 83
李运富 88;89;246;271;314;386;395;398
李运嘉 370
李运龙 319;347;356;362;366
李运兴 439;449;471
李运益 214
李运熹 338
李蕴真 298
李载本 433
李在田 521
李泽民 400
李增吉 333;374;382
李增祥 547;548
李战国 79;158
李战子 75;82;92
李照国 289;447;454
李兆平 395
李兆汝 157;402
李兆麟 114

李真微 355;376	李佐丰 313	梁俊生 409
李臻怡 345;435	李作俊 432	梁岚林 48
李振芳 349;357	李作南 18	梁 镰 24
李振国 510	力 量 9;318;334;345;373;383	梁良兴 449
李振海 118	力提甫·托乎提 553	梁临川 388
李振杰 416;520	力 展 60;180	梁绿平 459
李振喜 499	立 芬 163;392	梁曼君 115
李振墔 100	立 励 249	梁茂成 466;510
李振玺 218	立 龙 474	梁美灵 507
李振麟 128	立 文 260;417	梁 敏 126;531;536
李正纲 154;400;435	立 源 1	梁明江 188
李芝新 414	利 杰 514;515;517	梁 南 203
李 直 268	厉 兵 101;148;220;222;293;	梁南元 106;107
李志高 331	330;432;488;495;506;507	梁庆龙 117
李志慧 543	厉弘扬 125	梁实秋 159
李志军 8	栗治国 181	梁 爽 457
李志龙 249	荔 枝 96	梁素青 350
李志浓 157;428	郦亭山 224	梁特猷 294
李志霄 333;366	连登岗 248;260;291	梁廷山 496
李中榜 173	连劲名 486	梁文斑 346
李中立 52;158	连晓霞 168	梁晓虹 124;208;229;251;262;
李中生 135;259;279;482;483;	连秀云 159	266;281;284;287;321;389;404
492	连真然 441	梁晓鹏 461
李忠初 418;422	廉光虎 533	梁信德 225
李忠东 428	练春招 198;199	梁一孺 530
李忠田 255	梁 兵 71;224	梁玉民 509
李忠文 403	梁冰夫 483	梁玉璋 199;200
李忠耀 334	梁超然 511	梁 云 453;551
李钟霖 557	梁道洁 184	梁仲锋 407
李仲春 148	梁德臣 314	梁宗奎 92;413
李仲华 336	梁德曼 236	廖柏昂 137;168
李 竹 50;54;445	梁德珍 105	廖春红 48
李竹君 198	梁东汉 255;496	廖大国 294
李准南 157	梁冬青 245	廖大勇 109
李子洪 419	梁 工 406	廖定中 39
李子云 371;373;378;381;513	梁 关 396	廖焕超 248
李子虔 317	梁光华 224;302	廖美光 97;98
李宗江 5;47;359;371;372	梁国勤 321	廖名春 207;260
李祖才 485	梁杰才 22	廖秋忠 11;12;24;32;77;123;354
李祖林 187	梁 洁 48	廖 森 477
李祖希 227	梁金荣 184;188	廖 拾 491
李缵仁 178	梁今知 194	廖廷章 216
李左人 99	梁锦祥 73;461	廖晓桦 254

廖序东 308;309;312;313;498
廖衍勋 401;431
廖永煌 94
廖泽余 457;549
廖振佑 129;246
廖仲安 505
林宝卿 143;180;184;198;199;
　209;211
林宝煊 455
林　彬 196
林　泊 484
林长伟 168;213
林成虎 43
林成颂 311
林成楦 98
林　川 103;114;491;500;505
林大津 47;86;92
林大榕 87;391
林道发 104;108;114
林道祥 175
林　东 196
林　端 211;213
林尔康 42;44
林　根 193;472
林归思 5;124;203;325
林贵夫 280
林国爽 431
林海权 214;247
林寒生 28;200
林华东 169;390;469;481
林纪诚 2;60;102
林骥良 156
林建明 316;417
林进新 50
林久贵 75
林克难 449;460;465
林利藩 146;159;291
林　立 165;419
林立芳 201
林联合 113
林连通 199;201;211
林　廉 151;218;221;222;504
林玲帼 468

林伦伦 180;182;187;188;189;
　190;198;200;201
林茂灿 40;220
林梅村 548
林　木 273;291;486
林　娜 71
林其琰 386
林清和 64;180;345
林清书 91;198
林　琼 28
林去病 90;317
林汝昌 12;13;59;464;510
林　森 136
林少棉 559
林绍伴 183
林盛祥 160
林书武 6;35;36;101;447;450
林　曙 283;338;376
林述安 4
林宋瑜 431
林穗芳 142;145;152;299
林泰安 340;341
林　涛 193;434;435;491
林　焘 219;222;476;498;525
林　同 163
林唯舟 173
林　蔚 413
林文錡 420
林文金 139;350;468
林向荣 527;539
林新民 492
林星煌 397
林杏光 51;53;57;70;83;108;
　117;119;332;350;359
林序达 476
林学诚 456
林雪涛 510
林延君 248
林　言 204
林　亦 170
林银生 239
林　勇 156;374;375
林宇威 114;116

林　玉 279
林玉鹏 462
林玉山 11;230;233;237;303;
　319;321
林运来 52;176;420
林章文 297
林　璋 88;322
林志坚 42;43
林志强 101
林仲湘 169;170
林祖安 29
蔺　璜 93;364;377
伶　军 192
玲　丽 434
凌常荣 367
凌晨光 408
凌德祥 18;54;72;77;82;384
凌焕新 433
凌晓雷 163
凌　乙 173;175;276
凌远征 132;291
凌　云 65;68;95;97;177;273
凌志浩 106
刘爱兰 288
刘爱民 133
刘爱萍 458
刘安海 56;163
刘百顺 189;195
刘保安 39
刘宝俊 25;26;27;72;122;187;
　196;206;221;530
刘宝霞 408
刘本臣 28
刘　斌 10;171
刘秉果 270
刘秉忠 250;484
刘　波 172
刘伯毅 422
刘博峤 293
刘长林 493
刘超先 444;453;461;467
刘　澈 282
刘辰诞 12;60

刘成德 230;237
刘成刚 391;399
刘传厚 435
刘春杰 470
刘春生 251
刘春修 370
刘纯朴 117
刘　翠 261;262
刘村汉 256
刘大春 330
刘大枫 164
刘大为 16;42;70;75;92;163;
　　165;278;321;347;372;388;
　　395;515
刘　丹 394;434
刘丹青 57;73;84;85;123;139;
　　145;158;180;205;206;219;
　　275;295;300;318;331;337;
　　342;367;453
刘德谦 84
刘德斋 275
刘东立 374
刘东元 376
刘冬冰 324
刘恩光 460
刘范弟 267
刘芳琼 135
刘　锋 13;100;204;443
刘凤兰 457
刘凤玲 92
刘凤霞 54
刘凤枝 4;18
刘凤耋 532;560
刘福长 72;147
刘福根 256
刘福铸 259
刘复生 294
刘高礼 429
刘高岑 77
刘　戈 463;561
刘公望 304;336
刘恭懋 310
刘光坤 32

刘光明 72;137
刘广和 209;211;284
刘广智 255
刘桂芳 278;361;367;368
刘桂华 312;314;405
刘桂珍 146
刘国安 428;430
刘国衡 105
刘国杰 95
刘国相 434
刘国盈 252
刘国正 144;147
刘海涛 114;117;120;343;425
刘海章 140
刘汉勤 271
刘汉生 264
刘和民 41
刘和平 462
刘　恒 485
刘恒志 305
刘　虹 6;20
刘洪波 69
刘洪甲 171
刘洪民 83
刘华明 102
刘桓中 105
刘焕辉 4;6;71;79;91;147;156
刘　徽 60
刘惠珍 510
刘慧英 375
刘慧宇 515
刘基森 242
刘济民 430
刘继超 320;352;361
刘继兴 429
刘加夫 95
刘家庆 469
刘家钰 245
刘驾超 163;393
刘　坚 74;147;180;189;322;518
刘　建 155;158
刘建达 2;80
刘建国 255;279

刘建民 429
刘建祥 98
刘剑三 136;180;188;277
刘　健 513
刘江田 480
刘　金 386;505
刘金表 195;290
刘金海 20
刘金勋 494
刘金玉 462
刘锦明 17
刘　劲 17
刘　缙 276
刘经建 329
刘景丽 317
刘景宪 541
刘景钊 501
刘敬林 240;264
刘敬瑞 510
刘　静 208;215
刘镜芙 303;325
刘菊黄 537;557;558
刘　娟 188;194
刘觉滨 110;119
刘钧杰 218
刘军平 36;443
刘　君 341
刘　俊 419
刘开骅 337;511
刘开琨 327
刘开瑛 53;102
刘凯芳 288
刘凯鸣 246
刘克宽 163
刘克璋 442;453
刘锟龄 155
刘来湖 398
刘兰萍 40;321
刘乐贤 484
刘黎明 462
刘立辉 73
刘立群 15
刘立钿 267

刘　丽　20	刘桥国　389	刘淑荣　370
刘丽川　317	刘钦荣　325；348；366	刘淑学　39
刘丽华　185	刘青松　209	刘淑英　51
刘　利　40；207；307；314；339；363；384	刘庆波　494	刘树森　445
	刘庆俄　53；145；474；478；493；494	刘树中　410
刘利民　21；115	刘庆福　521	刘　澍　2
刘　郦　9	刘庆会　47	刘　双　8
刘俐李　185；187；190；212；218	刘庆荣　457	刘　顺　139；351
刘连元　50；54；109；113；479	刘日荣　133	刘顺良　486
刘镰力　521；522；524	刘荣喜　473	刘　思　84；463
刘良文　93；95；405；409；415；435	刘　蓉　305	刘松汉　322
刘烈茂　127	刘如森　496	刘松江　377
刘　林　474	刘如瑛　501	刘松林　3
刘龙根　9	刘如正　432	刘颂浩　187；339；357；359；525
刘纶鑫　190；197；207；399	刘　锐　487	刘素琴　160；164
刘罗颐　459	刘瑞明　68；134；230；245；258；264；268；294；296；305；306；311；314；324；379；381	刘憬贞　147；420
刘美森　51		刘天亮　451
刘梦溪　132		刘铁钢　433
刘孟斌　506	刘瑞武　512	刘铁钧　286；415
刘宓庆　449；451	刘瑞祥　439	刘铁军　282
刘　民　29	刘润清　13；35；57；60	刘廷武　251；391
刘民钢　132；216	刘塞曦　133	刘　婷　192
刘　珉　460；548；550	刘森木　485	刘同江　414
刘明臣　522	刘尚慈　231	刘婉妍　426
刘明春　282	刘少强　387；402	刘　威　525
刘明明　388	刘绍棠　140；167	刘维祥　251
刘　鸣　6；7；494	刘绍智　163	刘　炜　378
刘铭恕　486	刘社会　359；380；512；515；523	刘卫平　184；530；533
刘　谋　165	刘　石　168；425	刘文君　300
刘乃华　518	刘士聪　454	刘文俊　458
刘乃叔　245；301；315；326	刘士娟　195	刘文莉　346
刘　宁　139	刘士勤　520	刘文茹　8
刘宁生　46；83；85；89；355；495	刘世剑　424	刘文性　259；436
刘培华　286	刘世俊　67；299；409	刘文元　515
刘品贤　160	刘世南　136	刘文仲　149；151
刘平都　170	刘世生　35	刘希和　289
刘平理　466	刘世宜　299	刘锡嘉　373
刘　萍　165；552	刘书斌　5	刘锡山　394
刘浦江　135	刘叔新　15；19；71；72；75；141；153；201；229；240；279；295；328；329；380；470	刘喜军　133；262；478
刘普林　419		刘喜印　154
刘启恕　177		刘夏塘　156
刘启文　110；119	刘淑娥　283	刘先刚　437；445；449；452；454
刘　乾　332	刘淑兰　149	刘先擢　273

刘羡冰 46;139	刘　阳 460;462	刘云杉 516
刘祥柏 64	刘耀华 306	刘耘华 48
刘祥农 399	刘耀武 37;82;127	刘运好 299
刘　霄 146	刘耀业 419	刘泽本 406
刘小林 104	刘业超 435	刘泽光 477
刘小梅 358;360	刘一玲 275;416;419;429	刘泽民 23
刘小南 46;192	刘一曼 484	刘泽先 52;119;143;290;473;506
刘小湘 519	刘宜群 402	刘增寿 97;398;414
刘晓东 205	刘以焕 263	刘　章 341
刘晓峰 413	刘　毅 20;33	刘章泽 304
刘晓明 54;510	刘应捷 26;531	刘　钊 138;262;263;433;485;487
刘晓南 198;296	刘英军 25;46;78;377	刘昭东 455
刘晓文 164	刘英凯 47;219;324;406	刘照雄 57;178;179
刘晓霞 461	刘英林 493;522;525;526	刘　哲 73;96;353
刘晓燕 29	刘　迎 44	刘真準 302
刘效武 236;387	刘　永 444	刘　贞 134
刘新民 446	刘永发 143;230;286;298	刘　桢 531
刘新友 98	刘永耕 315;471	刘振江 452;466
刘新中 129	刘永良 282	刘振铎 372
刘鑫民 225;321;348;350;412;528	刘永山 131	刘正国 391
	刘永绥 391	刘正萍 240
刘鑫全 149	刘永新 432	刘芝芬 279;332
刘兴策 10;149;176;178;189;517	刘　勇 304	刘志成 210;229
刘兴均 124;277	刘獸桓 8	刘志基 101;247;250;493;503
刘兴普 182	刘涌泉 52;68;104;476;501	刘志萍 417
刘秀芬 112	刘有志 314	刘志强 321;551
刘秀文 410	刘又生 464	刘志荣 233
刘　萱 22	刘又辛 235;252;477;521;545	刘志学 10
刘学林 241	刘腴深 168	刘志一 559
刘学明 316;391	刘宇红 48	刘志宇 155
刘学智 268	刘　禹 118	刘志珍 341;424
刘学柱 139	刘玉杰 81;332;356	刘中富 66;92
刘雪云 455	刘玉昆 48	刘重次 104
刘勋宁 185;195	刘玉屏 178	刘重德 447;448;452
刘　珣 520;522	刘玉芝 444	刘　竹 409;415
刘训爱 29	刘育林 191	刘助仁 2
刘雅俊 394	刘元璋 141	刘子敏 168;308
刘亚飞 462	刘援朝 192;543;544	刘子瑜 310;324;325;350;358
刘亚林 429	刘　源 106;107;328	刘子智 89;388;431
刘　岩 551	刘　越 80	刘宗彬 245
刘言周 225	刘　云 277	刘宗和 457
刘彦武 286	刘云波 455	刘尊明 80
刘　艳 82;526	刘云卿 409	

刘作焕 12;85	卢今元 175;188;195	陆惠解 407
刘作林 352	卢景文 82;337;354	陆季芳 18
柳　斌 143;176;203;496	卢开碳 125;524	陆嘉玉 298
柳广民 27;381	卢烈红 126;129;248;251;253	陆嘉琦 3;241
柳　宏 173	卢隆光 413;436	陆稼祥 86;90;99;409
柳金殿 289	卢润祥 5;226;234;239	陆俭明 270;317;319;322;323;
柳培楷 429	卢盛萱 91;95;414	333;341;348;359;370
柳士发 380	卢维邦 423	陆建明 116
柳　同 479	卢　伟 516;521	陆建中 335;394
柳熙熙 399	卢文同 131	陆经生 43
龙德义 530	卢　屋 368	陆　军 415
龙　飞 50	卢新宁 145	陆龙兴 436
龙和铭 544	卢绪元 433	陆楼法 443
龙厚雄 166	卢英顺 74;127;342;356;362;	陆美善 413
龙蕙樵 424	366;377	陆庆和 232;234;417
龙建春 177	卢映群 393	陆　仁 233
龙梦晖 356	卢玉民 50	陆汝占 27
龙青然 366;404;419	卢玉明 194	陆绍尊 556
龙万火 507	卢元孝 104;326	陆述生 225
龙溪森 445	卢治平 520	陆为群 497
龙协涛 18	卢卓群 233;271;282;283;284;	陆文虎 445
龙　岩 222;509	331;394	陆文蔚 467
龙耀宏 536;546;559	卢芸生 191;195;263;561	陆文耀 89;91;388;396
龙异腾 216	庐　桐 372	陆锡兴 3;227;481;482;488;490
龙庄伟 62;208;223;266	鲁　川 108;113;336;365	陆学进 402;403
隆　林 317;351;355	鲁国尧 27;214	陆　扬 69
娄博生 434	鲁健骥 48;70;79;140;273;518;	陆义彬 422
娄承肇 456;458	520;522	陆玉君 464
娄国忠 416	鲁金华 32	陆云鹏 171
娄继凡 313	鲁　珉 281;407	陆云武 90;400
娄　琦 465	鲁启华 197	陆忠发 260;329
楼卫国 552	鲁荣昌 354	陆宗毓 439
卢传福 315;370	鲁寿春 45	陆祖本 455
卢丹慈 270	鲁晓琨 336	鹿　琳 516
卢　丁 483	鲁旭东 41	路广正 132;244
卢福波 66;332;337;358;359;	鲁元魁 104	路国藩 164
375	陆丙甫 336;353;376;507	路　路 37
卢国雄 281;282	陆秉庸 99;351;532	路　曼 91
卢海鸣 181;182	陆长旭 8	路　石 171
卢　红 135	陆春风 309	路仙伟 450
卢　葭 465	陆福明 104	路　枝 107
卢甲文 67;194;259;263;265;	陆福庆 298	吕安国 409
266;269;319	陆谷孙 90	吕必松 57;147;275;514;518;

519;521
吕炳洪 34
吕福中 223
吕观雄 323;329
吕光楣 107
吕宏声 85
吕宏伟 145
吕厚盈 151
吕华信 92;387
吕患成 534
吕惠君 315
吕冀平 55;141
吕家乡 419
吕景和 493;505
吕 军 116
吕 俊 444;453;455
吕琨荧 228;231;404
吕立易 425
吕明臣 375
吕朋林 133;193;219;238;257;261
吕 强 104;109
吕庆飞 94;174
吕庆业 245
吕锐章 268
吕尚彬 416
吕士楠 541
吕世华 175;282
吕世生 454
吕叔湘 12;13;17;44;56;107;124;126;139;142;143;144;153;174;240;243;294;296;317;318;320;321;322;377;433
吕 锶 169
吕廷生 368
吕文华 96;321;381;518;519;520
吕雅贤 307;310
吕一飞 560
吕 映 373
吕永进 478
吕永顺 330;348
吕永卫 67;205
吕友仁 137;262

吕幼夫 267
吕云九 291;352
吕云生 301
吕枕甲 180;211
吕振奎 561
吕正春 54
吕政之 249
吕志鲁 45
吕志强 142
吕作昕 145
绿 草 437;440
栾贵明 110
栾 浩 118
峦 岭 497
伦连瑞 504
罗安源 61;64
罗邦柱 229
罗碧琼 431
罗秉芬 556
罗传豪 211
罗 春 122
罗春荣 240
罗福腾 168;182;184;192;206;213;221
罗 钢 92
罗广德 143
罗贵昌 430
罗贵伦 107
罗国威 295
罗国莹 80;408
罗海清 110;112;118;119
罗 虹 58
罗焕淮 524;548;550
罗积勇 68;253
罗 骥 325;339
罗建中 423
罗杰·麦克卢厄 66
罗开玉 486
罗康隆 26
罗康宁 174;202
罗乐瑜 176
罗立刚 62
罗烈杰 49

罗懋群 227
罗美珍 36;48;533;535
罗 琴 259
罗青松 516;524
罗日新 344;349;350
罗荣渠 477
罗善翠 453
罗少卿 236;251
罗世平 26
罗淑芳 172;396
罗树钦 425
罗万伯 103
罗维炽 272
罗维明 269
罗伟豪 201
罗宪华 174
罗小强 113
罗新璋 437;443
罗兴贵 544
罗选民 447
罗英超 52;159;396
罗英风 254;310
罗映辉 481
罗永合 29;463
罗友松 500
罗 禹 227;241
罗毓开 167
罗远林 153
罗振声 54;116
罗振跃 130
罗正坚 93;259;296;414
罗志野 86
罗智兴 142
罗治武 311;413
罗竹风 231;242;299
罗自群 190
骆锤炼 533
骆道书 386
骆 峰 99;341;418
骆伟里 239
骆晓平 136;249
骆小所 86;87;88;89;90;91;93;94;97;98;166;386;388;398;

415
骆　毅 289;507;509
雒江生 257

M

麻晓燕 159
玛莉·S·厄鲍 203
马爱华 174
马贝加 243;304;306;309;374
马　彪 151;333;363
马丙玉 458
马博森 41;81;465
马彩芳 119
马昌仪 299
马承科 424
马承玉 246
马重奇 187;200;200;209;211;
　　214;217;237
马川东 40
马达远 329
马大康 164
马大猷 147
马　到 127
马德元 550;553
马登阁 119
马东震 346
马斗全 530
马凤鸣 336
马耕云 303
马固钢 247;252
马国凡 273
马国强 94;133;249;250;266;
　　269;405;410;417;515
马黑木呷 555
马恒君 133
马红骊 45
马洪海 44;290
马　华 33
马怀荣 122
马怀忠 396
马继光 380
马继红 343
马金河 195

马锦卫 555
马景仑 302;303;516
马　钧 162
马俊民 440
马克来克·玉买尔拜 527;540
马立鞭 165;416
马立春 6
马立秦 6;56;57
马连湘 399
马良民 489
马林芳 270;274;326;389
马林可 219
马林英 527
马茂书 395
马谋超 30
马乃田 362
马宁可 351
马　平 180
马钦忠 46
马清华 350;378
马庆株 361;384
马全德 257
马如森 207;484;511
马瑞超 222
马若痴 394
马劭力 444;445
马生仓 75
马胜平 451
马叔骏 47;478
马树钧 492
马思群 119
马思周 212;220
马提亚斯·布伦金格尔 528
马蹄声 157;367;368;396
马天祥 262
马铁川 461
马　汀 366
马维格 331
马维汉 444;445
马维和 453;552
马　文 451
马文熙 235;236;263;287
马文玉 83

马文忠 180;183;187;188;192;
　　194;204;352
马武元 363
马先义 172
马向东 535
马向伍 172
马晓琴 489
马孝义 125;139
马　啸 2;3;55;76;122;244;331;
　　346;355;362;473;510
马鑫国 555
马兴国 554
马醒民 172
马学良 16;27;62;529;541;560
马学敏 223
马雪松 394
马衍森 495
马燕华 523;526
马　扬 111
马耀圻 26;532
马　毅 67;295
马寅初 60
马涌聚 455
马永胜 28
马永真 26;532
马　由 526
马玉虎 194
马玉山 244
马育珍 441;456
马　真 290;334;341
马振亚 134;262;291
马志国 257
马智强 259;262
马忠建 213;532;533;560
马忠义 545
麦　耘 128;201;209;210;211;
　　212;213;216;217
麦志强 242
茅家梁 301
茅建民 155
茅一辉 410
茅于杭 112
毛成江 332

毛成友 349
毛拱星 460;465
毛宏愿 453
毛华奋 443;457;460
毛惠琴 334
毛继光 57
毛杰英 484
毛龙珍 177
毛荣贵 445
毛少伟 103
毛时安 164;435
毛世桢 324
毛天鸿 417
毛惜珍 293;321;331;335;337;373;374
毛宣国 217
毛学河 91;166;257;285
毛雨先 244
毛宇 79
毛玉玲 313
毛远明 135;242;296;300
毛毓松 75;243;247;311
茆建生 354
茆文楼 348;363;372;427;428
卯西丁 15;83;505
茂松 54
冒怀章 245
梅德平 337;390;395;402;411
梅宏 51
梅家驹 69;226
梅莉 10
梅立崇 67;79;121;140;279;281;284;328;361;365;370;401;513
梅影 358
梅越 128
蒙朝吉 546
蒙斯牧 26;47;535
蒙元耀 533
梦笔 500
梦茵 283
孟传书 483
孟大庚 553
孟东维 517

孟广道 251;275;481
孟国 274;280
孟国华 464
孟华 279;289
孟吉平 515
孟建安 98;155;289;391
孟建伟 429
孟君 489
孟凯 109
孟莉颖 377
孟蓬生 132;213;226;263;414
孟庆海 41;191;231;242
孟庆惠 190
孟庆魁 311
孟庆泰 176
孟庆章 491
孟守介 159;188;329;338
孟涛 141
孟铁 350
孟维智 385
孟伟根 450
孟宪爱 159;173;271;332;336;409
孟宪凯 516
孟宪钦 459
孟宪幸 265
孟祥鲁 486;511
孟筱敏 461
孟艳丽 377
孟义道 67
孟雨风 345
孟悦 43;52;109
孟昭泉 406
孟肇咏 255
糜国梁 390
米尔哈雅提·米尔苏丹 532
米尔卡马力·加列力汗 460
米尔苏里唐 551
米尔苏里唐·阿米娜·势合曼 551
米尔苏里唐·乌斯曼诺夫 549;550;532
米海拉衣·阿克木 441
米海力 549

米娜瓦尔 550
米娜瓦尔·艾比布拉 553
米天福 354
米万锁 234
米绪军 437
米叶沙尔·拜祖拉 561
密勒 G·A· 29
苗传江 85
苗冬霞 549
苗根成 72
苗焕德 550
苗兰芳 117
苗普敬 461
苗文利 251
苗秀娟 432
缪贺萍 234
缪金兴 270;362
缪开和 164;165
缪树晟 257;388
缪小春 84;375
缪咏禾 205;298
明慧 434
明静 143
明敏 2;3
明生荣 181
明晓渝 212
旻俣 529
闵大勇 440
闵庚尧 414
闵家骥 262
闵龙华 238;243
莫非 167
莫鸿球 331
莫慧娴 190
莫家泉 28;88;258
莫家裕 530
莫久愚 503
莫俊生 165
莫砺锋 135
莫彭龄 92
莫轻业 559
莫任南 547
莫绍揆 224

莫守敏 388
莫 诩 16
莫 缨 478
牟志勇 379
牟治媛 152
眸 子 8;30;83;125;127;324
慕明春 286;414
木 圭 244
木哈白提·哈斯木 531
木哈什·阿合买堤江诺夫 537
木哈什·阿合买提江 538
木镜湖 494
木拉提·苏丹 539
木 犁 370
木乃哈热 555
木乃热哈 555
木 山 13
木 言 133;136
木玉璋 533
木 子 22;128
穆德全 244
穆鸿利 541
穆 雷 2;31;452;453;455;459
穆 鲁 475
穆武祥 234

N

那纯志 65;233
那顺乌日图 52;106;530;542;543;559
那宗训 64
南 村 427
南 帆 7;52;90
南 方 171
南 木 467
南 勇 524
南玉杰 154
楠 棠 318
内田裕士 104
尼 嘎 548
尼牙孜·吐尔地 553
倪宝元 285;286;362;390;406;410;419;468

倪 波 70
倪春元 361
倪大白 26;533;536
倪林生 415
倪 敏 413
倪培森 94;138;278;285;404;407;414;415;423
倪素波 304
倪晓慧 23
倪 彦 518
聂东明 111
聂堆仓 412
聂鸿音 44;149;216;477;502;533;559;560;561
聂鸿英 222;497
聂俊山 12
聂莉娜 364
聂敏熙 193
聂仁发 81
聂仁忠 332;371
聂身修 334
聂言之 281;282
聂 焱 95;279;352;358;388
聂振斌 503
聂振欧 238;260
聂正福 369
聂志平 188;189;193;194;195;348;355;363;380;381
宁春岩 10
宁忌浮 210
宁 那 472
宁武杰 56
宁 兴 281
宁致远 85
牛宝彤 253;307;424
牛保义 40
牛长岁 15
牛春生 207;232
牛鸿恩 252
牛汝辰 99;451;547
牛汝极 125;530;533;547;549;553;560;561
牛小莉 550

牛秀兰 362
牛钟林 409;427
努尔巴 465
努尔哈比勒·苏里堂躯甫 256
努尔哈比·苏丹夏尔甫 538
努尔哈毕 529
努尔兰 529;538
努尔穆罕默德·多来提 550
诺姆·乔姆斯基 5

O

区 锇 447
欧凤威 216
欧木几 555
欧谭生 182
欧阳国泰 329
欧阳觉亚 202;527;529
欧阳克巍 513;522
欧阳鹏 109;110;116
欧阳鹏程 254
欧阳文 365
欧阳湘才 427
欧阳宗书 207
欧源坤 427
欧治梁 287
瓯 齐 523

P

帕尔哈提·托乎提 465
帕孜来提·吐尔逊 538
潘 勃 417
潘伯荣 508
潘德孚 116
潘德荣 133;136
潘发生 255
潘关生 403
潘桂芝 234
潘国钦 306
潘 红 462
潘洪刚 554
潘华慧 58
潘怀骥 389;395

潘吉星 255
潘纪平 9;20
潘继成 151;426
潘继宗 377
潘家懿 16;180;188;191;198;200
潘嘉玢 439
潘建维 99
潘竟翰 242;262;286;343
潘 莉 222
潘良桢 487
潘灵剑 167
潘明霞 464
潘 攀 158;175;346;363;396;406
潘庆云 87;273;280;285;388;408
潘荣生 246;257
潘双宣 345
潘天华 398;416
潘维新 35;457
潘渭水 189
潘 文 73
潘文国 36;48;75;81;124
潘文新 365
潘悟云 185;197;206;210;211;302
潘先军 478
潘晓东 299;317;420
潘肖珏 158
潘新和 424
潘秀琴 457
潘亚农 469
潘耀武 182;211
潘荫荣 107
潘 涌 60
潘永樑 16;56
潘裕民 170
潘振宇 550
潘振中 275
潘正云 555
潘子彦 420
潘自由 496
盘金祥 554
庞继贤 80

庞林林 39;46
庞 麟 122
庞蔚群 56;205
庞子朝 256;490
逄增玉 167
培里克·P·汉普 39
裴光亚 418
裴洪印 434
裴匡丽 500
裴显生 514
裴亚莉 98
裴彦贵 280
裴毅然 46
裴玉芳 406
彭 昌 110
彭聘龄 106;218;377;472
彭德固 18
彭定安 203
彭风莲 83
彭 华 135
彭辉球 210
彭寄予 329
彭嘉强 31;90;206;400
彭建明 128;424
彭 杰 243
彭 捷 514
彭京宜 154
彭开明 451;456;466
彭可君 182;347;355
彭兰玉 80;351
彭 磊 115
彭利贞 328;332;382
彭砺志 334
彭 宁 164
彭启福 133
彭庆达 59;372;402
彭秋荣 466
彭寿全 117;120
彭树楷 151;165;476
彭水昭 271
彭望苏 31
彭小川 191;213
彭晓东 278;311

彭秀英 515
彭宣维 53
彭焱清 97
彭迎喜 326
彭永昭 280
彭玉兰 292;336
彭裕商 487
彭云帆 151
彭泽润 50;102;232;386;507
彭增安 413
彭占清 245;255;349
彭正公 394
彭志雄 490
彭忠德 249
彭周贤 177
皮鸿鸣 13;41
皮秀云 91
皮远长 523
皮运鎏 292
朴松林 47
平 洪 438
平新谊 267
平悦铃 202
蒲亨建 212
蒲 泉 552
蒲 人 274
蒲卫宁 50;88
蒲喜明 96;339
普日科 452
普学旺 25;43
濮辉海 403
濮 侃 392;395;397;468;469

Q

戚桂宴 229;327;488
戚盛伟 374
戚晓杰 292;294;340;365;376;380;410
戚晓生 416
戚雨村 2;6;19;38;45;49;52;75;383
漆永祥 135;215
其 兰 412

亓泰昌 14;219	钱伟长 472;473;500	秦玉鹏 130;397
亓艳萍 30;274;352	钱伟量 52	秦兆阳 143
齐冲天 250;254;258;293	钱 炜 119	覃长林 60
齐德华 542	钱 玄 250	覃凤余 68;157;174;408;417;422
齐沪扬 51;155;164;292;318; 331;339;356;381;382;391; 395;398	钱学烈 218;309	覃盛发 483
	钱学森 119	覃晓航 44;558;559
	钱扬学 426;428	覃远雄 175
齐 儆 476	钱玉林 298	覃 喆 169
齐揆一 416	钱玉趾 102;108;115	青 萍 164
齐 沛 524	钱远晏 60	青 阳 285
齐让孝 55	钱曾怡 182;192;202;205	清格尔泰 474;529;541;560
齐文心 248;250;484	钱宗武 151;229;260;264;265; 313;314;316	清 津 340
齐效斌 25		庆 甫 238
奇车山 553	强永华 403	丘 厄 253
祁素芳 290	樯 宁 18	丘任初 466
祁秀林 2	乔承风 273	丘振声 338
祁志祥 218	乔秋渡 481	邱安昌 432
启 功 170;203;216;415	乔全生 142;149;182;189;191; 195	邱百光 103
启 华 159		邱传林 349
千 里 253	乔寿宁 20	邱大任 124
钱 斌 282	乔 永 325	邱德钧 74
钱崇武 278	乔治·沃尔夫 4	邱荷生 107;111
钱大卫 30	谯德坤 332	邱进之 138
钱冠连 24;32;36;40;49;153; 179;460	谯绍萍 290	邱懋如 452
	且大有 367	邱 明 317
钱 光 251;308	秦 葆 434;435	邱尚仁 180;197
钱洪良 90	秦秉让 432	邱述德 72;349
钱 红 379	秦崇海 257	邱万福 431
钱惠英 181;224	秦洪林 80	邱 伟 113
钱剑夫 247;296	秦嘉英 304	邱文生 510
钱 军 40;62	秦建华 15;22	邱晓伦 74;446
钱骏泽 411	秦建明 259	邱震强 353;355
钱 坤 162;251	秦津源 204	裘本培 403;431
钱 莉 60	秦进才 67	裘惠楞 95
钱良应 436	秦礼君 47	裘荣棠 333;344;354;356;366
钱敏汝 24	秦 良 248	裘锡圭 482;485;496;497;512
钱明华 304;310	秦 牧 164;221	裘 因 439
钱乃荣 124;142;147;155;195; 196;355;416	秦 楠 527	裘 正 459
	秦 穗 121	仇高汝 391
钱培德 107;109;110;113;116	秦卫星 531	仇克群 190
钱树人 107;112;377	秦旭卿 395;407;467	仇伟军 472
钱腾蛟 117	秦学颀 254	仇肖群 108
钱维华 501	秦 扬 115;117	仇志群 189;290

瞿霭堂 48;56;62;221;333;539;557
瞿 洋 118
瞿泽仁 87;400
曲 炟 274
曲桂东 377
曲翰章 34;445;473;484
曲吉林 119
曲木铁西 554;555
曲 沐 432
曲 维 49
曲卫国 15
曲彦斌 8;57;121;479
屈殿奎 183
屈华荣 440;441;453
屈建鸣 449
屈哨兵 183;187
屈彦萍 247
屈云柱 306
全炳善 42;529
全大克 103
全国权 429
全 明 52
全学义 513
全裕慧 146
确精扎布 530;543
群 一 491;492

R

让春燕 460
饶长溶 320
饶君剑 163
饶 勤 329
饶尚宽 131;154;260
饶 星 198;216
仁 德 495
仁 玉 525
仁增旺姆 556
仁 真 462
任碧生 193
任崇芬 94;358;414
任 奉 74
任福禄 63;308

任付标 21;40;79
任桂芝 487
任海波 382
任海勤 343
任 皓 115
任瑚琏 66;524
任怀平 412;460
任 静 142
任俊英 345
任丽芬 20
任 力 338
任林深 192;193
任 蒙 219;497
任 民 182
任明崇 459
任 平 479;489
任琦运 277
任瑞麟 349
任绍曾 13;81
任思明 461
任为新 74
任乌晶 548
任小波 100
任学良 43
任 远 136;234;303;315;323;482;523;525
任 泽 254;376
任志萍 98
日 健 63;199
日 行 389
日 月 512
戎椿年 305
荣 晶 26;116;176;191;372
荣可吉 293
荣耀祥 248
荣毓敏 103
容本镇 427
容国强 107
容嗣佑 512
榕 培 4;5;12;39;49;66;67;71;72;73
茹家伟 328
茹娴古丽·木沙 448

阮光英 410
阮锦荣 241;242
阮西湖 37
阮显忠 150;387;392
阮晓钢 110
芮必峰 156;374;375
芮 平 432
锐 声 127;154;276;312;426;471;479;492;509
瑞 源 88
若 谷 277

S

赛力克·穆斯塔帕 59
赛衣提哈孜·赛力克拜 450
桑思民 8
桑 晔 271
色·贺其业勒图 10
色·苏雅拉图 87
森耀森 117
沙博里 438
沙河提别克·阿斯勒拜 538
沙 虹 117
沙 平 190
沙 勤 137
沙新时 114
山 人 258
山 石 480
珊 瑚 252
单长江 162
单春樱 90;517
单殿元 477
单际芬 279
单汝鹏 36
单体瑞 48;466
单耀海 243
单周尧 213
善 通 177
善 忠 32
商聚德 251
尚 杰 101
尚 今 352;362
尚庆学 387;390

尚喜平 275
尚营林 219;221
尚正杰 448
尚志英 6;7
少 彦 229
邵霭吉 347;351;354;362;366;377;491
邵昌林 504
邵 超 150
邵春林 19
邵从光 313
邵 峰 480
邵慧君 191
邵 健 154
邵敬敏 1;11;30;35;36;52;75;95;97;121;123;127;128;143;153;167;171;203;281;297;319;321;322;324;325;339;346;349;356;370;372;374;380;384;385;388;406;524
邵俊宗 11;50
邵丽莉 9
邵启祥 448;452
邵强进 41
邵庆春 160
邵荣芬 208;211;218
邵守义 157
邵 文 406
邵文利 244
邵新芳 49;56;71
邵 岩 153
邵则遂 28;161;182;240;259;267;297
邵志洪 9;47;71;88;462
舍那木吉拉 528;541
申传祥 418
申 丹 26;76;163;204
申 光 465
申屠平 150
申屠菁 39
申小龙 1;4;6;10;11;12;13;14;15;16;17;21;26;32;39;49;64;68;81;89;124;126;130;133;134;170;202;251;321;396;398;399;408;477;478;479;480;487;488;489;511
申筠如 496
申 镇 19;20;21;77
沈爱国 433
沈 沉 33
沈春生 126
沈大宇 364
沈 刚 289
沈光海 99;236
沈国芳 93
沈国清 416
沈洪保 261
沈怀兴 145;271;309;328
沈 辉 429
沈慧云 266
沈惠森 499
沈家仁 138
沈家煊 3;11;18;19;31;32;35;56;70;79;80;81;83;113;325;359;441
沈建华 352
沈建民 64
沈洁明 12
沈 炯 63;220;222
沈开木 12;13;19;56;77;123;331;334;335;366
沈 宽 109
沈兰生 109
沈丽华 459
沈利元 552;561
沈 力 356
沈卢旭 2;9;90;272;291;294;405;407;411
沈孟璎 196;271;278;285;330;406
沈 明 239;277
沈模卫 493
沈 培 309
沈荣森 163;166;265;407;408;419
沈荣兴 411
沈榕秋 28;175;176;185
沈 融 489
沈如旭 292
沈世云 49
沈 寿 225
沈庶英 368
沈思国 31
沈苏儒 443;448
沈锡伦 46;98;129;247;280;305;320;346;351;376
沈祥源 169
沈旭昆 106
沈 阳 73;349;360;361;380;381
沈 瑶 219
沈 艺 106
沈益洪 87;88;156
沈 勇 69;99
沈玉成 258;388
沈郁菁 235;323;376;403;428;508
沈在爱 116
沈在秀 425
沈振元 162
沈正赋 422
沈正元 371
沈志刚 20;293;340
沈 钟 65
沈钟伟 27
盛爱平 171;371
盛冬铃 503
盛济民 249;351
盛九畴 132;247;254
盛立东 113
盛 林 76;83;392;416
盛书刚 97
盛新华 226;405
盛 炎 46;47;55
盛银花 189;281
盛玉麒 506
盛跃东 21
胜 利 542
师 弘 245
师为分 285

师为公 253
师　哲 447
施安昌 482;486
施尘埃 313
施春宏 150;471;498
施关淦 126;320;323;363;381;413
施观芬 296
施光亨 277;525
施广新 103
施　辉 282
施建基 317;362;364;371
施克诚 341
施民权 237
施其生 180;190;201
施向东 210
施晓文 299
施谢捷 261;487;489;490
施　旭 3;6
施一居 127;403
施蕴中 450
施正宇 475;479;493;502;504;505
十　禾 405
石安石 36;70;102;328;384
石常乐 239
石　川 151;286
石定果 142;494
石　锋 35;61;184;187;189;191;218;220;223;518
石斧村 341;350
石海辉 464
石　画 94;415
石慧敏 156;520
石魁义 447
石　林 536
石美珊 184
石　敏 115
石敏智 340
石佩雯 65
石鹏飞 484
石汝杰 167;197;206;224;453
石尚彬 404

石锡奎 307
石学东 544
石　英 152
石毓智 222;279;290;322;331;333;336;351;353;356;360
石云孙 122;263;309;397;477
石在中 395
石　竹 115
石宗仁 225
时建国 180;215
时茂青 142
时永乐 133;229
史宝辉 127
史宝金 85;397
史宝钧 8
史灿方 93;144;152;159;166;171;423
史传高 22
史存直 38;503
史定国 178;290;509
史国东 323
史厚敏 377;378
史继林 378
史继忠 493;528
史　鉴 134;153;218;481
史建伟 237
史金波 561
史金声 371
史金生 85;339;380
史景顺 50
史柳坡 411
史佩信 263;379
史　青 162
史荣光 387
史瑞芬 100
史　实 422
史舒薇 302;304
史卫兰 459
史锡尧 70;73;82;91;93;96;122;141;157;158;170;272;273;276;279;285;289;291;292;293;294;321;330;333;335;338;344;347;350;352;356;

358;384;409;411
史晓平 239
史艳岚 83;342
史有为 1;9;51;63;84;138;139;140;178;204;219;224;286;287;293;294;319;341;359;361;385;431;488;496;499;501;503;522;523;524
史　悦 506
史　真 429
史震巳 263;268;304;313
史震天 451
史振天 417
史　繁 501
士　羽 405
世　钦 155;157
世　勋 279
世　英 245
适　达 341;369
守　介 159
守永培 236
寿　涌 163
寿永明 363;374
舒安娜 291
舒启明 371
舒　辛 295
舒　乙 423
舒咏平 430;434
舒展羽 110
舒镇涛 509
舒志武 212;236;430;546
疏　影 526
曙　光 538
束定芳 22;32;59
帅士象 408
双　福 559
双　木 487;490
霜　晨 225
霜　青 298
司继庆 259
司君方 325
司君云 369
司徒杰 12

司徒允昌 334
司玉英 104
思 蓓 144
思 惠 230;242
思 鸣 469
思 周 226
斯拉依·阿赫玛特 540
斯钦朝克图 542
斯 琴 23
斯 人 298
斯梯格·埃里阿森 49
斯 雨 291
斯 语 352
松田一 237
宋 奔 290
宋 斌 110
宋昌富 404;412
宋春阳 323
宋 丹 421
宋德富 454
宋恩常 554
宋芳彦 94
宋桧华 110
宋洪海 436
宋怀斌 403
宋家东 150
宋家琪 495
宋金兰 43;121;185;315;377;
　484;492
宋均芬 195
宋开玉 265
宋克敏 148
宋连生 419
宋擎柱 376
宋秋雁 428
宋 柔 321
宋绍年 122
宋绍周 493;521;522
宋世平 82;352;355;363
宋舜理 363
宋维镒 59;386
宋卫华 341;349;359
宋文伟 238

宋献春 461
宋晓蓉 406
宋协立 26
宋欣桥 177
宋 兴 154
宋秀丽 67
宋秀令 188;192;194
宋 尧 60
宋永波 435
宋永培 131;229;233;235;236;
　240;251;263;264
宋玉珂 304
宋玉昆 332
宋玉岫 143
宋玉柱 14;78;79;84;145;149;
　320;323;327;331;334;343;
　347;348;351;356;357;368;
　369;370;372;375;376;379;
　381;383;385;405;428;521
宋 元 278
宋运超 27;184
宋振华 72
宋镇豪 512
宋志平 76
宋志孝 549
宋仲鑫 335;351;382;414
宋子然 135;316
宋子伟 305
宋子尧 216
宋祖良 41
苏宝荣 225;227;231;236;240;
　255;477;486;517
苏 冰 160;436
苏炳社 130
苏承志 554
苏方回 483;485
苏凤英 343
苏贺芝 340
苏 华 188;200;426
苏吉儒 454
苏金智 13;15;24;33;34;38;41;
　143;145;150;187;200;278;
　401;530

苏静白 491
苏来曼·沙帕尔 551
苏兰珍 500
苏立康 63;514
苏连科 554
苏烈红 456
苏 林 513
苏林岗 444
苏 培 476
苏培成 101;147;240;291;299;
　325;333;350;361;424;427;
　431;433;476;479;480;481;
　490;491;492;496;498;502;504
苏 萍 149
苏启祯 51;80
苏 瑞 152;263;316;480
苏瑞卿 257;315
苏盛葵 420
苏天虎 444
苏锡育 223;277
苏向红 154
苏晓春 180
苏晓青 67;183;205
苏新春 43;66;67;74;101;125;
　144;203;258;271;275;279;
　326;395;477;488;494;501
苏新宁 107
苏 焰 525
苏玉荣 73
苏 越 173
苏兆富 426
夙 循 163
素 虹 154;156;272;280
粟季雄 131;283;369
隋千存 299
隋 然 460
隋文昭 137;266
隋 岩 448
岁 寒 233
孙爱华 439
孙宝成 101;344
孙宝镛 383
孙 兵 248;302

孙　波　103;106	孙建元　206;302	孙少豪　459
孙朝奋　128	孙　剑　432	孙慎鸣　413
孙成田　132	孙剑艺　207;278;490;504;505;	孙士英　394;410
孙承波　316	532	孙世恺　172
孙传政　460;463	孙金龙　440;489	孙寿璋　154
孙传铮　102;104;106	孙金森　10	孙维克　300
孙春秋　474	孙钧政　162	孙维张　347
孙翠兰　412;460	孙　俊　382	孙　卫　105
孙德金　192;220;366	孙可人　369	孙文宪　16
孙德坤　8;520	孙　岢　523	孙锡信　328;338
孙德宣　311	孙兰廷　267;320	孙向是　360
孙荻芬　516	孙力平　122	孙向阳　423
孙福兰　40	孙立群　241	孙心伟　262
孙钢玉　356;361	孙立新　63;184	孙修章　142;146;177;274
孙　歌　274	孙　丽　82	孙选中　290
孙更新　98	孙连华　284	孙学钧　10;76;79;132
孙冠洲　311;313	孙连仲　425	孙学明　399
孙光贵　149;151;278;434	孙良明　84;135;137;237;301;	孙　逊　34;69;428
孙桂森　420	309;310;311;313;315;316;	孙亚梅　102
孙汉军　82;463	323;325;331;380;516	孙彦青　395
孙汉萍　344	孙良止　156	孙彦章　390
孙汉洲　388;391;434	孙鲁痕　289	孙　艳　281
孙　红　331;374	孙绿江　168	孙也平　90;91;102;190;280;291;
孙宏开　102;117;527;530;557;	孙曼均　23;156	481
558;559;561	孙茂松　120	孙一冰　277
孙宏林　51	孙孟明　218;246;389;395;396;	孙移山　60
孙宏毅　87	399;411;414;419;420	孙以义　102
孙　虹　422	孙民立　252;256;284;301;334;	孙迎春　90
孙洪德　150;285	407	孙　营　8;431
孙洪文　21	孙乃纪　66	孙雍长　64;68;74;133;153;219;
孙化龙　355	孙培伦　37	242;267;299;312;384;478;
孙　骅　76	孙　迁　447	480;483;487;489
孙怀平　505	孙茜云　371	孙永兰　271
孙火林　420;426	孙青艾　388	孙永强　51
孙继军　464	孙清兰　70	孙永清　220
孙继善　222;333;404;410	孙清眠　183	孙余兵　35;343;344
孙继贤　284	孙全洲　236	孙　玉　20;35;53
孙继献　247	孙汝建　2;14;50;51;81;89;91;	孙玉峰　233
孙家敏　2	121;401	孙玉石　34
孙加厚　123	孙　蕊　90	孙玉文　207;210;213;214;215;
孙建波　488	孙瑞霞　458	217;223;262;490
孙建强　358;385	孙瑞珍　516;525	孙玉溱　67;68
孙建友　96;98	孙少烽　149	孙驭坤　502

孙毓琪 424
孙　悦 179
孙云英 513
孙韵珩 478
孙占林 187;319;373
孙昭琪 219
孙　振 273
孙正龙 292;387
孙周兴 41
孙　竹 15;16;527;530;541
孙子杰 271
孙自珩 378
孙宗良 350
索振羽 20;40;41;42

T

塔广珍 342
塔拉提·铁步 547
塔依尔江 29
邰晓英 378
邰　宇 419
太平武 451
泰建华 15
谈世炎 558
谭步云 225
谭赤子 301
谭达人 271;346;399;400;401;421
谭　峰 255
谭关林 445
谭海生 287
谭建淋 174
谭景春 353
谭敬训 346
谭　军 472
谭克让 556
谭力海 106;218
谭　林 72
谭伦华 175
谭洛非 420
谭南冬 407
谭能华 40
谭其学 347

谭　强 106
谭　荣 416
谭汝为 96;283;310;312;400;408;414;416
谭世勋 300
谭思健 406
谭伟新 177
谭文介 446
谭新民 261
谭兴国 420
谭兴戎 422
谭学纯 50
谭永祥 95;97;98;232;292;386;387;389;391;394;395;396;401;402;409;410;412;414;415;468
谭玉良 397
谭元昌 246
谭载喜 440
谭枝宏 378;380
谭志龙 146
汤炳正 33;124
汤才伟 494
汤翠芳 505
汤定宗 173
汤国来 514
汤国铣 424
汤建军 302
汤可敬 231
汤玫英 278;364
汤　生 378
汤淑琴 278
汤宋岐 512
汤廷池 80
汤亚琴 392
汤余惠 250;484;486
汤云航 161;474;503;517
汤珍珠 195;196
汤志祥 188;201;202;278
唐邦海 76
唐超群 11;226;240
唐朝阔 467
唐　辰 393

唐春毕 39
唐　棣 17;65
唐功昕 132
唐光辉 373
唐国佺 454
唐国全 398;455
唐红波 7
唐泓英 374;376
唐华生 313
唐　建 126;478;486
唐健雄 357;376;380
唐锦涛 155
唐静玲 389
唐　磊 12
唐明路 174
唐培建 455
唐启运 306;498
唐荣尧 258
唐善理 402
唐生周 526
唐守愚 501
唐书林 388
唐曙霞 318;382
唐嗣德 95;305;340;387;392;402;404;417;481
唐松波 92;94;169;170;413;414
唐　棠 115;117
唐万军 368
唐维铎 313
唐　文 245
唐　武 104;110
唐晓嘉 275
唐晓军 485
唐雪凝 167;345
唐亚伟 112
唐彦屏 461
唐永亮 554
唐友忠 373
唐玉龙 435
唐钰明 130;132;289;304;307;311;313;316
唐遇春 133;260
唐　跃 19;50

唐　韵　153;337;346;365;414
唐张新　222;307
唐兆鹏　124
唐兆玉　325
唐正秋　437
唐志东　29;372
唐作藩　175;206;207;209;213;
　　217
陶　丹　392
陶东风　164;430
陶光晓　431
陶红印　220
陶　寰　340
陶汇章　285;286
陶建群　432
陶　炼　3
陶　沙　104;109
陶蔚南　404
陶西坤　285
陶小东　154;329
陶新民　217
陶亚舒　247
陶　炀　19;80
陶　咏　449;454
陶原珂　34;202;231
陶　芸　185
陶振民　56;318;351
特图克　543
滕春华　552;553
滕画昌　300
滕吉海　32
滕英超　436
滕志贤　270
提·亚库甫　551
天　帆　169
天　鹤　249
天　华　249
天　敏　434
天　水　226
天　衣　455
田贷泉　285
田　凡　159
田　丰　295

田逢春　442
田　福　35;128
田福口　139
田富华　171
田国华　367
田恒利　196
田洪英　161
田惠刚　27;53;125;128;140;180;
　　365;455;482;497;520
田建民　423
田聚常　485
田荔枝　390
田连胜　369
田　菱　449
田懋勤　269
田清山　367
田　森　31
田深泥　544
田树生　484
田卫平　97;365
田文琪　40;44;45
田希诚　182;190;194
田希玲　283
田小琳　143
田　艳　456
田　野　336;367
田　叶　167
田永明　322
田有林　456
田雨泽　145
田在原　20
田志良　106;110;118
田忠侠　231;242;259;297
铁　根　344
铁宗武　129
仝国斌　92;350;364
仝　杰　113
同立英　325
佟慧君　353
佟加·庆夫　553;554
佟克力　553
佟乐泉　30;43;503;506;523
彤　珊　423

童　颀　378
童家宾　174
童其兰　71;273;456
童山东　86;388
童树荣　408
童为凯　292
童　翔　115
童友斌　380
图尔达利·库其肯　540
图门其其格　27
涂光禄　185;202
涂　慧　502
涂纪亮　4;8
涂建国　227;499
涂良军　63
涂太品　250
屠国平　179
屠鸿生　308
屠林明　281;491
屠　蓓　41;42
屠　晓　178
吐尔逊·木哈什　538
托乎提·巴克　439;465
托乎塔森·巴特尔汗　537;538
拓晓堂　135

W

瓦尔巫达　555
外厚生　93
晚　晴　482
宛志文　230
万昌盛　440;463
万承恩　165
万国根　102;109
万恒德　156
万　卉　226
万建成　107;109;112;114;117
万　里　179;409;516
万里凤　198
万　林　1;72
万茂林　13
万　奇　96
万世丰　549

作者索引

万世雄 66;274
万献初 306
万兴坤 99
万 星 199
万学仁 109;110
万业馨 487;493
万艺玲 299
万震球 92;94;98;401;405;409
万志祥 420
万忠群 416
汪炳悦 428
汪伯嗣 398
汪长林 331
汪成慧 225
汪诚一 94;283;510
汪传华 394
汪大昌 149;333
汪缚天 156
汪国怀 202
汪国胜 175;176;180;184;185;187;188;369;409
汪 宏 451
汪洪澜 382
汪华云 183
汪化云 176;341;354;377
汪嘉斐 41
汪敬钦 438
汪 静 366
汪克谦 276;337;415;432
汪坤玉 214
汪民安 398
汪 平 174;182;188;195;197
汪启明 256
汪少华 85;247;250;260;261;264;294;516
汪寿明 210
汪树福 331;394
汪泰荣 253;302;307
汪堂家 490
汪维辉 68;126;227;229;231;233;236;243;248;252;259;267;268;272;297;427
汪文华 102

汪文璋 144
汪学玮 436
汪耀楠 11;228;238;296
汪应乐 198
汪友华 465
汪玉春 305
汪玉明 561
汪曾祺 33;162
汪贞干 132;135;136;302;306
汪志宏 347;372
汪志远 348;356
汪榕培 126;133;456
王艾荷 399
王艾录 74;182;277;319;326;347;380
王爱和 403
王爱平 489
王安节 79;132;327
王安龙 310;329
王安陆 203
王柏华 91
王邦安 87;320
王宝大 93
王宝贵 222
王宝江 58
王宝库 106;376
王宝童 462
王保国 90
王葆华 350;524
王本华 55;514
王碧霞 521;523
王 彪 308
王秉钦 443;444;448;461
王秉愚 142;152;505
王炳英 128
王伯熙 496
王彩虹 413
王彩连 107
王灿龙 294;358;361;377
王长春 86
王长华 132
王长生 97
王 畅 180

王朝彬 135
王朝中 549
王成友 555
王成志 48
王承惠 248
王崇志 19;161;435
王初明 75
王传经 21;22;23;84;379
王春德 544
王春东 126;354
王春发 305;433
王春国 517
王春岭 63
王春晖 440;451;456;458
王纯五 512
王慈庄 331
王 从 329;410
王翠叶 120
王大辉 150
王大年 246;254;265;308;311
王大悟 424
王大正 170;412
王得杏 19;49
王德春 3;15;42;49;50;51;69;227;230;320;517;518;522
王德明 169
王德山 332
王德胜 432
王德双 241
王德田 50
王德温 536
王德中 425
王典馥 256
王殿珍 7;73;390
王殿璋 484
王东波 279
王东风 44;440;453
王东复 8
王东升 169
王东中 268
王冬竹 285
王恩厚 245
王恩林 366

王恩冕 454
王恩圩 4;510
王尔松 537
王发国 133
王发平 23;494
王法林 110
王　凡 52;148
王凤雷 542
王　枫 552
王　峰 368
王逢鑫 44
王凤阳 486
王福利 393
王福良 273;342
王福堂 63;200
王福祥 9
王福岳 369
王辅世 191;543;544
王阜彤 252;307
王赋元 100
王　刚 312
王　钢 25;38;108
王高生 453;463
王　阁 78
王跟东 114
王功龙 157;486
王冠先 283
王光汉 226;229
王光华 312
王光亮 338
王光全 192;340;364
王光武 278
王广聪 257
王广义 108
王桂安 355
王桂凤 91
王桂琴 96
王桂芝 448
王贵生 179
王贵燕 439
王国彬 258;432
王国光 101
王国娟 392;419

王国璋 203
王海棻 168;225;255;267;304;306;314;317;511
王海丹 220
王海根 28;234;235;256;261
王海龙 1;24
王海燕 518
王浩然 260
王合书 360
王鹤良 351
王恒杰 485
王弘光 326
王弘宇 360
王红旗 72;365
王宏理 253
王　洪 399
王洪江 348;352;377
王洪君 38;63;182;329;342
王洪梅 285
王洪钟 418
王　虹 20;22
王鸿杰 163;394
王琥娥 333
王华宝 511
王化鹏 280;284;414;415;450
王怀玉 99;473
王　还 336;362;522
王　晖 137;138;181;483
王　辉 484
王会银 26;139;271
王　惠 57;376;498
王惠莲 262
王惠云 422
王积庆 235;323;376;403;428;508
王　基 389
王箕裘 230
王吉辉 65;68;85;131;275;276;279;286;296
王吉尧 234
王集门 432
王际桐 153
王季思 134

王继如 206;243;245;246;247;257;475
王继舜 485
王继同 352;378
王霁云 252;308
王家楫 464
王家齐 6;425
王家湘 442
王家祥 263
王嘉褆 461
王嘉龄 31;61;127
王嘉民 411;432
王　坚 499
王　建 122;222;355;482
王建波 104;110
王建和 340
王建华 17;28;34;149;177;220;393
王建军 333;402;418
王建伦 184
王建勤 48;59;70
王建设 182;200;270;357
王建堂 65;259
王　剑 428
王健庵 213
王健民 138
王今铮 282
王金华 404
王金祥 402
王金柱 340;422
王　瑾 230;234
王尽忠 495
王　晶 221
王景华 473
王景山 144
王敬骝 251;267;531
王静英 107
王九如 311
王菊泉 42;351
王举祥 370
王聚元 273;311;327;418;431
王　珏 9;217;243;287;474
王　军 45

王军虎 205;296
王　均 99;148;150;205;504;527
王均裕 28;81
王　君 61;258;556
王君敏 391
王俊衡 414
王俊山 379;433
王俊英 254
王开扬 216;301;475;476
王开铸 104;106;110;112
王　恺 138
王恺树 193
王　康 282
王可宾 121
王克非 445;458;460;468
王克平 285
王克让 243;490
王克西 77
王克仲 300;308;385;516
王孔文 415
王魁京 57;519;524;526
王魁伟 39;128;205;311;485
王昆发 310
王　磊 183;191;193;317
王　里 101
王理嘉 220;221
王　力 22;158
王力德 99;107;115;118;119;482
王　立 237
王立非 99
王立和 192;205
王立洪 462
王立军 130;246;256;304
王立廷 66;101;274;294;481
王立增 538
王丽华 408
王丽英 302
王丽云 470
王　励 333
王利华 253
王莉娅 83
王笠荃 256
王临惠 183;204;335;498

王　玲 85
王玲玲 83;119;238;279;335;342;393
王凌青 247
王　路 41
王　璐 119
王栾生 11;18
王论跃 36;99
王　迈 231
王麦苴 462
王卯根 306
王懋江 108;111
王懋明 159
王梅堂 547;558;561
王梦华 475
王敏华 2
王　明 509
王明仓 309
王明东 516
王明华 83;324;327;343;344
王明魁 370
王明仁 78;337;379;430
王明瑞 91;395;401;411
王明韶 330;333
王明文 94;415
王明西 155
王明元 460;462
王铭玉 29;432
王　镆 264
王牧群 465
王乃霞 459
王南方 466
王　宁 8;117;131;235;236;242;254;258;385;473;484;496;497;498;502
王弄笙 440
王培光 55
王培基 90;393;397;417
王培硕 371
王培焰 373
王培元 400
王沛礼 114
王　鹏 57;321

王　平 130;209;330
王　苹 196;412
王其林 311;407
王奇学 267
王　启 446;447;531
王启多 368
王启龙 33;360;365
王启涛 247
王启忠 166
王　千 20
王琴霄 525;548;549
王　勤 10;281
王青山 556;557
王清华 429
王清林 139
王庆安 192
王庆江 357;518
王庆俊 144
王庆生 91
王秋祥 174
王群利 281
王群生 175;180;181;183;185;187;220;467
王人聪 244;486
王人恩 267
王人龙 505
王仁华 113
王仁武 247
王仁元 502
王戎全 9
王荣德 557
王荣生 98;428;431
王汝刚 502
王汝海 65
王若江 264
王三峡 214;305
王　森 181;187;188;190;194;273;304;324;325
王　珊 59;518
王尚文 23;58;66
王少林 54
王绍灵 29;461
王绍新 170

王升魁 215
王胜华 170
王诗武 173
王士谷 506
王士杰 283
王世华 183;185;196;204;371;379;431
王世静 58
王世民 432
王世贤 132
王世祯 397
王守民 283
王守仁 446
王守桃 549
王守义 25
王寿沂 95;286;418
王书瑶 316
王叔新 158;436
王述峰 301;305
王树辉 547
王树民 135
王树溥 426
王树人 505
王树斋 275
王顺洪 520;525
王硕荃 211;213
王思圩 510
王泗原 302
王松柏 244
王松林 49
王松年 19;78
王松亭 98
王松园 455
王苏仪 85
王素梅 352;363;464
王素芝 430
王天佐 561
王铁琨 140;142;149;235;243;271;287;296
王铁民 411
王铁年 394
王廷杰 235;524
王同彩 330

王同策 130;252;259
王彤 90
王宛磐 360
王巍峰 484
王为东 404
王为政 151
王维和 305
王维理 247
王维民 85
王维申 299
王维贤 77;357
王伟 470;534
王卫东 305
王文斌 77
王文戈 423;434
王文虎 222
王文华 560
王文强 413;419;422;430
王文松 80;91;166;400;402;404;484
王文中 363
王汶成 166
王希杰 9;15;16;19;23;26;27;28;36;68;69;76;77;79;80;82;83;86;90;91;122;124;139;142;144;145;152;158;159;160;161;165;172;187;271;273;276;279;280;285;291;294;317;319;326;329;334;335;336;337;340;347;351;360;363;373;375;378;379;387;388;389;392;394;396;401;403;407;408;414;418;421;435;467;469
王希来 288
王希文 192;266
王希哲 90;399
王锡龙 114
王锡强 73
王锡渭 427
王锡祥 309
王喜辰 421
王喜奎 502

王霞 15;165;354;401
王先荣 21
王先耀 411
王宪荣 61;221
王相锋 9;53
王香灵 327
王湘谭 514
王祥 369
王小方 343;478
王小甫 557
王小灵 167
王小莘 65;224;248;257
王小铁 442
王小心 389
王晓东 428
王晓洪 115
王晓华 10
王晓葵 518
王晓坤 64
王晓龙 104;105;106;111;114;115
王晓娜 92;159;275;404;411
王晓澎 341;344;524
王晓平 326;426;434;491;517
王晓青 49
王晓升 10;13;18;22
王晓武 103;107
王晓燕 281
王晓英 443
王晓元 442;456
王孝军 4;18;143
王欣 420
王辛夷 466
王新村 421
王新华 286;343;506
王新利 534
王新平 435
王新奇 459
王新宇 115;116
王新作 250
王信泰 68
王兴国 373
王兴佳 125;140;498;507

王修力 256
王秀丽 35;38;75;336;369;447
王秀珍 46
王旭东 220
王绪龙 105;112
王 轩 115
王宣武 261
王学奇 290;295;399;528
王学勤 250
王学胜 429
王学松 521
王雪萍 146
王雪樵 208;209;244;561
王勋敏 138;263
王 涯 470
王亚非 338
王亚民 113
王烟生 162
王岩冰 105
王 琰 465
王彦承 42
王彦坤 132;134;175;231;316
王艳玲 552
王艳平 405
王艳宇 43
王 燕 139;190
王燕燕 358
王耀辉 167;169
王业友 483
王一川 7;38;41;47;86
王一敏 377
王一鸣 259
王一平 342;358;359
王义方 245
王易仓 295
王沃朗 224
王益明 37
王益洋 174
王益祯 411
王 毅 181
王毅成 233;241
王 寅 42;45;46;449
王 英 128;134;172;243;268;406;409
王英格 446
王英明 242;511
王应凯 313
王迎庆 105
王 颖 264;483
王 镛 244
王永安 256;304;313
王永德 394
王永聘 21;38;40
王永强 489
王永鑫 397
王 勇 131
王勇新 286
王友贵 510
王友军 396
王又华 280
王又民 513
王幼敏 521
王渝光 178
王 宇 247;251;253;301;398
王宇根 132
王宇信 482;483
王玉鼎 67;190;257;306;480
王玉华 433
王玉林 463
王玉祥 445;552
王玉新 96
王玉玺 368
王聿恩 81;159;307;324;355;360;366;367;368;371;397;405;413;415;433
王育华 349
王昱昕 310
王毓椿 402
王毓英 192;220
王元鹿 25;99;135
王元祥 352;362
王远新 26;63;75;527;528;532;539;546;548
王 月 332;341;342
王岳川 23
王跃滨 322
王跃洪 56
王粤汉 229;241;242
王云路 131;239;249;252;254;262;263;293;296
王运祥 78
王韫佳 64;525
王蕴智 214;477;484;487;494
王则柯 507
王泽兵 237
王泽龙 87
王增民 106
王展采 94;411;435
王占奎 488
王兆鹏 207
王兆申 113
王肇昇 409
王振本 141
王振昆 65
王振明 403
王振亚 58
王振忠 532
王正洪 478
王正民 513
王正明 197
王正仁 50
王正荣 109
王正书 489
王政红 327;381
王政伟 377;388;390
王之燧 112
王之江 127;203
王 志 373
王志成 414
王志方 291;477;496
王志敬 557
王志孔 112
王志良 318
王志生 94;170
王志士 320
王志文 73
王志喜 93;390;396
王志瑛 263;274;369
王志中 113

王治诚 264;312
王治平 19;80
王智杰 376
王中安 389;409
王中和 88;90;396;410
王忠良 321;366;368;374
王忠亮 234;458
王钟华 9;99
王钟陵 99
王祝斌 538
王宗伯 501
王宗火 22
王宗联 339;350;359;365
王宗祥 262;270
王宗炎 7;19;36;76;127;501
王宗昱 444
王左立 76
王佐良 432;440;451
王作昌 433
王作亲 260
王作新 9;69;248;249;259;276;
　281;335;385
旺　盛 397;418
威廉·F·麦基 6
威廉·泰 355
微　明 329
微　言 301
危　磊 165
韦秉文 85;398;428;431
韦　城 272
韦　达 461;558;559
韦建桦 437
韦俊谋 426
韦连文 340
韦茂繁 5
韦美玉 450
韦　人 21;23
韦尚辉 558
韦　实 232
韦世林 379;398
韦淑梅 514
韦树关 558
韦小航 559

韦园晨 346
魏璨秋 105
魏博辉 15;23
魏成春 393
魏春木 72
魏达纯 257
魏德胜 149
魏德泮 418
魏家骏 80;167;429;469
魏鉴文 414
魏力群 261
魏丽君 301
魏　励 230;297;475;490;491;
　492;498;499;504
魏连科 268
魏　聊 266
魏梦鸾 306
魏名湖 402
魏南江 515
魏天红 45
魏　威 286
魏文栋 544
魏小涓 431
魏　旭 109
魏雅萍 10;319
魏一冰 266
魏永秀 357
魏佑海 29;41
魏　雨 159;294
魏兆云 418
魏治明 412
魏峙东 166
卫　纯 289
卫　东 234
卫东涛 389
卫　戈 517
卫　岭 464
卫乃兴 52
卫志强 22;31;33;38;59;61;444
温成友 109
温端政 184;193;200;205;243;
　473;484
温　华 1

温　洁 81
温科学 40;48
温丽明 543
温　敏 526
温生云 438
温锁林 140;382;408;422
温象羽 517
温知本 230
文　达 413;421
文　峰 416
文　赋 384
文　干 463
文广人 475
文　金 282
文镜容 392
文　军 456;465
文　炼 6;55;62;76;126;146;
　152;163;168;322;344;346;
　366;413;498;516
文孟君 65;127;279
文明英 540
文　木 294;506
文　平 535
文　琴 188
文　熙 227
文　心 159
文　修 479
文有仁 449
文玉卿 82
文志传 171
文　质 376
文　治 43
文　薇 139
闻　罢 418
闻　飙 149
闻家星 110
闻　殊 458
闻　思 130
翁富良 117
翁寿元 183;195;296
翁校忠 499
翁仲福 235
乌拉熙春 541;543

乌斯满江 549
邬丽萍 117
邬婉荣 523
邬玉堂 234
巫　达 555
吾　煌 223
吾买尔·尼亚孜 532
吴安迪 51
吴安其 17;48;100;508;534;561
吴宝清 430
吴宝祥 136
吴葆棠 76;208
吴本虎 5;8
吴本清 481
吴博富 6;14
吴长安 74;100
吴超强 558
吴朝华 440
吴朝暾 493
吴承学 87
吴承玉 344
吴崇厚 5;402;409;415;420;433
吴传飞 96;129
吴春仙 379
吴从松 316;348
吴道勤 174
吴德太 431
吴登云 278
吴　迪 333;465
吴叠彬 24
吴定辉 378
吴定远 350
吴东南 469
吴东平 259
吴　非 345
吴　峰 369;373;376
吴　锋 364
吴风华 345
吴凤鸣 456
吴福祥 315;324;344
吴斧平 290;394
吴　敢 137
吴　戈 369

吴格明 93;311
吴国臣 381
吴国华 15;26
吴国群 221;469
吴国忠 311
吴海峰 224;283
吴汉杰 313
吴和得 539
吴恒菊 66
吴恒泰 307;371
吴宏林 275
吴宏伟 28;529;539;547;548;559;560
吴　泓 313
吴鸿适 290
吴鸿逵 245;313
吴　华 297
吴淮南 49;69;277;516
吴慧颖 95;157;274;335;370
吴积才 495
吴继光 9;66;79;180;182;196;285;292;384
吴继章 193;379;381
吴家璧 301
吴家珍 97;161;469
吴嘉水 438
吴建刚 167
吴建国 106
吴建玲 525
吴建平 162;298
吴建生 175;184;190;193
吴　疆 7;15
吴　杰 113
吴　洁 448
吴洁敏 62;91;163;164;165;206;221
吴金夫 199
吴金华 134;243;265;269;307
吴京汨 523
吴景山 181
吴　静 348;523
吴　娟 461
吴钧陶 438

吴俊明 274
吴开有 408
吴康君 250
吴康宁 516
吴可勤 447;453
吴可颖 314
吴兰群 113
吴礼权 8;95;96;97;257;287;288;303;400;412;418;459;470
吴立德 114
吴立华 5
吴丽萍 48;281
吴连生 196
吴　亮 113;278
吴孟雪 124
吴　敏 466
吴明华 54;385
吴木胜 398
吴培德 248;449
吴培根 305
吴　丕 294
吴启禄 200
吴启主 57;319;322;325;363;369
吴　峤 326
吴　清 291
吴清河 49;217
吴清玉 351
吴庆峰 176
吴庆祥 105;116
吴秋芬 19
吴仁甫 85;340
吴荣爵 217
吴蓉祥 343
吴瑞明 29
吴石渊 509
吴士华 474
吴士文 92;393;401;406;410
吴世雄 17;73;101
吴受祥 38
吴书祉 160
吴叔良 521
吴树凡 281
吴树和 280

作者索引

吴　思　174
吴松贵　95
吴松泉　309
吴　菘　181
吴土艮　389
吴　为　509
吴为善　13;56;243
吴为章　87;173;324;329;349;
　　350;384;385;391;398
吴伟平　40;41;53;240
吴蔚天　52
吴文超　104;110;112;290;495;
　　500
吴文虎　219
吴锡根　334;340;346;352;357
吴锡山　314
吴祥芝　456
吴　相　437
吴小红　117
吴小强　102
吴小如　75;278;316
吴晓露　8;162;323
吴笑的　305
吴卸耀　403
吴　辛　273
吴辛丑　83;249;254;270;285;407
吴欣桂　244
吴欣欣　146;281
吴新华　318;389;398
吴新群　245
吴　兴　301
吴　雪　167
吴雪涛　135
吴延枚　358
吴　艳　387
吴　焰　146
吴　燕　179
吴燕山　402
吴一文　26
吴贻翼　380
吴义城　454
吴益民　96
吴涌涛　17;25;31

吴永德　276
吴永麟　443
吴永祥　116
吴勇前　309
吴勇毅　34;154;523;524
吴余珍　418
吴　瑛　477
吴雨华　309
吴玉明　284
吴玉璋　65;66
吴　郁　23;160
吴郁芳　261
吴岳添　503
吴运泉　453
吴泽顺　207;253;256
吴增生　53
吴占海　416
吴战文　162;334
吴照林　104;106;108
吴肇晨　453
吴振国　21;346;354;362;367;
　　372;468;501
吴振武　482
吴正中　483
吴直雄　426
吴治德　252
吴中伟　370
吴周文　421
吴宗渊　170;414;417
吴祖兴　306;401
毋效智　194
伍本高　314
伍朝荣　314
伍桂红　453
伍翰仁　283
伍精华　527
伍铁平　2;6;11;12;13;14;15;16;
　　18;24;25;31;32;34;37;38;40;
　　61;62;66;69;96;100;116;124;
　　126;127;223;226;278;298;
　　299;446;467;502
伍　巍　191;223
伍云姬　189

伍宗文　228
武·呼格吉勒图　48;560
武　昂　467
武伯纶　257
武港山　118
武宏志　92
武惠华　316;414
武金峰　538;539
武树臣　293
武新春　412
武修宝　463
武　原　296
武占坤　88;282
武振玉　346;347
武志宏　470
武自立　533

X

西　渡　19
西绕拉姆　408;557;558
西田龙雄　560
西　臻　337
希尔扎提　441
奚博先　15;16;158;195
奚广银　214
奚晏平　78
郗凤歧　307
郗政民　213
习　乐　229
席德之　356
席文天　250
席元麟　26;546
喜饶嘉措　556
夏　冰　452
夏策香　291
夏　淳　423
夏德骥　92
夏广溥　247
夏广兴　137
夏　荷　387
夏　鸿　180
夏淮忠　403
夏家驷　332

夏　景　406	肖卜典　292	肖志刚　425
夏俊荣　136	肖沉冈　534	萧甫春　478;489
夏俊山　290;393;402	肖　丹　231;249;258	萧国政　25;55;60;324;325;379
夏俊霞　421	肖德法　62	萧汉斌　320
夏　岚　381	肖东强　7	萧红耘　98
夏　莲　473	肖庚远　91	萧　虎　15
夏麟勋　248;249;300	肖国政　468	萧华荣　413
夏　渌　226;256;483	肖红佩　282	萧剑平　104
夏孟珏　279	肖家成　532	萧立明　444
夏　敏　556	肖建春　256	萧玲玲　191
夏南强　235;238	肖建平　119	萧　乾　143;462
夏齐富　357;372;374;417;419;423	肖金龙　41	萧乾新　416
	肖静宁　510	萧世民　327;337
夏　泉　241;297	肖俊明　102	萧泰芳　271;276;306
夏瑞华　440	肖黎明　187	萧　雁　274
夏先培　310	肖力文　1	萧　晔　97;386
夏小慧　408	肖丽萍　26;531	小　芳　238
夏筱轩　307	肖　莉　155;232;524	小　渝　395
夏秀峰　29	肖　砾　201	晓　东　85;101;350;479;481;499
夏　衍　167	肖明翰　446	晓　光　204
夏　阳　413	肖　楠　383	晓　涵　128
夏勇良　533;546	肖　平　14;72	晓　明　98
夏　雨　16	肖　前　360	晓　鸣　32
夏之乾　545	肖前明　369	晓　文　267
夏志权　425	肖群英　23;288	晓　闻　430
夏中华　91;95;96;396	肖世民　295	晓　喻　282;347;373
夏中易　212;215;216	肖　姝　463	筱　筠　24
祥　林　244	肖　所　63	解安良　369
享　邑　405	肖同庆　126	解　冰　251
项成东　62	肖伟良　225;368	解光文　410
项锦华　430	肖　武　131;205;254;340;491	解海江　73
项开喜　371;377;385	肖奚强　72;373;378	解建和　119
项梦冰　62;180;184;185;199;200;291;335;359	肖贤彬　53;173;255;294	解　牛　175;549
	肖　新　330;359	谢伯端　191;196
项啸虎　289;440	肖　兴　243	谢伯良　208;214
项志强　462;466	肖兴吉　109	谢苍霖　130
向光忠　101	肖秀妹　352	谢春玲　491
向　零　533	肖亚东　211	谢达淄　254
向明友　81;325	肖娅曼　38	谢　丹　105
向　南　155;282	肖玉芬　548	谢丁宁　291
向　荣　162	肖远骑　422	谢栋元　199
向元荣　95;427	肖　月　528;533	谢芳庆　144;233;252;264;283;285;291;298
向　熹　67;236;257	肖正方　287	

谢逢江 286;292;328;347
谢高进 165
谢根成 419
谢光琼 232;237
谢国平 221
谢海峰 422
谢 红 290
谢 晖 506
谢辉根 338
谢纪锋 210;212;214
谢建猷 176;191;558;559
谢静民 310
谢俊英 339
谢留文 184;187;197;199
谢孟宗 308
谢 明 415
谢明琴 26;557
谢 谋 119
谢培森 233
谢启贵 427
谢仁富 393
谢 荣 72;517
谢书鹏 387
谢双成 87;251;478
谢天振 444
谢文权 399
谢锡文 163
谢遐龄 276
谢贤德 68;71
谢贤扬 121
谢晓安 191;342
谢孝苹 132
谢新卫 439
谢艳梅 29
谢一枝 197;352
谢 瑛 362
谢 沅 289
谢云飞 62;219
谢云秋 345
谢泽荣 329;443
谢振斌 502
谢志民 483;484;488;512;531;560

谢质彬 261;263;264;301;309;372
谢资娅 284
谢宗鍪 411
谢祖全 85
辛安治 314
辛 斌 19
辛朝毅 3
辛 创 196
辛 刚 1
辛冠东 400
辛 果 305
辛 菊 54;67;279;381
辛 奇 497
辛世彪 209
辛舒萍 295
辛 为 299
辛献云 461
辛勇红 60
欣 然 64
欣 雨 434
信德麟 34;61;62
星 汉 256
邢 发 346
邢福义 45;83;85;146;147;151;152;317;320;323;324;339;340;343;344;347;349;350;355;356;357;359;366;367;368;369;370;371;382;392;500
邢公畹 10;48;59;68;75;121;147;203;249;279;366;475;482;520;531;532;533;536
邢国政 67
邢红兵 381
邢 凯 558;561
邢文英 265
邢向东 180;183;184;188;189;190;194;195;267;274;325;353
邢 欣 348;374;380;382;384;385
邢 星 233
邢 行 233
邢志萍 536

熊 帆 240
熊 飞 134
熊惠珍 180
熊金丰 280;477;492
熊 军 430
熊开国 428
熊 锟 22
熊 蕾 391
熊南雁 168
熊庆年 208;268
熊 文 145;187;324;337
熊文华 356;360
熊学亮 3;8;12;53;78
熊雪林 22
熊寅谷 31
熊有为 413
熊玉有 544
熊月安 232
熊哲宏 42
熊正辉 112;205;298
修晓波 135
胥传文 412
徐安达 422
徐安基 266
徐安蓉 177;509
徐 昂 221;557
徐秉铮 108;111;113;114;115;116;322
徐炳昌 20;390;391
徐伯鸿 482
徐昌才 391
徐昌洪 218
徐 超 124;248
徐成志 275;298
徐 澄 137
徐传武 262;413;478
徐大伟 289
徐 岱 161
徐 丹 37;193;338;355;381;382;383;451
徐德江 7;9;16;25;30;46;58;125;473;475;478;503;513
徐德亮 427

徐德邻 304;425	396	223;294;328;485;487;488;
徐德智 499	徐赳赳 12;15;20;33;35;40;81;	491;492;494
徐 方 219	353;518	徐世璇 25;100;101;502;528;
徐方强 173	徐菊秀 141	554;555
徐 峰 338	徐开泰 417	徐守平 461
徐凤云 181;197	徐 可 241	徐守勤 461
徐福汀 395	徐坤元 7	徐 枢 319;320;323;379;516
徐 复 127;131;224;307	徐 兰 431	徐淑贞 287
徐复岭 190;265;311;328;361	徐莉莉 214;250	徐树德 240
徐 杲 152;403	徐丽华 171;283;287;326	徐顺平 260
徐 光 309	徐立红 455	徐思益 16;49;82;125;141;147;
徐光烈 310;481	徐烈炯 38;54;84	224;549
徐国品 4	徐 琳 545	徐颂列 377;378;400
徐国庆 143;146;149;274;288	徐伦臣 352	徐天云 330
徐国琼 556	徐梦葵 270	徐 挺 380
徐国玉 351;353;356;358	徐 敏 424	徐通锵 17;63;77;125;126;191;
徐国珍 165;394;399;404;412;	徐明明 41	219;357;371
413;427	徐明轩 209;214	徐同林 22
徐国忠 397	徐乃为 361	徐为珍 412
徐海铭 9	徐乃忠 253	徐伟民 492
徐海平 110	徐培均 210	徐伟武 276
徐涵初 456	徐佩珍 108	徐伟中 105
徐 恒 129	徐 萍 435	徐 文 280
徐红梅 314	徐 平 218	徐文枫 457
徐洪涛 327;351	徐启庭 315;378	徐文堪 204;227;297
徐华芸 174	徐 前 297	徐翁宇 39;72;159
徐挥道 369	徐 青 61;62;87	徐无忌 151;405
徐 辉 103;106	徐清泉 184	徐悉艰 555;556
徐火辉 119;481	徐庆凯 11;239;242	徐湘云 258
徐吉润 10;319;365;406	徐如根 304	徐向顺 181
徐 戟 115	徐 山 259	徐小江 171;391
徐家福 105	徐尚聪 555	徐晓鸿 494
徐家荣 443	徐绍仲 394	徐晓洪 407
徐 坚 119	徐生林 404	徐晓蓝 236
徐建国 372;412	徐盛桓 4;14;19;27;39;41;57;	徐秀君 95;284;416
徐建华 283;293;362;372	70;75;77;79;84;155;225	徐雁平 454
徐建萍 101	徐时仪 154;227;229;246;265;	徐阳春 56;132
徐 杰 125	268;340;401;512;526	徐耀民 142;250
徐 洁 327;331;353;354;382	徐实曾 349	徐叶菁 523
徐经闩 76	徐士林 113	徐亦尤 176
徐景陵 454	徐式谷 445	徐应葵 166
徐敬德 393	徐世杰 141	徐映珉 172
徐静茜 1;20;23;204;274;280;	徐世荣 65;153;175;176;219;	徐永和 423

徐永森 305;475	许东振 534	许天良 437
徐友渔 10	许斗斗 39	许廷桂 245;406
徐有富 166	许凤奇 500	许威汉 24;121;245;476
徐有修 223	许高渝 45	许锡强 262
徐有志 51	许光烈 68;271	许仰民 189;195;310;319;327; 335;339;366;370;372
徐予方 268	许国庆 151	
徐禹鼎 506	许国璋 124;127;303	许 烨 392;401
徐玉琳 462;466	许皓光 195	许友科 338
徐育才 439;440	许和平 327;336	许余龙 12;44;77
徐远水 388;399	许贺龙 291	许渊冲 443;445;460
徐 越 196	许宏蕴 430	许 云 556
徐越化 122	许洪君 303;308	许占方 387
徐在斌 93	许惠山 103;109	许 征 73;264;533
徐朝华 310	许佳好 99	许正元 150;271
徐兆峰 494	许家梁 104;112	旭 东 154
徐振礼 330;419	许家仲 398	宣德五 470;534
徐振忠 44;452;454	许嘉璐 54;74;123;134;140;147; 150;151;152;153;226;228; 264;316;422;492	宣景文 405
徐正考 67;318;319;320;371		薛安勤 513
徐正荣 106		薛才德 181;529;535;539
徐之明 217	许建潮 115	薛从军 284
徐志民 40	许建平 209;449	薛恭穆 309
徐志奇 236	许建章 169	薛国富 179
徐治才 519	许 进 216;304;307	薛国光 114;505
徐中玉 31;230	许 婧 154	薛建海 472
徐忠明 420	许 钧 438;441;442;447;449; 452;455;457;459;466	薛开平 118
徐仲华 127;142		薛克谬 226;231
徐子亮 58;525;530	许匡一 217;333;482	薛 遴 236
徐子祥 98	许兰云 402	薛 玲 95
徐自强 59;514	许力生 60;397	薛培华 237
徐祖友 49;227;298	许利英 88	薛 平 223
徐佐臣 395;510	许罗迈 104	薛其林 40
许艾琼 54;126;238	许梦麟 214;215	薛儒章 303
许宝华 196	许 明 421	薛诗绮 240
许 璧 42	许丕华 6;14	薛万霖 338
许长安 33;182;189;200;489; 492;498;500;503	许迁桂 248	薛新立 115
	许 谦 416	薛振华 275
许承军 441	许钦承 386	薛忠正 88
许崇信 89;437;448;463	许汝民 365	学 武 393
许春淑 5;18	许润民 13	学叙伦 463
许淳熙 425	许绍早 216	雪 犁 541
许 丹 110	许世茂 1;72;88	寻仲臣 216
许德宝 207	许寿椿 51;103;107;116;118; 120;501	荀春荣 169;213
许德楠 56;227;270		

Y

雅 贞 98
亚僮伦 421
燕 宝 544
燕华兴 229
燕静君 440
燕生贤 367
鄢丽艳 499
鄢先觉 230
严长松 426;428
严辰松 4;11;51;85
严承钧 234;345
严 慈 250;258;293;315;355
严奉强 273
严光文 502
严国年 273
严国宁 88
严火其 20
严加胜 367
严 军 259
严 棉 200
严木初 181;539
严 平 3
严戎庚 345
严荣森 159;286
严汝娴 545
严素铭 544
严廷德 279
严文魁 107
严晓晖 80
严修鸿 189
严戌庚 127
严学宭 11;212
严永欣 501
严 正 512
严志君 303;306;308
言家信 489
岩 公 231
岩田礼 28
阎 诚 162

阎纯德 129
阎德胜 47;437;438;444;446;452;457;461
阎得早 327
阎桂新 160
阎贵臣 418
阎 鸿 264
阎红生 339
阎 杰 389
阎丽艳 45
阎伟臣 145;357
阎雪雯 287
阎仲笙 10;291;353
颜达庆 396
颜景孝 298
颜 迈 346
颜洽茂 183;246
颜清徽 185
颜若愚 246
颜 森 24;197;198
颜 苏 456
颜新腾 282
颜秀萍 74
颜逸明 203;490
颜治强 449
晏 斌 440
晏鸿鸣 100;140
晏懋思 377;455;513
晏 铭 508
晏 雁 240;298
晏跃雄 431
晏章军 112
晏政凤 403
扬锡彭 337
扬子晴 65
阳友权 162;164
阳志清 18
杨爱群 268
杨安利 66
杨 柏 538
杨邦拓 100
杨宝生 246;359
杨宝忠 130;259;263

杨碧珠 149
杨必胜 159;190
杨秉一 176;527;528;529;532
杨炳辉 52;363
杨伯勤 516
杨才铭 437
杨成凯 79;82;124;202;319;320;324;363;385
杨承兴 548;549
杨崇理 250;411
杨春富 460
杨春霖 291
杨春燕 539
杨翠菊 478
杨大亮 461
杨大为 350
杨代舜 236
杨道沅 8;110
杨德峰 339
杨鼎夫 19;118;247;395;403
杨 栋 55
杨端志 263
杨敦贵 346
杨 帆 88
杨 芳 421
杨放之 244
杨风之 487
杨凤萍 252
杨福绵 302
杨福泉 261
杨富学 548;561
杨 钢 237
杨冠华 67;132
杨光慈 460
杨光荣 46;68;75
杨光浴 334
杨光远 535
杨桂梅 152;373
杨国斌 442;467
杨国庆 116
杨国文 111;342;358
杨国章 20
杨亥洲 47

杨涵秋 506	杨丽珠 131	杨石泉 71;204
杨合鸣 136;227;248;253;259	杨莉藜 510	杨时俊 73;212;292
杨 贺 263	杨烈雄 155;301	杨士首 228;248
杨红华 339;435	杨 琳 264;286;302	杨世俊 94;217;397
杨 虹 481	杨 凌 439;533	杨守森 165
杨洪光 465	杨留记 510	杨 舒 22;27
杨洪升 356	杨满珍 2	杨淑敏 26;324
杨鸿勋 489	杨美宇 308	杨述祖 192
杨虎嫩·J 541	杨 猛 251;258;514	杨树森 275;343;360;381
杨 华 83;288;322;358	杨民生 172	杨双安 225
杨 桦 374	杨 敏 255	杨顺安 218;219;220
杨焕典 545	杨明甲 314	杨思奎 356
杨辉映 305	杨明训 250	杨松岐 422
杨 慧 165	杨鸣生 6	杨 苏 99
杨惠芬 339	杨耐思 209;210;211;216;335;473	杨 甦 57;70
杨惠临 284		杨素兰 457
杨惠元 520;526	杨澎涛 338	杨天戈 331;521
杨吉元 347;372	杨 平 22;67;193;489	杨天庆 411
杨纪珂 491	杨其伦 95	杨天雨 62
杨寄洲 202	杨启昌 488	杨庭硕 100
杨家源 114	杨启光 14;44;55;83;300;323;324	杨通银 536
杨嘉敏 514		杨万娟 283
杨坚定 20	杨启寿 290	杨 薇 242
杨建国 144;436	杨启先 445	杨 维 1
杨建华 117	杨起予 231;233;242	杨维文 544
杨剑虹 485	杨钱鹰 106	杨卫中 55
杨剑桥 4;214;217;238	杨勤盛 544	杨 蔚 185
杨 玠 530	杨 清 31;73;226	杨文全 127
杨 杰 438	杨清澄 135;250	杨文忠 423
杨 今 457	杨庆国 539	杨文仲 155
杨金鼎 239	杨秋泽 154	杨武能 451
杨金华 11;62;69;229	杨 权 533;536	杨 锡 536
杨景德 39	杨全红 466	杨锡彭 80;337
杨靖轩 288	杨忍君 426	杨宪明 527
杨久铭 81	杨荣祥 122;133;214;299;338	杨宪泽 106
杨 军 184;217	杨蓉蓉 211	杨象宁 182
杨俊萱 416;524	杨汝钧 464	杨小洪 446
杨开三 443	杨润陆 75	杨晓黎 140;276;282;323;386
杨开莹 196	杨山青 69	杨孝坤 316
杨开勇 376	杨尚贵 315;324	杨新亭 82
杨克定 260	杨少萱 424	杨信川 28;64;176;434;484
杨克明 254	杨绍林 176;178;189;190	杨信彰 41
杨来复 67;455	杨 石 341	杨行峻 104;110

杨秀君 32
杨秀明 93;159;200
杨 璇 102
杨学军 136
杨学良 392
杨学渊 375
杨雪燕 2;45
杨衍松 455;460
杨艳丽 547
杨 扬 437
杨旸斌 309
杨要武 235
杨耀谱 308
杨一擎 215
杨一吾 252
杨亦鸣 209;211
杨 义 482
杨义仪 265
杨 翼 525
杨 音 404
杨应芹 233;236;487;500
杨应新 28;527;528;534
杨 莹 376
杨永爱 247
杨永龙 324;342
杨永隆 193
杨永明 420
杨 勇 323
杨 羽 511
杨玉芳 170;327
杨玉玲 218
杨 郁 257
杨育林 218;318;326;354;367;369
杨元芳 560
杨月蓉 158;288;352;374
杨载武 207;239;267;268;310
杨再彪 544
杨在安 442;446
杨择令 484
杨泽清 466
杨增强 154
杨占武 533;560

杨哲昆 387
杨振国 182;255
杨振洪 531
杨振兰 65;225
杨振义 389
杨镇雄 42
杨 整 110
杨正苞 501
杨芝明 420
杨志本 242
杨志刚 537
杨志顺 423
杨 忠 61;76;80;465
杨忠诚 254
杨子仪 180;197;490
杨子禹 230
杨自俭 44;437
杨宗义 226
杨祖楞 228
杨祖希 3;49;227
杨 佐 314
姚炳祺 249;257;478
姚昌道 555
姚楚材 276
姚德怀 276;287;290;497;507
姚扶有 160
姚福祥 533
姚福中 290
姚淦铭 130;217;271;482
姚汉铭 140;152;285;286;321;331;334;337;338;374;388;396;398;406
姚华堤 434
姚继舜 252
姚剑鹏 466
姚力芸 28
姚良文 103
姚律人 410
姚萝姑 112
姚莫诩 80;81
姚鹏慈 282;285;286
姚汝华 92
姚天川 376

姚天顺 102;106
姚锡远 55;95;139;173;273;274;285;407;477
姚喜双 148;220
姚小欧 127
姚小平 37;39;42;44;125;128
姚晓波 144;346;399;427;428
姚晓丹 312
姚孝遂 482
姚行地 237
姚学贤 230
姚亚平 5;13;32;52;57;90;93;95;96;122;124;153;155;160;398;399;434
姚彝铭 169
姚 英 301;353
姚永铭 135;292;395
姚振武 256;257;258;315;413
姚仲明 389
要 英 48
叶宝奎 216;270
叶炳勋 456
叶步青 75;81
叶楚强 110
叶 闯 10
叶德书 546
叶尔多斯·巴孜肯 538
叶根奎 292
叶国泉 174;202
叶 红 383;444;465
叶家泉 466
叶家旺 378
叶锦明 2
叶景烈 174
叶 军 144
叶君健 441;447
叶君伊 390
叶 骏 271
叶 澜 6
叶 雷 157
叶林海 58;166
叶 鸣 59
叶 铭 24

叶 南 377	义 琳 511	尹国志 297
叶其峰 486	忆 松 437	尹 君 133
叶黔达 424	亦 成 239	尹黎云 274
叶 青 141	亦 宁 2	尹林春 273
叶 蓉 343	佚 名 321	尹日高 291
叶 胜 497	易 斌 552	尹世超 54;96;154;206;335;353;
叶 盛 64	易德波 188	378;385;427
叶诗芳 494	易固基 516	尹 苏 56
叶世融 103;505	易和文 475	尹铁超 24;71
叶世绮 111	易宏元 103	尹湘玲 71
叶舒宪 44;87	易洪川 14;71;155;159;259;330;	尹宗利 74
叶水夫 447	363;402;515	印 辉 20
叶素青 425	易健贤 236	印 平 282
叶祥苓 174;196;236	易匠翘 123;366;367;399	印述德 78
叶向东 166	易接道 162	应天常 155
叶晓路 118	易锦竹 462	应雨田 197;340
叶 辛 144	易 岚 98	应云天 452
叶永烈 145	易良生 424;426;428	嘤 鸣 179
叶玉林 558	易绵竹 374	迎 新 315
叶元臣 405	易 敏 36;312	永柏寿 553
叶泽炎 363	易 平 403	永 炎 277
叶正渤 252;271;279;527	易 蒲 156;387;398;408;471	勇 全 173
叶 子 423	易行锦 377	尤爱莉 85
叶子南 438	易亚新 197	尤俊成 275;280;345
叶子雄 497	易正中 381	尤丽杜丝 527
叶 梓 93	易 之 341;506	尤丽杜丝·阿曼吐尔 441;540
叶蜚声 13;37;76;317;442	易志仲 393	尤佩玉 393
叶籁士 31	易仲良 82;463	尤庆环 310
一 成 290	逸 典 435	尤志心 372;409
一 介 401	逸 如 128	游 江 519
一 林 403	益 西 557	游任遂 269
一 谭 100;511	裔 妍 353	游 刃 168
一 文 44	殷寄明 217;235;296;299;398;	游汝杰 27;140;157;193;195;196
一 虚 195;212	475;477;483;486	游尚功 216
伊北风 431	殷时春 370;472	游顺钊 484;487
伊布新 369		
伊 丛 41	殷作炎 171;172;185;216	於 宁 71
伊道恩 52;158	银 题 540	于斌生 454
伊 敏 548;549	尹斌庸 53;112;140;473;492;	于成鲲 429
伊明·阿布拉 553	497;500;507;508;511	于春海 131
伊·穆提义 529	尹常林 171	于春华 494
伊万·E·斯威策 72	尹大仓 190	于逢春 69;173;412
依米提·赛买提 175	尹国英 455	于根元 28;34;60;153;167;176;

224;237;238;351;397;514
于功弟 113
于 谷 283
于光远 178;297
于广元 235;342;397;407;408
于国清 407
于国荣 115
于海江 68
于海洲 276;435
于 虹 153;481
于 江 245;332
于 岚 458
于立源 156;431
于曼玲 246
于鸣放 59
于 宁 220
于 其 138;249
于庆峰 66
于秋洋 411
于全有 16;97;348
于 壬 402
于善志 58;465
于树泉 96;302;392
于思湘 221;222;355;415;434
于天池 20
于夏龙 177
于学滨 368
于 延 154
于衍存 131
于映香 399
于幼弟 107
于 岳 474;501
于振斌 326
于植元 505
于志荣 484
于中航 489
于 朗 223
于 立 42
余碧平 100
余 斌 403
余炳毛 94
余伯禧 189;199
余大光 68;133;228

余福智 252
余国庆 138
余惠邦 145
余家骥 232;253;307
余 力 76
余 论 301
余明象 215
余慕鸿 462
余迺永 214;217
余培英 153;499
余让尧 228;229;254
余淑珍 287
余 松 166
余 韦 501
余 维 48
余祥明 58
余行达 240
余义润 86
余亦农 441
余英士 38
余应源 515
余源根 196
余云霞 520
余珍有 30
余知真 502
余志鸿 45;69;112;123;124;204;
 318;347;353;363;373;525;
 536;542
余 子 523
禺 雨 470
俞 岸 164
俞长春 32
俞东明 38;81
俞敦雨 273;283;323;391;407;
 437
俞洪亮 455
俞 瑾 9
俞 涓 49
俞理明 304;311
俞莉莉 73;261
俞 敏 193;195;208;228;239;
 421;546
俞 明 355

俞秋心 392
俞如珍 66
俞士汶 52;104;107
俞思义 70
俞天白 145
俞贤富 518
俞 兴 408
俞宣孟 10
俞雪平 400
俞 雁 119
俞 扬 182;192;328
俞咏梅 365
俞约法 4;32;37;42;43;53;78;
 523
俞允海 246
俞正贻 28;316
虞 成 168
虞 莉 172
虞万里 211;245;251
虞荟文 348
宇 键 116
雨 箭 511
雨 齐 416
雨 时 243
雨 霁 477
禹和平 268
禹 岩 238;527;531
禹永平 148
语 斯 280
玉 良 171
玉 柱 317;335;336;347;364;
 366;371;373
郁静超 440
郁慕镛 95
郁 浓 138
郁晓耕 165
峪 门 300
尉迟治平 129;206;210;216;275
喻柏林 492;505
喻炳新 393
喻翠容 535
喻 捷 548;549;551
喻绍梧 103

喻世长 70;530
喻遂生 215;217;478;486;487;489
喻卫平 179
喻云根 22;440
蔚京生 109
蔚群 389
元鸿仁 141;155;224;495;504
元木 136;252;253
元硕 171
园林 144
袁傲珍 213;260
袁本良 387;405;409;471
袁斌业 289;446
袁宾 121;306;321
袁长江 293
袁传璋 66
袁丁 560
袁谷娴 322
袁国雄 235;323;376;403;428;508
袁浩 460
袁洪庚 443
袁华忠 293
袁晖 160;327;426;513
袁伽倪 71
袁家骅 198;199;202
袁嘉 19;172;225;302;323;510
袁建平 45
袁杰 42;44;467
袁津琥 134;278;294
袁锦翔 451;461;468
袁可嘉 461;468
袁莉 458
袁连顺 387
袁林 246
袁明光 109
袁其结 411
袁琦 109
袁启明 166
袁庆华 332
袁庆述 174;472
袁世平 60

袁世全 230
袁淑琴 361;517
袁晞 147
袁席箴 92
袁祥 179
袁晓波 34
袁晓园 472;473;475;481;497
袁秀 413
袁旭东 343
袁义 56;61
袁义达 140
袁义林 79
袁有根 432
袁毓林 19;20;21;34;82;343;348;354;361;364;370;375
袁志宏 387;431
袁钟瑞 178;179
袁自衡 308
原青林 29
原绍锋 427
原新梅 167;423
原玉祥 426
远征 501
苑成存 66
苑春法 111
苑广才 425
苑莉均 11
苑真 292
苑中树 540
约翰·R·泰勒文 12
乐黛云 393
乐眉云 41
乐鸣 386
乐秀拔 90;406
岳长顺 275
岳东生 94;161;405;414;417
岳东升 397
岳方遂 150;319;320;425;432;434
岳海翔 426;431
岳华 117
岳立静 189;351
岳梅珍 253;294;404

岳维善 521
岳志东 522
岳中奇 359
越洋 494
云汉 329;341;363;372
云孙 475
云兴华 357
允贻 21;23;143;159;294

Z

再娜甫·尼牙孜 548;550;551;552
赞拉·阿旺 556
臧国芝 349
臧克和 33;131;250;477;486
臧魁环 364
臧学鹏 284;515
臧正民 168
曾炳衡 437
曾采今 360
曾承兴 107
曾大力 241
曾大亮 117;119
曾德祥 332
曾定东 399
曾福安 222
曾福生 372
曾钢城 135
曾光平 248;271
曾广平 291
曾护荣 413
曾金祥 405
曾克明 467
曾良 226;255;260;262;266;270;273;416
曾民族 108
曾平东 313
曾庆茂 397
曾荣 344
曾汝弟 7
曾世竹 490
曾双全 502
曾素元 430
曾宪才 71

曾宪柳 123
曾宪群 133;276
曾宪通 184;201
曾祥华 93
曾祥麟 555
曾祥芹 8
曾晓渝 150;207;208;212
曾彦修 297
曾毅平 29;86;87;386;395;396;510
曾毓美 191;197
曾远鸿 353
曾忠禄 44
曾自立 466
扎宜提·热依木 439;465
查德贵 392
翟成祥 75;105
翟 汎 58
翟 华 426
翟惠林 512
翟马洪 437;440
翟相君 399
翟 汛 157
詹伯慧 27;28;147;148;175;180;183;200;201;202;205;495;496
詹德优 227
詹继曼 90;282
詹建桥 119
詹 剑 114;322
詹龙林 517
詹人凤 84;156;490
詹少平 164
詹文华 200
詹绪佐 121;154;244;478
詹鄞鑫 135;249;250;264;426;511
詹允昭 440
詹真荣 41
章备福 284
章沧授 417
章朝东 439
章国英 117
章纪孝 513

章兼中 59
章康美 284
章 平 352
章 琼 480
章 森 112;119
章士嵘 5;13
章握瑜 392
章新传 225;305
章 熊 57;124;156;157;204
章 也 307;374
章一鸣 81
章逸影 71
章于炎 453
章运椿 457
章志洁 426
章忠云 92
张爱民 55;187;188;322;323;332;348;383
张爱琴 318
张安生 181;184;188;194
张奥列 162
张柏青 208
张柏然 236
张百栋 146
张邦亮 118
张保忠 178;391;431
张宝林 379
张葆华 495
张 蓓 14;455
张本立 314
张 标 238;241;298;299;500
张 斌 54;58;205
张斌荣 514
张炳华 292
张 波 309
张 博 224;235;252;253;264;280;307;326;357;409
张伯海 178
张伯江 165;323;332;333;349;352;356;363;380
张伯利 163
张伯敏 53
张步天 131

张 权 332
张昌圣 561
张长桂 315
张长江 381
张朝宜 23
张潮生 69;72
张 辰 76
张 颡 356
张成材 80;181
张 弛 309;383
张 崇 167;185;193;195;266;268
张初雄 48
张楚藩 351
张传曾 215;217;244
张春莲 312
张春隆 38
张春荣 379
张春山 400
张纯德 554
张纯静 301
张纯武 281
张次曼 9;199
张聪东 43
张大鸣 74;163
张大松 10
张大友 389;422
张德福 303
张德光 526
张德俊 410
张德禄 16;52;78;81;83
张德明 26;73;92;165;390;399;404;419;420;467;515
张德全 432
张德熙 428
张德尧 521
张德意 252
张德劭 464
张德鑫 28;121;132;139;287;292;293;294;337;342;400;447;456;457;465;494;522;525
张 灯 252;253;259;260;261
张登岐 80;156;173;271;327;

335;336;350;351;353
张迪修 302
张涤华 229;236;246;248;297;468
张殿芳 359
张定京 453;531;533;537;538;539
张定兴 459;464
张东辉 394
张 盾 10
张恩普 389;478
张二虎 117
张发明 160;353;510
张 法 7
张法荣 114
张 帆 120
张帆影 264
张 凡 88;105
张方正 189
张 放 165
张 峰 263
张峰屹 285
张凤春 453
张凤格 516
张凤鸣 463;465
张凤麟 518
张福深 216
张福印 256
张复星 438
张富荣 29
张高明 277;414
张公瑾 6;26;57;99;529
张恭瑾 76
张拱贵 35;126;383
张贡新 534
张谷平 429
张冠湘 416;418
张光磊 414
张光明 166;183;188;194;205
张光宇 180;182;197;200;212;251
张光芝 429
张广礼 465

张归璧 180;246
张贵生 504
张贵元 291
张桂宾 30;90;376
张桂芹 497
张桂权 148;184
张桂珍 482
张国发 96
张国功 140
张国光 306;315
张国军 434
张国梁 390
张国瑞 97;392;397
张国宪 83;84;85;341;344;345;357;362;364;365;371;372;375;400;406;497
张国祥 182
张国学 151;222;258
张国扬 35;395
张海城 73
张海龙 180
张海霞 433
张海忠 336
张寒松 131
张汉民 118;162;353
张汉儒 4
张汉兴 326
张 颔 488
张 浩 19;21;22;487
张和平 528
张和生 523
张鹤泉 491;507
张 弘 7;164
张 虹 379;418
张虹霞 280
张鸿魁 159;208;268;269;476;479
张洪超 324;380
张宏超 551
张宏梁 88;94;174
张宏星 95;283;422;433
张 闳 392
张后尘 446

张 鹄 97;160;386
张虎刚 233
张华文 175;258;314
张怀功 472
张焕欣 401
张 蕙 229
张慧晶 326
张惠民 80;169
张惠英 161;200;201;266;268;344
张会恩 82
张会森 42;43;88;93;94;163
张积家 275;472
张积模 22;460
张吉干 416
张济川 28;558
张济华 295
张济民 532;533;545
张济生 94
张继定 275
张继革 465
张继平 302
张继先 167
张嘉星 388
张家骅 6;442
张家騄 56
张家龙 4
张家泰 82;350
张家英 137;240;263;276;312;432;434
张家芝 180
张家重 105
张 建 222
张建华 303
张建军 333
张建民 171;443;521
张建升 141
张建中 300
张 剑 251;387;389;398;399;400;407;410;412;415
张剑华 419
张剑鸣 405
张 健 340;351

张　箭 292
张　杰 3;39;49;89;240;541
张介明 160
张金福 323
张金泉 512
张金兴 323
张锦文 240
张锦笙 312;313
张　瑾 443
张劲秋 70;124;235;389;487
张敬仪 551
张　静 59;141;498;513;519
张静平 371
张　炯 166;167
张九林 136;209;307
张九武 56;395
张巨龄 173;174;323
张　觉 134;135;245;248;302;303;382;510
张均如 532;536;561
张　钧 135
张　军 44;75;102;305;557
张　君 250
张君晓 432
张俊盛 111
张开勤 150;151;511
张　侃 107
张考存 118
张可任 298
张　克 472
张克晢 261;263;264
张宽信 43;124;479
张奎文 275
张　逵 39
张　琨 199;213;218;544;554
张来新 110;113
张兰芝 376
张　岚 105
张　磊 530
张　犁 158;276
张　黎 12;83;325;371
张礼勋 88;143
张立荣 100;290

张立玉 48
张丽媛 412
张利波 114
张　莉 282
张莉文 463
张连生 332;346
张联荣 74;168;253;270;303
张炼强 86;94;170;367;389;391;392;396;401;404;410;411;412;415;421
张良材 115
张良甫 148
张良国 282
张良佐 493;503
张　量 551
张　亮 547
张林川 32;232;296
张林林 175;197;198
张麟声 338
张凌云 463
张龙宽 449
张　鹿 103
张璐璐 498
张履祥 227;241
张迈曾 34
张满飙 156
张梅岗 461;466
张　煤 461
张美兰 259;267
张　猛 233
张梦井 41;459
张　民 104;251;427
张民权 263;294
张　敏 74;116;397
张敏民 311
张明德 452;549
张明谦 250
张明仙 517
张铭涧 59
张乃愚 458
张南峰 465
张　楠 486
张妮妮 7;66

张念慈 435
张　宁 24;293
张宁虹 106
张培彧 48
张沛恒 76
张朋朋 25;41;100;101
张　鹏 498
张　平 25;112
张　普 103;105;111;120;222;501;502
张其凡 135
张其昀 100;176;245;251;303;308;311;339;342;344;348;417;491;498
张琪宏 315
张歧鸣 44
张　琦 451
张启焕 207
张　潜 378;398;400
张　青 34
张青蓝 7;34
张清常 33;36;73;137;193;194;206;211;213;225;276;284;287;330;334;413;420;543
张清良 432
张庆宏 519;549
张庆路 444
张庆年 441
张庆儒 422
张庆旭 85;116
张庆云 16;73;298
张秋云 359
张邱林 185;191;343
张　权 341
张全森 44
张仁干 313
张仁立 68;225;251
张　韧 5;81;454
张日昇 202
张蓉兰 531;533
张　榕 55
张　儒 208;312
张汝伦 239

张　锐　58;126
张瑞宣　347;356;367
张　森　117
张森林　442
张少华　408
张少润　117
张绍杰　59;61;76;80
张绍滔　46
张生汉　211;243;255;266;270
张　声　453;548;553
张胜广　326
张盛龙　209
张盛如　302
张盛裕　181;185;187
张十才　293
张士熙　311
张士显　25
张世才　434
张世超　247;312
张世杰　500
张世禄　207
张世年　350;360
张世武　53
张世铎　225
张仕仁　369
张守基　205
张寿康　203;295;467;472;483;496
张寿眉　401
张书岩　27;101;480;481;489;492;497
张　舒　5;444
张淑芳　552
张淑敏　191
张树波　257
张树铮　62;153;155;175;176;178;190;195;211;223;225;255;260;267;283;379;506
张数玄　112
张双福　288;471
张　爽　261
张思齐　68
张思武　459

张思重　386
张斯忠　253
张松林　85;327;328;458
张　颂　148;179
张素华　159
张素英　271
张天堡　203;263;268
张天光　439;481
张铁山　547;560;561
张廷兴　285
张廷友　154
张　瞳　423
张万方　233
张万明　346
张万起　240;335
张万象　202
张王飞　92
张旺熹　33;55;371;378;515;526
张威廉　449
张维耿　74;276
张维佳　495
张维仑　68
张维真　343
张伟立　550;551
张伟中　160
张卫东　105
张位东　389
张渭毅　206;216;217
张文范　147
张文甫　292;376;429
张文国　309
张文虎　235;323;376;403;428;508
张文焕　508
张文荣　369;432
张文熊　297
张文轩　121;180;213;282
张文忠　431
张闻玉　132;306
张武田　221;475
张熙雄　29
张希峰　131;224;260;262;481;510

张希玉　428
张喜斌　118
张　霞　315;339;448
张先觉　247
张先亮　148;341;387;392
张先涛　95;218
张先裕　484
张显成　84;138;235;311
张显峰　136
张献青　421
张相铭　82
张向群　58;334;337;341;342
张向阳　345;361;378
张潇华　144
张小东　251
张小朋　104;110
张晓光　21
张晓虎　100;134
张晓华　407
张晓平　362
张晓勤　31;287;467
张晓山　189;202
张晓西　163
张筱平　355
张孝纯　236
张孝存　114
张辛耘　151;278;343
张　欣　115;119
张炘中　109;113
张新民　138
张新荣　294
张新武　138;247;261
张新彦　333
张新泽　510
张信和　307
张兴权　47;534
张兴禹　79
张秀桂　55
张秀华　327;419
张秀荣　466
张　旭　458
张学彬　391
张学斌　31

张学成 198;265;367;368;369
张学钧 70
张学军 168
张学勤 356
张学涛 105;114;475
张学贤 301;393
张学曾 45;62;446
张学忠 69;267
张雪涛 375;392;467
张亚非 6;8;13;52;71;441
张延杰 417
张　炎 277;309
张炎荪 417
张　琰 511
张彦增 109
张艳丽 357
张　焱 173;422
张燕春 361
张　洋 191;256;552;553;560
张耀兰 150
张业松 430
张　一 433
张一耕 11
张一莉 351
张一清 30;503;506;523
张一舟 180
张以民 253;311
张以文 456
张义谦 367
张谊生 230;330;338;339;342;350;353;357
张逸岗 17;59
张应林 9
张　英 37;524
张　婴 96
张　莹 71;410
张　瀛 314
张永芳 134
张永华 339
张永奎 240
张永来 370
张永隆 132
张永全 454

张永胜 315;337;354
张永信 269
张永言 68;133;147
张永扬 254
张泳梅 513
张　勇 234;264;515
张勇君 34
张涌泉 250;257;266;269;488
张友宁 427
张有泉 495
张有新 119
张幼坤 32
张余蓉 446
张禹九 462
张玉飞 166;421
张玉惠 231;482;492
张玉金 101;253;260;315;316;473;475;478;483;493;503
张玉来 206;208;209;210;211;212;214
张玉萍 126;550;551
张玉柱 159;160
张育良 511
张育泉 110;497;498;500;501;504
张育英 27
张　煜 71
张元恩 180
张元奸 479
张元生 559
张　原 144
张　远 309
张岳良 435
张岳伦 511
张粤民 166
张粤闽 500
张月明 68
张云徽 347
张云凌 428
张云秋 300;349;357;381
张运琦 450
张在云 114;116;138;303;310;362;363;365;370;372;407

张　泽 262;393
张增荣 112
张占一 6;71;518;525
张兆奎 453
张兆英 134
张喆生 233;268
张　贞 269
张贞爱 47
张振华 71;87;88;455;535
张振民 434
张振兴 136;184;257
张振弼 417
张震久 437
张镇华 15
张正举 87;454
张正立 450
张正生 61
张政英 255
张之伟 87;96;400
张至真 428
张志达 173;256;263
张志刚 10
张志公 55;57;129;144;147;383;473;514;523
张志松 436
张志扬 3;17
张志毅 16;73;204;232;234
张　帜 257;304
张治中 439
张治樵 251
张中华 4
张中义 106
张忠达 310
张忠友 235
张钟和 385
张钟澍 103;108
张仲牧 297
张仲英 428
张仲荧 248
张轴材 104
张朱亮 357
张竹梅 213
张　著 51

张子才 227	赵惠平 161	赵世举 232;250
张子刚 183	赵 季 133	赵世开 57;122;289;447
张子开 258	赵 加 199	赵守辉 124;139;293;406;521;524
张宗超 5	赵 佳 277	
张宗正 284;419	赵家瑾 66	赵淑端 81;283;377
仇玉烛 276;340;503;505	赵家进 450	赵淑华 319;347;380;515;519
赵阿平 457;541	赵家新 89;389	赵树林 407
赵艾红 516	赵建莉 391	赵双云 158
赵百成 315;325	赵 杰 194;220;540	赵双之 158;521
赵宝煦 491	赵金铭 315;364;373;522	赵顺国 436;521
赵葆云 376	赵京禄 55	赵铁军 240;321;332
赵 宾 253;495	赵京战 313;357	赵 为 460
赵冰波 341	赵静贞 275	赵维森 431
赵秉璇 180;188;194;210;212	赵军峰 461	赵伟河 44
赵伯陶 411	赵俊华 87	赵文静 56
赵伯义 231;238;252;254;258;313;343;478;488	赵可书 172	赵鲜秋 551
	赵克勤 241;292	赵贤州 519;522
赵伯英 130	赵逵夫 265;267	赵相如 532
赵步杰 297	赵 礼 304	赵 湘 448
赵蔡欣 187	赵 丽 404	赵 翔 142
赵 昌 181	赵丽明 554	赵小刚 67;132;303;479;483
赵长才 315	赵柳英 155	赵小茂 265
赵长天 144	赵萝蕤 442	赵小沛 14;322
赵成林 226;333	赵洛生 330	赵晓环 20
赵 诚 133;241;488	赵梦雄 96;350	赵 新 339;358;381
赵传仁 240	赵 敏 57;104;326	赵秀英 43
赵纯伟 167	赵明鸣 528;547	赵旭东 225;301;306
赵福坛 224	赵宁子 96;412;420	赵 宣 251
赵光贤 497	赵丕杰 243;245;303	赵学会 520;521
赵广成 305	赵 平 1;76	赵学清 226
赵国浩 39	赵平安 133;252;292;312;483;484;486;488;490;494	赵学武 87
赵海波 6;58		赵学先 539
赵海宽 439	赵 奇 509	赵艳芳 120
赵和平 508	赵启迪 51	赵耀昌 284
赵 宏 32;177;200;212	赵启智 481	赵一凡 21;162;392
赵宏因 192	赵 起 7;46	赵 毅 92
赵洪勋 408;444	赵清永 173;379;524	赵英明 159;267
赵洪泽 554	赵汝鼎 346	赵 瑛 535
赵洪智 433	赵深琛 302	赵应铎 277;299
赵 虹 484	赵升奎 390	赵永红 560
赵华成 305	赵声磊 271;326	赵永铣 543
赵怀印 146;328;367;427	赵士林 505	赵永新 47;139;281;290;384;401;505;513
赵 辉 529	赵世杰 552	

赵永译 423
赵　勇 50;79
赵勇华 398
赵玉君 180
赵玉乐 288
赵元任 183
赵元孚 176
赵云兰 117
赵载华 300
赵泽福 316
赵增民 222
赵振才 448
赵振汉 155;158;430
赵振西 112
赵振铎 121;131;133;214;227;228;229;232
赵　正 350
赵志强 540
赵志忠 541
赵中方 253;307;331
赵　忠 499
赵子清 165
赵宗富 177
赵宗鸿 481;517
赵宗仁 108
赵宗乙 233
照那斯图 287;542;543;561
甄　勃 111
甄尚灵 180
郑爱群 146
郑安雨 365
郑宝倩 140;395
郑炳泉 257;434
郑昌时 389;393;394;427
郑　超 254;391;413
郑丹棉 35
郑殿仁 371
郑恩岳 451;456
郑　枫 508
郑福田 168
郑光玖 391
郑贵友 20;21;130;285;344;385
郑国乔 536

郑国钦 382
郑海凌 447
郑　红 235;253;260;275
郑洪伟 465
郑鸿乔 386
郑厚尧 30
郑　桦 488
郑怀德 231
郑家恒 53
郑　健 429
郑　婕 518;550;552
郑景荣 84;362
郑俊海 5
郑立仁 330
郑丽雅 358
郑丽芸 41
郑　料 470
郑林曦 474;476;496;503;509
郑伦金 450
郑明珍 471
郑启平 274
郑启五 230
郑庆君 468
郑庆山 193;265
郑仁甲 211
郑荣基 160
郑荣馨 91;173;276;398;404;414;430
郑荣萱 34
郑　榕 423
郑锐锄 402
郑声衡 45;46
郑声滔 438;443;456
郑诗鼎 35;452;457;458
郑述谱 50;69;233
郑四明 363
郑　涛 285
郑万泉 299
郑伟波 448
郑文华 196
郑文贞 378;398
郑咸义 112
郑献芹 339

郑小平 10
郑心灵 325;409
郑新民 371
郑延国 444
郑延喻 253
郑贻青 228;558;559
郑颐寿 86;91;92;467
郑懿德 319;357;383;518
郑有志 86
郑玉玲 102;117;557
郑远汉 95;123;146;349;399
郑张尚芳 206;207;210;267;536;560
郑振贤 361
郑之炎 445
郑志刚 419
郑志忠 225
郑　重 107
郑重序 87
郑子瑜 98;205;295;395;403
郑宗杜 456
郑宗泽 531
郑作广 181
支秉彝 106
知　常 258;294
郅友昌 84
致　远 421
中　绳 237
钟百超 73;74
钟必琴 266
钟桂华 350
钟国华 105
钟虎妹 82
钟进文 547
钟良弼 244
钟隆林 197
钟明立 309
钟名立 208;210
钟　平 442;451
钟如雄 225
钟守满 464
钟书能 438
钟万勤 114

钟维克 476;492
钟　文 75
钟锡华 459
钟小佩 39
钟亚林 428
钟业枢 260
钟玉秀 521
钟兆华 265;304;344
钟志平 361
钟　瑛 415;511
仲跻培 210
仲　谦 540
仲　人 461
仲　笙 383
仲伟合 442;443;446;453
仲伟芸 428;429;431
仲　鑫 231;346
仲　扬 227
仲哲明 148;203
舟晓航 456
周邦友 463
周宝宽 349;382
周北辰 355;376
周本淳 511
周本良 180;367
周　斌 114;117
周斌武 248
周　滨 24;71
周步祥 111
周长楫 167;199;200;208;209;211;217
周春梅 265
周纯智 423
周翠琳 375;522
周德华 34
周殿龙 275;327;412
周定国 288;290
周定一 385
周方珠 84;92;440;445
周　复 440
周复纲 249;255
周　刚 320;326;342
周光庆 134;224;238;271;274;285;286;295;296
周光义 189
周桂英 461
周国春 451
周国定 47
周国光 12;20;30;83;84;132;179;263;324;345;355;360;373;380;409
周国林 137
周国强 77
周国炎 37;545
周国正 66;81
周浩华 115
周恒祥 33
周　虹 390;398;402
周虹摘 469
周　洪 449
周洪波 35;67;141;147;172;237;275;288;329;354;374
周　红 33;127
周换琴 44;370
周继奎 305
周继圣 157;350
周　荐 66;94;271;276;279;285;295;327;329;352;401
周建成 137;148;254;264;308;329;332;338;341;398;418;482
周建华 399;441
周建民 317;329
周建奇 561
周建新 58
周金林 233
周　兢 30
周　静 160;278;344
周静芳 18
周静贤 303
周　娟 309
周珺英 52
周奎杰 521
周兰星 277;286
周　雷 350
周　磊 205;299;531
周立英 327
周丽伽 388
周利芳 340
周利璋 477
周廉溪 389
周　玲 331
周领顺 462
周流溪 25;37
周懋昌 411
周懋森 483
周　蒙 260
周　敏 273
周　明 118;452
周明栋 311
周明朗 523
周明强 312;399;400;405;408;426;516
周明全 104
周明荣 278
周年昌 161
周　宁 171;389
周品淇 19
周　平 461
周歧才 24
周启海 116
周启竞 433
周乾荣 135
周前方 278
周清海 308
周　庆 159
周庆生 528;536;555
周仁良 425
周日安 143;349;358
周日健 188;198;199
周日祥 505
周荣寿 430
周汝昌 504
周润年 145;177
周善甫 154
周少青 398
周少泉 201
周胜鸿 153
周士琦 225;245;258;259;288;294

周世昌 240
周世烈 325;388;396;407;409
周世钺 497
周守晋 132;399;469
周寿仁 147
周思源 21;51;519;520
周四川 500
周素意 431
周陶钧 205
周铁成 458
周同春 62
周维网 243;276;281
周维新 437
周　文 7
周文德 256
周文定 280;387;406;495
周文浩 3
周文英 66
周武彦 275
周　锡 312
周先义 198
周　宪 106;114
周小兵 70;220;291;330;335;343;344;345;354;373;521
周晓冰 364
周晓康 378
周心红 454
周信炎 214
周　星 219
周兴渤 531
周秀芳 256
周秀文 557
周学军 3
周学文 106
周训策 114
周雅凤 301
周亚东 359;517
周亚玲 553
周延良 263
周延云 88;391;404;405;408
周　燕 437
周耀文 527
周一民 192;194;362

周一农 78;82;122;141;192;317;405;419;438;469
周义芳 267;386;388;394
周应权 102
周迎春 168
周　莹 170
周雍雍 21
周永锋 178
周永惠 237;354;362;375;396
周永竟 416
周永利 29
周有斌 339;354;375;382;384;404
周有光 31;35;49;50;51;54;61;99;100;101;102;112;117;126;446;473;485;487;490;491;502;503;505;506;530
周有恒 397
周玉才 390;403
周玉成 301
周玉秀 215;330
周玉珍 430
周玉忠 438
周元琳 147
周远富 467;470
周跃文 152
周章轼 213;281;293;393
周兆道 132
周照明 262;264;277;286;350;365
周振甫 468;469
周振鹤 185
周振明 377;552
周振岳 325;369
周　正 136;327;352;355
周正举 169;478
周正民 529
周正逵 147
周之鉴 456
周之朗 131;249;383
周植荣 285
周志锋 137;255;267;268;269;297;483

周志钢 61;76
周志文 473
周志远 358
周自厚 166;337;386;421
周祖达 448
周祖谟 207;209;227;235;295;472
周　芸 465
周　奕 521
周獸裁 322
周祯祥 7
朱碧莲 250
朱炳耀 540
朱炳玉 198
朱长瑶 364
朱　城 130;137;230;239;244;261
朱成鹏 462
朱承挥 252
朱承平 123
朱崇先 555
朱　川 64;144
朱淳良 433
朱大可 27
朱大南 340;380;444
朱　丹 431
朱德培 425
朱德普 536
朱德熙 136;319;339;356
朱　狄 4
朱风云 441;465
朱凤霞 465
朱　甫 228
朱富康 426
朱光珏 244
朱广成 214
朱广祁 148;274
朱和平 339
朱鹤鸣 453
朱红兵 280
朱宏达 62;91
朱宏国 464
朱华贤 424

朱怀宏 107	朱天俊 297	诸丞亮 228;229
朱惠仙 311	朱维德 225;244;259	诸国忠 91
朱　慧 338	朱卫文 388	诸培璋 412
朱慧娟 149;288	朱文献 325;337;376;415	诸通允 61
朱继和 56	朱文旭 555	竹　君 496
朱家建 314	朱先明 463	竹　泉 512
朱家亮 298	朱显碧 27;184	祝秉权 253
朱建华 154	朱显壁 397	祝大鸣 463
朱建平 53;69	朱小安 92;96;458	祝广业 472
朱建颂 177;194;220	朱小美 459	祝鸿杰 238;318;326
朱金美 485	朱晓波 310	祝鸿熹 284
朱景松 23;97;152;187;273;277;360;374;498	朱晓农 12	祝克懿 330;343;344;359;405
	朱晓平 154;373	祝敏彻 137;223;301;315
朱静仪 468	朱晓亚 74;324;348;349;375;381;385;407	祝敏青 94;158;164;387;421;430;436
朱　磊 276		
朱立才 464	朱新华 31	祝韶春 343
朱励群 47	朱　星 383	祝畹瑾 13;52
朱良志 90;121;154;244;478	朱秀金 374	祝肇安 40
朱林清 322;333;383;384;417	朱学锋 107	祝振起 472
朱　玲 171;262	朱　润 98	祝振玉 297
朱刘芳 34	朱亚军 326	祝注先 233;291;302
朱曼华 202;442;473	朱一之 494;517	庄初升 185;189;260;477
朱茂汉 87;97;98;231;422	朱寅健 142	庄恩忠 17
朱美英 104	朱英贵 359;371	庄关通 388;514
朱　敏 288;419	朱迎平 240	庄　杰 76
朱　南 506	朱泳焱 95	庄巨川 477
朱沛地 359	朱永生 45;77	庄明亮 438
朱　琪 528	朱玉川 59	庄　奇 365
朱　旗 344	朱　跃 403;463	庄守常 176;177;178;221
朱千波 2;73;283	朱运超 180	庄淑萍 325;553
朱　强 421	朱运申 261	庄文中 147;513;514;515;516
朱　青 417	朱　桢 136	庄义友 383
朱庆明 293;523	朱振华 166	庄绎传 447
朱庆之 21;226;236;266;287;300;302;448	朱振琪 86	庄　莹 150
	朱正生 502	庄　泽 326
朱瑞平 270	朱正义 125;194;205;206;258	庄泽义 490
朱少红 335;364;402;428;431	朱志军 132	卓　麟 78
朱少华 506	朱志凯 41	卓新贤 118
朱少建 314	朱子良 364;370;372	兹　水 426
朱绍永 97	朱自强 244	紫　石 33
朱声琦 210;212;232;234;235	朱祖延 242	子　朗 305;314;345
朱世昌 463	朱作俊 89;93;282;399;414	子　叶 135;234;249
朱堂锦 436	朱作仁 501	宗世海 345;386

宗守云　278;342;359
宗廷虎　70;89;91;96;98;163;
　　173;284;292;386;390;391;
　　393;394;396;401;409;426;
　　428;429;468;470;471;509
邹崇理　72
邹德文　66;334
邹东旗　442;451
邹　酆　4;230;237;242
邹高艾　314
邹光椿　94;98;165;166;387;392;
　　396;412;421;423;443
邹洪民　409
邹家兰　148
邹嘉彦　120
邹黎敏　102
邹润榕　408
邹韶华　158;320;347;370
邹晓丽　33;306
邹玉华　68;206
邹哲承　139;172;352;360
诹访部真　9
左福光　190
左汉林　403
左民安　495
左　人　99
左思民　145;154;218
左文华　404
左　欣　12;77
左　岩　85;465
左一智　483
左致都　401

其他

A.A.龙果夫　191
A.P.考依　239
Alleton Viviane　447
Andrew Radford　365
Beatriz Garza–Cuaron　67;73
Beckman,M.E.　61
Bernard Comrie　24
Blakemore Diane　447

Blumstein,S.E.　18;19
C.Y.suen　111
Chingy Sven　113
Chu,C.C.　122
D.A.克鲁斯　71
Diane Blakemore　6;447
Dietrich,R.Graumann,C.F.　77
E.H.龙果娃　191
Eddy Route　55
Fant,G.　56
F·C　142
Hans Basboll　61
Horn,L.R.　11
Hsin–I Hsieh(谢信一)　442
Hung L.(洪兰)　113
J.A.Matisoff　46
J.莱昂斯　24
James A.Mattisoff　121
James D·McCaeley　332
James H–Y.Tai(戴浩一)　76;317
Janitza　2
Jens Bahns　3
K.Y.　502
Keating,P.A.　61
Kühlwein.W.　447
L.沙加尔　175;532
Ladefoged,P.　61
Langacker,R.W.　441
Laurence R.Horn　11
Light Timothy　76
M.M.巴赫金　13
Michael K.Tanenhaus　37
Milena SRpova　38
Merve Enü　451
N.S.努尔哈毕　63;64
Ohala,J.J.　61
Parke Tim　76
Radford Andrew　82
Rasty M.Lightbown　3
Renald W.Langacker　3
Ruth M.Kempson　80;81
Saleemi Anjum P.　517
Shen,X.N.S.　220

Shou–hsin Teng(邓守信)　123
Spolsky Bernard　17
Tanenhaus,M.K.　37
Танв Аошуан　444
Tzeng J.L.(曾志朗)　113
Van Dijk,T.A.　3
Viviane Alleton　336
W.J.　507
Wolfgang kuhlwein　445
Wong Colleen(吴杏连)　450
Zurif Edgar　446
Л.П.斯图平　50
В·Г·卡斯塔玛洛夫　29
Г·Д·托马欣　3
Е.Л.费因贝尔格　446
Николаева,Т.М.　61
О·Д·米特拉法诺瓦　29
Розанова,Н.Н.　61
Челышев,Е.П.　38
Ю·普洛霍洛夫　2
[澳大利亚]Elizabeth Ginsburg　59
[澳大利亚]劳里·A　8
[澳大利亚]张宁　522
(澳门)黄晓峰　92
(澳门)邓景滨　241
[德]René Dirren　76
[德]包华莉　376
[德]柯彼德　224;336
[德]沃尔夫冈·居尔晼　46
[德]伊尔丝·卡尔　230
[德]尤辛·特倡伯　451
[俄]A·谢米纳斯　68
[俄]格·沙赫伯扎洛夫　96
[俄]莫景西　292;327
[俄]索尔加尼克　21
[俄]谭傲霜　523
[法]Danielle Beult　454
[法]Jean　2
[法]德里达.J　7
[法]乔治·穆南　438;441;442
[韩]安奇燮　64
[韩]韩容洙　523
[韩]李根孝　125

作者索引

[韩]柳应九 211;268
[韩]南广祐 503
[韩]权正容 361
[韩]文贞惠 360
[韩]严翼相 64
[荷兰]范登伯格 189;220
[加拿大]Q.L.GU 111
[加拿大]凯尔纳,K. 450
[加拿大]鲁思·格鲁斯 37
[加拿大]让·德利尔 462
[加拿大]王邱丕君 317;362;364;371
[加拿大]许进雄 476
[捷克]卡雷·贾倍克 7
[马来西亚]黄中和 223;286
[马来西亚]罗华炎 330;341
[马来西亚]许金荣 507
[美]Arkin.P.C. 448
[美]A·塔斯基 70
[美]Bernaed Spolsky 58
[美]David Moser 40
[美]Ele Hinkel 82
[美]Joan Rubiu 2
[美]Julia M. Dobson 22
[美]J·H·格林堡 15
[美]Padefoged, halle 64
[美]R.R.艾伦 87
[美]R.罗蒂 18
[美]Rod Ellis Trcia Hdage 58
[美]S.E.图尔明 90
[美]W·罗斯·温特欧德 86
[美]阿伯拉姆斯 5
[美]艾杰瑞·杨权 536
[美]艾伦 R·R· 391
[美]艾美瑞 533
[美]保罗·德曼 99
[美]杜秦还 220
[美]冯 利 312
[美]高之正 497
[美]哈里·霍治文 3
[美]韩 源 42
[美]胡希明 60
[美]靳洪刚 520
[美]卡尔·R·罗吉斯 22
[美]柯传仁 64
[美]赖可夫,G·约翰森,M· 89
[美]李英哲 125;200
[美]里 斯 41
[美]林柏松 520
[美]罗伯特·潘·沃伦 51
[美]罗杰瑞 189;199
[美]罗纳德·沃多夫 122
[美]罗圣豪 497
[美]罗郁正 448
[美]洛伊丝·博伊德 448
[美]马尔科姆 41
[美]马静恒 520
[美]梅维恒(Victor H. Mair) 227
[美]梅祖麟 560
[美]裴碧兰 162
[美]乔治·博伊德 448
[美]屈承熹 334
[美]沈德思 2;123
[美]侍建国 62;183;212
[美]斯科特·狄兰西 557
[美]薛凤生 334
[美]王士元 27;65;121;166
[美]温晓虹 56;350;395;519
[美]余霭芹 185;191;201
[美]张质相 341
[日]北川敏男 5;18
[日]大西智之 73;159
[日]大原信一 504
[日]杜君燕 523
[日]渡边丽玲 349;381
[日]丰田五郎 559
[日]高嶋谦一 487
[日]高桥弥守彦 290;339;373
[日]古屋昭弘 134;217;560
[日]黑岩高明 2
[日]今泉润太郎 445
[日]久米博 5
[日]瀬户口律子 211
[日]李约瑟 114
[日]木村英树 21
[日]牧野巽 527
[日]明木茂夫 297
[日]牛岛德次 315
[日]彭国跃 20
[日]平山久雄 64;195;196;219
[日]千野荣一 34
[日]青木由直 107
[日]三宅登之 351
[日]杉村博文 354;374
[日]杉田泰史 312
[日]山田留里子 365
[日]松丸道雄 487
[日]藤堂明保 206
[日]藤原与一 27
[日]西川和男 525
[日]西慎光正 18;55
[日]相原茂 335;339;374
[日]盐见邦彦 284
[日]于 康 47
[日]余 维 64
[日]舆水优 518
[日]佐藤晴彦 420
[瑞士]索绪尔 446
[苏联]Б·雅克乌利夫 91
[苏联]И·М·格林则尔格 4
[苏联]Ю·РождественскNÑ 37
[苏联]г.л.斯莫利茨卡娅 233
[苏联]艾·日·Тенищев 540
[苏联]郭特立波,O. 138
[苏联]玛·科任娜 88
[苏联]钦齐乌,B.N. 65
(台湾)李美蕃 102;507
(台湾)竺家宁 64;141;214
[泰]吴雅慧 343;359
[泰]巴尼·古拉瓦尼 535
(香港)施仲谋 179
[新加坡]汪惠迪 146;152;497
[新加坡]谢世涯 51;80
[新加坡]陈重瑜 207;213
[新加坡]刘延陵 390
[新加坡]卢绍昌 491
[英]Alan Maley 5
[英]Diana Allan 5
[英]H.G. Widdowson 39

[英]J.凯斯 6
[英]Julian Edge 56
[英]Ken Hyland 56
[英]Randolph Quirk 24;77
[英]Roger Bowers 58
[英]凯斯,J.F. 449
[英]罗杰·福勒 437
[英]斯特雷文斯(Strovens,P.) 57
[英]陶玛士 560
[英]威廉·利特伍德 3
北京国际汉字研究会 474
北京市西城区人民政府西长安街街道办事处 204
北京语言学院句型研究小组 346
《比较修辞学》课题组 92
《标点符号用法》修订组 424;425
成都军区 56107 部队 204
"出版物上数字用法的规定"修订小组 150
广播电影电视部 179
广东省顺德师范学校 178
国家对外汉语教学领导小组办公室汉语水平考试部 526
国家技术监督局 230
国家教育委员会 151;158;179
国家体委 144
国家语委宣传政策法规室 126
国家语委语用所汉语拼音研究室 508;509
国家语言文字工作委员会 142;144;145;151;179
《汉字文化》编辑部 203;505

《汉字文化》评论员 502
《汉字文化》通讯员 474
河北省唐山市人民政府 145
华东师大教育系识字量测试小组 473
江西电视台 474
江西师范大学 474
锦州师范学院语言应用研究所 513
94 全国广告词评选专家委员会 174
昆明大学机电系课题组 116
美洲中国文字改革促进会 504
《民族语文》记者 527;530;531
《民族语文》评论员 527
南京市精神文明建设委员会办公室 153
《人民日报》评论员 178
《扫盲用字表》研制课题组 517
山东大学考古实习队 488
山东三联集团商业总公司 178
山东省代表 472
上海静安区人民政府 204
上海市教师口语调查研究课题组 514
上海市语言文字工作委员会 177
深圳《中华大典》基金会,全汉字操作 105
《世界汉语教学》杂志编辑部 14;123;318
通用词研究课题组 277;332
《外语教学与研究》编辑部 441

万载县教育局 517
《忻州方言词典》编写组 180
新疆维吾尔自治区民族语言文字工作委员会 528
新闻出版报社 173
烟台师院"现代汉语题库微机系统"课题组 113
《语文建设》编辑 142
《语文建设》编辑部 150;495
《语文建设》记者 146;148;150;176;178;475;497;501;505;515
《语文建设》特约评论员 178
《语文研究》编辑部 33
《语言教学与研究》杂志编辑部 14;123;318
《语言文字学》记者 490
《语言文字应用》编辑部 14
《语言文字应用》记者 206;513
语用所"新词新语新用法研究"课题组 238;272;274;277
语用所广告语言研究组 152
《中国翻译》编辑部 446
《中国计算机用户》编辑部 102
《中国语文》评论员 496
中国语文报刊协会会员代表大会 153
中华人民共和国新闻出版署 142
《中文信息》编译组 118
《中文信息》记者 111;150
《中文信息》特约记者 115
中央编译局列宁著作编译室资料处 290